中华传世藏书

續資治通鑒

［清］毕　沅◎著

線裝書局

续资治通鉴卷第八十一

中华传世藏书

續資治通鑒

【原文】

宋纪八十一　起著雍执徐【戊辰】七月,尽上章敦牂【庚午】十二月,凡二年有奇。

哲宗宪元继道显德定功　钦文睿武齐圣昭孝皇帝

元祐三年　辽大安四年【戊辰,1088】　秋,七月,戊申,荆王頵卒,谥端献。

辽曲赦奉圣州役徒。

癸丑,太皇太后诏有司褒崇皇太妃,讨论典故以闻。

丙辰,辽遣使册李乾顺为夏国王。

庚申,辽主如秋山。

壬戌,诏:"应大臣奏举馆职,并依条召试除授。其朝廷特除,不用此令。"

先是刘安世言:"祖宗定天下,首开儒馆以育人材。近岁以来,浸轻其选,或缘世赏,或以军功,或酬聚敛之能,或徇权贵之荐,未尝校试,遂贴职名。"帝以为然,故有是诏。安世又奏:"陛下过听臣言,追复旧制,而继云朝廷特除者不在此限,则是名为更张,弊原尚在。乞自转运使以上资序特除者,得不用此制。庶几塞侥幸之门,重馆职之选。"不听。

戊辰夜,东北方明如昼,俄存赤气,中有白气经天。

己巳,辽禁民出境。

癸酉,忠州言临江涂井镇雨黑黍。

八月,己卯,进封扬王颢为徐王。

庚辰,辽有司奏宛平、永清蝗为飞鸟所食。

(幸)〔辛〕巳,复置荆门军。

丙戌,罢吏试断刑法。

庚寅,辽主谒庆陵。

丁酉,渠阳蛮入寇。

辛丑,刘安世言:"臣伏见祖宗以来,执政大臣亲戚子弟,未尝敢授内外华要之职。自王安石秉政以来,尽废列圣之制,专用亲党,务快私意。今在位之臣,犹袭故态,子弟亲戚,布满要津,此最当今大患也。愿出此章,遍示三省,俾不废祖宗之法。"

中书舍人曾肇言："近日以来,颇有干求内降,特与差遣者,窃恐侥幸之人,转相扳援。谨并录上仁宗朝缘内降戒饬诏书事迹凡八条,别为一通,伏乞置之坐右,少助省览。"

九月,庚申,禁宗室联姻内臣家。

乙丑,诏观察使以上给永业田。

丁卯,策贤良方正能直言极谏科谢悰,〔己巳〕,赐进士出身,除初等职官。刘安世言:"近见悰申尚书省辞免新命状,乃云'所有敕命,未敢抵授';以'祇'为'抵',以'受'为'授'。昔唐省中有'伏猎侍郎',为严挺之所讥而罢。陛下初复置举,岂容有'抵授贤良'乎!"

冬,十月,丁丑,辽主猎于辽水之滨。己卯,驻藕丝淀。癸未,免百姓所贷官粟。

丙戌,罢新创诸堡砦。

赵瞻乞废渠阳军以舒荆湖之力,从之。

己丑,辽知北院枢密使耶律阿苏封漆水郡王。癸巳,以伊实大王耶律迪里知西北路招讨使事,以权知西北路招讨事萧休格知伊实大王事。

戊戌,复南北宣徽院。

御史翟思等言:"清心莫如省事,省事莫如省官。今天下之事,其繁简多寡,无以异于官制以前,然昔以一官治之者,今析之为四五,昔以一吏主之者,今增而为六七。愿朝廷参考古制,以救今弊。"

壬寅,辽命诸部长官亲鞫狱讼。

十一月,甲辰,遣吏部侍郎范百禄、给事中赵君锡相度回河利害,画图闻奏。

庚申,辽兴中府民张化法,以父兄犯盗当死,请以身代,辽主皆免之。

丁卯,诏岁以十月给巡城兵衣裘。

〔甲寅〕,刘安世言:"屡见近臣连名荐士,多为捷径。容使躁求,人怀觊觎,何所不至!"诏:"自今臣僚特有荐举,毋得列衔闻奏。"

十二月,癸未,辽以耶律慎思为中京留守。

刘安世言:"郓州学教授周穜上书,乞以故相王安石配享神宗庙庭。穜以疏远微贱之臣,怀奸邪观望之志,陵蔑公议,妄论典礼,伏望重行窜殛,以明好恶。"苏轼言:"臣忝备侍从,谬于知人,至引穜以污学校,谨自劾待罪。"甲午,罢穜教授,归吏部。

壬寅,白虹贯日。

户部侍郎苏辙上疏言:"回河大议虽寝,然闻议者固执来岁开河分水之策。今小吴决口,入地已深,而孙村所开,丈尺有限,不独不能回河,亦必不能分水。况黄河之性,急则通流,缓则淤淀,既无东西皆急之势,安有两河并行之理?今建议者乃谓河徙无常,万一自辽界入海,边防失备。按河昔在东,自河以西郡县,与辽接境,无山河之限,边臣建为塘水以捍其冲。今河既西,则西山一带,契丹可行之地无几,边防之利,不言可知。且契丹诸水,皆自北南注以入于海,盖地形北高,河无北徙之道,而海口深浚,势无徙移,此边防之说不足听也。臣又闻谢卿材到阙,言'黄河自小吴决口,乘高注下,水势奔(决)〔快〕,上流堤防,无复怒决之患;朝廷若以河事付臣,不役一夫,不费一金,十年保无河患'。大臣以其异己,罢归,而使王孝先、俞瑾、张景先三人重画回河之计。盖由大臣重于改过，故假契丹不测之忧以取必于朝廷；虽已遣范百禄等出按利害，然未敢保无观望风旨也。愿亟收回买梢发兵指挥，使百禄等明知圣意无所偏系，不至阿附以误国计。"

闰月，癸卯朔，颁《元祐敕令格式》。

是日，辽预行正旦礼。

甲辰，银青光禄大夫致仕蜀郡公范镇定铸律度量、钟磬等，并书及图法上进，较景祐中李照乐又下一律有奇。帝及太皇太后御延和殿，诏辅臣同阅视，赐诏嘉奖，下之太常，令三省侍从台阁之臣皆往观焉。镇时已属疾，乐奏，三日而卒，谥忠文。

镇清白坦夷，表里洞达，遇人以诚，口不言人过。及临大节，决大议，色和而语庄，虽在万乘前无所屈。平生与司马光相得甚欢，议论如出一口，故当时推天下之贤者，必曰君实、景仁。景仁，镇字也。

户部尚书韩忠彦、侍郎苏辙、韩宗道言："本部近编成《元祐会计录》，大抵一岁天下所收钱、谷、金银、币帛等物，未足以支一岁之出。臣等愿明敕本部，随事看详，量加裁损，二圣以身率之，大臣以身先之，则谁不信服！"奏入，诏："户部取索应干财用，除诸班诸军料钱、衣粮、赏给特支依旧外，其馀浮费，并行裁省，节次以闻。"

御史中丞李常言："先帝以吏人无禄，不足以责其廉，遂重其罚而禄之。向已命官核实汰冗，请督责成书。"诏门下、中书后省疾速立法。

丙午，辽主如混同江。

戊申，减宰执赐予。

甲寅，太皇太后诏曰："官冗之患，所从来尚矣；流弊之极，实萃于今，以阙计员，至相倍蓰。上有久闲失职之吏，则下有受害无告之民，故命大臣考求其本，苟非裁损入流之数，无以澄清取士之原。吾今自以眇身率先天下，永惟临御之始，尝敕有司，荫补私亲，旧无定限，自惟薄德，敢配前人！已诏家庭之恩，止从母后之比，今当又损，以示必行。夫以先帝顾托之深，天下责望之重，苟有利于社稷，吾无爱于发肤。矧此推恩，实同毫末，忠义之士，当识此情，各忘内顾之诚，共成节约之制。今后每遇圣节、大礼、生辰，合得亲属恩泽，并四分减一。皇太后、皇太妃准此。"

庚申，置六曹尚书权官。

丙寅，诏吏部详定六曹、〔寺监〕重复利害以闻。

范百禄、赵君锡既受诏，行视东西二河，度地形，究利害，见东流高仰，北流顺下，知河必不可回，即条画以闻。

四年 辽大安五年【己巳，1089】 春，正月，癸未，范百禄等使还，入对，复言："修减水河，有害无利，愿罢其役，那移工料，缮筑西堤，以护南决口。"顷之，乃诏罢回河及修减水河。

辽主如鱼儿泺。

甲申，以夏人通好，诏边将毋生事。

左司谏韩川罢为集贤校理，权发遣颍州，以数言胡宗愈不听故也。

甲午，高丽贡于辽。

(是月)〔己巳〕，知邓州蔡确复观文殿学士。

二月，甲辰，司空、同平章军国事、申国公吕公著卒，年七十二。太皇太后见辅臣曰："邦国不幸，司马相公既亡，吕司(徒)〔空〕复逝。"痛悯久之。帝亦悲感，即诣其家临奠，赠太师，谥正献。

公著自少讲学，即以治心养性为本，平居无疾言遽色，于声利纷华，泊然无所好。识虑深敏，量弘而学粹，苟便于国，不以利害动其心。与人至诚，不事表暴。其好德乐善，出于天性，士大夫有以人物为意者，必问其所知，与其所闻参互考实，以待上求。神宗尝谓执政曰："吕公著之于人材，其言不欺，如权衡之称物。"每帝前议政事，尽诚去饰，博取众人之善以为善，至其所当守，毅然不可回夺也。王安石博辨骋辞，人莫敢与抗，公著独以精识约言服之。安石尝曰："疵吝每不自胜，一诣长者，不觉消释。"其敬服如此。

庚戌，白虹贯日。

乙卯，夏国主遣使来谢封册。

壬戌，御迩英阁，诏讲读官讲《尚书》，读《宝训》。司马康讲《洪范》至"乂用三德"，帝问曰："止此三德，为更有德？"康对曰："皋陶所陈有九德，如'柔而立，刚而塞，强而义'等语是也。"先是帝恭默未言，起居舍人王岩叟喜闻德音，欲因以风谏，退而上言："陛下既能审问之，必能体而行之。三德者，人君之大本，得之则治，失之则乱，不可须臾去也。三数虽少，推而广之，足以尽天下之要。"岩叟尝侍讲，奏曰："陛下宫中何以消日？"帝曰："并无所好，惟是观书。"对曰："圣学须在积累，积累之要，在专与勤。屏去它事，始可谓专，久而不倦，始可谓勤。"帝然之。

三月，癸酉，辽主命析津、大定二府精选举人以闻。辽自清宁后，五京、诸州各建孔子庙，颁《五经》传疏，至是复下诏谕学者当穷经明道。

甲戌，苏颂等奏撰进《汉唐故事分门增修》，诏以《迩英要览》为名。

己卯，作浑天仪。

胡宗愈罢为资政殿学士、知陈州，以刘安世屡劾其罪状故也。

太史局奏："宋以火德王天下，今所造浑仪名水运，甚非吉兆。"诏以元祐浑天仪象为名。其后翰林学士许将等请即象为仪，并为一器，从之。

刘安世言："去冬迄今春，雨雪愆期，夏苗将(稿)〔槁〕，秋种未布，伏望特罢宴乐，以示闵雨之意。"丁亥，诏罢春宴。

翰林学士兼侍读苏轼，罢为龙图阁学士、知杭州。轼尝读《祖宗宝训》，因及时事，历言："今功罪不明，善恶无所劝沮；又，黄河势方北流而强之使东；夏人寇镇戎，杀掠几万人，帅臣掩蔽不以闻，韩廷亦不问。恐浸成衰乱之渐。"当轴者恨之，赵挺之、王觌攻之尤甚。轼知不见容，请外，故有是命。

己丑，诏："自今大礼毋上尊号。"

辛卯昼，有流星自东北向西北急流，至浊没。

乙未，罢幸琼林苑、金明池。

夏，四月，甲辰，辽以知奚六部大王事尼噶为本部大王。

乙巳，吕大防等以久旱求罢，不允。

丁未，(少)〔太〕保、司徒兼中书令、〔中〕太一宫使、济阳郡王曹佾卒。

佾性和易，美仪度，神宗每咨访以政，然退朝，终日语不及公事。神宗谓大臣曰："曹王虽用近亲贵，而端拱寡过，善自保，真纯臣也。"进对，未尝名。

戊申，罢大礼使及奏告宰执加赐。

先是知汉阳军吴处厚言："蔡确昨谪安州，不自循省，包蓄怨心，尝游车盖亭，赋诗十章，内二章讥讪尤甚。"奏至，左司谏吴安诗首闻其事，即弹论之；梁焘、范祖禹、王岩叟、刘安世等，交章乞正确罪。壬子，诏令确具析闻奏，仍委知安州钱景阳缴进确元题诗本。

始，确尝从处厚学赋，及作相，与处厚有隙。王珪欲除处厚馆职，为确所沮，处厚由是恨确，故笺释其诗上之。士大夫固多疾确，然亦由此畏恶处厚云。

辽主猎于北山。

戊午，分经义、诗赋为两科试士，罢明法科。

尚书省请复诗赋，与经义、诗赋为两科试士，又言旧明法最为下科，今中者即除司法，叙名反在及第进士上，非是，诏从之。凡诗赋进士，于《易》《书》《诗》《周礼》《礼记》《春秋左传》内听习一经。初试本经义二道，《论》《孟》义各一道，次试赋及律诗各一首，次试论一首，末试子史时务策二道，凡四场。其经义进士，须习两经，以《诗》《礼记》《周礼》《〔左氏〕春秋》为大经，《书》《易》《公羊》《偲梁》《仪礼》为中经，愿习二大经者听，不得偏占两中经。初试本经义三道，《论语》义一道，次试本经义三道，《孟子》义一道，次试论、策如诗赋科。并以四场通定高下，而取解额中分之，各占其半。专经者以理义定取舍，兼诗赋者以诗赋为去留，其名次高下，则如策论参之。

初，司马光言："神宗尊用经义、论、策取士，此乃复先王令典，百王不易之法。但王安石不当以一家私学，欲盖先儒，令天下师生讲解。至于律令，皆当官所须，使为士者果能知道义，自与法律冥合，何必置明法一科，习为刻薄，非所以长育人材、敦厚风俗也。"至是遂罢明法科。

是日，尚书省又言："大河东流，为中国要险，自大吴决后，由界河入海，不惟淤坏塘泺，兼浊水入界河向去浅淀，则河尾将直注北界入海，中国全失险阻之限，不可不为深虑。"诏范百禄、赵君锡条画以闻。百禄言："臣等按行黄河独流口至界河，又东至海口，熟观河流形势，并缘界河至海口铺砦地分。使臣各称界河未经黄河行流以前，阔一百五十步，下至五十步，深一丈五尺，下至一丈；自黄河行流之后，阔五百四十步，次亦三二百步，深者三丈五尺，次亦二丈。乃知水性就下，行疾则自刮除成空而稍深，与汉张戎之论正合。自元丰四年河出大吴，势如建瓴，经今八年，冲刷界河两岸，日渐开阔，连底成空，趋海之势甚迅，虽遇泛涨非常，而大吴以上数百里，终无决溢，此乃下流深快之验也。臣等窃谓本朝以来，未有大河安流，合于禹迹如此之利便者。其界河向去趋深走下，湍激奔腾，只有阔深，必无浅淀，河尾安得直注北界,中国亦无全失险阻之理,不至上烦圣虑。"

壬戌,弛在京牧地与民。

甲子,辽主以霖雨罢猎。

五月,辛未,以著作郎范祖禹为右谏议大夫兼侍讲。

祖禹上疏论人主正心修身之要,乞太皇太后日以天下之勤劳,万民之疾苦,群臣之邪正,政事之得失,开导上心,晓然存之于中,庶使异日众说不能惑,小人不能进。

癸酉,以御史中丞李常为兵部尚书,侍御史盛陶为太常少卿,皆坐不论蔡确改官也。

辛巳,知邓州、观文殿学士蔡确责授左中散大夫、守光禄卿、分司南京。

时中书舍人彭汝砺密疏救确,大略以"吴处厚开告讦之路,此风不可长"为言;盛陶亦腾章,意与汝砺合。已而安州言确已刮洗诗牌。其明日,确奏亦至,自辨甚悉,汝砺复救解之。论犹未决,梁焘、刘安世言确罪状著明,何待分析,故有是命。汝砺又封还词头,即谒告,会王岩叟当制,遂草词行下。

丙戌,梁焘、吴安诗、刘安世言蔡确罪重而责轻,傅尧俞、朱光庭相继论列,范祖禹亦助之。于是太皇太后宣谕焘等,令密具行遣条例闻奏,焘等即以丁谓、孙沔、吕惠卿故事条上。

丁亥,宰执入对,太皇太后忽曰:"蔡确可英州别驾,新州安置。"宰执愕立相视。范纯仁言方今宜务宽厚,不可以语言文字暧昧不明之过诛窜大臣,刘挚亦以确母老,引柳宗元与刘禹锡播州事。吕大防因曰:"确先帝大臣,乞如挚所论,移一近里州郡。"太皇太后曰:"山可移,此州不可移也!"于是不敢复言。纯仁独留身,揖王存论之,意不解。纯仁曰:"臣奉诏,但乞免内臣押去。"太皇太后曰:"如何?"纯仁以曹利用事言之。太皇太后曰:"无虑,彼必不死也。"是夜,批出,差入内供奉裴彦臣等押送,臣僚皆欲救止,而恐与初论相戾,且非体,遂不敢发。李常、盛陶、翟思、赵挺之、王彭年坐不举劾,彭汝砺坐营救并不草责词,皆罢去。擢吴处厚知卫州。

初,议窜确岭峤,纯仁谓大防曰:"此路自丁晋公后,荆棘六七十年矣,奈何开之?吾侪正恐亦不免耳。"

知杭州苏轼未行,密疏言:"朝廷若薄确之罪,则于皇帝孝治为不足;若深罪确,则于太皇太后仁政为小损。谓宜皇帝降敕推治,而太皇太后特加宽贷,则仁孝两得矣。"太皇太后善其言而不能用。

诏直龙图阁邢恕,候服阕日落职,授承议郎、监永州盐酒税。先是恕自襄州移河阳,间道抵邓州,见蔡确,相与谋所造定策事。及司马康赴阙,恕特招康道河阳,因劝康作书称确,为它日全身保家计。康以恕同年,又出父门下,信之,作书如恕言。恕本意必得康书者,以康为司马光之子,言确有定策功,可取信于世。既而梁焘自潞州以左谏议召,恕亦要焘出河阳,既至,恕日夜论确定策功不休,且以康与确书为证。焘不悦,诣阙奏之。会吴处厚讦确诗,焘因与刘安世等请诛确。确既贬窜,恕亦坐谪。

太皇太后谕三省曰:"帝是先帝长子,子继父业,其分当然,确有何策立勋邪!若使确它日复来,欺罔上下,岂不为朝廷害?恐帝年少制御不得,今因其自败,如此行遣,盖为社稷也。"

康初欲从恕招,邵雍子伯温谓康曰:"公休除丧,未见君,不宜先见朋友。"康曰:"已诺之矣。"伯温曰:"恕倾巧,或以事要公休,从之则必为异日悔。"公休,康字也。及焘等论确、恕罪,亦指康书,诏令康分析,康乃悔之。

初,梁焘之论蔡确也,密具确及王安石之亲党姓名以进,曰:"臣等窃谓确本出王安石之门,相继秉政,垂二十年,群小趋附,深根固蒂,谨以两人亲党开具于后。确亲党:安焘、章惇、蒲宗孟、曾布、曾肇、蔡京、蔡卞、黄履、吴居厚、舒亶、王觌、邢恕等四十七人;安石亲党:蔡确、章惇、吕惠卿、张璪、安焘、蒲宗孟、王安礼、曾布、曾肇、彭汝砺、陆佃、谢景温、黄履、吕嘉问、沈括、舒亶、叶祖洽、赵挺之、张商英等三十人。"于是太皇太后宣谕宰执曰:"确党多在朝。"范纯仁进曰:"确无党。"吕大防进曰:"确党甚盛,纯仁言非是。"刘挚亦助大防,言有之。纯仁曰:"朋党难辨,恐误及善人。"退,即上疏言:"蔡确之罪,自有典刑,不必推治党人,旁及枝叶。前奉特降诏书,尽释臣僚往咎,自此内外反侧皆安,上下人情浃洽,盛德之事,诚宜久行。臣心拳拳,实在于此。"范祖禹亦谓确已贬,馀党可弗问,乃上言:"自乾兴贬丁谓以来,不窜逐大臣六十馀年,一旦行之,四方无不震耸。确罢相已久,陛下所用,多非确党。其有素怀奸心为众所知者,固不逃于圣鉴,自馀偏见异论者,若皆以为党确而逐之,恐刑罚失中而人情不安也。"

辽主驻赤勒岭。

己丑,辽以准布玛古苏为诸部长,以西北路招讨使耶律托卜嘉荐之也。自萧迪噜为招讨之后,政务姑息,多择柔愿者用之,诸部渐至跋扈。托卜嘉含容尤甚,边防益废。至是复荐玛古苏,卒启后来边患。

癸巳,回鹘贡良马于辽。

己亥,辽以同知(枢密院)〔南院枢密〕使事耶律鄂嘉知右伊勒希巴事,以左祗候郎君班详衮耶律尼哩知北大王事。

六月,甲辰,范纯仁、王存罢。

时梁焘、刘安世交章论纯仁党附蔡确,纯仁亦求出外。吴安诗因言王存尝助纯仁救确,纯仁当罢,存不可独留。遂诏纯仁依前官为观文殿学士、知颍昌府,存为端明殿学士、知蔡州。

丙午,以枢密直学士、户部尚书韩忠彦为尚书左丞,翰林学士许将为尚书右丞,枢密直学士、签书枢密院事赵瞻为同知枢密院事。

丁未,以户部侍郎苏辙为吏部侍郎;三日,改翰林学士。

夏遣使来贡。

甲寅,夏遣使如辽谢封册。

壬戌,辽以参知政事王言敷为枢密副使,贾士勋参知政事兼同知枢密院事。

秋,七月,庚午,辽主猎于沙岭。

乙亥,安焘以母忧去位。

〔丙申〕,诏户部,令诸路提刑司下丰熟州县,量增钱广行收籴,从司马康、刘安世、范祖禹请也。

壬辰,辽主驻藕丝淀。

丙申,都水监言:"宗城决溢向下,包蓄不定,河势未可全夺。且为二股分行,以纾下流之患,虽未保冬夏常流,已见有可为之势。必欲经久,当遂作二股,仍须增添役夫,乃为长利。"诏有司具析保明以闻。

八月,壬寅,敕郡守贰以四善三最课县令,吏部岁上监司考察知州状。

丁未,翰林学士苏辙言:"臣窃闻河道西行,孙村侧左大约入地二丈以来,而见申报,涨水出岸,由新开口地东入孙村,不过六七尺。欲因六七尺涨水而夺其地二丈河身,虽三尺童子知其难矣。然朝廷遂遣都水使者开河道,进锯牙,欲约之使东。方河水盛涨,其西行河道若不断流,则遏之东行,实同儿戏。臣愿陛下急命有司,徐观水势所向,依累年涨水旧例,因其东溢,引入故道,以纾北京朝夕之忧。其堤防坏决之处,第略加修葺,免其决溢,候河势稍定,然后议之。不过一月后,涨水既落,则西流之势决无移理,而群小妄说,不攻自破矣。"

辛酉,太皇太后诏:"今后明堂大礼,毋令百官拜表称贺。"

乙丑,都水监句当公事李伟言:"开拨直堤,放水入孙村口故道,水势顺快,朝廷当极力闭北流,乃为上策。若不明诏有司,即令回河,深恐上下迁延,议终不决,观望之间,遂失机会。乞复置修河司。"从之,仍以都提举修河司为名。

九月,己卯,朝献景灵宫。

辛巳,大飨明堂,赦天下,百官加恩,赐赍士庶高年九十以上者。

乙未,检举先朝文武七条,戒谕百官遵守。

右谏议大夫范祖禹言:"陛下前者罢修河司,中外无不以为当。今才历三时,复兴回河之役,徒以执政耻其前言之失,必欲遂其妄举大役,河本无事而人强扰之。伏望明谕大臣,博采群言,息意回河,无以有限之财力填不测之巨壑,勿徇一言之失而冀必不成之功。乞罢提举修河司,散遣官吏兵夫,其北河决溢,随宜救护。"不报。

初,辽主以契丹、汉人风俗不同,国法不可异施,命耶律伊逊等更定条制。时校定官即重熙旧制,删其重复者为五百四十五条,取律一百七十三条,又创增七十一条,凡七百八十九条,增重编者至千馀条,皆分类列。以太康间所定,复以律及条例参校,续增三十六条。其后因事增校,至大安三年止,又增六十条。条约既繁,典者不能遍习,愚民莫知所避,犯法者众,吏得因缘为奸。冬,十月,乙巳,辽主诏曰:"法者,所以示民信,使民可避而不可犯也。比命有司纂修刑法,然不能明体朕意,多作条目以罔民于罪,朕甚不取。自今复用旧法,馀悉除之。"

戊申,翰林学士苏辙上《神宗御制集》九十卷,诏于宝文阁收藏。

癸丑,御迩英阁,进读《三朝宝训》。

十一月,丁卯朔,辽以燕国王延禧生子,大赦,妃之族属进爵有差。

癸未,以门下侍郎孙固知枢密院事,中书侍郎刘挚为门下侍郎,吏部尚书傅尧俞为中书侍郎。先是梁焘、刘安世入对延和殿，太皇太后令具可用臣僚姓名以进，焘、安世乃以尧俞及苏颂荐，至是尧俞遂大用。

乙酉，有星色赤黄尾，迹烛地。

己丑，太皇太后却元日贺礼，令百官拜表。

壬辰，改发运、转运、提刑预(支)〔伎〕乐宴会徒二年法。

甲午，知杭州苏轼言："浙西艰食已甚，今岁两浙水乡种麦绝少，深恐来年必有饥馑盗贼之忧。转运司上供额斛及补填旧欠共一百六十馀万石，乞且起一半或三分之二。"诏许留上供米三分之一。由是米不翔贵，复得赐度牒百道，易米以救饥者。明年方春，即减半价粜常平米，又作饘粥药〔饵〕，济活者甚众。

杭频海，水泉咸苦，唐刺史李泌，始导西湖，作六井，民以足用。及白居易复浚西湖，引水入运河，溉田且千顷。然湖水多葑，自唐及钱氏，岁辄浚治，宋兴，废之，葑积为田而水无几矣。运河失湖水之利而取给于江，潮水游河，泛溢阛阓，三年一浚，为居民大患，六井亦几废。轼始至，浚茆山、盐桥二河，以茆山一河专受江潮，以盐桥一河专受湖水，复以馀力修治六井，民稍获其利。轼曰："若取葑田，积之湖中，为长堤以通南北，则葑田去而行者便矣。"乃取救荒之馀，复请于朝，得度牒以募役者。堤成，南北径十三里，植芙蓉、杨柳于其上，望之如画图，杭人名曰苏公堤。

十二月，丁酉朔，正议大夫章惇始除丧，降授通议大夫，提举杭州洞霄宫。初，梁焘等劾奏惇用贱价夺民田，诏候服阕与宫观差遣，故有此授。

癸丑，更定朝仪二舞，曰《威加四海》《化成天下》。

甲寅，减鄜延等路戍兵归营。

戊午，以御史阙，令中(省)〔丞〕、两省〔谏议大夫以上〕各举二人。

初，范祖禹闻禁中觅乳媪，以帝年十四，非近女色之时，上疏劝进德爱身，又乞太皇太后保护上躬，言甚切至。太皇太后谕曰："乳媪之说，外间虚传也。"祖禹对曰："外议虽虚，亦足为先事之戒。臣侍经筵左右，有闻于道路，实怀私忧，是以不敢避妄言之罪。凡事言于未然，则诚为过，及其已然，则又无所及。陛下宁受未然之言，勿使臣等有无及之悔。"

是月，刘安世又言："臣前月末，闻权罢经筵，意谓将有燕享。今复半月，讲臣久不得望清光。乃者民间喧传禁中见求乳母，遂谓陛下浸近女宠，此声流播，实损帝德。"

它日，吕大防奏事，太皇太后谕曰："刘安世有疏言禁中求乳母事，此非官家所欲，乃先帝一二小公主尚须饮乳也。官家常在吾榻前邸内寝处，安得有此！"

五年 辽大安六年【庚午，1090】 春，正月，丁卯朔，御大庆殿视朝。

丁丑，朝献景灵宫。

乙酉，范祖禹上札子四道。其一曰："经筵阙官，宜得老成之人。韩维风节素高，若召以经筵之职，物论必以为惬。"其二曰："苏颂近乞致仕。颂博闻强识，详练典故，陛下左右，宜得殚见洽闻之士以备顾问。"其三曰："苏轼文章，为时所宗，忠义许国，遇事敢言，岂可使之久去朝廷！"其四曰："赵君锡孝行，书于《英宗实录》，辅导人君，宜莫如孝；给事中郑穆，馆阁者

1775

儒,操守纯正;中书舍人郑雍,谨静端洁,言行不妄。此三人者,皆宜置左右,备讲读之职。"

是月,辽主如混同江。

二月,己亥,诏都水使者吴安持提举修减水河。

夏人来归永乐陷没吏士百四十九人,诏以米脂、葭芦、浮图、安疆四砦还之,仍约以委官画定疆界。

知颍昌府范纯仁闻朝廷复议修河,上疏曰:"范百禄、赵君锡相度归,陈回河之害甚明。三两月来,却闻复兴斯役。望圣恩再下有司,若利多害少,尚觊徐图;苟利少害多,尤宜安静。"疏奏,主河议者不悦,欲寝而不行。太皇太后曰:"纯仁之言有理,宜从其请。"辛丑,诏罢修黄河。

先是河上所科夫役,许输钱免夫,令出,上下皆以为便。纯仁独忧曰:"民力自此愈困矣。力者,身之所出;钱者,非民所有。今取其所无,民安得不病?独富人不亲执役者以为便耳。且从来差夫不及五百里外,今免夫钱,无远不届,若遇掊克之吏,则为民之害无甚于此。"

辽主如双山。

壬寅,御迩英阁,讲《尚书·无逸篇》,毕,诏详录所讲义以进。故事,经筵前一日进讲义,自元丰元年说书陆佃始;至是诏,今后讲义于次日别进。

癸卯,诏:"时雨稍愆,应五岳、四渎州军,令长吏祈祷。"

丁未,减天下囚罪,杖以下释之。

初,文彦博复居政府,期年,即求去。诏曰:"西伯善养老,而太公自至;鲁缪公无人子思之侧,则长者去之。公自以为谋则善矣,独不为朝廷惜乎?"又曰:"唐太宗以干戈之时,尚能起李靖于既老,而穆宗、文宗以燕安之际,不能用裴度于未病,治乱之效,于斯可见。"彦博读诏耸然,不敢言去,复留四年。至是请去不已,庚戌,诏以太师、开府仪同三司、护国军、山南西道节度使致仕,令所司备礼册命。壬子,彦博乞免册礼,从之。甲子,宴饯彦博于玉津园。

三月,丙寅朔,中大夫、同知枢密院事赵瞻卒,谥懿简。

丁卯,赐故龙图阁直学士孙觉家缗钱,以给丧事。

辛未,女直贡于辽。

壬申,以尚书左丞韩忠彦同知枢密院事,翰林学士承旨苏颂为尚书左丞。

忠彦弟纯彦之妻,孙固女也,各以亲嫌乞罢,不许。忠彦尝与傅尧俞、许将论事不合,俱求罢政,殿中侍御史上官均言;"大臣之任,同国休戚,庙堂之上,当务协谐。若悻悻辩论,不顾事体,何以观视百僚!尧俞、将虽有辩论之失,然事皆缘公,望令就职。"从之。

己卯,以龙图阁直学士、知亳州邓温伯为翰林学士承旨。王岩叟封还除命,不听。温伯,本名润甫,时避高鲁王讳,故以字行。

癸未,罢春宴。

辛卯,以杨畏为监察御史。刘安世、朱光庭言:"御史阙员,屡诏近臣俾举所知。杨畏不系所举之士,未审朝廷何名除授?"不报。

壬辰,罢幸琼林苑、金明池。

夏,四月,丁酉,辽东北路统军司设掌法官。

甲辰,吕大防等以旱乞罢,诏答不允。

(甲辰)右光禄大夫、知枢密院事孙固卒。太皇太后及帝皆出声泣,辍视朝三日,赠开府仪同三司,谥温靖。

固宅心诚粹,不喜矫亢,尝曰:"人当以圣贤为师,一节之士,不足学也。"又曰:"以爱亲之心爱其君,则无不尽矣。"傅尧俞曰:"司马公之清节,孙公之(悖)〔淳〕德,盖所谓不言而信者。"世以为笃论。

癸丑,诏讲读官御经筵退,留二员奏对迩英阁。

丁巳,诏以旱避殿,减膳,罢五月朔日文德殿视朝。

五月,壬申,诏:"差役法有未备者,令王岩叟、韩川与刘安世看详,具利害以闻。"

辽主驻散水原。

乙亥,雨。

己卯,御殿,复膳。

庚寅,以梁焘为户部尚书,刘安世为中书舍人。焘、安世并以乞罢邓温伯承旨除命不从,辞所迁官不拜。

范祖禹留对,言:"庆历元年,出御制《观文鉴古图记》以示辅臣;皇祐元年,召近臣、三馆、台谏及宗室观《三朝训鉴图》。仁宗皇帝讲学之外,为图鉴古,不忘箴儆;又图写三朝事迹,欲子孙知祖宗之功烈。愿陛下以永日观书之暇,间览此图,亦好学不倦之一端也。"

六月,辛丑,录囚。

甲寅,辽遣使决五京囚。

自元祐初一新庶政,至是五年,人心已定;唯元丰旧党,分布中外,多起邪说以撼在位。吕大防、刘挚患之,欲稍引用,以平宿怨,谓之"调停",太皇太后疑不能决。乙卯,御史中丞苏辙入对,即面斥其非,退,复上疏曰:"臣顷面论君子小人不可并处,圣意似不以臣言为非者。然天威咫尺,言词迫遽,有所未尽,臣而不言,谁当救其失者?亲君子,远小人,则主尊国安;疏君子,任小人,则主忧国殆。此理之必然。未闻以小人在外,忧其不悦,而引之于内以自遗患也。故臣谓小人虽不可任以腹心,至于牧守四方,奔走庶务,无所偏废可也。若遂引之于内,是犹患盗贼之欲得财而导之寝室,知虎豹之欲食肉而开之以坰牧,无是理也。且君子小人,势若冰炭,同处必争;一争之后,小人必胜,君子必败。何者?小人贪利忍耻,击之则难去;君子洁身重义,沮之则引退。古语曰:'一薰一莸,十年犹有臭',盖谓此矣。先帝聪明圣智,比隆三代,而臣下不能将顺,造作诸法,上逆天意,下失民心。二圣因民所愿,取而更之,则前者用事之臣,今朝廷虽不加斥逐,其势亦不能复留。尚赖二圣仁慈,育之于外,盖已厚矣。而议者惑于众说,乃欲招而纳之,与之共事,谓之'调停'。此辈若返,岂肯徒然而已哉!必将戕害正人,渐复旧事,以快私忿。人臣被祸,盖不足言;臣所惜者,宗庙、朝廷也。惟陛下断自圣心,不为流言所惑,毋使小人一进,复有噬脐之悔。"疏入,太皇太后命宰执读于帘前,曰:"辙疑吾兼用邪正,其言极中理。"诸臣从而和之,调停之说遂已。

辙又奏曰："窃见方今虽未大治，而祖宗纲纪具在，州郡民物粗安。若大臣正己平心，无生事要功之意，因弊修法，为安民靖国之术，虽有异党，谁不归心？但患朝廷举事类不审详。曩者黄河北流，正得水性，而水官穿凿，欲导之使东，移下就高，汩五行之理。及陛下遣使按视，知不可为，犹或固执不从。经今累岁，回河虽罢，减水犹存，遂使河朔生灵，财力俱困。今者西夏、青唐外皆臣顺，朝廷招徕之厚，惟恐失之。而熙河将吏，创筑二堡以侵其膏腴，议纳醇忠以夺其节钺，功未可觊，争已先形。朝廷虽知其非，终不明处置，若遂养成边衅，关陕岂复安居！如此二事，则臣所谓宜正己平心，无生事要功者也。昔嘉祐以前，乡差衙前，民间常有破产之患。熙宁以后，出卖坊场以雇衙前，民间不复知有衙前之苦。及元祐之初，务于由旧，一例复差，官收坊场之钱，民出衙前之费，四方惊顾，众议沸腾。寻知不可，旋又复雇，去年之秋，又复差法。且熙宁雇役，三等人户，并出役钱。上户以家产高强，出钱无艺，下户昔不充役，亦遣出钱；故此二等人户，不免咨怨。至于中等，昔既已自差役，今又出钱不多，雇法之行，最为其便。罢行雇法，上下二等欣跃可知，唯是中等则反为害。如畿县中等之家，例出役钱三贯，若经十年，为钱三十贯而已。今差役既行，诸役手力，最为轻役；农民在官，日使百钱，最为轻费。然一岁之用，已为三十六贯，二年役满，为费七十馀贯。罢役而归，宽乡得闲三年，狭乡不及一岁。以此较之，则差役五年之费，倍于雇役十年。赋役所出，多在中等，故天下皆思雇而厌差。如此二事，则臣所谓宜因弊修法，为安民靖国之术者也。四事不去，如臣等辈，犹知其非，而况于心怀异同，志存反覆，幸国之失，有以藉口者乎？恐彼已默识于心，多造谤议，待时而发，以摇撼众听矣。伏乞宣谕宰执，事有失当，改之勿疑，法或未完，修之无倦。苟民心既得，则异议自消，海内蒙福，上下攸同，岂不休哉！"

秋，七月，辽主如黑岭。

乙酉，夏人来言画疆界者不以绥州例，诏曰："已谕边臣如约矣。夏之封界，当亦体此。"

始，元丰所定吏额，主者苟悦群吏，比旧额几数倍。朝廷患之，命量事裁减。吏有白中孚者，告苏辙曰："吏额不难定也。昔流内铨，今侍郎左选也，事繁莫过于此。昔铨吏止十数，今左选吏至数十，事不加旧而用吏数倍者，昔无重法、重禄，吏通赇赂，则不欲人多以分所入，故竭力办事，劳而不避。今行重法，给重禄，赇赂比旧为少，则不忌人多而幸于少事。此吏额多少之大要也。旧法以难易分七等，重者至一分，轻者至一厘以下，积若干分为一人。今诚取逐司两月事，定其分数，则吏额多少之限，无所逃矣。"辙以其言为然，乃具以白执政，请据实立额，俟吏之年满转出或事故死亡者勿补，及额而止，不过十年，自当消尽。执政然之，遂申尚书省。后数月，诸司所供文字皆足，因裁损成书，以申三省。左仆射吕大防得其书，大喜，欲此事必由己出，别将详定。任永寿，本诸司吏也，为人精悍而滑，尝预知元丰吏额事，独能言其曲折。大防悦之，即于尚书省创立吏额房，使永寿与吏数辈典之。凡奏上行下，皆大防自专，不复经由两省。一日，内降画可二状付中书，其一吏额也。省吏白中书侍郎刘挚，请封送尚书省，挚曰："当时文书录黄过门下，今封过也。"对曰："尚书省以吏额事，每奏入，必径

下本省已久，今误至此。"挚曰："中书不知其它，当如法令。"遂作录黄。永寿见录黄，愕然曰："两省初不与，乃有此邪？"即白大防，乞两省各选吏赴局同领其事。大防具以语挚，挚曰：

"中书行录黄,法也,岂有意与吏为道地?今乃使就都省分功,何邪?"吏额事行毕,永寿等推恩有差。永寿急于功利,劝大防即以吏额,日裁损吏员,仍以私所好恶变易诸吏局次。吏被排斥者,纷然诣御史台诉不平。台官因言永寿等冒赏徇私,不可不惩,谏官继以为言。永寿等既逐,而吏诉额禄事终未能决。时辙方为中丞,具言:"后省所详定,皆人情所便,行之甚易,而吏额房所改,皆人情所不便,守之最难。且大信不可失,宜速命有司改从其易,以安群吏之志。"大防知众不服,徐使都司再加详定,大略如辙前议行之。

刘挚初以吏额房事与吕大防议稍不合,已而挚迁门下侍郎。及台谏共攻大防,大防称疾不出。挚每于上前开陈吏额本末曰:"此皆被减者鼓怨,言路风闻过实,不足深谴。"大防它日语人曰:"使上意晓然不疑,刘门下之力居多。"然士大夫趋利者交斗其间,谓两人有隙,于是造为朋党之论。挚语大防曰:"吾曹心知无它,然外议如此,非朝廷所宜有,愿引避。"大防曰:"行亦有请矣。"(八月癸巳朔)〔庚寅〕,奏事毕,挚少留,奏曰:"臣久处近列,器满必覆,愿赐骸骨,避贤者路。"既退,连上章,出就外第,期必得请。帝遣中使召挚入对,太皇太后谕曰:"侍郎未得去,须官家亲政然后可去。"使者数辈趣入视事,挚不得已受命。未几,吕大防辞位,亦不许。及挚迁右仆射,与大防同列,未满岁,言者争诋挚,挚寻罢。朋党之论,遂不可破,其衅盖自吏额始。

〔八月,丙午〕,右正言刘唐老言:"伏睹《大学》一编,论入德之序,愿诏经筵之臣,训释此书上进,庶于清燕之闲,以备观览。"从之。

初,邓温伯以母丧终制,除吏部尚书,梁焘权给事中,驳之,改知亳州,阅岁,复以承旨召。梁焘为御史中丞,与左谏议大夫刘安世、右谏议大夫朱光庭交章论"温伯出入王、吕党中,始终反覆。今之进用,实系君子小人消长之机。"又言:"温伯尝草蔡确制,称确有定策功,以欺惑天下,乞行罢黜。"累疏不报,焘等因力请外。〔庚戌〕,乃出焘知郑州,光庭知亳州,安世提举崇福宫。时刘挚疏乞暂出温伯,留焘等,苏辙亦三疏论之,皆不听。

给事中兼侍讲范祖禹上《帝学》八篇。

九月,丁丑,诏复集贤院学士。

丁亥,以孙迥知北外都水丞,提举北流;李伟权发遣北外都水丞,提举东流。

冬,十月,癸巳,罢都提举修河司,从中丞苏辙言也。

诏导河水入汴。

十一月,壬戌,高丽遣使贡于辽。

己巳,辽以南府宰相窦景庸为武定军节度使。景庸审决冤滞,轻重得宜,旋以狱空闻。

苏辙累言许将过失,将亦累表乞外。十二月,辛卯朔,以将为资政殿学士,知定州。

甲辰,侍御史上官均又言:"吕大防坚强自任,不顾是非,每有差除,同列不敢为异,惟许将时有异同,大防每怀私恨。苏辙素与大防相善,希合其意,尽力排将,期于必胜。将既以异论罢去,执政、台谏,皆务依随,是威福皆归于大防,纪纲法令,自此败坏矣。"因乞解言职,于是责知广德军。

丙辰,禁军大阅,赐以银碟匹帛,罢转资。

是岁,京北旱,浙西水灾。

辽放进士文充等七十二人。

【译文】

宋纪八十一　起戊辰年(公元1088年)七月,止庚午年(公元1090年)十二月,共二年有余。

元祐三年　辽大安四年(公元1088年)

秋,七月,戊申(初四),荆王赵頵夫世,谥号为端献。

辽国特赦奉圣州服劳役的刑徒。

癸丑(初九),太皇太后下令有关部门褒奖皇太妃,讨论典章常例上报。

丙辰(十二日),辽国派遣使臣册封李乾顺为夏国王。

庚申(十六日),辽道宗举行秋山游猎。

壬戌(十八日),宋哲宗下诏令:"根据大臣奏议推举的馆阁官员,一律按照有关规定考试任命。其中朝廷特别任命的,不依照此命令。"

此前,刘安世说:"从祖宗安定天下,首先开设儒馆以培育人才。近年以来,逐渐疏于对人才的选拔,或者是因为世袭封赏,或者是因为战功,或者是因为奖赏其聚敛钱财的本事,或者是徇权贵推荐的私情,没有经过考核,就给安了职务。"皇帝认为有道理,于是有这个诏令。刘安世又上奏:"陛下您过于听从臣下的上奏,恢复了旧的制度,但继而又说朝廷特别任命的不在此列,那么就是在名义上改变了做法,弊端的根源还存在。请求只有转运使以上资序特别任命的才不受此令限制。也许就可以堵塞侥幸晋升的门路,重视馆阁官职的选拔。"不被采纳。

宋哲宗像

戊辰(二十四日),夜晚,东北方空中明亮如同白天,一会儿只有红色雾气,中间有白色的雾气直达天空。

己巳(二十五日),辽国禁止百姓出境。

癸酉(二十九日),忠州上报临江涂井镇下了黑黍雨。

八月，己卯（初六），进封扬王赵颢为徐王。

庚辰（初七），辽国有关部门报告宛平、永清的蝗虫被飞鸟吃掉。

辛巳（初八），重新设置荆门军。

丙戌（十三日），废除官员断刑法的考试。

庚寅（十七日），辽国主拜谒庆陵。

丁酉（二十四日），渠阳蛮族入侵内地。

辛丑（二十八日），刘安世说："臣伏见从祖宗以来，执政大臣的亲戚子弟，不曾敢授予朝廷内外的显要官职。自从王安石当政以来，完全废除各位先圣定下的制度，专门使用亲信党羽，只求使自己的心意畅快。现今在位的大臣，还因袭这种做法，子弟亲戚，布满了重要的职位，这是当今最大的祸患。希望能发布此奏章，让三省看一看，以不至于废弃祖宗的法则。"

中书舍人曾肇说："近日以来，很有一些人谋求内宫降旨，特别予以差遣，臣私下担心怀有侥幸的人，互相攀比。特此一并录下仁宗朝为内宫降旨所发的告诫诏书及事迹共八条，单列为一篇，请求您将此放在座右，以便略有助于参考。"

九月，庚申（十七日），禁止宗室与内臣家联姻。

乙丑（二十二日），下令授予观察使以上官员永业田。

丁卯（二十四日），皇帝策试参加贤良方正能直言极谏科的谢悰，己巳（二十六日）赐给进士出身，任命初等官职。刘安世说："近来看见谢悰给尚书省写的辞谢新任命的文书，写有'所有敕命，未敢抵授'；把'祇'写成'抵'，把'受'写成'授'。过去唐朝省官中有'伏猎侍郎'的笑话，被严挺之所指责而罢官。陛下刚恢复举试，岂能容许有'抵授贤良'的事呢！"

冬季，十月，丁丑（初五），辽国主在辽水之滨打猎。己卯（初七），停驻在藕丝淀。免去老百姓借贷官府的粟米。

丙戌（十四日），撤销新设立的各堡寨。

赵瞻请求撤销渠阳军以缓和荆湖地区的负担，得到采纳。

己丑（十七日），辽国知北院枢密使耶律阿苏被封为漆水郡王。癸巳（二十一日），任命伊实大王耶律迪里为知西北路招讨使，任命权知西北路招讨使萧休格掌管伊实大王事务。

戊戌（二十六日），恢复南北宣徽院。

御史翟思等人说："清心不如简省事务，简省事务不如简省官职。现在天下的事务，繁简多少，与官制变革以前没有多少区别，而过去以一个官职掌管的，现在分为四五个，过去以一个官吏主持的，现在增加为六七个。希望朝廷参考古代的制度，以拯救今天的弊端。"

壬寅（三十日），辽国命令各部长官亲自审问案件。

十一月，甲辰（初二），派遣吏部侍郎范百禄、给事中赵君锡考察黄河归道的利弊，并画图上报。

庚申（十八日），辽国兴中府百姓张化法，因为父兄犯盗窃罪应当处死，请求自身代替，辽国主都给予赦免。

丁卯（二十五日），下诏命令每年十月给巡城士兵发放衣服被子。

甲寅(十二日),刘安世说:"经常见到皇上的近臣连名举荐人,多走捷径。若容许急躁求进,人人怀有觊觎之心,那样什么事做不出来!"宋哲宗下诏:"从今以后大臣有特别举荐,不要列署官衔上奏。"

十二月,癸未(十一日),辽国任命耶律慎思为中京留守。

刘安世说:"郓州州学教授周稇上书,请求以故去的宰相王安石配享神宗皇帝的庙庭。周稇以疏远低贱小臣的身份,怀有奸邪观望的想法,蔑视公议,随便议论仪典,请从重加以放逐诛杀,以明确喜爱和厌恶。"苏轼说:"臣充列侍从,在知人方面做得不够,以至引入周稇玷污学校,谨自我弹劾等待处罚。"甲午(二十二日),罢免周稇教授职务,回归吏部。

壬寅(三十日),天空出现白虹贯日的景象。

户部侍郎苏辙上疏说:"黄河回归故道的意见虽然已经停止,然而听说有议论的人坚持来年开河道分水的办法。现在小吴的决口,切入地面已经很深,而孙村所开的河道,尺寸有限,不仅不能使河道回归,也一定不能分水。况且黄河的特点,水急则通畅,水缓则淤积沉淀,既然没有东西边皆急的水势,哪有两条河并行的道理?现在提建议的人说是黄河河道变化不定,万一从辽国境内入海,边防失去依托。黄河过去在东边,从黄河以西的郡县,与辽国接壤,没有山河的阻挡,边防大臣建造池塘来捍卫要塞。现在黄河已经到西边,那么西山一带,契丹可以通行的地方就不多了,有利于边防,不说也知道。而且契丹内的各条水道,都是从北向南注入大海,因为地形北面高,黄河没有向北移动的通道,而且入海口深且通畅,也没有北移的趋向,这就是以边防为借口的说法不足听从的道理。臣又听说,谢卿材到朝廷,说:'黄河从小吴决口,从高处往下流,水势奔腾急速,上游的堤防,再没有冲决的隐患;如果朝廷以治黄河的事务交给我,不使用一个劳力,不耗费一分钱,保证十年黄河没有水患。'大臣们因为他的观点与自己不合,将他罢免回来,而派王孝先、俞瑾、张景先三人重新筹划黄河回归故道的办法。大概由于大臣们对改正过失很看重,所以借口契丹会有想不到的患害来使朝廷接受他们的主张;虽然已经派范百禄等考察利害,但不敢担保他们不观望朝廷的意向。希望马上收回买船、发兵的命令,使范百禄等人知晓皇上没有什么偏向,不至于附和以至误了国家的大计。"

闰月,癸卯朔(初一),颁布《元祐敕令格式》。

同一天,辽国预先举行正旦仪式。

甲辰(初二),银青光禄大夫致仕、蜀郡公范镇制定铸造音律的尺度、钟磬等,将书及图示方法一并进献,较景祐年间李照的乐律又下一度还多。皇上及太皇太后亲临延和殿,命辅政大臣一同观览,赐诏书嘉奖,并下到太常寺,命令三省侍从、台阁官员都去观看。范镇当时已重病在身,音乐演奏后三天就去世,谥号忠文。

范镇清白坦荡通达,以诚待人,不说别人的过失。但在重大关头,决定大的事务,神色平和而言语庄重,即使在皇帝面前也不屈从。平生与司马光很是融洽,议论如一张口里说出来的,所以当时公推天下的贤人,一定会说是司马君实、范景仁。景仁是范镇的字。

户部尚书韩忠彦、侍郎苏辙、韩宗道说:"本部最近编成《元祐会计录》,大概一年全国所收的钱、粮、金银、布帛等财物,还不够一年的支出。臣等希望明确敕令本部,依照情况斟加裁减,两位圣上以身做表率,大臣们自身先实行,那么谁不信服!"奏章递进,下令:"到户部支取应使用的财物,除各班各军料钱、衣食钱、赏赐特支钱照旧外,其余的费用,一并减少,按次序报告。"

御史中丞李常说:"先帝因为官吏没有俸禄,不足要求廉洁,于是加重处罚并给以俸禄,不久前已命令官员核实情况、裁汰冗员,请求督促写成文书。"下诏门下省、中书省迅速制订办法。

丙午(初四),辽国主到达混同江。

戊申(初六),裁减给宰相执政的赏赐。

甲寅(十二日),太皇太后下诏说:"官吏冗杂的问题,由来很久;弊端最严重的实际上是现在,按空缺职位计算官员,以至增加数倍。上面有长期空闲没有职事的官员,那么下面就有受害无处申告的百姓,所以命令大臣推究本源,如果不裁减进入仕途的人数,就不能澄清选拔官员的源头。我今天以微小的自身来做天下的表率,在临政的开始,就曾命令有关部门,靠荫庇补官,过去没有定制,自己功德微薄,岂敢和前人相比!已经下诏给我家族的恩德,只比照母后,现在又减少,以表明一定要实行。以先帝嘱托的深恩,天下期望的厚重,如果有利于国家,我不吝惜自己的发肤。况且以此推恩,实在太微小了,忠义之人,应当体察此情,各处忘掉内顾的想法,共同形成节约的制度。今后每遇到圣节、大典礼、生辰,应该给亲属的恩赐,一并裁减四分之一。皇太后、皇太妃照此办理。"

庚申(十八日),设置六曹尚书代理官职。

丙寅(二十四日),下诏吏部详细审定六曹、寺监机构重复的利弊加以报告。

范百禄、赵君锡已经接受命令,视察东西两条河道,勘察地形,考究利害,发现向东流的河水地势高,向北流的水道顺势而下,知道河道肯定不可复归,就逐条画图说明上奏。

元祐四年　辽大安五年(公元1089年)

春季,正月,癸未(十二日),范百禄等出使回来,入朝回话,又说:"修减水河,有害无益,希望停止这项劳役,挪移工徒材料,修筑西堤,以保护南边决口。"不久,就下诏停止回归河道及修减水河。

辽国主到达鱼儿泺。

甲申(十三日),因为夏国人表示友好,下令边防将领不要制造事端。

左司谏韩川罢免为集贤校理,暂发遣颍州,因为数次进言弹劾胡宗愈不被采纳的缘故。

甲午(二十三日),高丽向辽国进贡。

同月,知邓州蔡确恢复为观文殿学士。

二月,甲辰(初三),司空、同平章军国事中国公吕公著去世,卒年七十二岁。太皇太后接见辅政大臣说:"这是国家的不幸,司马相公刚去世,吕司空也去世。"哀痛惋惜很久。皇上也很悲伤,马上到吕公著家中亲临祭奠,赠给太师称号,谥号正献。

吕公著从年轻时讲求学问,即以修治心性为本,平时没有疾言厉色,对于声名利益,淡泊没有什么喜好。见识深刻敏锐,度量宽宏而学问精深,不因为利害关系而内心动摇。待人极为真诚,不好表露自己,是天生如此。士大夫若有意于某人,一定要询问他所知道的,与自己所知道的相互参考,以等待皇上询问。神宗皇帝曾对执政说:"吕公著对于人才的言论没有虚假,如秤称物一样准确。"每在皇帝面前议论政事,尽其诚意去掉虚伪,广泛吸取众人的长处作为长处,到了他认为应当坚持的时候,又坚毅不能动摇,王安石博学善辩,无人敢和他抗衡,吕公著独能以精当简约的言辞折服他。王安石曾说:"毛病自己不能把握,但一见到长者,就不觉消失了。"对他的敬服到了这个地步。

庚戌(初九),天空中白虹贯日。

乙卯(十四日),夏国主派遣使者来感谢册封。

壬戌(二十一日),皇上驾临迩英阁,命讲读官讲《尚书》,读《宝训》。司马康讲解《洪范》至"义用三德"时,皇上问道:"只这三德,就是更有德了吗?"司马康答道:"皋陶所说的有九德,如'柔而立,刚而塞,强而义'等语就是的。"先是皇帝恭敬地沉默不语,起居舍人王岩叟喜欢听到皇上圣明的声音,想因此以劝谏,退下后上奏说:"陛下既然能够详细询问,一定能体察而实行。三德,是做君主的根本,有了它国家就能治理好,失去它就会混乱,不可一刻少了它。三这个数字虽然少,推而广之,足以包括尽天下重要的事理。"王岩叟曾担任侍讲,上奏说:"陛下宫中以什么消遣?"皇上说:"并没有其他爱好,只是读书。"王岩叟回答:"为圣之学在于积累,积累的要点,在于专心与勤奋。排除其他杂事,才能说是专,长久而不厌倦,才能说是勤。"皇上认为是这样。

三月,癸酉(初二),辽国主命令析津、大定两府严格推选举人上报。辽国自清宁年间以后,五京、各州都建有孔子庙,颁布了《五经》传疏,到这时又下令晓谕学者应当苦读经书明白道义。

甲戌(初三),苏颂等上奏撰写并呈上《汉唐故事分门增修》,下诏以《迩英要览》作为书名。

己卯(初八),制作浑天仪。

胡宗愈罢免为资政殿学士、知陈州,是因为刘安世屡次弹劾他的罪状的缘故。

太史局上奏:"宋朝以德而统治天下,现在所制造的浑天仪名字叫作水运,很不是好兆头。"下诏以元祐浑天仪象作为名字。之后翰林学士许将等请求即以象为仪,合并为一器,得到采纳。

刘安世说:"从去年冬季到今年春季,雨雪没有按时令下降,夏季禾苗将枯,秋季种子没有下播,请求停止宴乐,以示为雨水担忧的意思。"

丁亥(十六日),下诏停止宴乐。

翰林学士兼侍读苏轼罢免为龙图阁学士、知杭州。苏轼曾读《祖宗宝训》,因此论及时事,多次说:"现在功过不分明,不劝善不止恶;还有,黄河趋向于北流却强使向东;夏国人侵犯镇戎,杀害掠夺几万人,守卫大臣隐瞒不报,朝廷也不过问。恐怕逐渐形成衰落混乱的势头。"当权的人恨他,赵挺之、王觌攻击他尤其厉害。苏轼知道不能容忍自己,请求外放,所以有这个任命。

己丑(十八日),皇帝下诏书:"从今以后行大礼不要给朕上尊号。"

辛卯(二十日),白天,有一颗流星从东北向西北急速流过,直到逐渐看不见。

乙未(二十四日),取消临幸琼林苑、金明池。

夏季,四月,甲辰(初四),辽国任命知奚六部大王事尼噶为本部大王。

乙巳(初五),吕大防等人因为长久干旱,请求免职,不被批准。

丁未(初七),太保、司徒兼中书令、太一宫使、济阳郡王曹佾去世。

曹佾性格温和平易,风度优美,宋神宗经常向他咨询政事,但下朝之后,整天的言语不会涉及公事。宋神宗对大臣说:"曹王虽然是因近亲贵戚而得任用,但能把握自己,很少过错,善于自我保护,真是纯正的大臣。"入朝对答,不曾称名字。

戊申(初八),取消大礼使及奏告宰执加赐的制度。

此前知汉阳军吴处厚说:"蔡确前些时贬往安州,不自我反省,包藏怨恨之心,曾经到车盖亭游玩,作诗十章,其中二章讥讽尤其严重。"奏章到达,左司谏吴安诗首先知道这件事,马上弹劾他;梁焘、范祖禹、王岩叟、刘安世等,交相上奏章,请求处置蔡确的罪过。壬(十二日),下诏书命令蔡确条例情况上奏,并委托知安州钱景阳缴送蔡确题诗的原本。

当初,蔡确曾跟从吴处厚学习写赋,到作了宰相以后,就与吴处厚有矛盾。王珪要授予吴处厚的馆阁职务,被蔡确所阻止,吴处厚因此恨蔡确,所以将他的诗注释上报。士大夫们本来有不少人恨蔡确,但也因此畏惧厌恶吴处厚。

辽国主在北山打猎。

戊午(十八日),分经义、诗赋为两科考试取士,取消明法科。

尚书省请求恢复诗赋,让经义、诗赋分为两科考试取士,以说明法科是最低下的科目,现在考中的人就授予司法职位,名字排列反而在及第进士的前面,这是不对的,下诏按照此意见办理。凡是考诗赋科的进士,在《易》《书》《诗》《周礼》《礼记》《春秋左传》当中任选一种经书研习。初次考试本经经义二道,《论语》《孟子》经义各一道,其次考试做赋及律诗各一首,再次考试论一首,最后考试诸子、历史、时务策二道,共四场。考经义科的进士,必须研习两种经书,以《诗经》《礼记》《周礼》《左氏春秋》为大经,以《尚书》,《周易》《春秋公羊传》《春秋谷梁传》《仪礼》为中经,愿意研习两种大经者自便,但不得只研习两种中经。初次考试本经经义三道,《论语》经义一道,其次考试本经经义三道,《孟子》经义一道,再次考试论、策和诗赋科一样。两科一并以四场考试的总成绩定高下,而解送的名额从中间分,各占一半。专门考试经义的以理义高低决定取舍,兼考诗赋者,以诗赋成绩决定去留,名次的高下,又以策论的情况做参考。

当初,司马光说:"宋神宗推崇用经义、论、策取士,这是恢复前代君王的制度,百代不能改变的原则。可是王安石不应当以一家的个人学说,想盖过前代各位儒师们,让天下的师生讲解学习。至于法律条令,都是当官所必须,假若做官的人都能知道其中的义理,自然会与法律暗合,何必设置明法一科,学习成为刻薄之人,不是培育人才、敦厚风俗的方法。"到此时于是取消明法科。

同一天,尚书省又说:"黄河向东流,是中国险要,自从大吴决口后,黄河由界河入海,不仅淤塞毁坏池塘水泊,而且浑浊河水进入界河,地势逐渐沉淀升高,那么黄河末端将直接从北部边界入海,中国完全失去了天险的作用,不能不认真考虑。"下诏命令范百禄、赵君锡图解报告。范百禄说:"臣等巡察黄河独流口至界河,又东到入海口,仔细观察黄河流向的趋势,并又沿着界河到入海口铺寨地段。使臣们说界河在黄河没有流经以前,宽一百五十步,窄也有五十步,深一丈五尺,浅处也有一丈;自从黄河流经之后,宽五百四十步,窄也有两三百步,深达三丈五尺,浅也有两丈。可知水性往下,流速急就自然刮掉河岸成空而加深,与汉代张戎的说法正相符合。自从元丰四年黄河在大吴决口,势如高屋建瓴倾泻而下,到现在已经八年了,冲刷界河两岸,日渐宽阔,河床加深,奔腾向大海甚为迅猛,虽然遇上河水漫涨超过平常,但大吴以上数百里河岸,始终没有决口,这就是往下河道深水流快的结果。臣等私下以为从本朝开国以来,还没有黄河平安流淌,合乎大禹当年治水法则如此便利的时候。界河逐渐加深向下流过,奔腾迅猛,只会加深加宽,不会淤浅,黄河末端怎么会直接注入北界呢,中国也不会失去险阻的道理,不至于烦劳皇上操心。"

壬戌(二十二日),放宽在京城的牧地给百姓。

甲子(二十四日),辽国主因为大雨停止出猎。

五月,辛未(初二),任命著作郎范祖禹为右谏议大夫兼侍讲。

范祖禹上奏章论述君主正心修身的重要,请求太皇太后每日以天下的勤劳,百姓的疾苦,大臣们的奸邪与正直,政事的得与失,开导圣上的思想,明白地存在心中,以便他日各种邪说不能迷惑,小人不能得到任用。

癸酉(初四),任命御史中丞李常为兵部尚书,侍御史盛陶为太常少卿;都是因为不指论蔡确的缘故而调动官职。

辛巳(十二日),知邓州、观文殿学士蔡确处罚降职为左中散大夫、守光禄卿、分司南京。

当时中书舍人彭汝砺秘密上奏章救蔡确,大意有"吴处厚开告状攻击他人的先例,这个风气不能助长"的话;盛陶也上奏章,意思和彭汝砺相合。不久安州报告说蔡确已经刮洗诗牌。第二天,蔡确的复奏也到了,自我辩解非常详细,彭汝砺再次解救他。处罚还没有决定,梁焘、刘安世说蔡确罪状明确,何须等待分析,所以有这个任命。彭汝砺又封还奏疏,并进谒告请,正好王岩叟当班,于是草拟文书下发。

丙戌(十七日),梁焘、吴安诗、刘安世说蔡确罪行严重而处罚轻,傅尧俞、朱光庭也相继议论,范祖禹也支持此说。因此太皇太后传命梁焘等人,命令秘密地拟定放逐的规定上报,梁焘等就以丁谓、孙沔、吕惠卿的旧例分列上报。

丁亥(十八日),宰相执政大臣入朝对答,太皇太后忽然说:"蔡确可以贬为英州别驾、新州安置。"宰相执政大臣惊愕相对而视。范纯仁说当今应当尽量宽厚,不能够因为语言文字暧昧不明的过错来责罚大臣,刘挚也因为蔡确母亲年老,引用柳宗元和刘禹锡播州的旧事相劝。吕大防于是说:"蔡确是先帝时的大臣,请求像刘挚所说的,改到比较近的州郡安置。"太皇太后说："山可移动,这个州郡不能动。"因此不敢再说什么。唯独范纯仁留下,向王存拱手行礼论述此事,但主意没有改变。范纯仁说："臣服从命令,但请求不用内臣押送。"太皇太后说："为什么?"范纯仁以曹利用的事情解释。太皇太后说："放心,他一定不会死的。"当天夜里,文书批出,派遣入内供奉裴彦臣等押送,大臣们都想挽救阻止,又恐怕与当初的议论相背,而且不合体制,于是不敢提出。李常、盛陶、翟思、赵挺之、王彭年因为不检举弹劾,彭汝砺因为营救而不草拟处罚文书,都免去职务。提拔吴处厚知卫州。

当初,讨论将蔡确贬往岭峤,范纯仁对吕大防说："此路自丁晋公以后,荆棘丛生已经六七十年了,怎么又打开?我们恐怕也不免如此了。"

知杭州苏轼还没有出发,秘密上奏说："朝廷若从轻处罚蔡确的罪过,那么对于皇上仁孝之治显得不足;若重责蔡确,那么对于太皇太后的仁政又小有损害。宜由皇帝下令处治,太皇太后特别加以宽容,那么仁孝两全了。"太皇太后认为此言有理但不能够采用。

下诏命令直龙图阁邢恕,等候服丧期满,授予承议郎、监永州盐酒税。此前邢恕从襄州到河阳,走小路到邓州,见到蔡确,互相谋划所商量的确定国策的大事。等到司马康到京,邢恕特邀请司马康取道河阳,劝司马康写信称赞蔡确,作为他日保全身家之计。司马康因为与邢恕是同年,又出于父亲门下,相信他,按邢恕所说写了信。邢恕的本意一定要司马康书信的原因,是因为司马康是司马光的儿子,他说蔡确有确定国策的功绩,可以取信于世人。不久梁焘从潞州被朝廷以左谏议召回,邢恕也要梁焘到河阳,已经到了后,邢恕日夜议论蔡确确定国策的功绩不止,而且以司马康给蔡确的信作为证明。梁焘不高兴,到朝廷上奏此事。正赶上吴处厚攻击蔡确的诗赋,梁焘于是与刘安世等请求处罚蔡确。蔡确已贬黜,邢恕也因此受贬。

太皇太后传谕三省说："皇帝是先帝的长子,子继父业,理所当然,蔡确有什么策划拥立的功劳呢!假若蔡确他日再回来,欺上瞒下,岂不为害朝廷?恐怕皇帝年轻控制不住,现在他因此自行败露,如此处罚,正是为了国家。"

司马康当初想接受邢恕的邀请,邵雍的儿子邵伯温对司马康说："公休你除去丧服,没有晋见皇上,不能先见朋友。"司马康说："已经答应了。"邵伯温说："邢恕狡诈,也许有事情要你去做,依从他日后一定会后悔的。"公休,是司马康的字。等到梁焘指责蔡确、邢恕的罪过,也指出司马康的书信,皇帝下诏,命令司马康做出说明,司马康后悔这件事。

当初,梁焘指论蔡确的过错,秘密列出蔡确以及王安石的亲信党羽的姓名上奏,说："臣等认为蔡确本出于王安石的门下,相继把持朝政,近二十年了,一群小人依附,根深蒂固,特将两人的亲信党羽列在后面。蔡确亲信党羽:安焘、章惇、蒲宗孟、曾布、曾肇、蔡京、蔡卞、黄履、吴居厚、舒亶、王觌、邢恕等四十七人;王安石亲信党羽:蔡确、章惇、吕惠卿、张璪、安焘、蒲宗孟、王安礼、曾布、彭汝砺、陆佃、谢景温、黄履、吕嘉问、沈括、舒亶、叶祖洽、赵挺之、宣商英等三十人。"因此太皇太后对宰执宣布说："蔡确的党羽多在朝廷。"范纯仁进言说："蔡确没有党羽。"吕大防进言说："蔡确党羽很猖獗,范纯仁的话不对。"刘挚也帮助吕大防,说蔡确有党羽。范纯仁说："朋友和党羽难以辨别,恐怕误伤了好人。"退朝后,就上奏说："蔡确的罪行,自有刑罚制度,不应当推及相关的人,旁及枝叶。此前接到特别降下的诏书,全部宽恕臣僚过去的过失,自此以后,朝廷内外都很安宁,上下人心融洽,盛大的德行,实在应当长期实行。臣以拳拳之心,实际就在这里。"范祖禹也说蔡确已经贬黜,其余党羽可以不追究,于是上奏:"自从乾兴年间贬黜丁谓以来,不贬逐大臣六十多年了,一旦这么做,四面八方没有不震动的。蔡确罢免宰相已经很久了,陛下所任用的,多不是蔡确的余党。其中一向怀有奸邪之心而为众人所知道的,固然逃不出圣上的明鉴,其余一些有不同见解议论的人,如果都当作蔡确同党加以贬逐,恐怕刑罚失去了公正而人心不安。"

辽国主停驻赤勒岭。

己丑(二十日),辽国任命准布玛古苏为各族部长,是由于西北路招讨使耶律托卜嘉的推荐。自从萧迪噜为招讨使之后,政务上迁就姑息,多选择服从软弱的人任用,各部族逐渐骄横。托卜嘉更是宽容,边防益加废弛。至此时又推荐玛古苏,终于引发后来边防之患。

癸巳(二十四日),回鹘向辽国进贡好马。

己亥(三十日),辽国任命同知南枢密院使事耶律鄂嘉知右伊勒希巴事,任命左祗候郎君班详衮耶律尼哩知北大王事。

六月,甲辰(初五),免去范纯仁、王存的职务。

当时梁焘、刘安世交相上奏章指责范纯仁依附蔡确,范纯仁也要求外放。吴安诗于是说王存曾帮助范纯仁解救蔡确,范纯仁应当罢免,王存也不能单独留下。于是下诏任命范纯仁依照前任官职为观文殿学士,知颖昌府,王存为端明殿学士,知蔡州。

丙午(初七),任命枢密直学士、户部尚书韩忠彦为尚书左丞,翰林学士许将为尚书右丞,枢密直学士、签书枢密院事赵瞻为同知枢密院事。

丁未(初八),任命户部侍郎苏辙为吏部侍郎;三天后,改任翰林学士。

夏国派遣使臣来朝贡。

甲寅(十五日),夏国派遣使臣到辽国感谢册封。

壬戌(二十三日),辽国任命参知政事王言敷为枢密副使,贾士勋为参知政事兼同知枢密院事。

秋季,七月,庚午(初二),辽国主在沙岭打猎。

乙亥(初七),安焘因为母丧离职。

丙申(二十八日),皇上诏令户部,命令各路提刑司下到年成丰收的州县,酌情增加钱币大量收籴粮食,是采纳了司马康、刘安世、范祖禹的建议。

壬辰(二十四日),辽国主驻扎在藕丝淀。

丙申(二十八日),都水监官员报告说:"宗城河水满溢向下,水流量不定,黄河水势不能完全改变。请暂作两股分流,以缓和下游的水患,虽然不能保证冬夏季常有水流,已经可以看到可行的趋势。一定要长久,应当就做两股水流,仍然要增添役工,才有长远之利。"下诏命有关部门明确分析上报。

八月,壬寅(初五),皇上下令郡守正副职按"四善三最"来考核县令,吏部每年上报监司考核知州的情况。

丁未(初十),翰林学士苏辙说:"臣听说黄河水道向西移,在孙村附近大约深入地下二丈流过来,而看到报告,河水涨出,由新开的河口东流入孙村,不过六七尺。想从六七尺的涨水而改变入地二丈的河道,虽然是三尺的儿童也知道很难。然而朝廷却派遣都水使开水道,设置锯牙,想约束河道向东。黄河水刚刚猛涨,向西行的河道如不断流,那么想扼制它向东行,实在如同儿戏。臣希望陛下赶紧命令有关部门,仔细观察水势走向,依照历年涨水的惯例,根据河水向东流,引入旧河道,以解除北京的忧患。其中堤防损坏决口的地方,只略加修整,避免决口漫出,等到水势稍平稳,然后讨论这件事。不超过一个月,上涨水位已经下落,那么西流的水势绝没有移动的道理,而一群小人的妄断之说,也不攻自破了。"

辛酉(二十四日),太皇太后下诏:"今后明堂行大礼,不要让百官上表朝贺。"

乙丑(二十八日),都水监句当公事李伟说:"打开直堤,放水进入孙村口旧道,水势顺当快捷,朝廷应当尽力关闭北流河道,才是上策。如果不明确地下令有关部门,马上使黄河回流,极担心上下拖延,议论不决,观望犹豫之间,骤然失去机会。请求重新设置修河司。"采纳这个建议,仍然以都提举修河司官署名称。

九月,己卯(十二日),在景灵宫举行朝献仪式。

辛巳(十四日),在明堂举行大型宴会,赦免天下,加恩泽于百官,赏赐官员百姓中年高九十以上的人。

乙未(二十八日),检察列举前朝文武官员的七条规定,告诫百官遵守。

右谏议大夫范祖禹说:"陛下前不久撤销修河司,朝廷内外无不认为适当。现在才经过三个季度,又兴起回归河道的劳役,只是执政大臣耻于前说之失当,一定要实现他们轻易地兴办回归河道劳役的想法,黄河本来没有什么事而人却强要破坏它,请求明确告诫大臣,广泛采纳大家的意见,停止回归河道,不以有限的财力去填补深不可测的河道,不因一言的不适当而去实现肯定不能建立的事功。请求撤销提举修河司,遣散修河官吏役工,北流之河道有决口或溢出,根据情况救护。"不予上报。

当初,辽国主因为契丹、汉人的风俗不一样,国家的法令不能区别执行,命令耶律伊逊等修订条令。当时校定官按重熙的旧法,删掉其中重复的,有五百四十五条,选取一百七十三条,又新增七十一条,共七百八十九条,加上重编的达千余条,都分类排列。以太康年间制定,又以刑律及条例参照校核,增加了三十六条。之后因事件增加校核,到大安三年止,又增加六十条。条例很繁杂,掌管的人不能全部了解,愚民不知道遵守,犯法的人很多,官吏得以因此狼狈为奸。冬季,十月,乙巳(初九)辽国主下诏令说:"法令,用以向百姓展示信义,使百姓可以遵守不可触犯。近命有关部门修订刑法,然而不能明白朕之意图,订立很多条例使百姓陷于犯罪,朕很不赞成。从现在重新使用旧法令,其余全部废除。"

戊申(十二日),翰林学士苏辙进献《神宗御制集》九十卷,皇上下令收藏于宝文阁。

癸丑(十七日),皇上亲临迩英阁,进读《三朝宝训》。

十一月,丁卯朔(初一),辽国因为燕国王延禧生儿子,大赦天下,王妃的亲属按级晋爵。

癸未(十七日)，任命门下侍郎孙固知枢密院事，中书侍郎刘挚为门下侍郎，吏部尚书傅尧俞为中书侍郎。此前梁焘、刘安世在延和殿奏答，太皇太后命令提供可任用的臣僚姓名，梁焘、刘安世就以傅尧俞以及苏颂推荐，到此时傅尧俞得以重用。

乙酉(十九日)，有一颗红色的星，尾部黄色，照亮了大地。

己丑(二十三日)，太皇太后谢绝元旦的贺礼，让百官上表拜贺。

壬辰(二十六日)，修改发运、转运、提刑预伎乐宴会处以徒刑二年的法令。

甲午(二十八日)，知杭州苏轼说："浙西粮荒很严重，今年两浙水乡种麦很少，极担心来年会有饥饿和盗贼的祸患。转运司上缴的额度及填补过去的欠缺共一百六十余万石，请求发运一半或三分之二。"下诏允许留下上缴的三分之一。因此米价不很贵，又得到赐予的度牒百道，换米以救挨饿的人。第二年初春，减半价出售常平仓的米，又制作稠粥，救活的人很多。

杭州临海，泉水咸苦，唐代刺史李泌，开始疏导西湖，开凿六处井水，百姓因此足够使用。等到白居易再疏浚西湖，引水进入运河，灌溉田地近千顷。然而湖中多水草，从唐代到钱氏，每年疏浚治理，宋朝建立后，停止此事，水草淤积为田而水面不多了。运河失去了西湖之利而从江中取水，江潮进入运河，泛滥到街市，三年一次，成为居民的大患，六处井水也差不多废掉了。苏轼刚到，疏浚茆山、盐桥两条河，让茆山一条河专门接受江潮，让盐桥这条河专门接受西湖水，又以剩余的劳力修复治理六处井水，百姓逐渐获得利益。苏轼说："如果取用淤田，堆在湖中，筑成长堤以沟通南北，那么淤田就没有了而行人也方便了。"就取用救荒所剩余的钱物，又请示朝廷，得到度牒来招募役工。堤筑成了，南北长十三里，种植芙蓉、杨柳在堤上，望去如图画一般，杭州人称之为苏公堤。

十二月，丁酉朔(初一)，正议大夫章惇开始除去丧服，降职授予通议大夫，提举杭州洞霄宫。当初，梁焘等上奏弹劾章惇用低价侵夺百姓田地，皇上下诏令等候服丧期满予以宫观差遣，所以有这个任命。

癸丑(十七日)，改定朝仪两个舞蹈，即《威加四海》《化成天下》。

甲寅(十八日)，裁减鄜延等路戍守兵卒回营。

戊午(二十二日)，因为御史缺职，命令中丞、两省各推举二人。

当初，范祖禹听说皇宫内寻找乳母，认为皇上只十四岁，不是近女色的时候，上疏奉劝修德行爱惜身体。又请求太皇太后保护皇上身体，言辞极为恳切。太皇太后告诉说："乳母的说法，是外面的误传。"范祖禹回答说："外面的议论虽是虚传，事前也足以为戒。臣侍经筵左右，道听途说，实在也心中怀有忧虑，因此不敢回避妄言的罪过。凡事在没有发生时说出，那么实在是过错，等到它已经发生。那么又不起作用。陛下宁可接受没有发生时的提醒，不要让臣有不起作用的悔恨。"

这一月，刘安世又说："臣上月末，听说暂时停止经筵，意思是说将有宴会，现在又过了半月，讲官很久没有得见皇上，前不久民间传说宫中寻找乳母，于是说陛下近女色，这个名声流传，实在有损皇上德望。"

另一天,吕大防奏报事情,太皇太后告诉说:"刘安世上疏说宫中寻找乳母之事,这不是皇上本人的意思,是先帝一两个小公主还需要吃奶。皇上经常在我床前室内寝居,哪有这种事!"

元祐五年 辽大安六年(公元1090年)

春季,正月,丁卯朔(初一),皇上亲临大庆殿理事。

丁丑(十一日),在景灵宫举行朝献仪式。

乙酉(十九日),范祖禹上奏札四道。第一道说:"经筵官职缺位,宜选取老成的人。韩维风节素高,如果召授以经筵的职务,议论一定认为适合。"第二道说:"苏颂近来请求退休。苏颂博闻强记,熟悉典章制度,陛下身边,应该有博学远见的人以备顾问。"第三道说:"苏轼的文章,为时人所效法,忠义于国家,遇到事情敢于直言,岂能让他离开朝廷太久!"第四道说:"赵君锡孝行,记录在《英宗实录》中,辅导国君,不能离开孝;给事中郑穆,是馆阁老儒师,节操纯正;中书舍人郑雍,谨慎安稳端庄廉洁,言行不虚伪。这三个人,都适于安置在身边,列入讲读的职位。"

同月,辽国主到达混同江。

二月,己亥(初四),下诏命都水使者吴安持提举修减水河。

夏国人送来攻陷永乐城掳去的官吏士卒一百四十九人,宋哲宗下诏将米脂、葭芦、浮图、安疆四寨还给夏国,并约定委派官员画定边界。

知颍昌府范纯仁听说朝廷重新讨论修黄河,上疏说:"范百禄、赵君锡考察回来,陈述回河的弊害很清楚。两三月来,听说又大兴此工役。请皇上再下恩惠给有关部门,如果利多害少,还可以慢慢谋划;假如利少害多,尤其应该安宁。"疏送达,主张回河说的人不高兴,想搁置不发。太皇太后说:"范纯仁的话有道理,应该听从他的建议。"辛丑(初六),下诏停止修黄河。

当初黄河上所征调的役夫,允许交钱免力役,命令一出,上下都觉得方便。唯独范纯仁担心说:"民力自此更加困乏了。力气,是身上所出来的;钱,不是百姓所有的。现在要拿他们所没有的东西,百姓怎么会不困苦呢?只是富人不用亲自服劳役认为很方便罢了。而且从来不调用五百里外的役夫,现在的免役钱,无所谓远近,如果遇上搜括的官吏,那么百姓受害没有比这更深的。"

辽国主到达双山。

壬寅(初七),皇上亲临迩英阁,讲读完《尚书·无逸篇》,下诏录下所讲内容呈上。旧例,经筵讲官在前一天呈送讲义,从元丰元年侍讲陆佃开始;到此时下诏令,今后讲义在第二天另行送呈。

癸卯(初八),皇上下诏令:"雨期往后拖延,所有五岳、四渎所在的州军,令主管官吏祈祷。"

丁未(十二日),减轻天下囚徒的处罚,杖刑以下的释放。

当初,文彦博重新进入宰相府,满一年,就要求离职。皇上下诏说:"周文王善于招用年长的人,那么姜太公就到来;鲁缪公在子思旁不能容人,那么年长的人就离去。您自我考虑虽是好事,但唯独不为朝廷惋惜吗?"又说:"唐太宗在兵乱之时,尚能在李靖已经年长的时候起用他,而唐穆宗、文宗在平安的时期,却不能任用无病痛的裴度,治乱的成效如何,从这里可以看出。"文彦博读到诏书很感动,不敢说离去的话,又任职四年。到这时不断请求离职,庚戌(十五日),皇上下诏书命以太师、开府仪同三司、护国军、山南西道节度使职退休,命令有关部门准备典礼册命。壬子(十七日),文彦博请求免去册封典礼,接受这个意见。甲子(二十九日),在玉津园举行宴会为文彦博钱别。

三月,丙寅朔(初一),中大夫、同知枢密院事赵瞻去世,谥号懿简。

丁卯(初二),赐已故龙图阁直学士孙觉家属缗钱,以供办丧事。

辛未(初六),女真人向辽国进贡。

壬申(初七),任命尚书左丞韩忠彦同知枢密院事,翰林学士承旨苏颂为尚书左丞。韩忠彦之弟韩纯彦的妻子,是孙固的女儿,各人都以避亲之嫌请求辞职,不被批准。韩忠彦曾与傅尧俞、许将议论事情意见不一致,都请求免职,殿中侍御史上官均说:"大臣任职,与国家休戚相关,朝廷之上,应当务求协调。如果愤愤争执,不顾国家体统,何以给百官做表率!傅尧俞、许将虽然有争辩的过错,但都是为公事,希望让他们任职。"采纳此意见。

己卯(十四日),任命龙图阁直学士、知亳州邓温伯为翰林学士承旨。王岩叟封还任命,不被听从。邓温伯,本名润甫,当时避高鲁王的讳,所以世人称他的字。

癸未(十八日),取消春宴。

辛卯(二十六日),任命杨畏为监察御史。刘安世、朱光庭说:"御史官缺员,多次诏令亲近大臣推举所了解的人。杨畏不在推荐之列,不知道朝廷以什么名义任命?"没有答复。

壬辰(二十七日),皇上取消临幸琼林苑、金明池。

夏季,四月,丁酉(初二),辽国东北路统军司设置掌法官。

甲辰(初九),吕大防等因为干旱请求免职,下诏答复不允许。

右光禄大夫、知枢密院事孙固去世。太皇太后以及皇帝都哭出了声,停止上朝三天,赠予开府仪同三司,谥号温靖。

孙固心地诚恳单纯,不喜欢装作高傲,曾说:"人应当以圣贤为师,只有一方面节操的人,不值得学习。"又说:"以爱亲人的心情爱君主,那么就没有不尽心的。"傅尧俞说:"司马公的清正节操,孙公的淳厚品德,就是所说的不说也相信的那种。"世人认为是精当的评论。

癸丑(十八日),下诏令讲读官侍讲经筵退下后,留下二人在迩英阁奏对。

丁巳(二十二日),下诏因为干旱回避正殿,减少御膳,取消五月初一日前往文德殿视朝。

五月,壬申(初八),皇上下诏:"差役法有不完备的,命令王岩叟、韩川和刘安世审核,将利害上报。"

辽国主驻扎在散水原。

乙亥(十一日),下雨。

己卯(十五日),皇上临幸正殿,恢复用膳。

庚寅（二十六日），任命梁焘为户部尚书，刘安世为中书舍人。梁焘、刘安世都因为请求撤销邓温伯承旨的任命没有采纳，推辞所晋升的官职不接受。

范祖禹留下奏对，说："庆历元年，皇帝展示亲自绘制的《观文鉴古图记》给辅臣看；皇祐元年，皇上召近臣、三馆阁员、台谏官以及宗室成员观看《三朝训鉴图》。仁宗皇帝在讲习学问之余，绘制图画以古为鉴，不忘鉴戒；又绘图描述三朝的事迹希望子孙知道祖宗的功绩。希望陛下在终日看书之余，间或观看这些图；也是好学不倦的一个方面。"

六月，辛丑（初八），审讯记录囚犯罪状。

甲寅（二十一日），辽国派遣使臣审决五京囚犯。

从元祐开始处理新的政务，到现在五年了，人心已安定；只是元丰的旧党人，分布在朝廷内外，经常制造邪说以动摇统治。吕大防、刘挚担心这个问题，想略加以任用，以平息旧的怨恨，说是"调停"，太皇太后犹豫不决。乙卯（二十二日），御使中丞苏辙入朝奏对，即当面斥责这样做不对，退朝后又上奏疏说："臣刚才当面指出君子小人不能一起相处，皇上好像不认为臣之意见不对。然而在皇上威严面前，言词急迫，言所未尽，臣如不说，谁来挽救这个失误？亲近君子，疏远小人，那么君主受尊敬国家安定；疏远君子，任用小人，那么君主有祸患国家危险。这是必然的道理。没有听说小人在朝外，还担心他们不高兴，而引用到朝内来自己留下祸患的。所以臣认为小人虽然不能任用为心腹，至于在管理边远之地，做些日常事务，不必偏废一个方面还是可以的。如果就这样引用到朝廷内，就像怕盗贼得到财物而引导他们进入内室，知道虎豹想吃肉而让它们进入牧场，没有这个道理。况且，君子和小人，如同冰和炭，同在一处必然相争，小人一定会胜利，君子一定会失败。为什么？小人贪利不顾羞耻，打击也难使他离去；君子洁身自好，阻止他就会引退。古话说：'一香草一臭草，十年还有臭'，就是说的这种情况。先帝英明智慧，兴盛可与三代相比，而做臣子的不能顺势，制订的各种新法，上逆天意，下失民心。二圣依据民心意愿，取消变更它，此前任用主事的大臣，现在朝廷虽然不加以贬斥放逐，但其势力也不能再保留。尚且仰仗二圣的仁慈，放在地方上培养，已经是厚待了。而议事的人迷惑于众人的议论，才想要招入朝内而任用，与他们共事，说是'调停'。这些人如果返回朝内，哪里肯就这样罢休呢！一定会残害正直的人，逐渐恢复旧的政事，以泄私愤。臣子们遭受祸患，不算什么；臣所惋惜的，是祖宗基业、朝廷安危。希望陛下自做决断，不要被流言所迷惑，不要让小人一进用，就有吞噬肚脐的悔恨。"奏疏报上，太皇太后命令宰相执政大臣在帘前宣读，说："苏辙疑心我邪正兼用，他的话极在理。"各大臣因而附和，调停的说法于是停止。

苏辙又上奏说："臣看来现在虽然未达到大治，但祖宗的纲纪都在，州郡的百姓生活大致安定。如果大臣端正自己心地公平，没有生事邀功的想法，根据弊端修订法令，运用安定百姓国家的方法，即使有异党，哪个不心意归顺？只担心朝廷办事情不详细慎重。从前黄河向北流，正符合水性，而治水官员穿凿附会，想引导黄河水向东流，由低处移向高处，违背阴阳五行的道理。等到陛下派使臣巡察，知道不能这么做，他们还固执不听从。到现在已一年，回河工程已停止，但修减水河的工程还在，于是使河朔地区的百姓，人力物力困乏。现在西

1793

夏、青唐之外都已臣服，朝廷招抚很优厚，生怕失去他们。而熙河的将官们，修筑两个城堡来夺取他们的肥沃土地，商议接纳忠心的人以夺取他们的权柄，效果还看不见，争端已经先形成。朝廷虽然知道这样不对，但不明确处置，如果就此造成边境争端，关陕哪能安居！这两件事，臣认为应该检省自己、公平态度，才没有生事邀功的人。过去嘉祐以前，乡民有衙前差役，百姓因此有破产的祸患。熙宁以后，出卖坊场以雇人充衙前之役，百姓不再知道有衙前差役的苦事。等元祐初年，又用旧办法，一概恢复差役之法，官府收取坊场钱，百姓出衙前差役费，四面八方惊慌顾望，大家意见纷纭。马上知道不可行，接着又恢复雇役法，去年秋季，又恢复差役法。况且熙宁雇役法，三个等次的民户，都出雇役钱。上等户家业富足，出钱没有限度，下等户过去充差役，也让出钱；所以这两等民户，不免生怨言。至于中等民户，过去已经自己服差役，现在又出钱不多，雇役法实行，最得方便。取消雇役法，上下两等欢喜雀跃可以想到，只是中等民户反而受害。例如京畿各县的中等之家，按例出雇役钱三贯，如果经过十年，只三十贯钱而已。现在差役法已经实行，各种劳役的劳作，最为轻贱；农民在官府服役，每天一百钱，是最少的开销。然而一年的花费，已是三十六贯，二年服役期满，费用七十余贯。停止服役回乡，宽余的乡可以闲三年，小乡不到一年。以此比较，那么差役五年的费用，比雇役十年的费用还高一倍。赋役出于中等人家，所以天下都愿意雇役法而厌恶差役法。这两件事，就是臣所说的应该根据弊端修改法令，运用能安定百姓国家的措施之所指。这四件事不变更，像臣这些人都知道措施不对，那么更何况心怀异心，意在翻案，希望国家有失误，好做借口的人呢？恐怕他们已经暗暗记在心中，大造坏舆论，等待时机而发作，动摇大家的视听哩。请求向宰相执政官宣示，事情有不当，修改不必疑虑，法令不完备，修订不必厌烦。如果民心已经得到，那么反对的议论自然消失，四海百姓得到福分，上下一致，岂不美好！"

秋季，七月，辽国主到达黑岭。

乙酉(初二)，夏国人报告说划边界的使臣不按绥州的旧例，皇上下诏说："已经告诚边境守臣按约定办理。夏国的疆界，也应当这样。"

开始，元丰时所规定的官吏限额，主持的人为取悦群臣，比原来限额多数倍。朝廷担忧此事，命令根据事情裁判。吏员中有叫白中孚的人，告诉苏辙说："吏员数额不难确定。过去的流内铨，就是今天的侍郎左选，事务没有比这里更繁忙的。过去流内铨只有吏员十多人，现在侍郎左选达数十人，事务不比过去增加而任用的官吏多几倍的原因，是过去没有重处罚厚俸禄的制度，吏员通过受贿赂，所以不希望人多而分那份收入，所以尽力办事，不怕劳苦。现在实行重处罚，厚俸禄，贿赂比过去少，所以不在乎人多而庆幸事情少。这是吏员多与少的重要方面。过去的办法是按难易程度分为七等，繁重的算一分，轻闲的在一厘以下，累计多少分安排一人。现在如取每部门两个月的事务，确定分数，那么吏员的多少限额，都不能逃脱。"苏辙认为他的话有道理，于是全部报告给执政大臣，要求根据实际情况定下限额，等吏员到年限转出或因事故死亡不再补入，达到限额就停止，不用十年，自然减去冗员，执政大臣认为有理，就申报给尚书省。过后数月，各部门所提供的文字材料都完备了，因此修改成文,向三省申报。左仆射吕大防得到报告,非常高兴,想使这件事情一定由自己拿出,特别加以仔细处理。任永寿,本是某司的官吏,为人精明狡猾,曾经参与并知道元丰吏额事务,只有他能讲出其中的过程。吕大防赏识他,就在尚书省创立吏额房,让任永寿与吏员数人办理此事。凡是上奏或下行,都由吕大防自己专办,不再经过两省。一天,宫内降下两件事给中书省,其中一件是有关吏员限额的。中书省吏员向中书侍郎刘挚报告,请求封书送给尚书省,刘挚说:"当时的文书应该以录黄文书下达给门下省,现在越过了。"吏员回答说:"尚书省对有关吏员定额的事,每有文书上奏,必定直接送达本省已很长时间了,现在是误送这里。"刘挚说:"中书省不知道别的事,只应当按照法令办。"于是制作录黄文书。任永寿见到录黄,惊讶地说:"中书、门下两省开始没有参与,哪有这个东西?"立即报告吕大防,请求中书、门下两省各选派吏员到吏额房参与此事。吕大防全部告诉刘挚,刘挚说:"中书省行录黄文书,是法令规定的,哪是有意与官吏疏通留下余地? 现在才让他们到尚书省分取功劳,何必呢?"吏事房办完事务,任永寿等按等级给予恩赏。任永寿急于见到功效,劝吕大防立即按照规定吏员限额,逐日裁减官吏,并以个人喜恶变换官吏部门次序。被排斥的官吏纷纷到御史台诉说不公平。台官因此奏报任永寿等冒领赏赐徇私情,不能不惩处,谏官也接着奏报。任永寿等既受到贬逐,而官吏诉说限额、俸禄的事情最终不能得到解决。当时苏辙正担任中丞,报告说:"后省所详细制定的,都是人情感到方便的,推行很容易,而吏额房所修改的,都是人情感到不方便的,坚持最难。而且威信不能失去,应该马上命令有关部门改为按容易的办,以安定大臣们的心思。"吕大防知道众人不服,慢慢地让都司再加以仔细审定,大略如同苏辙此前所提议的实行。

刘挚当初因为吏额房的事与吕大防意见有些不一致,不久刘挚迁任门下侍郎。等到台官谏官共同攻击吕大防,吕大防称病不出。刘挚每在皇上面前讲述吏额房的事情的经过说:"这都是被裁减的人制造怨言,言官听到传闻言过其实,不应该严厉指责。"吕大防后来对人说:"使皇上心里弄清楚不疑心,刘门下出力最多"。然而士大夫中争权夺利的在两人之间争斗,说两人有嫌隙,因此制造朋党的议论。刘挚对吕大防说:"我们心中知道没有什么,但外面的议论这样,不是朝廷所应该有的,愿意引退回避。"吕大防说:"不久我也有请求。"庚寅(二十七日),上奏事情完毕后,刘挚留了一会,上奏说:"臣长期处在近臣之列,器物满了一定会倾覆,请求赐还我这把骨头,让开贤人进用的道路。"退下,接连上奏章,请求出任外职,期望一定得到批准。皇上派中使宣召刘挚入朝奏答,太皇太后告诉说:"刘侍郎不能离开,必须等皇上亲政以后才能离开。"使者多次催请入朝理政,刘挚不得已接受命令。不久,吕大防辞职,也不批准。等到刘挚升任为右仆射,与吕大防同职,不到一年,言官争相诋毁刘挚,刘挚不久被罢免。朋党的议论,于是不能消除,其事端是从吏员限额的事开始。

八月,丙午(十四日),右正言刘唐老说:"伏见《大学》一书,讲述入德的次序,希望下诏令经筵大臣,训释此书进上,以在清闲之时,阅读观看。"采纳了这个建议。当初,邓温伯因为守母丧期满,被任命为吏部尚书,梁焘任权给事中,驳回此议,改任命为知亳州,经一年,再以承旨职务召回。梁焘任御史中丞,与左谏议大夫刘安世、右谏议大夫朱光庭交相上奏章指责

"邓温伯出入在王、吕两个帮派中,始终反反复复。现在升用,实在是君子小人消长的关键"。又说:"邓温伯曾经草拟蔡确的制命,说蔡确有订立国策的功劳,以此欺骗迷惑天下,请予罢免。"多次奏疏不予答复,梁焘等因此坚决要求外放。庚戌(十八日),就外放梁焘知郑州,朱光庭知亳州,刘安世提举崇福宫。当时刘挚上疏请求暂时外放邓温伯,留下梁焘等,苏辙也三次上疏说此事,都不采纳。

给事中兼侍讲范祖禹呈上《帝学》八篇。

九月,丁丑(十六日),下诏恢复集贤院学士。

丁亥(二十六日),任命孙迥知北外都水丞,掌管北流事务;李伟为权发遣北外都水丞,掌管东流事务。

冬季,十月,癸巳(初二),撤销都提举修河司,是采纳了苏辙的建议。

下诏令引导黄河水进入汴水。

十一月,壬戌(初二),高丽国派遣使臣向辽国朝贡。

己巳(初九),辽国任命南府宰相窦景庸为武定军节度使。窦景庸审决冤屈、拖延的案件,轻重处理适当,不久以狱案空而上报。

苏辙多次上奏许将的过失,许将也多次上表请求外放。十二月,辛卯朔(初一),任命许将为资政殿学士,知定州。

甲辰(十四日),侍御史上官均又说:"吕大防固执自专,不管是非,每当差遣任命,同僚不敢有异议,只有许将时常有不同意见,吕大防每次私下有怨恨。苏辙平素与吕大防相友好,迎合他的意见,极力排斥许将,期望于一定取胜。许将已经因为不同意见罢免,执政官、台谏官,都尽力依附顺从,这样威权都归于吕大防,纲纪法令,从此破坏了。"因此请求解除言官的职务,于是被责成知广德军。

丙辰(二十六日),禁军大阅兵,赏赐给银盘帛匹,免除转资。

这一年,京城北部干旱,浙西水灾。

辽国录取进士文充等七十二人。

续资治通鉴卷第八十二

中华传世藏书

續資治通鑒

【原文】

宋纪八十二　起重光协洽【辛未】正月,尽昭阳作噩【癸酉】七月,凡二年有奇。

哲宗宪元继道显德定功　钦文睿武齐圣昭孝皇帝

元祐六年　辽大安七年【辛未,1091】　春,正月,壬戌,辽主如混同江。

癸酉,诏:"祠祭游幸,毋用羔羊。"

丙戌,以龙图阁直学士、知杭州苏轼为吏部尚书。

中丞苏辙言:"自来河决,必先因下流淤高,上流不快,然后乃决。然则大吴之决,已缘故道淤高,今乃欲回河使行于北,理必不可。且见今北流深处,水行地中,实得水性。舍此不用,而欲引归故道,使水行空中,虽三尺童子皆知其妄,而建议之臣,恣行欺罔,居之不疑。今虽变回河之名为分水之议,而本司收买马头物料,至今不绝;又与本路监司奏随意开导口地、河槽,务令深阔,并修葺紧急堤岸,酾为二渠。臣睹其指意虽为减水,其实暗作回河之计。欲乞圣慈特选骨鲠臣僚及左右亲信,往河北同安抚、转运诸臣踏行,开述利害闻奏。如臣所言不妄,即乞罢分水指挥,废东流一行官吏役兵,拆去马头锯牙。所贵河朔及邻路兵民早获休息,国家财赋不至枉费,则天下幸甚!"

二月,辛卯,以门下侍郎刘挚为尚书右仆射兼中书侍郎,龙图阁待制、知开封府王岩叟金书枢密院事。

癸巳,以御史中丞苏辙为尚书右丞。命既下,而右司谏杨康国不书读,诏范祖禹书读行下。苏轼改翰林学士承旨,避嫌也。

以翰林学士承旨邓温(信)〔伯〕为端明殿学士、礼部尚书。

己亥,辽主如鱼儿泺。

壬寅,辽主命给渭州贫民耕牛布绢。

辛亥,王岩叟奏事罢,留身曲谢,言于太皇太后曰:"陛下听政以来,纳谏从善,凡所更改,务合人心,所以朝廷清明,天下安静。唯愿于用人之际,更加审察。"复少进而西,于帝前奏曰:"陛下今日圣学,当辨邪正。闻有以君子小人参用之说告陛下者,此乃深误陛下也。自古君子小人无参用之理,圣人但云君子内小人外则泰,君子外小人内则否。小人既进,君子必

1797

引类而去。若君子与小人竞进,则危亡之基也,不可不察。"

三月,庚申朔,御迩英阁,吕大防奏仁宗所书三十六事,请令图置坐隅,从之。

癸亥,上《神宗实录》,史官范祖禹、赵彦若、黄庭坚所修也。帝东向再拜,然后开编。吕大防于帘前披读,未久,帝中恸哭,止读,令进。

壬午,赐礼部奏名进士马涓等及诸科及第、出身九百五十七人。

丙戌,辽主驻黑龙江。

夏,四月,辛卯,罢幸金明池、琼林苑。先是吕大防请为赏花钓鱼之会,有诏用三月二十六日,而连阴不解,太皇太后谕旨:"天意不顺,宜罢宴。"众皆竦服。

(夏四月)壬辰,吕大防、刘挚奏:"危竿谕一事,在三十六年之前,注释失仁宗意。盖圣意以为人君居至高至危之地,须用正直之人,譬如危竿须正直之木。古人谓邪蒿,人君不可食,食之固无害,以其名不正也,况邪佞小人乎!"

乙未,复置通礼科,从礼官请也。

丙申,诏恤刑。

辛丑,诏:"大臣堂除差遣,非行能卓异者不可轻授,仍搜访遗材以备擢任。"

夏人寇熙河、兰岷、鄜延路。

壬寅,太白昼见。

壬子,赐南平王李乾德袍带、金帛、鞍马。

癸丑,以户部员外郎杨畏为殿中侍御史,中丞赵君锡所举也。畏先除监察御史,言者斥其附会吕惠卿、舒亶以进,罢之,至是复有此擢。王岩叟移书诘刘挚,挚不从。畏初刻志经术,以所著书谒王安石,为郓州教授,自是尊安石之学,以为得圣人意。畏与挚善,后吕大防亦善之。大防、挚异趋,皆欲得畏为助,君锡荐畏,实挚风旨也。然畏卒助大防击挚焉。

五月,己未朔,日有食之。罢文德殿视朝。

庚申,诏吕惠卿除中散大夫、光禄卿、分司南京。权中书舍人孙升封还词头,以为"惠卿量移未三年,无名而复,必不可行。"壬戌,进呈,吕大防、刘挚等皆持两禀旨。太皇太后曰:"候及三年。"枢密都承旨刘安世言:"陛下初践宸极,以吕惠卿、蔡确之徒残民蠹国,是以逐之远方,谓宜永投荒裔,终身不齿。而惠卿自宣城方逾再岁,考之常法,犹未当叙,不识何名,遽复卿列!议者谓蔡确之母见在京师,干诉朝廷,愿还其子,大臣未敢直从〔其〕请。若惠卿之命遂行,将借以复确;确既复用,则章惇之类如猬毛而起,为天下国家之计者,其得安乎!"不听。

庚辰,诏:"娶宗室女得官者,毋过朝请大夫、皇城使。"

诏翰林学士承旨苏轼兼侍读。

丁亥,后省上《元祐敕令格》。

六月,壬辰,录囚。

甲午,辽主驻赤勒岭。己亥,倒塌岭人进古鼎,有文曰"万岁永为宝用"。

辛丑,回鹘贡方物于辽。

癸卯，辽以权知东京留守萧托辉为契丹行宫都部署。

甲辰，置国史院修撰官。

丁未，辽端拱殿门灾。

秋，七月，戊午朔，回鹘贡异物于辽，辽主不纳，命厚赠遣之。

己巳，苏轼言："浙西诸郡二年灾伤，而今岁大水尤甚，杭州死者五十馀万，苏州三十万。"己卯，诏赐米百万石，钱二十万缗赈之。侍御史贾易率同官杨畏、安鼎疏论浙西灾伤不实，乞行考验，诏用其说。范祖禹封还录黄，奏曰："国家根本，仰给东南，今一方赤子，呼天赴诉，开口仰哺，以脱朝夕之急，奏灾虽小过实，正当略而不问。若因此惩责，则自今官司必以为戒，将坐视百姓之死而不救矣。给散无法，枉费官廪，赈救不及贫弱，出粜反利兼并，此乃监司使者之事，朝廷亦难遥为处画也。所言伏乞更不施行。"从之。

八月，戊子朔，贾易上疏言："苏轼顷在扬州题诗，以奉先帝遗诏为'闻好语'，草吕大防制云'民亦劳止'，引用厉王诗，以比熙宁、元丰之政。弟辙早应制科，试文缪不及格，幸而滥进，与轼皆诽怨先帝，无人臣礼。"至引李林甫、杨国忠为喻。奏既入，又有别疏。宰执进呈，具言易前后异同之语，退，复具奏曰："臣等窃知易乃王安礼所善，安礼以十科荐之。今群失职之人，皆在江、淮，易来自东南，此疏不惟摇动朝政，亦阴以申群小之愤。"乃诏与易外任，寻以本官出知庐州。

庚寅，辽主以霖雨罢猎。

辛卯，诏御史台："臣僚亲亡十年不葬，许依条弹奏及令吏部检举。"

壬辰，翰林学士承旨苏轼罢。轼既为贾易诬诋，赵君锡相继言之。后数日，入见，具辨其事，因复请外。诏以龙图阁学士知颍州。

乙未，御史中丞赵君锡罢为吏部侍郎，以附和贾易论苏轼也；寻出知郑州。

己亥，令文武臣出入京城门，书职位、差遣、姓名及所往。

壬寅，辽主幸庆州，谒庆陵。

乙巳，诏章惇复右正议大夫。惇坐苏州买田不法，降一官，至是满，当复，故有是诏。给事中朱光庭言："惇不当用常法叙复。"于是更诏候一期取旨。

己酉，修《神宗宝训》。

癸丑，诏："鄜延路都监李仪等，以违旨夜出兵入界，与夏人战，死，不赠官，〔徐〕降官等。"

初，两宫幸李端愿宅临奠，既还，蔡确母明氏自毡车中呼："太皇万岁，臣妾有表。"卫士取而去。及三省进呈明氏马前状，太皇太后宣谕曰："蔡确不独为吟诗谤讟，缘此人于社稷不利。若社稷之福，确当便死。此事公辈亦须与挂意。"刘挚曰："只为见吕惠卿(一)〔二〕年量移，便来攀例。"苏辙曰："惠卿量移时，未有刑部三年之法。"吕大防乞令开封府发遣，从之。既而挚以发遣为太甚，大防复奏乞且令开封府告示，朱光庭封还录黄，言："确罪比四凶，岂有复还之理！乃以刑部常法预先启示，理极不可。"遂寝前诏。挚乃令本房出告示，不复坐圣旨；既(而)〔不〕复降录黄过门下，给事中虽欲再论列，不可得矣。

甲寅，王岩叟言："秋气已凉，陛下闲燕之中，足以留意经史。舜鸡鸣而起，大禹惜寸阴，愿以舜、禹为法。"帝曰："朕在禁中，常观书不废也。"帝问岩叟从谁学，对曰："从河东宁智先生学，后历仕四方，无常师。"帝问："何自识韩琦？"对曰："因随侍闲居北门，始识琦，遂荐辟学官，又辟幕府，复随之居相三年，至其葬乃去。琦尝教臣以事君之道，前不希宠，后不畏死，左右无所避，中间惟有诚意而已，臣佩以终身。"帝称叹久之。

它日，又因入对，论取士，岩叟曰："天下非无材，取之不远，采之不博耳。所迁所擢，止于已用者数人而已，故朝廷有乏材之患，搢绅有沈滞之叹。且如天下郡守、县令，最可以见治状，每岁使本道监司举一二性行端良、治状优异者，朝廷召而用之，则人思自奋矣。"又问："治道何先？"对曰："在上下之情交通，而无壅蔽之患。上下之情所以通，由举仁者而用之。仁者之心，上不忍欺其君，下不忍欺其民，故君有德意，推而达于下，民有疾苦，告而达于上，不以一身自便为心。"帝曰："安知仁人而举之？"对曰："巧言令色，鲜矣仁；刚毅木讷，近仁。"帝颔之。

乙卯，夏人寇怀远砦。

闰月，壬戌，严饬陕西、河东诸路边备。

甲子，以龙图阁待制、知郓州蔡京知永兴军，从吕大防请也。

是日，执政会议都堂，吕大防、刘挚欲以知永兴军李清臣为吏部尚书，王岩叟曰："恐公议不协。"既而奏可，岩叟谓同列曰："必致人言。"录黄过门下省，范祖禹封还进呈，不允；祖禹执奏如初。除命既下，左正言姚勔又论其不当。已而三省复欲用蒲宗孟为兵部尚书，苏辙言："前日除李清臣，给谏纷然争之未定，今又用宗孟，恐不便。"太皇太后曰："奈阙官何？"辙曰："尚书阙官已数年，何尝阙事！今日用此二人，正与去年用邓温伯无异。此三人者，非有大恶，但与王珪、蔡确辈并进，意思与今日圣政不合。见今尚书共阙四员，若并用此四人，使互进党与，气类一合，不独臣等无可奈何，即朝廷亦无可奈何。如此用人，台谏安得不言？臣恐朝廷自此不安静矣。"议遂止。壬申，以知扬州王存为吏部尚书，清臣知成德军。

刑部侍郎彭汝砺与执政争狱事，自乞贬逐，甲申，诏改礼部侍郎。

九月，丁亥，边臣言夏人寇麟、府二州。壬辰，诏："州民为寇所掠，庐舍焚荡者给钱帛，践稼者赈之，失牛者官贷市之。"

癸巳，策贤良方正能直言极谏科。丁酉，王普等迁官有差。

诏："岁出内库缗钱五十万，以备边费。"

丙申，辽主还上京。

己亥，日本遣使贡于辽。

甲辰，幸上清储祥宫。壬子，宫成，议将肆赦，王岩叟曰："昔天禧中祥源成，治平中醴泉成，皆未尝赦。古人有垂死谏君无赦者，此可见赦无益于圣治也。"乃止。

冬，十月，丁卯，有流星昼出东北。

庚午，朝献景灵宫，还，幸国子监，诣至圣文宣王殿行释奠礼，一献再拜。太学国子祭酒丰稷讲《尚书·无逸》终篇。遂幸昭烈武成王庙，肃揖，礼毕，还内。先是范百禄转对，请视学,故有是举。

癸酉,御史中丞郑雍、侍御史杨畏对其久,论刘挚及苏辙也。雍言:"挚善牢笼士人,不问善恶,虽赃污久废之人,亦以甘言诱致。"因具挚党人姓名:王岩叟、刘安世、韩川、朱光庭、赵君锡、梁焘、孙升、王觌、曾肇、贾易、杨康国、安鼎、张舜民、田子谅、叶仲、赵挺之、盛陶、龚原、刘概、杨国宝、杜纯、杜纮、詹适、孙谔、朱京、马传庆、钱世荣、孙路、王子韶、吴立礼,凡三十人。左正言姚勔入奏,并言挚朋党不公。右正言虞策言挚亲戚赵仁恕、王巩犯法,施行不当。甲戌,挚以巩为姻家,辙以尝荐巩,皆自劾,诏答不允。辙又言:"顷复见台官安鼎亦论此事,谓臣欺罔诈谬,机械深巧,则臣死有馀责,有何面目尚在朝廷!然鼎与赵君锡、贾易等同构飞语,诬罔臣兄轼以恶逆之罪,赖圣鉴昭察,君锡与易即时降黜。鼎今在言路,是以尽力攻臣,无所不至。伏乞早赐责降,使鼎私意得伸。"(是日)〔丁丑〕,辙与挚俱宣押入对,对已,押赴都堂。挚先出,待命于僧舍,乞赐罢免。(戊寅)〔庚辰〕,王岩叟言:"方今戮力尽忠之臣,挚居其最,岂可因一二偏辞,轻示遐弃,安知其间无朋邪挟私而阴与群奸为地者?"不报。太皇太后独遣中使赐苏辙诏,谕令早入省供职。

辛巳,帝谓吕大防曰:"论刘挚者已十八章,初不为王巩事,乃邢恕过京师,挚与通简,又延接章惇之子,牢笼为它日计。"

初,邢恕谪永州,舟行过京师,刘挚故与恕善,因以简别挚,挚答简,其末云:"为国自爱,以俟休复。"持简者问监东排岸官茹东济:"恕舟安在?"东济,倾险人也,数有求于挚,弗得,怨之,亟取挚简,录其本送郑雍、杨畏;二人方附吕大防,因释其语上之。以"休复"为"复子明辟"之复,谓挚劝恕俟太皇太后它日复辟也。又章惇诸子故与挚子游,挚亦间与之接,雍、畏遂谓挚延见接纳,为牢笼之计。帝于是始有罢挚意。太皇太后亦怒,面谕挚曰:"言者谓卿交通匪人,为异日地,卿当一心王室。若章惇者,虽以宰相处之,未必乐也。"挚惶恐,退,上章自辨,且求去位。奏入,不报。

辽命燕国王延禧为天下兵马大元帅,总北南院枢密使事。

癸未,诏京西提刑司,岁给钱物二十万缗,以奉陵寝。

(甲申)〔是日〕,王岩叟奏:"臣之区区欲有所言,不为一刘挚,为陛下惜腹心之人。"太皇太后宣谕曰:"垂帘之初,挚排斥奸邪,实为忠实。但此二事,非所当为也。"岩叟曰:"言事官未必皆忠直。杨畏乃吕惠卿党,但欲除陛下腹心,与奸邪开道路耳。"〔甲申,岩叟复上疏言之〕。时已有诏锁学士院草麻制罢挚,而岩叟未知也。

十一月,乙酉朔,挚罢为观文殿(大)学士、知郓州。麻制以从挚所乞为辞。给事中朱光庭封还,曰:"挚有功大臣,一旦以疑而罢,天下不见其过。"言者以光庭为党,亦罢知亳州。

挚性峭直,有气节,不为利怵威诱。自初辅政至为相,修严宪法,辨白邪正,孤立一意,不受请谒。然勇于去恶,竟为朋谗奇中,天下惜之。

初,卫朴历后天一日,元祐五年十一月癸未冬至,验景长之日,乃在壬午,遂改造新历。至是历成,壬辰,诏以《元祐观天历》为名。

庚子,辽主如藕丝淀。

辛丑，中书侍郎傅尧俞卒。太皇太后谓辅臣曰："尧俞，金玉人也，惜不至宰相。"帝辍朝临奠，谥宪简。

初，司马光尝谓邵雍曰："清、直、勇三德，人所难兼，吾于钦之见焉！"雍曰："钦之清而不耀，直而不激，勇而不猛，是为难耳。"钦之，尧俞字也。

甲子，辽主望祀木叶山。以武定军节度使窦景庸为中京留守。

十二月，戊辰夕，开封府火。

吕大防言："闻有客星在昴、毕间。"王岩叟曰："天道远，不可知，但朝廷每事修省，天道自当顺应。"太皇太后曰："天道安敢忽！更在大臣同修政事。"

夏人犯边，知太原府范纯仁自劾御敌失策；壬申，诏贬官一等，徙知河南府。

是岁，夏改元天祐民安。

七年 辽大安八年【壬申，1092】 春，正月，乙酉，辽主如山榆淀。

乙巳，张诚一以穿父墓取犀带，降职与祠。

二月，丁卯，诏陕西、河东边要进筑守御城砦。

三月，甲申朔，御迩英阁，侍读顾临读《仁宗宝训》，至钞法事，左仆射吕大防曰："臣当陈钞法本末，祈陛下通知利害之详。国初辇运香药、茶、帛、犀、象、金、银等物，赴陕西变易粮草，计率不下二百四十万贯。自钞法行，始令商贾于沿边入中钱粮草，却于京师或解池请盐，赴沿边出卖，于官私为便。"帝甚善之。

丁亥，以程颐为直秘阁、判西京国子监。初，颐在经筵，归其门者甚众，而苏轼在翰林，士亦多附之者。二人互相非毁，颐竟罢去。至是颐服阕，三省言宜除馆职，判检院苏辙进曰："颐入朝，恐不肯静。"太皇太后从其言，故颐不复召。

礼部侍郎兼侍读范祖禹言："臣掌国史，伏睹仁宗皇帝丰功盛德，不可得而名言，所可见者，其事有五：畏天、爱民、敬祖、好学、听谏；此所以为仁也。愿陛下深留圣思。"又言："仁宗每因事示人好恶。皇祐中，杨安国讲《论语》史鱼、蘧伯玉一章，仁宗曰：'蘧伯玉信君子矣，然不若史鱼之直。'仁宗，人主也，欲臣下切直，故言伯玉不如史鱼，天下由是知仁宗好直不好佞。此圣人之大德也，愿陛下以此为法。"帝然之。

己亥，录囚。

辽主驻(达)〔挞〕达里舍淀。

丁未，辽曲赦中京、蔚州役徒。

辛亥，以知河中府蒲宗孟知永兴军。

夏，四月，癸丑朔，以知永兴军蔡京为龙图阁直学士、知成都府。

先是议两制差除，宰执异同不决。吕大防顾梁焘，问谁可，焘曰："公久居朝廷，收养人材固多，惟不以爱憎牵于偏听，而以朝廷得人为己任，此所望于公也。"大防曰："苦乏材耳。"焘曰："天下何尝乏材，但贤者不肯自向前求进，须朝廷识拔，则有以来之。立贤无方，不患无人也。"及蔡京帅蜀，焘曰："元丰侍从可用者多，惟京轻险贪愎，不可用。"后竟如其言。

帝年益壮，太皇太后议立后，历选庶家女百馀入宫。孟氏年十六，两宫皆爱之，教以女仪。己未,太皇太后谕宰执曰:"孟氏能执妇道,宜正位中宫。"命学士草制。又以近世礼仪简略,诏翰林、台谏、给舍与礼官议册后六礼仪制以进。甲子,命尚书左仆射吕大防摄太尉,充奉迎使,同知枢密院事韩忠彦摄司徒,副之;尚书左丞苏颂摄太尉,充发册使,签书枢密院事王岩叟摄司徒,副之;尚书右丞苏辙摄太尉,充告期使,皇叔祖同知大宗正事宗景摄大宗正卿,副之;皇伯祖判大宗正事高密郡王宗晟摄太尉,充纳成使,翰林学士范百禄摄宗正卿,副之;吏部尚书王存摄太尉,充纳吉使,权户部尚书刘奉世摄宗正卿,副之;翰林学士梁焘摄太尉,充纳采、问名使,御史中丞郑雍摄宗正卿,副之。

甲戌,立考察县令课绩法,以德义有闻、清慎明著、公平可称、恪勤匪懈为四善,又分治事之最、劝课之最、抚字之最为三最,仍通取善、最,分为三等。

丁丑,辽主猎于西山。

己卯,范祖禹言:"程颐经术、行义,天下共知,司马光、吕公著与相知二十馀年,然后举之。颐草茅之人,未习朝廷事体,迂疏则固有之,人谓颐欲以故旧倾大臣,以意气役台谏,其言皆诬罔非实。若复召颐劝讲,必有补圣明。"又言王存、苏轼、赵彦若、郑雍、孔武仲、吕希哲、吕大临、吴师仁等皆可用。希哲,公著之子;大临,大防之弟也。

时祖禹屡请知梓州,宰执拟从其请,太皇太后曰:"皇帝未欲令去,且为皇帝留之。"祖禹乃不敢复请。

五月,丙戌,诏程颐许辞免直秘阁、权判西京国子监差,管句崇福宫。初,颐表请归田里,言:"道大则难容,节孤者易踬。入朝见嫉,世俗之常态;名高毁甚,史册之明言。如臣至愚,岂免众口!"又曰:"前日朝廷不知其不肖,使之劝学。人主不用,则亦已矣,若复无耻以苟禄位,孟子所谓是为垄断也,儒者进退,当如是乎!"及崇福命下,颐即承领敕牒,但称疾不拜。假满百日,亟寻医,讫不就职。

戊戌,帝御文德殿,册孟氏为皇后。后,洺州人,马军都虞候元之孙也。太皇太后语帝曰:"得贤内助,非细事也。"既而叹曰:"斯人贤淑,惜福薄耳。异日国家有事,必斯人当之。"

庚子,罢侍从官转对。

甲辰,辽主驻赤勒岭。

杨畏、黄庆基言:"王岩叟父子预政,交通货贿,窃弄威福。"岩叟遂称疾,章再上。丙午,罢,以端明殿学士知郑州。

筑李诺平城,赐名定远城,从陕西转运使穆衍请也。

是月,辽生女真部节度使和哩布卒。

和哩布生十一子,其著者,长曰乌雅舒,次曰阿古达,曰乌奇迈,曰栋摩,曰扎喇。和哩布病笃,呼弟英格,谓曰:"乌雅舒柔善;若办集契丹事,阿古达能之。"遂卒。母弟颇拉淑袭为节度使。和哩布严重多智,每战,未尝被甲。初建官属,统诸部,其官长皆称贝勒。颇拉淑机敏善辨,尤能知辽人国政民情,每白事于辽,听者皆信服不疑。

六月,癸丑朔,诏:"淮南东、西、两浙路诸逋负,不问新旧有无官本,并权住催理一年。"从知扬州苏轼请也。

辛酉,以尚书左丞苏颂为尚书右仆射兼中书侍郎,尚书右丞苏辙为门下侍郎,翰林学士范百禄为中书侍郎,翰林学士梁焘为尚书左丞,御史中丞郑雍为尚书右丞,韩(宗)〔忠〕彦知枢密院事,户部尚书刘奉世签书枢密院事。

梁焘累章辞位,帝遣中使趣拜。已而入谢,太皇太后曰:"官家圣德日成,正须卿家辅助。"焘对曰:"臣不敢不尽忠,如范纯仁、韩维辈,在外贤德尚多,愿陛下留意。"又上疏言:"范祖禹、刘安世,久在侍从,宜置诸左右,使断国事。安焘、许将皆旧人,可倚任。"

甲子,置广文馆解额,以(侍)〔待〕四方游士之试京师者。

乙丑,夏人遣使乞援于辽。

戊辰,浑天仪象成。

秋,七月,丁亥,辽主猎于沙岭。

癸巳,诏修《神宗正史》。

复翰林侍读学士,以范祖禹为之。祖禹时为翰林学士,因叔百禄在中书,改是官。

癸卯,以龙图阁学士、知扬州苏轼为兵部尚书。

八月,丙辰,罢监酒税务增剩给赏法。

己未,诏西边诸路严备,毋轻出兵。

〔乙亥〕,前陷交趾将吏苏佐等十七人自拔来归。

癸酉,龙图阁学士、兵部尚书苏轼兼侍读。

时朋党之论浸炽,吏部尚书王存为帝言:"人臣朋党,诚不可长,然或不察,则滥及善人,东汉党锢是也。庆历中,或指韩琦、富弼、范仲淹、欧阳修为朋党,赖仁宗圣明,不为所惑。今复有进此说者,愿陛下察之。"由是与用事者不合。〔八月〕,(己)〔乙〕卯,诏存出知大名府,辞之,改杭州。

(九月)〔先是〕,诏议郊祀典礼。顾临、范祖禹等八人议,请合祭天地。范纯礼、彭汝砺、曾肇、孔武仲等二十二人议,南郊合祭天地,不见于经;范百禄亦言圜丘无祭地之礼,先帝所废,稽古据经,未可轻改。〔九月〕,壬辰,太皇太后谓辅臣曰:"郊祀宜依仁宗、先帝故事。"吕大防言:"皇帝临御之始,当亲见天地,而诸儒献议欲南郊,不设皇地示位,恐亦未安。"苏颂、郑雍意与大防合,太皇太后是其言。

戊戌,诏曰:"国家郊庙时祀,祖宗以来,命官摄事,惟三岁一亲郊,则先飨清庙,冬至合祭天地于圜丘。元丰间,有司援周制以合祭,不应古仪;先帝诏定亲祀北郊之仪,未之及行。是岁郊祀,不设皇地示位,而宗庙之飨,率如权制。朕以凉昧,嗣承六圣休德鸿绪,今兹禋礼,奠币上帝,祼鬯庙室,而地示大神,久未亲祀。矧朕方郊见天地之始,其冬至南郊,宜依熙宁十年故事,设皇地示位,以严并祀之报。厥后躬行方泽之祀,则修元丰六年五月之制。俟郊礼毕,集官详议以闻。"

己酉,永兴军、兰州、镇戎军地震。

冬,十月,庚戌朔,环州地震。

丙辰,辽赈西北路饥。

時邊部有侵遼者，西北路招討使阿嚕薩古召准布部長瑪古蘇使攻之，俘獲甚眾。阿嚕薩古以功加左僕射，復整軍進討，誤擊瑪古蘇，由是准布諸部俱不服。

丁巳，詔：“陝西有前代帝王陵廟處，給民五家充守陵戶。”

戊午，以開封府推官咸平來之邵復為監察御史。

辛酉，詔以大河東流，都水監使者吳安持賜三品服，北（平）都水監丞李偉任滿日令再任。

夏人寇環州及永和諸砦，凡七日，始解去。

初，知慶州章楶數遣輕兵出討，屢有斬獲，部族不敢寧居。楶策其必報，諜知將攻環州，乃料精兵才萬，統以驍將折可適等，而授之策曰：“敵進一舍，我退一舍。彼必謂我怯，不復備我邊壘，乃銜枚由間道繞出其後，或伏山谷，伺間以擊其歸。”又以境外皆沙磧，近城百里有牛圈，所瀦水足以飲人馬，乃夜遣置毒。夏人圍環數日，無所獲而歸。可適等潛屯洪德城，伺夏師過，識其母梁氏旗幟，城中鼓噪而出，馳突躪踐，夏師大敗，梁氏幾不得脫，盡棄供帳而逃。又飲牛圈水，人馬被毒，死傷不可勝計。

准布部長瑪古蘇叛，殺遼金吾圖古斯。遼主命奚六部呼哩〔耶律郭三〕發諸番兵討之。

壬申，遼南府宰相王經卒。

戊寅，以左伊勒希巴耶律足哩為彰聖軍節度使。

十一月，辛巳，太白晝見。

甲申，詔：“大中大夫、觀察使以上，許各占永業田十五頃。餘官及民戶願以田宅供祖宗饗祀之費者，亦聽官給公據，改正稅籍。”

戊子，遼以樞密副使王是敦兼知樞密院事，以權參知政事韓資讓參知政事。

辛卯，朝獻景靈宮。壬辰，享太廟。癸巳，祀天地于圜丘，赦天下，群臣中外加恩。罷南京榷酒。民有親喪者，以差等與免徭。

丁酉，遼以通州水潦害稼，遣使賑之。

辛丑，賜徐王顥劍履上殿。

乙巳，梁燾言：“先帝大臣多以材進，可稍復用，委以別都名藩，以全終始。”

戊申，遼北院大王哈魯卒。

十二月，甲（子）〔寅〕，以京西路轉運副使賈易知蘇州。

是歲，遼放進士寇尊文等五十三人。

八年　遼大安九年【癸酉，1093】　春，正月，庚辰，遼主如混同江。

甲申，英州別駕蔡確卒。

丁亥，御迩英閣，顧臨讀《寶訓》，至漢武籍南山提封為上林苑，仁宗曰：“山澤之利，當與眾共之，何用此為？”丁度言：“臣事陛下二十年，每奉德音，未始不本于憂勤，此蓋祖宗家法耳。”呂大防因推廣以進曰：“三代以後，唯本朝百三十年，中外無事，蓋由家法最善。臣請舉其略：自古人主事母后，朝見有時，如漢武帝五日一朝長樂宮；祖宗以來，事母后皆朝夕見，此事親之法也。前代大長公主用臣妾之禮；本朝必先致恭，仁宗以姪事姑之禮見獻穆大長公主，此事長之法也。”帝曰：“今宮中見行家人禮。”大防曰：“前代宮闈多不肅，宮人或與朝臣

1805

相见,唐入邠图有昭容位;本朝宫禁严密,内外整肃,此治内之法也。前代外戚多与政事,常致败乱;本朝母后之族皆不预,此待外戚之法也。前代宫室多尚华侈;本朝止用赤白为饰,此尚俭之法也。前代人君,虽在宫禁,出舆入辇;祖宗皆步自内庭,出御后殿,岂乏人之力哉?亦欲涉历广庭,稍冒寒暑耳,此勤身之法也。前代人主,在禁中冠服苟简;祖宗以来,燕居必以礼,窃闻陛下昨郊礼毕,具礼服谢太皇太后,此尚礼之法也。前代多深于用刑,大者诛戮,小者远窜;惟本朝用法最轻,臣下有罪,止于罢黜,此宽仁之法也。至于虚己纳谏,不好畋猎,不尚玩好,不用玉器,不贵异味,此皆祖宗家法,所以致太平者。陛下不须远师前代,但尽行家法,足以为天下。"帝深然之。

壬辰,幸中太一宫。

庚子,诏颁高丽所献《黄帝针经》于天下。

丁未,范百禄言:"自元祐四年正月降敕罢回河,今来臣僚回河之意终不肯已,然大河亦终不可回。吴安持等方日生巧计,壅遏北流,前后多端,致大河渐有填淤之害,浸坏禹迹之旧,岂不深可惜哉!"

二月,(己酉)〔辛亥〕,高丽遣使买历代史及《册府元龟》等书,礼部尚书苏轼言宜却其请。省臣许之,轼又疏陈五害,极论其不可,且曰:"汉东平王请诸子及《太史公书》,犹不肯与,今高丽所请,有甚于此,其可与乎!"诏:"书籍曾经买者听。"

壬子,诏:"刑部不得分禁系人数,瘐死数多者申尚书省。"

癸丑,诏大宁郡王以下出就外学。

乙卯,依都水监所奏,作北流软堰。苏(轼)〔辙〕奏:"臣尝谓软堰不可施于北流,利害甚明。盖东流本人力所开,阔止百馀步,冬月河流断绝,故软堰可为。今北流是大河正溜,比之东流,何止数倍!见今河水行流不绝,软堰何由能立!盖水官之意,欲以软堰为名,实作破堰,阴为回河之计耳。"河北转运副使赵偁亦上议曰:"臣窃谓河事大利害有三:北流全河,患水不能分;东流分水,患水不能行;宗城河决,患水不能闭。是三者,去其患则为利,未能去则为害。今不谋此而专议闭北流,止知一日可闭之利,而不知异日既塞之患;止知北流伏槽之水易为力,而不知阚村方涨之势未可并入东流。是见近忘远,以河为戏也。请俟涨水伏槽,观大河全盛之势,以治东流、北流。"于是诏罢软堰。

是月,以崇政殿说书吕希哲为右司谏,希哲固辞。苏轼戏谓希哲曰:"法筵龙象,当观第一义。"希哲笑而不应,退,谓范祖禹曰:"若辞不获命,必以杨畏为首。"时畏方在言路,以险诈自任,故希哲有是言,既而不拜。

玛古苏侵辽,三月,辽西北路招讨使耶律阿噜萨古追之,都监萧章纠遇贼,与战不利,二室韦与六院部、群牧官等军俱陷于敌。阿噜萨古不以实闻,辽主知之,削其官,决以大杖。

(壬午)〔癸未〕,尚书右仆射苏颂罢。颂为相,务在奉行故事,使百官守法遵职,量能授任,杜绝侥幸,深戒边臣生事,论议有未安者,毅然力争之。会除贾易知苏州,颂以易昔在御史名敢言,为监司矣,今乃作郡,则是因敕令反下迁也,不可。议未决,谏官杨畏、来之邵谓颂稽留诏命。颂上章辞位,罢为集禧观使。梁焘言颂不可降职处外,以示疏远,遂诏以观文殿大学士留京师。

庚寅，范祖禹言："仲春以来，暴风雨雪，寒气逼人，惟陛下侧身修德，以销大异。"

辛卯，中书侍郎范百禄罢。苏颂既罢，百禄以同省，待罪请外，不许。御史黄庆基上疏，列百禄五罪，又言洛党虽衰，川党复盛，请早赐罢黜以离其党与。百禄遂力求去，许之。初，罢百禄，不除职，梁焘以为言，乃除资政殿学士、知河中府。

庚子，诏："来年御试，将诗赋举人复试三题；经义举人且令试策，此后全试三题。"

是月，门下侍郎苏辙奏："近臣以董敦逸言川人太盛，差知梓州冯如晦不当，指为臣过，遂面陈本末。寻蒙宣谕，深察敦逸之妄，然亦须略加别白。其敦逸言臣章疏，乞早付三省施行。"

敦逸又言："奏差除之人，唯苏轼为多，或是亲知，或其乡人，致仕路有不平之叹。近高丽买书、黄河软堰之事，皆得旨已行，寻以轼、辙见拒而罢。臣闻人君者，制命者也；人臣者，承君之命而奉行者也。命令重则君尊，命令轻则臣强。今陛下已行之命，而轼、辙违而拒之，语其情犯，又非苏颂、范百禄之比，释而不治，命令轻矣。乞断自宸衷，指挥施行。"

夏，四月，丁未朔，夏人来谢罪，愿以兰州易塞门、安远二砦，诏数以违顺不常而却其请。

甲寅，令范祖禹依先朝故事，止兼侍讲。

乙卯，辽兴中府甘露降，辽主遣使祠佛饭僧。

丁巳，诏："今后南郊合祭天地，依元祐七年例施行，罢礼部集官详议。"

甲子，以知永兴军李清臣为吏部尚书。

癸酉，辽主猎于西山。

（五月）〔癸未〕，苏轼同吕希哲、吴安诗、丰稷、赵彦若、范祖禹、顾临请以唐宰相陆贽《奏议》校正缮写进呈。

〔五月〕，己卯，以吏部尚书李清臣为资政殿学士、知真定府，姚勔论其不当召用故也。

辛卯，御史董敦逸、黄庆基并罢。

敦逸四状言苏辙，庆基三状言苏轼，谓轼昔为中书舍人，所行制词，指斥先帝，而辙相与表里以紊朝政。三省同进呈，吕大防奏曰："敦逸、庆基言轼制词谤毁先帝，臣窃观先帝圣意，本欲富国强兵以鞭挞四裔，而一时群臣将顺太过，故事或失当。及太皇太后与皇帝临御，因民所欲，随时救改，盖事理当然耳。汉武帝好用兵，重敛伤民，昭帝嗣位，博采众议，多行寝罢；明帝尚察，屡兴惨狱，章帝易之以宽厚，天下悦服；未有以为谤毁先帝者也。至如本朝真宗即位，弛放逋欠以厚民财；仁宗即位，罢修宫观以息民力；亦未闻当时士大夫有以为毁谤先帝者。自元祐以来，言事官有所弹击，多以谤毁先帝为辞，非惟中伤善类，兼欲摇动朝廷，意极不善。若不禁止，久将为患。"苏辙因奏曰："臣昨取兄轼所撰吕惠卿制观之，其言及先帝者，有曰：'始以帝尧之仁，姑试伯鲧，终焉孔子之圣，不信宰予。'兄轼岂谤毁先帝者邪？臣闻先帝末年，亦自深悔已行之事，但未暇改耳。元祐变更，盖追述先帝美意而已。"太皇太后曰："先帝追悔往事，至于泣下。"大防曰："闻永乐败后，先帝尝咎两府大臣略无一人能相劝谏，然则一时过举，非出先帝本意明矣。"太皇太后曰："此事官家当深知。"于是斥敦逸、庆基为湖北、福建转运判官。中丞李之纯、御史杨畏、来之邵言二人诬陷忠良，其责太轻。丙申，诏各与知军差遣，敦逸知临江军，庆基知南康军。

苏轼以札子自辩，言："臣任中书舍人日，适值朝廷窜逐数人，所行告词，皆是元降词头所述罪状，非臣私意所敢增损。内吕惠卿告词，事涉先朝，不无所忌。臣愚意以为古今如鲧为尧之大臣而不害尧之仁，宰予为孔子高弟而不害孔子之圣。又况再加贬黜，深恶其人，皆先朝本意，则臣区区之忠，盖自谓无负矣。今庆基乃反指以为诽谤，不亦矫诬之甚乎！其馀所言李之纯、苏颂、刘谊、唐义问等告词，皆是庆基文致附会以成臣罪。此风始于朱光庭，盛于赵挺之，而极于贾易，今庆基复宗师之。臣恐阴中之害，渐不可长，非独为臣言也。"太皇太后令辙谕曰："缘近来众人正相揶拾，且须省事。"轼乃具札子称谢曰："昔东汉孔融，才疏意广，是以遭路粹之冤；西晋嵇康，才多识寡，是以遇钟会之祸。臣（人）〔本〕无二子之长而兼有（古）〔昔〕人之短，若非陛下至公而行之以恕，至仁而照之以明，则臣已下从二子游久矣，岂复有今日哉！"

是月，水官又请进梁村上下约，束狭河门，赵偁争不能得。既涉涨水，遂壅而溃，南泛德清，西决内黄，东淤梁村，北出阚村，宗城决口复行，魏店北流淤断，河水四出，坏东郡浮梁，幅员数百里，漂庐舍，败冢墓。遗民之仅免者，老弱聚金堤上，哀号之声，数舍不绝。

六月，丁未朔，辽主驻散水原。

甲寅，礼部尚书苏轼乞知越州，诏不允。

戊午，尚书左丞梁焘，罢为资政殿学士、同醴泉观使。故事，宫观使非宰相不除，遂置同使之名以宠之。

焘初以议边事不合，即属疾求罢。章屡上，帝皆遣内侍封还，仍问所以必去之理，并密访人材，焘曰："信任不笃，言不见听，而询人材之可用者，非臣所敢当也。"使者再至，乃具奏曰："陛下必欲知可大用之人，且图任旧人中坚正纯厚有人望者，不牵左右好恶之言以移圣意，天下幸甚！"寻乞补外，出知颍昌府。临行，帝遣内侍赐茶药，宣谕曰："已用卿言，复相范纯仁矣。"

先是刘挚罢相，帝欲复用范纯仁，乃出御札以问吕大防。大防对曰："如所宣示，实允群议。"遂遣内侍李倬赍诏书召纯仁赴阙。己未，杨畏言："纯仁方罢帅降官，名在谪籍，而陛下遽命以为相，赏罚不明，何以诏示天下！"来之邵又言纯仁师事程颐，阇很不才。皆不听。畏与苏辙俱蜀人，前击刘挚，后击苏颂，皆阴为辙道地，太皇太后觉之，故复自外召纯仁。畏寻又言辙不可大用云。

秋，七月，丙子朔，以范纯仁为尚书右仆射兼中书侍郎。入对，太皇太后曰："人言相公必先进王觌、彭汝砺，如何？"纯仁曰："此二人实有士望，臣终不敢保位蔽贤，惟陛下加察。"

辛卯，辽主如黑岭。

辽枢密使阿苏，以萧托辉尝言其短，深衔之。会西圉不宁，阿苏奏曰："边隅重大，可择重臣镇抚。"辽主曰："托辉何如？"阿苏曰："诚如圣旨。"遂以托辉为西南面招讨使。

【译文】

宋纪八十二 起辛未年(公元1091年)正月,止癸酉年(公元1093)七月,共二年有余。

元祐六年 辽大安七年(公元1091年)

春季,正月,壬戌(初二),辽国主到达混同江。

癸酉(十三日),下诏令说:"祭祠出游,不要使用小羊羔。"

丙戌(二十六日),任命龙图阁直学士、知杭州苏轼为吏部尚书。

中丞苏辙说:"从来黄河决口,必定先是因为下游淤积升高,上游水流不畅通,然后才决口。然而大吴的决口,已经是因为旧河道淤高,现在想使河道回归向北流,道理上肯定不可行。而且看到现在向北的水流深处,水在地面以下流动,正是符合水性。放弃北流,而想引黄河回归旧水道,使水在地面上流动,即使是三尺高的儿童也知道这样做荒唐,而提建议的大臣,任意进行欺骗,坚信不疑。现在虽然名义上改回河为分水的建议,而此部门收买码头物资,至今没有停止;又和该路监司奏请,根据需要开导河口、河槽,一定要深且宽,并且修筑紧急堤岸,将河道分为二条。臣看他们的说法虽是泄水,其实暗中做回河的准备。想请求圣上、太皇太后特别选任正直的大臣及亲信之人,前往河北与安抚使、转运使诸位大臣踏勘考察,陈述利弊上报。如果臣所说的不虚妄,请马上撤销分水指示,解散负责东流的一行官吏兵卒役夫,拆去码头锯牙。可贵的是能让河朔以及邻近各路军民早日得以休息,国家的财富不至于浪费,那么就是天下的万幸了!"

二月,辛卯(初二),任命门下侍郎刘挚为尚书右仆射兼中书侍郎,任命龙图阁待制、知开封府王岩叟为金书枢密院事。

癸巳(初四),任命御史中丞苏辙为中书右丞。命令已经下达,而右司谏杨康国不书写下发,诏令范祖禹书写下发。苏轼改任翰林学士承旨,以回避嫌疑。

任命翰林学士承旨邓温伯为端明殿学士、礼部尚书。

己亥(初十),辽国主到达鱼儿泺。

壬寅(十三日),辽国主命令给渭州贫民提供耕牛布绢。

辛亥(二十二日),王岩叟上奏事情完毕,留下躬身感谢,向太皇太后说:"陛下听政以来,采纳好的建议,所做的变更,力求合乎人心,所以朝廷政治清明,天下安宁。只希望在用人的时候,更加仔细审察。"又稍微向西,在皇帝跟前奏道:"陛下现在的学识,当能够辨别邪与正。听说有告诉陛下将君子和小人一起使用的说法,这是严重的误害陛下。从来君子小人没有一起使用的道理,圣人只说君子任用小人放逐就安泰,君子放逐小人任用就动乱。小人如果进用,君子必然引同类离去。如果君子与小人争夺,那么就是危亡的开始,不能不注意。"

三月,庚申朔(初一),皇上亲临迩英阁,吕大防上奏仁宗所书写的三十六件事,请求让人绘成图放在座位旁,采纳了此意见。

癸亥(初四),进呈《神宗实录》,这是史官范祖禹、赵彦若、黄庭坚所修纂。皇帝向东拜了再拜,然后打开书。吕大防在帘前翻开朗读,不一会,帝中出现痛哭声,就停止朗读,将书呈进。

壬午(二十三日),皇帝赐礼部上奏的进士马涓等九百五十七人诸科及第、出身。

丙戌(二十七日),辽国主驻扎在黑龙江。

夏季,四月,辛卯(初二),取消临幸金明池、琼林苑。此前吕大防请安排赏花钓鱼的宴会,有诏令选定三月二十六日,但连续阴天不散,太皇太后下旨说:"天意不顺,应该停止宴会。"众人都敬佩服从。

壬辰(初三),吕大防、刘挚上奏:"用危竿做比喻一事,发生在三十六年前,注释失去了仁宗的本意。仁宗认为作君主的处在最高最危险的境地,必须任用正直的人,譬如高竿必须用平正笔直的木料一样。古人认为叫邪蒿的东西,作君主的不能吃,吃了固然没有什么害,但因为它的名称不正,而况且奸邪的小人呢!"

乙未(初六),恢复设置通礼科,是采纳了礼官的要求。

丙申(初七),下诏减轻刑罚。

辛丑(十二日),下诏说:"大臣在都堂任命,不是行为能力特别突出的不能轻易授予,仍然寻访遗漏的人才以备选用。"

西夏人侵犯熙河、兰岷、鄜延路。

壬寅(十三日),太白星白天出现。

壬子(二十三日),赏赐南平王李乾德袍带、金子、帛、鞍马。

癸丑(二十四日),任命户部员外郎杨畏为殿中侍御史,是采纳了中丞赵君锡的举荐。

杨畏先前被任命为监察御史,言官指斥他依附吕惠卿、舒亶才得到进用,因此罢免了他,到此时又有这次提升。王岩叟送书信责问刘挚,刘挚不听从。杨畏起初刻意研学经术,将所著的书进呈王安石,做了郓州教授,自此尊崇王安石的学说,认为得到了圣人的本意。杨畏与刘挚相友好,后来吕大防也与他很好。吕大防、刘挚有分歧,都想得到杨畏作为助手,赵君锡推荐杨畏,实际上是刘挚的授意。但是杨畏最后还是帮助吕大防攻击刘挚了。

五月,己未朔(初一),出现日食。取消文德殿上朝。

庚申(初二),下诏令吕惠卿任中散大夫、光禄卿、分司南京。权中书舍人孙升封还文书,认为"吕惠卿量移安置不到三年,没有名义而复职,肯定不能这样做。"壬戌(初四),进呈上去,吕大防、刘挚等都准备两种意见候旨。太皇太后说:"等到三年吧。"枢密都承旨刘安世说:"陛下刚登上皇帝宝座,因为吕惠卿、蔡确一伙误国害民,因此放逐远方,应该永远投之荒野之地,终身不得任用。而吕惠卿在宣城刚过两年,按常规,还不应该录用,不知用什么名义,就又恢复大臣职位!议论的人说蔡确的母亲在京城,违礼投诉朝廷,希望召回她儿子,大臣不敢直接听从她的请求。如果吕惠卿的任命予以执行,将借口恢复蔡确;蔡确已经又起用,那么章惇之类的人像刺猬毛一样起来,为天下国家考虑,能够得到安宁吗!"不予采纳。

庚辰(二十二日),下诏说:"因娶宗室的女子而得到官职的,不能超过朝请大夫、皇城使的职务。"

下诏令翰林学士承旨苏轼兼任侍读官。

丁亥(二十九日),后省进呈《元祐敕令格》。

六月,壬辰(初四),审录囚犯。

甲午(初六),辽国主驻扎赤勒岭。己亥(十一日),倒塌岭人进献古鼎,鼎上有"万岁永为宝用"的文字。

辛丑(十三日),回鹘向辽国进贡地方物产。

癸卯(十五日),辽国任命权知东京留守萧托辉为契丹行宫都部署。

甲辰(十六日),设置国史院修撰官。

丁未(十九日),辽国端拱殿门发生火灾。

秋季,七月,戊午朔(初一),回鹘国向辽国进贡奇异之物,辽国主不接受,命令厚加馈赠送走他们。

己巳(十二日),苏轼说:"浙西各郡两年受灾,而今年的大水尤其严重,杭州死亡五十多万人,苏州三十万。"己卯(二十二日),下诏赐给米一百万石、钱二十万缗赈济浙西。侍御史贾易和同官杨畏、安鼎上疏指论浙西灾害不合实情,请进行考察检验,诏令采纳他们的建议。范祖禹封还录黄文书,上奏说:"国家物用的根基,依靠东南地区,现在一方的赤子百姓,向天呼唤诉苦,张开口等待哺育,以解脱紧急的困难,上奏灾情有小的出入,正应当忽略不予过问。如果因此惩罚责难,那么从今官府必然以此为戒,将坐视百姓的死难而不赈救了。发放没有法度,浪费官仓粮食,救济没有达到贫困弱小的手中,出粜粮食反而使兼并者得利,这都是监司的责任,朝廷也难以在远处谋划。他们所奏请不要施行。"予以采纳。

八月,戊子朔(初一),贾易上疏说:"苏轼不久在扬州题诗,把奉先帝的遗诏说成是'听到好话',草拟吕大防的制命说成'百姓也劳苦',引用周成王的诗,用来比喻熙宁、元丰的政事。他的弟弟苏辙早年参加制科考试,文章错谬不及格,侥幸而错用,与苏轼一同诽谤先帝,没有做臣子的礼节。"以至引用李林甫、杨国忠为比喻。奏章呈上,又另有奏疏。宰执大臣进呈奏疏,陈述贾易前后所说的相同与不相同的话,退出后,又再上奏说:"臣等知道贾易是王安礼所喜欢的人,王安礼以十科的名义推荐他。现在一群失去职务的人,都在江淮一带,贾易从东南来,这个疏奏不仅动摇朝政,也是暗中发泄小人的私愤。"于是诏令贾易外放任职,不久以原官出任知庐州。

庚寅(初三),辽国主因为雨久下不住停止打猎。

辛卯(初四),诏令御史台:"臣僚的亲属亡故十年不入葬的,允许依照条例弹劾及命令吏部检举。"

壬辰(初五),翰林学士承旨苏轼被免职。苏轼被贾易诬陷诋毁后,赵君锡也相继诋毁他。数天后,苏轼入朝觐见皇上,全部辨明这件事,因此请求外任。下诏命令以龙图阁学士衔知颍州。

乙未(初八),御史中丞赵君锡被罢免改任吏部侍郎,是因为他附和贾易攻击苏轼的缘故;不久出任知郑州。

己亥(十二日),命令文武大臣出入京城城门时,写下职位、差遣、姓名以及所去的地方。

壬寅(十五日),辽国主临幸庆州,拜谒庆陵。

乙巳(十八日),下诏任命章惇恢复右正议大夫职务。章惇因为在苏州买田地不合法令,降一级,到此时满期,应当恢复,所以有这个诏令。给事中朱光庭说:"章惇不应当按常规法则叙复。"于是更改诏书,命令等候一期再听候旨意。

己酉(二十二日),修纂《神宗宝训》。

癸丑(二十六日),皇帝下诏说:"鄜延路都监李仪等人,因为违背旨意夜晚出兵入敌界,与西夏人作战而死,不赠给官衔,其余的人降级。"

当初,两宫亲自到李端愿家中祭奠,回来时,蔡确的母亲明氏在毡车中呼叫:"太皇太后,臣妾有表奏上。"卫兵取走奏表。等到三省呈上明氏在马前的诉状,太皇太后宣布说:"蔡确不仅仅是吟诗诽谤,只因此人对国家不利,如果为了国家的福分,蔡确应当处死。这件事你们一定要放在心上。"刘挚说:"只因为看见吕惠卿二年就量移迁官,便来攀引此例。"苏辙说:"吕惠卿量移迁官时,没有刑部定下的三年迁官的法令。"吕大防请求令开封府遣送,采纳了。接着刘挚认为遣送太过分,吕大防又上奏请求令开封府告知,朱光庭封还录黄文书,说:"蔡确的罪行可与四凶相比,哪有再复职回来的道理! 还以刑部的正常法令预先告知,在道理上很行不通。"于是停发前面的诏令。刘挚就命令本部门出示告示,不再用圣旨的方式;既然不再下发录黄文书经过门下省,给事中虽然想再论述此事,也不能够了。

甲寅(二十七日),王岩叟说:"秋天天气已凉,陛下闲时,有足够的时间留意经史。舜帝鸡叫而起床,大禹珍惜寸阴,希望以舜帝、大禹为榜样。"皇帝说:"朕在宫中,经常读书没有荒废。"皇帝问王岩叟是跟谁求学的,回答说:"跟从河东宁智先生学习,后来四处为官,没有固定的老师。"皇帝问:"怎么认识韩琦的?"回答说:"因为随侍先帝闲居在北门,开始认识韩琦,于是被推荐任学官,又任幕府官职,又跟随他担任宰相三年,到他死后才离开。韩琦曾教给臣侍奉君主的原则,前不求宠,后不怕死,不回避左右,心中只应有诚意,臣铭记终生。"皇帝称赞感叹很久。

另一天,又因有事入朝对答,谈到取士,王岩叟说:"天下不是没有人才,是选取不广泛,采用不广博罢了。所提升所录用的,只是自己任用的几个人而已,所以朝廷有缺人才的忧虑,士人有停滞不被任用的感叹。况且像全国的郡守、县令,最能看出治理的状况,每年让一道的监司官推举一两名品行端正良好、治理成效优异的人,朝廷招来任用,那么人人考虑努力奋斗了。"皇上又问:"治理的道理什么是最首要的?"回答说:"就是上下的情况沟通,没有堵塞蒙蔽的祸患。上下的情况所以能沟通,是因为推举仁义的人而任用他。仁义之人的心中,上不忍心欺蒙君主,下不忍心欺骗百姓,所以君主有仁德心意,能够推广达到下面,百姓有疾苦,能够上报到达君主,不以自己的利便作为考虑的用心所在。"皇帝说:"怎么知道是仁人而推举他呢?"回答说:"花言巧语,很少有仁;刚毅不善言辞,差不多有仁。"皇上点头称许。

乙卯(二十八日),西夏人侵犯怀远寨。

闰八月，壬戌（初六），严令陕西、河东各路加强边备。

甲子（初八），任命龙图阁待制、知郓州蔡京知永兴军，是采纳了吕大防的请求。

同日，执政在都堂开会议事，吕大防、刘挚想任命知永兴军李清臣为吏部尚书，王岩叟说："恐怕大家意见不一致。"后来奏请得到批准，王岩叟对同僚说："一定会引起别人议论。"录黄文书从门下省经过，范祖禹封还文书呈上，不批准；范祖禹坚持前之奏请。任命已经下达，左正言姚勔又指责任命不适当。接着三省又想用蒲宗孟为兵部尚书，苏辙说："前几天任命李清臣，给事、谏官纷纷争论不一致，又任用蒲宗孟，恐怕不便利。"太皇太后说："职位空缺怎么办？"苏辙说："尚书省缺官已经几年了，何尝有事务缺漏！今天用这两个人，正与去年任用邓温伯没有区别。这三个人，不是有恶行，只是与王珪、蔡确等一起进用，其意与今天的圣政不相合。现在尚书共缺四人，如果同用这四人，使他们结为帮派，意气相投，不仅臣等人没有办法，就是朝廷也没有办法。这样用人，台官谏官怎么能不说话？臣恐怕朝廷从此不安宁了。"这个动议于是放下了。壬申（十六日），任命知扬州王存为吏部尚书，李清臣知成德军。

刑部侍郎彭汝砺与执政大臣争执断案事情，自己请求贬职，甲申（二十八日），下诏改任礼部侍郎。

九月，丁亥（初二），边防官员说西夏人侵犯麟、府两州。壬辰（初七），下诏说："州民中被敌寇掠夺，房屋焚毁的给予钱和帛，庄稼被践踏的予以赈济，耕牛丢失的官府借贷购买。"

癸巳（初八），策试贤良方正能直言极谏科。丁酉（十二日），王普等按等级升官。

皇上下诏："每年拿出内库缗钱五十万，作为边防经费。"

丙申（十一日），辽国主回到上京。

己亥（十四日），日本派遣使者向辽国进贡。

甲辰（十九日），皇上临幸上清储祥宫。壬子（二十七日），宫殿建成，议论将要大赦，王岩叟说："过去天禧年间祥源宫建成，治平年间中醴宫建成，都没有大赦。古代有人临死劝谏君主不要大赦的，由此可见大赦无益于圣贤之治。"于是此事作罢。

冬季，十月，丁卯（十二日），有流星白天在东北出现。

庚午（十五日），皇帝在景灵宫举行朝献礼，返回，临幸国子监，到至圣文宣王殿行释奠礼，一献两拜。太学国子祭酒丰稷讲解《尚书·无逸》全篇。于是临幸昭烈武成王庙，庄重作揖，行礼后，回到内宫。此前因范百禄转对时，请求视察国学，所以有这次举动。

癸酉（十八日），御史中丞郑雍、侍御史杨畏奏答很久，指责苏辙及刘挚。郑雍说："刘挚善于笼络士人，不管善恶，即使是贪赃长期不用的人，也以甜言蜜语招引来。"于是提出刘挚帮派人员的姓名：王岩叟、刘安世、韩川、朱光庭、赵君锡、梁焘、孙升、王觌、曾肇、贾易、杨康国、安鼎、张舜民、田子谅、叶仲、赵挺之、盛陶、龚原、刘概、杨国宝、杜纯、杜纮、詹适、孙谔、朱京、马传庆、钱世荣、孙路、王子韶、吴立礼，共三十人。左正言姚勔进朝奏事，也一起说刘挚搞帮派不公正。右正言虞策说刘挚亲戚赵仁恕、王巩犯法，处理不适当。甲戌（十九日），刘挚与王巩结为亲家，苏辙因为曾经推荐王巩，都自我弹劾，诏令答复不批准。苏辙又说："近来又见到台官安鼎也论及此事，说臣欺骗狡诈，心机深巧，那么臣死有余辜，有何面目还在朝廷！然而安鼎与赵君锡、贾易等一起制造流言,以邪恶逆反的罪名诬陷臣兄长苏轼,仰仗圣上明察,让赵君锡与贾易马上降职罢免。安鼎现在担任言官,这样得以尽力攻击臣,无所不至。请求早日责罚,让安鼎的心愿得以实现。"丁丑(二十二日),苏辙与刘挚同受宣旨押送入朝奏对,答对完毕,押往都堂。刘挚先出来,在僧舍待命,请求罢免。庚辰(二十五日),王岩叟说:"现在尽力效忠的大臣,刘挚第一,岂能因为一两个人片面的话,随意抛弃,怎知其中没有帮派挟私愤与一群奸邪之人谋求进用呢?"不予答复。太皇太后唯独派中使赐苏辙诏书,命令早日到省供职。

辛巳(二十六日),皇帝对吕大防说:"指责刘挚的已有十八道奏章,先不是因为王巩的事,是邢恕经过京师,刘挚与他通书信,以交结章惇为他日作打算。"

当初,邢恕贬谪永州,坐船经过京师,刘挚过去与邢恕相友好,因此写信向刘挚告别,刘挚回信,信结尾说:"为了国家要自爱,等待停职满期复职。"送信的问监东排岸官茹东济说:"邢恕的船在哪里?"茹东济,是个阴险的人,多次有事求刘挚,没有得逞,就怨恨他,马上拿刘挚的书信,抄录原文送给郑雍、杨畏;二人刚依附吕大防,于是解释其中的话送上。将"复职"解释为"恢复你英明的君主"的复,说刘挚劝邢恕等待太皇太后他日复辟。又章惇几个儿子过去与刘挚的儿子交往,刘挚也间接与他们接触,郑雍、杨畏于是说刘挚延见交接他们,作笼络的打算。皇帝从这时开始有罢免刘挚的意思。太皇太后也发怒,当面对刘挚说:"言官说你与坏人交接,为他日作安排,你应当一心忠于王室。像章惇这样的人,即使让他处在宰相这样的位置,也未必高兴。"刘挚很惶恐,退朝,上奏章自我辩解,而且要求离职。奏章递进,不予答复。

辽国任命燕国王延禧为天下兵马大元帅,总北南院枢密使事。

癸未(二十八日),下诏给京西提刑司,每年提供二十万缗的钱物,以供奉陵寝之用。

同日,王岩叟上奏说:"小臣有话要说,不是因为一个刘挚,是为陛下爱惜心腹之人。"太皇太后宣布说:"垂帘听政的当初,刘挚排除奸邪之人,确实是忠诚。但这两件事,却不应当做。"王岩叟说:"言事官未必都忠心正直。杨畏是吕惠卿的同党,只想除掉陛下的心腹之人,为奸邪的人打开道路罢了。"甲申(二十九日),王岩叟又上疏说这件事。当时已经有诏书命令锁学士院起草罢免,刘挚的麻纸制命,而王岩叟不知道。

十一月,乙酉朔(初一),刘挚罢免,改任观文殿大学士、知郓州。麻纸制命以同意刘挚的请求为托词。给事中朱光庭封还文书,说:"刘挚是有功的大臣,一旦因为怀疑而罢免,天下不知道他有什么过错。"言官认为朱光庭是同党,也罢免改任为知亳州。

刘挚陛格刚直,有气节,不为利益威胁所诱惑,从初当政到做宰相,严格修订法令,辨别奸邪与正直,一心坚持自己的意志,不接受请托,但勇于摒弃邪恶,竟然被朋党的谗言击中,天下人惋惜此事。

当初,卫朴历比天象晚一天,元祐五年十一月癸未(二十三日),是冬至,检验日影最长的一天,却是在壬午(二十二日),于是修改编定新的历书。到这时历书完成,壬辰(初八),下诏命令以《元祐观天历》命名。

庚子(十六日),辽国主到达藕丝淀。

辛丑(十七日),中书侍郎傅尧俞去世。太皇太后对辅政大臣说:"傅尧俞,是金玉一样的人,可惜没有担任宰相。"皇帝停止上朝,亲临祭奠,谥号宪简。

当初,司马光曾经对邵雍说:"清正、刚直、勇敢三种德行,人难于都具备,我从钦之那里见到了!"邵雍说:"钦之清正而不显耀,正直而不偏激,勇敢而不鲁莽,这是难得的。"钦之,是傅尧俞的字。

甲子(疑误),辽国主遥祭木叶山。任命武定军节度使窦景庸为中京留守。

十二月,戊辰(十四日)傍晚,开封府失火。

吕大防说:"听说有客来之星在昂、毕两宿之间。"王岩叟说:"天道遥远,不可能知道,如果朝廷每件事都省察,天道自然顺应。"太皇太后说:"天道怎敢疏忽!也更在大臣们共同使政事清明。"

西夏国人侵犯边境,知太原府范纯仁自责御敌失策;壬申(十八日),诏令贬官一等,调任知河南府。

这一年,西夏改年号为天祐民安。

元祐七年 辽大安八年(公元1092年)

春季,正月,乙酉(初二),辽国主到达山榆淀。

乙巳(二十二日),张诚一因为挖开父亲的墓穴拿取犀带,降职给予宫观职。

二月,丁卯(十四日)下诏书命令陕西、河东边防要地修筑防御城寨。

三月,甲申朔(初一),皇帝亲临迩英阁,侍读顾临进读《仁宗宝训》,讲到钱钞办法一事,左仆射吕大防说:"臣应当陈述钱钞办法的前后经过,请陛下完全知道利弊的详细情况。开国之初用车运香药、茶、帛、犀、象、金、银等物品,到陕西变卖换回粮草,共计不少于二百四十万贯。自从钱钞办法推行,开始命令商人从边地收入中价的粮草,卸在京师或解池请求调运食盐,到边地去出卖,于官府私人都很方便。"皇帝很称许这个办法。

丁亥(初四),任命程颐为直秘阁、判西京国子监。当初,程颐任经筵官,归在他的门下的人很多,而苏轼在翰林院,士人也多投奔他。两人互相攻击非毁,程颐最终免职离去。到此时程颐服丧期满,三省说应该任命馆阁职务,判检院苏辙进言说:"程颐进入朝廷,恐怕不肯安静。"太皇太后听从了他的话,所以程颐没有再被召用。

礼部侍郎兼侍读范祖禹说:"臣掌管国史,恭敬地看到仁宗皇帝的丰功大德,不能用言语说出。所能够见到的,有五件事:敬畏天、爱护百姓、敬奉祖先、好学习、听从劝谏;这就是被称为仁的原因。希望陛下认真思考。"又说:"仁宗皇帝往往借助事情来展现好恶。皇祐年中,杨安国讲《论语》史鱼、蘧伯玉一章,仁宗皇帝说:'蘧伯玉确实是君子,但是不如史鱼正直。'仁宗皇帝,作为国君,希望臣下们正直,所以说蘧伯玉不如子鱼,天下因此知道仁宗喜欢正直不喜欢奸邪。这就是圣人的大德行,希望陛下以此为榜样。"皇帝认为有道理。

己亥(十六日),审察囚犯。

辽国主到达里舍淀。

丁未（二十四日），辽大赦中京、蔚州服劳役的囚徒。

辛亥（二十八日），任命知河中府蒲宗孟知永兴军。

夏季，四月，癸丑朔（初一），任命知永兴军蔡京为龙图阁直学士、知成都府。

先前讨论两个制命，宰相执政大臣意见不同不能决定。吕大防回头问梁焘，谁能行，梁焘说："您久在朝任职，收罗的人才很多，只要不因为好恶影响偏听，而以朝廷得到人才为自己的任务，这是大家对您寄托的希望。"吕大防说："苦于缺乏人才啊。"梁焘说："天下何曾缺乏人才，只是贤良的人不肯自荐求得进用，必须朝廷发现擢拔，就有人才来了。确立人才没有固定模式，不怕没有人才。"等到蔡京统领蜀地，梁焘说："元丰时可用的侍从很多，只是蔡京轻佻阴险、刚愎贪婪，不可任用。"后来终于如他所说。

皇帝年岁渐长，太皇太后提出立皇后，逐一挑选民家女子一百多人进入内宫。孟氏十六岁，皇帝和太后都喜欢她，教给她妇女礼仪。己未（初七），太皇太后告诉宰相执政说："孟氏能执守妇道，适合处在中宫的正位。"命令学士草拟制命。又因为近代礼仪简略，下诏命令翰林学士、台谏官、给舍官与礼官商议册封皇后的六种礼仪呈上。甲子（十二日），任命尚书左仆射吕大防代理太尉，充任奉迎使，同知枢密院事韩忠彦代理司徒，充任副使、尚书左丞苏颂代理太尉，充任发册使，签书枢密院事王岩叟代理司徒，充任副使，尚书右丞苏辙代理太尉，充任告期使；皇叔祖同知大宗正事宗景代理大宗正卿，充任副使；皇伯祖判大宗正事高密郡王宗晟代理太尉，充任纳成使，翰林学士范百禄代理宗正卿，充任副使；吏部尚书王存代理太尉，充任纳吉使；权户部尚书刘奉世代理宗正卿，充任副使；翰林学士梁焘代理太尉，充任纳采、问名使；御史中丞郑雍代理宗正卿，充任副使。

甲戌（二十二日），制定考察县令政绩的法令，以德义闻名、清廉谨慎明鉴突出、公平值得称道、恪守勤政不松懈为"四善"，又分治理事务之最、劝业课赋之最、安抚之最为"三最"，综合分析"四善""三最"，分为三等。

丁丑（二十五日），辽国主在西山打猎。

己卯（二十七日），范祖禹说："程颐经义学术、德行道义，天下人所共知，司马光、吕公著与他相知二十多年，然后才推举他。程颐出身平民，不熟悉朝廷礼仪制度，迂腐疏漏难免，人们说程颐想利用旧友倾覆大臣，以个人意气强加台谏官，这些说法都是诬诳不实之词。如果重新招用程颐担任劝讲职务，一定有助于皇上的圣明。"又说王存、苏轼、赵彦若、郑雍、孔武仲、吕希哲、吕大临、吴师仁等都可以任用。吕希哲，是吕公著的儿子；吕大临，是吕大防的弟弟。

当时范祖禹屡次请求出知梓州，宰相执政大臣拟接受他的请求，太皇太后说："皇帝不想让他去，暂且为了皇帝留下他。"范祖禹就不敢再要求。

五月，丙戌（初四），下诏准许程颐辞职免去直秘阁、权判西京国子监职务，任命为管句崇福宫。当初，程颐上表请求回归乡里，说："道行深远就难以被人所容，气节孤傲就容易受挫。进入朝廷被嫉妒，是世俗的常情；名声高诋毁多，史册上明确记载。像臣这样太愚笨，岂能免众口指责！"又说："前时朝廷不知臣无能，让我担任劝学职务。君主不任用，也就罢了，如果再不顾羞耻苟且俸禄官位，孟子所说垄断就是这样了，儒生的进退，该是这样的吗！"等到管句崇福宫的任命下达，程颐就接受了敕命文书，但称病不就职。一百天的假满后，马上求医，始终不就职。

戊戌(十六日)，皇帝亲临文德殿，册封孟氏为皇后。皇后，洺州人，马军都虞候孟元的孙女。太皇太后对皇帝说："得到贤内助，不是一件小事情。"接着叹道："这个人贤淑，可惜福分太薄了。他日国家有什么事件，一定是此人承担。"

庚子(十八日)，停止侍从官轮流进宫应对。

甲辰(二十二日)，辽国主驻扎在赤勒岭。

杨畏、黄庆基说："王岩叟父子参与政务，交接受贿，暗中弄权。"王岩叟于是称病，两上表章。丙午(二十四日)，免职，以端明殿学士知郑州。

修筑李诺平城，皇帝赐名定远城，是采纳了陕西转运使穆衍的请求。

同月，辽国生女真部节度使和哩布去世。

和哩布生养十一个儿子，其中出名的，长子叫乌雅舒，次子叫阿古达，还有乌奇迈、栋摩、扎喇。和哩布病危，招来弟弟英格，对他说："乌雅舒软弱善良；如果办理统一契丹的大事，阿古达能承担。"就去世了。他母亲的弟弟颇拉淑袭任为节度使。和哩布严肃持重多智谋，每次作战，不披战甲。开始建立职官制度，统率各部，各部的官长叫贝勒。颇拉淑机灵敏捷，善于辞令，尤其能够了解辽国的政治民情，每当向辽国说明事情，听的人都信服不怀疑。

六月，癸丑朔(初一)，下诏书说："淮南东、西两浙路拖欠的赋税，不管是新旧有没有官府本钱，一并暂停催办一年。"是采纳了知扬州苏轼的请求。

辛酉(初九)，任命尚书左丞苏颂为尚书右仆射兼中书侍郎，尚书右丞苏辙为门下侍郎，翰林学士范百禄为中书侍郎，翰林学士梁焘为尚书左丞，御史中丞郑雍为尚书右丞，韩忠彦知枢密院事，户部尚书刘奉世签书枢密院事。

梁焘多次上奏章推辞任职，皇帝派中使催促他就职。随后入宫拜谢，太皇太后说："皇帝的圣明德行日渐形成，正需要爱卿辅助。"梁焘回答说："臣不敢不尽忠心，像范纯仁、韩维这些人，在朝廷外面贤德的很多，希望陛下留意。"又上疏说："范祖禹、刘安世，长期担任侍从官，应该安置在皇帝身边，让他们决断大事。安焘、许将都是旧臣，可以倚靠任用。"

甲子(十二日)，设置广文馆解试的名额，以接待四方来京师考试的游学之士。

乙丑(十三日)，西夏国派使臣向辽国求援。

戊辰(十六日)，浑天仪象制成。

秋季，七月，丁亥(初六)，辽国主在沙岭打猎。

癸巳(十二日)，下诏令修撰《神宗正史》。

恢复翰林侍读学士，用范祖禹担任。范祖禹当时为翰林学士，因他叔叔范百禄在中书省任职，所以改任此职。

癸卯(二十二日)，任命龙图阁学士、知扬州苏轼为兵部尚书。

八月，丙辰(初五)，废除监酒税务增剩给赏法。

己未(初八),下诏令西边各路严加防备,不要轻易出兵。

乙亥(二十四日),先前陷入交趾的将吏苏佐等十七人自拔返回。

癸酉(二十二日),龙图阁学士、兵部尚书苏轼兼任侍读官。

当时有关朋党的议论渐盛,吏部尚书王存对皇帝说:"大臣结成朋党,确实不能滋长,然而如果不明察,就会波及善良的人,东汉的党锢之祸就是这样的。庆历年间,有人指称韩琦、富弼、范仲淹、欧阳修为朋党,仰仗仁宗皇帝的圣明,不被流言所迷惑。现在又有提出这种说法的人,希望陛下明察此事。"因此与当权的人意见不相合。八月乙卯(初四),诏令王存出任知大名府,王存推辞了,改任知杭州。

此前,下诏商议郊祀典礼。顾临、范祖禹等八人商议,请求合祭天地。范纯礼、彭汝砺、曾肇、孔武仲等二十二人提出,南郊合祭,不见于经书;范百禄也说在圜丘没有祭地的礼仪,先帝废止此事,是考察古礼、依据经书,不能轻易更改。九月,壬辰(十二日)太皇太后对辅臣说:"郊祀典礼应该依据仁宗皇帝、先帝的旧例。"吕大防说:"皇帝刚开始执政,应当亲自拜见天地,而儒生们提议要在南郊祭祀,不设置皇地神位,恐怕不妥。"苏颂、郑雍意见与吕大防相一致,太皇太后认为他说得对。

戊戌(十八日),下诏说:"国家在郊庙四时的祭祀,从祖宗开始,任命官员代理事务,只三年一次亲自郊祀,那是先祭祀宗庙,冬至在圜丘合祭天地。元丰年间,有关部门援引周朝的礼制合祭天地,与古代礼仪不相应;先帝下诏定下亲自在北郊祭祀的礼仪,没有来得及实行。这一年的郊祀,不设立皇地神位,而宗庙的祭祀,都像临时的办法。朕以德薄才庸,继承六位先圣的美德,现在祭祀,向上帝进献祭物,洒酒祭祀宗庙,而皇地的神位,很久没有亲自祭祀。况且这是朕郊祭天地的开始,冬至在南郊的祭祀,应该依照熙宁十年的旧例,设立皇地神位,以严格天地合祭的礼仪。以后亲临方泽的祭祀,就修订元丰六年的办法。待郊祭礼仪完毕,召集官员详细商议报告。"

己酉(初五),永兴军、兰州、镇戎军发生地震。

冬季,十月,庚戌朔(初一),环州发生地震。

丙辰(初七),辽国赈济西北路的饥荒。

当时边境部族有侵犯辽国的,西北路招讨使阿噜萨古召集准布部首领玛古苏让他去攻打,俘获很多。阿噜萨古因功晋升左仆射,又整兵征讨,误击了玛古苏,因此准布各部都不服。

丁巳(初八),下诏命陕西在前代帝王陵寝的地方,拨给民户五家充当守陵户。

戊午(初九),将开封府推官咸平人来之邵复职为监察御史。

辛酉(十二日),下诏因为黄河向东流去,都水监使者吴安持赐给三品服,命令北平水监丞李伟任期届满之日继任该职。

西夏人侵犯环州以及永和各寨,共七天,才撤走。

当初,知庆州章楶多次派轻兵去征讨,每次都有斩杀俘获,部族不敢安居。章楶估计他们一定会报复,侦察到将要攻打环州,就准备精兵一万人,以勇将折可适等统领,而授以计策说:"敌人进三十里,我军就退三十里。对方必定认为我军胆怯,不再防备我们边防堡垒,就衔枚由小路绕到他们背后,或者埋伏在山谷中,等待时机在他们归来时攻击他们。"又因为境外都是沙石,离城一百里的地方有牛圈,所积存的水足够以供人马饮用,就在夜间派人放毒。西夏人包围数天,没有结果而退兵。折可适等人潜伏在洪德城,等待西夏军队经过,认出西夏国王的母亲梁氏的旗帜,从城中呐喊着冲出,奔驰践踏,西夏军队大败,梁氏差点不能逃脱,抛弃全部物品逃走。又在牛圈饮水,人和马都中毒,死伤不可胜数。

准布部长玛古苏叛乱,杀死辽国吾图古斯。辽国主命令奚六部呼哩耶律郭三发各部族士兵讨伐他。

壬申(二十三日),辽国南府宰相王经去世。

戊寅(二十九日),任命左伊勒希巴耶律足哩为彰圣军节度使。

十一月,辛巳(初二),太白星白天出现。

甲申(初五),下诏:"大中大夫、观察使以上官员,允许各占永业田十五顷。其余官员以及民户愿意以田地房屋收入供给祭祀祖宗的花费的,也准许由官府给以凭据,改正赋税名册。"

戊子(初九),辽国任命枢密副使王是敦兼任知枢密院事,任命权参知政事韩资让为参知政事。

辛卯(十二日),在景灵宫举行朝献仪式。壬辰(十三日),在太庙祭祀。癸巳(十四日),在圜丘祭祀天地,大赦天下,朝廷内外大臣推加恩惠。取消南京酒类专卖。百姓亲属有丧事的,按等级免徭役。

丁酉(十八日),辽国因为通州水灾损毁庄稼,派使臣赈济。

辛丑(二十二日),恩赐徐王赵颢佩剑穿履上殿。

乙巳(二十六日),梁焘说:"先帝时的大臣多是因有才能而进用,可以略加起用,委任以别都名府的官职,以使他们善始善终。"

戊申(二十九日),辽国北院大王哈鲁去世。

十二月,甲寅(初六),任命京西路转运使贾易知苏州。

这一年,辽国放榜录取进士寇尊文等五十三人。

元祐八年 辽大安九年(公元1093年)

春季,正月,庚辰(初二),辽国主到达混同江。

甲申(初六),英州别驾蔡确去世。

丁亥(初九),皇帝亲临迩英阁,顾临进读《宝训》,讲读汉武帝将南山划封为上林苑,仁宗说:"山泽的便利,应当与民众共享,怎么能这样做?"丁度说:"臣事奉陛下二十年,每听到皇上圣德之言,没有不是忧民勤政,这是祖宗的家法啊。"吕大防因此推广进言说:"三代以后,只有本朝一百三十年,朝廷内外没有什么大事,这是由于家法最完善。请让臣略加列举:自古帝王事奉母后,拜见有时限,如汉武帝每五天一拜见长乐宫;本朝祖宗以来,事奉母后,都是朝夕相见,这是事奉亲人的方法。前代大长公主用臣妾的礼节;本朝一定是皇上先致恭敬,仁宗按侄子事奉姑姑的礼节见献穆大长公主,这就是事奉长辈的方法。"皇帝说:"现在宫中相见是行家人相见的礼节。"吕大防说:"前代内宫多不整肃,宫人有的与大臣相见,唐代入阁图中有女官昭容的位置;本朝宫禁严密,宫廷内外整肃,这是治理内宫的方法。前代外戚多参与政事,常常导致祸乱;本朝母后家族都不参与,这是对待外戚的方法。前代宫室中多崇尚奢华,本朝只用红白装饰,这是崇尚节俭的方法。前代帝王,虽然在宫内,出入坐车;本朝祖宗出入内庭后殿,都是步行,难道是没有人力吗?也是想要在宽广的庭院走一走,略接受寒暑,这是勤身的方法。前代帝王,在宫内服饰随便简单;本朝祖宗以来,闲居也一定讲礼仪,听说陛下昨天郊祀礼毕,穿戴礼服拜见太皇太后,这是崇尚礼节的方法。前代多重用刑罚,罪行大的诛杀,罪行小的远逐;只有本朝用刑法最轻,臣下有罪,处罚到罢免为止,这是宽仁的疗法。至于谦虚接受劝谏,不喜爱打猎,不崇尚玩好,不使用玉器,不以奇珍异味为贵,这都是祖宗的家法,是所以导致太平的原因。陛下不必以很远的前代为师,只完全行家法,足以治理天下。"皇上很同意他的话。

壬辰(十四日),皇上临幸太一宫。

庚子(二十二日),下诏向天下颁布高丽所进献的《黄帝针经》。

丁未(二十九日),范百禄说:"自从元祐四年正月下敕令停止回河,现在臣僚回河的想法终究不肯罢休,然而黄河河道也最终不可能回归。吴安持等人正在天天生巧计,阻塞北流河道,前后多起,致使黄河逐渐有填淤的水害,慢慢破坏大禹治水的旧道,岂不是很可惜吗!"

二月,辛亥(初四),高丽派使臣购买历代史书以及《册府元龟》等书,礼部尚书苏轼说应该拒绝他们的要求。省臣答应了,苏轼又上疏陈述五条害处,极力论说不能答应,而且说:"汉朝东平王要诸子书籍以及《太史公书》,还不肯给予,现在高丽所要求的,比这更严重,那可以给予吗!"皇上下诏令:"曾经买过的书可以答应。"

壬子(初五),下诏:"刑部不得分配拘禁的人数,病死人数多的申报尚书省。"

癸丑(初六),下诏大宁郡王以下皇族子弟出到外学读书。

乙卯(初八),根据都水监的奏请,修造北软堰。苏辙上奏说:"臣曾经说软堰不能在北流河道修建,利害很明白。因为东流本是人力所开凿的,宽只百余步,冬月河水断流,所以软堰可以修建。现在北流是黄河的主流,与东流相比,何止数倍!看到现在黄河水流不停,软堰怎么能建立!大概水官的意图,想以软堰为名,实际做破堰,暗中做回河的打算。"河北转运副使赵偁也上奏议说:"臣认为河事大的利害有三方面:整条河北流,担心水不能分流;向东分水,担心水不下行;宗城河流决口,担心水流不能堵住。这三条,去除弊就是利,不能去除弊就是害。现在不考虑这一点而专门议论堵住北流,只知道一天可以堵住的利,却不知道他日已经堵塞的弊害;只知道北流河槽的水易于产生压力,却不知道阚村上涨的水势不能并入东流的河水。这是看见近处忘记远处,把黄河当作儿戏。请等待涨水积蓄河槽,观察大河最盛的水势,再来治理东流、北流。"于是下诏令停修软堰。

本月,任命崇政殿说书吕希哲为右司谏,吕希哲坚决推辞。苏轼对吕希哲戏言说:"讲佛法的高僧,应当看第一讲。"吕希哲笑而不回答,退下,对范祖禹说:"如果推辞得不到复命,一定是杨畏为首造成。"当时杨畏任言官,以阴险狡诈自任,所以吕希哲这样说,接着不拜受。

玛古苏侵犯辽国。三月,辽国西北路招讨使耶律阿噜萨古追击他,都监萧章纠与强盗相遇,接战不利,二室韦与六院部、群牧官等军都陷入敌手。阿噜萨古不以实际情况报告,辽国主知道了,撤掉他的官职,处以大杖的刑罚。

癸未(初六),尚书右仆射苏颂免职。苏颂担任宰相,务在奉行旧例,使百官守法尽职,根据能力授官任职,杜绝侥幸,严格警戒边防大臣生事端,议论有不稳妥的,坚决力争。恰逢任命贾易知苏州,苏颂认为贾易过去在御史以敢说话闻名,担任监司官,现在却任命作郡官,那就是因为敕令反而降职,不可行。决议还没有做出,谏官杨畏、来之邵指论苏颂扣留诏命。苏颂上疏章辞职,罢免改任集禧观使。梁焘说不宜将苏颂降职外放,表示疏远,于是诏令任命为观文殿大学士留在京师。

庚寅(十三日),范祖禹说:"仲春以来,起暴风下雨雪,寒气逼人,希望陛下自身谨慎修明德行,以消除严重的天气异常。"

辛卯(十四日),中书侍郎范百禄被免职。苏颂已经罢免,范百禄因为同在省署,等待处罚请求外任,不批准。御史黄庆基上疏,列出范百禄的五条罪状,又说洛人朋党虽然减弱了,川人朋党又兴盛,请求尽早给予罢免以分离他们的党羽。范百禄于是坚决要求离去,批准了。当初,罢免范百禄,不任命职务,梁焘等因此提议。就任命为资政殿学士、知河中府。

庚子(二十三日),皇帝下诏:"明年御试,考诗赋的举人仍旧考试三题;考经义的举人暂时考试策问,此后全部考试三题。"

本月,门下侍郎苏辙上奏:"亲近大臣因为董敦逸说川人势力太大,派遣冯如晦知梓州不当,指责是臣的过失,于是当面陈述事情的前后经过。不久承蒙皇上宣谕,深切地了解董敦逸胡说,然而也要略加辨说明白。那个董敦逸指责臣下的奏疏,请早点交付三省执行。"

董敦逸又说:"上奏请求任命职务的人,就苏轼最多,或者是亲信相知,或者是同乡,致使官场上有不平的感叹。近来高丽买书、黄河软堰的事情,都得到圣旨已开始执行,不久因为苏轼、苏辙反对而停止。臣听说君主,是发布命令的;臣下,是接受君主的命令而执行的。命令受到重视那么君主就强有力,命令受到轻视,那么臣下就强大。现在陛下已经执行的命令,而苏轼、苏辙违背而反对,谈到他们的情形,又不是苏颂、范百禄可以相比的,放过而不处罚,命令就没有威力。请求皇上决断,发布命令执行。"

夏季,四月,丁未朔(初一),西夏人来请罪,希望以兰州交换塞门、安远两寨,下诏因为数次背叛归顺反复无常而拒绝他们的要求。

甲寅(初八),命令范祖禹依据前朝的旧例,只兼任侍讲官。

乙卯(初九),辽国兴中府降下甘露,辽国主派遣使臣为奉佛赐给僧侣食物。

丁巳(十一日),下诏:"今后在南郊合祭天地,依照元祐七年的旧例实行,取消礼部召集官员详细议论。"

甲子(十八日),任命知永兴军李清臣为吏部尚书。

癸酉(二十七日),辽国主在西山打猎。

　　五月,癸未(初七),苏轼同吕希哲、吴安诗、丰稷、赵彦若、范祖禹、顾临请求将唐朝宰相陆贽的《奏议》校正抄写呈上。五月,己卯(初三),任命吏部尚书李清臣为资政殿学士、知真定府,是因为姚勔提出不应该召用的缘故。

　　辛卯(十五日),御史董敦逸、黄庆基同时罢免。

　　董敦逸四上奏章告苏辙、黄庆基三上奏章告苏轼,说苏轼过去担任中书舍人,所发下的制命文书指责先帝,而苏辙里外呼应以扰乱朝政。三省同时进呈,吕大防上奏:"董敦逸、黄庆基说苏轼的制命文书中诋毁诽谤先帝,臣私下观察先帝的意思,本来是要富国强兵以征讨四方,而一时群臣秉承太过分,所以事情或许有失当之处。等到太皇太后和皇帝临政,根据民众的意愿,因时补救改正,这是理所当然的事情。汉武帝喜好用兵,重赋税伤民力,汉昭帝继位,广泛采纳大家的意见,多处加以取消;汉明帝注重细察,多次兴起大狱案,汉章帝将此改为宽厚政策,天下高兴服从;没有认为是诋毁诽谤先帝的。到了本朝真宗即位,放宽拖欠以让民财厚实;仁宗即位,停止修建宫观以让民力休息,也没有听说当时士大夫有认为是诋毁诽谤先帝的。自元祐年间以来,言事官有所弹劾,多以诋毁诽谤先帝为借口,不仅伤害善良人,也是想要动摇朝政,用意很不好。如果不禁止,长期将成为祸患。"苏辙因此上奏说:"臣昨天拿兄苏轼所拟的吕惠卿的制命观览,其中说到先帝的,有'开始以像尧帝那样的仁慈,姑且试伯鲧,终于像孔子的圣明,不相信宰予'。兄苏轼难道是诋毁诽谤先帝吗?臣听说先帝晚年,自己也很后悔已实行的事情,但没有来得及改罢了。元祐年间的变革,是继续先帝的美意而已。"太皇太后说:"先帝追悔过去的事,以至于流下眼泪。"吕大防说:"听说永乐之败后,先帝曾责怪两府大臣竟然没有一个人能劝谏的,所以一时过当的举动,不是出于先帝的本意,这很明白了。"太皇太后说:"这件事皇上应当很清楚。"于是贬任董敦逸、黄庆基为湖北、福建转运判官。中丞李之纯、御史杨畏、来之邵说二人诬陷忠良之人,责罚太轻。丙申(二十日),下诏给予知军差遣,董敦逸知临江军,黄庆基知南康军。

　　苏轼也上奏札自我辩解,说:"臣任中书舍人时,正值朝廷贬逐几个人,所行下的告词,都是原来下达的敕令所说的罪状,不是臣自己的意思所敢增减的。里面吕惠卿的告词,事情涉及前朝,不能不忌讳。臣愚蠢的意见认为古往今来如鲧是尧的大臣而不损害尧的仁义,宰予是孔子高足而不损害孔子的圣明。又况且再加贬黜,深恶这个人,都是先朝的本意,这样小小的忠心,自己认为是没有负于朝廷。现在黄庆基竟反指责为诽谤,不是捏造诬陷太过分了吗!其余所说的李之纯、苏颂、刘谊、唐义问等的告词,都是黄庆基罗织附会成臣的罪名。这种事由朱光庭开始,兴盛于赵庭之,达到极点是贾易,现在黄庆基也师承他们。臣担心暗中中伤,不可逐渐滋长,不是独独为臣自己才这样说。"太皇太后让苏辙宣谕说:"因近来众人正相捃拾材料,更应该省事。"苏轼就上札子称谢说:"过去东汉孔融,志大才疏,所以遭受路粹的冤枉;西晋嵇康,才多识少,所以遭遇到钟会的诬祸。臣没有二人的长处又有二人的短处,如果不是陛下极为公正又施以宽恕,极为仁慈又明察,那么臣已经随他们二人去了,哪还有今日呢!"

　　本月,水官又请求进修梁村上下的拦河约,缩小河口,赵偁争论没有结果。不久涨水,就堵塞而崩溃，南边泛滥德清，西边内黄决口，东边淤积梁村，北边冲出阚村，宗城的决口又冲开，魏店北流河道淤积阻断，河水四处涌出，损坏东郡的浮桥，幅员数百里内，房屋漂流，坟墓冲毁。留下幸免的百姓中，老弱聚集在金堤上，哀号的声音，几十里远不断绝。

六月，丁未朔（初一），辽国主驻扎在散水原。

甲寅（初八），礼部尚书苏轼请求知越州，下诏不批准。

戊午（十二日），尚书左丞梁焘，免职改任为资政殿学士、同醴泉观使。旧例，宫观使不是宰相不任命，于是设置同使的名义以示恩宠。

梁焘当初因为议论边防的事意见不一致，就称病请求免职。奏章多次进上，皇帝都派内使退回，多次问所坚持要离去的理由，并秘密寻问人才，梁焘说："信任不深厚，意见不被采用，而询问人才中可以任用的人，不是臣所敢承当的。"内使又到达，就出示奏令说："陛下一定要知道可以大用的人，且谋求任用旧臣中刚强正直纯朴有威信的人，不牵涉左右之人喜好厌恶的意见而改变皇上的主意，天下就万幸了！"不久请求外放补任，出任知颍昌府。临行时，皇帝派内侍赐给茶叶、药材，传达旨意说："已采用爱卿的意见，重新任命范纯仁为宰相。"

当初刘挚免去宰相职务，皇帝要重新任用范纯仁，就出御札询问吕大防。吕大防回答说："如所宣布，确实符合大家的意见。"于是派遣内侍李倬带诏书召范纯仁到京。己未（十三日），杨畏说："范纯仁刚罢免帅位降官职，还在贬黜中，而陛下竟任命为宰相，赏罚不分明，怎么向天下展示呢！"来之邵又说范纯仁以程颐为师，昏暗固执没有才能。这些意见都没有被采纳。杨畏与苏辙都是蜀地人，先前攻击刘挚，后来攻击苏颂，都是暗中为苏辙疏通，太皇太后觉察此事，所以又从外地召用范纯仁。杨畏不久又说苏辙不能大用等等。

秋季，七月，丙子朔（初一），任命范纯仁为尚书仆射兼中书侍郎。入朝奏对，太皇太后说："人们说相公您一定先进用王觌、彭汝砺，是不是？"范纯仁说："这两个人确实在士大夫中有声望，臣终究不敢保自己的位子而遮挡贤人，只希望陛下明加考察。"

辛卯（十六日），辽国主到达黑岭。

辽国枢密使阿苏，因为萧托辉曾经说他的短处，深深记恨。碰上西部边境不安宁，阿苏上奏说："边关重大，可选择重臣镇守安抚。"辽国主说："萧托辉如何？"阿苏说："确实与圣意相符。"于是任命托辉为西南面招讨使。

续资治通鉴卷第八十三

【原文】

宋纪八十三　起昭阳作噩【癸酉】八月,尽阏逢阉茂【甲戌】七月,凡一年。

哲宗宪元继道显德定功　钦文睿武齐圣昭孝皇帝

元祐八年　辽大安九年【癸酉,1093】　八月,辛酉,太皇太后不豫,帝不视事。

壬戌,遣使按视京东、西、河南、北、淮南诸路水灾。

戊辰,赦天下。

吕大防、范纯仁、苏辙、郑雍、韩忠彦、刘奉世入崇庆殿后郤,问太皇太后安。太皇太后谕曰:"今病势有加,与公等必不相见,且善辅佐官家。"又曰:"老身殁后,必多有调戏官家者,宜勿听之。"乃呼左右赐社饭,曰:"明年社饭,当思老身也。"

九月,戊寅,太皇太后高氏崩。自垂帘以来,召用名臣,罢废新法苛政,临政九年,朝廷清明,华夏绥安。杜绝内降侥幸,裁抑外家私恩,文思院奉上之物,无问巨细,终身不取其一。人以为女中尧、舜。

己卯,诏以太皇太后园陵为山陵,命吕大防为山陵使。

庚辰,遣使告哀于辽。

戊子,端明殿学士兼翰林侍读学士、礼部尚书苏轼出知定州。

冬,十月,丙午,中书舍人吕陶言:"太皇太后保佑圣躬,于今九年,一旦弃四海之养,凡在臣庶,痛心泣血。然臣于此时以无可疑为疑,以不必言而言。盖自太皇太后垂帘以来,屏黜凶邪,裁抑侥幸,横恩滥赏,一切革去,小人之心,不无怨憾。万一或有奸邪不正之言,上惑圣听,谓太皇太后斥逐旧臣,更改政事,今日陛下既亲万几,则某人宜复用,某事宜复行。此乃治乱之端,安危之机,君子小人消长之兆,在陛下察与不察也。昔元祐初,臣任台谏官,尝因奏事帘前,恭闻德音宣谕云:'朝廷政事,于民有害,即当更改。其它不系利害,亦不须改。每改一事,必说与大臣,恐外人不知。'臣思此语,则太皇太后凡有更改,固非出于私意,盖不得已而后改也。至如章惇悖慢无礼,吕惠卿奸回害物,蔡确毁谤不敬,李定不持母丧,张诚一盗父墓中物,宋用臣掊敛过当,李宪、王中正邀功生事,皆是积恶已久,罪不容诛。则太皇太后所改之事,皆是生民之便,所逐之臣,尽是天下之恶,岂可以为非乎!臣又闻明肃皇太后称制之日,多以私恩遍及亲党,听断庶务,或致过差。及至仁宗亲政,有希合上意,言其阙失者;仁宗降诏,应明肃垂帘时事,更不得辄有上言。圣德广大,度越古今,陛下所宜法而行之。"

戊申,群臣七上表,请听政。

太皇太后既崩,人怀顾望,莫敢发言。翰林学士范祖禹虑小人乘间为害,上疏曰:"陛下方总揽庶政,延见群臣,此乃国家兴替之本,社稷安危之基,天下治乱之端,生民休戚之始,君子小人进退消长之际,天命人心去就离合之时也。先太皇太后,性严正不可干犯,故能斥逐奸邪,裁抑侥幸。虽德泽深厚,结于百姓,而小人怨恨,亦不为少,必将有以改先帝之政、逐先帝之臣为太皇太后过者,此离间之言,不可不察也。初,太皇太后同听政,中外臣民上书者以万计,皆言政令不便。太皇太后因天下人心变而更化,既改其法,则作法之人有罪当逐,陛下与太皇太后亦顺众言而逐之。其所逐者,皆上负先帝,下负万民,天下之所仇疾而共欲去之者也,岂有憎恶于其间哉!惟陛下辨析是非,斥远佞人。有以奸言惑听者,明正其罪,付之典刑,痛惩一人以警群慝,则帖然无事矣。此辈既误先帝,又欲误陛下,天下之事,岂堪小人再破坏邪!"苏辙方具疏进谏,及见祖禹奏,曰:"经世之文也。"遂附名同进而毁己草。疏入,不报。

后数日,祖禹又言:"先太皇太后以大公至正为心,罢王安石、吕惠卿等新法而行祖宗旧政,故社稷危而复安,人心离而复合。乃至辽主亦与其宰相议曰:'南朝遵行仁宗政事,可救燕京留守,使边吏约束,无生事。'陛下观敌国之情如此,则中国人心可知。今陛下亲万机,小人必欲有所动摇,而怀利者亦皆观望。臣愿陛下上念祖宗之艰难,先太皇太后之勤劳,痛心疾首,以听用小人为刻骨之戒,守元祐之政,当坚如金石,重如山岳,使中外一心,归于至正,则天下幸甚!"

吕希哲言:"君子小人用心不同,有昔时自以过恶招致公论,坐法沈废者,朝思夜度,唯望乘国家变故、朝廷未宁之时,进为险语以动上心。其说大约不过有三:一谓神宗所立法度,陛下必宜修复;二谓陛下当独揽乾纲,不可委信臣下;三谓向来迁谪者当复收用。三者之言,行将至矣,陛下不可以不察。"吕陶亦以为言,皆不报。

辽阿噜萨古之败于玛古苏也,辽主以耶律托卜嘉代为西北路招讨使。托卜嘉自以尝荐玛古苏,有旧恩,遣人招致之。玛古苏声言约降,托卜嘉遽信之,逆于镇州西南沙碛间,禁士卒无得妄动。已而玛古苏率师骤至,裨将耶律绾、徐盛见其势锐,不及战而走,托卜嘉被害。托卜嘉,仁先之子也。庚戌,赠侍中,谥贞悯。

玛古苏既胜,准布诸部皆应之,寇倒塌岭。

壬子,辽遣使籍诸路。癸丑,命乌库节度使慎嘉努率兵援倒塌岭。

甲寅,辽主驻藕丝淀。

乙卯,命以马三千给乌库部。

丙辰,辽有司奏准布掠西路群牧。

丁巳,辽振西北路贫民。

己未,辽以燕国王延禧生子,肆赦,妃之族属并进级。

壬戌,辽以枢密直学士赵延睦参知政事兼同知南院事。

己巳,辽主命广积贮以备水灾。

（十一月）庚午，复内侍乐士宣等六人。苏辙奏："陛下方亲政，中外贤士大夫未曾进用一人，而推恩先及于近习，外议深以为非。"后数日，复出内批，以刘惟简、梁从政等四人并除入内内侍省职。中书舍人吕希纯封还词头，帝曰："止为禁中阙人，兼有近例。"辙曰："此事非为无例，盖谓亲政之初，先擢内臣，故众心惊疑。"帝释然曰："除命且留，俟祔庙取旨可也。"

〔十一月〕，范祖禹请追改内侍除命，不报。〔庚寅〕，因请对，曰："熙宁之初，王安石、吕惠卿造立三新法，悉变祖宗之政，多引小人以误国，勋旧之臣屏弃不用，忠正之士相继远引。又用兵开边，结怨外夷，天下愁苦，百姓流徙。赖先帝觉悟，罢逐两人；而所引群小已布满中外，不可复去。蔡确连起大狱，王韶创取熙河，章惇开五溪，沈起扰交管，沈括、徐禧、俞充、种谔兴造西事，兵民死伤皆不下二十万。先帝临朝悼悔，谓朝廷不得不任其咎。以至吴居厚行铁冶之法于京东，王子京行茶法于福建，蹇周辅行盐法于江西，李稷、陆师闵行茶法、市易于西川，刘定教保甲于河北，民皆愁痛，比屋思乱。赖陛下与太皇太后起而救之，天下之民如解倒悬。惟是向来所斥逐之人，窥伺事变，妄意陛下不以修改法度为是，如得至左右，必进奸言。万一过听而复用，岂惟正人不敢立朝，臣恐国家自此陵迟，不复振矣。"又论："汉、唐之亡，皆由宦官。自熙宁、元丰间，李宪、王中正、宋用臣辈用事统兵，权势震灼。中正兼干四路，口敕募兵，州郡不敢违，师徒冻馁，死亡最多；宪陈再举之策，致永乐摧陷；用臣兴土木之工，无时休息，罔市井之微利，为国敛怨。此三人者，虽加诛戮，未足以谢百姓。宪虽已亡，而中正、用臣尚在，今召内侍十馀人，而宪、中正之子皆在其中。二人既入，则中正、用臣必将复用，惟陛下念之。"

时绍述之论已兴，有相章惇之意，祖禹力言惇不可用，帝不悦。

丙子，御垂拱殿。

辽枢密使阿苏使人诬奏蕃部掠漠南牧马及居民畜产，招讨使萧托辉不急追捕，罪当死，辽主命免其官。托辉负气，怒则须髯辄张，每有大议，必毅然决之，虽辽主有难色，未尝遽已，见权贵无少屈，竟为阿苏所陷，时人惜之。

十二月，乙巳，范纯仁言："臣多疾早衰，自叨宰执以来，益为职事所困。窃位已将五月，辅政讫无寸长，上负国恩。又况蒙命之始，已招弹击之言。伏望察其至诚，退之以礼。"诏不允。帝语吕大防曰："纯仁有时望，不宜去，可为朕留之，且趣入见。"问："先朝行青苗法如何？"对曰："先帝爱民之意本深，但王安石立法过甚，激以赏罚，故官吏急切，以致害民。"退而疏陈其要，以为"青苗非所当行，行之终不免扰民。"

初，太皇太后寝疾，召纯仁曰："公父仲淹，在章献垂帘时，唯劝章献尽母道，及仁宗亲政，惟劝仁宗尽子道，可谓忠臣，公必能继绍前人。"纯仁泣谢曰："敢不尽忠！"至是群小力排垂帘时事，纯仁奏曰："太皇太后保佑圣躬，功烈诚心，幽明共鉴。议者不恤国是，一何薄哉！"因以仁宗禁言章献垂帘时事诏书上之曰："望陛下稽仿而行，以戒薄俗。"韩忠彦亦言于帝曰："昔仁宗始政，群臣亦多言章献之非，仁宗恶其持情甚薄，下诏戒饬。陛下能法仁祖则善矣。"

甲寅，仿《唐六典》修官制。

丁巳，辽遣使来吊祭。

出钱粟十万赈流民。

辽中京留守窦景庸卒,谥肃宪。

是月,苏轼赴定州。时国事将变,轼不得入辞。既行,上书言:"臣日侍帷幄,方当戍边,顾不得一见而行;况疏远小臣,欲求自通,难矣。然臣不敢以不得对之故不效愚忠。古之圣人将有为也,必先处晦而观明,处静而观动,则万物之情毕陈于前。陛下圣智绝人,春秋鼎盛,臣愿虚心循理,一切未有所为,默观庶事之利害与群臣之邪正,以三年为期,俟得其实,然后应而作,使既作之后,天下无恨,陛下亦无悔。由此观之,陛下之有为,惟忧太早,不患稍迟,亦已明矣。臣恐急进好利之臣,辄劝陛下轻有改变,故进此说,敢望陛下留神。社稷宗庙之福,天下幸甚!"

范纯仁之将入也,杨畏尝有言,纯仁不知。至是吕大防欲用畏为谏议大夫,纯仁曰:"上新听政,谏官当求正人;畏倾邪,不可用。"大防曰:"岂以畏尝言公邪?"纯仁始知之。大防素称畏敢言,且先密约畏助己,竟超迁畏为礼部侍郎。及大防充山陵使,甫出国门,畏首叛大防,上疏言:"神宗更法立制以垂万世,乞赐讲求,以成继述之道。"疏入,帝即召对,询以先朝故臣孰可召用者,畏遂列上章惇、安焘、吕惠卿、邓温伯、李清臣等行义,各加品题。且密奏万言,具陈神宗所以建立法度之意与王安石学术之美,乞召章惇为相。帝深纳之,遂复章惇资政殿学士,吕惠卿为中大夫,王中正复遥郡团练使。给事中吴安诗不书惇录黄,中书舍人姚勔不草惠卿、中正诰词,乞追回除命,皆不听。

先是水官锐意回河,请曰:"河流浅狭,权堰断,使水势入孙村口。"论奏以千百数。诏率下河北转运司议,同列多畏恐,不敢正言,或以不知河事为解。转运副使赵偁,独居中持议,不少假借,每沮却之,因上《河议》,其略曰:"自顷有司回河几三年,工费骚动,半于天下;复为分水,又四年矣。古所谓分水者,回河流,相地势,导而分之,盖其理也。今乃横截河流,置埽约以扼之。开浚河流,徒为渊潭,其状可见。况故道千里,其间又有高处,故累岁涨落,辄复自断。臣谓当完大河北流两堤,复修宗城废堤,闭宗城口,废上下约,开阚村河门,使河流端直以成深道。聚三河工费以治一河,一二年可以就绪,而河患庶几息矣。"

绍圣元年　辽大安十年【甲戌,1094】　春,正月,丙申,夏国遣使来贡。

赵偁又上言:"先帝灼见河势,且鉴屡闭屡塞之患,因顺其性,使之北行,此万世策也。自有司置埽创约,横截河流,回河不成,因为分水。初决南宫,再决宗城,三决内黄,水皆西决,则地势西下,较然可知。今欲弭息河患,而逆地势,戾水性,臣未见其能就效也。臣请开阚村河门,修平乡、巨鹿埽、焦家等堤,浚澶渊故道以备涨水;如此,则五利全而河患息矣。"

水官又请权堰梁村,缕断张包等河门,闭内黄决口,开鸡爪,疏口地,回河东流。于是诏遣中书舍人吕希纯、殿中侍御史井亮采乘传相视,且会逐司定议。偁议以为:"东流阔处无二百步,益以涨水,何可胜约!去岁尝(闻)〔开〕鸡爪十五馀丈,未几生淤,形势可见。一日东流既不容,北流又悉闭,上壅横溃之患,可胜道哉!请先导张包以存北流,修西堤以备涨水,因其顺快,水流既通,则河将自成矣。"时独东路提刑上官均与偁议合,而众相论难,累日不决。乃周视东北流,较形势,审利害,会逐司诘之,曰:"将浚鸡爪以决东河于北流,可乎?"水官曰:"不可。张包存则东流败矣。"诏使曰:"审尔,则水之趋北,势也,奈何逆之?"由是从偁议,奏请存张包而治北流。会诏中格,复罢。

是月,辽主如春水。

准布别部侵辽,四捷军都监特默死之。

二月,丁未,以户部尚书李清臣为中书侍郎,以兵部尚书邓温伯为尚书右丞。清臣首倡绍述,温伯和之。时进用大臣,皆从中出,侍从、台谏,亦多不由进拟。范纯仁乃言于帝曰:"陛下亲政之初,四方拭目以观,天下治乱,实本于此。舜举皋陶,汤举伊尹,不仁者远。纵未能如古人,亦须极天下之选。"帝不纳。

己酉,葬宣仁圣烈皇后于永厚陵。己未,祔神主于太庙。

甲子,诏依章献明肃皇后故事,罢避高遵(惠)〔甫〕讳。

是月,夏国进马,助太皇太后山陵;复遣使再议易地,诏不允。

三月,壬申朔,日有食之。

癸酉,以知陈州蔡卞为中书舍人。

乙亥,尚书左仆射吕大防罢。大防位首相逾六年,当国日久,群怨皆归。及宣仁始祔庙,侍御史来之邵乞先逐大防以破大臣朋党,因疏列神宗简拔之人章惇、安焘、吕惠卿等,以备进用。大防亦自求去位,帝亟从之,诏以观文殿大学士知颍昌府。后二日,改知永兴军。

乙酉,御集英殿,试进士,策曰:"今复词赋之选而士不知劝,罢常平之官而农不加富,可差可募之说纷而役法病,或东或北之论异而河患滋,赐土以柔远也而羌夷之患未弭,弛利以便民也而商贾之路不通。夫可则因,否则革,惟当之为贵,圣人亦何有必焉!"李清臣之词也。

戊子,徙封徐王颢为冀王。

癸巳,诏赈京东、河北流民,贷以谷麦种,谕使还业,蠲今年租税。

丁酉,赐礼部奏名进士、诸科九百七十五人及第、出身。时考官取进士答策者,多主元祐。及杨畏覆考,乃悉下之,而以主熙、丰者置前列,拔毕渐为第一。自此绍述之论大兴,国是遂变矣。

是日,苏辙罢。先是辙上疏曰:"伏见御试策题,历诋近岁行事,有绍复熙宁、元丰之意。臣谓先帝以天纵之才,行大有为之志,其所设施,度越前古,盖有百世不可改者。在位近二十年,而终身不受尊号,裁损宗室,恩止袒免,减朝廷无穷之费;出卖坊场,顾募衙前,免民间破家之患;黜罢诸(料)〔科〕诵数之学,训练诸将慵惰之兵;置寄禄之官,复六曹之旧;严重禄之法,禁交谒之私;行浅攻之策,以制西夏;收六色之钱,以宽杂役。凡如此类,皆先帝之睿算,有利无害。而元祐以来,上下奉行,未尝失坠也。至于其它,事有失当,何世无之!父作之子前,子救之于后,前后相济,此则圣人之孝也。汉武帝外事四夷,内兴宫室,财用匮竭,于是修盐铁、榷酤、均输之政,民不堪命,几至大乱;昭帝委任霍光,罢去烦苛,汉室乃定。光武、显宗,以察为明,以谶决事,上下恐惧,人怀不安;章帝即位,深鉴其失,代之以宽厚恺悌之政,后世称焉。本朝真宗,右文偃武,号称太平,而群臣因其极盛,为天书之说;章献临御,揽大臣之议,藏书梓宫,以泯其迹;及仁宗听政,绝口不言。英宗自藩邸入继,大臣创濮庙之议;及先帝嗣位,或请复举其事,寝而不答,遂以安静。夫以汉昭、章之贤与吾仁宗、神宗之圣,岂以薄于孝敬而轻事变易也哉!愿陛下反覆臣言,慎勿轻事改易。若轻变九年已行之事,擢任累岁不用之人,怀私忿而以先帝为辞,大事去矣。"奏入,不报。

辙又具札子言:"圣意诚谓先帝旧政有不合改更,自当宣谕臣等,令商量措置。今自宰臣以下,未尝略闻此言,而忽因策问进士,宣露密旨。譬如家人,父兄欲有所为,子弟皆不与知,而与行路谋之,可乎?"帝固不说,李清臣、邓温伯又先媒蘖之。及面论,帝益怒,遂责辙以汉武比先帝,辙曰:"汉武,明主也。"帝曰:"卿意但谓武帝穷兵黩武,末年下哀痛之诏,岂明主乎!"帝声甚厉,辙下殿待罪,众莫敢救。范纯仁从容言曰:"武帝雄才大略,史无贬辞,辙以比先帝,非谤也。陛下亲政之初,进退大臣当以礼,不可如呵斥奴仆。"邓温伯越次进曰:"先帝法度,为司马光、苏辙坏尽。"纯仁曰:"不然。法本无弊,弊则当改。"帝曰:"人谓秦皇、汉武。"纯仁曰:"辙所论,事与时也,非人也。"帝为之少霁。辙平日与纯仁多异,至是乃服,退,举笏谢曰:"公,佛地位人也。"归家,亟具奏,乞赐屏逐,诏以辙为端明殿学士、知汝州。中书舍人吴安诗草制,有"风节天下所闻"及"原诚终是爱君"之语,帝怒,命别撰词。辙止散官知汝州,安诗寻亦罢为起居舍人,从虞策、郭知章等言也。

河内尹焞应举,见发策黜元祐之政,乃叹曰:"尚可以干禄乎!"不对而出。焞少师事程颐,谓颐曰:"焞不复应进士举矣。"颐曰:"子有母在。"焞归,告其母陈,母曰:"吾知汝以善养,不知汝以禄养。"颐闻之曰:"贤哉母也!"于是终身不就举。

夏,四月,甲辰,命中书舍人蔡卞同修国史,以国子司业翟思为左司谏,左朝奉郎上官均为左正言,右朝散郎周秩、左朝散郎刘拯并为监察御史。

召淮南转运副使张商英为右正言。商英在外久不召,积憾元祐大臣,攻之不遗馀力,上疏言:"神宗盛德大业,跨绝今古,而司马光、吕公著、刘挚、吕大防,援引朋俦,敢行讥议。凡详定局之见明,中书之勘会,户部之行遣。言官之论列,词臣之诰命,无非指摘决(扬)〔扬〕,鄙薄嗤笑,翦除陛下羽翼于内,击逐股肱于外,天下之势,岌岌殆矣!今天清日明,诛赏未正,乞下禁省检索前后章牍,付臣等看详签揭以上,陛下与大臣斟酌而可否焉。"又指吕大防、梁焘、范祖禹为奸邪,以司马光、文彦博为负国,言吕公著不当谥正献,甚者至以宣仁比吕、武。始,商英在元祐时,作《嘉禾颂》,以文彦博、吕公著比周公,又作文祭司马光,极其称美,至是乃追论其罪。又言:"愿陛下无忘元祐时,章惇无忘汝州时,安焘无忘许昌时,李清臣、曾布无忘河阳时。"其以险语激怒当世概类此。

辽主驻春州北平淀。

乙巳,三省言役法尚未就绪,帝曰:"止用元丰法而减去宽剩钱,百姓何有不便邪?"范纯仁曰:"四方利害不同,须因民立法,乃可久也。"帝曰:"令户部议之。"

阿里骨遣使来献狮子。

丙午,以旱,诏恤刑。

庚戌,以知江宁府曾布为翰林学士。布自瀛州徙江宁,诏许入觐,遂有是命。布言先帝政事,当复施行,且乞改元以顺天意。

以龙图阁直学士蔡京权户部尚书。

台臣共言苏轼行吕惠卿制词,讥讪先帝;壬子,诏轼落职,知英州。

范纯仁上疏曰:"熙宁法度,皆吕惠卿附会王安石建议,不副先帝爱民求治之意。至垂帘时,始用言者,特行贬窜,今已八年矣。言者多当时御史,何故畏避不即纳忠,而今乃有是奏,岂非观望邪?"

辽自准布侵边,诸属国多从之叛。边臣间有斩获,诸部亦有降者。而玛古苏猖獗太甚,辽主乃以耶律额特勒为都统,耶律图多为副都统,耶律图鲁为都监,往讨之。

癸丑,诏改元绍圣。

白虹贯日。

以侍讲学士范祖禹为龙图阁直学士、知陕州。先是帝欲以祖禹代苏辙,而沮之者甚众。祖禹力求出,乃有是命。

太子少师致仕冯京卒。帝临奠,蔡确之子渭,京婿也,于丧次阑诉父冤。甲寅,诏复确右正议大夫。

诏王安石配享神宗庙庭。

以吏部尚书胡宗愈为通议大夫、知定州。

壬戌,以资政殿学士、提举洞霄宫章惇为尚书左仆射兼门下侍郎。惇赴召,沙县陈瓘随众道谒。惇素闻其名,独邀与同载,访当世之务,瓘曰:"请以所乘舟喻,偏重其可行乎?或左或右,其偏一也。明此,则行可矣。"惇默然。瓘复曰:"天子待公为政,敢问将何先?"惇仁思良久,曰:"司马光奸邪,所当先辨。"瓘曰:"公误矣,此犹欲平舟势而移左以置右也。果尔,将失天下之望。"惇厉色曰:"光辅母后,独掌政柄,不务纂绍先烈,肆意大改成绪,误国如此,非奸邪而何?"瓘曰:"不察其心而疑其迹,则不为无罪。若指为奸邪,又复改作,则误国益甚矣。"乃为惇极论熙、丰、元祐之事,以为:"元丰之政,多异熙宁,则先志固已变而行之。温公不明先志,而用母改子之说,行之太遽,所以纷纷至今。为今日计,唯当消朋党,持中道,庶可救弊。若又以熙、丰、元祐为说,无以厌服公论。"瓘辞辨慷慨,议论劲正,惇虽连意,亦颇惊异,遂有兼收元祐之语,留瓘共饭而别。

范纯仁罢为观文殿大学士,知颍昌府。帝既亲政,言者争论垂帘时事。纯仁数称疾求罢,最后出居慈孝寺,请降诏以禁约言者,帝不从。纯仁连章求罢,许之。陛辞日,命坐,赐茶,慰劳甚渥。帝曰:"卿耆德硕望,朝廷所倚赖,今虽在外,凡时政有可裨益者,但入文字言之,无事形迹。"纯仁顿首受命。

命曾布修《神宗正史》。

丙寅,罢五路经(传)〔律〕通礼科。

丁卯,诏诸路使:"免役法依元丰八年见行条约施行。"

邓温伯言:"旧名润甫,昨避高陈王讳,今请复旧名。"从之。

戊辰,同修国史蔡下上疏言:"先帝盛德大业,卓然出千古之上,而《实录》所纪,类多疑似不根,乞验索审订,重行刊定,使后世无所迷惑。"诏从之,以下兼国史修撰。

己巳,辽除玉田、密云流民租赋一年。

是月,知汝州苏辙,降授左朝议大夫,徙知袁州。责词略曰:"垂帘之初,老奸擅国,置在言路,使诋先朝,反以君父为仇,无复臣子之义。"中书舍人林希所草。老奸,盖阴斥宣仁也。希典书命,自司马光、吕大防、公著、刘挚等数十人之制,极其丑诋。一日,草制罢,掷笔于地曰:"坏尽名节矣!"

闰月,壬申,以陆师闵等二十三人为诸路提举常平官。

癸酉,罢十科举士法,从井亮采言也。

翟思言:"先帝正史,将以传示万世。访闻秉笔之臣,多刊落事迹,变乱美实,以外应奸人诬诋之说。今既改命史官,须别起文,请降旨取《日历》《时政记》与今《实录》参对。"从之。

甲申,以观文殿学士安焘为门下侍郎。

以礼部侍郎孔武仲为宝文阁待制、知宣州。

乙酉,以工部尚书李之纯为宝文阁待制、知单州,御史刘拯言其为中丞时阿附苏轼故也。

丙戌,虞策请复置天下义仓,每苗税一石,出米五升,自来年为始,专充赈济;从之。

贬通判杭州秦观监处州茶盐酒税,以刘拯言其影附苏轼、增损《实录》也。

丁亥,诏神宗随龙人赵世长等迁秩赐赉有差。

戊子,诏:"在京诸司所受传宣中批,并候朝廷覆奏以行。"

癸巳,命知苏州吕惠卿改知江宁府。

乙未,章惇入见,遂就职,命提举修《神宗实录》《国史》。

戊戌,诏改隆祐宫曰慈德宫,前殿曰慈德,中曰仁明,后曰寿昌。

以黄履为御史中丞。元丰末,履尝为中丞,与蔡确、章惇邢恕相交结,每确、惇有所嫌恶,则使恕道风旨于履,履即排击之,时谓之"四凶",为刘安世所论而出。至是惇复引用,俾报复仇怨,元祐正臣,无一得免矣。

帝之初即位也,程颢知扶沟县,以檄至河南府,留守韩宗师问:"朝事如何?"颢曰:"司马君实、吕晦叔作相矣。"又问:"果作相,当如何?"曰:"当与元丰大臣同。若先分党与,它日可忧。"宗师曰:"何忧?"曰:"元丰大臣皆嗜利者,使自变其已甚害民之法,则善矣。不然,衣冠之祸未艾也。"至是其言乃验。宗师,绛之子也。

庚子,辽赐西北路贫民钱。

五月,壬寅,罢修官制局。

甲辰,罢进士习试诗赋,专治二经。

辽主驻赤勒岭。

己酉,诏以王安石《日录》参定《神宗实录》《正史》。

初,安石将死,悔其所作,命从子防焚之,防诡以它书代。至是蔡卞即防家取以上之,因芟落事实,文饰奸伪,尽改元祐所修。

辛亥,刘奉世罢。

奉世为人,简重有法度,常云:"家世唯知事君,内省不愧怍士大夫公论而已。得丧,常理也。譬如寒暑加人,虽善摄生者不能无病,正须安以处之。"时以章惇用事,力乞外。乃罢为真定府路安抚使,兼知成德军。

癸丑,诏:"中外学官,非制科、进士、上舍生入官者,并罢。"

编类元祐群臣章疏及更改事条。

甲寅,殿中侍御史郭知章言:"先帝辟地进(攘)〔壤〕,扼西戎之咽喉,如安疆、葭芦、浮图、米脂，据高临下，宅险遏冲。元祐初，用事之臣委四寨而弃之，外示以弱，实生戎心。乞检阅议臣所进章疏，列其名氏，显行黜责。"惇等因开列初议弃地者自司马光、文彦博而下凡十一人。惇奏曰："弃地之议，司马光、文彦博主之于内，赵卨、范纯粹成之于外，故众论莫能夺。若孙觉、王存辈，皆暗不晓事，妄议边计者。至于赵卨、范纯粹，明知其便，而首尾异同以傅会大臣，可谓挟奸罔上。夫妄议者犹可恕，挟奸者不可不深治。"帝以为然。

右正言张商英言："先帝谓天地合祭非古。"诏礼部、太常详议以闻。

以右正言上官均为工部员外郎。章惇方欲擅权，恶均异论，故罢均言职。寻以均权发遣京东西路刑狱。

戊午，辽有司言："德哷勒诸部侵边，统军使出战不利，招讨使以兵击破之。敦睦宫太师耶律安努及其子殁于阵。"

己未，以礼部侍郎杨畏为吏部侍郎。

初，吕大防既超迁畏，畏知章惇必复用，时惇居苏州，有张扩者，惇妻之侄，畏托扩致意云："畏度事势轻重，因吕大防、苏辙以逐刘挚、梁焘辈；又欲并逐大防及辙，而二人觉之，遂罢畏言职。畏迹在元祐，心在熙宁、元丰，首为公辟路者也。"及惇赴召，百官郊迎，畏独请间，语多斥大防。有直省官闻之，叹曰："杨侍郎前日谄事吕相公，亦如今日见章相公也。"惇信畏言，故又迁吏部。

乙丑，尚书左丞邓润甫卒。润甫首陈绍述，遂登政府。章惇议重谪吕大防、刘挚，润甫不以为然，曰："俟见上，当力争。"无何，暴卒。

丁卯，嗣濮王宗晖卒。

是月，高丽国王运殂，遣使告于辽，辽遣萧遵列等赗赠。

六月，知永兴军吕大防降授右正议大夫、知随州，知青州刘挚落职，降授左朝议大夫、知黄州，知汝州苏辙降授左朝议大夫、知袁州，以台谏交章论列故也。

来之邵等言知英州苏轼诋斥先朝，甲戌，责授宁远军节度副使，(忠)〔惠〕州安置。

壬午，封高密郡王宗晟为嗣濮王。

癸未，以翰林学士承旨曾布同知枢密院事。

〔甲申〕，礼部言太学博士詹文奏乞除去王安石《字说》之禁，从之。

〔乙酉〕，诏知郓州梁焘改知鄂州，知成德军刘安世改知南安军，管句西京崇福宫吴安诗监光州盐酒税，知虢州韩川改知坊州，权知应天府孙升改知房州，并落职降官；从左司谏翟思言也。

(乙酉)中书舍人林希言："吏部侍郎、新除庐州王钦臣，傅会吕大防以致进用，岂可以侍从职名，寄之方面！所有制词，未敢撰进。"诏钦臣除集贤殿修撰、知和州。

诏崇政殿说书吕希哲守本官、知怀州，以刘拯言公著父子世济奸邪故也。

丙戌，诏蔡确追复观文殿学士，赠特进。

戊子，诏翰林学士兼侍讲蔡卞充国史院修撰兼知院事。

1832

辛卯，三省以监察御史周秩所上二章进呈。读至"向者有御批，欲增隆皇太妃仪物，又如治平中议濮事，吕(木)〔大〕防所以求去"，帝曰："大防何尝有言！今秩越次及之，是迎合也。”又读至“邪说甚行，使天子不得尊其母”，帝曰：“此言，激怒也。如秩趋操甚狂，若置之言职，朝廷无安静之理。”遂罢秩知广德军。

己亥，辽禁边民与蕃部为婚。

秋，七月，庚子朔，辽主猎于赤山。

丙辰，张商英言吕希纯于元祐中尝缴驳词头不当及附会吕大防、苏辙事，帝曰：“去冬以宫中缺人使令，因召旧人十数辈，此何系外廷利害，而范祖禹、丰稷、文及甫并有章疏，陈古今祸福以动朕听，希纯等又缴奏争之，何乃尔也！”安焘对曰：“闻文及甫辈上书，亦为人所使。”帝曰：“必苏辙也。”会中书舍人林希言吕希纯尝草宣仁皇后族人迁官诰，有曰“昔我祖妣正位宸极”，其言失当，及变乱奉祀礼文，荐牙盘食等数事，乃诏落希纯职，知亳州如故。

丁巳，三省言：“范纯仁、韩维朋附司马光，毁讪先帝，变乱法度，纯仁复首建弃地之议，滋养边患。”诏纯仁特降一官。

初，章惇请谪纯仁，帝曰：“纯仁持议公平，非党也，但不肯为朕留耳。”惇曰：“不肯留，即党也。”帝勉从惇请。

是日，追夺司马光、吕公著等赠谥，贬吕大防、刘挚、苏辙等官，诏谕天下。

元丰末，神宗尝谓辅臣曰：“明年建储，当以司马光、吕公著为师保。”及公著卒，吕大防奉敕撰《神道碑》，首载神宗语，帝又亲题其额。及章惇、蔡卞欲起史祸，先于《日历》、《》《时政记》删去“以司马光、吕公著为师保”语，又请发光、公著冢，斫棺暴尸。三省同进呈，许将独不言。惇等退，帝留将问曰：“卿不言，何也？”将曰：“发冢斫棺，恐非盛德事。”帝曰：“朕亦以为无益公家。”遂寝其奏。会黄履、张商英、周秩、上官均、来之邵、翟思、刘拯、井亮采，交章言光等畔道逆理，未正典刑，大防等罪大罚轻，未厌公论，凡十九疏。章惇悉以进呈，遂诏追光、公著赠谥，毁所立碑，夺王岩叟赠官，贬大防郢州居住，挚蕲州，辙筠州。曾布密疏请罢毁碑事，不报。

苏颂方执政时，见帝年幼，诸臣太纷更，常曰：“君长，谁任其咎邪？”每大臣奏事，但取决于宣仁，帝有言，或无对者。惟颂奏宣仁，必再禀帝，有宣谕，必告诸臣以听圣语。及言者劾颂，帝曰：“颂知君臣之义，无轻议也。”又曰：“梁焘每起中正之论，其开陈排击，尽出公议，朕皆记之。”由是颂获免，而焘与外祠。

初，李清臣冀为相，首倡绍述之说，以计去苏辙、范纯仁，亟复青苗、免役法。及章惇相，心甚不悦，复与为异。惇贬司马光等，又籍文彦博以下三十人，将悉窜岭表。清臣进曰：“更先帝法度，不能无过，然皆累朝元老，若从惇言，必大骇物听。”帝然之。戊午，诏曰：“司马光、吕公著、吕大防、刘挚等，各以等第行遣责降讫。至于射利之徒，胁肩成市，盍从申儆，俾革回邪，推予不忍之仁，开尔自新之路。今后一切不问，议者亦勿复言，所有见行取会《实录》修撰官以下及废弃渠阳砦人，自别依敕处分。”

来之邵、刘拯等乞复免役钱法。

是月，准布诸部侵辽之倒塌岭，尽掠西路群牧马去，东北路统军使耶律实坱以兵追及，尽获所掠而还。

辽太子洗马刘辉上书言：“西边诸蕃为患，士卒远戍，中国之民疲于飞挽，非长久之策。

为今之务,莫若城于盐浃,实以汉户,使耕田聚粮,以为西北之费。"言虽不行,识者韪之。

【译文】

宋纪八十三　起癸酉年(公元1093年)八月,止甲戌年(公元1094年)七月,共一年。

元祐八年　辽大安九年(公元1093年)

八月,辛酉(十六日),太皇太后病重,皇帝不上朝视事。

壬戌(十七日),派遣使臣巡察京东、京西、河南、河北、淮南各路水灾。

戊辰(二十三日),大赦天下。

吕大防、范纯仁、苏辙、郑雍、韩忠彦、刘奉世进入崇庆殿后阁,向太皇太后问安。太皇太后谕令说:"现在病情有加重,与各位肯定不能再相见,好好地辅助皇上。"又说:"老身死后,一定有不少刺讽皇上的,应该不要听任他们。"就呼唤左右的人赐给社饭,说:"明年的社饭,应当记得老身。"

九月,戊寅(初三),太皇太后高氏逝世。自从垂帘听政以来,召用名臣,废止新法苛政,当政九年,朝廷政治清正廉明,华夏安定。杜绝宫内降敕侥幸进用,裁减外戚的私下恩惠,文思院奉献的物品,不论大小,终身不拿一件。人们认为是女中尧舜。

己卯(初四),下诏以太皇太后园陵为山陵,任命吕大防为山陵使。

庚辰(初五),派遣使臣向辽国报丧。

戊子(十三日),端明殿学士兼翰林侍读学士、礼部尚书苏轼出任知定州。

冬季,十月,丙午(初二),中书舍人吕陶说:"太皇太后保护圣上,至今九年了,一旦放弃抚养四方,所有的臣民,痛心泣血。然而臣在此时以不必担心为担心,以不必说而要说。自从太皇太后垂帘听政以来,排除凶邪之人,裁减抑制侥幸之人,滥用恩赏的事都予革除,小人心中不会没有怨恨。万一或许有奸邪不正直的言论,对上迷惑皇帝的视听,说太皇太后排除放逐旧臣,更改政事,现在陛下已经亲自处理政事,那么应该再用某人,应该再执行某事。这是安定与混乱的开端,安危的关键,君子小人消长的起始,在于陛下明察还是不明察。过去元祐初年,臣担任台谏官,曾在帘前上奏事情,恭敬听到贤德的声音宣布说:'朝廷的政事,对百姓有害,即应当更改。其他不涉及利害,也不需要更改。每改一件事,必定与大臣说明,恐怕外边的人不知道。'臣考虑这段话,就是太皇太后如有更改,一定不是出于私心,都是不得不改后才改的。至于章惇逆上傲慢无礼,吕惠卿奸诈害事,蔡确诋毁诽谤不恭敬,李定不服母丧,张诚一盗掘父亲墓中的物品,宋用臣聚敛过当,李宪、王中正邀功生事,都是积恶太久,诛杀都不能抵罪。那么太皇太后所改的事情,都是给百姓方便,所贬逐的大臣,尽是天下的恶人,岂能认为是不对呢!臣又听说明肃皇太后听政的时候,多以个人的恩德给予亲信党羽,决断日常事务,也有过失差错。等到仁宗皇帝亲政,有迎合圣上意思,说明肃皇太后的过失的;仁宗皇帝下诏,一应明肃皇太后垂帘听政时的事务,不得再随便上言。贤明圣德,超过古今,陛下应该效法而实行。"

戊申(初四),群臣七次上表章,请求皇帝临朝听政。

太皇太后已经逝世,人心怀有观望,没有人敢说话。翰林学士范祖禹担心小人乘机作恶,上疏说:"陛下刚总揽日常政务,是社稷平安还是危险的基础,天下安定还是混乱的开端,百姓生业喜乐还是忧虑的开始,君子与小人进退消长的关口,天命顺逆人心离合的时刻。先前太皇太后,性格严肃公正不可触犯,所以能排除奸邪之人,裁减抑制侥幸进用的人。虽然功德深厚,深入百姓心中,而小人的怨恨,也不算少,必定将有以改变先帝时的政务、放逐先帝时的大臣作为太皇太后的过失的人,这是离间的言辞,不能不明察。当初,太皇太后依据天下人心的变化而更改变化,已经更改那些方法,那么制定这些方法的人有罪行应当放逐,陛下与太皇太后也是顺众人的言论而放逐他们。那些所放逐的人,都是上有负于先帝,下有负于百姓,天下所仇恨想除去的人,哪有个人的憎恶在中间呢!希望陛下分析辨明是非,贬斥远逐奸邪的人。有以奸邪的言辞迷惑视听的,明确地定他的罪,交付法令处理,严厉地惩处一个人以警告一群奸邪之人,那么就安然无事了。这些人已经贻误先帝,又想贻误陛下,天下的事务,哪还能经得起小人破坏呢!"苏辙刚准备好奏疏进上,等到看到范祖禹的奏章,说:"这是治理国家的好文章。"于是附上名字一同进上而毁去自己草拟的奏疏。奏疏进上,没有回复。

数天后,范祖禹又说:"先太皇太后以极大的公正之心,废止王安石、吕惠卿等的新法而实行祖宗的旧政,所以国家从危险恢复安宁,人心从离散恢复为同心。以至辽国主也与他们的宰相议论说:'南朝遵循仁宗皇帝时的政务,应该敕令燕京留守官员,不要生事端。'陛下观察敌国的情形都这样,那么本国人的心情就可以知道。现在陛下亲自处理事务,小人必定要有所动摇,而想得利的人也都在观望。臣希望陛下上念祖宗的艰难,先太皇太后的勤劳,痛心疾首,把听信重用小人作为刻骨铭心的警戒,保持元祐的政务,应当坚决如金石,稳重如山岳,使朝廷内外一条心,达到至为公正,那么天下就万幸!"

吕希哲说:"君子小人用心不一样,有过去因过于恶劣而导致公众议论,因犯法而沉废的人,日思夜想,只希望乘着国家有事变动、朝廷还未安定的时机,进上险恶的言语以动摇皇上的心意。他们的说法不过有三种:一说神宗所立的法度,陛下一定应该整理恢复;二说陛下应当独揽大权,不可委托信任臣下;三说过去贬斥的人应当重新招回任用。三种说法,马上就要到了,陛下不能不明察。"吕陶也这样说,不予答复。

辽国阿噜萨古败给玛古苏,辽国主任命耶律托卜嘉为西北路招讨使。托卜嘉自认为曾推荐玛古苏,过去有恩德,派人招徕他。玛古苏发话相约投降,托卜嘉就相信了他,在镇州西南沙碛间迎接,禁令士兵不要妄动,随后玛古苏率领军队到达,副将耶律绾、徐盛看见他的来势凶猛,没有接战就逃走,托卜嘉被杀害。托卜嘉,是仁先的儿子。庚戌(初六),追赠侍中官职,谥号贞悯。

玛古苏已经得胜,准布各部都响应他,侵犯倒塌岭。

壬子(初八),辽国派遣使臣到各路登记。癸丑(初九),命令乌库节度使慎嘉努率兵援助倒塌岭。

甲寅(初十),辽国主停驻藕丝淀。

乙卯(十一日),命令以马匹三千拨给乌库部。

丙辰(十二日),辽国有关部门奏报准布掠夺西路牧群。

丁巳(十三日),辽国赈济西北路的贫民。

己未(十五日),辽国因燕国王延禧生儿子,大赦,后妃的亲族都予晋级。

壬戌(十八日),辽国任命枢密直学士赵延睦为参知政事兼同知南院事。

己巳(二十五日),辽国主命令广作贮备以防备水灾。

庚午(二十六日),复用内侍乐士宣等六人。苏辙上奏:"陛下刚亲理政务,内外贤良的士大夫没有进用一人,而推恩先给予近侍,外面的议论认为很不妥。"数天后,又发出宫内批示,以刘惟简、梁从政等四人一并任命入内侍省职。中书舍人吕希纯封还词头,皇帝说:"只因为宫禁内缺人,加上近来也有先例。"苏辙说:"此事不是没有先例,只是说亲自理政之初,先提拔内臣,所以众人的心中惊恐。"皇帝放心地说:"任命暂且留下,等候祫祭时再取旨就行了。"

十一月,范祖禹请求追回改任内侍的任命,不答复。庚寅(十六日),因而请求奏对,说:"熙宁初年,王安石、吕惠卿创立三种新法,全部变更祖宗的政事,引用很多小人以误害国家,有功勋的旧臣排除不用,忠诚正直的人相继流放。仰赖先帝觉醒,罢免放逐他们两人;而所引用的一群小人已经布满朝廷内外,与边夷结怨,天下愁苦,百姓流亡。蔡确接连兴起大狱案,王韶开创取熙河,章惇开辟五溪,沈起扰乱交管,沈括、徐禧、俞充、种谔兴造西边事端,士卒百姓死伤都不下二十万人。先帝临朝时悔恨,说朝廷不得不承担责任。至于吴居厚在京东推行冶铁法,王子京在福建推行茶法,蹇周辅在江西推行盐法,李稷、陆师闵在西川推行茶法、市易法,刘定在河北教练保甲,百姓都愁苦痛心。一家家想造乱子。仰赖陛下与太皇太后起来挽救,天下的百姓如同解除倒悬的痛苦。只是以往被贬斥放逐的人,窥探事情的变化,错误地希望陛下不以修改法度为正确,如果得以到达身边,一定会进奸邪的言辞。万一错听而重新起用,不但正直的人不敢在朝廷立足,臣恐怕国家从此衰弱,不再振作了。"又论说:"汉代、唐代的灭亡,都是因为宦官。自从熙宁、元丰年间,李宪、王中正、宋用臣等人掌权统兵,权势逼人。王中正兼管四路,号令招募兵卒,州郡不敢违抗,兵士饥寒,死亡最多;李宪提出再举兵的策略,致使永乐城的失陷;宋用臣兴起土木工程,没有休养生息的时间,收罗市井小利,给国家聚集怨恨。这三个人,即使加以诛杀,不足以向百姓谢罪。李宪虽然已死了,而王中正、宋用臣还在,现在召用内侍十多人,而李宪、王中正的儿子都在其中。两个人已经进用,那么王中正、宋用臣必定将再起用。只希望陛下考虑此事。"

当时继承前朝政务的议论已经兴起,有任用章惇为相的意思,范祖禹坚决说章惇不能任用,皇帝不高兴。

丙子(初二),皇帝亲临垂拱殿。

辽国枢密使阿苏指使人上奏诬告蕃部掠夺漠南牧马和居民牲畜财产,招讨使萧托辉不马上追击,罪当处死,辽国主命令免去官职。萧托辉好赌气,发怒时须发张起,每有大的讨论,必定毅然决断,即使辽国主有为难神色,也不曾马上中止,见权贵没有丝毫屈服,终究被阿苏所陷害,当时的人惋惜他。

十二月,乙巳(初二),范纯仁说:"臣多病早衰,自从得任宰相职务以来,益发受公务的困扰。在职已经五个月,辅助政务没有什么进展,对上有负于国家的恩惠。再加上受命一开始，就招致弹劾的言辞。伏望考察我的至诚，依礼制退职。"下诏不批准。皇帝对吕大防说："范纯仁有名望，不应该离去，可以为朕挽留他，并且让他来见我。"问他："先朝实行青苗法怎么样？"回答说："先帝爱民的本意很深切，但王安石立定法令过分，以赏罚激励实行，所以官吏急切，以至于损害百姓。"退朝后上疏陈述其中大概，认为"青苗法不应当实行，实行它终究不免扰乱百姓。"

当初，太皇太后卧病在床，召见范纯仁说："你父亲范仲淹，在章献太后垂帘听政时，只劝章献太后尽做母亲的职责，等到仁宗皇帝亲自理政，只劝仁宗皇帝尽做儿子的职责，可以说是忠臣，你一定能够继承前辈。"范纯仁哭着谢道："臣不敢不尽忠心！"到此时一群小人竭力排斥垂帘听政时的政事，范纯仁上奏说："太皇太后保护皇上功绩卓著，心地诚实，神明共鉴。议论的人不考虑国家大事，又如何这样浅薄！"于是以仁宗皇帝禁止说章献太后垂帘时事情的诏书献上说："希望陛下仿效而实行，以戒止浅薄的俗见。"韩忠彦也向皇帝说："过去仁宗开始亲政，群臣也多有说章献太后的不是，仁宗皇帝厌恶他们用心浅薄，下诏令戒止。陛下能够效法仁宗皇帝就好了。"

甲寅(十一日)，仿照《唐六典》修订官制。

丁巳(十四日)，辽国派遣使臣来悼祭。

拨给钱粟十万，赈济流民。

辽国中京留守窦景庸去世，谥号肃宪。

本月，苏轼前往定州。当时国家大事将有变化，苏轼不能入宫辞行。动身后，上书说："臣天天在帷幕中侍奉，马上将去守边疆，却不得与皇上见一面再走，何况以疏远的小臣，要求得通达皇上，很难了。然而臣不敢因为不得见面的缘故不效忠心。古代圣贤的人将有所作为，一定先处于暗处观察明处，处于静止而观察变化，那么万物的实情就全部呈现在面前。陛下圣明智慧超出常人，年富力强，臣希望虚心遵循事理，一切没有作为时，静观事物的利弊与群臣的邪正，以三年为期限，等得到实情，然后相应而施行，使已经施行之后，天下没有怨恨，陛下也不后悔。由此看来，陛下的有所作为，只是太早，不担心太迟，已经很明白了。臣担心急功近利的大臣，就劝陛下轻易有所改变，所以进上这些意见，冒昧地希望陛下留心，就是祖宗国家的福分，天下万幸！"

范纯仁将要入朝时，杨畏曾经有说法，范纯仁不知道。至此时吕大防要任用杨畏为谏议大夫，范纯仁说："皇上刚听政，谏官应当寻找正直的人；杨畏邪恶不正，不能任用。"吕大防说："难道是因为杨畏曾经说过您吗？"范纯仁才知道此事。吕大防一贯称道杨畏敢于直言，而且先暗地邀约杨畏帮助自己，最后越级提升杨畏为礼部侍郎。等到吕大防担任山陵使，刚出京城门，杨畏首先背叛吕大防，上疏说："神宗变法定下制度以传万世，请求赐令研习，以完成继续陈述的职责。"疏章呈上，皇帝马上召见奏对，询问先朝旧臣中谁是可以召用的人，杨畏于是列上章惇、安焘、吕惠卿、邓温伯、李清臣等的德行道义，各加品评。而且秘密上奏万言，全盘陈述神宗建立法度的意义与王安石学说的精深，请求召用章惇为宰相。皇帝非常同意他的意见，于是重新任命章惇为资政殿学士，吕惠卿为中大夫，王中正恢复遥郡团练使。给事中吴安诗不抄录章惇的录黄文书，中书舍人姚勔不草拟吕惠卿、王中正的诰命，请求收回成命,都不采纳。

先前水官决意使黄河回归旧道,请示说:"河流浅窄,暂且修堰阻断,使水势进入孙村口。"论说奏疏有千百次。诏令全部下发河北转运使商议,同僚官员大多害怕,不敢正面发言,或者以不了解治河之事解释。转运副使赵偁,唯独在中间坚持意见,不找一点借口,每次阻拦此事,因此进上《河议》,大略说:"自从前次有关部门实施回河差不多三年,工费牵动,占天下的一半;再搞分水,又四年了。古来所说的分水,使河流复归,是观察地势,引导而分流,这是合乎事理的。现在却横截河流,设置埽约扼制。开辟浚通河流,却成为深潭,其情态已经可以看出。况且旧河道千里长,中间又有地势高的地方,所以历年涨落,就又自己阻断了。臣认为应当完成黄河北流的两道河堤,再修废弃的堤防,关闭宗城缺口,废弃上下的埽约,开辟阚村的河口,使河流笔直以形成深的河道。聚集三条河的工费治理一条河,一两年就可完工,而河患差不多就可以停息了。"

绍圣元年 辽大安十年(公元1094年)

春季,正月,丙申(二十四日),西夏国派遣使臣前来朝贡。

赵偁上言说:"先帝洞察黄河的特性,且鉴于屡堵屡塞的患害,因而顺其特性,使黄河向北行,这是万世的方略。自从有关部门设置河埽,横截河流,回归河道不成功,又搞分水。先决开南宫口,再决开宗城口,又决开内黄,水都往西决开,那么地势西边低下,从比较中就可以知道。现在要平息河患,却逆着地势,违背水性,臣看不到能有成效。臣请求开辟阚村的河口,修平乡、巨鹿埽、焦家等河堤,疏浚澶渊旧道以防备涨水,这样,那么五种好处具备了而黄河患害就停息了。"

治水官员又请求暂在梁村修堰坝,切断张包等河口,关闭内黄决口,开通鸡爪河道,疏通河口,使黄河向东流。于是下诏,派中书舍人吕希纯、殿中侍御史井亮采乘驿车考察,且会同各部门商议。赵偁意见认为:"东流的河道宽处没有二百步,河水上涨,哪里关得住!去年曾开通鸡爪河道十五丈多,不久淤积,形势可以看得到。有一天东流的河道已经不能容纳,北流河道又全部关闭,上边淤塞溃决的患害,说也说不完!请求先疏导张包河道以保住北流,修筑西堤以防备涨水,乘着顺势,水流已经通畅,那么河道将自己形成。"当时只有东路提刑上官均与赵偁意见一致,而众人相继责问,几日定不下来。就巡视东、北河流,比较形势,考察利弊,会同各部门询问,说:"将疏浚鸡爪河道以决通东河与北河,可以吗?"治水官员说:"不行。张包河口存在则东流就会失败。"受诏使臣说:"经审察,水势向北,这是趋势,为什么要逆着它?"因此采纳赵偁意见上奏请求存张包河口而治理北流河道。逢诏令中止,又作罢。

本月,辽国主举行春水游猎。

准布另一部族侵犯辽国,四捷军都监特默战死。

二月,丁未(初五),任命户部尚书李清臣为中书侍郎,任命兵部尚书邓温伯为尚书右丞。李清臣首倡继承先朝法度,邓温伯附和他。当时进用大臣,都由皇宫中发出,侍从、台谏,也多不由大臣拟定进呈。范纯仁就对皇帝说:"陛下亲政的当初,四方拭目以观,天下的安定与混乱,确实以此为基础。舜推举皋陶,商汤推举伊尹,不仁义的人远离。即使不能如古人一样,也必须先选尽天下的人才。"皇帝不采纳。

己酉(初七),安葬宣仁圣烈皇后于永厚陵。己未(十七日),升祭神位于太庙。

甲子(二十二日),下诏依照章献明肃皇后旧例,停止回避高遵甫讳。

本月,西夏国进献马匹,资助太皇太后山陵之用;又派遣使臣再次商议交换土地,下诏不批准。

三月,壬申朔(初一),出现日食。

癸酉(初二),任命知陈州蔡卞为中书舍人。

乙亥(初四),尚书左仆射吕大防免职。吕大防在宰相职位六年多,掌国权日子一久,各种怨恨都集于一身。等到宣仁皇后一升祭太庙,侍御史来之邵请求先放逐吕大防以破除大臣之间的朋党,因此上疏列出神宗挑选的人章惇、安焘、吕惠卿等人,以备进用。吕大防也自己请求离职,皇帝马上同意,下诏命令以观文殿学士知颍昌府。二天后,改任知永兴军。

乙酉(十四日),皇帝亲临集英殿,考试进士,策题说:"现在恢复辞赋的选拔而士人不知劝勉,撤销常平官而农民不更富,可以差遣可以募役的说法纷纷而役法实施困难,或向东或向北的意见不同而黄河的患害滋生,赐给土地怀柔边远地区而羌夷的祸患没有消除,放宽让利于民而流通的商路不通畅。可行就依照,不可行就改革,只以适当为贵,圣人又哪有必不可变呢!"是李清臣出的题。

戊子(十七日),迁封徐王赵颢为冀王。

癸巳(二十二日),下诏赈济京东、河北流民,借给谷、麦种子,宣布让他们恢复生业,免除今年租税。

丁酉(二十六日),赐给礼部奏名进士、各科考试九百七十五人及第、出身资格。当时考官录取进士回答策题的,多主张元祐政事。等到杨畏主持复试,就全部将他们挪下,而以主张熙宁、元丰政事的人放在前列,选拔毕渐为第一名。从此恢复前朝法度的议论大为兴盛,国家大事于是出现转变。

同日,苏辙免职。此前苏辙上疏说:"伏见御试策论的题目,一一诋毁近年执行的政事,有恢复熙宁、元丰年间政事的意向。臣认为先帝以天生的才能,施行大有作为的志向,所设立和施行的,超越前人,就是百世也不能更改。在帝位近二十年,而终身不接受尊号,裁减宗室恩惠,停止远亲袒免之恩,减少朝廷无尽的费用;出卖作坊工场,雇募衙前之役,免除民户家业破产的患害;黜免各科诵数之学,训练各部将懒惰的兵卒;设置寄禄官,恢复六部的旧制;严格重禄的法令,禁止交往拜谒的私情;实行略加进攻的策略,以制服西夏;收六色之钱,以扩充杂役。诸如此类,都是先帝的明智策略,有利无害。而从元祐以来,上下执行,不曾失误。至于其他事情有失当,哪一代没有!父在前作为,子在后补充,这就是圣人的孝道。汉武帝外向四夷用兵,内兴建宫室,财物用度匮乏,于是实行盐铁、榷酤、均输之法。民不堪忍受,差点招致大乱;汉昭帝委任霍光,取消烦琐苛重法令,汉朝才安定。汉光武帝、汉显宗,以严察为清明,以图谶决定事务,上下害怕,心怀不安;汉章帝即位,深切地鉴于他们的失误,以宽厚和乐的政令取代,后世称道。本朝真宗皇帝,尚文息武,号称太平,而群臣假借国势兴盛,造出神降天书的说法;章献皇后听政,收取大臣的奏议,藏入皇帝灵柩中,以消掉痕迹;等到仁宗亲政,绝口不提。英宗从藩王府入朝继承,大臣提出修建濮庙的建议;等到先帝继位,有人再提出此事,放置不予答复,于是安静。以汉昭帝、章帝的贤明与本朝仁宗、神宗的圣德,哪有不看重孝敬而轻易变更的呢!希望陛下反复考虑臣的话,谨慎不要轻易变更。如果轻易变更已实行九年的政事,提拔多年不用的人,怀有私怨而以先帝作为借口,大事就走远了。"奏疏呈进,不予答复。

苏辙又递上札子说:"圣上意图认为先帝旧政有不合适的地方要更改,应当向臣等宣布,命令商量办法。现在从宰臣以下的官员,一点也没有听说此事,而忽然因为策试进士,透露机密旨意。譬如家里人,父兄要做什么,子弟都不告诉,而与行路的人商量,可以吗?"皇帝本来不高兴,李清臣、邓温伯又预先酿造此事。等到当面议论,皇帝越发生气,于是指责苏辙以汉武帝与先帝相比。苏辙说:"汉武帝,是英明的君主。"皇帝说:"你的意见又说汉武帝穷兵黩武,晚年下痛悔诏书,难道是英明君主吗!"皇帝声音甚为严厉,苏辙退下殿堂等待治罪,众人不敢相救。范纯仁从容地说:"汉武帝雄才大略,史书没有贬责他的话,苏辙以他与先帝相比,并非诽谤。陛下亲政刚开始,进用贬退大臣应当依照礼制,不能像呵斥奴仆。"邓温伯超越次序进言说:"先帝的法度,被司马光、苏辙破坏完了。"范纯仁说:"不是这样。法度本不应该有弊害,有弊害就应当更改。"皇帝说:"人们说秦皇、汉武。"范纯仁说:"苏辙所说的,是那件事与那个时代,不是指的人。"皇帝才稍微缓和。苏辙平时与范纯仁多不相一致,到现在才信服,退朝,举笏板谢他说:"您是像佛一样的人。"回到家,马上写奏章,请求给予贬逐,哲宗下诏任命苏辙为端明殿学士、知汝州。中书舍人吴安诗草拟制命,有"风度节操天下闻名"以及"原本终究是爱戴皇上"的话,皇帝发怒,命令另外写制词。苏辙只以闲散官员的身份知汝州,吴安诗不久也罢免为起居舍人,是采纳虞策、郭知章等的建议。

河内的尹焞应试举人,看到发下的策题排斥元祐的政事,就叹息说:"还可以求取禄位么!"不对答而退出。尹焞年轻时从师程颐,对程颐说:"我不再参加进士考试了。"程颐说:"你有母亲在。"尹焞回来,告诉母亲陈氏,母亲说:"我只知道你靠善生活,不知道你靠俸禄生活。"程颐听到后说:"真是贤良的母亲啊!"因此就终身不去应试。

夏季,四月,甲辰(初三),命令中书舍人蔡卞同修国史,任命国子思业翟思为左司谏,左朝奉郎上官均为左正言,右朝散郎周秩、左朝散郎刘拯一并为监察御史。

召任淮南转运副使张商英为右正言。张商英在朝外很久没有召用,积怨于元祐时的大臣,攻击他们不遗余力,上疏说:"神宗盛大德行业绩,古今不见,而司马光、吕公著、吕大防进用朋党,竟敢讥讽议论。凡是详定局的见解,中书省的审议,户部的派遣,言官的议论,词臣起草的制命,无不指责挑剔,鄙薄嘲笑,在朝内除掉陛下的左右大臣,在朝外驱逐陛下的助手,天下的形势,岌岌可危了!现在天空清朗太阳光明,赏罚还不公正,请下令宫禁中检查前后疏章文书,交付臣等审察标出呈上,陛下与大臣再斟酌可与否。"又指责吕大防、梁焘、范祖禹是奸邪之人,认为司马光、文彦博是负国的人,说吕公著不应当谥号正献,更严重的是还拿宣仁皇后比作吕后、武则天。当初,张商英在元祐时,作《嘉禾颂》,将文彦博、吕公著比作周公,又做文章祭奠司马光,极为赞美,至此又追论他们的罪状。又说:"希望陛下不要忘记元祐时,章惇不忘在汝州时,安焘不忘在许昌时,李清臣、曾布不忘在河阳时。"以阴险的言辞激怒当政者大概与此类似。

辽国主驻扎在春州北平淀。

乙巳(初四),三省报告役法尚未完成,皇帝说:"只用元丰的办法而减去宽剩钱,百姓有什么不方便的?"范纯仁说:"各方面的利害不一样,须依民户情况立定法令,才能够长久。"皇帝说:"命令户部讨论。"

阿里骨派遣使臣前来献狮子。

丙午(初五),因为旱灾,诏令减轻刑罚。

庚戌(初九),任命知江宁府曾布为翰林学士。曾布从瀛洲调任江宁,下诏准许入朝晋见,于是有这个任命,曾布说先帝的政事,应当恢复施行,且请求改年号以顺应天意。

任命龙图阁直学士蔡京为权吏部尚书。

台谏官共同说苏轼草拟吕惠卿制词,讥讽先帝;壬子(十一日),下诏免苏轼职务,改任知英州。

范纯仁上疏说:"熙宁年间的法度,都是吕惠卿附会王安石的建议,不符合先帝爱民求得安宁的本意,到垂帘听政时,开始用言官意见,特别加以贬斥放逐,现在已经八年了。现在进言的多是当时的御史,为什么惧怕回避,当时不立即献纳忠心,而到现在才有这样的疏奏,难道不是观望吗?"

辽国自从准布侵犯边境,各属国多随着叛乱。边防大臣间或有斩杀俘获,各部也有投降的。而玛古苏极为猖獗,辽国主就任命耶律额特勒为都统,耶律图多为副都统,耶律图鲁为都监,前往征讨。

癸丑(十二日),下诏改年号为绍圣。

白色虹气贯穿太阳。

任命侍讲学士范祖禹为龙图阁直学士、知陕州。先是皇帝想以范祖禹代替苏辙,而阻止的人很多。范祖禹坚决要求外任,才有这个任命。

太子少师致仕冯京去世。皇帝亲临祭献,蔡确的儿子蔡渭,是冯京的女婿,在丧事的场所截道申诉父亲的冤屈。甲寅(十三日),下诏恢复蔡确为右正议大夫。

下诏王安石配享神宗庙庭。

任命吏部尚书胡宗愈为通议大夫、知定州。

壬戌(二十一日),任命资政殿学士、提举洞霄宫章惇为尚书左仆射兼任门下侍郎。章惇赴召任,沙县陈瓘随大家在道路上拜谒。章惇久闻他的名声,就邀请他同乘车船,询问当世事务,陈瓘说:"请让以所乘的船做比喻,偏重于一边能前行吗?或左或右,就是偏向一边,明白了此事,那么前行就可以了。"章惇沉默。陈瓘又说:"皇帝等待您主政,敢问先做何事?"章惇仁立长时间思考,说:"司马光是奸邪之人,应当先辨明。"陈瓘说:"你错了,这就犹如想平稳船而移左边到右边。果然这样,将要失去天下的期望。"章惇面色严厉地说:"司马光辅助母后,独掌权柄,不尽力继承先烈,任意改变完成的业绩,误害国家到这样地步,不是奸邪是什么?"陈瓘说:"不考察他的心意而怀疑他的作为,那么不能说是没有过错。如果指为奸邪,又再作改正,那么误害国家更严重。"就为章惇大力论说熙宁、元丰、元祐年间的事情,认为"元丰的政务,多与熙宁不同,那么先帝的想法本来已经改变而实行。司马温公不明白先帝的想法,而用母亲变更儿子的说法,实行太急速,所以纷纷扬扬的到现在。为今天着想,只应当消除朋党,保持中立原则,差不多可以挽救弊害。如果又以熙宁、元丰、元祐政务作为说法,不足以压服公众的议论。"陈瓘辩论言辞慷慨,议论公正有力,章惇虽然心意不合,也很惊异,于是有兼收元祐的话,留陈瓘一同就餐而分别。

范纯仁免职任观文殿大学士、知颍昌府。皇帝亲政,进言的人争论太后垂帘时的政事。范纯仁多次称病请求免职,最后离家到慈孝寺居住,请求下诏令禁止约束进言的人,皇帝不采纳。范纯仁接连上疏章请求免职,批准了。向皇上辞行的那一天,命令就座,赐茶水,慰劳情意甚为浓厚。皇帝说:"爱卿德高望重,朝廷所依赖的大臣,现在虽然在朝外,凡是对时政有所帮助的,只管写文章进言,不要拘泥形迹。"范纯仁叩首接受命令。

命令曾布修纂《神宗正史》。

丙寅(二十五日),废止五路经律通礼科考试。

丁卯(二十六日),诏令各路使官:"免役法按元丰八年实行的条例施行。"

邓温伯说:"臣原名润甫,从前避高陈王的名讳,现在请求恢复原名。"予以批准。

戊辰(二十七日),同修国史蔡卞上疏说:"先帝的盛大德行功业,突出在千百年来帝王之上,而《实录》所记载,很多模糊没有根据,请求查验审订,重新改定,使后代的人没有什么迷惑。"下诏采纳,任命蔡卞兼任国史修撰官。

己巳(二十八日),辽国免除玉田、密云流民一年租赋。

本月,知汝州苏辙,降职授任左朝大夫,改知袁州。处分文书大略说:"垂帘听政的当初,老奸巨猾掌管国政,安置在言官职位,诋毁先朝,反而以君父为仇敌,不再有臣子的道义。"是中书舍人林希起草的。"老奸",大概是暗中责骂宣仁皇后。林希负责起草文书,在司马光、吕大防、吕公著、刘挚等数十人的贬黜制命中,极力诋毁。一天起草完制命,将笔扔在地上说:"坏尽了名节了!"

闰月,壬申(初二),任命陆师闵等二十三人为各路提举常平官。

癸酉(初三),取消十科取士法,是采纳了井亮采的意见。

翟思说:"先帝的正史,将要用来流传展示万世。听说执笔的大臣,多删除事迹,改乱好的事实,以应和外面诬为奸人的说法。现在已经改命史官,必须另外撰文,请下旨拿《日历》《时政记》与现在的《实录》参照核对。"采纳了。

甲申(十四日),任命观文殿学士安焘为门下侍郎。

任命礼部侍郎孔武仲为宝文阁待制、知宣州。

乙酉(十五日),任命工部尚书李之纯为宝文阁待制、知单州,因为御史中丞说他担任中丞时阿附苏轼的缘故。

丙戌(十六日),虞策请求重新设置天下义仓,每交青苗税一石,再交米五升,从来年开始,专门充作赈济之用;采纳了这个意见。

通判杭州秦观贬职任监处州茶酒税,是因为刘拯说他依附苏轼、增删《实录》的缘故。

丁亥(十七日),下诏神宗做太子时的东宫侍官赵世长等分别按等级升官秩、给予赏赐。

戊子(十八日),下诏:"在京各司所接到的传谕中批,一并等候朝廷重新奏议后执行。"

癸巳(二十三日),命令知苏州吕惠卿改任知江宁府。

乙未(二十五日),章惇入朝进见,于是就职,任命他主管修撰《神宗实录》《国史》。

戊戌(二十八日),下诏改称隆祐宫为慈德宫,前殿称慈德,中殿称仁明,后殿称寿昌。

任命黄履为御史中丞。元丰末年,黄履曾为中丞,与蔡确、章惇、邢恕相交往结纳,每当蔡确、章惇有什么厌恶的人,就让邢恕向黄履说出意图,黄履马上排斥攻击,当时称作"四凶",被刘安世弹劾而外放。到此时章惇重新招用,让他报复仇怨的人,元祐时的正直大臣,无一得免。

哲宗皇帝刚即位,程颢知扶沟县,以檄文传到河南府,留守韩宗师问道:"朝廷怎么样?"程颢说:"司马君实、吕晦叔作了宰相。"又问道:"如果做宰相,会怎么做?"回答说:"应该与元丰大臣一样。如果先分党派,日后值得担心。"韩宗师说:"有什么担心?"回答说:"元丰大臣都是好利的人,假如让他们自己改变已经很祸害百姓的法令,就好了。否则,士大夫的祸患还是不能免除。"到此时他的话得到证实。韩宗师,是韩绛的儿子。

庚子(三十日),辽国赐钱给西北路贫民。

五月,壬寅(初二),停修官制局。

甲辰(初四),取消进士研习考试诗赋,专门研习二种经书。

辽国主驻扎在赤勒岭。

己酉(初九),下诏用王安石的《日录》参照修订《神宗实录》和《正史》。

当初,王安石临死,后悔他所写的东西,命令侄子王防焚烧,王防骗他以其他的书代替。到这时蔡卞到王防家中取出呈上,依此割裂事实,粉饰奸诈虚伪,完全修改了元祐时修撰的内容。

辛亥(十一日),刘奉世免职。

刘奉世为人淡泊庄重有法度,常说:"家中世代只知道侍奉君主,自我反省无愧于士大夫的公论就行了。得失,是平常的道理。就像寒气暑气加在人身上,就是善于养生的人也不能不生病,正应该安然处之。"当时章惇执掌事务,坚决要求外放。于是免职任命为真定府路安抚使,兼知成德军。

癸丑(十三日),下诏:"朝廷内外学官,不是制科、进士、上舍生而做官的,一并免职。"

分类编纂元祐君臣章疏及更改的事项。

甲寅(十四日),殿中侍御史郭知章说:"先帝开辟扩大地域,扼住西戎的咽喉要地,如安疆、葭芦、浮图、米脂,把守要冲。元祐初年,当权的大臣放弃四个寨堡,对外示弱,实际助长戎人的野心。请求查阅议政大臣所上的奏章,列出姓名,公开进行处罚。"章惇等于是列出当初提议放弃土地的人,从司马光、文彦博起共十一人。章惇上奏说:"放弃土地的意见,司马光、文彦博在朝廷内主张,赵卨、范纯粹在朝廷外促成,所以众人的意见不能改变它。像孙觉、王存等人,都是糊涂不明事理,胡乱议论边防大计的人。至于赵卨、范纯粹,明知他们轻率,而前后意见不一样以附会他们,可以说是心怀奸计欺骗皇上。那些胡乱议论的人还可以宽恕,心怀奸计的人不能不处治。"皇帝认为说得对。

右正言张商英说:"先帝认为天地合祭不合古礼。"下诏令礼部、太常寺详细讨论上报。

任命右正言上官均为工部员外郎。章惇正想独揽大权,厌恶上官均有不同意见,所以免去上官均的言官职务。不久任命上官均为权发遣京东西路刑狱。

戊午(十八日),辽国官员报告:"德嘿勒各侵犯边境,统军使出兵迎战不利,招讨使率兵击败他们。敦睦宫太师耶律安努以及他的儿子阵亡。"

己未(十九日),任命礼部侍郎杨畏为吏部侍郎。

当初,吕大防已经越级提拔杨畏,杨畏知道章惇必定重新起用,当时章惇居住在苏州,有个叫张扩的,是章惇妻子的侄儿,杨畏委托张扩问候说:"杨畏观察事情态势的轻重,利用吕大防、苏辙以驱逐刘挚、梁焘等人;也想一并驱逐吕大防以及苏辙,而他们两人觉察到了,于是罢免了杨畏的职务。杨畏在元祐做事,心在熙宁、元丰,是首先为您开辟道路的人。"等到章惇奉召赴京,百官在郊外迎接,唯独杨畏要求乘空单独见面,言语多指斥吕大防。有直省官听说,叹息说:"杨侍郎前些时巴结吕相公,也像今天见章惇一样。"章惇听信杨畏说的话,所以又提升他到吏部。

乙丑(二十五日),尚书左丞邓润甫去世。邓润甫首先提出继承前朝政事,于是担任了执政官。章惇提出重行责贬吕大防、刘挚,邓润甫不赞同,说:"等见到皇上,应当力争。"不久,突然去世。

丁卯(二十七日),嗣濮王赵宗晖去世。

本月,高丽国王王运去世,派遣使臣向辽国报丧,辽国派遣萧遵列等赠予助办丧事物品。

六月,知永兴军吕大防降职被任命为右正议大夫、知随州,知青州刘挚免职,降任为左朝议大夫、知黄州,知汝州苏辙降职被任命为左朝议大夫、知袁州,是因为台谏官交相上奏章弹劾的缘故。

来之邵等报告说知英州苏轼诋毁先朝,甲戌(初五),改任为宁远军节度副使、惠州安置。

壬午(十三日),封高密郡王赵宗晟为嗣濮王。

癸未(十四日),任命翰林学士承旨曾布同知枢密院事。

甲申(十五日),礼部报告太学博士詹文上奏请求解除对王安石《字说》的禁令,同意了这个意见。

乙酉(十六日),下诏任命知郓州梁焘改任知鄂州,知成德军刘安世改任知南安军,管句西京崇福宫吴安诗改任监光州盐酒税,知赣州韩川改任知坊州,权知应天府孙升改任知房州,全部撤销原职降低官阶;是采纳左司谏翟思的意见。

中书舍人林希说:"吏部侍郎、新任命庐州知州王钦臣,依附吕大防才得以进用,岂能够以侍从职务的名义,管理一方!所有制词未敢拟写呈上。"下诏王钦臣任命为集贤殿修撰、知和州。

下诏崇政殿说书吕希哲保留原来官阶、知怀州,是因为刘拯说吕公著父子都帮助奸邪的缘故。

丙戌(十七日),下诏蔡确恢复为观文殿学士,赠特进职衔。

戊子(十九日),下诏翰林学士兼侍讲蔡卞充任国史院修撰兼知院事。

辛卯(二十二日)，三省将监察御史周秩所送的两件奏章呈上。读到"从前有御批，要增加皇太妃用度，又像治平年间商议濮王的事一样，吕大防所以要求离职"，皇帝说："吕大防哪有此话！现在越级说此事，是迎合。"又读到"邪说盛行，使皇帝不能尊敬他的母亲"，皇帝说："这个话，是有意激怒。像周秩这样操行甚为猖狂，如果安排在言官职位上，朝廷就没有安静的道理。"于是罢免周秩改任知广德军。

己亥(三十日)，辽国禁止边境百姓与蕃部通婚。

秋季，七月，庚子朔(初一)，辽国主在赤山打猎。

丙辰(十七日)，张商英谈到吕希纯在元祐年间曾驳回词头不恰当以及依附吕大防、苏辙的事，皇帝说："去年冬季因为宫内缺人使唤，所以召用旧臣十数人，这与外面朝廷有什么利害，而范祖禹、丰稷、文及甫都有奏章，陈述古今祸福的道理给朕听，吕希纯又上奏争辩，何苦如此！"安焘回答说："听说文及甫等人上奏章，是被人指使。"皇帝说："必定是苏辙。"正逢中书舍人林希说吕希纯曾草拟宣仁皇后族人有升官诰命，说到"过去我的祖母居于帝位"，此言失当，以及改乱奉祀祭文、芽牙盘食品等数件事，于是下诏落吕希纯职，仍旧知亳州。

丁巳(十八日)，三省说："范纯仁、韩维依附司马光，诋毁讥讽先帝，改乱法度，范纯仁又首先提出放弃土地的建议，助长边防祸患。"下诏将范纯仁降官一级。

《资治通鉴》手稿

当初，章惇请求贬斥范纯仁，皇帝说："范纯仁论事公平，不是朋党，只是不肯为朕留下罢了。"章惇说："不肯留下，就是朋党。"皇帝勉强同意章惇的请求。同日，追回赠给司马光、吕公著等人的谥号，降吕大防、刘挚、苏辙等人的官职，下诏向天下宣告。

元丰末年，神宗曾对辅臣说："明年立太子，应当以司马光、吕公著为太师太保。"等到吕公著去世，吕大防奉帝命撰写《神道碑》，首次记下了神宗的话，皇帝亲自题写碑额。等到章惇、蔡卞想以史书制造冤案，先在《日历》《时政记》中删去了"以司马光、吕公著为太师太保"的话，又请求挖掘司马光、吕公著的墓，开棺暴尸。三省同时奏报，只有许将不说话。章惇等退下，皇帝留下许将问："爱卿不发言，为什么？"许将说："挖墓开棺，恐怕不是盛德之事。"皇帝说："您也认为无益于国家。"于是压下了他们的奏章。正碰上黄履、张商英、周秩、上官均、来之邵、翟思、刘拯、井亮采，交相上疏章说司马光背叛道义，没有按刑法处治，吕大防等罪行大处罚轻，不能平息公论，共十九份疏章。章惇全部进呈，于是下诏追回赠给司马光、吕公著的谥号，毁掉所立的墓碑，追回王岩叟所赠给的官阶，贬逐吕大防郢州居住，刘挚蕲州居住，苏辙筠州居住。曾布秘密上奏请求取消毁墓碑一项，不予答复。

苏颂刚执掌朝政时，见皇帝年幼，各大臣太纷乱，常常说："皇帝长大了，谁承担过错啊？"每逢大臣奏报事情时，只听取宣仁皇后的决定，皇帝有话，甚至没人回答。只有苏颂奏报宣仁皇后，一定再禀告皇帝，皇帝有谕旨，必定告诉各大臣听取皇帝的话。当说到弹劾苏颂，皇帝说："苏颂知道君臣的礼仪，不要轻易提出弹劾。"又说："梁焘每每提出公正的意见，他的陈述驳斥，都是出于公论，朕都记在心里。"因此苏颂得以免予贬逐，而梁焘给予在外宫观职。

当初，李清臣想当宰相，首先提出继承前朝政务的说法，用计驱逐苏辙、范纯仁，马上恢复青苗法、免役法，等到章惇做宰相，心中很不高兴，又与他作对。章惇贬斥司马光等人，又记录下文彦博等三十人，要全部贬逐岭南。李清臣进言说："更改先帝的法度，不能说没有过错，然而都是几朝元老，如采纳章惇的意见，必然使公众舆论震惊。"皇帝同意他的意见。戊午(十九日)，下诏说："司马光、吕公著、吕大防、刘挚等人，各按轻重施行处罚完毕。至于追逐利益的人，耸起肩膀就形成市场，何不申令警告，使他们改去邪恶，贯彻我不忍心加罪的仁义，开辟他们自新的道路。今后一切不再追究，议论的人也不要再提及，所有窜改《实录》的修撰官以下以及放弃渠阳寨的人，另依敕命给予处分。"

来之邵、刘拯等请求恢复免役钱法。

本月，准布各部侵犯辽国的倒塌岭，抢掠西路放牧的马群而去，东北路统军使耶律实埒发兵追击，缴获全部被掠财物返回。

辽国太子洗马刘辉上书说："西部边境各蕃部作乱，士卒到边远地方守卫，内地百姓疲于远道运送，不是长久的办法。当前要做的，不如在盐泺筑城镇守，迁入汉人，让他们耕种田地，聚集粮食，作为西北边境的费用。"意见虽然没有实行，有识之士却很赞同。

续资治通鉴卷第八十四

【原文】

宋纪八十四　起阏逢阉茂【甲戌】八月,尽柔兆困敦【丙子】十二月,凡二年有奇。

哲宗宪元继道显德定功　钦文睿武齐圣昭孝皇帝

绍圣元年　辽大安十年【甲戌,1094】　八月,辛未,诏范纯粹降一官,为直龙图阁、知延安府,以元祐间尝献议弃地也。

壬申,三省具吕惠卿、王中正、宋用臣(无)〔元〕罪状进呈,当再叙,章惇曰:"惠卿所坐极无名。"帝曰:"与复旧官并资政殿学士。"

九月,癸卯,遣御史刘拯按河北水灾,赈饥民。

甲辰,以黄庆基、董敦逸并为监察御史。

丙午,策贤良方正能直言极谏科。庚戌,三省同进呈张咸、吴俦、陈旸三人中第五等,推恩,帝曰:"进士策文理有过于此者。"因诏罢制科。

罢广惠仓。

甲寅,知广州唐义问,坐弃渠阳砦,责授舒州团练副使。

己未,辽以南院大王特默为南院枢密使。

庚申,太白昼见。

甲子,德呼勒部长降于辽,辽主命释其罪。

丁卯,诏京东、西、河北赈恤流民。

戊辰,流星出紫微垣。

是月,辽都统额特勒进讨准布,乘天大雪,击败玛古苏之众并其四别部,斩首千馀级。

冬,十月,己巳朔,以知江宁府吕惠卿知大名府。

三省、枢密院同呈除目,曾布、韩忠彦曰:"若惠卿在朝,善人君子必无以自立。"帝曰:"只令知北京,岂可留也!"布又言:"章惇秉政以来,所引皆闒茸小人,专恣弄权,日甚一日。陛下以天下公论召彭汝砺,而沮格不行;吕升卿于罪谪中致仕,而惇不禀旨,召令再任;王钦臣谢表语侵御史,而惇欲削职降官;周秩讥切朝廷,而惇欲多方曲庇其罪;陛下不欲与惠卿复职而终复,不欲除林希经筵而终除。以是上下畏之,独臣与韩忠彦曾稍开陈,它人有敢言其非者否?"其意盖欲倾惇。帝曰:"此固当开陈也。"

丙子,辽主驻藕丝淀。

丁亥,国子司业龚原奏:"王安石在先朝时,尝进所撰《字说》二十二卷。乞差人就其家缮写定本,降付国子监雕印,以便学者传习。"诏可。学校举子之文,靡然从之,其弊自原始。

庚寅,以常安民为监察御史。先是安民因召对言:"元祐中进言者,以熙宁、元丰之政为非而当时为是;今日进言者,以元祐之政为非而熙宁、元丰为是;皆偏论也。愿陛下公听并观,无问新旧,惟归于当。"帝谓辅臣曰:"安民议论公正,无所阿附。"

丁酉,都水使者王宗望言:"北流已闭,全河东还故道,望付史官纪绍圣以来圣明独断,致此成绩。"诏宗望具析部役官功力等第以闻。然是时东流堤防未及缮固,濒河多被水患,流民入京师,往往泊御廊及僧舍,诏给券,谕令还本土以就赈济。

十一月,己亥朔,复八路差官法。

壬子,蔡确追复观文殿大学士。

甲寅,开封男子吕安斥乘舆,当斩,贷之。

十二月,辛未,申严铜钱出外界法。

甲戌,辽以参知政事赵廷睦兼同知枢密院事,以枢密副使王师儒参知政事兼同知枢密院事。

己卯,辽主命录西北路有功将士及战殁者赠官。

乙酉,辽改明年元曰寿昌,减杂犯死罪以下,仍除贫民租赋。

丙戌,滑州浮桥火。

己丑,漳河决溢,浸洺、磁等州。令计置堙塞。

甲午,三省同进呈台谏官前后章疏,言:"实录院所修先帝《实录》,类多附会奸言,诋斥熙宁以来政事,乞重行罢黜。"帝曰:"史官敢如此诞谩不恭,须各与安置。"诏:"范祖禹安置永州,赵彦若澧州,黄庭坚黔州。"

初,章惇、蔡卞与其党论《实录》多诬,俾前史官分居畿邑以待问,摘千馀条示之,谓为无验证。既而院吏考阅,悉有据依,所馀才三十二事。庭坚书"用铁龙爪治河,有同儿戏",至是首问焉,对曰:"庭坚时官北都,尝亲见之,真儿戏耳。"凡有问,皆直辞以对,闻者壮之。

辽南府宰相王棠卒。棠博古,善属文,乡贡、礼部、廷试皆第一。练达朝政,临事不怠,在政府,修明法度,人许其不愧科名云。

是岁,京师疫,洛水溢,太原地震;河北水,发京东粟赈之。

二年 辽寿昌元年【乙亥,1095】 春,正月,己亥,辽主如混同江。

丙午,立宏词科。三省上言:"今进士既纯用经术,如诏诰、章表、赦敕、檄书、露布、戒谕之类,皆朝廷官守日用不可缺者,若悉不习试,何以兼收文学博异之士!"于是别置宏词科,许进士登科者乞试。试者虽多,所取无过五人;词格超异者,特奏命官。

以吏部侍郎杨畏知成德军。畏既叛吕大防,附章惇,及李清臣、安焘与惇异议,复阴附安、李。而惇亦觉其险诈,乃命畏出守。

乙卯,辽赈奉圣州贫民饥。

乙丑,殿前司奏狱空,诏赐缗钱。

二月,丁卯朔,日有食之。

戊辰,辽赐左右二皮室钱。

癸酉,高丽遣使贡于辽。

甲戌,以知大名府吕惠卿为资政殿大学士。章惇言惠卿乞留京师,但愿得一宫观,帝曰:"已除大资政,兼北京亦是重地。"又问:"惠卿已行否?"曾布、韩忠彦皆曰:"惠卿乞留,乃是无耻。君子难进而易退,其人可知矣。"帝哂之。

初,监察御史常安民面奏:"新除北都留守吕惠卿,赋性深险;王安石援引为执政,及得志,遂攻安石。使移此心以事君,其薄可知。惠卿若见陛下,必言先帝而泣,以感动陛下,希望得留朝廷。"至是惠卿过阙请对,果为帝言先朝事,且泣;帝正色不答,计不得施而去。时论快之。

乙亥,诏追夺吕大防两官,徙居安州。先是中丞黄履言赵彦若等修纂先帝《实录》,厚加诬毁,皆已窜逐,唯监修吕大防幸免,故有是命。

辽主驻鱼儿泺。

辛巳,出内库钱帛二十万助河北赈饥。

乙未,左司谏张商英除左司员外郎。(司)会知开封府王震言商英遣人与盖渐谋害来之邵,坐谪监江宁府税。

三月,己亥,嗣濮王宗晟卒,谥端孝。

宗晟好古学,藏书数万卷,仁宗嘉之,益以国子监书。治平初,将郊而雨,或议改卜,英宗访诸宗晟,对曰:"陛下初郊见上帝,盛礼也,岂宜改卜!至诚感神,在陛下精意而已。"帝嘉纳。及郊,雨霁。英宗数被疾,密请早建储贰以系天下之望,世称其忠。

甲辰,国子司业龚原等,言王安石尝进其子雱所撰《论语孟子义》,乞下本监雕印颁行。

丙午,辽赐东京贫民绢。

己未,试宏词黄府等五人各循一资。

夏,四月,丁卯,辽都统奏讨准布别部之捷。

戊辰,诏:"职事官罢带职,朝请大夫以下勿分左右,易集贤院学士为集贤殿修撰,直集贤院为直秘阁,集贤校理为秘阁校理。"

壬申,封华容郡王宗愈为嗣濮王。

御史郭知章、董敦逸言:"乞循先帝之法,令两制及台谏官各举才行一人。"诏:"许将、蔡京、黄履、蔡卞、钱勰、林希、王震,不拘资序,各举堪备任使二员以闻。"

乙亥,女直遣使贡于辽。

丁亥,诏依元丰条制置律学博士二员。

庚寅,辽录西北路有功将士。

是月,宝文阁待制、知青州邢恕入觐,涕泣曰:"臣不谓今日得复见陛下!"泪溅御袍。帝不乐,遂令赴郡。

五月,乙未朔,辽以南京宣徽使耶律特默为北院大王。癸卯,赠阵亡者官。

乙巳,命蔡卞详定国子监三学及外州州学制。

乙卯,上皇太妃宫曰圣瑞。

丁巳,辽主驻特礼岭。

六月,己巳,辽以权参知政事赵孝严为汉人行宫都部署。围场都管萨巴,以讨准布功加镇国大将军。

乙酉,诏:"元祐初减定除授正任已下奉禄递损,物数不多,有亏朝廷优异之礼,其见行条令,悉宜罢去,并依元丰旧制。其宗室公使并生日所赐,自依元祐法。"

壬辰,禁京城士人舆轿。

秋,七月,己亥,户部尚书蔡京奏乞检会熙宁、元丰青苗条约以示天下。

癸卯,辽主猎于沙岭。

甲寅,辽都统额特勒奏破玛古苏之捷。

丙辰,诏大理寺复置右治狱,仍依元丰例增置官属。

八月,壬申,封彰信军节度使宗景为济阴郡王。

甲申,诏:"吕大防等永不得引用期数及赦恩叙复。"

时将大飨肆赦,章惇先期言:"此数十人,当终身勿徙。"故有是诏。

嗣濮王宗愈卒,谥恭宪。

乙酉,录赵普后希庄为邠门祗候。

九月,甲午,以安定郡王宗绰为嗣濮王。

壬寅,告迁神宗神御于景灵宫显承殿。

知陈州范纯仁,闻吕大防窜居远州,终身勿徙,欲斋戒上疏申理之,所亲劝其勿为触怒,万一远斥,非高年所宜,纯仁曰:"事至于此,无一人敢言。若上心遂回,所系大矣;如其不然,死亦何憾!"乃上言:"大防等所犯,亦因持心失恕,好恶任情,违老氏好还之戒,忽孟轲反尔之言。然牛、李之祸,数十年沦胥不解,岂可尚遵前轨!大防等年老疾病,不习水土,炎荒非久处之地,又忧虞不测,何以自存!向来章惇、吕惠卿,虽为贬谪,不出里居。陛下以一蔡确之故,常轸圣念。今赵彦若已死贬所,将不止一蔡确矣。愿陛下断自渊衷,将大防等引赦原放。"癸卯,出御批曰:"范纯仁立异邀名,沮抑朝廷已行之命,可落观文殿大学士、知随州。"帝始亦有意从所奏,章惇力主前议,且谓纯仁同罪未录,遂并责之。

戊申,加上神宗谥曰绍天法古运德建功英文烈武钦仁圣孝皇帝。

辛亥,大飨明堂,赦天下。

甲寅,辽主祠木叶山。

丙辰,辽命西京炮人、弩人教西北路汉军,以准布未平故也。

章惇专权擅命,监察御史常安民力折其奸。惇遣所亲语之曰:"君本以文学闻于时,奈何以言语自任,与人为怨?少安静,当以左右相处。"安民正色斥之曰:"尔乃为时相游说邪!"林希权礼部尚书,安民言:"希为惇谋客,惇肆横强很,皆希教之。"又论:"蔡京奸足以惑众,辨足以饰非,巧足以移动人主之视听,力足以倾倒天下之是非,内结宦寺,外连台谏,合党缔交,以图柄任。陛下不早逐之,它日悔将安及!"是时京之恶尚隐,人多未测,独安民首发之。又言:"今大臣为绍述之说者,皆借以报复私怨,一时朋附之流,从而和之,遂至已甚。张商英在元祐时，上吕公著诗求进，其言谀佞无耻；及为谏官，则上疏毁司马光、吕公著神道碑。周秩在元祐间为太常博士，亲定司马光谥文正；为言官，则上疏论司马光、吕公著，至欲剖棺鞭尸。是岂士君子之所为哉！"章疏前后至数十百上，度终不能回，遂乞外，帝开慰而已。

及祀明堂，刘美人侍帝于斋宫，又至相国寺，用教坊作乐，安民以为众所观瞻，亏损圣德。语直忤旨，章惇从而谮之。曾布在枢府，与惇不协，见安民数论惇，意谓附己，于上前屡称安民。及安民论布与惇互用亲故，于是二人者合力排之。布乘间袖安民旧与吕公著书以进，谓安民乞公著消减先朝奸党，援引其类，百世承续。一日，帝谓安民曰："卿尝上吕公著书，以东汉不道之君比朕，可乎？"安民曰："臣与公著书，劝其博求贤才，尝引陈蕃、窦武、李膺事，不谓恶臣者指摘臣言，推其世以文致臣，虽辨之何益！"先是安民与国子司业安惇、监察御史董敦逸同在国子监考试所拆号，安民对敦逸称"二苏负天下重望，公不当弹击"，至是敦逸奏讦安民前语，谓安民乃苏辙之党，平日议论，多主元祐，安民由是得罪。壬戌，谪安民监滁州盐酒务。帝初命与安民知军，惇乃进拟送吏部，降监当。明年，敦逸论瑶华事，帝怒，欲贬之，谓执政曰："依常安民例与知军。"乃知帝初不知安民降监当也。

是月，详定重修敕令所言："府界诸路常平敛散等事，除今来申请外，并依元丰七年见行条制；其给纳常平钱，有所抑勒，令提举司觉察奏劾。"从之。

冬，十月，甲子，尚书右丞郑雍罢为资政殿学士、知陈州。

章惇贬斥元祐旧臣，皆以白帖行遣。安焘等争论不已，帝疑之，惇甚恐。雍欲为自安计，私语惇曰："用白帖有王安石故事。"惇大喜，取其案牍，怀之以白帝，惇得遂其奸。雍虽以此结惇，然卒罢政。

辽主驻藕丝淀。

己巳，翰林学士钱勰落职知池州，仍放辞谢，坐批答郑雍诏书有"群邪共攻"等语也。

元祐初，章惇罢枢密，出知汝州，勰草制词，有云"怏怏非少主之臣，悻悻无大臣之节"。及惇入相，勰知开封府，殊惧；已而擢翰林学士，乃安。曾布数毁勰于帝前，帝未听也。于是蔡卞与黄履同在经筵，为履诵"弗容群枉，规欲动摇"等语。履问："如何？"卞曰："似近时答诏，不知谁为之。"亟令学士院检呈，乃知勰所为。履与翟思、刘拯相继论列，言："臣等忝任风宪，而勰指为群邪，意在朋比，妄假陛下之诏以扇惑朝廷。"故雍既罢而勰亦贬。

勰在熙宁时为流内铨主簿，判铨陈襄尝登进班簿，神宗称之，襄曰："此非臣所能，主簿钱勰为之耳。"明日，召对，将任以清要官。王安石使弟安礼来见，许用为御史，勰谢曰："家贫母老，不能为万里行。"再知开封府，临事精敏。苏轼乘其据案时，遗之诗，勰操笔立就以报，轼曰："电扫庭讼，响答诗筒，近所未见也。"

癸酉，告迁宣仁皇后神御于景灵宫徽音殿。

〔甲戌〕，以吏部尚书许将为尚书左丞，翰林学士蔡卞为尚书右丞。

（甲戌），辽以北面林牙耶律大悲努为右伊勒希巴。大悲努举止驯雅，好礼仪，为时人所称。

丙子，以户部尚书蔡京为翰林学士兼侍读、修国史。

辛巳，进封冀王颢为楚王。

癸未,辽以参知政事王师儒为枢密副使,以汉人行宫都部署赵孝严参知政事。

辛卯,河南府地震。

壬辰,辽录讨准布有功将士。

十一月,乙未,安焘罢知河南府。焘旧与章惇善,及同省执政,惇惮焘,且恶之,所以排陷者无不至,遂有是命。

丙申,太白昼见。

女直遣使进马于辽。

戊戌,范谔以转运使入对,自言有捕盗功,乞赐章服。帝曰:"捕盗,常职也,何足言功!"黜知寿州。

己亥,辽以都统额特勒为西北路招讨使,封漆水郡王。

甲寅,内侍梁惟简除名,全州安置。惟简坐党附,与张士良、梁知新皆得罪,已又编管白州,徙配朱崖,以为宣仁后亲信故也。

黄履、来之邵、张商英、刘拯言:"蔡确先朝顾命大臣,宜尽复官爵恤数。"丙辰,赠确为太师,谥忠怀,遣中使护其葬。

戊午,知大名府吕惠卿入对。引进副使宋球谓曾布曰:"惠卿语良久,上有倦色。既而再出一札子,不知上有何语,遂不进呈,出笏而退。"布奏事毕,言及惠卿,帝曰:"惠卿极凶横,升卿亦然。"布曰:"陛下睿明洞见,实天下之福!"惠卿留数月,乃辞去。

庚申,辽以高丽王昱有疾,命其子颙权知国事。

先是辽欲过鸭绿江为界,高丽上表云:"普天之下,莫非王土王臣;尺地之馀,何必我疆我理!"又云:"归汶阳之旧田,抚绥敝邑;回长沙之拙袖,忭舞昌辰。"其参知政事朴寅亮之词也,辽主善之,遂寝其议。

十二月,癸亥朔,辽以知北院枢密使事耶律阿苏为北院枢密使。

乙丑,复置监察御史三人,分领六察,不言事。

令翰林学士蔡京、御史中丞黄履各举御史二人。

壬申,白虹贯日。

乙酉,曾布言文彦博、刘挚、王存、王岩叟辈皆诋訾先朝,去年施行元祐之人多漏网者,惇曰:"三省已得旨,编类元祐以来臣僚章疏及申请文字,密院亦合编类。"帝以为然。许将再奏曰:"密院已得指挥,编修文字,乞便施行。"从之。

戊子,诏如元丰例,孟月朝献景灵宫。

是岁,苏州地震。

辽放进士陈衡有等百三十人。

三年 辽寿昌二年【丙子,1096】 春,正月,甲午,辽主如春水。

庚子,知枢密事韩忠彦罢。忠彦屡请外,帝问曾布曰:"忠彦别无事,亦不至奸险。"对曰:"然。"已而章惇言忠彦处置边事多失宜,帝其骇之。忠彦请不已,乃除观文殿学士、知真定府,寻移定州。

甲辰,酌献景灵宫,遍诣诸殿,如元丰礼。

戊申，殿中侍御史陈次升言：“绍圣元年敕榜，除已行责降人外，一切不问，议者亦不复言。近者窃见汪浃、李仲等送吏部，与合入差遣，录黄行下，以元祐所献文字得罪。则敕榜所云，殆成虚语，将何以取信天下！伏望宣谕大臣，自今以始，同共遵守。若人才委不可用，所见背理，以今日之罪罪之；既往之咎，置而不问，以彰朝廷忠厚之德。”又言：“臣闻差官编排元祐间臣僚章疏，仍厚赏以购藏匿，采之舆议，实有未安。恭惟陛下即政之初，诏令天下言事，亲政以来，揭榜许其自新，是亦光武安反侧之意。今又考其一言之失，置于有过之地，是前之诏令，适所以误天下也，后之敕榜，又所以诳天下也。命令如此，何以示信于人乎？所有编排章疏指挥，乞行寝罢。”

庚戌，引见蕃官包顺、包诚等，赐赉有差。

诏：“鞫狱非本意所指而蔓求它罪者，论如律。”

壬子，知熙州范纯粹改知邓州。

乙卯，诏户部尚书勿领右曹。

元祐初，司马光乞尚书兼领左、右曹，使周知其数，则利权归一，从之。至是复使侍郎专领，尚书不得与焉。

右正言孙谔言：“知河中府杨畏，在元丰时，其议论皆与朝廷合；及元祐之末，吕大防、苏辙等用事，则尽变其趋而从之。绍圣之初，陛下躬亲总揽，则又欲变其趋而偷合苟容。天下谓之‘杨三变’。”诏落畏职，依旧知河中。后以中书舍人盛陶言，移知虢州。

戊午，诏罢合祭，间因大礼之岁，夏至日躬祭地祇于北郊。

辛酉，辽市牛以给乌古德咋勒部之贫民。

二月，癸亥，出元丰库缗钱四百万于陕西、河东籴边储。

癸酉，罢富弼配飨神宗庙庭。

癸未，诏封濮安懿王子未王者三人，宗楚为南阳郡王，宗祐为景城郡王，宗汉为东阳郡王。

乙酉，嗣濮王宗绰卒，谥孝靖。

丙戌，诏：“三岁一取旨，遣郎官、御史按察监司职事。”

丁亥，夏人寇义合砦。

是月，诏：“三路保甲依义勇法教试。”

三月，辛卯朔，尚书省火。壬辰，诏以禁中屡火，罢春宴及幸池苑，不御垂拱殿三日。

癸巳，夏人围塞门砦。

丁酉，尚书省火。

戊戌，剑南东川地震。

己亥，封南阳郡王宗楚为嗣濮王。

辛亥，封大宁郡王佖为申王，遂宁郡王佶为端王。

壬子，帝谕二府，以元祐减赏功格不当，令修定，何未上。众皆曰：“诸路相度未到。”曾布曰：“元丰中方有边事，欲激厉人用命。不若一用元丰赏格，候边事息，别议增损。”帝曰：“当如此。”遂降旨诸路，令告谕将士知悉。

丁巳,幸申王、端王府。

夏,四月,辛酉,罢宣徽使。

己卯,辽赈西北边饥。

乙酉,户部侍郎吴居厚言:"请诸路课利场务及三万贯以上者,并依元丰条举官监当,仍各委本路转运使奏举。"从之。

丙戌,三省同奏事,曾布曰:"司马光之内怀怨望,每事志于必改,背负先帝,情最可诛。"李清臣、许将曰:"文彦博教光云:'须尽易人,乃可举事。'"布曰:"臣元丰末在朝廷,见光进用,自六月秉政至岁终,一无所为。及阴引苏轼、苏辙、朱光庭、王岩叟辈,布满要路,至元祐元年二月,乃奏罢役法,尽逐旧人,然后于先朝政事无所不改。以此知大臣阴引党类,置之言路,蔽塞人主耳目,则所为无不如欲,此最为大患。"又曰:"誉光者乃间巷小人耳。如王安石、臣兄巩,皆有学识之士,臣自少时,已闻两人者议论,以为光不通经术,迁僻不知义理,其它士大夫有识者,亦皆知之。"帝忻然听纳。

五月,壬子,太白昼见。

丙辰,录囚。

是月,左正言孙谔言:"免役者,一代之大法。夫在官之数,元丰多,元祐省,虽省,未尝废事也,则多不若省;散役之直,元丰重,元祐轻,虽轻,未尝废役也,则重不若轻。数省而直轻,则民之出钱者易;民之出钱者易,故法可久也。愿陛下博采群言,无以元丰、元祐为间,要以便百姓,无不均平之患而止。"蔡京言:"谔论役法,欲伸元祐之奸,惑天下之听。"诏谔罢言职,知广德军。

给事中蹇序辰言:"先帝在位十九年,其应世之迹,未易周览。请选儒臣著为《神宗宝训》一书,授之读官,以备劝讲之阙。"诏俟《正史》成书,令史官编修。序辰,周辅之子也。

六月,辛酉,辽主驻萨里纳。

癸亥,令真定立赵普庙。

癸未,诏常立罢诸王府侍讲,差监永州酒税,奉议郎赵冲监道州茶盐酒税。冲,立门人也。

初,蔡卞请以立为崇政殿说书,既赐对,又请除谏官,帝未许。卞方与章惇比,曾布欲(轻)〔倾〕之,乘间为帝言立附两人,乃于史院取冲所撰立父秩行事以进,有云"自荆公去位,天下官吏阴变新法,民受涂炭;公独见几,知其必败。"帝骇曰:"何谓必败?"布言:"立狂惇不逊,自当行法。"及三省对,帝语蔡卞曰:"常立诋神考而卿荐之,何也?"又顾章惇曰:"卿不见其语乎?"惇谢不知,帝怒曰:"语在《常秩行状》,其语云:'自安石罢相以来,民在涂炭。'又云:'自秩与安石去位,而识者知其必败。'其诣厚安石而诋薄神考如此,卞何为荐之?"惇、卞皆错愕谢罪。帝即命中使就史院取《秩行状》,亲指"涂炭""必败"四字以示惇、卞,惇由是始悟为卞所卖。后一日,三省进呈,帝令与立宫观,冲别取旨,中书舍人叶祖洽缴录黄,谓立贬太轻。李清臣具以报布,是日,布对,言:"立诣王安石而毁先帝,情更可诛。乃欲擢之言路,此臣所以不能自已也。"帝亦切齿,故特与远小处监当。殿中侍御史陈次升因言:"常立希合权臣,诋诬先帝,而大臣援进唯恐不速,岂非负先帝、欺陛下乎? 为臣之罪,莫大于是,伏望特行黜责,以警官邪!"不报。

乙酉,立北郊斋宫于瑞圣园。

秋,七月,壬辰,以蔡京为翰林学士承旨。

癸巳,枢密院言:"据知邢州张赴称,体究得民间愿得牧地养马,但与蠲其租课,仍不责以蕃息,养马人户,无追呼劳扰之患,其不愿养马之家,不得抑勒。今相度欲具为条画榜示。"从之。

己亥,诏知渭州、宝文阁待制吕大忠特除宝文阁直学士、知秦州,以元祐中坚持边议,又领帅日久故也。

大忠因言:"臣弟大防,自罹谪籍,流落累年,恐一旦不虞,倏先朝露,死生隔绝,衔恨无穷。伏乞寝臣已除职名,只量移大防陕西州郡居住。"不听。

始,大忠自泾原入对,帝问:"大防安否?"且曰:"大臣初议令过海,朕独处之安州,卿有书,当令且将息忍耐。大防朴直,为人所卖,候三二年,可复相见也。"大忠泄其语于章惇,惇惧,绳之愈力,元祐党人由是再行贬黜。

丙午,辽主猎于赤山。

庚戌,依元丰职事官以行、守、试三等定禄秩。

甲寅,令熙河立王韶庙。

乙卯,国子司业龚原言:"将来科场止令依旧专治一经。"从之。

八月,辛酉,夏人寇宁顺砦。

丙子,诏:"王岩叟遗表并吕大防等所得恩例及举官并罢,更不施行。提举舒州灵仙观、鄂州居住梁焘,主管洪州玉龙观、南安军居住刘安世,并分司南京,仍各于本处居住。"

己卯,复置检法官。

帝尝语章惇曰:"元祐初,太皇太后遣宫嫔在朕左右者凡二十人,皆年长。一日,觉十人者非素使令。顷之,十人至。十人还,复易十人去。其去而还者皆色惨沮,若尝涕泣者。朕甚骇,不敢问。后乃知因刘安世等上疏,太皇太后诘之也。"惇与蔡卞方谋诬元祐大臣尝有废立议,闻帝语,遂指刘安世、范祖禹言禁中觅乳母事为根,二人重得罪。庚辰,责授祖禹昭州别驾,贺州安置,安世新州别驾,英州安置。

九月,曾布言:"蔡卞最阴巧,而章惇轻率,以相媚说,故多为其所误。凡惇所主张人物,多出于卞。至议论之际,惇毅然如自己出,而卞嗫不启口,外议皆云:'蔡卞心,章惇口。'如此,实于圣政有害。政府虚位甚多,愿早择人,以助正论。"

己亥,邈川首领检校太保阿里骨卒。

庚子,诏姚勔永不磨勘,以给事中蹇序辰言其诋讪先帝,务欲遏绝绍述之意故也。

丙午,辽徙乌尔古德呼勒部于乌纳水,以扼北边之冲。

己酉,滁、沂二州地震。

壬子,太师、淮南、荆南节度使楚王颢卒。

颢天姿颖异,尤嗜学,始就外傅,每一经终,即遗讲读官以器币服马。工飞白,善射,好图书,博求善本。神宗嘉其志尚,每得异书,亟驰使以示。帝即位,尊礼尤隆,诏书不名。及卒,

1855

谥曰荣,陪葬永厚陵。

婕好刘氏,明艳冠后庭,且多才艺,有盛宠,见皇后不循列妾礼。尝同后朝景灵宫,讫事,就坐,嫔御皆立侍,婕好独立檐下。后邻中陈迎儿呵之,婕好背立如故,邻中皆忿。冬至,会朝隆祐宫,俟见于它所。后坐朱縑金饰,婕好在它座,意象颇愠,其从行者知之,为易座与后等。众弗能平,因传唱曰:"皇太后出。"后起立,婕好亦起。寻各复其所,或已撤婕好座,遂顿于地,怼,不复朝,泣诉于帝。内侍郝随方用事,谓婕好曰:"毋以此戚戚!愿早为大家生子,此座终当为婕好有耳。"

会后女福庆公主疾,后有姊颇知医,尝医后危疾,以故出入掖庭,公主药弗效,乃持道家治病符水以入,后惊曰:"姊宁不知宫中禁严,与外舍异邪?"令左右藏之。俟帝至,具言其故,帝曰:"此人之常情耳。"后即焚符于帝前。宫禁相传厌魅之端作矣。

方公主病革,忽有纸钱在旁,后顾视,颇恶忌之,意自婕好所遣人持来,益有疑心。未几,后养母听宣夫人燕氏、尼法端与供奉官王坚为后祷祠事闻,诏入内押班梁从政、句当御药院苏珪即皇城司鞫之,捕逮宦官、宫妾几三十人,榜掠备至,肢体毁折,至有断舌者。狱成,命侍御史董敦逸覆录,罪人过庭下,气息仅属,无一人能出声者。敦逸秉笔疑未下,郝随等以言胁之,敦逸畏祸及己,乃以奏牍上。乙卯,诏以皇后孟氏旁惑邪言,阴挟媚道,废居瑶华宫,号华阳教主、玉清妙静仙师,法名冲真。

初,章惇诬宣仁有废立计,以后为宣仁所立,欲废之,又阴附刘婕好,欲请建为后,与郝随构成是狱,莫有敢异议者。既降案付三省、枢密院约法,惇会李清臣、曾布、许将、蔡卞及刑部官徐铎等议。或谓不可处极典,曾布谕法官但当守法,且曰:"驴媚蛇雾,是未成否?"众皆瞿然。法官遂执议坚等三人皆处死。

殿中侍御史陈次升言:"所治之狱,不经有司,虽闻追验证佐,而事迹秘密,朝廷之臣,犹不预闻,士庶惶惑,固无足怪。臣窃谓自古推鞫狱讼,皆付外庭,未有宫禁自治,高下付阉宦之手。陛下但见案牍之具耳,安知情罪之虚实!万一冤滥,为天下后世讥笑。欲乞陛下亲选在庭侍从或台谏官公正无所阿附之人,专置制院,别行推勘,庶得实情。"不报。

其后董敦逸亦言:"中宫之废,事有所因,情有可察。诏下之日,天为之阴翳,是天不欲废之也;人为之流涕,是人不欲废之也。臣尝覆录狱事,恐得罪天下后世。"帝怒。蔡卞欲加重贬,章惇、曾布曰:"陛下本以皇城狱出于近习推治,故命敦逸录问;今乃贬录问官,何以取信中外!"乃止。帝久亦悔之,曰:"章惇坏我名节。"

冬,十月,丁巳朔,以楚荣王丧未成服,罢文德殿视朝。

以监江宁府税张商英权知洪州。

以正字邓洵武为《神宗正史》编修官。洵武,绾之子也。

壬戌,夏人大入鄜延。戊辰,诏被边诸路相度城砦要害,增严守备。

辽主驻藕丝淀。

辛未,西南方有雷声,次大雨雹。

癸酉,钟传言筑汝遮,诏以为安西城。

庚辰,高丽遣使贡于辽。

甲申,以知大名府吕惠卿知延安府。

是月,夏兵自长城一日驰至金明砦,列营环城,国主乾顺与其母亲督枹鼓,纵骑四掠。知麟州有备,复还金明,而后骑之精锐者留龙安。边将悉兵掩击,不退,金明乃破。守兵二千八百人,惟五人得脱,城中粮草皆尽,将官皇城使张(谕)〔俞〕死之。既还,留一书置汉人颈上曰:"贷汝命,为我投经略使处。"其言曰:"夏国昨与朝廷疆场小有不同,方行理究;不意朝廷改悔,却与坐团铺处立界,本国以恭顺之故,亦黾勉听从,遂于境内立数堡以护耕;而鄜延出兵悉行平荡,又数数入界杀掠。国人共愤,欲取延州,终以恭顺,(正)〔止〕取金明一砦以示兵锋,亦不失臣子之节也。"延帅吕惠卿上枢密院而不以闻。

知延安府吕惠卿奏乞依吕大忠例,暂赴阙奏事,章惇谓曾布曰:"边事方尔,可谓不识紧慢也。"李清臣曰:"此必有挹魁柄之意,或恐有引以为代者,吾属危矣。"布曰:"此无虑,魁柄岂易挹邪!"十一月,癸巳,进呈,帝曰:"惠卿何可来?"众皆言无来理。遂诏止之曰:"如有所陈,条画闻奏。"

丁未,章惇上重修《神宗实录》。

十二月,己未,辽招讨使额特勒讨准布别部,破之。

辛酉,济阳郡王宗景,坐以立姜罔上,罢开府仪同三司,判大宗正司事。

壬戌,辽南府宰相图噜干致仕。癸亥,以萧托卜嘉为北府宰相,以耶律大悲努为殿前都点检。

甲戌,蔡京上新修《太学敕令式》。

乙亥,夏国遣使献金明之俘于辽。

辽生女直节度使英格,节度使颇拉淑之母弟也。颇拉淑没,英格嗣,以兄和哩卓子萨哈为国相。是岁,赫舍哩部阿苏、穆都哩阻兵为难,英格自往伐之。阿苏诉于辽,辽遣使止英格勿攻,英格留萨哈守阿苏城而还。会阿邻版等阻五国鹰路,执杀辽捕鹰使者,辽诏英格讨之。阿邻版等据险立栅,方大寒,乃募善射者,揉劲弓利矢攻之,数日,入其城,出辽使者数人,归之。英格兄子阿古达,善射,有大志。辽大国舅帐萧谐里啸聚为盗,有众数千,奔女直,结英格为乱,因命英格图之。英格斩谐里,遣阿古达献首级于辽,馀悉留不遣。辽人无如何,乃进英格及阿古达官以慰之。

【译文】

宋纪八十四　起甲戌年(公元1094年)八月,止丙子年(公元1096年)十二月,共二年有余。

绍圣元年　辽大安十年(公元1094年)

八月,辛未(初二),下诏范纯粹降一级官阶,任直龙图阁、知延安府,因为他元祐年间曾提出放弃疆土的建议。

壬申(初三),三省开列吕惠卿、王中正、宋用臣原先议罪文书进呈,认为应当再研究,章惇说:"吕惠卿所获罪行极没有道理。"皇帝说:"恢复过去的官职和资政殿学士。"

九月,癸卯(初五),派遣御史中丞刘拯巡察河北水灾,赈济饥民。

甲辰(初六),任命黄庆基、董敦逸同时担任监察御史。

丙午(初八),策试贤良方正能直言极谏科。庚戌(十二日),三省一同进呈张咸、吴侔、陈旸三人中第五等,给予恩赏,皇帝说:"进士策试的文章中文理有比他们好的。"于是下诏取消制科。

撤销广惠仓。

甲寅(十六日),知广州唐义问,因为放弃河阳寨,降职为舒州团练副使。

己未(二十一日),辽国任命南院大王特默为南院枢密使。

庚申(二十二日),太白星白天出现。

甲子(二十六日),德咳勒部部长向辽国投降,辽国主命令免除他的罪行。

丁卯(二十九日),下诏京东、西、河北路赈济安抚流民。

戊辰(三十日),有流星在紫微垣出现。

本月,辽国都统额特勒出兵讨伐准布,乘下大雪,击败玛古苏部众吞并他的四个属部,斩杀千余人。

冬季,十月,己巳朔(初一),任命知江宁府吕惠卿知大名府。

三省、枢密院一同进呈任命名单,曾布、韩忠彦说:"如果吕惠卿在朝廷,善人君子一定无以立足。"皇帝说:"只让他知北京大名府,哪能留下!"曾布又说:"章惇当政以来,所引进的都是卑贱小人,只恣意弄权,一天甚过一天。陛下以天下的公议召用彭汝砺,而被阻止不能实现;吕升卿在贬谪中退休,章惇不领旨,重新召用任命职务;王钦臣谢恩表章中言辞触犯御史,而章惇要削去职衔降官职;周秩讥讽朝廷,而章惇要多方包庇他的罪行;陛下不想给吕惠卿恢复职务而最后恢复了,不想任命林希经筵职务而最后任命了。因此上下惧怕他,唯独臣与韩忠彦曾经稍做陈说,他人有敢说他的不是的吗?"他的用意是想扳倒章惇。皇帝说:"这是本来应当陈说的。"

丙子(初八),辽国主驻扎在藕丝淀。

丁亥(十九日),国子司业龚原上奏:"王安石在先朝时,曾进呈他所撰写的《字说》二十二卷。请派人到他家中抄写定稿本,交付国子监雕刻印刷,以便于学习的人传看学习。"下诏同意。学校举人的文章,一致模仿,这个弊端从龚原开始。

庚寅(二十二日),任命常安民为监察御史。当初常安民在奉召奏对时说:"元祐年间进言的人,认为熙宁、元丰年间的政务不正确而当时是正确的;现在进言的人,认为元祐年间的政务不正确而熙宁、元丰年间是正确的;都是片面的说法。希望陛下一并观察听取大家的意见,不管新政旧政,只要恰当就行。"皇帝对辅政大臣说:"常安民说话公正,没有迎合依附。"

丁酉(二十九日),都水使者王宗望说:"北流河道已关闭,整条河流向旧道,希望交付史官记录,是绍圣年以来皇帝的英明决断,才取得如此成绩。"下诏令王宗望分析开列主管治河役事官员功劳能力大小上报。然而当时东流堤防没有来得及修筑加固,沿河多有水患,流民进入京城,往往停留在皇宫廊下以及寺院,下诏发给凭证,命令返回本地接受赈济。

十一月,己亥朔(初一),恢复八路差官法。

壬子(十四日),追认恢复蔡确观文殿大学士职务。

甲寅(十六日),开封男子吕安顶撞皇帝乘的车,应当斩首,宽恕了他。

十二月,辛未(初四),申明严格执行铜钱出外界的法令。

甲戌(初七),辽国任命参知政事赵廷睦兼任同知枢密院事,任命枢密副使王师儒参知政事兼任同知枢密院事。

己卯(十二日),辽国主命令登记西北路有功以及战死的人,赠予官职。

乙酉(十八日),辽国改次年的年号为寿昌,减免一般罪犯死罪以下的刑期,并免除贫民的租税。

丙戌(十九日),滑州浮桥起火。

己丑(二十二日),漳河决口溢出,泛滥洺、磁等州。命令设法堵塞。

甲午(二十七日),三省一同进呈台谏官前后的奏章,说:"实录院所撰修的先帝《实录》,似多附和奸邪,诋毁指责熙宁以来政务,请严加处罚。"皇帝说:"史官如此放肆不恭敬,必须各给予安置处理。"下诏:"范祖禹永州安置,赵彦若澧州安置,黄庭坚黔州安置。"

当初,章惇、蔡卞与他们同党指责《实录》有很多诬蔑之词,让先前的史官分别居住在京畿各邑等待询问,摘录一千多条给他们看,说是没有依据。接着实录院官员查考,认为都有依据,所剩下的才三十二条。黄庭坚写了"用铁龙爪治河,如同儿戏",到此时首先问罪,回答说:"我黄庭坚当时在北都任职,曾经亲自看见,真的是儿戏呀。"凡有询问,都直言回答,听的人都认为他有胆量。

辽国南府宰相王棠去世。王棠历史知识广博,善于写文章,乡贡考试、礼部考试、廷试都是第一。熟悉朝政,遇事不懈怠,在任宰相时,修明法度,人们赞许他不愧对科名。

这一年,京师出现瘟疫,洛水溢出,太原地震,河北水灾,发放京东的粮食赈济。

绍圣二年　辽寿昌元年(公元 1095 年)

春季,正月,己亥(初二),辽国主到达混同江。

丙午(初九),设立宏词科。三省进言说:"现在进士考试已经只纯粹使用经术,像诏诰、章表、赦敕、檄书、露布、戒谕之类文书,都是朝廷官员日常不可缺少的,如果全都不研习考试,怎么能同时录取到文学才能突出的人呢!"因此另外设置宏词科,允许已受吏部复试考中的进士申请考试。考试的人虽多,所录取的不过五人;文辞格调特别突出的,特别上报,授予官职。

任命吏部侍郎杨畏知成德军。杨畏已背叛吕大防,依附章惇,等到李清臣、安焘与章惇意见不一致,又暗中依附安焘、李清臣。而章惇也觉察他的阴险狡诈,就任命杨畏出外任职。

乙卯(十八日),辽国赈济圣州贫民的饥荒。

乙丑(二十八日),殿前司奏报监狱没有犯人,下诏赏赐缗钱。

二月,丁卯朔(初一),有日食出现。

戊辰(初二),辽国赐给左右两皮室人钱币。

癸酉(初七),高丽派遣使臣向辽国进贡。

甲戌(初八),任命知大名府吕惠卿为资政殿大学士。章惇说吕惠卿请求留在京师,只希望得到宫观职务,皇帝说:"已任命为大资政,加上北京也是重地。"又问:"吕惠卿已动身没有?"曾布、韩忠彦都说："吕惠卿请求留下,是无耻。君子难于进用而容易退离,他的人品因此可知。"皇帝一笑。

当初,监察御史常安民当面上奏："新任北都留守吕惠卿,禀性阴险;王安石引用为执政官,等到得志,就攻击王安石。假若用这样的心机来侍奉皇上,他的刻薄可想而知。吕惠卿如果见到陛下,一定会说先帝而且哭泣,以此来感动陛下,希望获准留在朝廷。"到此时吕惠卿过京师请求奏对,果然跟皇帝谈及先朝的事,而且哭泣;皇帝面色严肃不予回答,计谋得不到施展而离去。当时的人谈起来很痛快。

乙亥(初九),下诏夺吕大防两官,迁居安州。此前中丞黄履说赵彦若等修纂先帝《实录》,大加诬蔑诋毁,都已放逐,只有监修吕大防侥幸得免,所以有这个诏命。

辽国主驻扎在鱼儿泺。

辛巳(十五日),拨出内库钱帛二十万帮助河北赈济饥民。

乙未(二十九日),左司谏张商英担任左司员外郎。正逢知开封府王震说张商英派人与盖渐谋害来之邵,因此获罪贬为监江宁府税。

三月,己亥(初四),嗣濮王赵宗晟去世,谥号端孝。

赵宗晟喜欢古代学术,藏书数万卷,宋仁宗嘉勉他,增拨国子监的藏书。治平初年,将要郊祀而下雨,有人提议重新卜筮日期,宋英宗向赵宗晟寻问此事,回答说："陛下初次郊祀拜见上帝,是盛大的典礼,哪能改卜筮日期! 极为诚心可感动神灵,在于陛下心意专一罢了。"英宗皇帝赞赏地采纳。等到郊祀时,雨过天晴。英宗皇帝多次染病,赵宗晟秘密请求立太子以维系民心,世人称赞他的忠心。

甲辰(初九),国子司业龚原等,说王安石曾进呈他的儿子王雱所撰写的《论语·孟子义》,请求交付国子监雕印颁行。

丙午(十一日),辽国赐给京东贫民绢。

己未(二十四日),考试宏词的黄符等五人各按资格升一级。

夏季,四月,丁卯(初二),辽国都统报讨伐准布别部的胜利。

戊辰(初三),下诏："职事官取消带职衔,朝请大夫职务以下不分左右,改集贤院学士为集贤殿修撰,直集贤院为直秘阁,集贤校理为秘阁校理。"

壬申(初七),封华容郡王赵宗愈为嗣濮王。

御史郭知章、董敦逸说："请遵循先帝的办法,命令内外两制官员以及台谏官员各推举一名有才行的人。"下诏："许将、蔡京、黄履、蔡卞、钱勰、林希、王震,不拘泥资格级别,各推举可以任用的人二名上报。"

乙亥(初十),女真派遣使臣向辽国进贡。

丁亥(二十二日),下诏按元丰条例设置律学博士二人。

庚寅(二十五日),辽国登记西北路有战功的将士。

本月,宝文阁待制、知青州邢恕入朝拜见,流泪说："臣没有想到今天还能见到陛下!"眼泪溅洒到皇帝的衣袍上,皇帝不高兴,就让他回到青州。

五月,乙未朔(初一),辽国任命南京宣徽使耶律特默为北院大王。癸卯(初九),追赠阵亡者官职。

乙巳(十一日)，命令蔡卞详细审定国子监三学以及外州州学的条例。

乙卯(二十一日)，尊称皇太妃宫为圣瑞宫。

丁巳(二十三日)，辽国主驻扎在特礼岭。

六月，己巳(初五)，辽国任命权参知政事赵孝严为汉人行宫都部署。围场都管萨巴，因为讨伐准布部的功劳加授镇国大将军。

乙酉(二十一日)，下诏："元祐初年确定递减任命为正职以下官员的俸禄，数目不多，有损朝廷优待的礼制，已实行的条例，应该全部停止，一并按元丰旧有制度。宗室出使以及生日所赏赐的，仍依照元祐时的办法。"

壬辰(二十八日)，禁止京城的士人乘用车、轿。

秋季，七月，己亥(初六)，户部尚书蔡京上奏请求核查熙宁、元丰年间青苗条例，公布天下。

癸卯(初十)，辽国主在沙岭打猎。

甲寅(二十一日)，辽国都统额特勒奏报攻破玛古苏的胜利。

丙辰(二十三日)，诏令大理寺重新设置右治狱，仍然依照元丰旧例增设官员。

八月，壬申(初九)封彰信军节度使赵宗景为济阴郡王。

甲申(二十一日)，下诏："吕大防等永远不得引用贬逐期限及赐恩赦免叙复任用。"

当时将有享祭时的大赦，章惇事先说："这数十人，应当终身不迁徙。"所以有这个诏令。

嗣濮王赵宗愈去世，谥号恭宪。

乙酉(二十二日)，录用赵普的后代赵希庄为阁门祗候。

九月，甲午(初二)，任命安定郡王赵宗绰为嗣濮王。

壬寅(初十)，祭告迁移神宗灵位到景灵宫显承殿。

知陈州范纯仁，听说吕大防逐居偏远州郡，终身不得迁移，想斋戒后上疏申辩此事，亲近的人劝他不要触怒皇上，万一贬斥遥远地方，不是高龄的人能适应的，范纯仁说："事情到这个地步，无人敢说。如果皇上的心意就此回转，关系重大；如果不是这样，死又有什么遗憾！"就上奏说："吕大防等所犯罪过，也是因为心地失于宽恕，好恶任由性情，违背老子容易报应的警戒，忽略了孟子反归于己的警言。然而牛、李朋党之祸，数十年相继不能消除，难道能够还用前人的方法吗！吕大防等年老患病，不习惯水土，炎热荒凉之地不能久居，又担心有不测，怎么能活下去！过去章惇、吕惠卿，虽然是贬谪，不出乡里居住。陛下因为一个蔡确的缘故，还经常放在心里。现在赵彦若已死在贬谪的地方，不止一个蔡确了。希望陛下从内心意志决断，将吕大防等人用赦令宽免。"癸卯(十一日)，发出皇帝批示说："范纯仁提出不同意见求得名声，阻止朝廷已实行的命令，可削去观文殿大学士职，知随州。"皇帝开始也有意采纳他的奏请，章惇坚决主张先前意见，而且说范纯仁同样的罪过没有核处，就一并责罚。

戊申(十六日)，尊奉神宗皇帝的谥号为绍天法古运德建功英文烈武钦仁圣孝皇帝。

辛亥(十九日)，在明堂享祭，大赦天下。

甲寅(二十二日)，辽国主在木叶山祭神。

丙辰(二十四日),辽国命令西京炮手、弓弩手教练西北路汉军,是因为准布未平定的缘故。

章惇专权,监察御史常安民极力挫败他的奸行。章惇派亲信对他说:"您本来因为文学才能闻名当代,何必自以为有论说的职责,与人作对? 略安静一些,就将您按身边的人对待。"常安民正色斥责他说:"你为现在的宰相游说吗?"林希任权礼部尚书,常安民说:"林希是章惇的谋士,章惇肆意骄横强狠,都是林希教给他的。"又说:"蔡京的奸谋足够迷惑大家,狡辩足够掩饰过失,机变足够改变皇帝的视听,力量足够颠倒天下的是非,内与宦官交结,外与台谏官联合,结为朋党,以图谋权力。陛下不早驱逐他,他日后悔怎么来得及!"当时蔡京的恶行还未暴露,人们多未想到,只有常安民首先提出。又说:"现在大臣提出继承前朝政务的,都是借以报复私人怨恨,一时朋附的人,跟随附和,就到了严重的地步。张商英在元祐时,给吕公著献诗求得进用,其言辞谄媚无廉耻;等当上谏官,却上疏毁掉司马光、吕公著神道碑。周秩在元祐年间担任太常博士,亲自定下司马光谥号文正;担任言官,却上疏指责司马光、吕公著,以至要开棺鞭尸。这难道是士人君子做的事吗!"前后上章疏数十上百封,想到终究不能挽回,就请求外放,皇帝开导劝慰作罢。

到明堂祭祀时,刘美人在斋宫侍奉于皇帝旁,又到相国寺,用教坊演奏音乐,常安民认为大众观看瞻仰的场合,有损皇上的德行。言辞直率违逆皇上意志,章惇因而中伤他。曾布在枢密院任职,与章惇意见不一致,看到常安民多次责论章惇,心中认为是符合自己,在皇帝面前屡次称赞常安民。到常安民责论曾布与章惇互相任用亲戚故旧,两人因此合力排挤他。曾布乘机会将常安民给吕公著的书信放在袖中进呈,说常安民请吕公著消除先朝的奸邪朋党,援引自己人,百代相传。一天,皇帝对常安民说:"卿曾给吕公著上书,以东汉无道的君主比朕,可以这样吗?"常安民说:"臣给吕公著的书信,是劝他广求贤才,曾引用陈蕃、窦武、李膺的事,没想到厌恶臣的人指责臣的话,推广到那个时代以文字捏造臣的罪名,即使辩论又有什么益处!"先前常安民与国子司业安惇、监察御史董敦逸一同在国子监考试所拆封号,常安民对董敦逸说:"二苏有负天下的厚望,您不应当弹劾",到此时董敦逸上奏攻击常安民先前的话,说常安民是苏辙的同党,平时的意见,多主张元祐朝政务,常安民因此获罪。壬戌(三十日),贬谪常安民担任监滁州盐酒务。皇帝先任命常安民知军,章惇就进拟文书到吏部,降为监当职务。次年,董敦逸说到瑶华宫一事,皇帝发怒,想贬谪他,对执政官员说:"按照常安民的例子降为知军。"才知皇帝先不知道常安民降为监当职务的事。

本月,详定重修敕令所奏报:"开封府和各路常平仓收放等事务,除现在来申请的以外,均依照元丰七年实行的条例;交纳的常平钱,有所抑勒,命令提举司考察上奏弹劾。"予以采纳。

冬季,十月,甲子(初二),尚书右丞郑雍免职改任资政殿学士、知陈州。

章惇贬斥了元祐年间的旧臣,都以白帖发遣。安焘等争论不止,皇帝起了疑心,章惇非常害怕。郑雍为自己安全着想,私下对章惇说:"用白帖有王安石的旧例。"章惇大喜,拿着那些文书,揣在怀里去对皇帝说明,章惇得以实现奸谋。郑雍虽然因此巴结章惇,然而最终被罢免职务。

辽国主驻扎在藕丝淀。

己巳(初七),翰林学士钱勰免职改知池州,并免辞谢,是因为批答郑雍诏书有"群邪共攻"的话获罪。

元祐初年,章惇免去枢密职务,外放知汝州,钱勰起草制词,有"怏怏不是少年君主的大臣,悻悻没有大臣的节操"。等到章惇入朝任宰相,钱勰知开封府,非常恐惧;随后提升为翰林学士,才安心。曾布数次在皇帝面前诋毁钱勰,皇帝没有听从。在这时蔡卞与黄履同任经筵官,给黄履朗诵"不能容许群邪,想要动摇朝政"等话。黄履问:"怎么样?"蔡卞说:"像是近期批复诏书,不知是谁起草的。"马上命令学士院查报,才知是钱勰所起草。黄履与翟思、刘拯相继指责,说:"臣等担任御史台职务,而钱勰指责为群邪,有意朋比勾结,妄图借陛下的诏书以煽动迷惑朝廷。"所以郑雍免职后而钱勰也被贬谪。

钱勰在熙宁年间担任流内铨主簿,判铨陈襄曾进呈等级簿册,神宗皇帝称许他,陈襄说:"这不是臣能干,是主簿钱勰所做的。"第二天,奉召奏对,打算授给他清要的官职。王安石让弟弟王安礼来见他,答应任用为御史职务,钱勰说:"家贫母亲年老,不能作万里远行。"再任命为知开封府,遇事精明敏捷。苏轼乘他伏案时,赠给他诗,钱勰拿笔写就回赠诗,苏轼说:"如电扫过一样办案,如回声一样回赠诗,近来没有见到过。"

癸酉(十一日),祭告迁宣仁皇后灵位到景灵宫徽音殿。

甲戌(十二日),任命吏部尚书许将为尚书左丞,翰林学士蔡卞为尚书右丞。

辽国任命北面林牙耶律大悲努为右伊勒希巴。大悲努举止雅致,讲究礼仪,为当时的人所称许。

丙子(十四日),任命户部尚书蔡京为翰林学士兼任侍读、修国史官员。

辛巳(十九日),进封翼王赵颢为楚王。

癸未(二十一日),辽国任命参知政事王师儒为枢密副使,任命汉人行宫都部署赵孝严为参知政事。

辛卯(二十九日),河南府发生地震。

壬辰(三十日),辽国登录征讨准布有功的将士。

十一月,乙未(初三),安焘罢免改知河南府。安焘过去与章惇友好,等到同在一个省任职,章惇忌惮安焘,而且厌恶他,所以排挤手段无所不用,就有这个任命。

丙申(初四),太白星白天出现。

女直派遣使臣向辽国进献马匹。

戊戌(初六),范谔以转运使身份入朝奏对,自称有缉捕盗贼的功劳,请求赏赐有花纹的礼服。皇帝说:"缉捕盗贼,是正常的职责,哪里说得上功劳!"贬任知寿州。

己亥(初七),辽国任命都统额特勒为西北路招讨使,封为漆水郡王。

甲寅(二十二日),内侍梁惟简被除名,处以全州安置。梁推简因为依附朋党,与张士良、梁知新都获罪,随后又编管白州,徙配朱崖,因为是宣仁皇后亲信的缘故。

黄履、来之邵、张商英、刘拯说:"蔡确是先朝的顾命大臣,应该全部恢复官爵、抚恤待遇。"丙辰(二十四日),追赠蔡确太师官爵,谥号忠怀,派遣宫中内使护送葬礼。

戊午(二十六日),知大名府吕惠卿入朝奏对。引进副使宋球对曾布说:"吕惠卿说了很长时间,皇上面有倦容。接着又拿出一份奏札,不知皇上说了什么,就没有进呈,拿出笏板退下。"曾布奏事完毕,谈到吕惠卿,皇帝说:"吕惠卿极为凶恶骄横,吕升卿也是这样。"曾布说:"陛下英明洞察,实在是天下的福分!"吕惠卿在京城停留数月,才辞别离去。

庚申(二十八日),辽国因为高丽王王昱有病,就命令他的儿子王颙代理主持国事。

此前辽国要过鸭绿江划界,高丽上表说:"普天之下,没有不是大王的土地和臣民;尺余之地,何必要自己的疆界自己管理!"又说:"归还汶阳的旧田,安抚了我们的国家;收回长沙袍笨拙衣袖,歌舞昌盛的时刻。"这是参知政事朴寅亮的手笔,辽国主认为说得好,就放下了这件事。

十二月,癸亥朔(初一),辽国任命知北院枢密使事耶律阿苏为北院枢密使。

乙丑(初三),重新设置监察御史官员三人,分管六部监察,不管进言事务。

命令翰林学士蔡京、御史中丞黄履各推举御史两人。

壬申(初十),白色的云气贯穿太阳。

乙酉(二十三日),曾布说文彦博、刘挚、王存、王岩叟等人都诋毁先朝,去年处罚元祐党人有不少漏网的,章惇说:"三省已得到旨意,分类编集元祐以来臣僚的章疏以及申请文字,枢密院也分类编集。"皇帝认为有道理。许将又上奏说:"枢密院已得到指示,整理文章,请求立即实行。"同意了。

戊子(二十六日),下诏按元丰的旧例,头一个月在景灵宫举行朝献祭礼。

本年,苏州发生地震。

辽国放榜录取进士陈衡等一百三十人。

绍圣三年 辽寿昌二年(公元 1096 年)

春季,正月,甲午(初三),辽国主举行春水游猎。

庚子(初九),知枢密事韩忠彦免职。韩忠彦屡次请求外任,皇帝问曾布说:"韩忠彦没有别的什么事,也不至于奸险。"回答说:"是这样。"随后章惇说韩忠彦处置边境事务多有失当,皇帝非常震惊。韩忠彦请求不止,就任命为观文殿学士、知真定府,不久改定州。

甲辰(十三日),在景灵宫酌酒祭神,到达每一个宫殿,像元丰礼制一样。

戊申(十七日),殿中侍御史陈次升说:"绍圣元年公布敕令,除已经进行降职处罚的人外,一概不过问,议论的人也不再谈及。近来私下看到汪浃、李仲等人送交吏部,给予差遣处理,以录黄文书行文,因为元祐年间所上的文字获罪。那么公布的敕令所说,就成了空文,将以什么取信于天下!希望向大臣宣布,从现在开始,共同遵守。如果人才确实不能任用,主张违背道理,只按现在的罪名处罚他;以前的过失,放置不追究,以显示朝廷忠厚的美德。"又说:"臣听说委派官员编集元祐年间臣僚的章疏,并厚赏购买收藏的章疏,收集公众的意见,实在有不妥之处。恭敬地思考陛下刚即位时,下诏命令天下对政事发表意见,亲政以来,张贴榜文允许他们悔过自新,这也是汉光武帝安抚反对者的意思。现在又考察他们一句话的过失,放在有过错的地位,这样先前的诏令正是误害天下,后来的公布敕令,又是欺骗天下。命令这个样子,怎么向人们昭示威信?所有编集章疏的指示,请求取消。"

庚戌(十九日),接见蕃族官员包顺、包诚等,分别给予不同赏赐。

诏令:"审讯囚犯不是按本意所指而枝蔓寻求其他罪过的,按律处治。"

壬子(二十一日),知熙州范纯粹改任知邓州。

乙卯(二十四日),下诏命令户部不管理右曹事务。

元祐初年,司马光请求尚书省兼管左、右曹事务,以便全面了解数目,那么财利、权力归于一体,同意了。到现在又让侍郎专管,尚书不得参与。

右正言孙谔说:"知河中府杨畏,在元丰年间,他的意见都与朝廷一致;等到元祐末年,吕大防、苏辙等主持事务,就完全改变自己的主张依从他们。绍圣初年,陛下亲自总揽朝权,就以想改变自己的主张而求附和。天下的人称他'杨三变'。"下诏免除杨畏的职务,仍然知河中府。后来因为中书舍人盛陶进言,改知虢州。

戊午(二十七日),下诏停止合祭,间或在大礼的年份,夏至日亲自在北郊祭祀地祇。

辛酉(三十日),辽国购买牛以供给乌古德啄勒部的贫民。

二月,癸亥(初二),发放元丰时府库中缗钱四百万在陕西、河东购买粮食作边备之用。

癸酉(十二日),取消富弼的神位配享神宗庙庭。

癸未(二十二日),下诏封濮安懿王三个没有封王位的儿子,赵宗楚封为南阳郡王,赵宗祐封为景城郡王,赵宗汉封为东阳郡王。

乙酉(二十四日),嗣濮王赵宗绰去世,谥号孝靖。

丙戌(二十五日),下诏:"三年取旨一次,派遣郎官、御史巡察监司履行职务的情况。"

丁亥(二十六日),西夏人入侵义合寨。

本月,下诏:"三路保甲按照义勇法训练考核。"

三月,辛卯朔(初一),尚书省起火。壬辰(初二),下诏说因为宫禁中屡次起火,停止春宴以及临幸池苑,停止前往垂拱殿三天。

癸巳(初三),西夏人围攻塞门寨。

丁酉(初七),尚书省起火。

戊戌(初八),剑南东川发生地震。

己亥(初九),封南阳郡王赵宗楚为嗣濮王。

辛亥(二十一日),封大宁郡王赵佖为申王,遂宁郡王赵佶为端王。

壬子(二十二日),皇帝宣谕尚书省和枢密院两府,因元祐减少赏功标准不恰当,命令修订,为何未呈上。众人都说:"各路的调查未到。"曾布说:"元丰中才有边境战事,要激励人们效力,不如仍用元丰赏赐标准,等候边境战事平息,另外议论增加减少。"皇帝说:"应当这样。"于是下旨意给各路,命令宣布让将士知道。

丁巳(二十七日),皇帝临幸申王、端王府。

夏季,四月,辛酉(初二),撤销宣徽使。

己卯(二十日),辽国赈济西北边境的饥荒。

乙酉(二十六日),户部侍郎吴居厚说:"请各路从场务获利达到三万贯以上的人,按照元丰条例推举监当官职,仍然各委派本路的转运使推举奏报。"同意了这个意见。

丙戌(二十七日),三省一同奏事,曾布说:"司马光内心怀有怨恨,每件事一定想要改变,背叛辜负先帝,情节最重应该惩处。"李清臣、许将说:"文彦博教给司马光说:'必须全部换人,才能行事。'"曾布说:"臣元丰末年在朝廷,看到司马光被进用,从六月掌权到年末,一事未做。等到暗中引用苏轼、苏辙、朱光庭、王岩叟等人,布满重要职位。到元祐元年二月,才奏请废除役法,完全驱逐原来的人,然后将先朝的政事没有不更改的。从这里知道大臣暗中引用同党,安置在言官职位,蒙蔽帝王的耳目,那么想做的没有不如愿的,这是最大的祸患。"又说:"赞誉司马光的只是里巷的小人罢了。像王安石、臣的兄长曾巩,都是有学识的人,臣从小时起,已听说两人的议论,认为司马光不通晓经术,迂腐片面不知道义理,其他士大夫中有见识的人,也都知道这一点。"皇帝欣然听从。

五月,壬子(二十三日),太白星白天出现。

丙辰(二十七日),审查并记录囚徒罪状。

本月,左正言孙谔说:"免役法,是一代的大法。在官府服役的人数,元丰年间多,元祐年间少,虽然减少了,不曾耽误事情,那么多不如少;散役的费用,元丰年间高,元祐年间低,虽然低,不曾荒废役事,那么高不如低。人数少而费用低,那么百姓出钱容易;百姓出钱容易,所以办法能长久。希望陛下广泛地采纳大家的意见,不要将元丰、元祐作为分隔,重要的是要方便百姓,没有不平均的弊病就行了。"诏令罢免孙谔言官职务,改知广德军。

给事中蹇序辰说:"先帝在位十九年,顺应时世的事迹,不容易全部看到。请选派儒臣作《神宗宝训》一书,交给侍读官,以作劝讲用。"诏令等《正史》成书后,让史官编修。蹇序辰,是蹇周辅的儿子。

六月,辛酉(初三),辽国主驻扎在萨里纳。

癸亥(初五),命令真定府建立赵普庙。

癸未(二十五日),诏令免去常立各王府侍讲的职务,派任监永州酒税,奉议郎赵冲监道州茶盐酒税。赵冲,是常立的门生。

当初,蔡卞请求任命常立为崇政殿说书,已经赐命奏对,又要求任命为谏官,皇帝没有允许。蔡卞与章惇勾结,曾布想扳倒他,乘机向皇帝说常立依附他们两人,就在史院取来赵冲所写常立的父亲生平事迹进呈,有说到"自从荆公离职,天下官员暗中改变新法,百姓遭受涂炭之灾;公独能看到机变,知道他必定失败"。皇帝震惊说:"什么叫必定失败?"曾布说:"常立狂悖不恭顺,应当依法处理。"到三省进对时,皇帝对蔡卞说:"常立诋毁先父神宗皇帝而卿推荐他,为什么?"又转向章惇说:"卿没有看见他说的话吗?"章惇谢罪说不知道,皇帝发怒说:"说的话在《常秩行状》中,其中说:'从王安石免去宰相职务以来,百姓遭受涂炭之灾。'又说:'自从常秩与王安石离职,有见识的人就知道当政者必定失败。'如此吹捧王安石而诋毁贬低先父神宗皇帝,蔡卞为何推荐他?"章惇、蔡卞都惊愕请罪。皇帝当即命中使到史院拿来常秩行状,亲手指着"涂炭""必败"四个字给章惇、蔡卞看,章惇因此开始悟到被蔡卞出卖。过了一天,三省进呈,皇帝命令给常立宫观之职,赵冲另外听旨,中书舍人叶祖洽缴回录黄文书,说常立处罚太轻。李清臣全部告诉曾布,这天,曾布奏对,说:"常立吹捧王安石而诋毁先帝,此情更应严惩。可是想提拔到言官职位,这是臣不能抑制的原因。"皇帝也咬牙切齿,所以特别给予偏远小地方监当的差使。殿中侍御史陈次升于是说:"常立迎合掌权朝臣,诋毁先帝,而大臣提拔还唯恐不快,岂不是有负先帝、欺蒙陛下吗?做臣子的罪过,没有比这更大的,希望特别进行处罚,以警告奸邪的官吏!"没有答复。

乙酉(二十七日),在瑞圣园设置北郊祭祀的斋宫。

秋季,七月,壬辰(初五),任命蔡京为翰林学士承旨。

癸巳(初六),枢密院说:"据知邢州张赴说,体察考究民间愿意得到牧地养马,只要免除他们的租赋,并不强求繁殖牲畜,养马的人家,没有催逼劳役打扰的患害,那些不愿意养马的人家,也不强迫。现在考虑想形成条例张榜公布。"皇上同意了这个建议。

己亥(十二日),下诏任命知渭州、宝文阁待制吕大忠特别担任宝文阁直学士、知秦州,是因为他在元祐中坚持边防完备的意见,又领兵时间很长的缘故。

吕大忠借机会说:"臣的弟弟吕大防,自从遭到贬谪,流落多年,恐一旦有不测,很快如同朝露逝去,生死隔绝,抱恨无穷,请求压下臣已任命的职务,只量移吕大防到陕西的州郡居住。"没有采纳。

开始,吕大忠从泾原入朝奏对,皇帝问:"吕大防平安吗?"而且说:"大臣当初提议让他过海放逐,朕只处理他到安州,卿有书信,应当让他暂时将就忍耐。吕大防质朴,被别人出卖,等候三两年,可以再相见了。"吕大忠将皇帝的话泄露给章惇,章惇害怕了,执行处罚更加严厉,元祐的党人由此再次受到贬黜。

丙午(十九日),辽国主在赤山打猎。

庚戌(二十三日),依照元丰年间职事官按行、守、试三等确定俸禄秩级。

甲寅(二十七日),命令在熙河设立王韶庙。

乙卯(二十八日),国子司业龚原说:"将来科场考试只让照旧例专门研习一经。"同意了这个意见。

八月,辛酉(初四),西夏人入侵宁顺寨。

丙子(十九日),下诏:"王岩叟遗表及吕大防等所得到的恩赏以及推举的官员一并取消,不再施行。提举舒州灵仙观、鄂州居住梁焘,主管洪州玉龙观、南安军居住刘安世,都给予南京分司职务,仍各自在本处居住。"

己卯(二十二日),重新设置检法官。

皇帝曾对章惇说:"元祐初年,太皇太后派到朕身边的宫嫔共二十人,都年长。一天,觉得有十个人不是平素使唤的。不久,十个人到了。十个人回来,又换十个人离开。那些离开又回来的人都脸色悲伤沮丧,像曾经哭过。朕极为吃惊,不敢问。后来才知是因为刘安世等上疏,太皇太后责问她们了。"章惇与蔡卞正谋划陷害元祐年间的大臣曾有废立皇帝的议论,听了皇帝的话,就以刘安世、范祖禹曾谈论过宫禁中找乳母的事指责,两人又获罪。庚辰(二十三日),罚处范祖禹为昭州别驾,贺州安置;刘安世为新州别驾、英州安置。

九月,曾布说:"蔡卞最阴险机变,而章惇轻率,互相讨好,所以多被他们所误害。凡是章惇所提出的人物,多出于蔡卞的意思。到了讨论的时候,章惇坚决得好像是自己的意思,而蔡卞不开口说话,外面的议论说:'蔡卞的心,章惇的口。'这样,实在对政务有害。执政中空缺的职位很多,希望早日选择人,以帮助正确的意见。"

己亥(十三日),邈川首领检校太保阿里骨去世。

庚子(十四日),诏令姚勔永不考察升迁,是因为给事中蹇序辰说他诋毁讥讽先帝,有极力想阻止继承前朝政务意思的缘故。

丙午(二十日),辽国迁徙乌尔古德喙勒部到乌纳水,以扼守北部边境要地。

己酉(二十三日),滁、沂两州发生地震。

壬子(二十六日),太师、淮南、荆南节度使楚王赵颢去世。

赵颢天姿聪明优秀,尤其好学,开始到外面求师,每一经讲完,就赠给讲读官器物、钱币、衣服、马匹。长于飞白,擅长射箭,喜好图书,广泛搜求善本书。神宗嘉勉他的志向爱好,每当得到奇书,就派人骑快马送去给他看。皇帝即位后,尊重的礼节更为优厚,下诏书不称呼他的名字。去世后,谥号为荣,让他陪葬在永厚陵。

婕好刘氏,艳丽在后宫为第一,而且多才多艺,极受宠爱,见到皇后不遵循侍妾的礼仪。曾经同皇后朝献景灵宫,事毕,入座,嫔妃们都站立侍奉,只有刘婕好背对皇后站立在屋檐下面,后阁中陈迎儿呵斥她,刘婕好仍然背对皇后站立,阁中的人都愤怒。冬至日,一同在隆祐宫朝拜,在别的地方等候召见。皇后坐的朱漆金饰的椅子,刘婕好在另外的座位,面色很不高兴,跟随她的人了解她,给她换上与皇后同样的座位。众人不能平静,就传唱说:"皇太后出来了。"皇后站起,刘婕好也站起。不久各自回到座位,有人已经撤下刘婕好的座位,她就坐在地上,埋怨,不再朝见,向皇帝哭诉。内侍郝随刚刚管事,对刘婕好说:"不要这样忧虑!希望早给皇帝生儿子,这个座位终究归婕好所有。"

碰上皇后的女儿福庆公主生病,皇后有姐姐很了解医道,曾治疗皇后重病,因此出入内宫,公主用药没有效果,就拿道家的治病符水进入,皇后惊异地说:"姐姐难道不知道内宫中的禁令严格,与外边不一样吗?"命令身边的人藏下符水。等皇帝来到,全部说明其中原委,皇帝说:"这是人之常情罢了。"皇后就在皇帝跟前焚烧符纸。宫中相传驱鬼魅一类的事情就开始了。

当公主病重时,忽然发现身旁有纸钱,皇后看了,很厌恶忌讳,心里想是刘婕好派人拿来的,更起疑心。不久,皇后养母听宣夫人燕氏、尼姑法端与供奉官王坚为皇后祈祷祭祀的事情泄露,哲宗诏令入内押班梁从政、句当御药院苏珪到皇城司审讯此案,逮捕宦官、宫妾近三十人,百般拷问,肢体伤残,甚至有割断舌头的。狱案审结,命令侍御史董敦逸复审,犯人被押到公堂,仅存气息,没有一人能说出话来。董敦逸拿着笔犹疑不敢决断,郝随等人以言辞相威胁,董敦逸怕灾祸牵连自己,就以上奏文书呈上。乙卯(二十九日),诏令因为皇后孟氏受邪言迷惑,暗中使用邪媚之道,废去皇后在瑶池宫居住,称号为华阳教主、玉清妙静仙师,法名冲真。

当初,章惇诬蔑宣仁有废皇帝另立的计划,因为皇后是宣仁所立的,想废掉她,又暗中依附刘婕好,要请求立为皇后,与郝随制造了这个狱案,没有人敢提出不同意见。已经交付三省、枢密院执行法令,章惇召集李清臣、曾布、许将、蔡卞以及刑部官员徐铎等讨论。有人提出不能处以极刑,曾布告诉执法官只应当遵照法令,而且说:"有驴媚蛇雾的伎俩,这还不成吗?"众人都惊惧。执法官就决议王坚等三人都处死。

殿中侍御史陈次升说:"所处理的狱案,不经过主管官员,虽然听说追查核验证据,而秘密行事,朝廷的大臣,还不知道,一般士人百姓惶惑不解,更不足为怪。臣认为从来审理案件,都是交付外廷审理,没有宫内自行处治,轻重交给宦官决定的。陛下只看见文书列出的情况,怎知罪情的真假!万一冤枉不实,就给天下后世的人讥笑。想请求陛下亲自挑选朝廷的侍从或台谏官员中公正没有什么阿附的人,专门设置审察院,另外审理,以得到真实情况。"不予答复。

之后董敦逸也说:"皇后被废掉,事出有因,情有可察。诏令下发的当天,天空为之阴暗,这是上天不想废掉皇后;人们为此流泪,这是人心不想废掉皇后。臣曾经复审此案,恐怕因此得罪天下后世。"皇帝发怒,蔡卞想重加贬谪,章惇、曾布说:"陛下本来因为皇城狱案是按近世习惯处治的,所以命令董敦逸审问;现在却贬谪审问官员,怎么取信朝廷内外!"才作罢。时间长了皇帝也后悔此事,说:"章惇坏了我的名节。"

冬季,十月,丁巳朔(初一),因为楚荣王表未出服期,停止文德殿的朝会。

任命监江宁府税张商英暂代知洪州。

任命正字邓洵武为《神宗正史》编修官。邓洵武,是邓绾的儿子。

壬戌(初六),西夏人大举入侵鄜延。戊辰(十二日),诏令边境各路检查城寨的要害,严加守备。

辽国主驻扎在藕丝淀。

辛未(十五日),西南方有打雷的声音,接着下大冰雹。

癸酉(十七日),钟传报告修筑汝遮城,诏令命名为安西城。

庚辰(二十四日),高丽派遣使臣向辽国进贡。

甲申(二十八日),任命知大名府吕惠卿知延安府。

本月,西夏兵从长城一天奔驰到金明寨,绕城列阵,西夏国主李乾顺和他的母亲亲临击鼓,放纵骑兵四处抢掠。知道麟州有防备,又回到金明寨,后来骑兵的精锐留在龙安。边防将官全军抗击,敌人不退,金明城就被攻破。守兵二千八百人中,只有五人得以逃脱,城中粮草都没有了,将官皇城使张俞战死。已退兵,留下一封信放在汉人的脖子上说,放你一条命,以送信到经略使那里。"信中说:"夏国前与你朝的疆界划分有所不同,正要论理考究;不想你朝翻悔,却在坐团铺处立界,本国因为恭顺的缘故,也尽量听从,就在境内设立数个堡寨以保护耕种;而鄜延路出兵全部扫平,又数次入境杀人抢掠。国人都很愤怒,要攻取延州,最后因为恭顺,只攻取一个金明寨以显示兵势,也不失作臣子的礼节。"延州统领吕惠卿上报枢密院,枢密院却没有奏报皇上。

知延安府吕惠卿请求按照吕大防的先例,暂时赴朝廷奏报事情,章惇对曾布说:"边境事情刚了结,可以说是不知缓急。"李清臣说:"这必定有夺取权柄的意思,或者恐怕有引用人来代替的,我们这些人危险了。"曾布说:"这些不须考虑,权柄岂是容易夺取的!"十一月;癸巳,进呈给皇上,皇帝说:"吕惠卿如何能来?"众人都说没有来的理由。于是下诏阻止他说;"如有陈述,逐条写出上报。"

丁未(二十一日),章惇呈上重新编修的《神宗实录》。

十二月,己未(初三),辽国招讨使额特勒讨伐准布别部,攻破他们。

辛酉(初五),济阳郡王赵宗景,因为纳妾欺上获罪,罢免开府仪同三司,判大宗正司事。

壬戌(初六),辽国南府宰相图噜干退休。癸亥(初七),任命萧托卜嘉为北府宰相,任命耶律大悲努为殿前都点检。

甲戌(十八日),蔡京呈上新修《太学敕令式》。

乙亥(十九日),西夏国派遣使臣向辽国进献金明的俘虏。

辽国生女直节度使英格,是节度使颇拉淑的母亲的弟弟。颇拉淑死后,英格继任,任命哥哥和哩卓的儿子萨哈为国相。这一年,赫舍哩部阿苏、穆都哩出兵阻止作难,英格亲自前往讨伐他们。阿苏向辽告状,辽国派遣使臣阻止英格不要攻打,英格留萨哈守阿苏城而返回。碰上了阿阇版等阻挡五国捕鹰路线,捉住杀掉辽国捕鹰使者,辽国诏令英格讨伐他们。阿阇版等据守险要建立栅栏,正值严寒,就招募善于射箭的人,揉制强弓利箭攻打他们,数天后,攻入城栅,救出辽国使者数人,让他们回到辽国。英格的哥哥的儿子阿古达,善于射箭,有大的志向。辽国大国舅帐萧谐里聚众为盗,有数千人,投奔女直,拉英格作乱,就命令英格设法消灭他。英格杀掉谐里,派阿古达向辽国进献首级。其余都留下不遣返。辽国人无可奈何,就进升英格和阿古达的官职以抚慰他们。

续资治通鉴卷第八十五

【原文】

宋纪八十五　起强圉赤奋若【丁丑】正月,尽著雍摄提格【戊寅】十二月,凡二年。

哲宗宪元继道显德定功　钦文睿武齐圣昭孝皇帝

绍圣四年　辽寿昌三年【丁丑,1097】　春,正月,丙戌朔,班内外学制。

丁亥,辽主如春水。

庚寅,以阿里骨子辖戬袭河西军节度使邈川首领。辖戬,即溪邦彪篯也。

甲午,泾原路钤辖王文振败夏人于没烟峡。

壬寅,辽乌库节度使耶律慎嘉努以功加尚书右仆射。

癸卯,辽主驻双山。

丙午,诏:"应绍圣二年十二月十五日类定姓名责降人子孙弟侄,各不得住本州;其邻州内子孙,仍并与次(路远)〔远路〕分合入差遣,已授未赴并见任人并罢。"

庚戌,李清臣罢知河南府。帝幸楚王似第,有狂妇人遮道叫呼,告清臣谋反,乃清臣姑子田氏外妇也。清臣不能引去,御史劾免之。

二月,丙辰朔,辽南京水,遣使赈之。

丙午,准布部长请旧地,贡方物,辽主许之。

丁巳,资政殿学士、提举崇禧观王存,表乞致仕,诏许之,薄其荫补恩例,言者指存元祐之初论事附会故也。

己未,三省言:"司马光、吕公著诋毁先帝,变更法度,罪恶至深,及当时同恶相济、首尾附会之人,偶缘身死,不及明正典刑,而亡没之后,尚且优以恩数及其子孙亲属,与见存者罪罚未称,轻重不伦。至于告老之人,虽已谢事,亦宜少示惩沮。"于是下制,追贬吕公著为建武军节度副使,司马光为清海军节度副使,王岩叟为雷州别驾,夺赵瞻、傅尧俞赠官,追韩维子孙亲属所得荫补恩例,孙固、范百禄、胡宗愈各与恩例两人,馀悉追夺。

初,议再贬光、公著等,曾布谓章惇、蔡卞曰:"追夺恩泽,此例不可启。异时奸人施于仇怨,则吾辈子孙皆为人所害矣。"惇曰:"彼已死,虽鞭尸何益,追削何补!不若夺其恩例乃实事。"布又曰:"不若止治其渠魁为便。"惇曰:"范百禄、胡宗愈之徒,亦无显恶,姑置之。"布曰："韩维在政府不久,又与众不合而去,恐亦无它。"惇曰："与光倡和者,正此人也。"布反复甚久,卞曰："亦有可议。"唯许将默无一言,布疑将以元祐为嫌,故尔。

壬戌,罢夔州路提举常平张竞辰,以御史蔡蹈言其谄事吕大防、苏轼故也。竞辰,蜀人,王安国女婿,与曾布有连,其得提举官,布实荐之章惇。而蔡卞以竞辰尝忤其妻,最恶竞辰,亟罢之。

丙寅,夏人寇绥德城。

己卯,复元丰榷茶法。

庚辰,追夺赵瞻、傅尧俞谥告。

诏罢《春秋》科。

三省言："近降指挥,以司马光等各加追贬,其首尾附会之人,亦稍夺其所得恩数。谨按吕大防、刘挚、苏辙、梁焘等,为臣不忠,罪与光等无异,顷者朝廷虽尝惩责,而罚不称愆;内范纯仁又自因别过落职,于本罪未尝略正典刑。轻重失当,生死异罚,无以垂示臣子万世之戒。其馀同恶相济、幸免失刑者尚多,亦当量罪示惩。"癸未,制："吕大防责授舒州团练副使,循州安置;刘挚责授鼎州团练副使,新州安置;苏辙责授化州别驾,雷州安置;梁焘责授雷州别驾,化州安置;范纯仁责授武安军节度副使,永州安置。刘奉世、韩维、王觌、韩川、孙升、吕陶、范纯礼、赵君锡、马默、顾临、范纯粹、孔武仲、王汾、王钦臣、张耒、吕希哲、吕希纯、吕希绩、姚勔、吴安诗、晁补之、贾易、程颐、钱勰、杨畏、朱光庭、孙觉、赵卨、李之纯、杜纯、李周等三十一人,或贬官夺恩,或居住安置,轻重有差。其郴州编管秦观,移送横州。"大防等责词,皆叶涛所草也。

甲申,太师、致仕文彦博,特降授太子少保、致仕。

闰月,丙戌朔,诏文彦博诸子并令解官侍养,司马康追夺赠官。

帝以张天说所进书,立意狂妄,诋讪先帝,送开封府取勘。开封府言天说上书诋讪,情不可恕,诏特处死。

观文殿学士、知定州韩忠彦,降充资政殿学士,以中书舍人蹇序辰论其忘恩附奸,毁訾先帝故也。

诏："上清储祥宫御篆碑文,苏轼所撰,已令毁弃,宜使蔡京撰文并书。"

壬辰,诏："通州居住王觌,改送袁州;孔文仲、鲜于侁、吴处厚,亦各追贬。"

郑雍落资政殿学士,安焘落观文殿学士,差遣如故,用蹇序辰之言也。

壬寅,以曾布知枢密院事,许将为中书侍郎,蔡卞为尚书左丞,吏部尚书黄履为尚书右丞,翰林学士林希同知枢密院事。

章惇之初拜相也,曾布在翰林,草惇制词,极其称美,望惇用为同省执政;惇忌之,止拜同知枢密院。故事,枢密日得独对。惇疑布,更引林希同知枢密院,使察之。希寻为布所诱,亦背惇。布与惇益不合,卒倾惇,居其位。

癸卯,大雨雹,自辰至申。

甲辰,诏："宁远军节度副使、惠州安置苏轼,责授琼州别驾,移送昌化军安置;贺州安置范祖禹,移送宾州;英州安置刘安世,移送高州。"昌化,故儋耳地。轼初至,僦官屋以居,有司犹谓不可,轼遂买地筑室,儋人运甓畚土以助之。独与幼子过处,著书为乐,若将终身焉。

三月,辛酉,辽以燕国王延禧生子,迁妃父之官,仍赐官属钱。

壬戌,夏人犯麟州神堂堡,出兵讨之,进筑胡山砦。

癸亥,赐礼部奏名进士新淦何昌言等及诸科及第、出身共六百九人。

是日,未启封,读程文至第四人,才读数百字,曾布、蔡卞俱云:"文字显不如第三,恐不须读。"启封,乃章惇之子持也。至第五人,帝宣谕曰:"对策言先朝法度当损益,恐无可降之理。使先帝在位至今,亦当随宜损益。"承旨蔡京进曰:"先帝则当损益,陛下方绍述先志,不当损益。"布曰:"恐无此理。"帝顾卞曰:"如何?"卞曰:"不知欲何如损益?"京曰:"但言事当损益者,不可不损益。"布曰:"如此乃是。"卞亦默然。帝曰:"更不须降。"然卒降为第七。及启封,则李元膺,乃察之子也。

后五日,布同林希言:"前侍集英,放进士,因言及损益先朝法度事,未敢极陈。时变有所不同,人情有所不便,岂得不损益!如此,则是胶柱而鼓瑟也。况即今行保甲,如先朝团教事,皆未敢行。三省行八路差官法,累经修改,未如旧法。凡此之类,岂非损益?"帝曰:"但不失大意可矣。"布曰:"今在朝之人,设此网罟以为中伤罗织之术,凡有人言及政事,便以为非毁先朝,因此斥逐者不一,愿陛下更加审察。"希所陈略如布指,帝颇欣纳。布又言:"第二人方天若程文中,言元祐大臣当一切诛杀,子弟当禁锢,资产当籍没,此奸人附会之言,不足取。"帝曰:"只是敢言。"布曰:"此有所凭恃,非敢言也。天若乃蔡京门客,故为此言。"帝颔之。天若,兴化人也。

丁卯,诏泸南安抚司、南平军毋擅诱杨光荣献纳播州疆土。

庚午,夏人大至葭芦城下,知(右)〔石〕州张构等击走之。

甲戌,幸金明池。

丙子,克(湖)〔胡〕山新砦成,赐名〔平〕羌砦。

辛巳,西上阁门使折克行破夏人于长波川,斩首二千馀级,获牛马倍之。

壬午,中书舍人、同修国史蹇序辰言:"前日追正司马光等罪恶,实状具明,乞选官将奸臣所言所行事状,并取会编类,人为一本,分置三省、枢密院,以示天下后世之大戒。"从之。章惇、蔡卞请命序辰及直学士院徐铎主其事。由是搢绅之祸,无一得脱者。

是春,高丽王昱殂。

夏,四月,(甲午)〔乙未〕,以校书郎陈瓘通判沧州。

曾布、林希言瓘登高(料)〔科〕,不宜补外,帝曰:"章惇亦云瓘当作馆阁。但议论乖僻,故止。"布曰:"瓘不见其乖僻,但议论诋訾蔡卞尔,它无所闻。"希曰:"瓘尝为越州签判,与卞论事不合,遂拂衣去。然人材实不可得。"布曰:"主张士类,正在陛下,愿少留圣意。"帝欣然纳之。初,瓘为太常博士,时薛昂、林自乞毁《资治通鉴》;瓘因策士,题引神宗所制序文以问,二人议沮,遂得不毁。

熙河筑金城关。

丁酉,进编臣僚章疏一百四十三帙。

己亥,舒州团练副使、循州安置吕大防卒。大防赴循,至虔州信丰而病,语其子景山曰:"吾不复南矣。吾死,汝归,吕氏尚有遗种。"遂卒,年七十一。其兄大忠请归葬,许之。

大防身长七尺,声音如钟。自少持重,无嗜好,过市不左右游目,燕居如对宾客。每朝会,威仪翼如,神宗常目送之。与大忠及弟大临同居,论道考礼,冠昏丧祭,一本于古,关中言礼乐者推吕氏。

庚子,知保安军李沂伐夏国,破洪州。

辛丑,追贬吕公著昌化军司户参军,司马光朱崖军司户参军。

先是邢恕为章惇言:"元丰八年,神宗晏驾,三月二十七日,范祖禹自西京赴召,司马光送别,谓祖禹曰:'方今主少国疑,宣训事不可不虑。'"宣训者,北齐武明娄太后宫名也。娄太后废其孙少主殷,立其子常山王演。恕诬宣仁有废立意,又伪造光此言以信己谗。然祖禹以七年冬末赴召,虽惇亦知其妄,故不复穷究,但借此以罪光耳。惇尝称司马光村夫子,无能为;吕公著素有家风,凡变改法度,皆公著教之,故亦累加追贬。

壬寅,诏:"范纯仁元祐四年罢相恩例不追夺,并给还。王岩叟依例追夺。"又诏:"赵禼历任职名及赠官,亦行追夺。更有似此者,依此施行。"因吏部、刑部有请也。

环庆钤辖张存入盐州,俘戮甚众。及还,夏人追袭之,复多失亡。

知渭州章楶,以夏人猖獗,上言城葫芦河川,据形胜以逼夏,朝廷许之。遂合熙河、秦凤、环庆、鄜延四部之师,阳缮理它砦数十所以示怯,而阴具版筑守战之备,出葫芦河川,筑二砦于石门峡江口好水川之阴。夏人闻之,帅众来袭,楶追击,败之。二旬有二日,城成,甲辰,赐名曰平夏城、灵平砦。章惇因请绝夏人岁赐,而命沿边诸路相继筑城守要害,以进拓境土,凡五十馀所。

诏成都府路产茶州军复行禁榷。

丁未,三省言:"元丰八年二月二十九日,御史中丞黄履言:'访闻两府大臣尝议奏请皇子就傅、建储事,王珪辄语李清臣云,彼家事,外庭不当与知,蔡确、章惇闻之,对众穷其所立。珪不得已,方云上自有子,确、惇乃宣言于众,其议遂定。臣又闻珪阴交高遵裕,尝招其子士充传达语言。臣伏思陛下以槐位处珪,以鼎铼养珪,凡十有六年。今圣躬偶感微疹,而珪已怀二心,何以惩劝天下!'至三月初,履又言:'臣论王珪议储之事,果合于义,珪不可以无罪;不然,则臣亦当有责,伏望早赐指挥。'又,绍圣二年十一月,右正言刘拯言:'王珪持二心为奸,其卒也,恩礼甚厚;蔡确定策受顾命,辅翼陛下,而挤死投窜之地。功罪不明,孰大于此?伏望究珪之罪,录确之功。'又今年二月,西京副将高士京进状称:'先臣遵裕,当先帝服药危疑之际,有故宰相王珪召臣亲弟承议郎士充密议,取决于先臣,欲知皇太后意所欲立。先臣大怒曰:'国家自有正统,何决于我!'因叱骂士充曰:'敢再往,即杖汝死!'有此忠义,不获伸诉,乞详酌优赐褒赠。'又,给事中叶祖洽言:'当先帝违豫,臣适在朝廷,亲闻士论籍籍罪珪。'伏乞特下有司,正珪之罪。"于是诏:"珪遗表恩例并行追夺,所赐宅拘收入官,追贬珪万安军司户参军。"

帝之嗣位，邢恕与蔡确阴有异意，确死贬所，恕亦斥不用，日夜图报复。黄履旧与恕相得，恕诬谤宣仁，履与其谋。元丰八年二月三日章疏，乃追为之，非当日所奏也。高士京者，遵裕假子，尝与恕同官。士京庸暗，恕一日置酒，从容谓士京曰："公知元祐间独不与先公推恩否？"士京曰："不知。"又问："有兄弟否？"士京曰："有兄士充，已死。"恕曰："此乃传王珪语言者也。当是时，王珪为相，欲立徐王，遣公兄士充传道语言于禁中，知否？"士京曰："不知。"因诱士京以官爵，曰："公不可言不知，当为公作此事，第勿语人。"因令所亲信王域为士京作奏上之，珪由是得罪。

己酉，复文德殿侍从转对。

辽南府宰相赵廷睦〔出〕知兴中府；参知政事牛温舒兼同知枢密院事。

五月，丁巳，太子少保致仕潞国公文彦博卒，年九十二。

彦博逮事四朝，任将相五十年，名闻四夷。元祐间，契丹使耶律永昌、刘霄来聘，苏轼馆客，与使人觌，望见彦博于殿门外，却立改容曰："此潞公邪？"问其年，曰："何壮也！"轼曰："使者见其容，未闻其语。其综理庶务，虽精练少年有不如；贯穿古今，虽专门名家有不逮。"使者拱手曰："天下异人也！"

辛酉，以皇太妃服药及亢旱，决四京囚。

壬戌，诏陕西添置蕃落马军十指挥。

癸亥，辽西北路招讨使额特勒讨准布，破之。

己巳，辽主驻萨里纳。

辛未，诏榜示朝堂曰："朕获承先构，永惟休烈盛美，欲以昭示万世。而顷遭群奸逞憾，力肆诋排，政事人材，废毁殆尽，思与卿士大夫共承厥志。念今在廷之臣，乃阴怀私恩，显废公议，以奸臣所斥逐为当罪，所变更为得宜，以先帝所建立为不然，所（哀）〔褒〕擢为非当，借誉馀党，幸复甄收，扇为是非不定之论，欲开善否更用之端。朕察言观事，灼见邪心，欲正典刑，当申儆戒，其或怙终，必罚无赦！"

元祐初，章惇争论役法札子，有云："役法可以缓改，非如京东铁马、福建茶盐，不改一日则有一日之害也。"及蔡卞与蹇序辰谋共作诏榜，虑惇不从，乃持惇元祐札子以胁之曰："若谓吴居厚京东所行非是，则先帝褒诏亦非是矣。"惇嗫不能语，于是从序辰所请降诏榜云。

太子少保致仕韩缜卒，赠司空，谥庄敏。缜出入将相，寂无功烈，厚自奉养，世以比晋何曾。

丁丑，三省言："韩维朋附司马光，最为尽力。"诏维责授崇信军节度副使，筠州居住。时年八十一，诸子乞尽纳己官，听父里居，且告章惇云："父执政，与光议论多不合。"故得旨免行。

六月，癸未朔，日有食之。

甲申，辽主命罢诸路驰驿贡新。

丙戌，辽主命每冬驻跸之所，宰相以下构宅，毋役其民。

戊子，嗣濮王宗楚卒，以其弟宗祐嗣。

丙申，诏："翰林学士、吏部尚书各举监察御史二人。"

丁酉，环庆路安疆砦成。

甲辰，熙河进筑青石峡，工毕，诏赐人役及防拓军兵缗钱有差，寻赐名西平。

乙巳，保宁军观察留后宗汉为开府仪同三司，徙封安康郡王。

己酉，太原地震。

庚戌，辽以契丹行宫都部署耶律鄂嘉为南院大王。

秋，七月，〔壬子朔〕，太白昼见。

辽主猎于黑岭。

八月，乙酉，封世开为安定郡王。世开，燕懿王德昭曾孙也。

丙戌，鄜延将王愍复宥州。

丁酉，诏以蔡确无辜贬死，弟除名勒停；又，前朝奉郎硕，特与叙换内殿崇班。

确子少府监主簿渭奏："臣叔父硕，曩于邢恕处见文及甫元祐中所寄恕书，具述奸臣大逆不道之谋。及甫乃彦博爱子，必知当时奸状。"诏翰林学士承旨蔡京、权吏部侍郎安惇即同文馆究问。初，及甫与恕同为馆职，相善，其与恕书，自谓"毕禫当求外，入朝之计未可必，闻已逆为机阱以榛梗其涂。"又谓"司马昭之心，路人所知，济之以粉昆，朋类错立，欲以眇躬为甘心快意之地。"及甫尝语蔡硕云，司马昭指刘挚，粉昆指韩忠彦，眇躬及甫自谓。盖俗谓驸马都尉曰粉侯，而韩嘉彦尚主，故指其兄忠彦为粉昆。朋类错立，谓王岩叟、梁焘也。及甫除都司，为挚论列；又挚尝论彦博不可除三省长官，故止为平章事。彦博致仕，及甫以修撰守郡。母丧除，及甫与恕书请补外，肆为诋毁之辞。恕以此书与渭，使诉其事。及置对，及甫为京、惇所胁，即妄自解释，唯以昭比挚如旧，而眇躬乃以为指上，粉昆指王岩叟、梁焘。岩叟面如傅粉，故曰粉；焘字况之，以况为兄，故曰昆也。又言"父彦博临终，屏左右，独告以挚等将谋废立，故亟欲彦博罢平章重事。"问其证验，则俱无有。确母明氏，常有状诉邢恕，云梁焘尝对怀州致仕人李(询)〔洵〕言，若不诛确，则于徐邸安得稳便！朝廷封其状，不为施行。至是渭以告章惇，惇遂检明氏状进呈，并付京、惇追问。(询)〔洵〕依违以答，亦无证验。

戊戌，筑威戎城。

己酉，彗出西方。九月，壬子，以星变，避殿，减膳，罢秋宴，诏求直言。

乙卯，赦天下。出元丰库缗钱四百万，付陕西广籴。

丙寅，诏蹇序辰及入内内侍省使臣一员同审问文及甫事，从蔡京请也。

戊辰，彗灭。

壬申，辽主驻藕丝淀。

丙子，御殿，复膳。

丁丑，辽以武定军节度使梁援为汉人行宫都部署。

戊寅，辽招讨使额特勒奏讨默埒济之捷。

己卯，封婉仪刘氏为贤妃。

五国部长贡于辽。

冬,十月,乙酉,诏:"郑雍(及)〔依〕吕大防等〔指挥〕,永不〔得〕引用期数及赦恩叙复。"从三省言也。

壬寅,以权吏部尚书兼侍读邢恕为御史中丞。

庚戌,辽以西北路招讨使额特勒为南府宰相。

十一月,乙卯,富勒摩多部贡于辽。

戊午,辽以安车召医巫闾山僧志达。

辽主好佛法,能自诵其书,每夏季辄令诸京僧徒及其群臣执经亲讲,所在修盖寺院,度僧甚众。僧徒纵恣,放债营利,侵夺小民,民甚苦之。

己未,辽以中京留守韩资让知枢密院事,以同知枢密院事药师努知右伊勒希巴。

丁卯,诏:"谏议大夫以上各举监察御史一人。"

癸酉,诏:"中大夫、郴州安置刘奉世,责授隰州团练副使,弟知常州当时,差监南岳庙。"以邢恕言其阴合刘挚倾害蔡确故也。

丁丑,诏:"程颐涪州编管。"坐与司马光同恶相济也。李清臣尹洛,即日迫遣之。

先是帝与辅臣语及元祐事,曰:"程颐妄自尊大,至欲于延和讲说,令太母同听。在经筵多不逊。虽已放归田里,可与编管。"遂有涪州之命。

颐编管盖林希力,希意邢恕必救颐,则因以倾恕。恕与希曰:"便斩颐万段,恕亦不救。"闻者笑之。

是日,雷州别驾、化州安置梁焘卒。

焘自立朝,一以拔引人物为意,在鄂作《荐士录》,具载姓名。客或见其书曰:"公所植桃李,乘时而发,但不向人开耳。"焘笑曰:"焘出入侍从,位至执政,八年之间所荐,用之不尽,负愧多矣!"

十二月,癸未,鼎州团练副使、新州安置刘挚卒。

先是蔡京、安惇共治文及甫事,将大有所诛戮。会星变,帝谕曰:"朕遵祖宗遗志,未尝诛杀大臣,刘挚等可释勿治。"然京、惇极力锻炼不少置,而焘先卒;后七日,挚亦卒。众皆疑两人不得其死。

挚教子弟,先行实而后文艺,每曰:"士当以器识为先,一号为文人,无足观矣。"

乙酉,侍御史董敦逸,坐奏事不实,贬秩,知兴国军。

乙未,诏:"郑佑、李(仲)〔仲〕各迁一官。"赏回河功也。又诏:"首建言及主议回河者,郭知章、李伟、王孝先各迁一官,王令图赠左中散大夫。"

丁酉,诏秘阁校理刘唐老落职,监桂阳监税务。以唐老元祐奸党,故有是命。

甲辰,涪州安置黄庭坚移戎州,避部使者亲嫌也。

是岁,两浙旱饥,诏行荒政,移粟赈贷。

播州夷杨光荣等内附。

元符元年 辽寿昌四年【戊寅,1098】 春,正月,壬子,辽主如鱼儿泺。

戊午,以右谏议大夫安惇权国子祭酒。

丙寅,咸阳县民段义于河南乡刘银村修舍,得古玉印,有光照室,其文曰"受命于天,既寿永昌",上之。

己巳,辽徙准布贫民于山前。

甲戌,幸瑞圣园,观北郊斋宫。

二月,丙戌,白虹贯日。

壬辰,复罢翰林侍读、侍讲学士。

丙申,诏:"河北路转运副使吕升卿,提举荆湖南路常平等事董必,并为广南东、西路察访。"

蔡京等究治同文馆狱,卒不得其要领,乃更遣二人岭外,谋尽杀元祐流人。时朝廷犹未知刘挚、梁焘之死;已而知之,二人并罢。

(丁酉),嗣濮王宗祐卒,以其弟宗汉嗣。

戊申,知兰州王舜臣讨夏人于塞外。

筑兴平城。

三月,壬子,命三省、枢密(使)〔院〕三岁一试刑法。

丙辰,米脂砦成。

丁巳,五王外第成,赐名懿亲宅。

戊午,三省言究治前皇城使张士良辞服。

士良以御药院官给事宣仁圣烈皇后,与陈衍更直宫中,掌文书,其所从违某事,皆衍辄自予夺颁降,未尝以闻。间有臣僚奏请东朝还政者,衍匿其奏,置柜中,不以闻东朝,亦不以闻于帝。于是蔡京、安惇言:"司马光、刘挚、吕大防等,交通中人张茂则、梁惟简、陈衍之徒,猎取高位,尽变先帝成法。深惧陛下一日亲政,则必有欺君罔上之刑,乃回顾却虑,密为倾摇之计。于是疏隔两宫,及随龙内侍十人悉行放罢,以去陛下之腹心;废受遗顾命元臣,置以必死之地,先帝任事之臣,无一存者,以翦陛下之羽翼。大逆不道,死有馀责。陈衍罪在不赦,亦乞更赐审问,正以国法。"诏诛衍于崖州,徙士良羁管白州。

初,章惇、蔡卞恐元祐旧臣一旦复起,日夜与邢恕谋所以排陷之者。既再追贬吕公著、司马光,又责吕大防、刘挚、梁焘、范祖禹、刘安世等过岭,意犹未慊,仍用黄履疏高士英状,追贬王珪,皆诬以图危上躬。其言浸及宣仁皇后,帝颇惑之。最后起同文狱,将悉诛元祐大臣;内结宦者郝随为助,专媒蘖垂帘时事。建言欲追废宣仁,自皇太后、太妃皆力争之,帝感悟,焚其奏。随觇知之,密语惇、卞。明日,惇、卞再有言,帝怒曰:"卿等不欲朕入英宗庙乎!"惇、卞乃已。

张士良者,前窜雷州,惇、卞逮赴诏狱,欲使证宣仁废立。及士良至,以旧御药告,并列鼎镬刀锯置前,谓之曰:"言有即还旧官,言无则死。"士良仰天哭曰:"太皇太后不可诬,天地神祇何可欺也! 乞就戮。"京、惇无如之何,但以陈衍罪状塞诏。宣仁废立之议,由是得息。

乙丑,诏蔡京等辨验段义所献玉印,京目为秦玺,遂名曰"天授传国受命宝"。

戊辰,吏部郎中方泽等坐私谒后族宴聚,罚金补外。

庚午,辽主如春州。

帝幸申王府。辛未,幸端王府。甲戌,进封咸宁郡王俣为莘王,普宁郡王似为简王,祁国公偲为永宁郡王。

丙子,筑熙河通会关。

夏,四月,庚辰,安定郡王世开卒。

甲申,幸睿成宫及莘王、简王府。

丙戌,章惇等进《神宗帝纪》。

诏:"梁焘不许归葬,家属令昭州居住。"

壬辰,同知枢密院事林希罢知亳州,御史中丞邢恕罢知汝州。希既叛章惇,至是恕论希罪,惇因并去之。

丙申,建显谟阁,藏《神宗御集》。

(丁酉),诏权礼部尚书蹇序辰兼侍读。

庚子,幸睿成宫。

辛丑,辽主以雨罢猎。

壬寅,学士院上《宝玺灵光翔鹤乐章》。

癸卯,诏学官增习两经。

五月,戊申朔,御大庆殿,受"天授传国受命宝",行朝会礼。

己酉,班德音于天下,减囚罪一等,杖以下释之。

蔡京治同文狱毕,言刘挚等有司马昭之心,为同时之人所发,乞正典刑以及其子孙。三省进呈。辛亥,诏:"刘挚、梁焘,据文及甫等所供语言,偶逐人皆亡,不及考验,明正典刑。挚、焘诸子并勒停,永不收叙,仍各令于元指定处居住。"

以给事中徐铎为吏部侍郎。

癸丑,以受宝恭谢景灵宫。

庚申,诏献宝人段义为右班殿直,赐绢二百匹。

癸酉,辽乌尔古德啰勒部统军使诺延奏北边之捷。诺延为统军,边境以宁。其后部民乞留,辽主许再任。

甲戌,辽主驻萨里纳。

六月,戊寅朔,诏改元。

夏遣使求援于辽。

丙戌,遣官分诣鄜延、泾原、河东、熙河按验所筑城砦。

丁亥,辽以辽兴军节度使尼哩为特里衮,以前知特里衮事耶律廓沙为南京统军使。

甲午,翰林学士承旨蔡京等上《常平、免役敕令格式》。

辽以参知政事牛温舒摄中京留守;既而部民诣阙请真授,从之。

壬寅,诏蹇序辰、安惇看详元祐诉理所陈述语言于先朝不顺者职位姓名,别具以闻。序辰初有是请,帝亦厌之。蔡卞劝章惇力使必行,故有是诏。自后缘诉理被祸者凡七八百人,序辰及惇实启之。

秋，七月，庚午，诏："范祖禹移化州安置，刘安世梅州安置，王岩叟、朱光庭诸子并勒停，永不收叙。"

辽主如黑岭。

壬申，京师地震。

时有请以王安石《三经义》发题试举人者，右正言晋陵邹浩言："《三经义》者，所以训经，而其书非经也。以经造士，而以非经之题试之，甚非先帝专任经术之义。"乃止。

八月，丙子朔，熙河兰岷路复为熙河兰会路。□□□□□□□□□□□□。

丁亥，诏："侍从中书舍人以上各举所知二人，权侍郎以上举一人，仍指言所堪职任。"

九月，丁未，以霖雨罢秋宴。

己酉，吏部尚书叶祖洽言："王珪罪恶，比刘挚等最为暴著，今罪罚轻重不侔，何以慰天下公议！"诏："珪诸子并勒停，永不收叙。"

庚戌，横州编管秦观，特除名，永不收叙，移送雷州。

丙辰，朝奉大夫充秘阁校理孔平仲，特落职，送吏部与合入差遣，坐党附元祐用事者非毁先朝所建立也。

（是日）〔丁巳〕，蹇序辰、安惇以诉理事入对。曾布言："此事株连者众，恐失人心。昨朝廷指挥，令言有不顺者具名闻奏，中外皆以为平允，然恐议论者更有所加，愿圣意裁察。臣尝谓诉理之人，本无可罪。今刑部左右两曹，一主断狱，一主叙雪。盖自祖宗以来，凡得罪经断诉雪者，比比而有。但元祐用事之人，特置一司以张大其事，信为可罪，其诉雪者似不足深责。昔真宗践阼，有建议欲放天下欠负者，真宗云：'先帝何以不放？'大臣言：'先帝留此以遗陛下，以固结天下人心。'真宗欣然从之。盖人心不可失也。"帝深纳其言，而序辰及惇所陈已纷纷矣。

右正言邹浩言："初旨但分两等，谓语及先帝并语言过差而已。而今所施行，混然莫辨，以其近似难分之迹，而典刑轻重，随以上下，是乃陛下之威福操柄下移于近臣，愿加省察，以为来事之鉴。"

壬戌，看详诉理所言："郑侠上书谤讪朝政并王安国非毁安石等罪名，元祐初除雪不当。又，王斿、王旊进状内言父安国冤抑未除。"诏："郑侠除名勒停，依旧送英州编管，永不量移。王斿罢京东转运判官，差监衡州盐酒税，王旊监江宁府粮料院。"

冬，十月，乙亥朔，辽主驻藕丝淀。

己卯，辽以南府宰相额特勒兼契丹行宫都部署，以傅导燕国王延禧。

先是南府有讼，各州府得就按之，其后非奉枢密檄，不得鞫问，以故讼者稽留。额特勒奏请如旧制，辽主从之。

甲午，昭州别驾、化州安置范祖禹卒。

祖禹平居恂恂，口不言人过；至遇事，别白是非，不少借隐。在迩英，献纳尤多。尝进《唐鉴》十二卷，深明唐三百年治乱，学者尊之，目为"唐鉴公"云。

乙未,诏武官试换文资。

丁酉,以河北、京东河溢,遣官赈恤。

己亥,诏:"朝散郎汪衍、瀛州防御推官余爽,并除官勒停,永不收叙;衍送昭州,爽送封州编管。"

先是蔡京荐爽,章惇恶之,具言:"元丰末,爽及衍各上书诋诬先朝;爽又元祐中曾上书乞宣仁归政,险诈反覆。"故有是命。

夏人寇平夏城,知渭州章楶御之,获其勇将威明阿密、西寿监军穆尔塔布,斩俘甚众。捷至,帝为御紫宸殿受贺。

楶在泾原久,时夏人肆暴,边吏畏愒,楶上言:"夏人嗜利畏威,不有惩艾,边不得休息。宜稍取其土疆,如古削地之制,以固吾圉;然后诸路出兵,据其要害,不一再举,势将自蹙。"章惇与楶同宗,言多见采,由是创州一,城砦九,屡败夏人,而诸路亦多建城砦以逼夏。及平夏之败,夏人遂不复振。

庚子,中书省言:"元祐初,起居舍人邢恕上书言:'王安石、吕惠卿用事,臣时得召对,先帝询及二人,臣具道安石之短、惠卿之奸,卒见排嫉。'又言:'太皇太后躬亲听断,并用忠良,全去弊蠹,臣于此时首蒙擢右司员外郎职,为宰相属官,与闻政事,臣以谓千载之一时。'又言:'韩维端谅名德,乃与司马光、吕公著一等。'"诏:"邢恕特降授承议郎、知南安军。"

恕始罢中丞,以本官知汝州,居五月,改知应天府。章惇恐恕复用,乃检出恕所上书白帝曰:"邢恕除蔡确一事外,无事不同元祐。"故特责之。

癸卯,驸马都尉张敦礼,坐元祐初上疏誉司马光,夺留后,授环卫官。

诏:"秘阁校理、权知潞州欧阳棐,落职,送吏部与合入差遣。"坐朋附元祐权臣,每希进用也。

十一月,癸丑,三省言:"王巩、张保源,累上书议论朝政,表里奸臣,欲尽变先朝法度。"诏:"巩除名勒停,全州编管;保源特勒停,峡州居住。"

辛酉,夏复遣使求援于辽。

甲子,祀昊天上帝于圜丘,大赦,除元祐馀党及特旨行遣者,并与量移。

十二月,丙子,知淮阳军叶涛,改管句崇禧观,以给事中范镗言其诉理之状,辞情不逊,侵黩先朝故也。

丁丑,以江、淮、荆、浙等路发运副使张商英为集贤殿修撰、江、淮、荆、浙等路发运使。

壬辰,辽为燕国王延禧行再生礼,曲赦三百里囚。

辽国舅详衮萧文知易州兼西南面安抚使。

高阳土沃民富,吏其邑者每黩于货。文始至,悉去旧弊,务农桑,崇礼教。属县有蝗,方议捕除,文曰:"蝗,天灾,捕之何益!"但反躬自责,蝗尽飞去,遗者亦不食苗,散在草莽,为乌鹊所食。时议以文可大用,迁唐古部节度使。高阳勒石颂之。

【译文】

宋纪八十五　起丁丑年(公元1097年)正月,止戊寅年(公元1098年)十二月,共二年。

绍圣四年 辽寿昌三年(公元 1097 年)

春季,正月,丙戌朔(初一),颁布内外学舍条例。

丁亥(初二),辽国主举行春水游猎。

庚寅(初五),任命阿里骨的儿子辖戬袭任河西军节度使邈川首领。辖戬,即是溪邦彪篪。

甲午(初九),泾原路钤辖王文振在没烟峡击败西夏人。

壬寅(十七日),辽国乌库节度使耶律慎嘉努因功加官为尚书右仆射。

癸卯(十八日),辽国主驻扎在双山。

丙午(二十一日),诏令:"所有绍圣二年(公元 1095 年)十二月十五日编定姓名受贬谪的人的子孙弟侄,都不得在原籍州郡居住;在邻近州郡内居住的子孙,也一并给予到较远的路并行差遣,已经授官未上任及已上任的人一并罢职。"

庚戌(二十五日),李清臣免职改知河南府。皇帝临幸楚王赵似宅第,有疯妇人挡道呼喊,告李清臣谋反,是清臣姑姑的儿子田氏的外妾。李清臣不愿引咎辞职,御史官员弹劾免了他的职务。

二月,丙辰朔(初一),辽国的南京发水灾,派使臣前往赈济。

丙午(初三),准布部长官请求归还过去的地方,进贡给土产,辽国主答应了。

丁巳(初二),资政殿学士、提举崇禧观王存,上表请求退休,下诏批准,降低了他荫庇补官恩赏待遇,是因为言官指责王存在元祐初年议事附和的缘故。

己未(初四),三省说:"司马光、吕公著诋毁先帝,变更法度,罪恶极大,至于当时同恶相助、互相附会的人,偶然死去,没有给予依法处理,而死亡之后,还给他们的子孙亲属以恩赏优待,与活着的人受的处罚不相称,轻重不同。至于告老退职的人,虽然已不理事,也应略示惩处。"因此下制书,追贬吕公著为建武军节度副使,司马光为清海军节度副使,王岩叟为雷州别驾,剥夺赵瞻、傅尧俞赠给的官爵,追夺韩维子孙亲属所得到的荫庇补官恩赏待遇,孙固、范百禄、胡宗愈各给两人恩赏待遇,其余都追夺。

当初,商议再贬司马光、吕公著等人,曾布对章惇、蔡卞说:"追夺恩遇,这个先例不能开。他日奸邪的人也施展怨恨,那么我们这些人的子孙都被他们害了。"章惇说:"他们已经死了,即使鞭尸又有什么益处,追夺官职何补于事!不如夺去他们的恩赏待遇倒是实际的。"曾布又说:"不如只处治他们的首领更简单。"章惇说:"范百禄、胡宗愈这些人,也没有明显的恶行,可暂时放下。"曾布说:"韩维在宰相府时间不长,又与众人意见不一致而离职,恐怕也没有别的事。"章惇说:"与司马光唱和的,正是这个人。"曾布反复说了很久,章惇说:"也还可以再议。"只有许将沉默不发一言,曾布怀疑他以元祐之事为忌讳,所以这样。

壬戌(初七),罢免夔州路提举常平官张竞辰,是因为御史蔡蹈说他谄媚吕大防、苏轼的缘故。张竞辰,蜀地人,是王安国的女婿,与曾布有关系,他得到提举职位,实际上是曾布向章惇推荐的。而蔡卞因为张竞辰曾触犯他的妻子,最厌恶张竞辰,马上罢免了他。

丙寅(十一日),西夏人侵犯绥德城。

西湖胜景

己卯(二十四日),恢复元丰榷茶法。

庚辰(二十五日),追夺赵瞻、傅尧俞谥号文告。

下诏取消《春秋》科考试。

三省说:"近来降下指挥文书,将司马光等人各加追贬,那些互相依附的人,也稍剥夺他们所得到的恩赏。谨考察吕大防、刘挚、苏辙、梁焘等人,为臣不忠,罪过与司马光等没有差别,先前朝廷虽曾惩处,而罚不抵罪;其中范纯仁又因为别的过失免职,对于本罪不曾依法处置。处理轻重不适当,活着的与死了的处罚不同,不能向臣子展示作为永久的鉴戒。其他同恶相济、侥幸免去刑罚的还很多,也应当量罪处罚。"癸未(二十八日),下制命:"吕大防责罚授予舒州团练使,循州安置;刘挚责罚授予鼎州团练副使,新州安置;苏辙责罚授予化州别驾,雷州安置;梁焘责罚授予雷州别驾,化州安置;范纯仁责罚授予武安军节度副使,永州安置。刘奉世、韩维、王觌、韩川、孙升、吕陶、范纯礼、赵君锡、马默、顾临、范纯粹、孔武仲、王汾、王钦臣、张耒、吕希哲、吕希纯、吕希绩、姚勔、吴安诗、晁补之、贾易、程颐、钱勰、杨畏、朱光庭、孙觉、赵卨、李之纯、杜纯、李周等三十一人,或者贬官职夺恩赏,或者居住安置处理,轻重不等。郴州编管的秦观,移送到横州。"吕大防等的责罚制词,都是叶涛所草拟的。

甲申(二十九日),太师致仕文彦博,特别降职授予太子少保致仕。

闰月,丙戌朔(初一),诏令文彦博的各个儿子一并解除官职供养,司马康追夺赠予的官职。

皇帝认为张天说所进呈的文书,立意狂妄,诋毁讥讽先帝,送开封府审查。开封府报告张天说上书诋毁讥讽,罪情不可宽容,诏令特别处死。观文殿学士、知定州韩忠彦,降职充任资政殿学士,是因为中书舍人蹇序辰指论他忘恩附奸,诋毁先帝的缘故。

诏令:"上清储祥宫皇帝亲题碑文,是苏轼撰写的,已命令毁弃,应让蔡京撰文并书写。"

壬辰(初七),诏令:"通州居住的王觌,改送往袁州;孔文仲、鲜于侁、吴处厚,也各追贬

1883

官职。"

郑雍免除资政殿学士，安焘免除观文殿学士，差遣照旧，是采纳了塞序辰的进言。

壬寅（十七日），任命曾布为知枢密院事，许将为中书侍郎，蔡卞为尚书左丞，吏部尚书黄履为尚书右丞，翰林学士林希同知枢密院事。

章惇刚任命为宰相时，曾布在翰林院，起草章惇的制命文书，极其赞美，希望章惇任用到同一省执政；章惇顾忌他，只任命为同知枢院。旧例，枢密每天可以独自奏对。章惇疑心曾布，又引用林希同知枢密院，让他监视曾布。林希不久被曾布所罗致，也背叛章惇。曾布与章惇更加不和，最后排挤章惇，夺取了他的职位。

癸卯（十八日），下大冰雹，从辰时下到申时。

甲辰（十九日），诏令："宁远军节度副使、惠州安置苏轼，责罚授予琼州别驾，移送昌化军安置；贺州安置范祖禹，移送宾州；英州安置刘安世，移送高州。"昌化，是过去儋耳那个地方。苏轼刚到时，租官府的房屋居住，主管官员还认为不行，苏轼就买地建房，儋耳人运砖土帮助他。苏轼只与幼子苏过一同生活，以著书为乐趣，好像要终身过下去。

三月，辛酉（初七），辽国因为燕国王耶律延禧生儿子，升迁后妃父亲的官职，并赏赐给属官钱。

壬戌（初八），西夏人侵犯麟州神堂堡，宋出兵征讨，并修筑胡山寨。

癸亥（初九），赐给礼部上奏名单的进士新淦人何昌言等各科及第、出身共六百零九人。

这一天，未开卷封，读试卷到第四人，才读数百字，曾布、蔡卞都说："文字显然不如第三名，恐怕不需要读。"开启卷封，是章惇的儿子章持所写。到第五人，皇帝宣谕说："对策文章中说先朝的法度应当修改，恐怕没有降等的道理。假若先帝在位到今天，也应当根据需要修改。"承旨蔡京就进言说："先帝法度应当修改，陛下刚继承前朝先帝志向，不应当修改。"曾布说："恐怕没有这个道理。"皇帝回头对蔡卞说："怎么样？"蔡卞说："不知要怎样修改？"蔡京说："只是说事情应当修改的地方，不能不修改。"曾布说："这样就对了。"蔡卞也沉默不语。皇帝说："更不用降等了。"然而最后还是降为第七名。等到开启卷封，是李元膺，即李察的儿子所写。

五天后，曾布对林希说："先前在集英殿，决定录取进士，说及修改先朝法度的事情，未敢尽情陈说。时代变化不一样，人心有所不合适，岂能不修改！像那样，是胶柱鼓瑟的做法。况且就是现在实行保甲法，像先朝集合训练的事，都不敢实行。三省推选八路差官法，经过多次修改，也与旧法不同。所有这些，难道不是修改？"皇帝说："只要不改变基本内容就行了。"林希所说的大略与曾布意思相同，皇帝很欣赏地采纳。曾布又说："第二名方天若的试卷中，说元祐大臣应当一律诛杀，子弟应当囚禁，财产应当没收，这是奸人附和的话，不足取。"皇帝说："只是敢讲话。"曾布说："这是有所依仗，不是敢讲话。方天若是蔡京的门客，所以说出这样的话。"皇帝点头同意。方天若，是兴化人。

丁卯（三十日），诏令泸南安抚司、南平军不要擅自诱致杨光荣献纳播州土地。

庚午（十六日），西夏人大批到葭芦城下，知石州张构等打退了他们。

甲戌(二十日),皇帝临幸金明池。

丙子(二十二日),克胡山新寨修成,皇帝赐名平羌寨。

辛巳(二十七日),西上阁门使折克行在长波川击败西夏人,斩首二千余级,缴获牛马还多一倍。

壬午(二十八日),中书舍人、同修国史塞序辰说:"前日追溯处理司马光等人的罪恶,事实、文状都很明白,请选官员将奸臣所说所做的事情,合并编类,每人一本,分别存放在三省、枢密院,以展示给天下后世作为鉴戒。"采纳了这个意见。章惇、蔡卞请求命令塞序辰以及直学士院徐铎主持此事。因此士大夫的灾祸,没有一个能逃脱。

这年春,高丽王王昱去世。

夏季,四月,乙未(十二日),任命校书郎陈瓘通判沧州。

曾布、林希说陈瓘录取名次很高,不应该放外任,皇帝说:"章惇也说陈瓘应当担任馆阁职务。但言论古怪,所以作罢。"曾布说:"陈瓘看不出古怪,只是言辞诋毁蔡卞罢了,其他没有听说。"林希说:"陈瓘曾为越州签判,与下属讨论事情意见不合,就拂袖而去。但是人才实在难得。"曾布说:"主张什么样的读书人,正在于陛下,希望皇上注意。"皇帝欣然采纳。当初,陈瓘担任太常博士,当时薛昂、林自请求毁掉《资治通鉴》;陈瓘借策试的机会,以神宗皇帝所撰的序文出题考问,他们二人的意见于是阻止住了,就得以不毁掉。

在熙河修筑金城关。

丁酉(十四日),编集进呈臣僚章疏一百四十三函。

己亥(十六日),舒州团练使、循州安置吕大防去世。吕大防前往循州,到虔州信丰已病倒,对他的儿子吕景山说:"我不能再往南了。我死了,你回去,吕氏还有后代。"就去世了,时七十一岁。他的哥哥吕大忠请求送回安葬,批准了。

吕大防身高七尺,声音如洪钟。从小稳重,没有癖好,从街上走过不左顾右盼,闲居时如有宾客一样。每当上朝,仪表威严,神宗皇帝常常目送他。与吕大忠以及弟弟吕大临一起生活,议论道理礼仪,加冠、婚、丧、祭礼,一概按古代礼节,关中的人说到讲礼节的首推吕大防。

庚子(十七日),知保安军李沂讨伐西夏国,攻下洪州。

辛丑(十八日),追贬吕公著为昌化军司户参军,司马光为朱崖军司户参军。

此前邢恕对章惇说:"元丰八年,神宗皇帝驾崩,三月二十七日,范祖禹从西京奉召赴京,司马光送别时,对范祖禹说:'现在皇帝年少,国事不明,宣训的事不能不考虑。'"宣训,是北齐武明娄太后后宫的名称。娄太后废掉他的孙子小皇帝殷,立他的儿子常山王演为帝。邢恕诬蔑宣仁皇后有废立皇帝的意思,又伪造司马光的话来证明自己的谗言。范祖禹是在元丰七年冬末奉召进京,即使章惇也知道此言不实,所以不再深究,只借此来给司马光加罪名。章惇曾说司马光是村夫的儿子,没有能力;吕公著素有家学,凡是更改法度,都是吕公著教给他的,所以多次加以追贬。

壬寅(十九日),诏令:"范纯仁元祐四年免除宰相职务的恩赏不追夺,都给予恢复。王岩叟按规定追夺。"又诏令:"赵峣历任官职及赠予的官爵,也给予追夺。再有与此类似的,照此实行。"是因为吏部、刑部有请示的缘故。

环庆钤辖张存攻入盐州，俘获斩杀很多。返回时，西夏人追击他们，又死伤很多。

知渭州章楶，因为西夏人猖獗，进言说在葫芦河川筑城，占据有利地形威胁西夏，朝廷批准了。于是集中熙河、秦凤、环庆、鄜延四部的士卒，表面上修缮其他的寨子数十座以示怯弱，而暗中做准备防守器具，出葫芦河川，在石门峡江口好水川的北面修筑两寨。西夏人听说，率士众来偷袭，章楶追击，打败了他们，过了二十二天，城寨修成，甲辰（二十一日），皇帝赐名为平夏城、灵平寨。章惇于是请求停止给西夏人每年的赏赐，而命令沿边各路相继修筑城寨把守要害，以向外开拓疆土，共修五十余所。

诏令成都府路产茶的州军重新实行专卖禁令。

丁未（二十四日），三省上奏："元丰八年二月二十九日，御史中丞黄履说：'听说尚书省、枢密院两府大臣曾上奏请求让皇子向老师就学以及立皇储的事，王珪就对李清臣说，那是皇帝的家事，宫外不应当知道，蔡确、章惇听说，当众追问所立的人。王珪不得已，才说皇上自有儿子，蔡确、章惇就向众人宣布，意见就定下了。臣又听王珪暗中交结高遵裕，曾招他的儿子高士充传话。臣想陛下以宰相位置对待王珪，以宰相的俸禄养他，共十六年。现在皇上偶染小病，而王珪已怀有二心，这样还怎么惩戒鼓励世人呢！'到三月初，黄履又说：'臣指论王珪提出立皇储的事，如果合于义理，王珪就不能不处罚；不如此，那么臣也有责任，希望早日赐给指示。'另外，绍圣二年十一月，右正言刘拯说：'王珪怀有二心作恶，他死后，恩赏礼遇很多；蔡确制定策略受临终委托，辅助陛下，而被排挤死在贬逐之地。功和罪不分明，哪有比这更大的？希望追究王珪的罪过，记蔡确的功劳。'另外今年二月，西京副将高士京进奏状说：'先父已故大臣高遵裕，在先帝服药病危的时候，故宰相王珪招臣亲弟弟高士充秘密商议，请先父拿主意，想知道皇太后想要立谁。先父大怒说："国家自有规矩，怎么由我决定！"于是骂高士充说："敢再去，就打死你！"先父有这样忠义行为，不得申说，请求仔细考虑给予褒奖赠官。'另外，给事中叶祖洽说：'当先帝病重时，臣正在朝廷，亲自听到大家议论纷纷指责王珪。'请求特别下令主管官员，定王珪的罪行。"因此下诏："王珪遗表恩惠一并追夺，所赏赐的宅第没收入官府，追贬王珪为万安军司户参军。"

皇帝继位，邢恕与蔡确暗中有不同意图，蔡确死于贬逐之地，邢恕也贬斥不用，日夜图谋报复。黄履过去与邢恕相交好，邢恕诬蔑宣仁皇后，黄履参与谋划。元丰八年二月三日章疏，是后来补作的，不是当天所奏的。高士京，是高遵裕的养子，曾与邢恕一同为官，高士京昏庸，邢恕有一天备酒，从容对高士京说："你知道不知道元祐唯独不给你先父恩赏？"高士京说："不知道。"又问道："有兄弟吗？"高士京说："有兄弟高士充，已经死了。"邢恕说："他就是传王珪话的人。当时王珪担任宰相，想立徐王，派你的兄弟高士充向宫禁中传话，知道吗？"高士京说："不知道。"于是以官爵引诱高士京，说："你不能说不知道，我为你做这件事，只是不要对人说。"于是让亲信王械为高士京作奏章呈上，王械因此获罪。

己酉（二十六日），恢复文德殿侍从轮番奏对。

辽国南府宰相赵廷睦出知兴中府；参知政事牛温兼同知枢密院事。

五月，丁巳（初四），太子少保致仕潞国公文彦博去世，时年九十二岁。

文彦博四朝为官，担任将帅、宰相五十年，名闻四方夷族。元祐年间，契丹使者耶律永昌、刘霄探问，苏轼接待客人，使者入朝进见，看到文彦博站在殿门外面，后退站住，面容改变说："这是潞公吗？"问及他的年纪，说："多么健壮啊！"苏轼说："使者只是看见他的面容，没有听到他讲话。他处理事务，即使是精干的少年也不如他；通贯古今，即使是有名的专家也不及他。"使者拱手说："天下的奇人啊！"

辛酉（初八），因为皇太妃服药以及大旱，审决四京的囚徒。

壬戌（初九），诏令陕西路增设蕃部马军十指挥。

癸亥（初十），辽国西北路招讨使额特勒讨伐准布，准布被打败。

己巳（十六日），辽国主驻扎在萨里纳。

辛未（十八日），在朝堂公布诏令说："朕继承先帝基业，永远希望宏大美好，想要展示万代。而不久受到一群奸臣发泄怨恨，大肆诋毁排斥，政务人才，几乎全部废止毁弃，想与各位大臣们共同继承这个心愿。考虑到现在在朝廷任职的大臣，还有暗中怀着个人恩德，公然不用大家的意见，把斥逐奸臣当作有罪，把以前的变更认为适当，把先帝所建立的法度认为不正确，所提拔的认为不恰当，借赞誉其余党，想侥幸被甄别任用，散布是非不明的观点，想开启正确错误更替的开端。朕考察言辞观察行为，洞见其奸邪用心，想依法惩处，特予告诫，有放任到最后的，必定处罚不宽容！"

元祐初年，章惇争执论述役法的奏札中说道："免役法可以缓改，不像京东铁马法、福建的茶盐法，一天不改那么就有一天的危害。"等到蔡卞与塞序辰谋划一起写诏榜时，担心章惇不同意，就拿着章惇元祐年间的奏札威胁说："如果说吴居厚在京东所实行的不对，那么先帝的褒奖诏也不对了。"章惇闭口不敢作声，因此同意塞序辰的公布诏令的要求。

太子少保致仕韩缜去世，赠司空爵，谥号庄敏。韩缜担任将相职务，平淡没有显赫功名业绩，非常注意保养，世人把他比作晋代的何曾。

丁丑（二十四日），三省说："韩维依附司马光，最为尽力。"诏令韩维责罚授予崇信军节度副使，筠州居住。当时韩维八十一岁，各个儿子都请求全部交出自己的官职，允许父亲在老家居住，而且告诉章惇说："父亲执政时，与司马光意见多不一致。"所以得到旨意免予前往。

六月，癸未朔（初一），有日食出现。

甲申（初二），辽国主命令停止各路以驿车进贡新鲜果品。

丙戌（初四），辽国主命令每年在国主驻跸的地方，宰相以下的官员建房屋不得役使那里的百姓。

戊子（初六），嗣濮王赵宗楚去世，让他的弟弟赵宗祐继承爵位。

丙申（十四日），诏令："翰林学士、吏部尚书各推举监察御史二人。"

丁酉（十五日），环庆路安疆寨建成。

甲辰（二十二日），熙河进筑青石峡，工程完毕。诏令赏赐役工以及防护官兵缗钱不等，不久赐名新城为西平。

乙巳(二十三日),任命保宁军观察留后赵宗汉为开府仪同三司,迁封为安康郡王。

己酉(二十七日),太原发生地震。

庚戌(二十八日),辽国任命契丹行宫都部署耶律鄂嘉为南院大王。

秋季,七月,壬子朔(初一),太白星白天出现。

辽国主在黑岭打猎。

八月,乙酉(初四),封赵世开为安定郡王。赵世开,是燕懿王赵德昭的曾孙。

丙戌(初五),鄜延路守将王悊收复宥州。

丁酉(十六日),下诏说蔡确无辜受贬致死,他的弟弟受到除名勒停的处罚;另外,特给予以前的朝奉郎蔡硕内殿崇班职。

蔡确的小儿子少府监主簿蔡渭上奏:"臣的叔父蔡硕,以前在邢恕那里看到文及甫元祐年间寄给邢恕的书信,叙述了奸臣大逆不道的全部阴谋。文及甫是文彦博的爱子,一定知道当时的奸谋情况。"诏令翰林学士承旨蔡京、权吏部侍郎安惇到同文馆查问。当初,文及甫与邢恕同时担任馆职,相交好,他给邢恕的书信,自称"除丧服行礼毕当请求外放,入朝廷的计划未必可行,听说已设下圈套以阻止进身的前程"。又说"司马昭之心,路人所知,加上有粉昆帮助,朋类错立,要以眇躬作为心意畅快之地。"文及甫曾对蔡硕说,司马昭指刘挚,粉昆指韩忠彦,眇躬是文及甫的自称。大概俗语称驸马都尉为粉侯,而韩嘉彦娶了公主,所以称他的兄长韩忠彦为粉昆。朋类错立,说的是王岩叟、梁焘。文及甫任命为都司职,被刘挚所指责;另外刘挚曾提出文彦博不能任命为三省长官,所以只任命为平章事。文彦博退休,文及甫以修撰官作郡守。母亲守丧期满后,文及甫给邢恕写信,请求外放,放肆地说了诋毁的话。邢恕将这封信给蔡渭,让他上告此事。等到对质时,文及甫受蔡京、安惇的威胁,就胡乱做了解释,只是照旧拿司马昭比刘挚,而认为眇躬是指皇上,粉昆是指王岩叟、梁焘。王岩叟脸上如涂以白粉,所以称粉;梁焘字况之,以况为兄,所以称昆。又说:"父亲文彦博临死时,屏退身边的人,只告诉说刘挚等将计划废立皇帝,所以急着罢免文彦博的平章重任。"询问他的证据,则都没有。蔡确的母亲明氏,经常有状子告邢恕,说梁焘曾对怀州致仕李洵说,如果不诛杀蔡确,那么对于徐王府怎么能稳当便利!朝廷封存她的诉状,没有追查。到现在因为蔡渭将此事告诉章惇,章惇就查找明氏的诉状呈上,并交付给蔡京、安惇追查。李洵犹豫作答,也没有证据。

戊戌(十七日),修筑威戎城。

己酉(二十八日),彗星在西方出现。九月,壬子(初二),因为星象异变,回避正殿,减少御膳,取消秋宴,下诏征求直言。

乙卯(初五),大赦天下。拨出元丰库的缗钱四百万,交给陕西大量收购粮食。

丙寅(十六日),诏令蹇序辰以及入内内侍省的使臣一人共同审问文及甫的事情,是采纳了蔡京的请求。

戊辰(十八日),彗星消失。

壬申(二十二日),辽国主驻扎在藕丝淀。

丙子(二十六日),皇帝到正殿,恢复御膳。

丁丑(二十七日),辽国任命武官军节度使梁援为汉人行宫都部署。

戊寅(二十八日),辽国招讨使额特勒奏报讨伐默塂济得胜。

己卯(二十九日),封婉仪刘氏为贤妃。

五国部首领向辽进贡。

冬季,十月,乙酉(初五),诏令:"郑雍依照吕大防等人的指挥文书,永远不得引用贬黜期限以及恩赦的规定叙复。"是采纳了三省的进言。

壬寅(二十二日),任命权吏部尚书兼侍读邢恕为御史中丞。

庚戌(三十日),辽国任命西北路招讨使额特勒为南府宰相。

十一月,乙卯(初五),富勒摩多部向辽国进贡。

戊午(初八),辽国用小车召请医巫闾山僧志达。

辽国主喜好佛法,能背诵佛经,每到夏季就让各京的僧侣以及大臣们拿着经书听他亲自讲解,所到之处修建寺院,引渡很多人出家为僧。僧徒们恣意放纵,放债牟利,剥削老百姓,老百姓深受其苦。

己未(初九),辽国任命中京留守韩资让为知枢密院事,任命同知枢密院事药师努担任右勒希巴。

丁卯(十七日),诏令:"谏议大夫以上官员各推举监察御史一人。"

癸酉(二十三日),诏令:"中大夫、郴州安置刘奉世,责处授予隰州团练副使,他的弟弟知常州刘当时,差任监南岳庙。"是因为邢恕说他暗中附和刘挚倾倒蔡确的缘故。

丁丑(二十七日),诏令:"程颐于涪州编管。"是因为与司马光一同作恶互相帮助而获罪。李清臣为洛阳令尹,当天就强行遣送他。

此前皇帝与辅政大臣谈到元祐年间的事务,说:"程颐妄自尊大,以至想到延和殿讲书,让太母一同听讲。在经筵时很不恭敬。虽然已经放回故乡,可以给予编管处罚。"于是有编管涪州的命令。

程颐编管是林希促成,林希想邢恕必定会救程颐,就可以因此排挤邢恕。邢恕对林希说:"就是将程颐斩成万段,我也不救。"听到的人都笑话他。

本日,雷州别驾、化州安置梁焘去世。

梁焘自从在朝廷任职,一心将提拔引用人作为自己的心意,在鄂州作了《荐士录》,全部记下姓名。客人有看见他编的书,说:"您所栽种的桃李,乘着时机往上长,只是不向人开啊。"梁焘笑着说:"梁焘出入侍从职位,职务到了宰相,八年之间所推荐的人,用都用不完,有愧的地方还很多!"

十二月,癸未(初三),鼎州团练副使、新州安置刘挚去世。

此前蔡京、安惇一同处理文及甫的事,将要大加诛杀。正逢星象异变,皇帝宣谕说:"朕遵照祖宗的遗志,不曾诛杀大臣,刘挚等人可以开释不处理。"然而蔡京、安惇等人极力捏造不放松,而梁焘先去世;七天后,刘挚也去世。众人都疑心两个人死得不明白。

刘挚教育子弟,先进行实际能力而后才是文章技艺培养,常常说:"士人应当将见识放在首位,一旦称作文人,就没有值得重视的。"

乙酉(初五),侍御史董敦逸,因为上奏事情不属实获罪,贬官秩,知兴国军。

乙未(十五日),诏令:"郑佑、李仲各予升职。"是奖赏回河的功劳。又诏令:"首先进言以及主张回河意见的人,郭知章、李伟、王孝先各升迁一级官阶,王令图赠给左中散大夫。"

丁酉(十七日),诏令:"秘阁校理刘唐老免职,改任监桂阳监税务。认为刘唐老是元祐奸党,所以有这个命令。"

甲辰(二十四日),涪州安置黄庭坚移往戎州,是为了回避监视使者的嫌疑。

本年,两浙旱灾饥荒,诏令实行荒年政令,调粟赈济借贷。

播州夷杨光荣等人归附内地。

元符元年　辽寿昌四年(公元 1098 年)

春季,正月,壬子(初三),辽国主到达鱼儿泺。

戊午(初九),任命右谏议大夫安惇为权国子监祭酒。

丙寅(十七日),咸阳县百姓段义在河南乡刘银村修房屋,得到古代玉印,发出的光照亮屋子,上面的文字有"受命于天,既寿永昌",进呈上去。

己巳(二十日),辽国迁徙淮布部贫民到山前。

甲戌(二十五日),皇帝临幸瑞圣园,视察北郊的斋宫。

二月,丙戌(初七),白色的云气横贯太阳。

壬辰(十三日),再次取消翰林学士、侍讲学士。

丙申(十七日),诏令:"河北路转运副使吕升卿,提举荆湖南路常平事董必,同为广南东、西路察访。"

蔡京等追究处理同文馆的案子,最后不得要领,就派遣吕升卿、董必两人到岭外,图谋杀元祐时流放的人。当时朝廷还不知道刘挚、梁焘的死讯;不久知道了,两人同时免职。

丁酉(十八日),嗣濮王赵宗祐去世,皇帝让他的弟弟赵宗汉继承爵位。

戊申(二十九日),知兰州王舜臣在塞外讨伐西夏人。

修筑兴平城。

三月,壬子(初三),命令三省、枢密院三年考核一次刑法。

丙辰(初七),米脂寨建成。

丁巳(初八),五王的宫外宅第修成,皇帝赐名为懿亲宅。

戊午(初九),三省报告追究处理前皇城使张士良的供词。

张士良以御药院官的身份侍奉宣仁圣烈皇后,与陈衍轮流在宫中值班,掌管文书,他们所同意或不同意的某事,都是陈衍擅自撤销或颁发,不曾奏报。间或有臣僚请求宣仁皇后还政于皇帝的,陈衍就藏匿那个奏章,放在柜子中,不以此报告宣仁皇后,也不报告给皇帝。因此蔡京、安惇说:"司马光、刘挚、吕大防等人,勾结宦官张茂则、梁惟简、陈衍之徒,牟取高职,全部改变先帝成法。生怕陛下有一天亲政，那么肯定有欺君罔上的刑罚，就退后考虑，暗中做倾倒皇上的计划。因此阻隔皇帝与宣仁皇后两宫，将随从皇帝的内侍十人全部撤免，以去除陛下的心腹亲信；罢免接受遗诏的顾命大臣，安置在必死的地方，先帝时任职的大臣，没有一个保留的，以剪除陛下的羽翼。大逆不道的罪行，死有余辜。陈衍的罪行不可饶恕，也请求再下令审问，处以国法。"诏令在崖州处死陈衍，徙张士良在白州编管。

当初，章惇、蔡卞恐怕元祐时的旧臣一旦重新起用，日夜与邢恕谋划排挤陷害的办法。已再次贬责吕公著、司马光，又贬责吕大防、刘挚、梁焘、范祖禹、刘安世等到岭外，意犹不知足，又用黄履疏奏高士英的状子，追贬王珪，都诬陷为图谋危害皇上。言辞牵涉到宣仁皇后，皇帝很是疑惑。最后兴起同文馆狱案，要全部诛杀元祐时大臣；在宫中勾结宦官郝随作为帮手，专门捏造垂帘听政时的事情。建议要追废宣仁皇后，从皇太后、太妃都极力争辩此事，皇帝醒悟，焚烧了奏疏。郝随探知此事，暗中告诉章惇、蔡卞。第二天，章惇、蔡卞再有此言，皇帝发怒说："卿等不想朕进入英宗的庙堂吗！"章惇、蔡卞才住口。

张士良，先前放逐到雷州，章惇、蔡卞将他押回到诏狱，想让他证实宣仁皇后废立皇帝的事。等张士良到了，以原来的御药职许诺，并把鼎镬刀锯刑具放在面前，对他说："说有就给你过去的官职，说没有就让你死。"张士良仰天哭道："太皇太后不可诬陷，天地神灵怎么能欺骗呢！请处死。"蔡京、章惇拿他没办法，只以陈衍的罪状应付诏书。宣仁皇后废立皇帝的说法，因此平息。

乙丑（十六日），诏令蔡京等辨认验证段义所献的玉印，蔡京认为是秦朝玉玺，于是命名为"天授传国受命宝"。

戊辰（十九日），吏部郎中方泽因为私下拜谒参加皇后族人的聚宴，处以罚金补放外任。

庚午（二十一日），辽国主到达春州。

皇帝临幸申王府。辛未（二十二日），皇帝临幸端王府。甲戌（二十五日），进封咸宁郡王赵俣为莘王，普宁郡王赵似为简王。祁国公赵偲为永宁郡王。

丙子（二十七日），修筑熙河通会关。

夏季，四月，庚辰朔（初一），安定郡王赵世开去世。

甲申（初六），皇帝临幸睿成宫以及莘王、简王府。

丙戌（初八），章惇等进呈《神宗帝纪》。

诏令："梁焘不许运回老家安葬，家属令在昭州居住。"

壬辰（十四日），同知枢密院事林希免职改任知亳州，御史中丞邢恕免职改任知汝州。林希已经背叛章惇，到此时邢恕指论林希的罪状，章惇就一并免去。

丙申（十八日），修建显谟阁，收藏《神宗御集》。

丁酉（十九日），诏令权礼部尚书蹇序辰兼任侍读官。

庚子（二十二日），皇帝临幸睿成宫。

辛丑（二十三日），辽国主因为下雨停止打猎。

壬寅（二十四日），学士院呈上《宝玺灵光翔鹤乐章》。

癸卯(二十五日),诏令学官增加研习两种经书。

五月,戊申朔(初一),皇帝前往大庆殿,接受"天授传国受命宝",举行朝会礼。己酉(初二),向天下颁布德音诏书,减低囚徒罪行一等,杖刑以下的释放。

蔡京处理同文狱案完毕,说刘挚等有司马昭之心,被当时的人所揭发,请求依刑当处治并直至他的子孙。三省呈上。辛亥(初四),诏令:"刘挚、梁焘,根据文及甫等人招供所言,偶然因为放逐的人都死亡,未及考查验证,明确依法处理。刘挚、梁焘的各个儿子一并勒停处理,永不再起用,仍然让他们在原来各指定的地方居住。"

任命给事中徐铎为吏部侍郎。

癸丑(初六),因为接受宝玺到景灵宫恭谢。

庚申(十三日),诏令献宝的段义为右班殿直,赐给绢二百匹。

癸酉(二十六日),辽国乌尔古德勒部统军使诺延奏报北部边境的胜利。诺延担任统军,边境因此安宁。

甲戌(二十七日),辽国主驻扎在萨里纳。

六月,戊寅朔(初一),诏令改年号。

西夏派遣使臣向辽国请求援助。

丙戌(初九),派遣官员分别到鄜延、泾原、河东、熙河巡查所修筑的城寨。

丁亥(初十),辽国任命辽兴军节度使尼哩为特里衮,任命原来知特里衮事耶律廓沙为南京统军使。

甲午(十七日),翰林学士承旨蔡京等人呈上《常平、免役敕令格式》。

辽国任命参知政事牛温舒代理中京留守;随后部民到朝廷请求实授,同意了这个请求。

壬寅(二十五日),诏令寨序辰、安惇审核元祐诉理中所陈述的语言对先朝不恭顺的人的职务姓名,另外提供上报。寨序辰当初有这个奏请,皇帝很厌恶。蔡卞劝章惇尽力使皇上一定实行,所以有这个诏令。自此后因为诉理遭祸的人共七八百人,寨序辰及章惇实际是开端者。

秋季,七月,庚午(二十四日),诏令:"范祖禹移送化州安置,刘安世移送梅州安置,王岩叟、朱光庭的各个儿子都给予勒停处罚,永远不起用。"

辽国主到达黑岭。

壬申(二十六日),京师发生地震。

当时有人请求以王安石的《三经义》出题考试举人,右正言晋陵人邹浩说:"《三经义》,是用来训解经的,而那本书本身不是经。用经来培养士人,而用不是经的题目来考试他们,很不符合先帝专门用经术的意旨。"就作罢。

八月,丙子朔(初一),熙河兰岷路恢复为熙河兰会路。

丁亥(十二日),诏令:"侍从中书舍人以上官员各推举两人,权侍郎以上官员推举一人,并指出可以担任的职务。"

九月,丁未(初二),因为雨久下不停取消秋宴。

己酉(初四),吏部尚书叶祖洽说:"王珪的罪行,和刘挚等相比最为突出,现在处罚轻重不相称,怎么安慰天下的公论!"诏令:"王珪的各个儿子并予勒停处罚,永远不起用。"

庚戌(初五),横州编管秦观,特别给予除名处罚,永远不起用,移送到雷州。

丙辰(十一日),朝奉大夫充秘阁校理孔平仲,特予免职,送交吏部给予相应差遣,是因为与元祐掌权的人依附为朋党否定诋毁先朝所建立的政务而获罪。

丁巳(十二日),蹇序辰、安惇因为诉理的事入朝奏对。曾布说:"此事株连的人太多,恐怕失去人心。前日朝廷降下指挥文书,让把言语有不顺合的人写下姓名上报,朝廷内外都认为很公平,然而怕议决此事的人更有扩大,希望皇上考察决断。臣曾说诉理的人,本来没有罪过。现在刑部左右两曹,一个主管断案,一个主管纠错昭雪。大概从祖宗以来,凡是获罪经过申诉昭雪的,比比皆是。只是元祐年间掌权的人,特别设置一个部门以扩大此事,实在可以认为是有罪,那么申诉昭雪的人似乎不应该过分责备。过去真宗皇帝即位,有人提出宽免天下拖欠税赋的人,真宗皇帝说:'先帝为什么不宽免?'大臣说:'先帝留下此事给陛下,是让陛下收服人心。'"皇帝很赞同他的说法,而蹇序辰以及安惇所陈述的事已经纷纷扬扬了。

右正言邹浩说:"当初旨意只分为两等,即谈到先帝的以及语言有过失的罢了。而现在所执行的,混在一起没有分别,因为事情差不多,而处罚的轻重,随意上下,这是陛下的威福权柄下移到了近臣手中,希望加以考虑明察,作为将来事情的鉴戒。"

壬戌(十七日),看详诉理所上奏:"郑侠上书诽谤讥讽朝政以及王安国诋毁王安石等罪行,元祐初年免罪昭雪不妥当。另外,王旃、王旍呈进的诉状内说他们的父亲王安国的冤屈没有消除。"诏令:"郑侠给予除名勒停处理,依旧送英州编管,永远不得量移起用。王旃免除京东转运判官职务,差监衡州盐酒税,王旍监江宁府粮料院。"

冬季,十月,乙亥朔(初一),辽国主驻扎藕丝淀。

己卯(初五),辽国任命南府宰相额特勒兼任契丹行宫都部署,以便辅导燕国王耶律延禧。

此前,南府有讼案,各州府可以进行审理,之后不是奉枢密院的文书,不得审问,因这个原因讼案积压。额特勒上奏请按照旧规矩办,辽国主同意了。

甲午(二十日),昭州别驾、化州安置范祖禹去世。

范祖禹平时诚实,嘴里不谈别人的过失;遇到事情,辨明是非,毫不保留。在迩英殿任职时,建议采纳尤其多。曾进呈《唐鉴》十二卷,洞察唐代三百年的治乱兴衰,学者尊敬他,称为"唐鉴公"。

乙未(二十一日),诏令武官转换文官的资格考试。

丁酉(二十二日),因为河北、京东黄河决口,派官员赈济抚恤。

己亥(二十五日),诏令:"朝散郎汪衍,瀛州防御推官余爽,并免职勒停,永远不起用叙复;汪衍送昭州、余爽送封州编管。"

此前蔡京推荐余爽,章惇厌恶他,上奏说:"元丰末年,余爽及汪衍分别上书诋毁先朝;余爽又在元祐年间曾上书请求宣仁皇后归政,阴险狡诈、反复无常。"所以才有这个诏令。

西夏人侵犯平夏城，知渭州章楶率兵抵抗，俘获对方勇将威明阿密、西寿监军穆尔塔布，斩杀俘获很多。捷报到达，皇帝为此到紫宸殿接受祝贺。

章楶长期在泾原，当时西夏人大肆施暴，边境官员畏惧软弱，章楶上言说："西夏人贪利害怕兵威，不给予惩治，边境不得安宁。应该略微夺取他们的疆土，像古代削减封地的办法，以巩固我们的边境；然后各路派出军队，占据他们的要害，不服再来一次，他们势必自我收敛。"章惇与章楶是同宗，意见多被采纳。因此创建一个州，城寨九座，多次击败西夏人，而各路也多建城寨威逼西夏。在平夏失败之后，西夏人就再没有振作。

庚子（二十六日），中书省说："元祐初年，起居舍人邢恕上书说：'王安石、吕惠卿掌权，臣当时受召奏对，先帝问到这两个人，臣陈述王安石的短处、吕惠卿的奸邪，终于被排挤。'又说：'太皇太后亲自听政决断，任用忠良之人，去除全部弊端，臣在此时首先承蒙提拔为右司员外郎职务，是宰相的属官，参与了解政事，臣认为是千年一次。'又说：'韩维端正诚实有好品德，是与司马光、吕公著一样。'"诏令："邢恕特降职授予承议郎、知南安军。"

邢恕开始罢免中丞职务，以本官身份知汝州，过了五个月，改知应天府。章惇担心邢恕重被起用，就找出邢恕所上的书告诉皇帝说："邢恕除了蔡确一事外，无事不和元祐党人相同。"所以特别贬责他。

癸卯（二十九日），驸马都尉张敦礼，因为元祐初上疏赞誉司马光获罪，削去留后职，授予环卫官。

诏令："秘阁校理、权知潞州欧阳棐，免职，送交吏部给予相应差遣。"是因为朋附元祐大臣，经常希图提升而获罪。

十一月，癸丑（初九），三省说："王巩、张保源，多次上书议论朝廷政务，与奸臣内外呼应，想全部变更先朝法度。"诏令："王巩给予除名勒停，全州编管处分；张保源给予勒停，峡州居住处分。"

辛酉（十七日），西夏又派遣使臣向辽国请求援助。

甲子（二十日），在圜丘祭祀昊天上帝，大赦天下，除元祐余党以及特别旨意遣放的以外，一并给予移近安置。

十二月，丙子（初二），知淮阳军叶涛，改任管句崇禧观，是因为给事中范镗说他申诉的状子，言辞不敬，冒犯亵渎先朝的缘故。

丁丑（初三），任命江、淮、荆、浙等路发运副使张商英为集贤殿修撰，江、淮、荆、浙等路发运使。

壬辰（十八日），辽国为燕国王耶律延禧举行再生礼，特赦三百里内的囚徒。

辽国国舅详衮萧文担任知易州兼西南面安抚使。

高阳土地肥沃百姓富足，在那里做官的人常常贪图财物。萧文一到任，全部去除旧的弊端，致力农桑，崇尚礼教。下属县份有蝗虫，正商议捕除，萧文说："蝗虫，是天灾，捕杀有什么用！"只是反省自责，蝗虫全部飞走，留下的也不吃庄稼，分散在草丛中，被乌鸦吃掉。当时舆论认为萧文可予重用，升迁为唐古部节度使。高阳人刻石颂扬他。

续资治通鉴卷第八十六

【原文】

宋纪八十六　起屠维单阏【己卯】正月,尽上章执徐【庚辰】十二月,凡二年。

哲宗宪元继道显德定功　钦文睿武齐圣昭孝皇帝

元符二年　辽寿昌五年【己卯,1099】　春,正月,辽主如鱼儿泺。

丁卯,出内金帛二百万,备陕西边储。

辛未,诏张舜民、毕仲游、孙朴、赵睿、梅灏、陈察、李昭玘并罢馆职。

二月,甲戌朔,令监司举本路学行优异者各二人。

己卯,召许高丽国王遣士宾贡。

辛巳,诏:"自今应被旨举官,所举不当,具举主姓名以闻。"

甲申,夏人以国母丧,遣使来告哀,且谢罪。诏却其使。

戊子,鄜延钤辖刘安败夏人于神堆。

乙未,诏吏部:"守令课绩,从御史台考察,黜其不实者。"

曾布言:"章惇、蔡卞施行元祐人,众论皆谓过当。然此岂为诋訾先朝,大抵多报私怨耳。惇、卞初相得,故惇于卞,言无不听;及相失,卞多反其事,人皆笑之。今朝廷政事一出于卞,无敢违者。"帝曰:"蔡京尤与惇不足。"布曰:"惇于蔡氏兄弟无不畏者,近颇欲屈意求和于京,而京不为之屈也。"

〔庚辰〕,欧阳棐朝见,帝目之,语曾布曰:"此元祐五鬼。"布曰:"亦闻有此名,元祐附丽,亦必有之,治郡亦常才,然棐,欧阳修之子,登进士第,修于英宗定策之际最有功。"帝颔之。

丙申,诏吏部员外郎孙谔与合人差遣,以元祐诉理有衔冤饮恨之语也。

夏人告败于辽以求援。三月,丙辰,辽使萧德崇来,为夏人请缓师,仍献玉带。

筑环庆路定边城。

丁巳,秦凤经略司言吴名革率部族挐畜归顺,诏名革补内殿承旨,首领李嗍补右侍禁,及赐钱帛有差。

夏,四月,庚辰,幸莘王府。

丙戌,筑鄜延、河东路暖泉、乌龙砦。

1895

丁亥,以旱减四京囚罪一等,杖以下释之。

辛卯,诏:"鞫狱,徒以上须结案,及审录审奏然后断遣;不如令者坐之。"

癸巳,封永嘉郡王偲为睦王。

遣中书舍人郭知章报聘于辽。

甲午,以江、淮、荆、浙等路发运使张商英为权工部侍郎。

丁酉,筑威羌城。

章惇乞退,遂径出居僧舍,其家已先出。帝乃令约拦行李,勿受惇乞解机务章奏。

五月,甲辰,太白昼见。

庚戌,筑鄜延路金汤城。

癸亥,奉迁真宗神御于万寿观延圣殿。

建西安州及天都等砦。

是日,辽主谒乾陵。

乙丑,进章惇官五等,曾布三等,许将、蔡卞、黄履皆二等。

戊辰,诏:"朕阅陈次升任御史日章奏,观其微意,附会权臣,诋毁先帝。朕含容其过,委以谏职,复敢狃习故态,观望言事,久居其位,殊无小补。可罢职,与远小监当。"乃责监全州盐酒税。

辽以南府宰相额特勒兼西北路招讨使、禁军都统。

己巳,辽主驻沿柳湖。

六月,庚辰,赐〔熙河〕兰会(州)〔路〕新砦名会(州)〔川〕城。

甲申,辽以知右伊勒希巴萧药师努为南面林牙兼知契丹行宫都部署事。

甲午,赐环庆路之字平曰(清)〔龙〕平关。

乙未,五国部长朝于辽。

戊戌,筑定边、白豹城讫工,邠门使张存等,转官、赐金帛有差。

准布贡于辽。

己亥,河决内黄口,东流断绝。

辽以兴圣宫使耶律萨嘉努为右伊勒希巴。

秋,七月,壬寅朔,惕德部长贡于辽。

庚戌,河北河涨,没民田庐,遣官赈之。

辛亥,辽主如(太)〔大〕牢古山。

(丁巳)〔己未〕,诏水部员外郎曾孝广诣河北路相度措置河事。孝广尝为水官,不主东流,故特遣之。

邈川首领辖戬,性嗜杀,部族携贰。大酋森摩沁展等有异志,以辖戬季父索诺木丹津雄武,潜杀之,其党皆死。独峣酋沁罗结得逃,以董戬疏族实巴衮居陇逋部,河南诸羌多附之,乃往依焉,遂奉实巴衮之子巴勒藏据萨格城。辖戬攻杀巴勒藏,沁罗结奔河州,说洮西安抚使王赡以取青唐之策。赡言于朝,章惇许之,赡引兵趋邈川。丙寅,钦彪阿成以城降,赡留屯之。

先是蹇序辰言：“请将六曹诸司自元丰八年四月以来应改更法度言涉讥讪者，尽数检阅，随事编数，并著所任官姓名具册申纳三省。”李积中亦以为言。三省不行，逾半年矣，至是乃复检举降诏，意欲有所罗织故也。

八月，壬申，知河南府盛陶改知和州，以言者论其元祐中诋诬先烈，排毁旧弼也。

癸酉，章惇等进《新修敕令式》。惇读于帝前，其间有元丰所无而用《元祐敕令》修立者，帝曰：“元祐亦有可取乎？”惇等对曰：“取其善者。”

甲戌，太原地震。

诏：“大河水势十分北流，将河事付转运司，责州县共力救护北流堤岸。”

戊寅，皇子生，贤妃刘氏产也。

乙酉，赐熙河路缗钱百万，抚绥部族。

丁亥，城会州。元丰中，虽加兰会与熙河为一路，而会州实未复。至是始城之，以西安城北六砦隶焉。

辖戬自知其下多叛，乃脱身自青唐诣河州，降于王赡，诏胡宗回为熙河经略使以节制之。

癸巳，太白昼见。

甲午，建葭芦砦为晋宁军。

九月，庚子朔，夏人来谢罪。

〔辛丑〕，左司谏王祖道言：“全河北流，淹没人户田苗，请先正吴安持、郑佑、李（伸）〔仲〕、李伟之罪，投之远方，以明先帝北流之志。”诏令工部检详东流建议及董役之人，以名闻奏。

癸卯，命御史检点三省、枢密院，并依元丰旧制。

甲辰，幸储祥宫。

乙巳，幸醴泉观。

丁未，诏立贤妃刘氏为皇后。

孟后既废，章惇与内侍郝随、刘友端相结，请妃正位中宫。时帝未有储嗣，会妃生子，帝大喜，遂立之。

（乙卯）〔戊午〕，通判潭州毕渐言：“应元祐中诸路所立碑刻纪事等，请悉令碎毁。”从之。

己未，青唐酋隆赞以城降。

壬戌，雨，罢秋宴。

甲子，右正言邹浩除名，新州羁管。

时章惇独相用事，浩上章露劾，数其不忠侵上之罪，未报而刘后立。浩上疏曰：“臣闻天子之与后，犹日之与月，阴之与阳，相须而成；则立后以配天子，安得不审！今陛下为天下择母，而所立乃贤妃刘氏，一时公议，莫不疑惑，诚以国家自有仁祖故事，不可不遵用之耳。盖皇后郭氏与美人尚氏争宠致罪，仁祖既废后，不旋踵并斥美人，所以示至公也。及立后，则不选于嫔妃而卜于贵族，所以远嫌，为万世法也。陛下之废孟氏，与郭氏无以异。然孟氏之罪，

1897

未尝付外杂治，果与贤妃争宠而致罪乎？世不得而知也；果不与贤妃争宠而致罪乎？世亦不得而知也。若与贤妃争宠而致罪，则并斥美人以示至公，有仁祖故事存焉，二者必居一于此矣。孟氏罪废之初，天下孰不疑贤妃所为？及读诏书有别选贤族之语，又闻陛下临朝慨叹，以为国家不幸，于是天下始释然不疑。今竞立之，岂不上累圣德？臣观白麻所言，不过称其有子，及引永平、祥符事以为证。臣请论其所以然。若曰有子可以为后，则永平贵人未尝有子，所以立者，以德冠后宫故也；祥符德妃亦未尝有子，所以立者，以钟英甲族故也。又况贵人实马援之女，德妃无废后之嫌，迥与今日事体不同。顷年冬，妃从享景灵宫，是日雷变甚异；今宣制之后，霖雨飞雹，自奏告天地宗庙以来，阴淫不止；天意昭然。望不以一时改命为甚难，而以万世公议为足畏，追停册礼，别选贤族，如初诏施行。"帝谓浩曰："此亦祖宗故事，岂独朕邪！"对曰："祖宗大德，可法者多矣，陛下不之取而效其小疵，臣恐后世之责人无已者纷纷也。"帝变色，犹不怒；明日，章惇入对，极诋浩狂妄，遂有此责。章留中不下。

尚书右丞黄履言："浩犯颜纳忠，不宜遽斥之死地。"坐罢，知亳州。

初，阳翟田昼，议论慷慨，与浩以气节相激厉。浩除正言，昼适监广利门，往见浩，问曰："平日与君相许者何如？今君为何官？"浩谢曰："上遇群臣，未尝假以辞色，独于浩差若相喜。天下事固不胜言，意欲待深相信而后发，贵有益也。"昼然之。既而谢病归里，邸状报立后，昼谓人曰："志完不言，可以绝交矣！"志完，浩字也。浩得罪，昼迎诸涂，二人流连三日。临别，浩出涕，昼正色责之曰："使志完隐默官京师，遇寒疾不汗，五日死矣，岂独岭海之外能死人哉！愿君毋以此举自满，士所当为者，未止此也。"浩茫然自失，叹曰："君之赠我厚矣！"

浩之将论事也，以告其友宗正寺簿仙游王回，回曰："事有大于此者乎？子虽有亲，然移忠为孝，亦太夫人素志也。"及浩南迁，人莫敢顾，回敛交游钱与浩治装，往来经理，且慰安其母。逻者以闻，逮诣诏狱，众为之惧，回居之晏如。御史诘之，回曰："实尝预谋，不敢欺也。"因诵浩所上章，几二千言。狱上，除名停废，回即徒步出都门，行数十里，其子追及，问以家事，不答。

丙寅，御文德殿，册皇后。

闰月，庚午朔，朝请郎贾易特授保静军司马，邵州安置；以在元祐中任台谏，羽翼权臣，诬谤先猷故也。

癸酉，置律学博士员。

诏详议庙制。

辖戬既降于王赡，而赡与总管王愍争功，交讼于朝。于是青唐大酋森摩沁展迎实巴衮入城，立玛尔戬之子隆赞为主，其势复张。辖戬大惧，自髡为僧以祈免。熙河帅胡宗回督赡进师，赡急攻，隆赞及森摩沁展等皆出降，赡入据其城。诏青唐为鄯州、陇右节度；邈川为湟州，宗哥城为龙支城，并隶陇右。命王赡知鄯州，王厚知湟州。

丙子，辽主驻独卢金。

戊寅，以廓州为宁砦城。

丙戌，梁州团练使仲忽进古方鼎，识曰"鲁公作文王尊彝"。

甲午,荧惑犯太微垣左执法。

乙未,皇子薨,追赐名茂,赠越王,谥曰冲献。

辽招讨使额特勒讨西北边部之为寇者,俘获甚众,获马驼牛羊各数万。

冬,十月,庚戌,集贤殿修撰文及甫落职,知均州,依吕大防例,不得引用期数赦恩叙复。

壬子,诏河北大名二十二州军置马步军指挥,以广威、保捷为名。

丁巳,辽额特勒奏西北边之捷。

丙寅,辽以同知南京留守事萧德勒岱知北院枢密使事。

戊辰,辽赈辽州饥,仍免租赋。

十一月,甲戌,辽赈南北二(紃)〔糺〕。

丁亥,诏以绥德城为绥德军。

壬辰,诏:"河北黄河退滩地,听民耕垦,免租税三年。"

乙未,诏:"诸州置教授者,依太学三舍法考选生徒,升补悉如太学三舍法。州许补上舍一人,内舍二人,岁贡之。其上舍附太学外舍,试中,补内舍,三试不升,遣还其州。其内舍免试补太学外舍生。"

十二月,庚子,夏人屡败,遣其臣令能威明结等来谢罪,且进誓表。诏许其通好,岁赐如旧。自是西垂民少安。

壬戌,水部员外郎曾孝广言:"大河见行滑州、通利军之间,苏村埽今年两至危急。请自此埽危急处,候来年水发之时,乘势开埽,导河使之北行,以遂其性,下合内黄县西行河道,永久为便。"从之。

甲子,辽以参知政事赵孝严为汉人行宫都部署,以汉人行宫都部署梁援为辽兴军节度使,以枢密直学士耶律俨参知政事。

是岁,夏改元永安。

三年　辽寿昌六年【庚辰,1100】　春,正月,辛未,帝有疾,不视朝。

癸酉,辽南院大王耶律鄂嘉卒。

丁丑,奉安太宗御容于景灵宫大定殿。

戊寅,大赦天下,蠲民租。

己卯,帝崩于福宁殿。

皇太后向氏哭谓宰臣曰:"国家不幸,大行皇帝无嗣,事须早定。"章惇厉声曰:"当立母弟简王似。"太后曰:"老身无子,诸王皆神宗庶子。"惇复曰:"以长则申王当立。"太后曰:"申王病,不可立;先帝尝言,端王有福寿,且仁孝,当立。"惇又言:"端王轻佻,不可以君天下。"言未毕,曾布叱之曰:"章惇听太后处分!"乃召端王佶入即皇帝位。群臣请皇太后权同处分军国事,后以长君辞;帝泣拜移时,乃许之。

庚辰,赦天下常赦所不原者,百官进秩一等,赏诸军。遣宋渊告哀于辽。

辛巳,尊皇后刘氏为元符皇后。

癸未,追赠母贵仪陈氏为皇太妃。

甲申，命章惇为山陵使。

丁亥，辽主如春水。

戊子，以章惇为特进，封申国公。

己丑，罢增八厢逻卒。

以权工部侍郎张商英为中书舍人。

辛卯，辽招讨使额特勒执玛古苏以献。自准布诸部不靖，玛古苏尤为边患，至是始就擒。加额特勒太保。

丙申，辽主下诏问民疾苦。

二月，己亥，始听政。尊先帝妃朱氏为圣瑞皇太妃。

丁未，立顺国夫人王氏为皇后；后，开封人，德州刺史藻之女也。

辽以乌库部节度使慎嘉努为南院大王。

己酉，辽磔玛古苏于市。

庚戌，向宗回、宗良迁节度使。太后弟侄未任者，俱授以官。

癸丑，初御紫宸殿。

辽出绢赐五京贫民。

戊午，以新除吏部尚书韩忠彦为门下侍郎。忠彦入对，陈四事，曰广仁恩，开言路，去疑似，戒用兵，太后纳之。自是忠直敢言知名之士，稍见收用，时号小元祐。

庚申，给事中刘拯言："韩忠彦乃驸马都尉嘉彦之兄，元祐中尝除尚书右丞，以人言遂移枢府。今乃除门下侍郎，使它日援以为例，恐政府将为敦爱外戚之地矣！"帝不从。

以知亳州黄履为尚书右丞。

辛酉，名懿德宅潜邸曰(懿)〔龙〕德宫。

壬戌，诏陕西转运副使马城等提举开修解盐池。

甲子，毁承极殿。

三月，戊辰朔，诏："宰臣、执政、侍从官各举可任台谏者。"

辛未，以给事中范镗为龙图阁待制，知瀛洲。

甲戌，召权发遣卫州陈瓘为左正言，监袁州酒税邹浩为右正言，知沼州龚夬为殿中侍御史，韩忠彦、曾布荐之也。

甲申，以中书舍人张商英为龙图阁待制、河北路转运使，兼提举河事。

先是曾布论刘拯当逐，帝曰："张商英与拯皆不可留，商英无一日不在章惇处。"布唯唯而退。后旬日，商英乃有是命，盖韩忠彦辈奉行上旨也。

王赡留鄯州，纵所部剽掠，羌众携贰。森摩等结诸族帐谋反，赡击破之，悉捕斩城中羌，积级如山。初，赡又讽诸羌酋籍胜兵者皆涅其臂，无应者。沁罗结请归帅本路为倡，赡听之去，遂啸聚数千人围邈川，夏人十万众助之，城中危甚。苗履、姚雄帅所部兵来援，围始解。赡因弃青唐而还，实巴衮与其子希斯罗斯据之。群羌复合兵攻邈川，王厚亦不能支。朝论请并弃邈川，且谓隆赞乃玛尔戬之子，遂命为河西军节度使、知鄯州，赐姓名曰赵怀德。其弟巴尔丕勒鄂丹斡曰怀义，为廓州团练使、知湟州。加辖戬怀远节度使，而贬瞻于昌化军、厚于贺州；胡宗回落职，知蕲州。瞻至穰县，自缢死。

辽弛朔州山林之禁。

乙酉，以翰林学士承旨蔡京为端明殿学士兼龙图阁学士、知太原府。蔡卜言于帝曰："兄不敢辞行，然论事累与时宰违戾，人但云为宰相所逐。"帝不答。

翼日，曾布对，帝谓布曰："蔡京、张商英、范镗皆已去，只有章惇、刘拯、王祖道未去。"布曰："言者稍举职，则此辈亦何可安也！"

己丑，以日当食，降德音于四京，减囚罪一等，流以下释之。

庚寅，录赵普后。

辛卯，以日当食，诏求直言。筠州推官雍丘崔鶠应诏上书曰："方今政令烦苛，风俗险薄，未暇悉陈，而特以判左右之忠邪为本。臣出于草莱，不识朝廷之士；特怪左右之人有指元祐之臣为奸党者，必邪人也。夫毁誉者，朝廷之公议。故责授朱崖军司户司马光，左右以为奸，而天下皆曰忠；今宰相章惇，左右以为忠，而天下皆曰奸。此何理也？臣请略言奸人之迹：夫乘时抵巇以盗富贵，探微揣端以固权宠，谓之奸可也；包苴满门，私谒踵路，阴交不逞，密结禁庭，谓之奸可也；以奇技淫巧荡上心，以倡优女色败君德，独操赏刑，自报恩怨，谓之奸可也；蔽遮主听，排逐正人，微言者坐以刺讥，直谏者陷以指斥，谓之奸可也。凡此数者，光有之乎，惇有之乎？夫有其实者名随之，无其实而与之名，其谁信之！《传》曰：谓狐为狸，非特不知狐，又不知狸。光忠信直谅，闻于华夷，而谓之奸，是欺天下也，欺后世也。夫一人可欺也，朝廷可欺也，天下后世不可欺也。至如惇，狙诈凶险，天下士大夫呼曰'惇贼'。贵极宰相，人所具瞻，以名呼之，又指为贼，岂非以其孤负主恩，玩窃国柄，忠臣痛愤，义士不服，故贱而名之，指其实而号之以贼邪！京师语曰：'大惇、小惇，殃及子孙。'谓惇与中丞安惇也。小人譬之蝮蝎，其残忍根乎天性，随遇必发。天下无事，不过贼陷忠良，破碎善类；至缓急危疑之际，必有反复卖国之心，跋扈不臣之变。比年以来，谏官不论得失，御史不劾奸邪，门下不驳诏令，共持暗默，以为得计。顷邹浩以言事得罪，大臣拱而观之，同列又从而挤之。夫以股肱耳目，治乱安危所系，而一切若此，陛下虽有尧、舜之聪明，将谁使言之，谁使行之！夫日者，阳也，食之者，阴也。四月正阳之月，阳极盛、阴极衰之时，而阴干阳，故其变为大。惟陛下畏天威，听明命，大运乾纲，大明邪正，毋违经义，毋郁民心，则天意解矣。若夫伐鼓用币，素服彻乐，而无懿德善政之实，非所以应天也。"帝览而善之，以为相州教授。

乙未，却永兴民王怀所献玉器。

四月，丁酉朔，日有食之。

戊戌，诏知太原府蔡京依前翰林学士承旨；给事中刘拯罢知濠州，以其论事观望也。

是日，曾布入对，帝谕布曰："皇太后疑蔡京不当出，欲且留修史。"布力陈"京、卞怀奸害政，党援布满中外，善类义不与之并立，此必有奸人造作言语，荧惑圣听。"帝曰："无它，皇太后以《神宗史》经元祐毁坏，今更难于易人耳。"

癸卯，辽主如炭山。

甲辰,以门下侍郎韩忠彦为尚书右仆射兼中书侍郎,礼部尚书李清臣为门下侍郎,翰林学士蒋之奇同知枢密院事。

丁未,以帝生日为天宁节。

己酉,皇长子亶生。时帝甫登位,即生嫡长,欲异其礼,越三日,大赦,授宣山南东道节度使,封韩国公。

癸丑,赏应诏上书可采者郑敦义、高士育、鹿敏求、何大正、吕彦祖,凡五人。

丁巳,诏:"范纯仁等复官宫观,苏轼等徙内郡。"

纯仁时在永州,遣中使赐以茶药,谕之曰:"皇帝在藩邸,太皇太后在宫中,知公先朝言事忠直,今虚相位以待,不知目疾如何?用何人医治?"纯仁顿首谢。徙居邓州,在道,拜观文殿大学士、中太一宫使。制词有云:"岂惟尊德尚齿,昭示宠优;庶几鲠论嘉谋,日闻忠告。"纯仁闻制,泣曰:"上果用我矣,死有馀责。"既又遣中使趣入觐。纯仁乞归养,帝不得已许之,每见辅臣,问纯仁安否,且曰:"范纯仁得一识面足矣!"

轼自昌化移廉,徙永,更三赦,复提举玉局观,未几,卒于常州。轼与弟辙,师父洵为文,常自谓文章如行云流水,初无定质,虽嬉笑怒骂之辞,皆可书而诵。自为举子至出入侍从,必以爱君为本,忠规谠论,挺挺大节,但为小人忌恶,不得久居朝廷。

先是韩忠彦言:"哲宗即位,尝诏天下实封言事,献言者以千百计。章惇既相,乃置局编类,摘取语言近似者,指为谤讪,前日应诏者,大抵得罪。今陛下又诏中外直言朝政阙失,若复编类之,则敢言之士,必怀疑惧。臣愿急诏罢局,尽哀所编类文书,纳之禁中。"中书舍人曾肇亦言:"祖宗以来,臣僚所上章疏,未尝编写,盖缘人臣指切朝政,弹击臣下,皆是忘身为国,不顾后祸。朝廷若有施行,往往刊去姓名,只作臣僚上言,所以爱惜言事之人,不使招怨。若一一编录,传之无穷,万一其人子孙见之,必结深隙。祖宗以来,未尝编录,意恐在此。今编录既非祖宗故事,又有限定年月。且元丰八年四月已前上至国初,元祐九年四月十二日已后下至今日,章疏何为皆不编类,而独编此十年章疏,臣所未喻。欲乞指挥,将中书、枢密写人等并各放罢。"帝嘉纳之。癸亥,诏罢编类臣僚章疏局。翼日,吏部侍郎徐铎,取已编类成书者,悉行进入。

御史中丞安惇,附会权奸,屡兴大狱,天下疾怨,为二惇、二蔡之谣。及召邹浩为谏官,惇言:"浩若复用,虑彰先帝之失。"帝曰:"立后,大事也。中丞不言而浩独敢言之,何为不可复用!"惇惧而退。陈瓘请曰:"陛下欲开正路,取浩既往之善;惇乃诖惑主听,规骋其私。若明示好恶,当自惇始。"乃出惇知润州。

五月,丁卯朔,罢理官失出之罚。

皇太后将复瑶华之位,会太学上舍生何大正上书言之,癸酉,遂降诏:"瑶华废后,累经大需,其位号、礼数,令三省、枢密院详议以闻。"丙子,废后孟氏复为元祐皇后,刘氏为元符皇后。

尚书右丞蔡卞,专托绍述之说,中伤善类,皆密疏建白,然后请帝亲札付外行之。章惇虽巨奸,然犹在其术中。惇轻率不思,而卞深阻寡言,论议之际,惇毅然主持,卞或嗫不启齿一时论者,以为悖迹易明,卞心难见。至是殿中侍御史龚夬言:"昔日丁谓当国,号为恣睢,然不过陷一寇准而已。及至章惇,而故老、元辅、侍从、台省之臣,凡天下之所谓贤者,一日之间,布满岭海,自有宋以来,未之闻也。蔡卞事上不忠,怀奸深阻,凡惇所为,皆卞发之。望采之至公,昭示谴黜。"未报,而台谏陈师锡、陈次升、陈瓘、任伯雨、张庭坚相继论(死)〔列〕。乙酉,卞罢,知江宁府。比部员外郎董必,出知兴国军,知无为军舒宜,监潭州南岳庙,皆卞党也。

辽汉人行宫都部署赵孝严卒。

丙戌,辽主驻纳葛泺。

己丑,追复文彦博、王珪、司马光、吕公著、吕大防、刘挚等三十三人官。

辛卯,还司马光等致仕遗表恩。

癸巳,河北、河东、陕西饥,诏帅臣计度振恤。

乙未,辽以东京留守阿噜萨古为特里衮,以南院宣徽使萧常格为汉人行宫都部署。

六月,丙申朔,辽遣使来吊祭。

辛丑,辽以有司案牍书宋主嗣位为登宝位,夺宰相郑颛以下官,出颛知兴中府事,韩资让为崇义军节度使,御史中丞韩君义为广顺军节度使。

乙巳,左正言陈瓘言:"龙图阁待制、知荆南邢恕,昨以北齐宣训语诬司马光,而光及范祖禹等贬窜,以文及甫私书证刘挚、梁焘、王岩叟皆有奸谋,而挚等家族几至覆灭。今朝廷矜恤之恩,遍及存殁,则是恕前日之所行,不为陛下之所信也。恕反覆诡诈,得罪先朝,公议不容久矣。今宠以华职,付以大藩,中外沸腾,不以为允。伏望原情定罪,以协公议。"丁未,诏恕以少府少监分司西京,均州居住。

戊午,辽遣使决五京滞狱。

己未,辽以辽兴军节度使梁援为枢密副使。

辽主召参知政事耶律俨至内殿,(诏)〔访〕以政事。辽主晚年倦勤,用人不能自择,令各掷骰子,以采胜者官之。俨尝得胜采,辽主曰:"上相之征也。"迁知枢密院事。俨妻邢氏有美色,尝出入禁中,俨教之曰:"慎勿失上意。"由是权宠益固。

秋,七月,丙寅朔,奉皇太后诏,罢同听政。

庚午,辽主如沙岭。

八月,乙未朔,以秘书少监邓洵武为国史院编修官,从蔡京之荐也。给事中龚原、叶涛驳奏洵武不宜滥厕史笔,乃令中书舍人徐勣书读行下。

庚子,作景灵西宫,奉安神宗神御;建哲宗神御殿于其西。

辛丑,出内库金帛二百万斛陕西军储。

壬寅,葬哲宗钦文睿武昭孝皇帝于永泰陵。

庚戌,诏以仁宗、神宗庙永世不祧。

癸亥,祔哲宗神主于太庙。

左正言陈瓘言:"山陵使章惇,奉使无状,以致哲宗灵舆陷泞不前,露宿于野。愿速罢惇职事,免其朝见,别与差遣,然后降出臣僚前后章疏,别议典刑。"

辽西北诸部寇边,招讨使额特勒以兵击败之,是月,使来献捷。

九月,甲子朔,诏修《哲宗实录》。

尚书左仆射章惇五上表乞罢政事,诏答不允,惇径出居僧舍。帝谓辅臣曰:"朕待惇如此,体貌不为不至矣。惇乞越州,当与之。"

初,台谏丰稷、陈师锡、陈瓘屡劾惇,有以定策时异议为言者。至是帝将罢惇,谓辅臣曰:"朕不用定策事贬惇,但以扈从灵驾不职罢之,馀事候有人论及,别议行遣。"

丙寅,辽遣使来贺即位。

丁卯,减两京、河阳、郑州囚罪一等,民缘山陵役者蠲其赋。

己巳,(辛)〔幸〕龙德宫。

辛未,章惇罢为特进、知越州,仍放辞谢。

丁丑,诏修《神宗正史》。

己卯,右司谏陈瓘言:"向宗良兄弟,依倚国恩,凭藉慈荫,夸有目前之荣盛,不念倚伏之可畏,所与游者,连及侍从,希宠之士,愿出其门。裴彦臣无甚干才,但能交通内外,漏泄机密,遂使物议籍籍。或者以为万几之事,黜陟差除,皇太后至今犹与也。"庚辰,御批:"瓘言虚诞不根,可送吏部与合入差遣。"三省请以瓘为郡,帝不可,乃添差监扬州粮料院。

瓘初不知被责,复求翼日见上,邠门不许。瓘即具以札子缴进,其一论景灵西(京)〔宫〕,其二论章惇罢相所称国是,其三、其四皆指陈蔡京罪恶。帝密遣使赐以黄金百两。

先是御史中丞丰稷、殿中侍御史陈师锡言:"翰林学士承旨蔡京,资政殿学士、知江宁府蔡卞,兄弟同恶,迷国误朝。卞虽去位,尚窃峻职,玷名邦。京偃然在职,日夜交纳内侍、戚里,以觊大用。京好大喜功,锐于改作,若果大用,必变乱旧政,天下治乱自此分,祖宗基业自此堕矣。"辛巳,稷登对,又言:"陛下持万乘威权,何惮一蔡京不能去,无乃为圣母主张乎?当绍圣、元符问,章惇、蔡卞,窃弄威权,陷哲宗于有过之地,废元祐皇后于瑶华宫,京皆与有力焉。惇、卞之恶,赖陛下神断,投之外服;而京犹泰然在朝,有自得之色。忠臣寒心,良士痛骨,非自爱而忧之,盖为陛下忧,为宗庙忧,为天下贤人君子忧也。"

癸未,辽主望祀木叶山。

甲申,诏:"蔡卞落职,提举洞霄宫,太平州居住;知成都路昌衡,知郓州吕嘉问,并分司南京、光州居住。"坐尹京时附会惇、卞,杀戮无辜也。河北都转运使张商英,知瀛州范镗,并落职,商英知随州,镗知滁州,亦坐惇、卞党,故责。

是日翰林学士曾肇上书皇帝及皇太后曰:"夫以皇太后定策之明,还政之速,著人耳目,可谓盛矣。今陈瓘以一言上及,遂至(败)〔贬〕斥,虽非皇太后圣意,然四方万里之远,岂能家喻户晓!万有一人或谓皇太后有所不容,则盛德不为无累。臣愚计谓皇帝以瓘之所言狂率而逐之,皇太后以天地之量隐忍包容而留之,则天下之人,必曰皇帝恭事母仪,不容小臣妄议,其孝如彼;皇太后能含宏光大,虽有狂言,不以为罪,其仁如此。两谊俱得,岂不美哉!"丁亥,诏瓘改知无为军。

时瓘已出国门,即于门外露章辞免曰:"臣昨所进札子,请正蔡京之罪,陛下若以臣言为是,则当如臣所请;若以臣言为非,则重加贬窜,乃得允当。所有知无为军敕,不敢祗受。"诏不许辞免。

戊子,辽主驻藕丝淀。

己丑,复均给职田。

冬,十月,丙申,以蔡京为端明殿学士、知永兴军。

初,章惇既罢知越州,陈瓘等以为责轻,复论"惇在绍圣中置看详元祐诉理局,凡于先朝言语不顺者,加以钉足、剥皮、斩颈、拔舌之刑,其惨刻如此。看详官如安惇、塞序辰,受大臣风谕,傅致语言,指为谤讪。考之公论,宜正典刑。"于是二人并除名,放归田里,而贬章惇武昌军节度副使,潭州安置。

丁酉,以尚书右仆射韩忠彦为左仆射兼门下侍郎。

壬寅,以知枢密院事曾布为尚书右仆射兼中书侍郎。

癸卯,五国诸部长贡于辽。

辛亥,诏知荆南府杨畏提举洞霄宫。

甲寅,辽以平州饥,复其租赋一年。

乙卯,升端州为兴庆军节度。

诏:"资政殿学士、知大名府林希,降端明殿学士,知扬州;龙图阁待制、知洪州叶祖洽,落职,依旧知洪州;龙图阁待制、知青州徐铎,落职,知湖州。"从中丞丰稷言也。

戊午,改知南康军龚原知寿州。

己未,诏禁曲学偏见、妄意改作以害国事者。

辛酉,罢平准务。

十一月,癸亥朔,改知永兴军蔡京知江宁府。

左正言陈祐言:"林希为中书舍人,草吕大防责词,以司马光变法之初,指名老奸,略无忌惮。苏辙试贤良,而希言辙对策之时已有异志。至于文及甫造为刘挚甘心快意之事,亦希有以启之。而罪大责轻,人望不厌。伏望重行降黜,投之闲散,以申公宪。"乙丑,诏:"希落端明殿学士,依旧大中大夫、知扬州。"

丙寅,辽以天德军民田世荣三世同居,诏官之,令一子三班院祗候。

丁卯,诏修《六朝宝训》。

时议以元祐、绍圣均有所失,欲以大公至正消释朋党,帝纳其言。庚午,诏改明年元日建中靖国。

初,曾布密陈绍述之说,帝不能决,以问给事徐勣。勣曰:"圣意得非欲两存乎?天下之事,有是与非,朝廷之人,有邪与正,若不考其实,姑务两存,未见其可也。"

诏:"知江宁府蔡京落职,提举杭州洞霄宫。"从侍御史陈次升言也。

京既贬,辅臣谓蔡卞责轻,于是并责卞为少府少监分司南京,依旧太平府居住。次升又言:"卞之为害,不在章惇下。惇既以散官安置潭州,而卞则止于近地分司,何名为谪!"壬申,诏:"卞降一官,依前分司,移池州居住。"

丙子,辽主召医巫间山僧志达,设坛于内殿。

戊寅,以观文殿学士安焘知枢密院事。

庚辰,尚书右丞黄履,罢为资政殿大学士、提举中太一宫。

(乙酉)〔己丑〕,置《春秋》博士。

辛卯,以礼部尚书范纯礼为尚书(左)〔右〕丞。

侍御史陈次升言:"右仆射曾布,顷居枢府,阿顺宰臣,进用匪人,大开边衅。近登宰辅,独擅国权,轻视同僚,威福由己。进拔亲故,罗列京局,以为耳目;任用门人,置之台谏,以为腹心;子弟招权,交通宾客,其门如市。伏望特正典刑,以谢天下。"

十二月,甲午,以皇太后不豫,祷于宫观、祠庙、岳渎。

戊戌,蔡京复龙图阁直学士、知定州。

出廪粟,减价以济民。

己亥,辽以知右伊勒希巴事萨嘉努为北面林牙。

辛丑,虑囚。

甲辰,诏修《国朝会要》。

戊申,降德音于诸路,减囚罪一等,流以下释之。

辛亥,辽主命燕国王延禧拟注大将军以下官。

是岁,辽封高丽王颙为三韩国公。放进士康秉俭等八十七人。

穆都哩降于女真。

时阿苏犹在辽,辽使使来罢兵,未到。英格使乌凌阿实噜往佐和卓,戒之曰:"辽使来,但换我军衣服旗帜,与阿苏城中无辨,勿使辽使知之。辽使可以计却,勿听其言遽罢兵也。"辽使果来罢兵,英格使呼噜、穆沁二人与俱至阿苏城。和卓见辽使,诡谓此二人曰:"我部族自相攻击,干汝等何事?"乃援枪刺杀呼噜、穆沁之马。辽使惊骇,遽走,不敢回顾,径归。

居数日,破其城,执迪舒保杀之。阿苏复诉于辽,辽遣奚节度使伊哩来,英格至拉林水见之。伊哩问阿苏城事,命英格曰:"凡攻城所获,存者复与之,不存者备(赏)〔偿〕。"且征马数百匹。英格与其下谋曰:"若偿阿苏,则诸部不复可号令任用也。"乃令和纳、图塔两水之民,阳为阻绝鹰路,复使(毙)〔鳖〕故德部节度使言于辽曰:"欲开鹰路,非生女直节度使不可。"辽不知其为英格谋也,信之,命英格绝鹰路者,而阿苏城事遂止。英格声言平鹰路,畋于图衮水。辽使使赏其功,英格令富嘉努以辽赐物给和纳、图塔之民,且修鹰路而还。

【译文】

宋纪八十六　起己卯年(公元 1099 年)正月,止庚辰年(公元 1100 年)十二月,共二年。

元符二年　辽寿昌五年(公元 1099 年)

春季,正月,辽国主到达鱼儿泺。

丁卯(二十四日),拨出内库金帛二百万,作为陕西边防储备。

辛未(二十八日),诏令张舜民、毕仲游、孙朴、赵睿、梅灏、陈察、李照玘全部罢免馆职。

二月,甲戌朔(初一),命令监司推举本路学问品行优异的人各两名。

己卯(初六),诏令允许高丽国王派人参加科举考试。

辛巳(初八),诏令:"从现在起凡奉旨举荐官员,举荐不恰当的,开列举荐官的姓名上报。"

甲申(十一日),西夏人因为国母去世,派遣使者来报丧,并请罪,诏令拒绝其使者。

戊子(十五日),鄜延钤辖刘安在神堆击败西夏人。

乙未(二十二日),诏令吏部:"守令的政绩考核,从御史台开始,贬责那些政绩不确的人。"

曾布说:"章惇、蔡卞处置元祐党人,众人的意见都认为过当。这样做哪里是因为诋毁先朝,大概多是报私怨罢了。章惇、蔡卞开始很相合,所以章惇对蔡卞,无话不听从;等到失和,蔡卞多反其道行事,人们都笑话他。现在朝廷的政事一概出于蔡卞,没有人敢违背。"皇帝说:"蔡京尤其对章惇不满。"曾布说:"章惇对蔡氏兄弟没有不畏惧的,近来很曲意谋求与蔡京妥协,而蔡京不愿意让步。"

庚辰(初七),欧阳棐入朝拜见,皇帝看着他,对曾布说:"他是元祐五鬼之一。"曾布说:"也听说有这个叫法,元祐年间依附权贵,也一定有他,治理郡务也是一般之才,然而欧阳棐,是欧阳修的儿子,考中进士,欧阳修在英宗皇帝确定嗣位时最有功劳。"皇帝点头认可。

丙申(二十三日),诏令吏部员外郎孙谔给予相应差遣,是因为元祐年间的诉理中有含冤饮恨的话。

西夏人向辽国报告战败请求援助。三月,丙辰(十三日),辽国使臣萧德崇到来,给西夏人说情请求停止发兵,并献上玉带。

修筑环庆路定边城。

丁巳(十四日),秦凤中路经略司报告说吴名革率领部族牲畜归顺,诏令吴名革补任内殿承旨,首领李哆补任右侍禁,并赏赐钱帛不等。

夏季,四月,庚辰(初八),皇帝临幸莘王府。

丙戌(十四日),修筑鄜延、河东路暖泉、乌龙寨。

丁亥(十五日),因为旱灾减免四京囚徒罪行一级,杖刑以下的释放。

辛卯(十九日),诏令:"审问狱案,徒罪以上的必须结案,做审讯记录、审讯报告然后决断遣发;不遵令的给予处罚。"

癸巳(二十一日),封永嘉郡王赵偲为睦王。

派遣中书舍人郭知章回访辽国。

甲午(二十二日),任命江、淮、荆、浙等路发运使张商英为权工部侍郎。

丁酉(二十五日),修筑威羌城。

章惇请求告退,就直截到僧舍居住,他的家人已经先出。皇帝就命令阻拦行李,不要接受章惇请求解除机务要职的章奏。

五月,甲辰(初二),太白星白天出现。

庚戌(初八),修筑鄜延路金汤城。

癸亥(初九),敬迁真宗神位到万寿观延圣殿。

修建西安州以及天都等寨。

本日,辽国主拜谒乾陵。

乙丑(二十三日),进升章惇官爵五等,曾布三等,许将、蔡卞、黄履二等。

戊辰(二十六日),诏令:"朕阅览陈次升担任御史时上的奏章,观察其中的意向,是附会权臣,诋毁先帝。朕容忍他的过失,委以谏官职务,又敢故态萌发,对进言一事观望,长期在那个职位,却没有一点益处。可罢免职务,给予边远小郡的监当职务。"就贬任监全州盐酒税。

辽国命令南府宰相额特勒兼任西北路招讨使、禁军都统。

己巳(二十七日),辽国主驻扎在沿柳湖。

六月,庚辰(初九),赐熙河兰会路新寨名会川城。

甲申(十三日),辽国任命知右伊勒希巴萧药师努为南面林牙兼知契丹行宫都部署事。

甲午(二十三日),赐环庆路的字平名为龙平关。

乙未(二十四日),五国部首领到辽国朝拜。

戊戌(二十七日),修筑的定边、白豹城完工,闭门使张存等人,转官职、赏赐金帛不等。

准布向辽进贡。

己亥(二十八日),黄河在内黄口决口,东流河道断流。

辽国任命兴圣宫使耶律萨嘉努为右伊勒希巴。

秋季,七月,壬寅朔(初一),惕德部首领向辽国进贡。

庚戌(初九),河北路黄河涨水,淹没百姓田地房屋,派遣官员赈济。

辛亥(初十),辽国主到达大牢古山。

己未(十八日),诏令水部员外郎曾孝广到河北路安排治河事宜。曾孝广曾为水官,不主张河水东流,所以特意派他去。

邈川首领辖戬,天性嗜好杀人,部下族人对他怀有二心。大首领森摩沁展等有叛变之心,因为辖戬的叔父索诺木丹津雄壮勇猛,诬陷罪名杀死他,他的同党都被杀死。只有峗部首领沁罗结得以逃脱,因为董戬远族人实巴衮居住在陇通部,河南各羌多依附他,就前往投奔,拥实巴衮的儿子巴勒藏据守萨格城。辖戬攻打杀掉巴勒藏,沁罗结逃奔河州,向洮西安抚使王赡游说夺取青唐的计策。王赡报告给朝廷,章惇同意了,王赡就带兵前往邈川。丙寅(二十五日),钦彪阿成以城投降,王赡留下他守城。

此前蹇序辰说:"请将六曹各司从元丰八年四月以来所有更改法度言辞涉及讥讽的人,全部查核,依事情编排,并记下所担任官职姓名造册申报交给三省。"李积中也这样说。三省没有执行,已经半年了,到现在才又提出下诏,意在罗织罪名。

八月,壬申(初二)。知河南府盛陶改任知和州,是因为言官指论他在元祐年间诋毁先帝业绩,排斥旧朝辅政大臣的缘故。

癸酉(初三),章惇等进呈《新修敕令式》。章惇在皇帝面前读诵,中间有元丰年间所没有而参用《元祐敕令》修订的,皇帝说:"元祐年间也有可取的吗?"章惇回答说:"吸取其中好的东西。"

甲戌(初四),太原发生地震。

诏令:"黄河水势全部北流,将治河事务交付转运司,责令各州县共同出力救护北流的堤防。"

戊寅(初八),皇子出生,是贤妃刘氏生的。

乙酉(十五日),赐给熙河路钱一百万,安抚部族。

丁亥(十七日),在会州筑城。元丰中期,虽然合并兰会与熙河为一个路,而会州实际上没有收复。到此时开始建城,将西安城北六个寨子隶属它。

辖戬自从知道他的部下多背叛,就脱身从青唐到河州,向王赡投降,下诏任命胡宗回为熙河经略使以节制他。

癸巳(二十三日),太白星白天出现。

甲午(二十四日),将葭芦寨改建为晋宁军。

九月,庚子朔(初一),西夏人前来请罪。

辛丑(初二),左司谏王祖道说:"黄河全部向北流,淹没民户禾苗,请先治吴安持、郑佑、李仲、李伟的罪行,投放到远方,以明示先帝主张北流的志向。"诏令工部详细查明提出东流建议以及管理役工的人,将名字上报。

癸卯(初四),命令御史检查三省、枢密院,均按元丰年间制度办理。

甲辰(初五),皇帝临幸储祥宫。

乙巳(初六),皇帝临幸醴泉宫。

丁未(初八),诏令立贤妃刘氏为皇后。

孟后已废,章惇与内侍郝随、刘友端相勾结,请求将贤妃居中宫正位。当时皇帝没有子嗣,正好贤妃生儿子,皇帝大喜,就册立了她。

戊午(十九日),通判潭州毕渐上奏说:"所有元祐年间各路所立纪事碑刻,请求命令全部砸碎毁掉。"同意了他的意见。

己未(二十日),青唐首领隆赞献城投降。

壬戌(二十三日),下雨,取消秋宴。

甲子(二十五日),右正言邹浩除名处理,新州羁管。

当时章惇独任宰相主政,邹浩上疏章揭露弹劾,列数他不忠犯上的罪行,未回复,刘皇后就册立了。邹浩上疏说:"臣听说天子和皇后,就像日与月,阴和阳,相互配合;那么册立皇后配合天子,哪能不慎重!现在陛下给天下选择国母,而所册立的却是贤妃刘氏,一时大家的议论,没有不疑惑的,实在是国家已经有了先祖仁宗皇帝的先例,不能遵循采用。那时皇后郭氏与美人尚氏争宠获罪,仁宗皇帝已经废掉皇后,马上就斥逐美人尚氏,是为了显示极为公正,再册立皇后,不从嫔妃中选择而从贵族之家选择,是为了避嫌,成为万代的榜样。陛下废掉孟皇后,与郭皇后没有不同。然而孟氏的罪过,没有交付外廷处治,果真是与贤妃争宠而获罪吗?世人不得而知;如果是与贤妃争宠而获罪,那么就一并斥逐美人以显示极为公正,有仁宗皇帝的旧事在那里,两者必居其一。孟氏因罪废后的当初,天下人谁不怀疑是贤妃所造成的?等到读到诏书中有另选贤良家族的话,又听说陛下临朝时感叹,认为是国家的不幸,因此天下人放心不怀疑了。现在最终册立她,岂不是损害皇上的圣德吗?臣看白麻诏书上所说的,不过是称她有儿子,以及引用永平、祥符年间的事例为证。请让臣论说其中的道理。如果说有儿子可以做皇后,那么永平时贵人不曾有儿子,册立她的原因,是因为品德在后宫第一;祥符时德妃也不曾有儿子,册立她的原因,是因为她的家族英才第一。又何况贵人是马援的女儿,德妃没有废掉皇后的嫌疑,完全与现在的事情不一样。去年冬天,贤妃跟随到景灵宫祭祀,那天打雷变化怪异;现在宣布制命之后,连续下雨下雹,从奏告天地宗庙以来,阴雨不止;天意很明显。希望不要一时认为更改成命为很难,而要以万代的公论为值得敬畏,追回停止册封典礼,另选贤良家族之人,按原来的诏命执行。"皇帝对邹浩说:"这样也是祖宗的旧例,哪里只是朕如此!"邹浩对答说:"祖宗盛大的德行,可以学习的很多,陛下不吸取而效法其中小的缺点,臣恐怕后世指责的人纷纷不停止啊。"皇帝变了脸色,还没有发怒;次日,章惇入朝奏对,极力诋毁邹浩狂妄,于是有这个贬责。奏章留在宫中没有下发。

尚书右丞黄履说:"邹浩冒犯皇帝进献忠言,不应该斥逐置于死地。"因而获罪免职,改知亳州。

当初,阳翟人田昼,论事正直激昂,与邹浩以气节互相激励。邹浩任命为正言职务,田昼正担任监广利门,前往见邹浩,问道:"平时与你互勉的事怎么样?现在你担任什么官职?"邹浩表示歉意说:"皇帝对待群臣,不曾假以辞色,只是对我的任职似乎很高兴。天下的事情本来就说不完,想等到很信任后再提出,重在有益处。"田昼认为有理。随后因病回到老家,邸状上通报册立皇后,田昼说:"志完不发言,可以绝交了!"志完,是邹浩的字。邹浩获罪,田昼到中途迎接他,二人依依不舍三天,临别时,邹浩流下眼泪,田昼正色指责他说:"假使志完你沉默在京师当官,遇到寒病不出汗,五天就死了,岂止是岭外会死人呢!希望你不要因此事自满,士人应当做的,不止这些。"邹浩茫然有所失,叹道:"君赠予我很丰厚。"

邹浩将要论此事时,将此告诉他的朋友宗正寺主簿仙游人王回,王回说:"事情有比这更大的吗?你虽然有亲人,然而移忠义为孝顺,也是太夫人平素的心愿。"等邹浩南下,人们不敢看望他,王回从朋友处收募钱给邹浩整治行装,往来安排,而且慰问安抚他的母亲。探巡的人报告上去,将他抓到诏狱,众人为此害怕,王回处之安然。御史审问他,王回说:"确实曾经参与策划,不敢欺瞒。"于是背诵邹浩所上的奏章,差不多二千多字。案子报上去,给予除名罢职处理,王回就徒步走出都城门,走了数十里,他的儿子追上来,问到家里的事,没有回答。

丙寅(二十七日),皇帝亲临文德殿,册立皇后。

闰月,庚午朔(初一),朝请郎贾易特别授给保静军司马,邵州安置;是因为他在元祐年间担任台谏官,依附权臣,诬蔑诽谤先朝的缘故。

癸酉(初四),设置律学博士员。

下诏详细讨论庙制。

辖戬已经投降王赡,而王赡与总管王愍争功劳,告状到朝廷。因此青唐人首领林摩沁展迎接实巴衮入城,立玛尔戬的儿子隆赞为王,其势力重新强大。辖戬极为害怕,自己削发为僧人请求免罪。熙河主帅胡宗回督令王赡进军,王赡猛攻,隆赞以及林摩沁展等人都出来投降,王赡进入占据那座城。皇帝下诏青唐改为鄯州,属陇右节制;邈川改为湟州,宗哥改龙支城,都隶属陇右。任命王赡知鄯州,王厚知湟州。

丙子(初七),辽国主驻扎在独卢金。

戊寅(初九),改廓州为宁寨城。

丙戌(十七日),梁州团练使仲忽进献古代方鼎,款识为"鲁公作文王尊彝"。

甲午(二十五日),火星冲犯太微垣左边的执法星座。

乙未(二十六日),皇子死,追赐名字为赵茂,赠给越王,谥号为冲献。

辽国招讨使额特勒征讨西北边境为匪寇的人,俘获很多,缴获马匹骆驼牛羊各数万头。

冬季,十月,庚戌(十二日),集贤殿修撰文及甫免职,知均州,依照吕大防的事例,不得引用到年限以及大赦恩典叙复起用。

壬子(十四日),诏令河北大名二十二州军设置马步军指挥,以广威、保捷命名。

丁巳(十九日),辽国额特勒奏报西北部边境的胜利。

丙寅(二十八日),辽国任命同知南京留守事萧德勒岱知北院枢密使事。

戊辰(三十日),辽国赈济辽州的饥荒,并免除租赋。

十一月,甲戌(初六),辽国赈济南北二紽。

丁亥(十九日),诏令改绥德城为绥德军。

壬辰(二十四日),诏令:"河北路黄河退水后的滩地,准许百姓开垦耕种,免除三年租税。"

乙未(二十七日),下诏:"各州设置教授职称的,按太学三舍办法考选学生,升级补进完全按三舍办法。州允许补进上舍生一名,内舍两名,每年贡送。州的上舍生入太学外舍,考中的,补入内舍,三次考试不通过,送回原来的州。州的内舍生免试补为太学外舍生。"

十二月,庚子(初三),西夏人多次失败,派遣大臣令能威明结等人来请罪,并进呈誓表。下诏允许他们通结友好,每年赏赐照旧例。从此西边百姓略微安宁。

壬戌(二十五日),水部员外郎曾孝广上奏说:"黄河从滑州、通利军通过,苏村堤埽今年两次经历危急。请求在苏村埽危险的地方,等到来年水势涨发时,乘水势打开堤埽,引导黄河水向北流,以顺合水性,与下游内黄县西行的河道会合,作为永久的便利。"同意了这个意见。

甲子(二十七日),辽国任命参知政事赵孝严为汉人行宫都部署,任命汉人行宫都部署梁援为辽兴军节度使,任命枢密直学士耶律俨为参知政事。

这一年,西夏改国号为永安。

元符三年辽寿昌六年(公元1100年)

春季,正月,辛未(初四),皇帝生病,不能临朝。

癸酉(初六),辽国南院大王耶律鄂嘉去世。

丁丑(初十),恭敬地安放太宗皇帝的像在景灵宫大定殿。

戊寅(十一日),大赦天下,免除百姓租赋。

己卯(十二日),皇帝在福宁殿崩逝。

皇太后向氏哭着对宰执大臣说:"国家不幸,去世的皇帝没有子嗣,事情必须早日决定。"章惇厉声说:"应当立皇帝的同母弟弟简王赵似。"太后说:"老身没有儿子,各王都是神宗皇帝的庶子。"章惇又说:"按年长那么应当立申王。"太后说:"申王有病,不能立;先帝曾说,端王有福寿相,而且仁孝,应当立。"章惇又说:"端王轻佻,不能君临天下。"话没有说完,曾布呵斥他说:"章惇听从太后安排!"就召端王赵佶入朝即皇帝位。君臣请求皇太后暂时一同处理军国事务,太后以皇帝年长相推辞;皇帝哭泣跪拜好久,才答应他。

庚辰(十三日),赦免天下平常赦令不宽免的人,百官进官秩一级,赏赐各军队。派遣宋渊向辽国报丧。

辛巳(十四日),尊奉皇后刘氏为元符皇后。

癸未(十六日),追赠皇帝生母贵仪陈氏为皇太妃。

甲申(十七日),任命章惇为山陵使。

丁亥(二十日),辽国主举行春水游猎。

戊子(二十一日),任命章惇为特进,封申国公。

己丑(二十二日),停止扩充八厢巡逻士兵。

任命权工部侍郎张商英为中书舍人。

辛卯(二十四日),辽国招讨使额特勒捉住玛古苏进献。自从准布各部不安宁,玛古苏尤其是边境患害,到此时被捉。加封额特勒为太保。

丙申(二十九日),辽国主下诏询问民间的疾苦。

二月,己亥(初二),皇帝开始处理政务。尊奉先帝的妃子朱氏为圣端皇太妃。

丁未(初十),册立顺国夫人王氏为皇后;皇后,是开封人,德州刺史王藻的女儿。

辽国任命乌库部节度使慎嘉努为南院大王。

己酉(十二日),辽国在市中裂斩玛古苏。

庚戌(十三日),向宗回、向宗良迁任节度使。太后的弟侄中没有任职的,都授予官职。

癸丑(十六日),皇帝初次前往紫宸殿。

辽国拨出绢赏赐给五京的贫民。

戊午(二十一日),任命新上任的吏部尚书韩忠彦为门下侍郎。韩忠彦入朝奏对,陈述四件事,即广施仁恩,开放言路,去除疑心,禁戒用兵,太后采纳他的意见。从此忠心正直敢言的知名人士,稍许受到任用,当时称作小元祐。

庚申(二十三日),给事中刘拯说:"韩忠彦是驸马都尉韩嘉彦的兄长,元祐年间曾任命为尚书右丞,因为有人指责就改到枢府任职。现在任命为门下侍郎,让日后援引为先例,恐怕执政机构将成为皇帝喜爱的人和外戚的地盘了!"皇帝不听从。

任命知亳州黄履为尚书右丞。

辛酉(二十四日),命名懿德宅旧邸为龙德宫。

壬戌(二十五日),诏令陕西转运副使马城等人主持开凿修建解盐池。

甲子(二十七日),拆毁承极殿。

三月,戊辰朔(初一),诏令:"宰执、台谏、侍从官员各推举可以担任台谏职务的人。"

辛未(初四),任命给事中范镗为龙图阁待制,知瀛州。

甲戌(初七),召用权发遣卫州陈瓘为左正言,监袁州酒税邹浩为右正言,知沼州龚夬为殿中侍御史,是韩忠彦、曾布所推荐。

甲申(十七日),任命中书舍人张商英为龙图阁待制、河北路转运使,兼提举河事。

此前曾布指论刘拯应当放逐,皇帝说:"张商英与刘拯都不能留下,张商英没有一天不在章惇那里。"曾布连连称是退下。十天后,张商英就有这个任命,这是韩忠彦遵循皇上的旨意。

王赡留在鄯州,放纵部下抢掠,羌族人怀有二心。森摩联合各部族图谋反叛,王赡攻破他们,全部捕杀城中的羌人,首级堆积如山。当初,王赡又暗示各羌族首领编入得胜的宋军中的人都刺染臂膀,没有人响应。沁罗结请求回去带领本路的人带头,王赡让他去了,于是召集数千人围攻邈川,西夏十万人帮助他们,城中非常危急。苗履、姚雄率领所部士兵来援救,才解围。王赡因而放弃青唐返回,实巴衮与他的儿子希斯罗斯占据青唐。群羌族于是集合兵力进攻邈川,王厚也支持不住。朝廷的意见提出全部放弃邈川,而且说隆赞是玛尔戬的儿子,于是任命为河西军节度使、知鄯州,赐给姓名为赵怀德。他的弟弟赐名为赵怀义,任命为廓州团练使、知湟州。加封辖戬为怀远节度使,而贬王赡到昌化军,王厚到贺州;胡宗回免职,改知蕲州。王赡到了穰县,自缢而死。

辽国开放朔州山林的禁令。

乙酉(十八日),任命翰林学士承旨蔡京为端明殿学士兼龙图阁学士、知太原府。蔡卞向皇帝说:"兄长不敢来辞行,然而议论事情多次与当权的宰相相违背,人们只说是被宰相所驱逐。"皇帝不答话。

第二天,曾布奏对,皇帝对曾布说:"蔡京、张商英、范镗都已经离开,只有章惇、刘拯、王祖道没有离开。"曾布说:"言官稍微尽一点责任,那么这些人如何能安稳!"

己丑(二十二日),因为将有日食,向四京下发德音诏书,减免囚徒罪行一级,流罪以下刑罚予以释放。

庚寅(二十三日),录用赵普的后代。

辛卯(二十四日),因为将有日食,下诏求直言。筠州推官雍丘人崔鸥应诏上书说:"现在政令繁杂苛狠,风气险恶刻薄,不及全部陈说,只以判断身边的人的忠还是邪作为主要内容。臣出身草野,不认识朝廷里的人;只是奇怪皇上身边的人有指说元祐朝大臣是邪党的,这些人一定是邪人。名声好坏,是朝廷的公议。已故责授朱崖军司户司马光,皇上左右的人认为是奸,但天下的人都说是忠;当今宰相章惇,皇上左右的人认为是忠,而天下的人都说是邪。这是什么道理呢?请让臣略微说说奸人的行为:那些乘时机逢迎窃取富贵,探测心思以巩固权力宠爱,可以说是奸;礼包塞满家门,私下拜谒的不绝于路,暗中结交心怀不满的人,暗中交结宫禁,可以说是奸;以奇技淫巧动摇皇上心思,以倡优女色败坏君主的德行,独揽赏罚,为自己报恩报怨,可以说是奸;遮挡皇上的视听,排挤放逐正直的人,委婉劝谏的人给以刺讽的罪名,直言劝谏的人诬陷指斥的罪名,可以说是奸。凡此种种,司马光有吗,章惇有吗?有实的东西,名声就随着有了,没有实际在的东西而给他名声,那谁相信呢!《左传》上说:称狐为狸,那就不仅不知道狐,也不知道狸。司马光忠心正直,闻名国内外,而说他是奸,这是欺骗天下,欺骗后世。一个人可以被欺骗,朝廷可以被欺骗,天下后世不会被欺骗。至于章惇,狡诈阴险,天下的士人叫他'惇贼'。贵之极到了宰相位置,人们都看着他,以名字称呼他,又指做贼,难道不是因为他辜负皇上的恩情,玩弄窃取国权,忠臣痛恨,义士不服,所以鄙贱而称他的名字,指着他的实际行为而给以贼的称号吗!京城的俗语说:'大惇、小惇,祸及子孙。'就是说的章惇与安惇。小人就像蝮蛇毒蝎,其残忍是由于天性,随机而发作。天下没有事时,不过是陷害忠良,损害好人;到了紧急危险的时候,必定有反叛卖国的心思,专横不守臣道的举动。近年以来,谏官不论及得失,御史不弹劾奸人,门下省不驳议诏令,都保持沉默,自认为得计。前不久邹浩因为陈述事情而获罪,大臣拱手观看,同僚又从而排挤他。作为股肱耳目的大臣,关系着治乱安危,而都像这样,陛下即使有尧、舜的聪明,让谁提出意见,谁来执行呢!日,就是阳,日食就成为阴。四月是正阳的月,阳极盛大、阴极衰微的时候,而阴干犯阳,所以这个异变是很大的。希望陛下敬畏天威,听从明确的天命,大力运作君主的威权,大力分别邪与正,不要违背经义,不要使民心郁积,那么天意就缓解了。如果击鼓花费币帛,穿素服撤掉乐音,而没有好的实际德政,不是用来回报上天的。"皇帝阅览后认为很好,任命为相州教授。

乙未(二十八日),拒受永兴百姓王怀所献上的玉器。

四月,丁酉朔(初一),出现日食。

戊戌(初二),诏令知太原府蔡京按前职任翰林学士承旨;给事中刘拯罢免改知濠州,是因为他议论事情采取观望态度。

本日,曾布入朝奏对,皇帝宣谕曾布说:"皇太后犹豫蔡京不应当外放,想暂时留下编修国史。"曾布极力陈述"蔡京、蔡卞怀有奸邪之心损害政务,党徒帮手布满朝廷内外,善良的人誓不与他们共事,这必定是有奸邪的人制造舆论,以迷惑皇太后的视听。"皇帝说:"没有别的,皇太后觉得《神宗史》经过元祐朝的损坏,现在更难得换人罢了。"

癸卯(初七),辽国主到达炭山。

甲辰(初八),任命门下侍郎韩忠彦为尚书右仆射兼中书侍郎,礼部尚书李清臣为门下侍郎,翰林学士蒋之奇同知枢密院事。

丁未(十一日),定皇帝的生日那天为天宁节。

己酉(十三日),皇帝的长子赵亶出生。当时皇帝刚即位,就生嫡长子,想给予特别礼仪,过了三天,大赦,授予赵亶山南东道节度使,封为韩国公。

癸丑(十七日),赏赐应诏上书可以采纳的人郑敦义、高士育、鹿敏求、何大正、吕彦祖,共五人。

丁巳(二十一日),诏令:"范纯仁等人恢复宫观官职,苏轼迁往内地。"

范纯仁当时在永州,派遣中宫使者赏赐给茶叶药材,宣布皇上谕旨说:"皇帝在藩王府时,太皇太后在宫中,知道您在先朝时言事忠诚正直,现在空出相位等待,不知道眼病怎么样?让什么人医治?"范纯仁叩首称谢。迁往邓州,在路上,拜授观文殿大学士、中太一宫使。制词中说:"不仅是尊重品德与年长,表示宠信优待;还可以直率地提出好的见解,每天听到忠告。"范纯仁听到制词,哭泣说:"皇上果然起用我。死了也感到未尽完责任。"接着又派遣中宫使者催请他入朝进见。范纯仁请求归家养老,皇帝不得已而允许他,每见到辅政大臣,都问范纯仁安好否,而且说:"范纯仁得以见一面就知足了!"

苏轼从昌化移到廉州,又迁到永州,三次赦免,恢复为提举玉局观,不久,在常州去世。苏轼与弟弟苏辙,从师父亲苏洵学习写文章,常自称文章如行云流水,开始没有一定的规矩,即使是嬉笑怒骂的话,都可以写下读得上口。自从作举人到担任侍从职务,必定以爱戴君主作为根本,忠心的规劝、正派的议论,正直有节操,只是被小人所忌恨,不能长久在朝廷任职。

此前韩忠彦说:"哲宗皇帝即位,曾诏令天下密封疏奏议论事情,进献言论的成千百计。章惇担任宰相,就设置机构按类编排,摘取言辞类似的,指责为诽谤讥讽,先前应诏上书的人,大致都获罪。现在陛下又诏令朝廷内外谈论朝政失误,那么敢言的人,一定心怀疑虑恐惧。臣希望立即下诏撤销此机构,收集全部所编类的文书,收入宫禁中。"中书舍人曾肇也说:"祖宗以来,臣僚所上的疏章,不曾编类,那是因为大臣指论朝政,弹劾臣子,都是舍身为国,不顾及后来的祸患。朝廷如有实行,往往去掉姓名,只作为臣僚的言论,是为了爱护谈论事情的人,不让他招致怨恨。如果一一编录,流传不止,万一那些人的子孙看到了,必定结下深仇。祖宗以来,不曾编录,用意恐怕也在这里。现在编录既不是祖宗旧例,又限定年月时间。况且元丰八年(公元1085年)四月以前直到开国初年,元祐九年(公元1094年)四月十二日以后直到今天,章疏为何都不编类,而唯独编类这十年的章疏,臣不明白。想请求降下指挥文书,将中书省、枢密院编写的人全部各自撤走。"皇帝赞许地采纳他的意见。癸亥(二十七日),下诏撤销编类臣僚章疏局。次日,吏部侍郎徐铎,取出已经编类成书的,全部送入。

御史中丞安惇,依附当权奸臣,屡次兴起大狱案,天下的人怨恨他们,创作二惇、二蔡的歌谣。等到召用邹浩担任谏官,章惇说:"邹浩若再任用,担心公开先帝的失误。"皇帝说:"册立皇后,是大事情。中丞不说而邹浩唯独敢说,为什么不能再任用!"章惇害怕而退下。陈瓘请示说:"陛下想开创正道,用邹浩过去的长处;章惇迷惑皇上视听,谋划他的私利。如果要明确显示喜欢和反对,可以从章惇开始。"就外放章惇知润州。

五月,丁卯朔(初一),免去理官判案失准的处罚。

皇太后将恢复瑶华宫废后的地位,正碰上太学上舍生何大正上书言说此事,癸酉(初七),就降诏令说:"瑶华宫废后,多次经过磨难,她的位号、礼仪,命令三省、枢密院详细议论上报。"丙子(初十),废后孟氏恢复为元祐皇后,刘氏为元符皇后。

尚书右丞蔡卞,专门借继承前朝政务说法,中伤好人,都是密疏提出建议,然后请皇帝亲自写成谕令交付宫外实行。章惇虽然老奸巨猾,然而还是在他的算计中。章惇轻率不思考,而蔡卞深沉少言,议论的时候,章惇毅然提出主张,而蔡卞有时闭口不言。一时议论的人,认为章惇的心迹容易明白,蔡卞的心思难看清。到此时殿中侍御史龚央说:"过去丁谓主持国政,称为放纵随意,然而不过是陷害一个寇准罢了。到了章惇,过去的元老辅臣、侍从、台省官员,凡是天下认为是贤人的,一天之内,遍布岭南海域,从宋开国以来,没有听说过。蔡卞事奉皇帝不忠诚,深藏奸谋,凡是章惇所做的,都是蔡卞想出来的。希望从极为公正出发,宣布贬责。"没有答复,而台谏官陈师锡、陈次升、陈瓘、任伯雨、张庭坚相继提出弹劾。乙酉(十九日),蔡卞免职,改知江宁府。比部员外郎董必,外放知兴国军,知无为军舒亶,监潭州南岳庙,他们都是蔡卞的党羽。

辽国汉人行宫都部署赵孝严去世。

丙戌(二十日),辽国主驻扎在纳葛泺。

己丑(二十三日),追认恢复文彦博、王珪、司马光、吕公著、吕大防、刘挚等三十三人的官职。

辛卯(二十五日),归还司马光等的致仕遗表恩泽。

癸巳(二十七日),河北、河东、陕西饥荒,诏令帅臣考察实情赈济抚恤。

乙未(二十九日),辽国任命东京留守阿噜萨古特里衮,任命南院宣徽使萧常格为汉人行宫都部署。

六月,丙申朔(初一),辽国派遣使臣来悼祭。

辛丑(初六),辽国因为有关官员在文书中将宋主继位写为登宝位,免去宰相郑颛以下官员职务,贬郑颛知兴中府事,韩资让为崇义军节度使,御史中丞韩君义为广顺军节度使。

乙巳(初十),左正言陈瓘说:"龙图阁待制、知荆南邢恕,先前用北齐宣训皇后说的话来诬蔑司马光,而司马光以及范祖禹等人受到贬逐,用文及甫私人书信证实刘挚、梁焘、王岩叟都有奸谋,而刘挚等家族差不多覆灭。现在朝廷抚恤的恩泽,遍及活着和已死的人,那么这就是邢恕先前所做的事,不被陛下所信任。邢恕反复无常诡计多端,对先朝犯下罪行,公论不容忍他很久了。现在宠信他给予显贵的职务,把大的地方交给他,朝廷内外沸腾不满,认为这样是不公允的。希望弄清情况定罪,以缓和公论。"丁未(十二日),诏令邢恕以少府少监身份分司西京,均州居住。

戊午(二十三日),辽国派遣使臣决断五京积压的狱案。

己未(二十四日),辽国任命辽兴军节度使梁援为枢密副使。

1916

辽国主召参知政事耶律俨到内殿,询问有关政务。辽国主晚年懒于理政,用人不能自己确定,让他们分别掷骰子,以得胜的授予官职。耶律俨曾经掷骰得胜,辽国主说:"是作第一宰相的征兆。"升任知枢密院事。耶律俨的妻子有姿色,曾出入内宫中,耶律俨教他说:"小心不要让主上不高兴。"因此权力宠信更加牢固。

秋季,七月,丙寅朔(初一),奉皇太后的诏令,取消共同听政。

庚午(初五),辽国主到达沙岭。

八月,乙未朔(初一),任命秘书少监邓洵武为国史院编修官,是采纳了蔡京的意见。给事中龚原、叶涛驳议说不应该随便让邓洵武担任史官,就命令中书舍人徐勣书写下发。

庚子(初六),修建景灵西宫,安放神宗皇帝的神位;又在西边修建哲宗皇帝的神位殿。

辛丑(初七),拨出内库金帛二百万买粮作为陕西军备。

壬寅(初八),在永泰陵安葬哲宗钦文睿武昭孝皇帝。

庚戌(十六日),诏令仁宗皇帝、神宗皇帝的神位永世不迁入祧庙。

癸亥(二十九日),在太庙合祭哲宗神位。

左正言陈瓘说:"山陵使章惇,任职不像样,致使哲宗的灵车陷在泥泞中不能前行,露宿在野外。希望马上罢免章惇的职务,免除入朝进见,另外差遣,然后下发大臣前前后后的章疏,再议论处罚。"

辽国西北各部侵犯边境,招讨使额特勒出兵击败他们,本月,使臣前往献战利品。

九月,甲子朔(初一),诏令编修《哲宗实录》。

尚书左丞章惇五次上表请求免予参政,诏令答复不批准,章惇直截外出到僧舍居住。皇帝对辅臣说:"朕这样对待章惇,相待以礼不能说不周到。章惇请求到越州,可以给他。"

当初,台谏官丰稷、陈师锡、陈瓘多次弹劾章惇,有的指出他在决定皇位继承人时有不同意见。到此时皇帝将罢免章惇,对辅政大臣说:"朕不拿确定皇位继承人的事贬责他,只以护送灵车不尽职的原因罢免他。其他的事等有人提出时,另外商议处理。"

丙寅(初三),辽国派遣使臣前来祝贺皇帝即位。

丁卯(初四),减免两京、河阳、郑州囚徒一级罪行,百姓因为修陵寝而服劳役的,免除他们的赋税。

己巳(初六),皇帝临幸龙德宫。

辛未(初八),章惇免职为特进。知越州,并免予辞谢。

丁丑(十四日),诏令编修《神宗正史》。

己卯(十六日),右司谏陈瓘说:"向宗良兄弟,依仗国家的恩惠,凭借太后的荫庇,夸耀目前的荣华兴盛,不想到祸福相依的可畏惧,所与他交往的人,包括侍从;希望得宠的人,愿意投到他的门下。裴彦臣没有什么才干,只是会内外勾结,泄露机密,于是使议论纷纷。有人认为皇帝处理事务,罢免任命,皇太后至今还在参与。"庚辰(十七日),皇帝指示:"陈瓘的话荒诞没有根据,可送往吏部给予合入差遣。"三省请求让陈瓘下到郡去任职,皇帝不同意。就遣任他为监扬州粮科院。

陈瓘开始不知道被贬,又请求次日见皇上,阁门使没有同意。陈瓘就写下奏札递进,其中第一道札子是谈论景灵宫的事,第二道是论述章惇罢免宰相制书中所说的国政方略,第三道、第四道都是陈述蔡京的罪恶。皇帝暗中派使者赐给黄金一百两。

此前御史中丞丰稷、殿中侍御史陈师锡说:"翰林学士承旨蔡京,资政殿学士、知江宁府蔡卞,兄弟一同作恶,迷误国家朝廷。蔡卞虽然离开原位,还窃居要职,玷污名邦。蔡京安然在职,日夜结纳宫廷内侍、外戚,以企图得到大的任用。蔡京好大喜功,锐意更改,假若果然被大用,必定改乱旧的政务,天下的治理与混乱从此分界,祖宗的基业自此堕落了。"辛巳(十八日),丰稷上朝奏对,又说:"陛下拥有天子的权威,还怕一个蔡京不能去掉,莫非是太后的主张吧?在绍圣、元符年间,章惇、蔡卞,玩弄权力,致使哲宗陷入有过错的境地,废元祐皇后到瑶华宫,蔡京都出了力。章惇、蔡卞的罪恶,仰赖陛下英明决断,外放到边远的地方;而蔡京还在朝廷,有自鸣得意的神色。忠诚的人感到寒心,贤良的人感到伤心入骨,他们不是爱护自己才担心,而是为陛下担忧,为祖宗担忧,为天下的贤人君子担忧啊。"

癸未(二十日),辽国主遥祭木叶山。

甲申(二十一日),诏令:"蔡卞免原职,任提举灵霄宫,太州居住;知成都府路昌衡、知郓州府吕嘉问,都分司南京、光州居住。"是因为他担任京城尹时依附章惇、蔡卞,杀害无辜的缘故。河北都转运使张商英、知瀛洲范镗,一并免职,张商英知随州,范镗知滁州,也因为是章惇、蔡卞的党羽,所以贬责。

本日翰林学士曾肇向皇帝以及皇太后上书说:"皇太后决定皇位继承人的英明,归还政务的迅速,人们耳目所见闻,可以说是盛大了。现在陈瓘因为一句话向上提到,就遭到贬责,虽然不是皇太后的意旨,然而四方万里之外,哪能家喻户晓!万一有人说是皇太后不能容忍,那么盛大的德行不会不受到损害。臣愚笨的意见认为皇帝因为陈瓘的言辞轻狂而贬逐他,皇太后以能包容天地的度量而宽容他,那么天下的人,一定说皇帝恭敬事奉母后,不容许小臣胡乱议论,如此孝顺;皇太后能够包容宽大,即使有轻狂的言辞,不认为有罪过,她如此有仁德。两方面道义都得到,岂不好吗!"丁亥(二十四日),诏令陈瓘改知无为军。

当时陈瓘已走出京城,就在城门外上章辞谢说:"臣前日所上奏札,请定蔡京的罪行,陛下如果认为臣说得对,就应当按臣请求的做;如果臣说的不对,那么就重加贬责,才是公允恰当。所下的知无为军的敕令,不敢从命。"下诏不许辞谢。

戊子(二十五日),辽国主驻扎在藕丝淀。

己丑(二十六日),重新平均分给职田。

冬季,十月,丙申(初三),任命蔡京为端明殿学士、知永兴军。

当初,章惇已经免职改知越州,陈瓘等人认为贬责太轻,又说:"章惇在绍圣年间设置看详元祐诉理局,凡是对先朝言语有不顺的,给以钉足、剥皮、斩颈、拔舌的刑罚,如此残酷刻薄。看详官如安惇、蹇序辰,接受大臣的意图,罗致言辞,指责为诽谤讥讽。考察公论,应该依法处罚。"因此两人一并除名、放回故里,而贬章惇为武昌军节度副使,潭州安置。

丁酉(初四),任命尚书右仆射韩忠彦为左仆射兼任门下侍郎。

1918

壬寅(初九),任命知枢密事曾布为尚书右仆射兼任中书侍郎。

癸卯(初十),五国各部首领向辽国进贡。

辛亥(十八日),任命知荆南府杨畏为提举洞霄宫。

甲寅(二十一日),辽国因为平州饥荒,免除一年租赋。

乙卯(二十二日),端州升格为兴庆军节度。

下诏:"资政殿学士、知大名府林希,降为端明殿学士、知扬州;龙图阁待制、知洪州叶祖洽,免职,仍旧知洪州;龙图阁待制、知青州徐铎,免职,知湖州。"是听从了中丞丰稷的意见。

戊午(二十五日),改任知南康军龚原为知寿州。

己未(二十六日),诏令禁止以歪曲学说和偏见、任意更改来损害国家政务。

辛酉(二十八日),取消官府平抑物价的事务设置。

十一月,癸亥朔(初一),改任知永兴军蔡京为知江宁府。

左正言陈祐说:"林希担任中书舍人,起草吕大防的制词,认为司马光为改变法度的开始,指名为老奸,毫无忌惮。苏辙考试贤良科,而林希说他答对策问时已有异心。至于文及甫制造的所谓刘挚甘心快意的事,也是林希发动的。罪行大而责罚轻,人心不满意。希望重加降责,安置到闲散位置,以伸张公正的法令。"乙丑(初三),诏令:"林希免除端明殿学士职,仍旧任大中大夫、知扬州。"

丙寅(初四),辽国因为天德军的民户田世荣三代一起居住,下诏给予官职,让他的一个儿子担任三班院祗候。

丁卯(初五),诏令编修《六朝宝训》。

当时的议论认为元祐、绍圣年间均有过失,要以极为公正的态度消除朋党,皇帝采纳了这个意见。庚午(初八),诏令改次年年号为建中靖国。

当初,曾布秘密陈述继承前朝政务的意见,皇帝不能决定,以此询问给事中徐勣。徐勣说:"皇上的意图该不是想两方面都共存吧? 天下的事情,有对和不对,朝廷的人,有奸邪和正直,如果不考察其中的实际,姑息尽量使两者都存在,看不出这是可行的。"

诏令:"知江宁府蔡京免职,改任提举杭州洞霄宫。"是听从了御史陈次升的意见。

蔡京已经贬责,辅政大臣说蔡卞的责罚太轻,因此一并责罚蔡卞为少府少监分司南京,仍旧太平府居住。陈次升又说:"蔡卞作恶,不在章惇之下。章惇已经以散官安置潭州,而蔡卞只在近地方分司,如何称为贬责!"壬申(初十),诏令:"蔡卞降一级官,按先前分司职,移送池州居住。"

丙子(十四日),辽国主召来巫医闾山僧志达,在内殿设置神坛。

戊寅(十六日),任命观文殿学士安焘知枢密院事。

庚辰(十八日),尚书右丞黄履,免职改任资政殿学士、提举中太一宫使。

己丑(二十七日),设置《春秋》博士。

辛卯(二十九日),任命礼部尚书范纯礼为尚书右丞。

侍御史陈次升说:"右仆射曾布,先前在枢密院任职,阿谀顺从宰相,进用坏人,大开边境事端。近来登上宰相位置,独掌国家权柄,轻视同僚,奖惩由自己决定。进用提拔亲友,布满京城中各部门,作为耳目,任用门生,安置给台谏官位,作为心腹;子弟依仗权力,交结宾客,门庭若市。希望特别依法处罚,以安慰天下。"

十二月,甲午(初二),因为皇太后身体不适,在宫观、祠庙山岳祈祷。

戊戌(初六),蔡京恢复为龙图阁直学士,知定州。

拨出仓库的粟米,减价卖出以赈济百姓。

己亥(初七),辽国任命知右伊勒希巴事萨嘉努为北面林牙。

辛丑(初九),审讯记录囚徒罪状。

甲辰(十二日),诏令编修《国朝会要》。

戊申(十六日),降德音于各路,减免囚徒罪行一级,流刑以下释放。

辛亥(十九日),辽国主命令燕国王耶律延禧拟送大将军以下官职。

这一年,辽国封高丽王王颙为三韩国公。放榜录取进士康秉俭等八十七人。

穆都哩向女真投降。

当时阿苏还在辽国,辽国派使臣来停战,没有到达时,英格让乌凌阿实噜前去帮助和卓,告诫他说:"辽国使臣来到,就改换我军的衣服旗帜,与阿苏城中没有区别,不要让辽国使臣知道。辽国使臣可以用计让他回去,不要听他的话就撤兵。"辽国使臣果然前来谈停战的事,英格让呼噜、穆沁二人与他一起到阿苏城。和卓见到辽国使臣,假意对这两个人说:"我们部族自相攻击,干你们什么事?"就拿长枪刺杀呼噜、穆沁的马。辽国使臣惊怕,立即跑了,不敢回头看,直接回去了。

过了数天,攻下该城,抓住迪舒保杀掉。阿苏又向辽国告状,辽国派遣奚节度使伊哩前来,英格到拉林水见他。伊哩问及阿苏城的事情,命令英格说:"凡是攻城获得的东西,存在的送还,不存在的全部赔偿。"而且征调数百匹马。英格与他部下谋划说:"如果赔偿阿苏,那么各部就不再可以号令任用了。"就命令和纳、图塔两河的百姓,表面上阻止捕鹰道路,又让鳖故德部节度使对辽国说:"想打开捕鹰道路,非生女直节度使不可。"辽国不知那是英格的计谋,相信了,命令英格讨伐阻绝捕鹰道路的人,而阿苏城的事情就作罢了。英格声言扫平捕鹰道路,在图衮水打猎。辽国派使者奖赏他的功劳,英格让富嘉努将辽国赏赐的物品给和纳、图塔的白姓,而且修复捕鹰道路返回。

续资治通鉴卷第八十七

【原文】

宋纪八十七　起重光大荒落【辛巳】正月,尽玄黓敦牂【壬午】闰六月,凡一年有奇。

徽宗体神合道骏烈逊功　圣文仁德宪慈显孝皇帝

讳佶,神宗第十一子,母曰钦慈皇后陈氏,元丰五年十月丁巳,生于宫中;明年正月,赐名;十月,授镇宁军节度使,封宁国公。哲宗即位,封遂宁郡王;绍圣三年,以平江、镇江军节度使,封端王;五年,加司空,改昭德、彰信军节度使。

建中靖国元年辽寿昌七年,二月,改乾统元年【辛巳,1101】　春,正月,壬戌朔,有赤气起东北,亘西南,中函白气;将散,复有黑祲在旁。右正言任伯雨言:"正岁之始,而赤气起于暮夜。日为阳,夜为阴;东南为阳,西北为阴;朝廷为阳,宫禁为阴;中国为阳,夷狄为阴;君子为阳,小人为阴。此宫禁阴谋,下干上之证。渐冲西,正西散为白,而白主兵,此夷狄窃发之证也。天心仁爱,以灾异为警戒。愿陛下进忠良,黜邪佞,正名分,击奸恶,使小人无得生犯上之心,则灾异可变为休祥矣。"

癸亥,有星自西南入尾,其光烛地。

观文殿大学士、中太一宫使范纯仁卒,年七十五。

纯仁疾革,呼诸子,口占遗表,命门生李之仪次第之。大略劝帝清心寡欲,约己便民,绝朋党之论,察邪正之归,毋轻议边事,易逐言官。又辩明宣仁诬谤曰:"本权臣务快其私忿,非泰陵实谓之当然。"又云:"盖尝先天下而忧,期不负圣人之学,此先臣所以教子,而微臣所以事君者也。"诏赠开府仪同三司,谥忠宣,书碑额曰"世济忠直之碑"。

纯仁性宽简,不以声色加人,义之所在,则挺不少屈。自为布衣至宰相,廉俭如一,所得奉赐,皆以广义庄,前后任子恩,多先疏族。尝言:"吾平生所学,得之忠恕二字,一生用不尽,以至立朝事君,接待僚友,亲睦宗族,未尝须臾离此也。"每戒子弟曰:"人虽至愚,责人则明;虽有聪明,恕己则昏。苟能以责人之心责己,恕己之心恕人,不患不到圣贤地位也。"亲族有请教者,纯仁曰:"唯俭可以助廉,唯恕可以成德。"其人书之坐隅。

辽主自去腊有疾,正旦,力疾御殿受贺。是日,如混同江。

甲戌,皇太后向氏崩于慈宁殿,遗诏尊皇太妃陈氏为皇太后。

是日，辽主殂于行宫，年七十，庙号道宗。遗诏燕国王延禧嗣位，北面枢密使耶律阿苏、知枢密院事耶律俨同受顾命。

道宗即位，求直言，访治道，劝农桑，兴学校，救灾恤患，粲然可观。及谤讪之令既行，告讦之赏日重，群邪并进，贼及骨肉，诸部浸叛，用兵无宁岁。唯一岁饭僧三十六万，一日而祝发者三千人，崇尚佛教，罔知国恤，辽亡征见矣。

延禧即位枢前，辽群臣上尊号曰天祚皇帝。

丁丑，易大行皇太后园为山陵，命曾布为山陵使。

己卯，令河、陕募人入粟，免试注官。

二月，壬辰朔，辽改元乾统，大赦。诏："为耶律伊逊所诬陷者，复其官爵，籍没者出之，流放者还之。"

丙申，雨雹。

己亥，汰秦、凤二路兵。

甲辰，始听政。

乙巳，出内库及诸路常平钱各百万，备河北边储。

辽主之为燕国王也，道宗以萧乌纳有保护功，命其辅导。乌纳数以直言忤旨，辽主初即位，即出乌纳为辽兴军节度使，加守太傅。

甲寅，诏贬知扬州林希知舒州，降知随州张商英为朝奉大夫，右司谏陈祐论其责轻，请重行降黜故也。

丁巳，诏："潭州安置章惇，责授雷州司户参军，员外置。"

先是左正言任伯雨疏曰："章惇久窃朝柄，迷国罔上，毒流搢绅，乘先帝变故仓卒，辄逞异志。向使其计得行，将置陛下与皇太后于何地！若贷而不诛，则天下大义不明，大法不立矣。臣闻北使言：'去年辽主方食，闻中国黜惇，放箸而起，称善者再，谓南朝错用此人。'北使又问：'何为只若是行遣？'以此观之，不独国人皆曰可杀，虽敌国莫不以为可杀也。"章八上，未报。会台谏陈瓘、陈次升等复极论之，乃有是贬。

初，苏辙谪雷州，不许占官舍，遂僦民屋。惇又以为强夺民居，下州追民究治，以僦券甚明，乃止。至是惇问舍于民，民曰："前苏公来，为章丞相几破我家，今不可也。"

初，惇之入相也，妻张氏病且死，属之曰："君作相，幸无报怨。"既祥，惇语陈瓘曰："悼亡不堪，奈何？"瓘曰："与其悲伤无益，曷若念其临绝之语也！"惇无以对。

任伯雨又言蔡卞恶甚于章惇，遂陈其大罪有六曰："诬罔宣仁保佑之功，欲行追废，一也；凡绍圣以来窜逐臣僚，皆卞启而后行，二也；宫中厌胜事作，卞乞掖庭置狱，只遣内臣推治，皇后以是得罪，三也；编排元祐章疏，被罪者数千人，议自卞出，四也；激怒哲宗，致邹浩远谪，又请治其亲故送行之罪，五也；塞序辰建看详诉理之义，惇迟疑未应，卞以二心之言胁之，惇即日置局，士大夫得罪者八百三十家，六也。卞阴狡险贼，恶机滔天，门生故吏，遍满中外，今虽薄责，犹如在朝，人人惴恐，不敢回心向善。朝廷邪正是非不得分别，驯致不已，奸人复进，天下安危，殆未可保也。"奏入，不省。

三月，癸亥，以知杭州吕惠卿为观文殿学士、提举洞霄宫。

甲子，始御紫宸殿。

乙丑，辽使来告哀，遣谢文瓘、上官均往吊祭，黄寔贺即位。

丁卯，辽主命有司以张孝杰家属分赐群臣。

甲戌，辽主召僧法颐放戒于内庭。

戊寅，以知无为军陈瓘为著作佐郎、实录院检讨官。

壬午，以日当食，避殿，减膳，减天下囚罪一等，流以下释之。

辽殿直达尔旺哈，知辽主恶直言，心嗛萧乌纳，乃诬告乌纳私借内府犀角。辽主命鞫之，乌纳奏曰："臣在先朝，诏许日取帑钱十万为私费，臣未尝妄取一钱，肯借犀角乎？"辽主愈怒，夺其太傅官，降宁边州刺史。自是辽廷诸臣益务为柔佞矣。

夏，四月，辛卯朔，日食不见。

甲午，上大行皇太后谥曰钦圣宪肃。乙未，追上钦圣皇太后曰钦慈。

丁酉，御殿，复膳。

壬寅，诏："诸路疑狱当奏而不奏者科罪，不当奏而辄奏者勿坐。著为令。"

任伯雨初为右正言，半岁之间，凡上一百八疏。大臣畏其多言，俾权给事中，密谕以少默即为真，伯雨抗论愈力。时曾布欲和调元祐、绍圣之人，伯雨言："人才固不当分党与，然自古未有君子小人杂然并进，可以致治者。盖君子易退，小人难退，二者并用，终于君子自去，小人犹留。唐德宗坐此致播迁之祸，建中乃其纪号，不可以不戒。"既而欲劾布，布觉之，徙为度支员外郎。

是月，辽地旱。

五月，辛酉朔，大雨雹，诏三省减吏员，节冗费。

丙寅，葬钦圣宪肃皇后及钦慈皇后于永裕陵。

庚辰，太子太保、赵郡公苏颂卒，年八十二。诏赠司空。颂器局闳远，礼法自持，虽贵，奉养如寒士。明于典故，朝廷有制作，必就而正焉。

丙戌，祔二后神主于太庙。

朝请郎梁宽言："绍圣之初，奸臣特进，是时不唯朝士革面迎合，虽田舍书生，亦怀观望捭阖之术。举人毕渐，廷试对策，欲附会时流以规上第，其言语不顾轻重，有伤事体，传播四夷，所损不细。又如方天若对策，以不诛南窜大臣家属为恨，以不没元祐公相家资为惜。天若，闽中匹夫，于元祐大臣有何宿憾！特以蔡卞用事，欲复其平日私仇。天若者，卞之门人也，鹰犬效力，仆妾事人，其言何所不至！伏见将来科诏不远，欲乞下礼部（司），每遇廷试，戒应举人立为法〔式〕，无得狂妄，不答所问。有违此者，罪在考官，然后罢黜（所）〔此〕流，所贵少厚风俗。"

辽主初立，即罢围场之禁。宋魏国王和啰噶请曰："天子巡幸为大事，虽在谅闇，不可废也。"辽主以为然，复命有司从备巡幸。六月，庚寅朔，辽主如庆州。

戊戌，辽以南府宰相额特勒兼南院枢密使。

庚子,辽上道宗尊谥曰仁圣大孝文皇帝,追谥懿德皇后为宣懿皇后。

壬寅,辽以宋魏国王和啰噶为天下兵马大元帅。

甲辰,责右司谏陈祐通判滁州。祐累章劾曾布自山陵还不乞出外,且言:"山陵使从来号为凶相,治平中韩琦、元丰中王珪不去,其后有臣子不忍言者。"又言:"布有当去者三:一,自山陵还;二,虞主不在,腰舆而行;三,不当先与属官推恩。"章皆留中,祐遂缴申三省。布乃不赴朝参,而有是命。

后两日,左谏议大夫陈次升对,有札子救(佑)〔祐〕,帝不省。而右司谏江公望复言之,帝曰:"祐欲逐曾布,引李清臣为相,如此何可容?"公望遽曰:"陛下临御以来,易三言官,逐七谏臣。今祐言宰相过失,自其职也,岂可便谓有它意哉!"

先是布甚恶清臣不附己,数使人谓公望,能一言清臣,即以谏议大夫相处,而公望所言乃如此,其后彭汝霖以论罢清臣得谏议大夫云。

乙巳,辽以北平郡王淳进封郑王。

丁未,北院枢密使阿苏加裕悦。

戊申,封向宗回为永阳郡王,向宗良为永嘉郡王。

辽以特里衮阿噜萨古、宰相耶律俨总山陵事。辛亥,葬仁圣大孝文皇帝、宣懿皇后于庆陵。

戊午,尚书右丞范纯礼,罢知颍昌府。

纯礼沈毅刚正,曾布惮之,激驸马都尉王诜曰:"上欲除君承旨,范右丞不可。"诜怒。会诜馆辽使,纯礼主宴,诜诬其辄斥御名,遂黜之。

己未,班《斗杀情理轻重格》。

左司谏江公望上疏言:"自先帝有绍述之意,辅政非人,以媚于己为同,忠于君为异,借威以快私隙,使天下骚然,泰陵不得尽继述之美。元祐人才,皆出于熙、丰培养之馀,遭绍圣窜逐之后,存者无几矣。神考与元祐之臣,其先非有射钩斩袂之隙也,先帝信仇人而黜之。陛下若立元祐为名,必有元丰、绍圣为之对,有对而争兴,争则党复立矣。陛下改元诏旨,亦称思建皇极,端好恶以示人,本中和而立政,皇天后土,实闻斯言,今若渝之,奈皇天后土何!"

时内苑稍畜珍禽奇兽,公望力言非初政所宜,帝曰:"已纵遣之矣。"唯一白鹇,畜之久,帝以拄杖逐之,终不肯去,乃刻公望姓名于杖头以识其谏。会蔡王似府史相告,有不逊语,连及于王,公望乞勿以无根之言加诸至亲,遂罢知淮阳军。

秋,七月,壬戌,帝谓曾布:"人才在外有可用者,具名以进。"又问:"张商英亦可使否?"布曰:"陛下欲持平用中,破党人之论以调一天下,孰敢以为不然!然元祐、绍圣两党,皆不可偏用。臣窃闻江公望为陛下言,今日之事,左不可用轼、辙,右不可用京、卞,为其怀私挟怨,互相仇害也。愿陛下深思熟计,无使此两党得志,则天下无事。"帝颔之而已。

布弟翰林学士肇,引嫌出知陈州,尝以书责布曰:"兄与惇异趋,众所共知。绍圣、元符间,惇、卞有可以挤兄者,无所不为。今兄方得君,正当引用善人,扶助正道,以杜绝惇、卞复起之萌,而数月以来,端人吉士,相继去朝,所进用以为辅臣、从官、台谏者,皆尝事惇、卞之人。一旦势异今日，彼必首引惇、卞以为固位计，曾氏之祸，其可逃邪！比来主意已移，小人道长，异时惇、卞纵未至，一蔡京足以兼二人，思之可为寒心。"布不以为然，答肇书曰："布自熙宁立朝，至今时事屡变，唯其不雷同熙、丰，故免元祐之贬斥；唯其不附会元祐，故免绍圣之中伤。其自处亦粗有义理，恐未至治家族之祸也。"

癸未，准布、铁骊贡于辽。

丁卯，以著作郎陈瓘为右司员外郎。瓘力辞实录检讨官，从之。

丙戌，知枢密院事安焘罢。

旧制，内侍出使，以所得(子)〔旨〕言于院，审实，乃得行。后多辄去，焘请按治之。都知阎守勤领它职，祈罢不以告，亦劾之；帝敕守勤诣焘谢。郝随得罪，或揣帝意且起用，欲援赦为阶，焘亦争之。以老避位，遂出知河南府。将行，上疏言："东京党祸已萌，愿戒履霜之渐。"语尤激切。

丁亥，以蒋之奇知枢密院事，吏部尚书陆佃为尚书右丞，端明殿学士章楶同知枢密院事。

八月，甲寅，以右司员外郎陈瓘知泰州。

先是瓘进言曰："神宗有为之序，始于修政事，政事立而财用足，财用足而根本固，此国家万世之利，而今日所当继述者也。臣近缘都司职事，看详内降札子，裁减吏员冗费，以防加赋之渐，为民远虑，天下幸甚。然今日朝廷之计，正以乏财为患，西边虽已罢兵，费用不可卒补，遂至于耗根本之财，坏神考之政，加职之渐，兆于此矣。臣职事所及，理不可默，今撰到《国用须知》一本奏闻。"

又进《日录辨》曰："臣瓘去年五月十八日对紫宸殿，奏札子云：'臣闻王安石《日录》七十馀卷，具载熙宁中奏对议论之语。此乃人臣私录之书，非朝廷之典也。自绍圣再修《神考实录》，史官请以此书降付史院。凡《日录》《时政记》《神宗御集》之所不载者，往往专据此书，追议刑赏予夺，宗庙之美，以归臣下。故臣愿诏史官别行删修，以成一代不刊之典。'其日蒙批付三省，后不闻施行。盖绍圣史官请以《日录》降付史院者，今为宰相故也，事之乖缪，无大于此者。臣因以所见撰成《日录辨》一篇，具状奏闻。"

是日，瓘与左司员外郎朱彦周谒曾布于都堂，以书责布曰："尊私史而厌宗庙，缘边费而坏先政，此阁下之过也。违神考之志，坏神考之事，在此二者，而阁下弥缝壅蔽，人未敢议。它日主上因此两事，以继述之指问于阁下，将何辞以对？阁下于瓘有荐进之恩，瓘不敢负，是以论吉凶之理，献先甲之言，冀有补于阁下。若阁下不察其心，拒而不受，则今日之言，谓之负恩可也。"布读瓘书毕，争辨移时。瓘色不变，徐起言曰："适所论者国事，是非有公议，公未可遽失待士礼。"布矍然改容。瓘又以《日录辨》《国用须知》纳布而出。

明日，瓘即以此二篇及所上布书具状申三省、御史台，乞敷奏弹劾。三省进呈，帝顾曾布曰："如此报恩地邪？"布曰："臣绍圣初，在史院不及两月，以元祐所修《实录》者，凡司马光《日记》《杂录》，或得之传闻，或得之宾客；而王安石有《日录》，皆君臣对面反复之语，乞取付史院照对编修，此乃至公之论。其后绍圣重修《实录》乃章惇、蔡卞，今提举史院乃韩忠彦。而瓘谓臣尊私史，厌宗庙，不审何谓也。神宗理财，虽累岁用兵，而所至府库充积。元祐中非理耗散,又有出无人,故仓库为之一空。乃以臣坏三十年根本之计,恐未公也。"帝曰:"卿一向引瓘,又欲除左右史,朕不可。今日如何?"布愧谢。而韩忠彦等言:"瓘必欲去,当与一郡。"帝令责瓘,忠彦及陆佃皆曰:"瓘言诚过当,曾布却能容瓘。"乃出知泰州。

布始欲瓘附己,使人谕意,将大用之,瓘语其子正汇曰:"吾与丞相议多不合,今乃欲以官相饵。吾有一书遗丞相,汝为我书之。"正汇再拜,愿得书。瓘喜,旦持入省,甫就席,遽出书。布大怒,信宿,有海陵之命。中书舍人邹浩、右谏议大夫陈次升皆乞留瓘,不从。

辽主谒庆陵。

九月,己巳,诏:"诸路转运、提举司及诸州、军有遗利可以讲求及冗员浮费当裁损者,(议详)〔详议〕以闻。"

壬申,辽主谒怀陵。

乙亥,辽主如藕丝淀。

冬,十月,壬辰,辽主谒乾陵。

癸巳,门下侍郎李清臣罢为资政殿大学士、知大名府。

甲辰,辽主上其考昭怀太子谥曰大孝顺圣皇帝,庙号顺宗;妣萧氏曰贞顺皇后。旋追赠萧岩寿同中书门下平章事,耶律萨喇、耶律托卜嘉并追封漆水郡王,萧苏萨、萧托卜嘉并追封兰陵郡王,五人皆绘像宜福殿。又追赠萧和克龙虎卫上将军。先是耶律实垿以附太子流镇州,至是召为御史中丞。

辽主虽追尊顺宗,究莫知其瘗所,辽主亦不亟于求之,后遂不建陵寝。

十一月,庚申,以陆佃为尚书左丞,吏部尚书温益为尚书右丞。

益初知潭州,邹浩南迁过潭,暮,投宿村寺,益即遣州都监将数卒夜出城,逼使登舟,竟凌风绝江而去。它逐臣在其境内者,如范纯仁、刘奉世、韩川、吕希纯、吕陶辈,率为所侵困,用事者悦之。

壬戌,以西蕃锡罗萨勒为西平军节度使、邈川首领。

辛未,出御制南郊亲祀乐章。

庚辰,祀天地于圜丘,赦天下。改彰信军为兴仁军,昭德军为隆德军。改明年元曰崇宁,以曾布主绍述,从其请也。

壬午,三省奏事讫,曾布独留,进呈内降起居郎邓洵武所进《爱莫助之图》,其说以为陛下方绍述先志,群臣无助之者。其图如史书年表例,自宰相、执政、侍从、台谏、郎官、馆阁、学校分为七隔,每隔旁通,左曰绍述,右曰元祐。左序助绍述者,执政中唯温益一人,其馀每隔止三四人,如赵挺之、范致虚、王能甫、钱遹之属而已。右序举朝皆在其间,至百馀人。又于左序别立一项,小贴揭去。布密禀揭去臣僚姓名,帝曰:"洵武谓非相蔡京不可,以不与卿同,故去之。"布曰:"洵武所陈,既与臣所见不同,臣安敢与议。"明日,遂改付温益。益欣然奉行,乞籍记异论之人,于是帝决意用京矣。

十二月,戊子,辽以枢密副使张琳知枢密院事,翰林学士张奉珪参知政事兼同知枢密院事。

辽知枢密院使越国公耶律俨徙封秦国公。

俨以谀佞得信任于道宗,及辽主即位,元妃之兄萧奉先为辽主所眷注,俨旧与奉先相结,益务为逢迎取媚,辽主又宠任之。尝与牛温舒有隙,各进所亲厚,朋党纷然。俨恃奉先为内主,温舒不能胜。

庚寅,以知洪州叶祖洽为宝文阁待制,代吕希纯知瀛州;吕希纯改知颍州。帝以河朔诸帅皆元祐人,欲尽易之,故希纯、祖洽有是命,皆曾布为请也。布初拟召祖洽为侍郎,帝许之;韩忠彦以为不可,乃止。

先是责降者皆得旨以赦恩牵复,唯章惇、苏辙进呈不行。惇子援刺血上书,帝封援书付曾布,布欲留白,未果。已而丁忧人曾诞持长书抵布,并奏疏一通,所陈十事,其四言惇有功于国,责太重,当复收用,类皆狂妄语。是日,呈援书,帝颇称其孝,有怜之之意。布欲且与徙广南近里一州,帝许之。又以诞所陈事目进呈,帝曰:"须与勒停编管。"既而韩忠彦见之,怒,请除名,送湖南,从之。惇亦不复内徙。

左仆射韩忠彦与曾布异议,布数倾之。忠彦累乞罢相,不许。甲午,遂出居东府,有诏押入。

戊戌,提举洞霄宫蔡京,复龙图阁直学士,知定州。

供奉官童贯,开封人,性巧媚,善测人主微旨,先事顺承,以故得幸。及使三吴,访书画奇巧,留杭累月,京与之游,不舍昼夜,凡所画屏障扇带之属,贯日以达禁中,且附言语论奏于帝所,由是属意于京。左阶道录徐知常,以符水出入元符皇后所,太学博士范致虚与之厚,因荐京才可相。知常入宫言之,已而宫妾、宦官合词誉之,遂起京知定州。

辛丑,以知(陈)〔随〕州张商英权户部侍郎,寻改吏部。

壬寅,知滁州范镗复职,知澶州。少府少监邢恕、光禄少卿吕嘉问、司农少卿路昌衡,并落分司,恕知随州,嘉问知蕲州,昌衡知滁州。放归田里人安惇、蹇序辰,并散官,予祠。通议大夫林希,追复资政殿学士。寻又诏蔡卞复官,予祠。

乙巳,辽主诏:"先朝已行事不得陈告。"时方治耶律伊逊之党,其党多赂权贵以求宽免,辽主不悟,而下此诏。

丙午,奉安神宗神御于景灵西宫;丁未,诣宫行礼。

己酉,降德音于西京,减囚罪一等,徒以下释之。

癸丑,诏:"章惇亲子孙,许在外指射差遣,不得辄至京师及上章疏。"从曾布所请也。

秘书省正字陈师道,性孤介,与赵挺之为友婿,而素恶其人。适预郊祀,天寒甚,衣无绵,其妻就假于挺之家,师道问所从得,却去,不肯服,遂中寒疾,乙卯,卒。

是岁,以修奉景灵西宫,下苏、湖二州采太湖石四千六百枚。

河东地震,京畿蝗,两浙、湖南、福建旱。

崇宁元年 辽乾统二年【壬午,1102】 春,正月,丁丑,河东、太原等郡地震;诏死者家赐钱有差。

辽主如鸭子河。

二月,丙戌朔,以圣瑞皇太妃疾,虑囚。

辛卯,辽主如春州。

甲午,皇太子宣改名垣。

以蔡确配享哲宗庙庭。

丙申,雄州防御推官、知邓州录事参军朱肱奏言:"陛下即位以来,两次日蚀,在正阳之月;河东十一郡地震,至今未止,人民震死,动以千数。自古灾异,未有如此。臣不避死亡,妄举辅弼之失,以究灾异之应,言词激切,死有馀罪。然倦倦孤忠,不敢隐默者,食陛下之禄,念国家之重,而不敢顾其私也。"并以其所上宰相曾布书随进。

书曰:"今监察御史刘焘,相公门人也。相公为山陵使,辟焘掌笺表,又荐入馆,相公于焘厚矣。如焘者,置之词掖,不忝也;以焘为御史,则不可也。相公有过举,焘肯言乎?言之则忘恩,不言则欺君,盖非所以处焘也。今右正言范致虚兄上舍生致君,相公之侄婿也。致虚乃致君之亲弟,如致虚者,置之馆阁,不忝也;以致虚为谏官,不可也。相公有过举,致虚争之则忤亲,不争则失职,亦非所以处致虚也。相公旁招俊义,陶冶天下,肱之所论,止及焘与致虚者,特以台谏人主耳目之官,非若百职可以略而不论也。相公以门人、亲戚为谏官、御史,此日月所以剥蚀,天地所以震动也。"又曰:"章惇之过恶,不可殚数,其最大者四五。相公在枢府,坐视默然,亦不得为无过。再贬元祐臣僚,范纯仁能言之,相公未尝救也;废元祐皇后,龚夬能言之,相公未尝救也;置谏官于死地,黄履能言之,相公未尝救也;册元符皇后,邹浩能言之,相公未尝救也。此四五事,惇之过恶最大,而相公无半词之助,肱窃疑之。伏唯相公遇灾而惧,然后可以弭天变,来直言。肱之区区所望于相公者,如此而已。"诏付三省。肱,乌程人,礼部侍郎服之从弟也。

戊戌,诏:"士有怀抱道德、久沈下僚及学行兼备、可厉风俗者,待制以上各举所知二人。"

奉议郎赵(睿)〔谂〕谋反,伏诛。

辛丑,以知定州蔡京为端明殿学士、知大名府,蔡卞改知扬州。

先是大名阙帅,曾布白帝,前两府唯有刘奉世,帝默然。韩忠彦与布交恶,阴欲结京,乃言熙宁故事,尝除学士,不必前两府,因请用京,故有是命。

圣瑞皇太妃朱氏薨,追尊为皇太后,上谥曰钦成。

追封孔鲤为泗水侯,孔伋为沂水侯。

三月,丁巳,奉安哲宗神御于景灵西宫宝庆殿;戊午,诣宫行礼。

辛酉,以兵部侍郎邹浩为宝文阁待制、知江陵府,以浩乞补外也。寻改知杭州。

甲戌,以知大名府京为翰林学士承旨,兼修国史。

是月,辽地大寒,冰复合。

夏,四月,丙戌,诏权吏部侍郎张商英落权字。

辽主命北院枢密使耶律阿苏、同知北院枢密萧德勒岱治伊逊之党,有司泄泄,莫以为意,久之始具狱。辛亥,命诛伊逊党,徙其子孙于边,发伊逊、张孝杰、萧德哩特、萧锡沙之墓,剖棺戮尸,以其家属分赐被杀之家。

时阿苏纳贿，多出奸党之罪，德勒岱不能制，亦附会之。萧达和克亲害太子，亦得以贿免。御史中丞耶律实埒上书曰："臣前为奸臣所陷，斥窜边郡，幸蒙召用，不敢隐默。恩赏明则贤者(勤)〔劝〕，刑罚当则奸人消，二者既举，天下不劳而治。伏见耶律伊逊，身出寒微，位居枢要，窃权肆恶，不胜名状，蔽先帝之明，诬陷顺(帝)〔圣〕，构害忠谠，败国罔上，自古所无。赖庙社之休，陛下获纂成业，积年之冤，一旦洗雪，正陛下英断克成孝道之秋，如萧德哩特，实伊逊之党，耶律哈噜亦不为早辨，赖陛下之明，遂正其罪。臣见陛下多疑，故有司顾望，不切推问。伊逊在先帝朝，权宠无比，先帝若以顺考为实，则伊逊为功臣，陛下岂得立邪！先帝黜逐璧后，诏陛下在左右，是亦悔前非也。今灵骨未获，而求之不切。传曰：'圣人之德，无加于孝。'昔唐德宗因乱失母，思慕悲伤，孝道益著。周公诛飞廉、恶来，天下大悦。今逆党未除，大冤不报，上无以慰顺考之灵，下无以释天下之愤，怨气上结，水旱为沴。愿陛下下明诏，求顺考之瘗所，尽收奸党，以正邦宪，快四方忠义之心，昭国家赏罚之用，然后致治之道，可得而举矣。谨别录顺圣升遐及伊逊等事，昧死以闻。"书奏，不报。

五月，丁巳，荧惑入斗。

庚申，尚书右仆射韩忠彦罢。忠彦为相，召还流人，进用忠谠之士，于是张庭坚、陈瓘、邹浩、龚夬、江公望、常安民、任伯雨、陈次升、陈君锡、张舜民等皆居台谏，翕然称为得人，然与曾布不协。至是左司谏吴材、右正言王能甫希布意，论忠彦变神考之法度，逐神考之人材，遂以观文殿大学士出知大名府。

〔乙丑〕，臣僚上言："神考在位凡十有九年，所作法度，皆本先王。元祐党人秉政，紊乱殆尽，朋奸罔上，更倡迭和者，皆神考之罪人也。绍圣追复，虽已窜逐，陛下即位，仁德涵养，使之自新，一旦牵复，不以其渐，内外相应，浸以滋蔓，为害弥甚。今奸党姓名具在，文案甚明，有议法者，有行法者，有为之倡者，有从而和者，罪有轻重，情有浅深，使有司条析区别行遣，使各当其罪，数日可毕。伏望早赐施行。"

(乙丑)诏："知河南府(梁)〔安〕焘、知润州王(寿)〔觌〕、知越州丰稷、知颍昌府陈次升，并夺职；知应天府吕仲甫，落职；故资政殿大学士李清臣，夺职，追所赠官并例外所得恩例。"

吏部侍郎张商英改刑部侍郎兼同修国史；寻又兼侍读。

庚午，臣僚上言："先朝贬斥司马光等，异议害政，播告中外，天下共知。方陛下即位之初，未及专揽万机，当国之臣，不能公平心意，检会事状，详具进呈，以次牵复，今日再招人言，遂至烦紊。伏望陛下明谕执政大臣，使公共参议，详酌事体，原轻重之情，定大小之罪，上禀圣裁，特赐行遣。如显有欺君负国之实迹，自宜放弃，不足收恤。其间亦有干连牵挂，偏执愚见，情非奸诬者，乞依近年普博之恩，使有自新之路，则天下之气平，而纷纷之论息矣。"

乙亥，诏："故追复太子太保司马光、吕公著，太师文彦博，光禄大夫吕大防、(大)〔太〕中大夫刘挚，右中散大夫梁焘，朝奉郎王岩叟、苏轼，各从裁减，追复一官，其元追复官告并缴纳。王存、郑雍、傅尧俞、赵瞻、赵禼、孙升、孔文仲、朱光庭、秦观、张茂则、范纯仁、韩维、苏辙、范纯粹、吴安诗、范纯礼、陈次升、韩川、张耒、吕希哲、刘唐老、欧阳棐、孔平仲、毕仲游、徐常、黄庭坚、晁补之、(刘)〔韩〕跂、王巩、刘当时、常安民、(黄)〔王〕隐、张保〔源〕、汪衍、余爽、汤戫、郑侠、常立、程颐、张巽等四十人，行遣轻重有差。唯孙固为神考潜邸人，已复职名及赠官，免追夺。任伯雨、陈祐、张庭坚、商倚等，并送吏部，令在外指射差遣。陈瓘、龚夬并予祠。"其司马光等责词，皆曾布所草定也。又诏："应元祐并元符今来责降人韩忠彦曾任宰臣，安焘系前执政，王觌、丰稷见任侍从外，苏辙、范纯礼、刘奉世等五十七人，令并三省籍记，不得与在京差遣。"

后苑欲增葺殿宇，内侍有请以金箔为饰者，计用五十六万七千，帝曰："用金为箔，以饰土木，一坏不可复收，甚无谓也。"诏黜之。

丙子，诏："应元祐以来及元符末未尝以朋比附会得罪者，除已施行外，自今以往，一切释而不问，在言责者亦勿复辄言。"

己卯，尚书左丞陆佃罢。佃执政，与曾布比，而持论多近恕，每欲参用元祐人才，尤恶奔竞，尝曰："天下多事，须不次用人。苟安宁时，人才无大相远，当以资历序进，少缓之，则士知自重矣。"又曰："今天下之势，如人大病向愈，当以药饵辅养之，须其平安。苟为轻事改作，是使之骑射也。"朝议欲更惩元祐馀党，佃言不宜穷治。或言佃名在党籍，不欲穷治，正恐自及耳，遂出知定州。

庚辰，以许将为门下侍郎，温益为中书侍郎，翰林学士承旨蔡京为尚书左丞，吏部尚书赵挺之为尚书右丞。

京素与屯田员外郎孙鼛善，鼛尝曰："蔡子，贵人也，然才不胜德，恐诒天下忧。"及是，京谓鼛曰："我若用于天子，愿助我。"鼛曰："公诚能谨守祖宗之法，以正论辅人主，示节俭以先百吏，而绝口不言兵，天下幸甚。"京默然。

挺之为中丞，与曾布比，建议绍述，排击元祐诸贤，由是进居政府。

六月，己丑，祔钦成皇后神主于太庙。

辛卯，左司谏王能甫言："曾诚家富于财，目为青钱学士，乞罢其史官。"左正言吴材言："史官王防，在元丰勒停，又以诉理得罪，兼无出身，当罢。"是日，曾布独对，言："吴材缘引吕惠卿、蹇序辰等，议论不胜；王能甫乃吴安持婿，近日以安持追削职名；皆挟私怨，故以此攻曾诚、王防，欲中伤臣耳。"帝曰："彼责在蔡京，不干卿事。"布曰："臣亦知此二人乃京所荐，但以臣门下士为言路所攻，则谓臣必摇动。小人用意如此，臣实不安。方元祐之人布满朝廷，臣一身与众人为敌，是时助臣者唯此三数人。今元祐之党方去，而言者乃欲斥逐此等，是为元祐人报怨耳。"帝瞿然。布因言："张商英亦章惇门下士，王沇之乃其婿，议论之际，多与惇为比，故商英力称引范致虚及吴材，乃其志趋同耳。若有所陈，愿陛下加察。"

壬辰，减西京、河阳、郑州囚罪一等，民缘山陵役者蠲其赋。

辽主以雨罢猎，驻散水原。

癸卯，诏："六曹尚书有事奏陈，许独员上殿。"

丁未，辽南院大王慎嘉努致仕。

己酉，太白昼见。

壬子，改渝州为恭州。

癸丑，诏仿《唐六典》修神宗所定官制。

封伯夷为清惠侯，叔齐为仁惠侯。

闰月，甲寅朔，更名哲宗神御殿曰重光。

己未，以提举洞霄宫吕惠卿为观文殿学士、知杭州，寻改扬州。

庚申，辽策试贤良。礼部郎中刘辉对策，多中时病，擢史馆修撰。辉善属文，疏简有远略，时称得人。未几，卒。

辛酉，殿中侍御史钱遹言：“尚书右仆射曾布，力援元祐之奸党，分列要涂；阴挤绍圣之忠贤，远投散地。挈提姻娅，骤致美官；汲引儇浮，盗窃名器。爱婿交通乎近习，诸子邀结乎搢绅，造请辐凑其门，苞苴日盈私室，呼吸立成祸福，喜怒遽变炎凉。钩致齐人之窾言，欲破绍圣之信史；曲徇法家之谬说，轻改垂世之典刑。为臣不忠，莫大于此。况日食、地震、星变、旱灾，岂盛时常度之或愆，乃柄臣不公之所召。欲乞早正典刑，慰中外之望。”于是布连上章乞罪。

壬戌，诏布为观文殿大学士、知润州。

布于元符末，欲以元祐兼绍圣而行，故力排蔡京，逐出之。至崇宁初，知帝意有所向，又欲力排韩忠彦而专其政。无何，京已为右丞，大与布异。会布拟陈祐甫为户部侍郎，京于榻前奏曰：“爵禄者，陛下之爵禄，奈何使宰相私其亲！”曾布婿陈迪，祐甫之子也。布怃然争辩，久之，声色稍厉，温益叱之曰：“曾布，上前安得失礼！”帝不悦而罢。御史遂攻之，言：“布与韩忠彦、李清臣交通为私，使其子婿吴则礼、外甥婿高茂华往来计议，共成元祐之党。暨登相位，复与清臣析交离党，日夜争胜，遂揽天下之权，皆归于己，而怨望之心逞矣。故不及半月，首罢市易，中外之人，望风希指，变法之论，相因而至。于是范纯粹乞差衙前，以害神考之免役；李夷行乞复诗赋，以害神考之经术。又力引王古为户部尚书，王觌为御史中丞，二人者，元祐之党也，而用以掌开阖敛散之权，定是非可否之论，岂非败坏神考之法度乎！”于是更诏布落职，提举明道宫，太平州居住。

以刑部侍郎张商英为翰林学士。

甲子，诏：“诸路州县官有治绩最著者，命两司、帅臣各举一人。”

丙寅，宝文阁待制、知杭州邹浩，改知越州。

辛未，诏曰：“朕仰唯哲宗皇帝元符之末，是生越王，奸人造非，谓非后出。比阅诸僚旧疏，适见椒房诉章，载加考详，咸有显证。（且朕）〔其时〕两宫亲临抚视，嫔御执事在旁，缘何外人得入宫禁（私行）〔杀母〕取子，实为不根。为人之弟，继体承祧，岂使沽名之贼臣，重害友恭之大义。诋诬欺罔，罪莫大焉！邹浩可重行黜〔责〕，以戒为臣之不忠者。仍检会邹浩元奏札子，并元符皇后诉章，宣示中外。”

初，浩以谏立后被谪，章留中不下。元符末，还朝，入见，帝首及谏立后事，奖叹再三，问：“谏草安在？”对曰：“焚之矣。”退，告陈瓘，瓘曰：“祸其在此乎！异时奸人妄出一缄，则不可辨矣。”及蔡京用事，忌浩，欲挤之，果使其党伪为浩奏，言刘后杀卓氏而夺其子，且多狂妄指斥语，复伪为元符皇后上皇太后表，流布中外。帝见之，大怒，遂下诏治浩之罪，贬衡州别驾，永州安置。京又使其党为元符皇后撰谢表以上,诏并送史官。

浩初除谏职,人白其母张曰:"有言责者不可默,恐或以是诒亲忧。"母曰:"儿能报国,我顾何忧!"及浩两被窜责,母不易初意,人称其贤。

壬申,辽降惠妃萧氏为庶人,幽于宜州,诸弟没入兴圣宫。

辽方治耶律伊逊之党,其首恶既以贿免,而蔓引转及无辜。御史知杂事左企弓为辨析其冤,警巡使马人望奉命推究,处以平心,所活甚众。

戊寅,知江宁府邓祐甫,乞以府学所建王安石祠堂著祀典,从之。

壬午,追贬李清臣为武安军节度副使。

癸未,诏:"监司、帅臣,于本路小使臣以上及亲民官内,有智谋勇略可备将帅者,各举一人。"

【译文】

宋纪八十七　起辛巳年(公元 1101 年)正月,止壬午年(公元 1102 年)闰六月,共一年有余。

宋徽宗　名讳赵佶,神宗的第十一个儿子。母亲为钦慈皇后陈氏,元丰五年(公元 1082 年)十月丁巳(初十),生于皇宫中;次年正月,赐给名字;十个月时授给镇宁军节度使,封为宁国公。哲宗皇帝即位,封为遂宁郡王;绍圣三年(公元 1096 年),以平江、镇江军节度使衔,封为端王;绍圣五年(公元 1098 年),加司空,改为昭德、彰信军节度使。

建中靖国元年　辽寿昌七年,二月,改为乾统元年(公元 1101 年)

春季,正月,壬戌朔(初一),有红色云气从天空东北方开始,贯穿西南,中间含有白气;将消散时,又有黑气在旁边。右正言任伯雨说:"正是一年的开始,而红色的云气在夜晚出现。白天为阳,夜晚为阴;东南为阳,西北为阴;朝廷为阳,宫禁为阴;中国本朝为阳,四边夷狄为阴;君子为阳,小人为阴。这是宫中暗中谋划,下犯上的征兆。逐渐向西,在正西消散成白气,而白色主战事,这是夷狄偷袭的征兆。上天有仁慈之心,以灾异作为警戒。希望陛下进用忠良之人,贬斥奸邪之人,端正名分,打击邪恶行为,使小人不能生出犯上的心思。那么灾异就可变为吉祥了。"

癸亥(初二),有星从西南进入尾宿,光芒照亮了地面。

观文殿大学士、中太一宫使范纯仁去世,时年七十五岁。

宋徽宗赵佶像

范纯仁病危,叫来各个儿子,口述遗表,让门生李之仪整理。大意是劝皇帝清心寡欲,约束自己,便利百姓,杜绝朋党的说法,考察邪与正的不同,不要轻率处理边境事务,随便驱逐言官。又为宣仁皇后辩明诬蔑诽谤说:"本来是掌权大臣发泄私怨,不是哲宗真的认为是那样。"又说:"先天下之忧而忧,希望不辜负圣人的学说,这是已故大臣家父用来教育后代,而小臣用来侍奉君主的准则。"皇帝诏令赠给开府仪同三司职衔,谥号忠宣,亲笔题写碑文为"世济忠直之碑"。

范纯仁生性宽容简朴,不给人严厉的脸色,涉及道义的地方,又坚持毫不屈服。由平民到宰相,廉洁俭朴如一,所得到的赏赐,都用来扩充义庄,前前后后任儿子为官的恩惠,多先让给疏远的族人。曾说:"我平生的学问,是从忠恕二字中得到,一生用不完,至于在朝廷侍奉君主,接待同僚朋友,使族人友爱和睦,丝毫没有离开过它。"常常告诫子弟说:"人虽然极为愚蠢,责备别人时就明白;虽然聪明,宽恕自己时就不清醒。如果能够以责备别人的心思来要求自己,以宽恕自己的心思宽恕别人,不怕不能到达圣贤的地位。"亲族中有人请教他,范纯仁说:"只有俭朴能够助成廉洁,只有宽恕能够形成美德。"那人将此话书写在座位旁。

辽国主从去年腊月有病,正月初一强撑上殿接受祝贺。这天到达混同江。

甲戌(十三日),皇太后向氏在慈宁殿崩逝,留下遗诏命尊奉皇太妃陈氏为皇太后。

本日,辽国主道宗在行宫中去世,时年七十岁,庙号道宗。留下遗诏命燕国王耶律延禧继位,北面枢密使耶律阿苏、知枢密院事耶律俨共同接受遗命。

辽道宗即位,征求直率意见,询问治国之道,劝民务农桑,兴办学校,拯救灾情抚恤患难,政绩可观。到禁止诽谤的命令下达,告发的奖赏一天天加重,一群奸邪同被进用,伤害自己的亲人,各部逐渐背叛,用兵没有一年安宁。只是一年施给三十六万僧人饭食,一天内落发为僧的三千人,崇尚佛教,不知道国家的忧患,辽国灭亡的征兆已出现。

延禧在灵柩前即位,辽国群臣敬上尊号天祚皇帝。

丁丑(十六日),改大行皇太后的陵园为山陵,命令曾布为山陵使。

己卯(十八日),命令河、陕募百姓交纳粟,免予考试授给官职。

二月,壬辰朔(初一),辽国改国号为乾统,大赦天下。诏令:"被耶律伊逊所诬陷的人,恢复他们的官爵,抄没家产的发还,流放的人召回。"

丙申(初五),下冰雹。

己亥(初八),裁减秦、凤两路兵卒。

甲辰(十三日),皇帝开始上朝处理政务。

乙巳(十四日),拨出内库以及各路常平钱一百万,作为河北的边备。

辽国天祚皇帝在做燕国王时,辽道宗因为萧乌纳有保护的功劳,命他辅导。萧乌纳因为多次直言违背皇帝意旨,天祚皇帝刚即位,就外放萧乌纳为辽兴军节度使,加代理太傅职。

甲寅(二十三日),诏令贬责知扬州林希为知舒州,降任知随州张商英为朝奉大夫,是右司谏陈祐指论他们处罚轻,请求重加贬降的缘故。

丁巳(二十六日),诏令:"潭州安置章惇,贬责授给雷州参军职务,在正员外安置。"

此前左正言任伯雨上疏说："章惇长欺窃夺国权，迷误国家，欺罔皇上，毒害朝臣，乘先帝突然崩逝的时机，就想实行不轨。如果让他的计谋得以实行，将把陛下和皇太后摆在什么地方！如果宽免不惩处，那么天下大的道义就不明确，大的法令不能施行。臣听说北边来的使者说：'去年辽国主正在进食，听说本朝罢免章惇，放筷而立，连连称好，说本朝错用此人。'北边来使又问：'怎么只是执行遣放？'由此看来，不仅是本国人都说可杀，即使是敌国也莫不认为可杀。"八次上奏章，没有答复。碰到台谏官陈瓘、陈次升等人又极力论述此事，才有这个贬斥诏命。

当初，苏辙贬逐到雷州，不许他占用官府房屋，就租用民房。章惇又认为是强夺民房，下令州官追问民户究治他罪行，因为租房契约很清楚，才作罢。到此时章惇向民户寻求租房，房户说："先前苏公来，因为章宰相差点毁了我的家，现在不能租了。"

任伯雨又说蔡卞的罪恶比章惇更大，就陈述他的六条罪状说："诬蔑宣仁皇太后保护的功劳，想要追废皇太后称号，是第一条；凡是绍圣年间放逐的大臣，都是蔡卞发端之后才实行的，是第二条；内宫用巫术驱邪的事出现，蔡卞请求在宫府中办案，只派内宫侍官审理，皇后因此获罪，是第三条；编类元祐年间大臣的疏章，数千人获罪，意见是蔡卞提出，是第四条；激怒哲宗皇帝，使邹浩远放，又请求处治他亲友送行的罪行，是第五条；蹇序辰提出审察诉理的建议，章惇迟疑不决，蔡卞以有二心的话要挟，章惇当天就设置审查机构，士大夫获罪的有八百三十家，是第六条。蔡卞阴险狡诈，罪恶念头滔天，门生属吏，遍布朝廷内外，现在虽然略加责罚，还像在朝廷一样，人人恐惧不安，不敢改心思向善。朝廷是非邪正不予分别，逐渐导致不停止，奸邪的人又再被进用，天下的安危几乎不能保证。"奏章递上，未予审阅。

三月，癸亥(初二)，任命知杭州吕惠卿为观文殿学士、提举洞霄宫。

甲子(初三)，开始在紫宸殿视朝。

乙丑(初四)，辽国使臣来报丧，派遣谢文瓘、上官均前往吊祭，派遣黄寔前往祝贺新国主继位。

丁卯(初六)，辽国主命令有关官员把张孝杰的家属分别赏赐给群臣。

甲戌(十三日)，辽国主召僧人法颐到内宫推广戒律。

戊寅(十七日)，任命知无为军陈瓘为著作佐郎、实录院检讨官。

壬午(二十一日)，因为将有日食，皇帝回避正殿、减少御膳，减免天下囚徒的罪行一级，流罪以下释放。

辽国殿直达尔旺哈，知道辽国主讨厌直言，心中恼恨萧乌纳，就诬告萧乌纳私下借内府中的犀角。辽国主命令审问他，萧乌纳上奏说："臣在先朝时，皇帝诏令允许每天取库钱十万作为私人用度，臣不曾取一钱，会借犀角吗？"辽国主更加恼怒，罢免他的太傅官职，降为宁边州刺史。从此，辽国的朝廷各大臣更加顺从献媚。

夏季，四月，辛卯朔(初一)，日食，太阳没有出现。

甲午(初四)，上大行皇太后的谥号为钦圣宪肃。乙未(初五)，追上钦圣皇太后为钦慈。

丁酉(初七)，皇帝上正殿，御膳恢复正常。

壬寅(十二日),诏令:"各路疑难狱案应当上报而不上报的治罪,不应当上报而随便上报的不治罪。著为令。"

任伯雨开始担任右正言,半年内,共上一百零八封疏奏。大臣怕他多言,许诺让他担任代理给事中,暗中告诉他略加闭口就给实职,任伯雨坚持不屈更为积极。当时曾布想调和元祐、绍圣两朝的人,任伯雨说:"人才固然不应当分党派,然而从古以来,没有君子小人一起任用,可以达到大治的。大概君子容易退让,小人难于摒退,两者并用,最后是君子自己离去,小人还留着。唐德宗因此导致流离逃亡的祸患,建中就是他的年号,不能有警戒。"随后想弹劾曾布,曾布觉察了,迁任他为度支员外郎。

本月,辽国地方出现干旱。

五月,辛酉朔(初一),下大冰雹,诏令三省裁减吏员,节约超出的费用。

丙寅(初六),安葬钦圣宪肃皇后以及钦慈皇后在永裕陵。

庚辰(二十日),太子太保、赵郡公苏颂去世,时年八十二岁。诏令赠给司空衔。苏颂气量宏大,遵守礼法,虽然地位高贵,生活却如同寒士。熟悉典章旧事,朝廷要订立制度,一定要拿去请他指正。

丙戌(二十六日),升放两位皇后的神位到太庙。

朝请郎梁宽说:"绍圣初年,奸臣受到特别进用,当时不仅朝廷士人改换面孔迎合,即使是乡间读书人,也使用观望揣摩投机的办法。举人毕渐,廷试时答对策问,想附会当时潮流以获得上第录取,他的言语不顾轻重,有伤国体,传播到四方边夷,所造成的损害不小。又如方天若答对策问,把不杀放逐到南方大臣的家属作为恨事,把不没收元祐公相大臣的家产作为可惜。方天若,是闽中的平民,对元祐年间的大臣有什么宿怨!只是因为蔡卞掌权,想报复平时的私仇。方天若,是蔡卞的门生,像鹰犬一样效力,像仆人小妾一样侍奉主人,他的话无所不至!看到不久将要开始的科举诏命,想请求下令礼部每遇到廷试,告诫应试的举人立下规矩,不得狂妄,不回答所提的问题。有违反此条的,罪过在考官,然后罢免这样的人,所贵在于使风俗稍微淳厚。"

辽国主初即位,就罢黜围场打猎的禁令。宋魏国王和啰噶请求说:"天子巡幸是大事,虽然在居丧时期,也不能罢废。"辽国主认为有道理,又命令有关官员准备巡幸。六月,庚寅朔(初一),辽国主到达庆州。

戊戌(初九),辽国任命南府宰相额特勒兼任南院枢密使。

庚子(十一日),辽国上道宗皇帝尊号为仁圣大孝文皇帝,追谥懿德皇后为宣懿皇后。

壬寅(十三日),辽国任命宋魏国王和啰噶为天下兵马大元帅。

甲辰(十五日),贬责右司谏陈祐通判滁州。陈祐多次上奏章弹劾曾布从担任山陵使回来不请求外放,而且说:"山陵使从来号称为不吉宰相,治平年间韩琦、元丰年间王珪不离去,后来有大臣不忍提出的。"又说:"曾布应当离去有三条:一,从山陵使任上回来;二,估计皇帝不在场,乘腰舆出行;三,不应当先给属官推恩奖赏。"疏章都留在内宫不下发,陈祐就交给三省申说。曾布就不上朝参见,因而就有这个任命。

两天后,左谏议大夫陈次升奏对,写有救陈祐的札子,皇帝没有审阅。而右司谏江公望又提出此事,皇帝说:"陈祐想要驱逐曾布,引用李清臣为宰相,这样怎么能容忍?"江公望马上说:"陛下临政以来,换了三位言官,驱逐七位谏官。现在陈祐提出宰相的过失,自然是他的职责,怎么能就说有别的意思呢!"

此前曾布很厌恶李清臣不依附自己,多次让人对江公望说,能指责一次李清臣,就给予谏议大夫的职位,可是江公望竟是这样说的。之后彭汝霖因为议论罢免李清臣得到了谏议大夫职位。

乙巳(十六日),辽国进封北平郡王耶律淳为郑王。

丁未(十八日),北院枢密使阿苏加授裕悦职衔。

戊申(十九日),封向宗回为永阳郡王,向宗良为永嘉郡王。

辽国让特里衮阿嚕萨古、宰相耶律俨总管山陵事务。辛亥(二十二日),安葬仁圣大孝文皇帝、宣懿皇后在庆陵。

戊午(二十九日),尚书右丞范纯礼,免职改任知颖昌府。

范纯礼沉着刚毅,曾布忌惮他,挑拨驸马都尉王诜说:"皇上想任命您为承旨,范右丞不同意。"王诜恼怒。碰到王诜接待辽国使臣,范纯礼主持宴会,王诜诬陷他随便称皇帝的名字,于是贬责他。

己未(三十日),颁布《斗杀情理轻重格》。

左司谏江公望上疏说:"自从先帝有继承前朝政务的意思,辅助政务不得其人,以谄媚自己为同道,以忠诚于皇帝为异己,借助权威以发泄自己的私怨,使天下骚乱,哲宗皇帝不能全部继承前朝政务的好处。元祐年间的人才,都是熙宁、元丰两朝培养留下的,遭到绍圣年间的贬逐之后,留下的不多了。神宗皇帝与元祐的大臣,并没有射钩带、斩衣袖那样的怨隙,先帝相信他们的仇人的话而贬黜他们。陛下如果立元祐为名,必定有元丰、绍圣年间的人与这作对,有了对头争论就兴起,争论兴起,党派又建立。陛下改年号的诏书,也说想建立皇帝行事准则,端正喜好厌恶向人展示,本着中和的原则而实行政务,天地神灵,都听到了这些话。现在如果改乱了,如何向天地神灵交代!"

当时宫内花园中逐渐饲养珍禽异兽,江公望极力说不是刚执政时适宜做的,皇帝说:"已经放走了。"只有一只白鹇,饲养时间长,皇帝以手杖驱赶它,始终不愿离去,于是刻下江公望的姓名在手杖头上以记下他的劝谏。正好蔡王赵似府中的府史互相告发,有些不恭敬的话,牵连到蔡王,江公望请求不要以没有根据的话加到极亲的人身上,于是罢免为知淮阳军。

秋季,七月,壬戌(初三),皇帝对曾布说:"人才在朝廷外有可以任用的,开列姓名奏报。"又问:"张商英还可以任用吗?"曾布说:"陛下想保持平衡折中使用,打破党人的议论以将天下调和一致,谁敢认为不对!然而元祐、绍圣两派,都不能偏用。臣私下听说江公望对陛下说,现在的政事,左不能用苏轼、苏辙,右不能用蔡京、蔡卞,这是他怀有私怨,互相仇视加害。希望陛下深思熟虑,不要让这两派得志,那么天下就无事。"皇帝只是点头而已。

曾布的弟弟翰林学士曾肇,避嫌出知陈州,曾写信责备曾布说:"哥哥与章惇想法不一致,人所共知。绍圣、元符年间,章惇、蔡卞只要是能够排挤哥哥的,无所不做。现在哥哥正得到皇帝信任,应当引用好人,扶助正道,以杜绝章惇、蔡卞再起来的萌芽,而数个月来,端正的好人,相继离开朝廷,进用作为辅臣、从官、台谏官的,都是曾经为章惇、蔡卞做事的人。一旦形势与今天不同,他们必定首先引用章惇、蔡卞作为巩固自己位置的计策,曾氏的灾祸,还能够逃掉吗!近来皇帝的意思已有变化,小人的力量在扩大,他日章惇、蔡卞纵然没有来到,一个蔡京足以当得了两人,想来令人心寒。"曾布不以

苏轼像

为然,给曾肇复信说:"曾布从熙宁年间在朝廷任职,到现在时事多次变化,正因为不与熙宁、元丰大臣完全一致,所以免去了元祐大臣遭到的贬斥;正因为不附会元祐大臣,所以免遭主张绍圣大臣的伤害。自己处世已经粗有一些原则,恐怕不会给家族带来灾祸。"

癸未(二十四日),准布、铁骊向辽国进贡。

丁卯(初八),任命著作郎陈瓘为右司员外郎。陈瓘极力辞去《实录》检讨官,同意了他的请求。

丙戌(二十七日),知枢密院事安焘免职。

原来制度,宫中内侍担任使臣出去,将所得旨意告诉枢密院,审查属实,才能出发。后来多得到旨意就离开,安焘请求查治他们。都知阎守勤接受了别的职务,请求免去没有报告,也弹劾他;皇帝敕令阎守勤去向安焘请罪。郝随获罪,有人揣测皇帝的意思将起用他,想引用赦令为途径,安焘也争辩此事。借年纪大了请求离职,就出外知河南府。将出发,上疏说:"东京的朋党之祸已经萌芽,希望以'履霜开始就有坚冰'的话作为鉴戒。"语言尤其激烈中肯。

丁亥(二十八日),任命蒋之奇知枢密院事,吏部尚书陆佃为尚书右丞,端明殿学士章楶同知枢密院事。

八月,甲寅(二十五日),任命右司员外郎陈瓘知泰州。

此前陈瓘进言说:"神宗有作为的顺序,开始于修整政事,政事订立,财货用度就充足,财货用度充足而根基就巩固,这是国家万世的利益,而今天所当继承的。臣近来因为担任都司职务,审阅内宫下达的札子,裁减吏员和多余的费用,以防止增加赋税的苗头,为百姓长远考虑,是天下的幸事。然而今天朝廷的方针,正为缺乏钱财而忧虑,西部边境虽然已经撤兵,但费用不可马上就补出,就至于消耗基本的财力,破坏神宗皇帝的政令,增加赋税的萌芽,发端于此。臣职责之内的事,按理不能沉默,现今编撰了一本《国用须知》奏报皇上。"

又进呈《日录辨》说:"臣陈瓘去年五月十八日在紫宸殿奏对,上奏札子说:'臣听说王安石《日录》七十余卷,全部记载了熙宁年间奏对议论的话。这是做臣子的私下编录的书,不是典章。从绍圣年间再编修《神考实录》,史官请求将此书下达交会史院。凡是《日录》《时政记》、《神宗御集》所没有记载的,往往只根据此书,将追议处罚奖赏给予剥夺,祖宗的德行,交给做臣子的。所以臣希望诏令史官另外删改编修,以形成一代不能改变的典章。'当天承蒙批复交付三省,后来没有听到施行。那是因为绍圣年间请将《日录》下达交给史院的人,今天做了宰相的缘故,事情不合理,没有比这更大的了。臣因此将所知的编撰成《日录辨》一篇,写成状疏奏报。"

当天,陈瓘与左司员外郎朱彦周在都堂谒见曾布,用书信责备曾布说:"尊崇私家史著而厌弃宗庙文献,因为边境开支而破坏先朝政务,这是阁下的罪过。违背神宗的意愿,损坏神宗的政务,在于此二事,而阁下遮掩阻塞,人们不敢议论。他日皇上因为这两件事,以继述的意思来问阁下,将以什么话来回答?阁下对陈瓘有推荐引用的恩情,陈瓘不敢辜负,所以论述吉凶的道理,进献先期的告诫,希望对阁下有益处。如果阁下不考察这个心思,拒不接受,那么今天的话,你说是负恩也可以。"曾布读完陈瓘的信,争辩了很长时间。陈瓘的面色不改变,慢慢站起说:"刚才所议论到的国家大事,是非有公议,您不能马上就失去了对待士人的礼节。"曾布惊慌四顾改变了脸色。陈瓘又将《日录辨》《国用须知》交给曾布而退出。

次日,陈瓘就将此二篇以及所呈给曾布的信写成状疏上报三省、御史台,请求向皇帝进言弹劾。三省呈进,皇帝面向曾布说:"这样报恩吗?"曾布说:"臣绍圣初年,在史院不到两个月,认为元祐所编修的《实录》,凡是司马光《日记》《杂录》,或从传闻得到,或从宾客处得到;而王安石编有《日录》,都是君臣对面答问的话,请求拿来交付史院对照编修,这是极公正的看法。后来绍圣年间重新编修《实录》的是章惇、蔡卞,现在主管史院是的韩忠彦。而陈瓘说臣尊崇私人史著而厌弃宗庙文献,不明白指的什么。神宗皇帝理财,虽然连年用兵打仗,而到哪里都是府库充实。元祐年间不清理耗费,又有出无入,所以仓库为此一空。却认为臣破坏了三十年的根本大计,恐怕不公平。"皇帝说:"卿一向推荐陈瓘,又要任命为左右职位,朕不同意。今天怎么样?"曾布惭愧地谢罪。而韩中彦等人说:"陈瓘一定要离去,应当给他一个郡任职。"皇帝命令责罚陈瓘,韩忠彦以及陆佃都说:"陈瓘言词辞确实过当,曾布却能够宽容陈瓘。"就外放陈瓘知泰州。

曾布想陈瓘依附自己,让人告诉想法,将要大用他,陈瓘对儿子陈正汇说:"我与丞相意见多不一致,现在想以官职作诱饵。我要给宰相一封信,你给我记下。"陈正汇两次叩拜,希望让他书写。陈瓘很高兴,次日早晨拿着信到省署,刚坐下,就拿出信。曾布大怒,信交上的第二天,就有外放海陵的命令,中书舍人邹浩、右谏议大夫陈次升都请求留下陈瓘,没有同意。

辽国主拜谒庆陵。

1938　九月,己巳(十一日),诏令:"各路转运使、提举司以及各州、军有遗漏的收入以及多余人员虚浮费用应当裁减的,详细议论上报。"

壬申(十四日),辽国主拜谒怀陵。

乙亥(十七日),辽国主到达藕丝淀。

冬季,十月,壬辰(初五),辽国主拜谒乾陵。

癸巳(初六),门下侍郎李清臣免职改任资政殿大学士、知大名府。

甲辰(十七日),辽国主上他的已故父亲昭怀太子谥号为大孝顺圣皇帝,庙号顺宗;已故母亲萧氏为贞顺皇后。旋即追赠萧岩寿同中书门下平章事,耶律萨喇、耶律托卜嘉都追封为漆水郡王,萧苏萨、萧托卜嘉都追封兰陵郡王,在宜福殿绘制五人的遗像。又追赠萧和克为龙虎卫上将军。此前耶律实埒因为依附太子流放镇州,到现在召用为御史中丞。

辽国主虽然追尊顺宗,终究不知道他安葬在哪里,辽国主也不急着寻找,后来就没有建陵寝。

十一月,庚申(初三),任命陆佃为尚书左郎,吏部尚书温益为尚书右丞。

温益刚知任潭州,邹浩贬往南方经过潭州,晚上投宿到村寺,温益马上派州都监带领数名兵卒晚上出城,逼他上船,最后迎着风渡江走了。其他被逐的大臣在他管辖境内的,如范纯仁、刘奉世、韩川、吕希纯、吕陶等人,都受到他的干扰刁难,当权的人为此很高兴。

壬戌(初五),任命西蕃锡罗萨勒为西平军节度使、邈川首领。

辛未(十四日),下发皇帝写作的南郊亲祭乐章。

庚辰(二十三日),在圜丘祭祀天地,大赦天下。将彰信军改名为兴仁军,昭德军改名为隆德军。改次年的年号为崇宁,因为曾布主张继承前朝政务,同意了他的请求。

壬午(二十五日),三省奏事完毕,曾布独自留下,呈上内降起居郎邓洵武所进上的《爱莫助之图》,意思是陛下刚继承前朝政务,群臣没有人支持。那张图像史书年表一样,按宰相、执政、侍从、台谏、郎官、馆阁、学校分为七栏,每栏两旁,左边是绍述,右边是元祐。左边列出支持绍述的,执政中只有温益一人,其余每栏只三四人,像赵挺之、范致虚、王能甫、钱遹之等人而已。右边另列出的满朝官员都在其中,有一百多人。又在左边列一项,用小纸条贴去。曾布悄悄告诉了贴去的臣僚的姓名,皇帝说:"邓洵武认为非以蔡京为宰相不可,因为与你的意见不一致,所以贴住了。"曾布说:"邓洵武所提出的,既然与臣的看法不一样,臣怎么敢参与讨论。"次日,就交付温益。温益欣然奉命执行,请求造册登记有不同意见的人,因此皇帝决心任用蔡京。

十二月,戊子(初二),辽国任命枢密副使张琳知枢密事。翰林学士张奉珪为参知政事兼任同知枢密院事。

辽国知枢密院使越国公耶律俨迁封为秦国公。

耶律俨因为阿谀谄媚得到道宗的信任,等到天祚皇帝即位,元妃的兄长萧奉先被辽国主所喜爱信任,耶律俨过去与萧奉先有交往,更加逢迎讨好,辽国主又宠信任用他。曾与牛温舒有怨隙,各自进用所亲信的人,帮派纷纷而起。耶律俨倚仗萧奉先在内做主,牛温舒不能斗过他。

庚寅(初四),任命知洪州叶祖洽为宝文阁待制,代替吕希纯知瀛洲;吕希纯任知颖州。

皇帝因河朔各守将都是元祐时的人,想全部换掉,所以吕希纯、叶祖洽有这样的任命,都是曾布所请求的。曾布开始拟召用叶祖洽为侍郎,皇帝批准了;韩忠彦认为不行,就作罢。

此前受责罚贬降的人都得到皇帝旨意按赦免的恩典而复职,只有章惇、苏辙进呈没有同意。章惇的儿子章援刺破手指写了血书呈上,皇帝封章援的奏书交给曾布,曾布想留下奏事,未成。接着有丁忧在身的曾诞拿着长信给曾布,并给了一份奏疏,所陈述的十件事,其中四件说章惇对国家的功劳,责罚太重,应当再收用。大致都是狂妄的话。这一天,进呈章援的信,皇帝很称许他的孝心,有愍惜他的意思。曾布想暂时让章惇迁到广南靠近内地的一个州,皇帝批准了。又将曾诞所陈述的事项呈报,皇帝说:"应该给予勒停编管。"随后韩忠彦看到了,发怒,请求给予除名,送往湖南,同意了。章惇也不再内迁。

左仆射韩忠彦与曾布意见不一致,曾布多次排挤他。韩忠彦多次请求免去宰相,没有被批准。甲午(初八),韩忠彦出外到东府,皇帝下诏解押进宫。

戊戌(十二日),提举洞霄宫蔡京,复职为龙图阁直学士、知定州。

供奉官童贯,是开封人,生性乖巧谄媚,善于揣测主人细微的意图,事前迎合,因此原因得到宠幸。到出使三吴,寻访书画奇巧之物,逗留杭州几个月,蔡京与他交游,不分昼夜,凡所画的条屏扇带之类,童贯每天送到宫中,并且附带上奏言论给皇帝,因此皇帝有意起用蔡京。左阶道录徐知常因为符水出入元符皇后的住所,太学博士范致虚与他交情深厚,因而推荐说蔡京的才能可以任宰相。徐知常进宫游说此事,随后宫妃、宦官同声称赞他,于是起用蔡京知定州。

辛丑(十五日)任命知随州张商英权户部侍郎,不久改到吏部任职。

壬寅(十六日),知滁州范镗恢复职务,知澶州。少府少监邢恕、光禄少卿吕嘉问、司农少卿路昌衡,都罢免分司职务,邢恕改知随州,吕嘉问改知蕲州,路昌衡改知滁州。回归乡里的安惇、蹇序辰,都授散官,给予俸禄。通议大夫林希,追加恢复资政殿学士职务。不久又诏令恢复蔡卞官职,给予俸禄。

乙巳(十九日),辽国主下诏:"先朝已经实行的事情不得陈述申告。"当时正处治耶律伊逊的朋党,那些党羽多贿赂权贵们以求得宽免,辽国主不醒悟,所以下了这个诏令。

丙午(二十日),恭敬地安放神宗皇帝神位在景灵西宫;丁未(二十一日)到景灵西宫行礼。

己酉(二十三日)颁下德音诏书,减免囚徒的罪行一级,徒罪以下的释放。

癸丑(二十七日),诏令:"章惇的亲子孙,允许在外地担任指定任地的职务,不得随意到京师以及上疏章。"是采纳了曾布的建议。

秘书省正字陈师道,性格独特,与赵挺之是连襟,却一直讨厌此人。适逢要参加郊祀,天气很冷,没有棉衣,他的妻子就向赵挺之家借,陈师道问清从哪里借来后,推开,不肯穿,就染上寒病,乙卯(二十九日),去世。

本年,因为修筑景灵西宫,到苏州、湖州采办太湖石四千六百块。

河东路发生地震,京畿出现蝗灾,两浙、湖南、福建出现旱灾。

崇宁元年 辽乾统二年(公元 1102 年)

春季,正月,丁丑(二十一日),河东、太原等郡发生地震;诏令给死难者的家属赐给钱不等。

辽国主到达鸭子河。

二月,丙戌朔(初一),因为圣瑞皇太妃生病,审核记录囚犯。

辛卯(初六)辽国主到达春州。

甲午(初九),皇太子赵亶改名为赵烜。

让蔡确进入哲宗庙附带祭享。

丙申(十一日),雄州防御推官、知邓州录事参军朱肱上奏说:"陛下即位以来,两次出现日食,都是在正阳的月份。河东十一个郡的地震,到现在没有停息,百姓因地震而死的,数以千计。从古以来,灾变没有像这样的。臣不怕受处死的责罚,妄自提出辅政大臣的过失,以推究灾变的原因,言辞激烈切直,死有余辜。然而一片不为人理解的忠心,之所以不敢保持沉默,是因为吃陛下的俸禄,顾念国家的重要,不敢想到个人私利。"并将他所上给宰相曾布的书信同时进呈。

书信中说:"现任监察御史刘焘,是相公您的门生。您担任山陵使,征召刘焘掌管笺表文书,又推荐入馆阁任职,您很厚待他了,像刘焘这样的人,安排在翰林词臣的位置上,不是不称职;让刘焘担任御使,就不行了。您的过失,刘焘肯指出吗? 指出就忘掉了恩惠,不说又欺骗皇上,所以不能以此职位让刘焘担任。现在右正言范致虚的哥哥范致君,是您的侄婿。范致虚是范致君的亲弟弟,像范致虚,安置在馆阁,不是不称职;让范致虚担任谏官,就行不得。您有过当的行为,范致虚争辩就忤逆亲人,不争辩又失职,也不能以此职位让范致虚担任。您四处招用贤人,选用天下人才,我所论述的,仅说到刘焘和范致虚的原因,只是因为台谏官是皇帝的耳目之官,不像其他各官,可以略去不说。您任命门生、亲戚担任谏官、御史,这就是日月被侵蚀、天下出现地震的原因。"又说:"章惇的罪恶,数说不尽,其中最大的有四五项。您身在枢密院,坐视不言,也不是没有过失。第二次贬斥元祐的大臣,范纯仁能够说话,您不曾挽救;废元祐皇后,龚夬能够说话,您不曾挽救;将谏官流放到必死之地,黄履能够说话,您不曾挽救;册立元符皇后,邹浩能够说话,您不曾挽救;这四五件事,章惇罪恶最大,而您没有说半句相助的,我暗中怀疑此事。希望您遇到灾变能够畏惧,然后才能消除天象灾变,得到直言。我对于您的微小的希望,如此而已。"诏令交付三省。朱肱,是乌程人,礼部侍郎朱服的堂弟。

戊戌(十三日),诏令:"士人中有品德高尚、长久埋没担任低下官职以及学问品行兼备、可以促进风俗振奋的,待制以上官职各推举所了解的人两名。

奉议郎赵谂谋反,被杀死。

辛丑(十六日),任命知定州蔡京为端明殿学士、知大名府,蔡卞改任知扬州。

此前大名缺统率,曾布告诉皇帝,在中书省、枢密院两省的只有刘奉世,皇帝沉默不语。韩忠彦与曾布关系很僵,暗中想结交蔡京,就说熙宁的旧事,曾经任命学士,不必在中书省、枢密院两府中选任,于是请求任命蔡京,所以有这个任命。

圣瑞皇太妃朱氏逝世,追尊为皇太后,上谥号为钦成。

追封孔鲤为泗水侯,孔伋为沂水侯。

三月,丁巳(初二),恭敬地安放哲宗神位在景灵宫西宫宝庆殿;戊午(初三),到景灵宫西宫宝庆殿行礼。

辛酉(初六)任命兵部侍郎邹浩为宝文阁待制、知江陵府,因为邹浩请求外放补官,不久改任知杭州。

甲戌(十九日),任命知大名府蔡京为翰林学士承旨、兼任修国史官。

本月,辽国极为寒冷,已化的冰又冻上。

夏季,四月,丙戌(初二),诏令权吏部侍郎张商英去掉"权"字。

辽国主命令北院枢密使耶律阿苏、同知北院枢密萧德勒岱查处伊逊的党羽,有关官员拖拉,不太认真,很久才办案。辛亥(二十七日)命令杀掉伊逊的党羽,迁徙他的子孙到边地,挖掘伊逊、张孝杰、萧德哩特、萧锡沙的墓穴,开棺戮尸,将他的家属分别赏赐给被杀害的家庭。

当时耶律阿苏受贿,开脱奸党的罪责,萧德勒岱不能制止,也附和他。萧达和克亲手害死太子,也因为行贿得免。御史中丞耶律实埒上书说:"臣先前被奸臣所陷害,斥逐远放在边地,幸而得蒙召用,不敢逃避沉默。恩赏分明那么贤人就受到鼓励,刑罚恰当那么奸人就消退,二者得到实施,天下不费力可以治理好。看到耶律伊逊,出身微贱,位居枢密院要职,窃取权柄肆意作恶,不可形容,蒙蔽先帝的明察,诬陷顺帝,陷害忠良,败坏国家,欺罔皇上,自古所没有。仰赖宗庙社稷的荫庇,陛下继承大业,积年的冤案,一旦洗冤平反,正是陛下英明决断完成孝道的时候,像萧德哩特,实际是耶律伊逊的同党,耶律哈噜也没有及早分辨,仰赖陛下的英明,才处治他们的罪行。臣发现陛下多有犹豫,所以有关官员观望,不切实处治。伊逊在先帝时,权力和宠信无人能比,先帝如果认为顺帝确有其事,那么伊逊就是功臣,陛下岂能得以立为帝!先帝贬逐宠爱的皇后,诏令陛下到他身边,这也是后悔先前做得不对。现在骸骨未找到,而寻找不急切。《传》说:'圣人的德行,没有比孝更高的。'过去唐德宗因为战乱失去母亲,思念悲伤,孝道更加突出。周公杀掉飞廉、恶来,天下人极为高兴。现在逆党没有除掉,大的冤仇没有报,对上不能告慰顺帝的亡灵,下不能缓解天下的愤怒,怨恨的水气在上面凝结,就有水、旱之灾。希望陛下公开下诏,寻找顺帝安葬的地方,全部抓获奸党,依法处置,使四方忠义的人心情畅快,昭示国家赏罚的使用,这样之后国家的治理之道,就可以实现了。谨另外记下顺帝升天以及伊逊等人的事情,冒死上报。"书信上奏,没有答复。

五月,丁巳(初三),火星进入斗宿。

庚申(初六),尚书右仆射韩忠彦免职。韩忠彦担任宰相,召回流放的人,进用忠直的人,因此张庭坚、陈瓘、邹浩、龚夫、江公望、常安民、任伯雨、陈次升、陈君锡、张舜民等人都担任台谏官,一致称道用人得当,然而与曾布不相合。到此时左司谏吴材、右正言王能甫迎合曾布的意图,指论韩忠彦变更神宗皇帝的法度,放逐神宗皇帝的人才,就以观文殿大学士身份出任大名府知府。

乙丑(十一日),臣僚上书说:"神宗皇帝在位共十九年,所建立的法度,都是本于先王。元祐党人把持朝政,全部搞乱,朋比为奸欺罔皇上,再次倡导呼应的人,都是神宗皇帝的罪人。绍圣年间追复法度,虽然已经放逐,陛下即位,以仁德之心包容养育,让他们改过自新,一旦得到恢复,不知感化;内外相呼应,慢慢滋生扩大,为害更甚。现在奸党的姓名都在,文书甚为明白,有议论法度的,有执行法度的,有为此倡议的,有从而应和的,罪行有轻有重,情节有浅有深,让有关官员分析区别处理,让各自的处罚与罪行相当,数天就可做完。希望尽早赐令施行。"

诏令:"知河南府安焘、知润州王觌、知越州丰稷、知颍昌府陈次升,全部夺职;知应天府吕仲甫,免职;已去世的资政殿大学士李清臣,夺职,追回所得到官职及例外所得到的恩惠待遇。"

吏部侍郎张商英改任刑部侍郎兼同修国史职;不久又兼任侍读职。

庚午(十六日),臣僚上奏说:"前朝贬斥司马光等人以不同的主张损害朝政,向朝廷内外宣布,天下人都知道。因陛下刚即位时,来不及总揽各种政务,把持国政的大臣,不能心意公平,检查综合各种情况,详细提供呈上,按先后恢复职务,现在又招致人们的议论,就导致混乱。希望陛下明确向执政大臣宣布,让他们共同参与讨论,仔细审察事情,推究事情的轻重,确定大小罪行,上报皇上裁决,特别赐令实行。如果明显有欺骗皇帝有负国家的实际行为,自然应当外放,不值得可惜。其中也有牵连的人,是片面固执见解愚蠢,并不是奸邪诬陷的,请求依照近年普施恩惠例子,给他们改过自新的道路,那么天下人的气愤平静,而乱纷纷的议论就平息了。"

乙亥(二十一日),诏令:"已去世的追复太子太保司马光、吕公著,太师文彦博,光禄大夫吕大防,太中大夫刘挚,右中散大夫梁焘,朝奉郎王岩叟,苏轼,各按追复官职裁减,只追复一级官职,原来追复的官职文书并予收缴。王存、郑雍、傅尧俞、赵瞻、赵卨、孙升、孔文仲、朱光庭、秦观、张茂则、范纯仁、韩维、苏辙、范纯粹、吴安诗、范纯礼、陈次升、韩川、张耒、吕希哲、刘唐老、欧阳棐、孔平仲、毕仲游、徐常、黄庭坚、晁补之、韩跂、王巩、刘当时、常安民、王隐、张保源、汪衍、余爽、汤戫、郑侠、常立、程颐、张巽等四十人,处罚轻重不等。只有孙固是神宗皇帝登位前旧府第中的人,已经恢复的职衔及赠官职,免予追夺。任伯雨、陈祐、张庭坚、商倚等人,都交送吏部,让他们在外地指射差遣。陈瓘、龚夬一并给予宫观职。"

司马光等人的责罚制词都是曾布所起草的。又下诏:"在元祐以及元符和现在受责罚贬降的人除韩忠彦曾担任宰相,安焘系前任执政,王觌、丰稷是现任侍从外,苏辙、范纯礼、刘奉世等五十七人,命令三省记录,不得给予在京城的差遣职事。"

皇宫后苑要增修殿宇,内侍中有人请求用金箔作装饰,共计需用五十六万七千贯钱,皇帝说:"将金做成箔,用来装饰土木,一旦坏了就不能回收,很没有意思。"诏令免去此项。

丙子(二十二日),诏令:"所有元祐以来以及元符末年不曾因为朋党比附获罪的,除已经施行的以外,从今以后,一切宽免不予追究,担任言官的人也不要再提及。"

己卯(二十五日),尚书左丞陆佃免职。陆佃执掌朝政,与曾布勾结,而主张多比较宽容,

1943

常想起用元祐时的人,尤其厌恶奔走钻营,曾说:"天下多事时,必须不论资格用人。如果平安时,人才相差不大,应当按资历进用,略微过些时,士人就知道自重了。"又说:"现在天下的大势,如人大病初愈应当以药物辅助调养,等待平安。如果轻易做改变,就是让病人骑马射箭。"朝廷议论要再惩治元祐余党,陆佃认为不应当深究。有人说陆佃列在党人名籍中,不想深究,正是担心牵连自己,于是就出任了定州知州。

庚辰(二十六日),任命许将为门下侍郎,温益为中书侍郎,翰林学士承旨蔡京为尚书左丞,吏部尚书赵挺之为尚书右丞。

蔡京平素与屯田员外郎孙馨相交好,孙馨曾说:"蔡子,是贵人,然而才能不能超过品德,恐怕让天下的人担忧。"到此时,蔡京对孙馨说:"我如果能得到天子任用,希望能帮助我。"孙馨说:"您确实能够恪守祖宗的法度,以正直的主张辅助皇帝,显示节俭以作百官的表率,又绝口不提用兵,天下就万幸。"蔡京默然不语。

赵挺之担任中丞,与曾布勾结,建议继承前朝政务,打击元祐时的各位贤人,因此进入宰相府任职。

六月,己丑(初五),升附钦成皇后的神位到太庙。

辛卯(初七),左司谏王能甫说:"曾诚家里很有钱,被认为是青钱学士,请求罢免他的史官职务。"左正言吴材说:"史官王防,在元丰时受到勒停处理,又因为诉理的事获罪,加上没有出身资格,应当罢免。"这一天,曾布独自奏对,说:"吴材因为引用吕惠卿、蹇序辰等人,议论不止;王能甫是吴安持的女婿,近日因为吴安持追削职衔;都怀有私人怨隙,所以以此攻击曾诚、王防,想中伤臣罢了。"皇帝说:"那些责任在蔡京,不干卿的事。"曾布说:"臣也知道这两个人是蔡京所推荐的,只是因为臣门下的人被言官所攻击,以为臣必定地位动摇。小人用心如此,臣实在不安。在元祐之人布满朝廷的时候,臣一人与众人作对,当时帮助臣的只有这几个人。现在元祐党人刚去掉,而言官却想斥逐这几个人,这是为元祐之人报怨罢了。"皇帝显出吃惊的样子。曾布因而说:"张商英也是章惇门下的人,王沇之是他的女婿,议论的时候,多与章惇相合,所以张商英极力称赞引用范致虚以及吴材,是他们的志向相同罢了。如果他们有所陈述,希望陛下加以明察。"

壬辰(初八),减免西京、河阳、郑州囚徒的罪行一级,百姓因为修建陵寝服役的免除赋税。

辽国主因为下雨取消打猎,驻扎在散水原。

癸卯(十九日),诏令:"六曹尚书有事上奏陈述,允许单独上殿。"

丁未(二十三日),辽国南院大王慎嘉努退休。

己酉(二十五日),太白星白天出现。

壬子(二十八日),将渝州改名为恭州。

癸丑(二十九日),诏令仿《唐六典》修订神宗所定的官制。

封伯夷为清惠候,叔齐为仁惠候。

闰月,甲寅朔(初一),将哲宗神御殿改名为重光殿。

己未(初六),任命提举洞霄宫吕惠卿为观文殿学士、知杭州,随后改任知扬州。

庚申(初七),辽国举行贤良科策试。礼部郎中刘辉对答策问,多切中时弊,提拔为史馆修撰官。刘辉善于写文章,疏简有远大谋略,当时认为用人得当。不久,去世。

辛酉(初八),殿中侍御史钱遹说:"尚书右仆射曾布,极力引用元祐时的奸邪党人,分布在重要职位;暗中排挤绍圣时忠贤的人,远放在闲散的位置。提携姻亲连襟,很快到达高官;引用轻浮的人,窃取名位。他的爱婿结交近侍,各个儿子结交士大夫,拜访请托的人聚集在门前,礼包充盈家中,呼吸之间造成祸福,喜怒之间改变境遇。搜罗不足为凭的言论,想破坏绍圣年间的真实历史;歪曲地沿用法家的荒谬学说,轻易改变传世的典章。作臣子不忠诚,没有比这更严重的。况且日食、地震、星象变异、旱灾,哪里是兴盛时平常年度应有的过失,是掌权的人不公正所造成的。想请求尽早依法处置,满足朝廷内外的期望。"因此曾布接连上奏章请罪。

壬戌(初九),诏令曾布为观文殿大学士、知润州。

曾布在元符末年,想兼用元祐与绍圣,所以极力排挤蔡京,将他逐出。到崇宁初年,知道皇帝有所偏向,又想极力排挤韩忠彦而独专政务。不久,蔡京已担任尚书右丞,与曾布大不相同。正好曾布拟用陈祐甫担任户部侍郎,蔡京在皇帝床前奏道:"爵禄,是陛下的爵禄,怎么让宰相私自给他的亲戚!"曾布的女婿陈迪,是陈祐甫的儿子。曾布愤怒地争辩,很长时间,声色略为严厉,温益叱斥他说:"曾布,皇上面前怎么能失礼!"皇帝不高兴而作罢。御史就攻击他,说:"曾布与韩忠彦、李清臣勾结营私,让他的女婿吴则礼,外甥女婿高茂华来往商量,共同结成元祐的朋党。在当上宰相后,又与李清臣断交分裂,日夜争夺,抓住天下的权力,全部归到自己手中,怨望的心情就能得逞了。所以不到半个月,首先废除市易法,朝廷内外的人,看风头迎合意图,变法的议论,跟着提出。因此范纯粹请求差派衙前之役,以损害神宗的免役法;李夷行请求恢复诗赋科,以损害神宗的经术考试。又极力引荐王古为户部尚书,王觌为御史中丞,这两个人,是元祐的党人,而任用来掌握收入与支出的大权,做出是非可否的决定,难道不是败坏神宗的法度吗!"因此又下诏将曾布免职,任提举明道宫,太平州居住。

任命刑部侍郎张商英为翰林学士。

甲子(十一日),诏令:"各路州县官有治理政绩最显著的,命令两司、帅臣各推举一人。"

丙寅(十三日),宝文阁待制、知杭州邹浩,改任知越州。

辛未(十八日),诏令说:"朕仰唯哲宗皇帝元符末年,生下越王,奸人唱反调,说不是皇后生的。近来阅鉴臣僚的奏疏,恰巧看见后妃中申诉的疏章,再次加以详细考查,都有明白的证据。当时两宫亲临抚慰探视,嫔妃官执事都在旁边,外人怎么能进入宫中杀母取走儿子,实在是没有根据的说法。作为他的弟弟,继承国体宗庙,怎能让谋图名位的贱臣,严重地损害兄弟的道义。诋毁诬陷欺罔,没有比这更严重的!邹浩可重加贬责,以警戒作大臣不忠的人。检查邹浩原来所上奏的札子,以及元符皇后的申诉章疏,向朝廷内外公布。"

当初,邹浩因为劝谏册立皇后被贬责,奏章留在宫内没有下发。元符末年,回到朝廷,入宫晋见,皇帝首先提到劝谏册立皇后的事,夸奖感叹再三,问道:"劝谏的草稿在哪里?"回答说:"焚烧了。"退下,告诉陈瓘,陈瓘说:"灾祸就在这里了！他日奸人胡乱写一封,就不可辩白了。"等到蔡京掌权,畏忌邹浩,想排挤他,果然让他的党羽伪造邹浩的奏章,说刘后杀卓氏而夺得她的儿子,且有很多狂妄指斥的言辞,又伪造元符皇后上给皇太后的表章,流传到朝廷内外。皇帝见到了,大怒,就下诏处治邹浩的罪行,贬降为衡州别驾,永州安置。蔡京又让他的党羽替元符皇后撰写谢表呈上,下诏一并送交史官。

邹浩刚担任谏官职务时,回家告诉他的母亲张氏说:"有进言职责的人不能沉默,恐怕因此让母亲担忧。"母亲说:"我儿能够报国,我有什么担忧！"到邹浩两次被贬责,他的母亲不改变初衷,人们称赞她的贤惠。

壬申(十九日),辽国贬降惠妃萧氏为平民,幽禁在宜州,几个弟弟都没入兴圣宫为奴。

辽国刚处治耶律伊逊的党羽,其中首恶已经因为行贿逃脱,而处罚转而牵连无辜的人。御史知杂事左企弓为他们辨明冤屈,警巡使马人望,奉命追查,以平正之心处理,救下的人很多。

戊寅(二十五日),知江宁府邓祐甫,请求在府学所建立的王安石祠堂制定祭礼的典章,同意了。

壬午(二十九日)追贬李清臣为武安军节度使。

癸未(三十日),诏令:"监司、统领长官,在本路小使臣以上以及亲民的官内,有智谋勇略可以做将帅的,各推举一人。"

续资治通鉴卷第八十八

【原文】

宋纪八十八　起玄黓敦牂【壬午】七月,尽阏逢涒滩【甲申】四月,凡一年有奇。

徽宗体神合道骏烈逊功　圣文仁德宪慈显孝皇帝

崇宁元年　辽乾统二年【壬午,1102】　秋,七月,甲申朔,建长生宫以祠荧惑。

丙戌,诏:"省、台、寺、监及监司、郡守,并以三年成任。"

戊子,以蔡京为尚书右仆射兼中书侍郎。制下之日,赐坐延和殿,命之曰:"神宗创法立制,先帝继之,两遭变更,国是未定,欲上述父兄之志,卿何以教之?"京顿首谢曰:"敢不尽死!"制辞极其褒美,翰林学士张商英所草也。

己丑,焚元祐法。

甲午,诏于都省置讲议司。

蔡京既得志,阴托绍述之柄,箝制天子。用熙宁条例司故事,即都省置讲议司,自为提举,以其党吴居厚、王汉之等十馀人为僚属。取政事之大者,如宗室、冗官、国用、商旅、盐泽、赋调、尹牧,每一事以三人主之。凡所设施,皆由是出,而法制屡变无常矣。

诏杭州、明州置市舶司。

庚子,同知枢密院事章楶罢,以老故也。诏授资政殿学士、中太一宫使。未几,卒,谥庄简。

甲辰,以雨水坏民庐舍,诏开封府振恤压溺者。

庚戌,臣僚上言:"管句明道宫张耒,在颍州闻苏轼身亡,出己俸于荐福禅院为轼饭僧,缟素而哭。"诏:"张耒责授房州别驾,黄州安置。"

辛亥,诏:"昨降置讲议司手诏内事件,许中外臣庶具所见利害闻奏。"

复罢《春秋》博士。

是月,辽主猎于黑岭,以霖雨,给猎人马。永兴宫太师萧呼图见辽主好游畋,每言从禽之乐以逢其意,辽主悦而从之,国政堕废自此始。

准布侵辽,辽招讨使额特勒战败之。

八月,乙卯,皇子烜改名桓。

臣僚上言："陛下即位之始,渊默不言。尝开献书之路,而以书献者,有自布衣取甲科以令百里,或加秩一等,或解武弁而寄寺监丞、簿之禄。天下之士,不知彼所论列为何等语言,往往怀疑,迄今不释。欲望出其所上封事,布之四方。果其言有补国是,则至公之议,帖然自厌;脱或志在觊望,侥幸名器,无忠嘉一定之论,有奸憸两可之语,附下罔上,累先烈而害初政,则于此时,岂可以置而不问? 如以臣言可采,乞早赐施行。"

乙丑,诏："除郑敦义、江绪外,鹿敏求追所授承事郎,降充簿、尉,高士育追所授官,何大正追所赐出身及所授官,并不得应举。"

辛未,置安济坊,养民之贫病者,仍令诸州县并置。

甲戌,诏天下兴学贡士,建外学于国南。

蔡京请"天下州县并置学,州置教授二员,县置小学。县学生选考,升诸州学;州学生每三年贡太学,至则附试,别立号;考分三等,入上等补上舍,入中等补下等上舍,入下等补内舍,馀居外舍。诸州、军解额各以三分之一充贡士,州给常平或系省田宅充养士费;县用地利所出及非系省钱。凡州县学生曾经公私试者,复其身。如有孝悌睦姻任恤中和,若行能尤异为乡里所推者,县上之州,免试入学。州守贰及教授询审无谬,即保任入贡;不实者坐罪。"京又请外学以待州县学之贡士。乃诏即京城南门外相地营建,外圆内方,为屋千百七十二楹,是为辟雍。太学专处上舍生、内舍生,而外学则处外舍生。初贡至,皆入外学,经试补入上舍、内舍,始得进处太学。太学外舍亦令出居外学,其敕令格式,悉用太学见制。于是上舍至二百人,内舍六百人,外舍三千人。凡州学上舍生升舍,以其秋即贡入辟雍,长吏集阖郡官及提学官具宴设,以礼敦遣,限岁终即集阙下。自川、广、福建入贡者,续其路食,以学钱给之。奏入,诏悉如其法施行。"

丙子,诏："司马光、吕公著、王岩叟、朱光庭、孔平仲、孔文仲、吕大防、刘安世、刘挚、苏轼、梁焘、李周、范纯仁、范祖禹、汪衍、汤诫、李清臣、丰稷、邹浩、张舜民子弟,并毋得官京师。"

己卯,以赵挺之为尚书左丞,翰林学士张商英为尚书右丞。

九月,戊子,京师置居养院,以处鳏寡孤独,仍以户绝财产给养。

乙未,诏中书籍元符三年臣僚章疏姓名,分正邪,各为三等。于是中书奏："正上,钟世美、乔世材、何彦正、黄克俊、邓洵武、李积中六人;正中,耿毅等十三人;正下,许奉世等二十二人。邪上尤甚,范柔中等三十九人;邪上,梁宽等四十一人;邪中,赵越等一百五十人;邪下,王(巩)〔革〕等三百十二人。"

内侍郝随,讽蔡京再废孟后。会昌州判官冯瀓,上书言复后为非,于是御史中丞钱遹、殿中侍御史石豫、左肤连章论"韩忠彦等乘一布衣诳言,复瑶华之废后,掠流俗之虚美。当时物议固已汹汹,乃至疏逖小臣诣阙上书,忠义激切,则天下公议从可知矣。望询考大臣,断以大义,无牵于流俗非正之论,以累圣朝。"

丁酉,治臣僚议复元祐皇后及谋〔废〕元符皇后〔者〕罪,降韩忠彦、曾布官,追贬李清臣雷州司户参军,黄履祁州团练副使,安置曾肇、丰稷、陈瓘、龚夬等十七人于远州,擢冯瀓鸿胪寺主簿。

己亥，御批付中书省："应元祐责籍并元符末叙复过当之人，各具元籍定姓名进入。"于是蔡京籍文臣执政官文彦博等二十二人，待制以上官苏轼等三十五人，馀官秦观等四十八人，内臣张士良等八人，武臣王献可等四人，等其罪状，谓之奸党，请御书刻石于端礼门。

庚子，赠宣德郎钟世美为右谏议大夫，录其子为郊社斋郎。世美，元符末提举福建路常平，应诏上书，乞复熙宁、绍圣政事，至是第为正上等第一，故有此恩。馀正等四十人，悉加旌擢。其邪等五百四十二人，降责有差。

壬寅，降授中大夫、守司农卿、分司南京、太平州居住曾布，责授武泰军节度副使，衡州安置。

冬，十月，乙卯，萧哈里叛辽，劫乾州武库器甲。辽主命北面林牙萨嘉努捕之。萧哈里亡入女直之克展部。

癸亥，知枢密院事蒋之奇罢为观文殿学士、知杭州。

辽招讨使额特勒乞致仕，辽主不许，止罢招讨、南院枢密使；丙寅，封混同郡王，迁北院枢密使，加太子太师，赐推诚赞治功臣号。以参知政事牛温舒知南院枢密使事。

己巳，以观文殿学士、知太原府吕惠卿为武昌军节度使、知大名府。

蔡京、许将、温益、赵挺之、张商英力主钱通等说，请废孟后，帝不得已从之。甲戌，诏罢元祐皇后之号，复居瑶华宫。

丙子，臣僚上言："元祐党人，朝廷近已施行。所有元符之末，共成党与，变更法度复为元祐者，伏望详酌施行。"于是诏周常、龚原、刘奉世、吕希纯、王觌、王古、谢文瓘、陈师锡、欧阳棐、吕希哲、刘唐老、晁补之、黄庭坚、黄隐、毕仲游、常安民、孔平仲、王巩、张保源、陈郛、朱光裔、苏嘉、余卞、郑侠、胡田并罢祠禄，各于外州军居住，仍依陈乞宫观新格，不得同在一州。

戊寅，以资政殿学士蔡卞知枢密院事。

诏："河南府草泽裴筠上书，语言狂悖，特送五百里外州军编管。所有讲议司许陈言利害指挥勿行。"

十一月，乙酉，邵州言知溪洞徽州杨光衔内附。

戊子，以婉仪郑氏为贤妃。

辛卯，置河北安济坊。

癸巳，置西、南(西)〔两〕京宗正司及敦宗院。

乙未，辽萨嘉努以不获萧哈里免官。

戊戌，置显谟阁学士、待制官。

壬寅，辽以上京留守耶律慎思为北院枢密副使。

剧贼赵钟格犯辽上京，掠宫女、御物，副留守马人望率众捕之，右臂中矢，炷以艾，力疾驰逐，贼弃所掠而遁。人望令关津讥察行旅，悉获其盗，寻擢枢密都承旨。

辽有司请以辽主生日为天兴节。

己酉，立卿监、郎官三岁黜陟法。

十二月,癸丑,中丞钱通言:"哲宗用王赡策,取青唐、邈川,可谓不世出之略。权臣欺朝廷,尽委而弃之,更以它罪戮及赡身。若不追正其罪,无以伸往者之冤而激忠勇折冲之气。"于是责授韩忠彦为崇信军节度副使;曾布为贺州别驾,仍旧衡州安置;安焘为宁国军节度副使;范纯礼为试少府监,分司南京。

庚申,臣僚上言范纯仁谥忠宣未当,诏:"定议、覆议官各罚铜,其神道碑令颍昌府毁磨。"铸当五钱。

丙寅,诏:"应责降安置及编管、羁管人,令所在州军依元符令常觉察,不得放出城。"

丁丑,诏:"诸邪说诐行非先圣之书,并元祐学术政事,不得教授学生,犯者屏出。"

戊寅,蔡京等上《州县学敕令格式》,乞镂板颁降,从之。

是岁,京畿、京东、河北、淮南蝗;江、浙、熙、河、漳、泉、潭、衡、郴州、兴化军旱。

辰、沅州猺入寇。

辽萧哈里之亡入女直克展部也,遣其族人额特勒结和于英格曰:"愿与太师为友,同往伐辽。"英格执额特勒。会辽命英格捕讨哈里,遂送额特勒于辽,募兵,得甲千馀,阿古达喜曰:"有此甲兵,何事不可图!"盖前此女直甲兵之数,未尝满千也。军次混同水,与哈里遇。时辽追哈里兵数千,攻之不能克,英格谓辽将曰:"退尔军,我当独取哈里。"辽将许之。阿古达策马突战,哈里中流矢,堕马下,执而杀之,大破其军。英格自是知辽兵之易与矣。

夏改元贞观。

二年 辽乾统三年【癸未,1103】 春,正月,辛巳朔,辽主如混同江。女直函萧哈里之首来献,辽主大喜,赐予加等。萧哈噜言于辽主,请修边备,枢密使耶律阿苏力沮之,时讥其以金卖国云。

乙酉,贬窜元符末台谏官于远州:任伯雨昌化军,陈瓘廉州,龚夬象州,马涓澧州,陈祐归州,李深复州,张庭坚鼎州,并除名勒停,编管。江公望责授衡州司马,永州安置;邹浩除名勒停,昭州居住。已上并永不得收叙。王观临江军居住,丰稷建州,陈次升建昌军,谢文瓘邵武军,张舜民房州,亦皆除名勒停。蔡京、蔡卞怨任伯雨等之论己,检会其章疏以进,故有是贬。京之帅蜀也,张庭坚在其幕府,及入相,欲引以自助,庭坚不从,京恨之,至是亦除名编管。

知荆南府舒亶平辰、沅猺贼,复诚、徽二州,改诚为靖州,徽为莳竹县。曲赦荆湖两路。

己丑,诏许茅山道士刘混康修建道观,仍令直奏灾福,无得隐匿。混康有节行,颇为神宗所敬重,故帝礼信之。

壬辰,中书侍郎温益卒。益仕宦无片善可纪,至其狡谲傅会,盖天性也。

丁未,以蔡京为尚书左仆射兼门下侍郎。

以知岢岚军王厚权发遣河州兼洮西沿边安抚司公事。

厚少从父韶兵间,畅习羌事。元祐弃河湟,厚疏陈不可,且诣政事堂言之。蔡京既治元祐弃地之罪,仍欲开边,故有是命。

戊申,辽主如春州。

二月,辛亥,安化蛮(人)〔入〕寇,广西经略使程节败之。

壬子，遣官相度湖南、北猺地，取其材植，入供在京营造。

甲寅，尊元符皇后为皇太后，宫名崇恩。

辛酉，置殿中监。

庚午，初令陕西铸折十铜钱并夹锡钱，召募私铸人赴官充铸钱工匠，从蔡京奏也。

辽以武清县大水，弛其陂泽之禁。

癸酉，奉安哲宗御容于西京会圣宫及应天院。

丙子，置诸路茶场。茶自嘉祐通商，至熙宁中，李稷稍复榷法，而利复归于官。及是蔡京请荆湖、江、淮、两浙、福建七路，仍旧禁榷官买，即产茶州军随所置场，申商人、园户私易之禁。商人买茶，贮于笼箬，官为抽盘第叙收息讫，批引贩卖，岁入百万缗以进御。自此盗贩公行，民滋病矣。

戊寅，王厚言：“熙宁间，神宗以熙河边事委任先臣韶，当时中外臣僚，凡有议论熙河事者，蒙朝廷批送先臣看详可否，议论归一，无所摇夺。今朝廷措置一方边事，已究见利害本末。欲乞自今中外臣僚言涉青唐利害者，依熙宁故事，并附本路经略司及所委措置官看详。”从之。又诏：“入内供奉官童贯往来句当，仰本路经略、安抚、都总管司，公共协力济办。”

三月，乙酉，诏：“党人亲子弟毋得擅到阙下；其应缘趋附党人罢任，在外指射差遣，及得罪停替臣僚亦如之。”

辛卯，管句玉龙观黄庭坚，除名勒停，送宜州编管，以湖北转运判官陈举奏庭坚撰《荆南承天院碑》，语涉谤讪也。

癸卯，赐礼部奏名进士、诸科及第、出身霍端友等五百三十八人。其尝上书在正等者升甲，邪等者黜之。

时李阶举礼部第一。阶，深之子，而陈瓘之甥也。安忱对策，言使党人之子魁多士，无以示天下，遂夺阶出身而赐忱第。忱，惇兄也。又，黄定等十八人皆上书邪等，帝临轩召谓之曰：“卿等攻朕短可也，神宗、哲宗何负于卿等！”亦并黜之，皆从蔡京言也。

诏：“知河州王厚权管句熙河兰会路经略司职事。”

夏，四月，甲寅，诏侍从官各举所知二人。

丁卯，诏毁吕公著、司马光、吕大防、范纯仁、刘挚、范百禄、梁焘、王岩叟景灵西宫绘像。

己巳，童贯至熙州，传语劳军。

庚午，诏国子监印书赐诸州县学。

甲戌，王厚奏：“河南、河北诸羌，以大小隆赞争国之故，人心不宁，诸族酋豪，互有猜忌，遂更相侵掠杀戮，正所谓以夷狄攻夷狄，乃中国之利。臣见与童贯计议，乘此从长措置，(起候)〔候起〕发别具奏闻。”

乙亥，诏：“苏洵、苏轼、苏辙、黄庭坚、张耒、晁补之、秦观、马涓《文集》，范祖禹《唐鉴》，范镇《东斋记事》，刘攽《诗话》，僧文莹《湘山野录》等印板，悉行焚毁。”

戊寅，以赵挺之为中书侍郎，张商英为尚书左丞，户部尚书吴居厚为尚书右丞，兵部尚书安惇同知枢密院事。

诏:"追夺王珪赠谥;王仲端、王仲嶷并放罢,遗表恩例减半。追毁程颐出身以来文字,除名,其入山所著书,令本路监司觉察。"时臣僚上言:"神宗大渐,王珪不早请建储,密召高士充,欲成其奸谋。"又言:"程颐学术颇僻,素行谲怪,劝讲经筵,有轻视人主之意,议法太学,则专以变乱成宪为事。"故有是诏。范致虚又言:"颐以邪说诐行,惑乱众听,而尹焞、张绎为之羽翼,乞下河南尽逐学徒。"颐于是迁居龙门之南,止四方学者,曰:"尊所闻,行所知,可矣,不必及吾门也。"

五月,辛巳,以贤妃郑氏为淑妃。

丙戌,曾布以妻魏氏及子纡、缲等交通请求,受赂狼籍,责授廉州司户参军,仍旧衡州安置,纡永州编管,缲除名。

戊子,辽以猎人多亡,严以科禁。

甲午,诏颁梁安国等二十二人昨上书谤讪节文,降责有差。

乙巳,辽主清暑赤勒岭;丙午,谒庆陵。

辽西北招讨使萧德勒岱自恃后族,慢侮僚史,戍长耶律棠古不为屈,乃罢之。棠古讼于朝,不省。棠古性坦率,好别白黑,人有不善,必尽言无隐,时号"强棠古"。

六月,庚申,诏:"元符末上书进士,类多诋讪,令州郡遣入新学,依太学自讼斋法,候及一年能革心自新者,许将来应举;其不变者,当屏之远方。"

辛酉,王厚、童贯发熙州。初,厚与贯会诸将部分军事,诸将皆欲并兵直趋湟中。厚曰:"贼恃巴金、把拶之险,挟大河之阻,分兵死守以抗我师,若进战未克,青唐诸部之兵继至,夏贼必为之援,非小敌也。不若分兵为二,南道出安乡,冲其前;北道出京玉,捣其后。贼腹背受敌,势不能支,破之必矣。"贯犹未决。厚曰:"它日身到其地,计之熟矣,愿毋过疑。"遂以岷州将高永年为统制官,权知兰州姚师闵佐之,及管句招纳王端等率兰、岷州、通远军汉蕃兵马二万出京玉关,厚与贯亲领大军出安乡关,渡大河,上巴金岭。

癸亥,厚次河州;甲子,次安乡关。贯率李忠等以前军趋巴金城,旧名安川堡,在巴金岭上,多罗巴使其三子长曰阿令结、次曰厮铎麻令、次曰阿蒙率众拒守。城据冈阜,四面皆天堑,深不可测,道路险狭。我师至,望见城门不闭,偏将辛叔詹、安永国等争先人,贼出兵迎击,师少却。永国堕天堑死,叔詹等驰还,几为所败,会雨,各收军而止。翼日,乙丑,贼以大众背城而陈,埤间建旗鸣鼓;决战,复有疑兵据高阜,张两翼。会厚以军至,贼望见气沮。厚乘高,列大帅旗帜,遣人谕以恩信,开示祸福。数返,阿令结等不肯降,语益不逊,遂命诸将攻城。贼力战拒险,我军不能过天堑。厚亲至陈前,督强弩射之,贼稍却。别遣偏将邹胜率精骑由间道绕出其背,贼大惊。因鼓之,诸军四面奋击,杀阿令结、厮铎麻令于陈。阿蒙流矢中目贯脑,遁去;多罗巴率众来援,闻败,亦遁去。日未中,大破贼众,遂克其城,远近争降附。厚诛强悍首领数百人,入据城,遣高永年引兵万馀出京玉关。

丙寅,厚进军次瓦吹,旧名宁洮寨。永年等进据把拶、宗城。

阿蒙道遇其父多罗巴引众来援,告之曰:"兵大败,二兄皆死,我亦重伤,汉家已入巴金城矣!"父子相持恸哭,恐追骑及,偕驰而去。至虬当城,所居附顺者张心白旗甚众,复惧见禽,逾城奔青唐。然馀党犹盛，王厚虑其或掎我军后，丁卯，大军留宁洮，厚与童贯率李忠等将轻骑二千馀人趋乩当，破不顺部族，焚其巢穴，临大河据险，命忠等率众守之。厚即日还宁洮。

戊辰，进下陇朱黑城，城旧名安陇寨。

己巳，进至湟州。会高永年等军于城东坂上，诸将各率所部环城，遣人约降，其大首领丹波秃令结尽拘城中欲降者，据城不下。厚与童贯登城南山，视城中，尽见其战守之备，分遣诸将各守一面攻城。贼援兵自城北宗水桥上继至，势益张。日暮，诸将有言："贼得援力生，我师攻战久已疲，请暂休士卒，徐图之。"厚谓贯曰："大军深入至此，是为死地，不急破其城，青唐王子拥大众来援，据桥而守，未易以旬日胜也。形见势屈，将安归乎！诸将不以计取，顾欲自便，岂计之得邪！敢再言者斩！"于是诸将各用命。死士乘城，贼以石纵击，垂至堞而坠，奋复上者，不可胜数。鼓四合，昼夜不绝声，矢下如雨，城中负盾而立。庚午，别遣骁将王用率精骑出贼不意，乱宗水上流，击破援兵，绝其路，乘胜夺水寨。初，元符间，筑城宗水之北以护桥，至是贼据守之。有蕃将包厚缘城而上，伪枪击贼，引众逾入城，退保桥南。厚开其门，王用因以其众人据桥城，而战势犹未沮，遂火其桥，中夜如昼。诸将乘火光尽力攻城，城中不能支。大首领苏南抹令咓潜遣人缒城送款，请为内应，许之。是夜，王亨夺水门入，与其麾下登西城而呼曰："得湟州矣！"诸军鼓噪而进。丹波秃令结以数十骑由西门遁去。辛未，黎明，大军入湟州。假高永年知州事，完其城而守之。前后招纳湟州境内漆令等族大首领七百五十人，管户十万。厚具捷书以闻。

初，湟州未克，青唐王子谿赊罗撒率众来援，过安儿峡，闻城已破，遂驻宗哥城，以丹波秃令结不能守，斩之以徇。时论者皆欲席卷而西，王厚与童贯及诸将议曰："湟州虽下，形势未固，新附之人，或持两端，青唐馀烬尚强，未肯望风束手，我师狃于新捷，其实已罢，若贪利深入，战有胜负，后患必生。岁将秋矣，塞外苦寒，正使遂得青唐，诸将未可兴筑。若不暴师劳费，(别)〔则〕必自引而归，玩敌致寇，非万全之策。往年大军之举，事忽中变，正以此耳。湟州境内要害有三：其一曰乩当，在州之南，前已城之矣。其二曰省章，在州之西，正为青唐往来咽喉之地，汉世谓之隍陿，唐人尝修阁道，刻石记其事，地极险阻，若不城之，异日出兵，贼必乘间断我归路。其三曰南宗寨，在州之北，距夏国卓罗右厢监军司百里而近，夏人交构诸羌，易生边患，今若城之，可以控制。况此三城正据鄯、湟腰背，控制之利，可断其首尾之患。厚在元符间，已尝建论，不从，竟致弃地之事，覆车之辙，何可复蹈！且三城既毕，湟境遂固，降者悉为吾用，地利可佐军储，形势所临，威声自远，益知招抚降众必多，此支解羌虏之术也。明年乘机一举，大功必成。"或谓厚曰："朝廷之意，必欲亟定青唐，从而有功，必受重赏；违之且得罪。"厚曰："忠臣之谊，知体国耳，遑它恤乎！"遂以是日甲戌移军趋省章东峡之西，得便地曰洒金平，建五百步城一座，后赐名曰绥远关。

大军驻关中，谿赊罗撒尚在宗哥，遣其大首领奔巴令阿昆等五(辇)〔辈〕持蕃书诣军门，请保渴驴岭以西而和，书辞每至益卑。时军中已定议保完湟境，来春进取，且欲懈贼斗志，使不为备，于是以便宜听所请，移书张示威信，贼中大震。

是月，中太一宫火。

秋,七月,己卯,以收复湟州,百官入贺。

辛巳,进蔡京官三等,蔡卞以下二等。

壬午,白虹贯日。

诏以王厚为威州团练使、知熙州;童贯转入内皇城使、果州刺史,依前熙河兰会路句当公事;赏复湟州功也。

甲申,降德音于熙河兰会路,减囚罪一等,流以下释之。

庚寅,曾肇责授濮州团练副使。

辛卯,诏:"上书进士见充三舍生者罢归。"

丁酉,诏:"自今戚里,宗属勿复为执政官,著为令。"

庚子,赐茅山道士刘混康号葆真观妙先生。

乙巳,吏部言程颐子端彦,见任鄢陵县尉,即系在京府界差遣,宜放罢,从之。因下诏:"责降人子弟毋得任在京及府界差遣。"

是月,辽中京雨雹伤稼。

八月,丁未朔,再论弃湟州罪,除许将已放罪、曾布已责廉州司户外,韩忠彦、安焘、范纯礼、蒋之奇各贬官,龚夬化州、张庭坚象州编管,陈次升循州、姚雄光州居住,钱景祥、秦希甫并勒停,李清臣身死,其子祉当时用事,送英州编管。又诏:"胡宗回顷帅熙州日,屡陈坚守鄯、湟之议,见落职罢任,可特与复宝文阁待制、知秦州。"

戊申,御史中丞石豫、殿中侍御史朱绂、余深奏:"尚书左丞张商英,于元祐丁卯尝为河东守臣李昭叙作《嘉禾篇》,谓'成王冲幼,周公居摄,诛伐谗慝,卒以天下听于周公,时则唐叔得嘉禾。推古验今,迹虽不同,理或胥近。'方是时,文彦博、司马光等来自洛郊,方掌机务,比之周公,可乎?逮元符之末,起邹浩于新州,商英草词曰:'思得端士,司直在庭。'又曰:'浩径行直情,无所顾避。'所谓浩之直情径行,果先帝之所取乎?先帝不取而商英取之,可乎?"诏:"张商英秉国机政,议论反复,台宪交章,岂容在列!可落职,知亳州。"臣僚因言商英作为谤书,肆行诬诋,宜更加诛责,置之元祐籍中。辛酉,诏以商英入元祐党籍,改知蕲州;寻罢职,提举灵仙观。

湟州既平,王厚奉诏措置河南生羌。其地在大河之南,连接河、岷,部族顽梗,厚以为若不先事抚存,据其要害,大军欲向鄯、廓,必相影助;或于熙河州界出没,为牵制之势,扰我心腹,其害甚大。乃留王端、王亨在湟州,与高永年等就近招纳宗哥、青唐一带部族,存抚新属羌人。甲子,大军由来宾城济河,南出来羌,拔当标城,又进至分水岭、平一公城,达南宗。癸酉,厚引军赴米川城,遇蕃贼三千馀骑,与战,破之,贼焚桥遁去。明日,厚修桥欲济,贼复来扼据津渡,厚及童贯几为流矢所伤。乙亥,来贺城陷,贼掠取财物,仍各散去。

九月,壬午,诏:"宗室不得与元祐奸党子孙及有服亲为婚姻,内已定未过礼者并改正。"

庚寅,诏:"(尚)〔上〕书邪等人,知县以上资序并与外祠,选人不得改官及为县令。"

壬辰,置医学。

癸巳,令天下郡皆建崇宁寺。

辛丑,改吏部选人七阶,曰承直郎、儒林郎、文林郎、从事郎、通仕郎、登仕郎、将仕郎,从刑部尚书邓洵武言也。旧制以职为阶官而以差遣为职,名实混淆,元丰虽定官制,此犹未正,故更名以革其弊。

臣僚上言:"近出使府界,陈州士人有以端礼门石刻元祐奸党姓名问臣者,其姓名虽尝行下,至于御笔刻石,则未尽知。近在畿甸且如此,况四远乎!乞特降睿旨,以御书刊石端礼门姓名下外路州军,于监司长吏厅立石刊记,以示万姓。"从之。

冬,十月,甲辰,辽主如中京。

王厚奉诏班师。甲寅,还至熙州,遣童贯领护大首领掌年杓捗遵厮鸡及酋长温彪赴阙。

己未,吐蕃贡于辽。

己巳,辽有事于观德殿。

丙子,郎阿章领河南部族寇来宾、循化等城,洮西安抚李忠统兵往救之。

是月,辽生女直部节度使英格卒,兄子乌雅舒袭节度使。初,诸部各有信牌,驰驿讯事。英格用阿古达议,擅置信牌者罪之。由是号令始一,兵力益强。

十一月,庚辰,诏:"以元祐学术政事聚徒传授者,委监司举察,必罚无赦。"

辛巳,诏:"元祐系籍人,通判资序以上,依新条与管句宫观;知县以下资序,与注监岳庙,并令在外投状指射差注。"

乙酉,江南西路提举常平韩宗直、知亳州孙载并放罢,臣僚论其尝附元祐奸党故也。

洮西安抚李忠,行至骨廷岭,距循化城尚五六里,与贼遇,三战三败,忠及诸将李士且、辛叔詹、辛叔献皆为贼所伤,却奔怀羌城。是夕,忠死。

丙申,辽群臣加上辽主尊号曰惠文智武圣孝天祚皇帝。大赦。以宋魏国王和啰噶为太叔,皇子梁王达噜进封燕国王,以郑王淳为东京留守,进封越国王,各进一阶。

丁酉,以特里衮阿噜萨古为南院大王。

戊戌,以受尊号告庙。乙巳,谒太祖庙,追尊太祖之高祖庙号肃祖,曾祖庙号懿祖;(召)〔诏〕监修国史耶律俨纂太祖、诸帝实录。

十二月,戊申,辽主如藕丝淀。

丁巳,诏:"臣僚姓名有与奸党人同者,并令改名。"从权开封府吴栻奏请也。时改名者五人,朱绂、李积中、王公彦、江潮、张铎。

癸亥,祧宣祖皇帝、昭宪皇后。

丙寅,诏:"六曹长贰岁考郎官治状,分三等以闻。"

癸酉,诏:"别建熙河兰会措置边事司,王厚措置边事,童贯同措置,仍兼领秦凤,得以节制兵将,应副兴发。"

辽以萧乌纳为临海军节度使。乌纳上书曰:"自萧哈里亡入女直,彼有轻朝廷心,宜益兵以备不虞。"不报。

初,辽主幸耶律达噶第,见国舅大父房之女萧氏,小字瑟瑟,悦之,匿宫中数月。皇太叔和啰噶劝辽主以礼选纳,至是立为文妃。

是岁,诸路蝗。

纂府蛮杨晟铜、融州杨晟天、邵州黄聪内附。

辽放进士马恭回等百三人。

三年 辽乾统四年【甲申,1104】 春,正月,己卯,安化蛮降。

辛巳,诏:"上书邪等人毋得至京师。"

戊子,铸当十大钱。

辽主幸鱼儿泺。

壬辰,增县学弟子员,大县五十人,中县四十人,小县三十人。

甲午,赐蔡攸进士出身。攸,京长子也,元符中,监在京裁造院。帝时为端王,每退朝,攸适趋局,遇诸涂,必下马拱立。王问左右,知为攸,心善之,及即位,遂有宠。至是自鸿胪丞赐进士出身,拜秘书郎。

帝锐意制作以文太平,蔡京复每为帝言:"方今泉币所积(嬴)〔赢〕五千万,和足以广乐,富足以备礼。"帝惑其说,而制作营筑之事兴矣。至是京擢其客刘昺为大司乐,付以乐政。

壬寅,辽主猎于木岭。

癸卯,太白昼见。

辽燕国王达噜卒。达噜,萧德妃所生也,妃以哀戚卒。

(甲辰)刘昺引蜀方士魏汉津见帝,献乐,议言:"伏羲以一寸之器名为含微,其乐曰扶桑;女娲以二寸之器名为苇籥,其乐曰光乐;黄帝以三寸之器名为咸池,其乐曰大卷。三三而九,为黄钟之律,后世因之,至唐、虞未尝易。洪水之变,乐器漂荡,禹效黄帝之法,以声为律,以身为度,用左手中指三节三寸,谓之君指,裁为宫声之管;又用第四指三节三寸,谓之臣指,裁为商声之管;又用第五指三节三寸,谓之物指,裁为羽声之管。第二指为民,为角;大指为事,为徵。民与事,君臣治之,以物养之,故不用为裁管之法。得三指,合之为九寸,即黄钟之律定矣。黄钟定,馀律从而生焉。商、周以来,皆用此法,因秦火,乐之法度尽废。汉诸儒张苍、班固之徒,惟用累黍之法,遂至差误;晋永嘉之乱,累黍之法废。隋时,牛宏用万宝常水尺,至唐室田畸及后周王朴,并用水尺之法。本朝为王朴乐声太高,令窦俨等裁损,方得律声谐和,然非古法。今欲请帝三指为法,先铸九鼎,次铸帝坐大钟,次铸四韵清声钟,次铸二十四气钟,然后均弦裁管,为一代之乐。"帝从之。汉津本剩员兵士,自云师事唐仙人李良,授鼎乐之法,皇祐中,与房庶俱被召至京,而黍律已成,不得伸所学而退。或谓汉津尝执役于范镇,见其制作,因掠取之,蔡京神其说,托以李良授云。然汉津晓阴阳数术,多奇中,尝语所知曰:"不三十年,天下乱矣。"

〔甲辰〕,铸九鼎。

二月,丙午,以淑妃郑氏为贵妃。

以刊定元丰役法不当,黜钱遹以下九人。

丁未,置漏泽园。

己酉,诏:"王珪、章惇别为一籍,如元祐党。"

诏：“自今御后殿，许起居郎、舍人侍立。”

庚申，令天下坑冶金银悉输内藏。

辛未，雨雹。

是月，诏翰林学士张康国编类元祐臣僚章疏。

三月，辛巳，置文绣院。

丁亥，作圜土，以居强盗贷死者。

甲午，跻钦成皇后神主于钦慈皇后之上。

辛丑，大内灾。

壬寅，奉议郎黄辅国言：“元丰中，太学生休假日，引诣武学射厅习射，绍圣尝著为令。乞颁其法于诸路州学。”从之。

成都府路转运副使李孝广迁一官，以点检学生费乂、韦直方、庞汝翼答策诋讪元丰政事故也。三人并送广南编管，永不得入学。

童贯自京师还至熙州，凡所措置，与王厚皆不异，于是始议大举。是日，厚、贯帅大军发熙州，出筛金平，陇右都护高永年为统制诸路蕃、汉兵将随行，知兰州张诚为同统制。厚恐夏人援助青唐，于兰、湟州界侵扰，及河南蕃贼亦乘虚窃发，骚动新边，牵制军势，乃遣知通远军潘逢权领湟州，知会州姚师闵权领兰州，控御夏国边面，别遣知河州刘仲武统制兵将驻安强寨，通往来道路。由是措置完密，无后顾之忧，大军得以专力西向。

夏，四月，甲辰朔，尚书省勘会党人子弟，不问有官无官，并令在外居住，不得擅到阙下，因具逐路责降安置，编管等臣僚姓名以进，凡一百四十四人。

乙巳，以火灾降德音于四京，减囚罪一等，流以下原之。

庚戌，王厚、童贯率大军次湟州。诸将狃于累胜，多言青唐易与，宜径往取之。厚曰：“不然，青唐诸羌，用兵诡诈，若不出弓兵，分道而进，不足以张大声势，折贼奸谋。且湟州之北有胜铎谷，西南有胜宗隘、汪田、丁零宗谷，而中道出绥远关，断我粮道，然后诸部合势夹攻渴驴岭、宗哥川之间，胜负未可知也。”于是定议分出三路，厚与贯率三军由绥远关、渴驴岭指宗哥城，都护高永年以前军由胜铎谷沿宗河之北，别将张诚同招纳官王端以其所部由汪田、丁零宗谷沿宗河之南，期九日会于宗哥城下。

是日，贯犹以诸将之言为然，先趋绥远，用冯瓘统选锋登渴驴岭。候骑言青唐兵屯岭下者甚众，贯止绥远。翼日，厚以后军至，始下渴驴岭。谿赊罗撒遣般次迎于路，窃觇虚实，劳而遣之。诚曰：“归语而主，欲降宜亟决；大军至，锋刃一交，将无所逃矣。”般次还报，以为我军不甚众，初不知分而进也。谿赊罗撒喜曰：“王师若止如此，吾何虑哉！”以其众据朴江古城。俄闻三路兵集，遽退二十里。宗哥城之东，地名葛陂汤，有大涧数重，可恃而战，贼遂据之。

是夕，中军宿于河之南鹞子隘之左，永年军于丁零宗口。

壬子，厚、贯遣选锋五将前行，中军渡河而北，继永年之后。张诚夹河而行，日未出，至贼屯所。贼众五六万人，据地利列陈，张疑兵于北山下，其势甚锐。厚命冯瓘统选锋五将与贼

1957

对陈，王亨统策选锋继其后。永年驰前视贼，未知所出。厚谓贯曰："贼以逸待劳，其势方炽。日渐高，士马饥，不可少缓。宜以中军越前军，傍北山整陈而行，促选锋入战，破贼必矣。"既行，谍者言："豁噪罗撒与其用事酋长多罗巴等谓众曰：'彼张盖者，二太尉也，为我必取之。'"贯欲召永年问贼势，厚曰："不可，恐失支梧。"贯不听。及永年至，揽辔久之，无一语，厚谓永年曰："两军相当，胜负在顷刻间，君为前军将，久此何邪？"永年惶恐驰去。时贼军与我选锋相持未动，豁噪罗撒以精兵数千骑自卫，登其军北高阜之上，张黄屋，列大旆，指挥贼众。其北山下疑兵望见厚与贯，引中军傍山，欲来奔冲，厚遣游骑千馀登山，潜攻其背。贼觉而遁，游骑追击之，短兵接，中军伐鼓大噪，永年遽挥选锋突陈，贼少却。张诚以轻骑涉河，捣其中坚，取豁噪罗撒之旆及其黄屋，乘高而呼曰："获贼酋矣！"诸军鼓声震地。会暴风从东南来，尘大起，贼军不得视，我军士乘势奋击，自辰至午，贼军大败，追北三十馀里。豁噪罗撒单骑趋宗哥城，城闭不纳，遂奔青唐，诸将争逐之，几及，会暮而还。是日，斩首四千三百一十六，降俘三千馀人，大首领多罗巴等被伤逃去，不知所在。宗哥城中伪公主瞎叱牟蔺毡兼率酋首以城归顺。宗哥城，旧名龙支城，取兵将守之。

是夕，合军于河之南。翼日，胜宗首领钦厮鸡率众来降。甲寅，厚、贯入安儿城。乙卯，引大军至鄯州，伪龟兹公主青宜结牟及其酋豪李河温率回纥、于阗、般次诸族大小首领等开门出降，鄯州平。

初，黔嘇罗撒败于宗哥，夜至青唐，谋为守计，部族莫肯从之者。翼日，挈其长妻逃入豁兰宗山中。厚遣冯瓘统轻锐万骑由州南青唐谷入，贼复觉之，遁于青海之上，追捕，不获。

丙辰，下林金城，西去青海约二百里，置兵将守之。

己未，王厚等帅大军入廓州界，大首领洛施军令结率其众降。

辛酉，厚入廓州，驰表称贺。大军驻于城西，河南部族日有至者，厚谕以朝廷抚存恩意，宗哥战败所诛，祸福之因，戒其不得妄作，自取屠戮，皆唯诺听命。

乙丑，罢讲议司。

诏："王厚、童贯提兵出塞，曾未数月，青唐一国，境土尽复。其以厚为武胜军留后，熙河兰会经略安抚使，兼知熙州；贯为景福殿使、襄州观察使，依旧勾当内东门司。"

丁卯，群臣以尽复青唐故地贺。

己巳，曲赦陕西。

庚午，王厚过湟州，沿兰州大河并夏国东南境上，耀兵巡边，归于熙州。

【译文】

宋纪八十八　起壬午年（公元1102年）七月，止甲申年（公元1104年）四月，共一年有余。

崇宁元年　辽乾统二年（公元1102年）

秋季，七月，甲申朔（初一），修建长生宫以祭祀火星。

丙戌（初三），诏令："省、台、寺、监以及监司、郡守，都以三年为一任。"

戊子(初五),任命蔡京为尚书右仆射兼任中书侍郎。制命下达的那天,皇帝在延和殿赐座,命令他说:"神宗创立法度,先帝继承它,两次遭到变更,国家大事不定,想上继承父兄的志向,卿有何指导?"蔡京顿首说:"一定死心尽力!"制词极力褒奖赞美,是翰林学士张商英所草拟的。

己丑(初六),焚毁元祐时法令。

甲午(十一日),诏令在都省设置讲议司。

蔡京已经得志,暗中借绍述的权柄,挟制皇帝。用熙宁年间条例司的旧事,在都省设置讲议司,自任提举官,任用他的党羽吴居厚、王汉之十余人为属官。选择重大政务,如宗室事务、冗官问题、国家用度、商旅、盐泽、赋税、牧场

蔡京像

管理,每一件事由三个人负责。凡是所施行的事务,都由此决定,而法度屡屡变更没有常规了。

诏令在杭州,明州设置市舶司。

庚子(十七日),同知枢密院事章楶免职,是因为年纪大的缘故。诏令授予资政殿学士、中太一宫使。不久,去世,谥号庄简。

甲辰(二十一日),因为雨水毁坏百姓房屋,诏令开封府赈济压死、淹死的人。

庚戌(二十七日),臣僚上奏说:"管句明道宫张耒,在颍州听说苏轼去世,拿出自己俸禄在荐福禅院为苏轼布施,穿白色丧服而哭。"诏令:"张耒贬责授予房州别驾,黄州安置。"

辛亥(二十八日),诏令:"前时下达的设置讲议司手谕内所述事件,允许朝廷内外大臣百姓提出有关利弊的见识上报。"

再次取消《春秋》博士的设置。

本月,辽国主在黑岭打猎,因为雨久下不停,赏给猎人马匹。永兴宫太师萧呼图见辽国主喜好游猎,经常讲追逐猎物的乐趣迎合他,辽国主高兴地听从他,国家政务从此荒废。

准布侵辽,辽国招讨使额特勒打败了他们。

八月,乙卯(初三),皇子赵烜改名为赵桓。

臣僚上奏说:"陛下即位的当初,深沉静默不言。曾开辟上书之路,而上书的人,有从平民取得甲科而成为县令,或者加给官阶一级,或者解除了武官职而担任寺监丞、主簿等职位。天下的人,不知道他们论述的是什么样的语言,常常疑惑,至今不明白。希望下发他们所上

密封书奏,向四方公布。他们的言论果然对国家政务有利,那么众人对这些极为公正的议论,安然自服;或许意在有所企图,侥幸得到名位,没有忠诚肯定的论述,只有奸险模糊的语言,附下欺上,连累先祖而损害皇上初政,那么在此时,怎么可以置之不追究? 如果认为臣的话可以采纳,请求早日赐令实行。"

乙丑(十三日),诏令:"除郑敦义、江缮外,鹿敏求追回所授予的承事郎职,降任簿尉职,高士育追回所授予的官职,何大正追回所赐的出身以及所授予的官职,都不得参加科举考试。"

辛未(十九日),设置安济坊,收养百姓中贫困有病的人,并命令各州县都设置。

甲戌(二十二日)诏令全国兴办学校推荐士人,在京城南建立外学。

蔡京请求"全国州县都设置学校,州设置教授二人,县设置小学。县学学生选拔考试,升入州学;州学学生每三年送往太学,到了就附设考试,另外建立名称;考试分为三等,进入上等的补入上舍,进入中等的补入下等的上舍,进入下等的补入内舍,其余的列入外舍。各州、军上送的名额各以三分之一作为贡士,州提供常平钱或者归朝廷户部、三司掌管的田宅充作供养学生的费用。县用田地所收钱以及不属朝廷户部、三司掌管的田宅作为费用。所有州县学生曾经参加正式、非正式考试的,免除劳役。如有孝顺、和睦、养老恤亲、中正平和,而德行才能特别突出受到乡里推荐的,由县升到州,免试入学。州的正副长官和教授审查没有作假的,就担保荐为贡士;不真实的要处罚。"蔡京又请求以外学接待州县来的贡士。就诏令在京城南门外考察地方修建,形状外圆内方,建造房屋一千一百七十二间,这就是辟雍。太学专门接纳上舍生、内舍生,而外学则接纳外舍生。刚被贡举到京城,都进入外学,经过考试补入上舍、内舍,才能进入太学。太学外舍也让他们到外学居住,他们的敕令格式,都用太学的规格。因此上舍达到二百人,内舍六百人,外舍三千人。凡是州学的上舍生升级,在当年秋季就进入辟雍,长官召集郡官以及提学官设宴,以礼节敦送,限年终到京城集中。从川、广、福建贡入的,供给路费食费,由州学经费供应。奏疏呈上,下诏命令完全按这个办法施行。

丙子(二十四日),诏令:"司马光、吕公著、王岩叟、朱光庭、孔平仲、孔文仲、吕大防、刘安世、刘挚、苏轼、梁焘、李周、范纯仁、范祖禹、汪衍、汤戫、李清臣、丰稷、邹浩、张舜民的子弟,都不得在京师为官。"

己卯(二十七日),任命赵挺之为尚书左丞,翰林学士张商英为尚书右丞。

九月,戊子(初六),在京师设置居养院,以安置鳏寡孤独,仍用绝户的财产供养。

乙未(十三日),诏令中书登录元符三年臣僚章疏姓名,分为正邪,又各分为三等,因此中书省上奏:"正上等,钟世美、乔世材、何彦正、黄克俊、邓洵武、李积中六人;正中等耿毅等十三人;正下等许奉世等二十二人。邪上等尤其恶者,范柔中等三十九人;邪上等,梁宽等四十一人;邪中等,赵越等一百五十人;邪下等,王革等三百一十二人。"

内侍郝随,暗示蔡京再次废掉孟后。正逢昌州判官冯澥,上书说恢复孟后不对,因此御史中丞钱通、殿中侍御史石豫、左肤接连上章指出:"韩忠彦借一个平民的狂言,恢复瑶华宫废后的位,取得世俗的赞美。当时本来已议论不止,以至于边远的小臣也到朝廷上书,忠诚正义激烈切直,那么天下的公议从而可知了。希望向大臣询问考察,以大义决断,不要被世俗不正确的议论所牵制,以损害朝廷。"

丁酉(十五日),查处臣僚提议恢复元祐皇后以及谋划废除元符皇后地位的罪行,贬降韩忠彦、曾布官阶,追贬李清臣为雷州司户参军,黄履为祁州团练副使,安置曾肇、陈瓘、龚夬等十七人到边远州郡,提升冯澥为鸿胪寺主簿。

己亥(十七日),皇帝御笔指示交付中书省:"所有元祐年间贬责在籍以及元符末叙复起用不当的人,各提供原来确定的姓名上报。"因此蔡京登录文臣执政官员文彦博等二十二人,待制以上官员苏轼等三十五人,其余官员秦观等四十八人,内臣张士良等八人,武臣王献可等四人,把罪状分成等级,称为奸党,请求皇帝书写刻石立在端礼门。

庚子(十八日),赠宣德郎钟世美为右谏议大夫,录用他的儿子为郊社斋郎。钟世美,元符末年提举福建路常平,响应诏令上书,请求恢复熙宁、绍圣年间政务,到此时列为正上第一等,所以有此恩赏。其余正等的四十人,都给予表彰提拔。那些邪等的五百四十二人,受到轻重不同的贬降责罚。

壬寅(二十日),降职的中大夫、守司农卿、分司南京、太平州居住曾布,贬责授予武泰军节度副使,衡州安置。

冬季,十月,乙卯(初四),萧哈里背叛辽国,抢夺乾州军库的武器。辽国主命令北面林牙萨嘉努追捕他。萧哈里逃入女直的克展部。

癸亥(十二日),知枢密院事蒋之奇免职改任观文殿学士、知杭州。

辽国招讨使额特勒请求退休,辽国主不批准,只免除招讨、南院枢密使职;丙寅(十五日),封为混同郡王,提升为北院枢密使,加封太子太师,赐给推诚赞治功臣称号。任命参知政事牛温舒为知南院枢密使事。

己巳(十八日),任命观文殿学士、知太原吕惠卿为武昌军节度使、知大名府。

蔡京、许将、温益、赵挺之、张商英极力主张钱遹的说法,请求废除孟后,皇帝不得已而同意他们。甲戌(二十三日),诏令免去元祐皇后的称号,再回到瑶华宫居住。

丙子(二十五日),臣僚上奏说:"元祐党人,朝廷近来已经处理。所有在元符末年,共同结成朋党,变更法度又恢复元祐法度的,希望详细斟酌处理。"因此诏令周常、龚原、刘奉世、吕希纯、王觌、王古、谢文瓘、陈师锡、欧阳棐、吕希哲、刘唐老、晁补之、黄庭坚、黄隐、毕仲游、常安民、孔平仲、王巩、张保源、陈郛、朱光裔、苏嘉、余卞、郑侠、胡田全部撤销祠禄,各在外地州军居住,仍然按照请求宫观的新规定,不得与宫观职在同一州。

戊寅(二十七日),任命资政殿学士蔡卞知枢密院事。

诏令:"河南府平民裴筠上书,言辞狂妄悖逆,特送往五百里外的州军编管。有关讲议司准许上言陈述利害的规定不要实行。"

十一月,乙酉(初四),邵州报告知溪洞徽州人杨光衔归附。

戊子(初七),封婉仪郑氏为贤妃。

辛卯(初十),设置河北安济坊。

癸巳(十二日),设置西、南两京宗正司以及敦宗院。

乙未(十四日),辽国萨嘉努因为没有抓获萧哈里免职。

戊戌(十七日),设置显谟阁学士、待制官。

壬寅(二十一日),辽国任命上京留守耶律慎思为北院枢密副使。

大盗赵钟格侵犯辽国上京,抢掠宫女、皇帝御用物品,副留守马人望率士众追捕他时,右臂中箭,用艾炙伤口,又奋力驰马追逐,盗贼丢弃所抢掠物品逃跑。马人望命令关卡检查过往旅客,全部抓获盗贼,不久提升为枢密都承旨。

辽国有关官员请求以辽国主的生日为天兴节。

己酉(二十八日),制定卿监、郎官三年一升降的制度。

十二月,癸丑(初三),中丞钱遹说:"哲宗用王赡的策略,攻取青唐、邈川,可以说是难得的谋略。掌权的人欺骗朝廷,全部放弃,再以其他罪名杀害王赡。如果不追查处治他们的罪行,不能伸过去的冤屈而激发忠直的人冲锋陷阵的勇气。"因此贬责降授韩忠彦为崇信军节度副使;曾布为贺州别驾,仍旧衡州居住;安焘为宁国军节度副使;范纯礼为试少府监,分司南京。

庚申(初十),臣僚上奏说范纯仁谥号忠宣不恰当,诏令:"拟定、复议谥号的官员各自罚钱,范纯仁的神道碑命令颍昌府毁磨。"

铸造当五钱。

丙寅(十六日),诏令:"所有责降安置以及编管、羁管处理的人,令所在的州军按元符条令经常监视,不得放出城外。"

丁丑(二十七日),诏令:"各种邪说非难先圣的书籍,以及元祐朝的学术政务,不得教授给学生,违犯的开除。"

戊寅(二十八日),蔡京等呈上《州县学敕令格式》,请求刻版颁布,同意了。

这一年,京畿、京东、河北、淮南发生蝗灾,江、浙、熙、河、漳、泉、潭、衡、郴州、兴化军发生旱灾。

辰州、沅州瑶族入侵。

辽国萧哈里逃到女直克展部,派遣他的族人额特勒与英格结好说:"希望与太师做朋友,一同前往讨伐辽国。"英格抓住额特勒。正好辽国命令英格追捕讨伐哈里,就将额特勒送往辽国,招募士兵,得到甲兵一千多人,阿古达喜悦地说:"有这些甲兵,什么事不能谋求!"大概先前女直甲兵的人数,不曾满千人。军队驻扎在混同江,与萧哈里相遇。当时辽国追击萧哈里的兵卒有数千人,却不能克,英格对辽国将领说:"撤退你们的军队,我可以独自攻下萧哈里。"辽国将领同意了。阿古达策马突击,萧哈里中流箭,堕落马下,被捉住杀死,因此大败萧哈里的军队。英格由此知道辽兵容易对付了。

西夏改年号为贞观。

崇宁二年 辽乾统三年(公元1103年)

春季,正月,辛巳朔(初一),辽国主到达混同江。女直用匣子装萧哈里的首级来呈献,辽国主大为高兴,超常规给予赏赐。萧哈噜向辽国主进言,请求修整边防守备,枢密使耶律阿苏极力阻止,当时讥讽他因为金钱卖国等等。

乙酉(初五),贬逐元符末年台谏官到边远的州郡:任伯雨到昌化军,陈瓘到廉州,龚夬到象州,马涓到澧洲,陈祐到归州,李深到复州。张庭坚到鼎州,全部给予除名勒停、编管处理。江公望贬责授予衡州司马,永州安置;邹浩除名勒停,昭州居住。以上都永不得收叙起用。王觌临江军居住,丰稷建州,陈次升建昌军,谢文瓘邵武军,张舜民房州,也都除名勒停。蔡京、蔡卞怨恨任伯雨等人曾指论自己,查检他们的章疏呈上,所以有这个贬责命令。蔡京在蜀地作长官,张庭坚作他的幕府,等到蔡京提任宰相,想引用张庭坚协助自己,张庭坚不同意,蔡京恨他,到此时也除名编管。

知荆南府舒亶平辰州、沅州瑶贼,收复诚、徽两州,改诚州为靖州,徽州为莳竹县。特赦荆湖两路。

己丑(初九),诏令允许茅山道士刘混康修建道观,并令照直奏报灾福,不要隐瞒。刘混康有节操,很为神宗所敬重,所以徽宗皇帝以礼相待、信任他。

壬辰(十二日),中书侍郎温益去世,温益做官没有一点好事可记述,至于他的狡诈钻营附会,是天生的。

丁未(二十七日),任命蔡京为尚书左仆射兼门下侍郎。

任命知岢岚军王厚为权发遣河州兼洮西沿边安抚司公事。

王厚从小随父亲王韶在战事中,通晓羌人事务。元祐年间放弃河湟,王厚上疏陈述不能这么做,而且到政事堂说此事。蔡京已经处治放弃地盘的罪行,仍想开辟边地,所以有这个任命。

戊申(二十八日),辽国主到达春州。

二月,辛亥(初二)安化蛮族入侵,广西经略使程节打败他们。

壬子(初三),派遣官员考察湖南、湖北瑶族地方,采伐木材,调入供给京城的营建。

甲寅(初五),尊元符皇后为皇太后,所居宫殿称为崇恩宫。

辛酉(十二日),设置殿中监。

庚午(二十一日),初次让陕西铸造折十钱和夹锡钱,招募私人工匠到官府充当铸钱工匠,是采纳了蔡京的奏请。

辽国因武清县发大水,开放有关陂泽的禁令。

癸酉(二十四日),恭敬地安放哲宗皇帝像到西京会圣宫以及应天院。

丙子(二十七日),设置各路茶场。茶从嘉祐朝通商买卖,到熙宁年间,李稷逐渐恢复榷茶法,而利益又归到官府。到此时蔡京请求在荆湖、江、淮、两浙、福建七路,仍旧禁榷,实行官卖,在产茶州军随地设立茶场,向商人、茶园户申明禁止私人交易。商人买茶叶,贮放在笼中,官府抽盘定级收息钱完毕,就批发贩卖,每年百万缗进献皇宫。从此偷偷贩卖大肆进行,百姓更受损害。

戊寅(二十九日),王厚说:"熙宁年间,神宗皇帝将熙河边防事务委任给大臣先父王韶,当时朝廷内外的臣僚,凡是有议论熙河事务的,承蒙朝廷批送给先父审察,意见归一,无所改变。现在朝廷处理一方边防事务,已经看到其中的利弊头绪。想请求从今朝廷内外臣僚议论涉及青唐利害关系的,按熙宁年间的旧例都交付本路经略司以及所委任的处理官员审察。"同意了此意见。又诏令:"入内供奉官童贯往来办事,希望各路经略司、安抚使、都总管司,共同协助办理。"

三月,乙酉(初六),诏令:"元祐党人的亲子弟不得擅自到朝廷;那些因为依附党人免职,在外指射差遣,以及获罪停职的官员也如此办理。"

辛卯(十二日),管句玉龙观黄庭坚,给予除名勒停,送宜州编管,是因为湖北转运判官陈举奏报黄庭坚撰写《荆南承天院碑》,言辞涉及诽谤讥讽的缘故。

癸卯(二十四日),赐礼部上报名单的霍端友等五百三十八人进士、各科及第、出身。那些曾经上书列在正等的升甲第,邪等的除名。

当时李阶获礼部第一名。李阶,是李深的儿子,陈瓘的外甥。安忱回答策试,说让党人的儿子在众多士人中夺魁,不能昭示天下,就夺去李阶的出身而赐给安忱及第。安忱,是安惇的哥哥。又,黄定等十八人都列在上书的邪等,皇帝在殿前召见他们说:"你们攻击朕的过失可以,神宗、哲宗有什么对不起你们!"也都除名,都是采纳了蔡京的意见。

诏令:"知河州王厚权管句熙河兰会路经略司职事。"

夏季,四月,甲寅(初六),诏令侍从官员各推荐所了解的人两名。

丁卯(十九日),诏令毁掉吕公著、司马光、吕大防、范纯仁、刘挚、范百禄、梁焘、王岩叟在景灵西宫的画像。

己巳(二十一日),童贯到熙州,传话慰劳军队。

庚午(二十二日),诏令国子监印书籍赐给各州县学。

甲戌(二十六日),王厚上奏:"河南、河北各羌,因为大隆赞小隆赞争夺国权的缘故,人心不安,各族酋长,互相猜忌,于是更加相互攻杀,正是所谓以夷狄攻夷狄,对本朝有利。臣现在和童贯计议,乘此机会作长远安排,等发动时另外上疏奏报。"

乙亥(二十七日),诏令:"苏洵、苏轼、苏辙、黄庭坚、张耒、晁补之、秦观、马涓的文集,范祖禹的《唐鉴》,范镇的《东斋记事》、刘攽的《诗话》,僧文莹的《湘山野录》等印刷刻版,全部焚毁。"

戊寅(三十日),任命赵挺之为中书侍郎,张商英为尚书左丞,户部尚书吴居厚为尚书右丞,兵部尚书安惇同知枢密院事。

诏令:"追夺王珪赠封谥号;王仲端、王仲嶷都免职,遗表恩赏待遇减去一半。追毁程颐取得出身以来的全部文字,除名处理,他退入山林所著书,命令本路监司审查。"当时臣僚上奏说:"神宗病重,王珪不及早请求建立皇储,暗中召高士充,想实现他的奸谋。"又说:"程颐学术颇为怪僻,平素行为怪诞担任经筵官劝讲,有轻视皇帝的意向,在太学讨论法令,又专以改乱成法为内容。"所以有此诏命。范致虚又说:"程颐以邪说和偏执行为,迷惑众人视听,而尹焞、张释作他的党羽,请求到河南全部驱逐他的学生。"程颐因此迁到龙门南居住,阻止四方求学的人,说:"遵照所听到,按所理解的执行,就行了,不必到我家中。"

五月,辛巳(初三),进封贤妃郑氏为淑妃。

丙戌(初八),曾布因为妻魏氏、儿子曾纡、曾绦等疏通请托,赠送贿赂败露,贬责为廉州司户参军,仍旧衡州安置,曾纡永州编管,曾绦给予除名处理。

戊子(初十),辽国因为猎人多逃亡,严令禁止。

甲午(十六日),诏令公布梁安国等二十二人先前上书诽谤的文字节录,给予轻重不同的贬降。

乙巳(二十七日),辽国主到赤勒岭避暑;丙午(二十八日),拜谒庆陵。

辽国西北招讨使萧德勒岱自恃是皇后亲族,轻慢侮辱官员,戍长耶律棠古不屈服,就罢免了他。耶律棠古向朝廷申诉,不予审查。耶律棠古性格坦率,喜欢辨别是非,人家有不对的,一定会全部说出不隐讳,当时称为"强棠古"。

六月,庚申(十三日),诏令:"元符末年上书的进士,大多诋毁讥讽,命令州郡送入新学,按太学自我反省的办法,等到一年能够改过自新的,允许将来参加科举考试;其中不改过的,应当投放到边远的地方。"

辛酉(十四日),王厚、童贯从熙州发兵。开始,王厚与童贯集合各将领布置军事,各将都要集中兵力直奔湟中。王厚说:"贼依靠巴金、把拶的险要,仗恃黄河的阻隔分兵死守以抵抗我军,如果前往作战没有攻克,青唐各部的兵力相继到达,西夏贼军也一定会作他们的后援,不是弱小的敌人。不如分兵为二,南路出安乡,攻击敌前;北路出京玉,直捣其后。贼军腹背受敌,其势不能支持,攻破它是肯定的了。"童贯犹豫不决。王厚说:"他日到那个地方,计划就成熟了,希望不要过于犹疑。"就任命岷州将领高永年为统制官,权知兰州姚师闵协助他,和管句招纳王端等率领兰州、岷州、通远军汉人蕃人兵马二万出京玉关,王厚与童贯亲自率领大军从安乡关出发,渡过黄河,登上巴金岭。

癸亥(十六日),王厚驻扎在河州;甲子(十七日),驻扎在安乡关。童贯率领李忠等以前锋直奔巴金城,就是过去的安川堡,在巴金岭上,多罗巴让他的三个儿子,大的叫阿令结、二儿子叫厮铎麻令、三儿子叫阿蒙率领士众拒守。城旁依山冈,四面都是天堑,深不可测,道路险要狭窄。我军到达,看到城门不关闭,副将辛叔詹、安永国等争先进入,贼兵抗击,部队稍微退却。安永国堕入天堑身死,辛叔詹等驰马撤回,差点被打败,碰上下雨,各自收兵。次日,乙丑(十八日),贼军以大军背城列阵,城上插旗鸣鼓,决战开始,又有疑兵依靠高冈,张开两翼。等到王厚带兵到达,贼军远远看见气势锐减。王厚在高处,布列大帅的旗帜,派人传达恩德信义,说明利害祸福,数次往返,阿令结不肯投降,出语越发不逊,于是命令各将领攻城。贼军依靠险要力战,我军不能过天堑。王厚亲自到阵前,督令强弩射敌,贼军稍微退却。另派部将邹胜率领精锐骑兵由小路绕到敌人背后攻击,贼军大惊。因而击鼓追击,各军从四面奋力攻击,在阵前杀死阿令结、厮铎麻令。阿蒙被流箭射中眼睛贯穿头部,逃走;多罗巴率士众来增援,听说失败,也逃走。天未过午,大破贼兵,于是攻克此城,远近的部民争相投降归附。王厚杀掉剽悍的头目数百人,进入占据此城,派高永年带兵一万多人出兵京玉关。

丙寅(十九日)，王厚进军次瓦吹，就是过去叫宁洮寨的地方。高永年等人进占把拶、宗城。

阿蒙在路上遇到他的父亲多罗巴带士众来增援，告诉他说："军队大败，两个哥哥都战死，我也受重伤，汉兵已进入巴金城了!"父子相抱痛哭，恐怕追兵到，一起骑马逃走。到了乩当城，所住的城中归顺的人张挂白旗很多，又怕被抓，出城奔往青唐。然而余党还很多，王厚担心他们在背后牵制我军，丁卯(二十日)，大军留在宁洮，王厚与童贯率领李忠等轻骑二千余人奔往乩当城，攻下不归顺的部族，焚烧他们的老窝，兵临黄河占据险要，命令李忠等率领兵众把守。王厚当日回到宁洮。

戊辰(二十一日)，进军攻下陇朱黑城，此城过去叫安陇寨。

己巳(二十二日)，进军到湟州。碰上高永年在城东坡上布阵，各将各率领所部围城，派人约降，城中大首领丹波秃令结全部拘押城中想投降的人，占据城不能攻下。王厚与童贯登上城南山坡，观察城中，全部观察到城中的守备情况，分派各将各把守一面攻城。贼的增援部队从城北宗水桥上相继到达，气焰越发嚣张。傍晚，各将领说："贼得到援兵力量增强，我军久攻已疲惫，请求暂时休整士卒，慢慢谋取。"王厚对童贯说："大军深入到此地，这就是死战，不急于攻下城池，青唐的王子带大军来增援，依靠桥而把守，不容易在十日内取胜。形势上不利，将怎么回去! 各将领不用计夺取，只顾自便，难道是好计策吗! 敢再说者斩!"因此各将领都拼命。敢死队爬上城，贼兵以石头往下砸，快要爬到城上又落下，奋力再上爬，不可胜数。鼓声四处响起，昼夜不停，箭下如雨，城中的人拿着盾牌站立。庚午(二十三日)，另派勇将王用率精锐骑兵出敌不意，扰乱宗水上游敌人，击败援兵，断绝他们的退路，乘胜夺取水寨。当初，在元符年间，在宗水之北筑城保护桥，到此时贼占据把守，有番将包厚沿城而上，挥舞长枪大戟贼兵，带士众翻城墙入城，敌人退保桥南。王厚打开城门，王用因而带士众进入占据桥城，而战事还未减弱，就放火烧桥，半夜如白昼，各将乘火光尽力攻城，城中不能支持，大首领苏南反抹令II瓦暗中派人用绳系住下城表达诚意，请求做内应，同意了。这天夜晚，王亨夺取水门进入，与部下登西城高呼说："攻下湟州城了!"各军呼叫着前进。丹波秃令结带数十名骑兵从西门逃走。辛未(二十四日)，黎明时，大军进入湟州。暂用高永年知州事，修好城墙防守。前后招纳湟州境内漆令等族大首领七百五十人，管辖民户十万。王厚写好捷报上奏。

当初湟州没有攻克，青唐王子豁睒罗撒率士众来增援，过了安儿峡，听说城已被攻破，就驻扎在宗哥城，因为丹波秃令结不能守城，杀掉他示众。当时议论的人都想向西席卷过去，王厚与童贯以及各将领商议说："湟州虽然攻下，形势还不巩固，新归附的人，有的两边应付，青唐残兵还很强，不肯束手就擒，我军新打胜仗气势虽盛，实际上已疲惫，如果贪利深入，打仗有胜负，必定会生出后患。时令将入秋，塞外非常寒冷，就算得到青唐，各将领也不能筑城。如果不想让军队受苦和耗费，那么一定要自行撤退，轻敌导致入侵，不是万全的计策。往年大军举兵，中途发生变故，正是因为这个原因。湟州境内的要害有三处：一是乩当，在城南，先前已经在此筑城。二是省章，在城西，正是青唐往来的咽喉要道，汉代称为狭窄之地，唐朝时曾修建栈道，刻石记录此事，地形极为险要，如果不在此筑城，他日出兵，贼必断绝我军归路。三是南宗寨，在城北，距西夏国卓罗右厢军司百里之近，西夏人交结各羌，容易滋生边患，现在如果在此筑城，可以控制住。况且这三座城正在鄯州、湟州的腰背处，控制它的好处，可以断绝首尾难顾的忧患。王厚在元符年间，已曾经提出建议，没有采纳，最后导致放弃土地的事情，怎么能重蹈覆车之辙！且三城一修好，湟州境内就巩固了，投降的人都为我所用，田地获利可以帮助军备，形势所迫，军威自然远扬，更知招抚的降人必定很多，这是肢解羌人的计策。明年乘机举兵，大功可成。"有人对王厚说："朝廷的意图，必定想马上平定青唐，因而建功，必受重赏；违背了会获罪。"王厚说："忠直的道义，在于知道为国家着想，还担心别的吗！"于是在甲戌（二十七日）这天转移到省章东峡的西面，找到合适的地方叫洒金平，修建五百步的城一座，后来皇帝赐名为绥远关。

大军驻扎在关中，豀赊罗撒还在宗哥，派遣大首领奔巴令阿昆等五人，拿着蕃文书信到军营，请求保留渴驴岭以西的土地而讲和，书信措辞一次比一次谦卑，当时军中已决定保全湟州，来年春天进攻，而且想松懈贼军斗志，让他们不做防备，于是见机行事答应他们的请求，送信显示军威和信义，贼军大为震动。

本月，中太一宫发生火灾。

秋季，七月，己卯（初二），因为收复湟州，百官入朝祝贺。

辛巳（初四），进升蔡京三级官阶，蔡卞以下二级。

壬午（初五），白色的云气贯穿太阳。

诏令任命王厚为威州团练使，知熙州；童贯转任内皇城使、果州刺史，按先前职任熙河兰会路句当公事；是奖赏收复湟州的功劳。

甲申（初七），在熙河兰会路下达德音诏书，减免囚徒罪行一级，流刑以下的释放。

庚寅（十三日），曾肇贬责授予濮州团练副使。

辛卯（十四日），诏令："元符末年上书的进士中充当三舍生的罢免回家。"

丁酉（二十日），诏令："从今以后外戚、皇族不再担任执政官，著为令。"

庚子（二十三日），赐给茅山道士刘混康道号为真观妙先生。

乙巳（二十八日），吏部说程颐的儿子程端彦现任郾陵县尉，就是在京城界内任职，应该外放免职，同意了。因而下诏："受贬责降职人的子弟不得在京城及府界内任职。"

本月，辽国中京下冰雹损毁庄稼。

八月，丁未朔（初一），再次议处放弃湟州的罪责，除许将已经外放治罪、曾布已贬责廉州司户外，韩忠彦、安焘、范纯礼、蒋之奇分别贬降官职，龚夬化州、张庭坚象州编管，陈次升循州、姚雄光州居住，钱景祥、秦希甫都勒停，李清臣已死，他的儿子李祉当时管事，送英州编管。又诏令："胡宗回先前任熙州长官时，屡次陈请坚守鄯州、湟州的意见，现在免职，可以特别给予恢复宝文阁待制、知秦州。"

戊申（初二），御史中丞石豫、殿中侍御史朱绂、余深上奏："尚书左丞张商英，在元祐朝丁卯年（公元 1087 年）曾为河东守臣李昭叙作《嘉禾篇》，说'成王幼小，周公摄政，诛伐谗媚邪恶,终于使天下呼命于周公,那时唐叔虞得到嘉禾。推古证今,事情虽不同,道理也许接近'。在那时,文彦博、司马光等人来自洛阳城外,刚掌握权柄,与周公相比,可以吗? 等到元符末年,从新州起用邹浩,张商英起草制词说'想得到正直的人,在朝廷任职'。又说:'邹浩行为直率,没有什么顾忌。'所谓邹浩行为直率,果然是先帝所看中的吗?先帝没有看中而张商英看中这一点,可以吗?"下诏:"张商英执掌国政,议论反复不定,台宪官交章指论,岂能让他仍在官员行列! 可免职,改知亳州。"臣僚因而说张商英写下诽谤文字,大肆诬蔑诋毁,应该更加以贬责,置入元祐党籍中。辛酉(十五日),诏令将张商英列入元祐党籍,改知蕲州;不久免职,改任提举灵仙观。

湟州已经平定,王厚奉诏命处置河南生羌。该地在黄河南面与黄河、岷水相接,部族顽固不化,王厚认为如果不先进行安抚,占据要害之地,大军向鄯州、廓州进军,必定互相影响帮助;或者在熙河州界内出没,成为牵制势力,扰乱我腹地,危害很大。就留王端、王亨在湟州,与高永年就近招纳宗哥、青唐一带部族,安抚新归附的羌人。甲子(十八日),大军由来宾城渡黄河,往南到羌地,攻下当标城,又进军到分水岭、平一公城,到达南宗。癸酉(二十七日),王厚带军队奔赴米川城,遇到蕃族三千骑兵,接战,打败他们,蕃人焚烧桥逃走。次日,王厚修桥想过河,蕃贼又来占据渡口,王厚及童贯差点被飞箭射中。乙亥(二十九日),来贺城失陷,贼人抢掠财物后,各自逃散。

九月,壬午(初六),诏令:"皇族的人不得与元祐奸党的子孙以及五服之内的亲属结婚,已约定还没有行礼的都改正过来。"

庚寅(十四日),诏令:"上书的邪类人,有知县以上资历的一律给予外地虚职祠禄,属州县幕职的选人,不得改官和担任县令。"

壬辰(十六日),设立医学。

辛丑(二十五日),改正吏部选人的七个等级,称承直郎、儒林郎、文林郎、从事郎、通仕郎、将仕郎,是采纳了刑部尚书邓洵武的提议。旧的官制把职名作为官阶而以差遣当职名,名实混淆,元丰虽然制定官制,这方面还未改正,所以改名称以革除弊端。

臣僚上奏说:"近来到开封府界,陈州士人有以端礼门刻石上的元祐党人姓名一事询问臣的,那些姓名虽然曾经下发,至于皇帝亲笔石刻,则不一定全都知道。近在京畿尚且如此,何况四方边远之地呢! 请特降下圣旨,将在端礼门的皇帝亲笔石刻的姓名下发给外路州军,在监司长官厅立石刻记,向百姓展示。"同意了这个意见。

冬季,十月,甲辰(疑误),辽国主到达中京。

王厚奉诏令班师。甲寅(初八),回到熙州,派童贯护送大首领掌年杓捺遵斯鸡以及酋长温彪到京。

己未(十三日),吐蕃向辽国进贡。

己巳(二十三日)辽国在观德殿举行活动。

丙子(三十日),郎阿章带领河南部族侵犯来宾、循化等城,洮西安抚使李忠统兵前往援救。

本月,辽国生女直部节度英格去世,他哥哥的儿子乌雅舒继任节度使。当初,各部各有信牌,驰送消息。英格采用阿古达的建议,擅自制信牌的处罪。因此号令开始统一,兵力日益增强。

十一月,庚辰(初四),诏令:"以元祐的学术政务收聚学生传授的,委任监司检查举报,必定处罚不宽容。"

辛巳(初五),诏令:"元祐在籍党人,通判职阶以上,按新条例给予管句宫观;知县以下官阶,给予注监岳庙,并让在京城投状指射差遣。"

乙酉(初九),江南西路提举常平韩宗直、知亳州孙载一起罢免,是因为臣僚指论他曾经依附元祐奸邪党人的缘故。

洮西安抚李忠,走到骨廷岭,离循化城还有五六里,与蕃贼相遇,三战三败,李忠以及各位将领李士且、辛叔詹、辛叔献都被蕃贼击伤,撤退奔往怀羌城。当晚,李忠去世。

丙申(二十日),辽国群臣给辽国主上尊号为惠文智武圣孝天祚皇帝。大赦天下。封宋魏国王和啰噶为太叔,皇子梁王达噜进封燕国王,任命郑王耶律淳为东京留守,晋封为越国王,各晋升一级。

丁酉(二十一日),辽国任命特里衮阿噜萨古为南院大王。

戊戌(二十二日),因为接受尊号,辽国主到宗庙祭告。乙巳(二十九日),辽国主拜谒太祖庙,追尊太祖的高祖庙号为肃祖,曾祖庙号为懿祖;诏令监修国史耶律俨编纂太祖、各位皇帝的实录。

十二月,戊申(初三),辽国主到达藕丝淀。

丁巳(十二日),诏令:"臣僚的姓名中有与奸邪党人相同的,都命令改名。"是采纳了权开封府吴拭的奏请。当时改名的有五人,朱绂、李积中、王公彦、江潮、张铎。

癸亥(十八日),迁宣祖皇帝、昭宪皇后入祧庙。

丙寅(二十一日),诏令:"六曹正副长官每年考核郎官政绩,分为三等上报。"

癸酉(二十八日)诏令:"另外设立熙河兰会路措置边事司,王厚任措置边事,童贯任同措置,仍然兼领秦风路,以便能够节制兵将,应付发兵。"

辽国任命萧乌纳为临海军节度使。乌纳上书说:"自从萧哈里逃到女直,女直就有轻视朝廷的心思,应该增兵以防不测。"没有答复。

当初,辽国主临幸耶律达噶的宅第,看见国舅祖父一族的女子萧氏,小名瑟瑟,因为喜欢她就藏在宫中数月。皇太叔和啰噶劝辽国主按礼仪迎娶,到此时册立为文妃。

这一年,各路发生蝗灾。

篡府蛮族杨晟铜、融州杨晟天、邵州黄聪归附内地。

辽国放榜录取进士马恭回等一百零三人。

崇宁三年辽乾统四年(公元1104年)

春季,正月,已卯(初四),安化蛮族投降。

辛巳(初六),诏令:"上书列入邪等的人不得到京师。"

戊子(十三日),铸当十大钱。

辽国主临幸鱼儿泺。

壬辰(十七日),增加县学学生名额,大县五十名,中县四十名,小县三十名。

甲午(十九日),赐蔡攸进士出身。蔡攸,是蔡京的长子,元符年间,监在京裁造院。徽宗皇帝当时还是端王,每次退朝,蔡攸正好去官署,在途中相遇,必定下马拱手站立。端王询问左右的人,知道是蔡攸,心中有好感,到即皇帝位,蔡攸因此得宠。到此时从鸿胪丞赐给进士出身,任命为秘书郎。

皇帝锐意兴办事情以粉饰太平,蔡京又常对皇帝说:"现在钱币达五千万,祥和足以增加音乐,富裕足以完备礼仪。"皇帝被他的言辞迷惑,而兴办建造的事情就开始了。到此时蔡京提拔他的门客刘爵担任大司乐,交给他乐政事务。

壬寅(二十七日),辽国主在木岭打猎。

癸卯(二十八日),太白星白天出现。

辽国燕国王达噜去世。达噜,是萧德妃生的,萧德妃因为悲痛也去世了。

刘昺带蜀地的方士魏汉津晋见皇帝,献上有关音乐的意见说:"伏羲将一寸长的乐器命名为含微,奏的乐称为扶桑;女娲将二寸长的乐器命名为苇籥,奏的乐称为光乐;黄帝将三寸长的乐器命名为咸池,奏的乐称为大卷。三个三寸为九寸,是黄钟的律调,后代沿用它,到唐尧、虞舜时没有改变。洪水的变故后,乐器漂流,禹仿效黄帝的方法,以声音作乐律,以身体作乐度,用左手中指三节作三寸,称为君指,定为宫声之管;又用第四指三节作三寸,称为臣指,定为商声之管;又用第五指三节为三寸,称为物指,定为羽声之管。第二指为名,为角声;大指为事,为徵声。民与事,由君臣治理,用万物滋养,所以不用作裁定声管的方法。这三指,合起来为九寸,那么黄钟律就定了。黄钟律定了,其余的律从此派生。商代、周代以后,都用这个方法。因为秦代的大火,乐律的法度全部毁废了。汉代的各位儒生张苍、班固等人,只用累黍法,就导致误差;晋代的永嘉之乱,累黍法也毁废了。隋代时,牛宏用万宝常的水尺法,到唐代的田畸以及后周的王朴,都用水尺法。本朝因为王朴乐声太高,让窦俨裁减,才使声律和谐,然而不是古代的方法。现在想请皇上用三指定律的方法,先铸造九鼎,再铸造帝坐大钟,再次铸造四韵清声钟,再次铸造二十四气钟,然后调弦定管,成为新一代的乐律。"皇帝采纳此意见。魏汉津本是被裁的士卒,自称从师唐代的仙人李良,学得了铸鼎乐的方法,皇祐年间,与房庶一起被召到京师,而累黍法制作的音律已完成,不能施展所学的本领而离去。有人说魏汉津曾在范镇手下服役,见到他制作,因而掠为己有,蔡京神化他的说法,假托是李良传授等等。然而魏汉津通晓阴阳术数,往往命中,曾经对相知的人说:"不要三十年,天下将混乱。"

甲辰(二十九日),铸造九鼎。

二月,丙午(初二),封淑妃郑氏为贵妃。

因为修订元丰役法不妥当,贬黜钱通以下九人。

丁未(初三),设立漏泽园。

己西(初五),诏令:"王珪、章惇另列名籍,像元祐党人一样。"

诏令:"从今以后皇帝临幸后殿,允许起居郎、舍人站立侍候。"

庚申(十六日),命令天下开采冶炼的金银全部送纳内库储藏。

辛未(二十七日),下冰雹。

本月,诏令翰林学士张康国分类编排元祐臣僚的章疏。

三月,辛巳(初八),设置文绣院。

丁亥(十四日),修建监狱,以便安置那些宽大不杀的强盗。

甲午(二十一日),升钦成皇后神位到钦慈皇后之上。

辛丑(二十八日),皇宫内发生火灾。

壬寅(二十九日),奉议郎黄辅国说:"元丰年间,太学生休假时,带到武学校去学习射箭,绍圣年间曾经明文为令。请颁布此法令到各路州学。"同意了。

成都府路转运副使李孝广升一官,是因为检查出学生费义、韦直方、庞汝翼回答策问诋毁讥讽元丰政务的缘故。三人都送到广南编管,永远不得入学。

童贯从京师回到熙州,所有安排,都与王厚没有不同,因此开始商议大的行动。这天,王厚、童贯率领大军从熙州出发,出兵篯金平,陇右都护高永年为统制各路蕃、汉兵将随同出征,知兰州张诚为同统制。王厚担心西夏人援助青唐,在兰州、湟州内侵扰,以及河南蕃贼也乘空虚暗中发难,骚扰新边地,牵制兵力,就派知通远军潘逢暂统领湟州,知会州姚师闵暂统领兰州,控制西夏边境,另派知河州刘仲武统领兵将驻扎在安强寨,保护往来道路通畅。这样布置严密,没有后顾之忧,大军得以集中兵力向西。

夏季,四月,甲辰朔(初一),尚书省核查元祐党人子弟,不论有无官职,一律在外地居住,不许擅自进京,因此将各路受安置、编管等贬谪处罚的官员开列名单上报,共一百四十四人。

乙巳(初二),因为发生火灾,下达德音诏书到四京,减免囚徒罪状一级,流刑以下的宽免。

庚戌(初七),王厚、童贯率领大军驻扎在湟州,各位将领因多次取胜,多说青唐容易攻下,应该直接前往夺取。王厚说:"不是这样,青唐的各羌族,用兵狡诈,如果不迂回出兵,分路前进,不足以扩大声势,挫败敌人的阴谋。而且湟州北面有胜铎谷,西南有胜宗隘、汪田、丁零谷,如从半道出兵绥远关,断绝我军粮道,然后各部集合兵力在渴驴岭、宗哥川之间夹攻,胜负就难料了。"因此商议决定分兵三路,王厚与童贯率领三军从绥远关、渴驴岭出兵直指宗哥城,都护高永年率前军由胜铎谷沿宗河之北,别将张诚与招纳官王端率所部由汪田、丁零宗谷沿宗河之南出兵,约定九天后在宗哥城下会合。

这天,童贯还认为各位将领的话有道理,先奔往绥远,让冯瑾带选拔的前锋登上渴驴岭。探马报告说青唐兵在岭下屯驻很多,童贯停在绥远。次日,王厚带领后军到达,才开始下渴驴岭。豁厮罗撒派般次在路上迎候,暗中窥探虚实,宋军慰劳打发他回去,告诫他说:"回去告诉你们的头领,想投降应该赶快决定;大军到达,兵锋交战,就没有地方逃了。"般次回去报告,认为我军不太多,先不知道是分兵开进。豁厮罗撒高兴地说:"朝廷的军队如果只这么多,我有什么担心的!"让他的士众据守朴江古城。很快听说三路大军会集,马上退却二十里。宗哥城东,此地名为葛陂汤,有大山涧数道,可以凭借作战,贼众就占据这里。

当天傍晚,中军停宿在河的南面,鹞子隘的左边,高永年的部队停宿在丁零宗谷口。

壬子(初九),王厚、童贯先派前锋五位将领进发,中军渡河向北,跟在高永年后面。张诚沿河两岸前行,太阳没有出来,到了贼兵屯驻的地方。贼众有五六万人,占据有利地形布阵,布置疑兵在北山下,兵势很强健。王厚命令冯瑾带领挑选的五员锋将与贼兵对阵,王亨带领策随锋将跟随其后。高永年骑马上前察看贼兵,不知从哪里出来。王厚对童贯说:"贼兵以逸待劳,他们的兵势正旺盛。太阳渐渐升高,人马饥渴,丝毫不能迟缓。应该命中军越过前军,靠着北山列队前进,督促前锋交战,肯定攻下贼兵。"已经出发,侦察兵报告:"谿赊罗撒和管事的酋长多罗巴等对士众说:'那打伞盖的,是两个太尉,一定给我抓住。'"童贯想传令高永年了解贼兵情况,王厚说:"不行,恐怕失去前方主将。"童贯不听从。等高永年来到,抓住马绳很久,没有一句话,王厚对高永年说:"两军势均力敌,胜负就在顷刻之间,久在此干什么?"高永年惶恐地飞驰而去。当时贼兵与我军前锋相持未交战,谿赊罗撒以数千骑精兵保卫自己,登上部队北面的高岗,张开黄帐,布列大旗,指挥贼兵。他们北面山下的疑兵望见王厚与童贯带领中军靠近山傍,想来冲锋,王厚派游动骑兵千余登山,暗中攻打背后。贼兵发觉而逃走,游动骑兵追赶攻击他们,短兵相接,中军击鼓呐喊,高永年迅速指挥前锋冲击敌阵,贼兵略为退却。张诚以轻骑兵渡河,捣贼兵中坚,夺取谿赊罗撒的大旗以及黄伞盖,登高呼喊:"抓获贼兵首领了。"各军鼓声震动地面。正好暴风从东南吹来,尘土飞起,贼兵看不见,我军士卒乘机奋勇出击,从辰时到午时,贼军大败,向北方追击三十多里。谿赊罗撒单骑奔往宗哥城,城门关闭不接纳,又奔往青唐,各位将领争相追赶,差点追上,碰上天黑返回。这天,杀敌四千三百二十六人,投降的俘虏三千多人,大首领多罗巴等带伤逃走,不知逃到哪里。宗哥城中的伪公主瞎叱牟蔺毡兼率酋长献城归顺。次日,胜宗首领钦斯鸡带领部众来投降。甲寅(十一日),王厚、童贯进入安儿城。乙卯(十二日),带领大军到鄯州,伪龟兹公主青宜结牟以及他们的酋长李河温率领回纥、于阗、般次各部族大大小小的首领打开城门投降,鄯州平定。

当初,谿赊罗撒在宗哥战败,夜间到青唐,谋划守城的办法,部族没有人肯跟从他。次日,带着他的长妻逃入谿兰宗山中。王厚派冯瑾统领一万精锐轻骑从州南的青唐谷进入,敌人再次发觉,逃到青海湖上,追赶捕拿,没有抓到。

丙辰(十三日),攻下金林城,西距青海湖约二百里,派官兵把守。

己未(十六日),王厚等率领大军进入廓州界,大首领洛施军令结率领部众投降。

辛酉(十八日),王厚进入廓州,驰送表章到京城祝贺。大军驻扎在城西,河南的部族每天有人来归附,王厚向他们宣布朝廷安抚保护施恩的意向,说明宗哥战败被杀是祸福之因果,告诫他们不得妄动,自取灭亡,都唯诺听从。

乙丑(二十二日),撤销讲议司。

诏令:"王厚、童贯带兵出塞外,不用几个月,青唐一方,疆土全部收复。任命王厚为武胜军留后,熙河会经略安抚使,兼知熙州;童贯为景福宫殿使、襄州观察使,仍然句当内东门司。"

丁卯(二十四日),群臣因为全部恢复青唐旧地的原因入朝祝贺。

己巳(二十六日),特赦陕西路。

庚午(二十七日),王厚经过湟州,沿着兰州大河和西夏东南边境,炫耀武力,巡视边境,回到熙州。

续资治通鉴卷第八十九

【原文】

宋纪八十九　起阏逢涒滩【甲申】五月,尽柔兆阉茂【丙戌】十二月,凡二年有奇。

徽宗体神合道骏烈逊功　圣文仁德宪慈显孝皇帝

崇宁三年　辽乾统四年【甲申,1104】　五月,丁丑,以收复鄯、廓,遣亲王奏告太庙,侍从官分告社稷、诸陵。

戊寅,罢开封权知府,置牧、尹、少尹;改定六曹,以士、户、仪、兵、刑、工为序,增其员数,仿《唐六典》易胥吏之称。

己卯,以复鄯、廓推赏,进蔡京守司空,封嘉国公。

庚辰,许将、赵挺之、吴居厚、安惇、蔡卞各转三官。

甲申,改鄯州为西宁州,仍为陇右节度。

辛丑,诏黜守臣进金助修宫庭者。

罢行水磨茶。

六月,壬寅朔,图熙宁、元丰功臣于显谟阁。

甲辰,辽主驻旺国崖。

丙午,诏:"诸路州军未曾立学者并增置。"

戊申,诏以荆国公王安石配享孔子。

壬子,置书、画、算学,其生皆占经以试,其取士法略如太学上舍,三等推恩,以通仕、登仕、将仕郎为次。

戊午,诏:"重定元祐、元符党人及上书邪等者,合为一籍,通三百九人,刻石朝堂,馀并出籍,自今毋得复弹奏。"

元祐奸党,文臣曾任宰臣、执政官,司马光〔等〕二十七人;待制以上官,苏轼等四十九人;馀官,秦观等一百七十六人;武臣,张巽等二十五人;内臣,梁惟简等二十九人。为臣不忠,曾任宰臣,王珪、章惇。

壬戌,蔡京奏:"奉诏,令臣书元祐奸党姓名。恭唯皇帝嗣位之五年,旌别淑慝,明信赏罚,黜元祐害政之臣,靡有佚罚。乃命有司,夷考罪状,第其首恶与其附丽者以闻。得三百九人，皇帝书而刊之石，置于文德殿门东壁，永为万世子孙之戒。又诏臣京书之，将以颁之天下。臣敢不对扬休命，仰承陛下孝悌继述之志，谨书元祐奸党名姓，仍连元书本进呈。"于是诏颁之州县，令皆刻石。

有长安石工安民当镌字，辞曰："民愚人，固不知立碑之意，但如司马相公者，海内称其正直，今谓之奸邪，民不忍刻也。"府官怒，欲加之罪。安民泣曰："被役不敢辞，乞免镌安民二字于石末，恐得罪后世。"闻者愧之。

癸亥，吐蕃遣使贡于辽。

乙丑，诏："内外官毋得越职论事。"

秋，七月，壬申朔，诏："应入籍人父，并不得任在京差遣。"

癸酉，以婉仪王氏为德妃。

戊寅，降授中大夫蒋之奇，追复右正议大夫，念其进对之际尝陈绍述之说也。

庚辰，诏："自今大礼不受尊号，群臣毋上表。"

是日，辽主猎于南山。

癸未，辽以西北路招讨使萧德勒岱、北院枢密副使耶律慎思并知北院枢密使事。

辛卯，蔡京等言："自开阡陌，使民得以田私相贾易。富者恃其有馀，厚立价以规利；贫者迫于不足，薄移税以速售。富者莫非膏腴，而赋调反轻；贫者所存瘠薄，而赋调反重。因循至今，其弊愈甚。熙宁初，神宗灼见此弊，遂诏有司讲究方田利害，作法而推行之。盖以土色肥硗别田之美恶，定赋之多寡，方为之帐，而步亩高下丈尺不可隐；户给之帖，而赋调升合尺寸无所遗。以卖买则民不能容其巧，以推收则吏无所措其奸，邦财自此丰，民赋自此省。五路州县有经方田者，至今公私以为利。遭元祐纷更，美意良法，未遍于天下。今检会《熙宁方田敕》，推广神考法意，删去重复，取其应行者，为《崇宁方田敕令格式》，乞付三省颁降施行。"从之。

辽以同知南院枢密使事萧迪里为西北路招讨使。

八月，壬寅朔，大雨，坏民庐舍，令收瘗死者。

甲辰，蔡京等上《神宗正史》。

丙午，门下侍郎许将罢。将居政府十年，不能有所建明。中丞朱谔，劾将在元祐则尽更元丰之所守，居绍圣则阴匿元祐之所为，遂以资政殿学士出知河南。谔，蔡京之党也。

荆湖南路转运判官元书言："澧州醴陵县学生季邦彦试卷，言涉谤讪。"辛酉，诏："邦彦特送五百里外编管，其考校长谕屏出学。"

九月，乙亥，以赵挺之为门下侍郎，吴居厚为中书侍郎，翰林学士承旨张康国为尚书左丞，刑部尚书邓洵武为尚书右丞。

康国，扬州人，绍圣中，蔡京治役法，荐为属。及京当国，定元祐党籍，置看讲议司，编汇章牍，康国皆预密谋，故京引援之甚力。自福建转运判官，不三岁入翰林为承旨，遂登政府。复以其兄康伯代为翰林学士。

壬辰，诏："诸路州学别置斋舍，以养材武之士。"

初，东南六路粮斛，自江、浙起纲，至于淮甸以及真、扬、楚、泗，为仓七，以聚畜军储，复自楚、泗置汴纲，般运上京，以江淮发运使董之，故常有六百万石以供京师，而诸仓常有数年之积。州郡告歉，则折纳上等价钱，谓之额斛；计本州岁额，以仓储代输京师，谓之代发。复于丰熟以中价收籴，谷贱则官籴，不至伤农，饥歉则纳钱，民以为便。本钱岁增，兵食有馀。及蔡京求羡财以供侈费，乃以其姻家胡师文为发运使，以籴本数百万缗充贡，擢户部侍郎。自是继者效尤，时有进献，而本钱竭。本竭则不能增籴，储积空而转般之法坏矣。

冬，十月，辛丑朔，大雨雹。

丁未，贤妃张氏薨。

己酉，凤凰见于辽境之潥阴。

初，蔡京使王厚招夏卓罗右厢监军仁多保忠，厚言保忠虽有归意而下无附者，章数上，不听。京责厚愈急，厚乃遣弟诣保忠；还，为夏逻者所获，遂追保忠赴牙帐。厚以保忠纵不为夏所杀，亦不能复领军政，使得之，一匹夫耳，何益于事！京怒，必令以金币招之。夏乃点兵延、渭、庆三路，各数千骑，遣使求援于辽。朝议命西边能招致夏人者，毋问首从，赏同斩级。又以陶节夫经制陕西、河东五路，在延州大加招诱。夏主遣使巽请，皆拒之，且令杀其放牧者。夏人遂寇泾原，戊午，围平夏城，河西节度使赵怀德等出降。夏人又入镇戎军，掠数万口而去。于是羌酉谿赊罗撒合兵逼宣威城，知郜州高永年出御之，行三十里，为羌人所执。多罗巴谓其下曰："此人夺我国，使我宗族漂泊无处所。"遂杀之，探其心肝以食焉。谿赊罗撒复焚大通河桥，新疆大震。事闻，帝怒，亲书五路将帅刘仲武等十八人姓名，敕御史侯蒙往秦州逮治。蒙至秦，仲武等囚服听命，蒙谕之曰："君辈皆侯伯，无庸以狱吏辱君，第以实对。"狱既具，蒙奏言："汉武帝杀王恢，不如秦穆公赦孟明。今羌杀吾一都护，而使十八将由之而死，是自艾其支体也，欲身不病，得乎？"帝悟，释不治。唯王厚坐逗遛，责授郢州团练使。

己未，辽主如南京。

己巳，立九庙，复祀翼祖、宣祖。

庚午，贵妃邢氏薨。

十一月，甲戌，幸太学，官论定之士十六人。遂临辟雍，赐司业吴絪、蒋静四品服，学官推恩有差。

乙亥，辽主御迎〔月〕楼，赐贫民钱。

庚辰，诏："上书邪等选人，除不得注知县、令、丞外，其职官录、参、判、司、簿、尉并许差注。"

时虽设辟雍太学，以待士之升贡者，然州县犹以科举贡士，蔡京以言。丁亥，诏："天下取士，悉由学校升贡，其州郡发解，凡试礼部法并罢。"而每岁试上舍生，则差知举如礼部法云。

癸巳，改上神宗谥曰体元显道帝德王功英文烈武钦仁圣孝皇帝。加上哲宗谥曰宪元继道显德定功钦文睿武齐圣昭孝皇帝。

丙申，祀圜丘，大赦。应系贬谪官员，除元祐奸党籍及别有指挥不许移放之人外，未量移者与量移。

十二月,辛丑,辽以户部使张琳为南府宰相。

乙巳,升通远军为巩州。

复封孔子后奉圣公端友为衍圣公。

是岁,诸路蝗。

桂州黎洞蛮杨晟免等内附。

时蔡京务开边,知桂州王祖道欲乘时徼利,乃诱王江酋杨晟免等使纳土,夸大其词,言:"向慕者百三十洞,五千九百家,十馀万口,其旁通江洞之众尚未论也。王江在诸江合流之地,山川形势据诸洞要会,幅员二千里,宜开建城邑,控制百蛮,以武臣为守,置谿洞司主之。"

同知枢密院事安惇卒,赠特进。

后二年,惇长子郊,擢福建转运判官,登对归,与客言:"穆若之容,不合相法,当有播迁之厄。"客告其语,坐指斥乘舆诛。流其弟邦于涪州,而追贬惇单州团练副使,其祀遂绝。

四年　辽乾统五年【乙酉,1105】　春,正月,庚午朔,改熙河兰会路为熙河兰湟路。

丙戌,筑谿哥城。

庚寅,辽以辽兴军〔节度使〕常格为北府宰相。

壬辰,诏察诸路监司贪虐者,论其罪。

乙未,尚书省言:"水磨茶场系元丰旧法,不可罢。欲并存留,但罢官差人动磨,召磨户六十户,承认岁课三十万缗,每月均纳。"从之。

丙申,诏:"京畿路改置转运使、提点刑狱官。"

知枢密院事蔡卞罢。卞以兄京晚达而位在上,致已不得相,故二府政事,时有不合。至是京将用童贯为陕西制置使,卞言不宜用宦者,必误边计。京于帝前诋卞,卞求去,遂出知河南府。

立武学法。

丁酉,秦凤蕃落献邦、潘、叠三州。以童贯为熙河兰湟秦凤路经略安抚制置使。

二月,癸卯,辽主微行视民疾苦。

乙巳,筑御谋城。

丙午,辽主如鸳鸯泺。

己酉,中书省言:"《周官》宫伯掌王宫之士庶子。盖王宫之内有士庶子为卫,而士庶子者,非王族则功臣之世,故休戚一体,上下亲而内外察。逮汉以郎执戟宿卫殿中,举衣冠子弟充选;至唐遂分三卫、五府,其法详密。今殿庭设仗,悉以禁旅。宜仿古立三卫郎一员,三卫中郎为之贰,文武各一员,博士二员,主簿一员。亲卫府郎十员,中郎十员;勋卫府亦如之;翊卫府郎二十员,中郎二十员。亲卫立于殿上两旁,勋卫立于朵殿,翊卫立于两阶卫士之前。三卫官并以勋戚亲兄弟子孙试充;直退,皆入府诵书,各占一经,一月一私试,季一公试;习武艺者许赴武学。"从之。

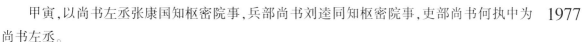

甲寅,以尚书左丞张康国知枢密院事,兵部尚书刘逵同知枢密院事,吏部尚书何执中为尚书左丞。

乙卯,班方田法。

庚申,诏:"西边用兵,(法)能招羌人者,与斩级同赏。"

壬戌,升赵州为庆源军。

甲子,雨雹。

乙丑,改三卫郎为三卫侍郎。

闰月,壬申,复元丰铨试断案法。

令州县仿尚书六曹分六案。

夏屡遣使请昏于辽,至是辽封族女为成安公主,嫁夏国王李乾顺。

甲申,置陕西、河东、河北、京西监,铸当二夹锡铁钱。自太祖以来,闽、蜀、陕西多用铁钱,每十文当铜钱一文。至是河东转运判官洪中孚言:"辽、夏以铁钱为兵器,若杂以锡铅,则脆而不可用,请改铸之。"故有是诏。

河西节度使赵怀德来降。己丑,御端门受之,授感德军节度使,封安化郡王。

壬辰,曲赦熙河兰湟路。

诏:"知大名府吕惠卿提举洞霄宫。"惠卿再上表乞弟谅卿出籍,表词有"明昭先烈,以推美于泰陵;阔略微文,用保全于蔡邸。"言者论其引谕失当,特责之。

三月,壬寅,置青海马监。

甲辰,以赵挺之为尚书右仆射兼中书侍郎。

丙午,诏建古王砦为怀远军。

庚戌,提举洞霄宫吕惠卿,特令致仕。

戊午,蔡京言九鼎告成,诏:"于中太一宫之南为九殿以奉安,各周以垣,上施睥睨,墁以方色之土,外筑垣环之,名曰九成宫。中央曰帝鼐,其色黄,祭以土王日,为大祠,币用黄,乐用宫架。北方曰宝鼎,其色黑,祭以冬至,币用皂。东北曰牡鼎,其色青,祭以立春,币用皂。东方曰苍鼎,其色碧,祭用春分,币用青。东南曰(冈)〔风〕鼎,其色绿,祭以立夏,币用绯。南方曰彤鼎,其色紫,祭以夏至,币用绯。西南方曰阜鼎,其色黑,祭以立秋,币用白。西方曰晶鼎,其色赤,祭以秋分,币用白。西北曰魁鼎,其色白,祭以立冬,币用皂。八鼎皆为中祠,祭飨用素馔。其乐舞,帝鼐奏《嘉安之曲》,八鼎皆奏《明安之曲》。"帝鼐铭御制,八鼎铭命京为之。

枢密院言,鄜延路经略司奏已收复银州,乞赐名,诏依旧。

先是陶节夫议出师城银州,官属皆不愿从,至有引(永)〔水〕洛事争者,又曰:"夏人东出,不过至麟府,此去不逾旬,奈何?"节夫曰:"我计之熟矣,夏人必西趋泾原,诸君不我从,我当以二子与士卒同死生。"遂选耿彦端为都统制,而节夫二子随行。疾驱至银州,夏众来拒者犹万人。我师既陈,一击而败,遂城之,五日而毕。夏人果趋泾原,扰萧关筑事。泊闻城银州,亟引兵来争,城成已几月矣,遂遁去。事闻,节夫、彦端各迁一官。

乙丑,诏:"州县属乡聚徒教授者,非经书子史毋习。"

丁卯,牂牁、夜郎首领以其地内附。

是月,夏人攻塞门砦。

夏,四月,辛未,辽使枢密直学士高端礼来聘,为夏人请罢兵也。

戊寅,夏人寇临宗砦。

辛巳,诏:"诸路走马承受毋得预军政及边事。"

甲申,辽主射虎于炭山。

己丑,夏人寇顺宁砦,鄜延路第二副将刘延庆击破之;复攻湟州北蕃市城,知州辛叔献等击却之。

五月,戊申,除党人父兄子弟之禁。

壬子,遣王戬报聘于辽。

赐信州龙虎山道士张继元号虚靖先生,汉张道陵三十代孙也。张氏自是相袭为山主,传授法箓者,即度为道士。

癸丑,罢转运司检察钩考法。

辛酉,命官分部决狱。

六月,丙子,御紫宸殿,以修复解池,百官入贺。解池为水浸坏八年,至是始开四千四百馀畦。

丁丑,虑囚。

辛巳,罢陕西、河东力役。

甲申,曲赦熙河、陕西、河东、京西路。

戊子,尚书右仆射赵挺之罢。

初,帝以蔡京独相,谋置右辅,京力荐挺之。既相,与京争权,屡陈京奸恶,且请去位以避之,遂罢为中太一宫使,留京师。

秋,七月,丙申朔,罢三京国子监官,各置司业一员。

辛丑,置荧惑坛。

甲辰,大司乐刘昺,转一官,赐五品服,〔大乐府〕师、授大乐局制造官魏汉津赐号冲显宝应先生,以九鼎成推赏也。

甲寅,诏夺元祐奸恶吕大防等十九人所管坟寺,并改赐敕额为寿宁禅院,别召僧居之。

右司谏姚祐请置辅郡以拱大畿。丁巳,蔡京等奏:"以颍昌府为南辅,升襄邑县建辅州,为东辅,郑州为西辅,澶州为北辅,各屯马步军二万人,积贮粮草,每州五百万。"从之。

手诏:"应上书奏疏见羁管、编管人,可特与放还乡里,仍令三省量轻重,具名立法闻奏。"

户部尚书曾孝广,坐钱帛皆阙,出知杭州。

是月,辽主谒庆陵。

八月,戊辰,以德妃王氏为淑妃。

庚午,以王江古州归顺,置提举谿洞官二员,改怀远军为平州,从知桂州王祖道所请也。

丙子,改东辅辅州为拱州。

癸未,太常少卿冯澥,责授永州别驾,道州安置。

先是瀞知凤翔府，上书曰："窃以湟、廓、西宁三州，本不毛之地，在大河之外，天所限隔。陛下空数路，耗内帑，竭生灵膏血而取之，何尝得一金一缕入府库，一甲一马备行陈，而三州岁用以亿万计，仰之官也而帑藏已空，取之民也而膏血已竭，有司束手，莫知为计。塞下无十日之积，战士饥馁，人有菜色。今残寇游魂，未即归顺，黠羌阻命，公为唇齿，窥伺间隙，忽肆奸侮，则兵将复用，役必再籍，残弊之后，尚安可堪！臣愚欲采前世羁縻之义，擢其酋豪，授以麾钺，第其首领，等级命官，严其誓约，结以恩信，彼将畏威怀德，稽颡听命。有得地之名，无费财之患，兵革不用，藩篱永固，而又可以逆折北虏之辞，旁释西羌之怨。一举而众利得，策无上于此者。"至是诏以瀞动摇国是，疑阻新民，可送吏部与远小监当。臣僚又言瀞罪大责轻，未当公议，遂重责之。

甲申，奉安九鼎于九成宫。乙酉，诣宫酌献，至北方宝鼎，鼎忽破，水流溢于外。

丁亥，库部员外郎姚舜仁请即国东丙己之地营建明堂，绘图式以献，诏依所定营建。

庚寅，崇政殿奏新乐，诏赐名曰《大晟》，其旧乐勿用。

壬辰，诏："应上书编管进士，已放归乡里责亲戚保任者，若犯流以上罪，或擅出州界，或不改革，辄有谤讪，其保任与同。"

九月，乙未朔，以九鼎成，御大庆殿受贺，始用新乐。赐魏汉津号嘉成侯。于铸鼎之地作宝成宫，置殿以祠黄帝、夏禹、周成王、周公旦、召公奭，置堂以祀唐李良及汉津。汉津寻死于京师，年九十矣。

己亥，大赦天下。诏："元佑奸党，久责遐裔。用示至仁，稍从内徙，应岭南移荆湖，荆湖移江淮，江淮移近地，唯不得至四辅畿甸。"

乙巳，诏："京畿三路保甲，并于农隙时教阅。"

赐魏汉津宅一区、田六十顷，银、绢五百匹、两，刘昺转三官，馀各推恩有差。

丙午，诏："诸路方田，更不专差官点检，令提举司于本路见任人内委官。"

辛亥，辽主如藕丝淀。

乙卯，赐上舍生三十五人及第。

是日，辽主谒乾陵。

丙辰，诏："自今非宰臣毋得除特进。"

冬，十月，己巳，诏："明堂功力浩大，须宽立期限营建，俟过来年丙戌妨碍外，取旨兴功，其见役工可权罢。"

庚午，熙河兰湟路经略安抚判官李忱降两官。言者论："忱前为陕西漕臣，诏令措置兴复解池，忱专欲推行东北盐法，曲加沮抑。今解池既兴复，忱尚云所产皆是硝碱，更五七年亦未知如何，恣行诋訾，殊无忌惮。"故有是责。

甲申，以左右司所编绍圣、元符以来申明断例班天下，刊名例班刑部。

丁亥，升武冈县为军。

壬辰，日中有黑子。

自七月雨不止至于是月。

十一月,戊戌,辽禁商贾之家应进士。

丙辰,高丽国王容殂,子俣遣其中书舍人金缘告哀于辽。缘至辽,赐宴,将奏乐,缘曰:"臣来时本国群臣皆服衰绖,今至上国,获蒙赐宴,臣子之情,不忍闻乐。"辽主义而从之。

置诸路提举学事官。

尚书省言:"私铸当十钱,利重不能禁,深虑民间物重钱滥。乞荆湖南、北、江南东、西、两浙路并改作当五钱,旧当二钱依旧。又虑冒法运入东北,宜以江为界。"从之。

己未,舒州团练副使、湖州安置章惇卒。惇四子连登科,讫无显者。死之日,群妾分争金帛,停尸数日,无人在侧,为鼠食其一指。

辽人之请罢伐夏之兵也,信使往来,讫无定议,至是遣翰林学士林摅聘辽。摅本蔡京所引,以言边事受上知,京密使摅激辽人怒,启边衅以邀功。及见辽主,跪上国书,仰首曰:"夏人数寇边,朝廷兴师问罪,以北朝屡遣讲和之使,故务含容。今逾年不进誓表,不遣使贺天宁节,又筑席经岭、马练川两堡,侵寇不已。北朝若不穷诘,恐非讲和之意。"时辽主狃于宴安,闻摅言,虽怒,不欲加责让以启边衅,但遣使来告而已。摅自入境,即盛气以待迓者,小不如仪,即辨诘。辽国中新为碧室,云如中国之明堂,伴使举令曰:"白玉石,天子建碧室。"摅对曰:"口耳王,圣人坐明堂。"伴使曰:"奉使不识字,只有口耳壬,即无口耳王。"摅辞窘,骂之。及辞,答语复不逊,辽人大怒,空客馆水浆,绝烟火者三日,乃遣还,凡饔饩祖犒皆废。归复命,议者以为怒邻生事,犹以京之力,进除礼部尚书。既而辽人以使人失礼来言,始责知颍州。

十二月,癸酉,升拱州为保庆军节度。

乙亥,诏:"四辅屏翰京师,兵力不可偏重,可各以二万人为额。"

尚书省言:"诸路学校各已就绪,其所贡人,今来中选,多旧日科举遗落老成之士。乡举里选之效,已见于此。士之在学,月书、季考,苟有成材,理当不俟岁月,便合入贡。今仿《周官》每岁考德行道艺、三年大比之意,为岁贡之制,俟满三岁,则赴殿试,第其高下推恩,庶使士益加勉。"诏大司成薛昂等看详增损,修立条约以闻。

甲申,分平州置允州、格州。

癸巳,御笔手诏曰:"昨降手札,应上书奏疏见编管、羁管人,令还乡里,责亲属保任,而有司止从量移。其诬谤深重,除范柔中、邓考甫不放外,馀并依已降指挥,放还乡里,令亲属保任如法。"

是岁,苏、湖、秀三州水,赐乏食者粟。泰州禾生穞。

以朱勔领应奉局于苏州。

初,蔡京过苏,欲建僧寺阁,会费巨万,僧言:"必欲集此缘,非郡人朱冲不可。"冲,勔之父也。京即召冲语之,冲愿独任。居数日,冲请京诣寺度地,至,则大木数千章积庭下,京器其能。逾年,京召还朝,遂挟与俱,窜其父子名姓于童贯军籍中,皆得官。帝颇垂意花石,京讽冲密取浙中珍异以进。初致黄杨三本,帝嘉之。后岁岁增加,然岁不过再三贡,贡物裁五六品。至是渐盛,舳舻相衔于淮、汴,号"花石纲",置局苏州,命勔总其事。

五年　辽乾统六年【丙戌,1106】　春,正月,戊戌夕,彗出西方,由奎贯胃,昂、毕。

庚子,复置江、湖、淮、浙常平都仓。

甲辰,以吴居厚为门下侍郎,刘逵为中书侍郎。

乙巳,以星变,避殿,减膳。诏中外臣僚,并许直言朝政阙失。

毁元祐党人碑。又诏:"应元祐及元符末系籍人等,迁谪累年,已定惩戒,可复仕籍,许其自新。朝堂石刻,已令除毁,如外处有奸党石刻,亦令除毁。今后更不许以前事弹纠,常令御史台觉察,违者劾奏。"

丙午,尚书省言:"当十钱东南私铸甚多,民间买卖阻滞。其荆湖、两浙、江南、淮南路已降指挥,并改作当五行使。尚虑民间盗铸不已,其当十钱并行罢铸,仰铸小平钱。"从之。

丁未,太白昼见。大赦天下,除党人一切之禁。应合叙用人,依该非次赦恩与叙。应见贬责命官,未量移者与量移。应官员犯徒罪以下,依条不以赦降去官原减者,许于刑部投状,本部具元犯因依闻奏,未断者,并仰依令赦原减。又诏:"已降指挥除毁元祐奸党石刻,及与系籍人叙复注拟差遣,深虑愚人妄意臆度,觊欲更张熙、丰善政,苟害继述,必置典刑。"权罢方田。

戊申,诏侍从官奏封事。

己酉,罢诸州岁贡供奉物。

庚戌,三省同奉旨叙复元祐党籍曾任宰臣、执政官刘挚等十一人,待制以上官苏轼等十九人,文臣馀官任伯雨等五十五人,选人吕谅卿等六十七人。

辛亥,御殿,复膳。

壬子,诏:"新建四辅,城隍、廨舍、军营等,渐次兴修,毋得扰民。"

罢圜土法。

甲寅,以致仕吕惠卿知青州。

丁巳,诏罢书、画、算、医四学。

戊午夕,彗灭,自始见至此凡二十日。

二月,甲子朔,诏监司条奏民间疾苦。

丙寅,尚书左仆射蔡京罢为开府仪同三司、中太一宫使。以观文殿大学士赵挺之为特进、尚书右仆射兼中书侍郎。

挺之与京交恶,京恐其留京师伺察己所为;挺之亦惧京中伤,数乞归青州私第,诏从之。既办舟装,将入辞矣,会彗见,帝震恐责己,深察京之奸罔,由是旬日之间,凡京所为者一切罢之。遣中使赍御笔手诏赐挺之曰:"可于某日来上。"挺之既对,帝曰:"蔡京所做的为,皆如卿言。"挺之因奏:"京援引私党,布列朝廷,又建四辅,非国家之利。祖宗以来,屯重兵于京师,沿汴河雍丘、襄邑、陈留三县,沿蔡河咸平、尉氏两县,皆列营屯,取其漕运之便。至神宗,即其所分隶诸将而教习之,士卒皆精锐,若有所用,虎符朝出而夕至。今创置四辅,不唯有营垒修建之劳,且不通水运,何以转输粮饷!"帝曰:"行且罢矣。"又奏:"诸营之兵等尺高者,所请衣粮,但依旧例,又更番屯戍西边,使冒锋镝,战斗死亡者,不可胜数。今京立法,召募四辅新军,减等尺,增例物,添月给钱粮,且免出戍。小人之情,唯利是从,若见新军如此,则旧兵皆不为朝廷用矣。"又言:"神考建立都省,规模宏壮。一旦京因妄人(家)〔宋〕安国献言,以为不利宰相而毁之,深可痛惜!"帝皆以为然,且曰:"天久旱,今京且求去而雨,可喜。"既罢京,挺之遂相。

庚午,诏:"翰林学士、两省官及馆阁自今并除进士出身人。"

壬申,省外内冗官,罢医官兼宫观者。

丁丑,以前后所降御笔手诏,模印成册,班之中外;州县不遵奉者,监司按劾;监司推行不尽者,诸司互察之。

辽遣知北院枢密使萧德勒岱、知南院枢密使牛温舒来聘,请归侵地于夏也。先是谍言辽人集兵甚急,及使至,人情汹汹,张康国、何执中等俱请设备。赵挺之独曰:"辽人书词甚逊,且遣二相臣为使,所以尊朝廷也。况所求但云元符讲和以后所侵西界而已。"帝曰:"先帝已画封疆,今不复议。若自崇宁以来侵地,可与之。"乃许辽人。

三月,丙申,诏:"星变已消,罢求直言。"

辛丑,改威德军为石堡砦。

丁未,罢诸州武学。

乙卯,废银州为银川城。

丙辰,蔡王似薨。

己未,赐礼部奏名进士及第、出身蔡嶷等六百七十一人。

监察御史沈畸言:"小钱之便于民久矣。古者军兴,锡赏不继,或以一当百,或以一当十,此权时之宜,非可行于无事之日。今当十之议,固足以纾目前,然不知事有召祸,法有起奸,游手之民,一朝鼓铸,无故有倍称之息,何惮而不为!虽日斩之,势不可遏。所在鼓铸,不独闾巷细民,而多出于富人、士大夫之家,曾未期岁,而东南之小钱尽矣。钱轻故物重,物重则贫下之民愈困,此盗贼之所由起也。伏乞速赐寝罢。"

夏,四月,丁丑,停免两浙水灾州郡夏税。

臣僚言:"知江宁府徐勣、知虔州郭知章、知漳州陈次升、知福州朱绂,是四人者,皆元祐邪党,今任以牧守,尚典方面,非所以明是非、示好恶也。"于是诏勣等各予祠。

五月,丁酉,左正言詹丕远进对,论当十钱。帝曰:"当十并行,本以便民,今反为民害如此,非卿有陈,朕不知也。便欲改作当三,恐远方客人有积货钜万以上者,骤镌之,不无怨咨。"丕远曰:"圣虑哀矜,耻一夫不获。欲且改从当五亦可。"帝慨然曰:"王安石佐神宗理财,未尝行当十,在廷非之者,犹谓以利不以义。"丕远曰:"安石秉政多年,尚不及茶盐榷取。蔡京引用匪人,诒害无穷,岂可比王安石!"帝曰:"与其有聚敛之臣,宁有盗臣。事君以利,只此可见也。"

丁未,班《纪元历》,刘昺所造也。

乙卯,罢辟举,尽复元丰选法。

臣僚上言:"知鄂州张商英,倾邪狂悖。方元祐间,附会邪朋,著为文颂,诋及宗庙。逮崇宁初,交结中贵,潜通货赂,觊幸宰辅。朝廷灼见奸慝,投置闲散。近以宽大之诏,假守方州,辄因谢表,妄议时政,言涉谤讪。伏望严行降黜,以正国论。"诏:"商英提举崇福宫。"

是月,辽主清暑于散水原。

六月,癸亥,立诸路监司互察法,庇匿不举者罪之,仍令御史台纠劾。

改格州为从州。

甲子,诏求隐逸之士,令监司审核保奏;其缘私者,御史察之。

丁卯,诏辅臣条具东南守备策。

壬申,虑囚。

乙亥,诏:"官所铸当十钱,已令诸路以小钞换易。其私钱,若不立法,使尽归官,必冒法私用,陷民深刑。可令限一季内纳官,计铜价二分,以小钞还之。如或隐藏不换,以私铸法论。"

秋,七月,庚寅朔,日当食不亏。

夏人奉表谢罪,词极恭顺。答诏略曰:"除先朝所画之疆,损崇宁新取之地。"时知枢密院张康国奏曰:"诏内难及北朝请解和语。"帝曰:"北朝于夏国以此为恩,若不言及,即疑中国不信。"赵挺之曰:"陛下之言,神人咸悦。大哉王言,今见之矣。"乃诏:"夏国城堡,俟誓表至则赐之。"

癸巳,准布贡于辽。

甲午,辽主如黑岭,旋猎于鹿角山。

壬寅,改明年元曰大观。

甲寅,茅山道士刘混康加号葆真观妙冲和先生。

八月,以与夏通好,遣礼部侍郎刘正夫如辽报聘。正夫酬对敏博,与辽人议,皆如约。帝嘉之,遂有大用之意。

九月,己巳,诏:"置武士斋,仍以所给解额取一分充贡,无则贡文士。"

冬,十月,己卯,升澶州为开德府。庚辰,降德音,减开德府罪囚,徒以下释之。

辽以皇太叔和啰噶为特里衮,越国王淳为南府宰相。

十一月,乙未,辽以色家努为南院大王,以玛努为奚六部大王。

丙申,辽主行柴册礼。戊戌,大赦。以和啰噶为义和仁寿皇太叔,进封越国王淳为魏国王,封皇子额噜温为晋王,寔纳垺为赵王。

己亥,辽主谒太庙。甲辰,祀木叶山。

乙巳,立武士贡法,从大司成薛昂等言也。

辛亥,并京畿提刑入转运司。

癸丑,臣僚上言:"伏睹崇宁五年七月三日敕:'应系旧籍人子弟许到阙者,见讫赴部,令预集注三次,集满不授差遣者,将与直差。又,选人限一季,若在外指射差遣者,听免直差。朝辞讫,限三日出门。'此陛下虑浸久有害绍述,故略为防限以示好恶也。然到阙而见,与见讫赴部,初无日限。伏望特旨令到阙三日,即投下文字,朝见讫,三日即赴部,所有集注直差,朝辞出门,自从旧条。则异趋之徒,不得倚法之脱略而害绍述之圣政。若乃上书邪等人,公肆狂妄,非上之所建立,所谓躬自蹈之,殆与系籍子弟连坐者异矣,是宜得罪重于子弟。今陛下纵以仁心矜贷此曹,亦当固为防限。臣愚以谓宜于七月三日敕内添人'上书邪等',庶几继志述事,明示四海,仁心义政,并用不废。"从之。

十二月,戊午朔,日当食不亏,群臣表贺。

己未,中书侍郎刘逵罢。逵居政府,凡蔡京所行悖理虐民事,稍稍澄正。赵挺之虑有后患,每建白,第开其端,而使逵终其说,逵颇自以为功。京乃令其党进言于帝曰:"京之改法度,皆禀上旨,非私为之。今一切皆罢,恐非绍述之意。"帝惑其说,复有用京之心,然群臣未有觉之者。郑居中往来郑妃父绅所,知之,即人见,言:"陛下建学校兴礼乐以藻饰太平,置居养安济院以周拯穷困,何所逆天而致威谴乎?"帝悦。居中退,语礼部侍郎刘正夫,正夫因请对,语与居中合,帝遂疑逵擅政。于是京党御史余深、石公弼论逵专恣反覆,尽废绍述良法,启用邪党,乃出知亳州。

壬戌,诏臣僚休日请对,特御便殿。

己巳,诏:"监司按事有怀奸挟情不尽实者,流窜不叙。"

辽封耶律俨为漆水郡王,馀官进爵有差。俨恶枢密都承旨马人望不附已,迁南京诸宫提辖制置。

是岁,广西黎洞蛮韦晏闹等内附。

【译文】

宋纪八十九　起甲申年(公元1104年)五月,止丙戌年(公元1106年)十二月,共二年有余。

崇宁三年　辽乾统四年(公元1104年)

五月,丁丑(初五),因为收复鄯州、廓州,派亲王到太庙祭告,派侍从官分别祭告社稷、各皇陵。

戊寅初六,取消开封权知府职,设置牧、尹、少尹;修订六部制度,按士、户、仪、兵、刑、工为序,增加官员数,仿照《唐六典》改变下级官吏的名称。

己卯(初七),因为收复鄯州、廓州推广恩赏,提升蔡京为守司空,封为嘉国公。

庚辰(初八),许将、赵挺之、吴居厚、安惇、蔡卞各官升三级。

甲申(十二日),将鄯州改名为西宁州,仍旧为陇右管辖。

辛丑(二十九日),诏令:"罢免进献金钱资助修筑宫殿的地方官员。"

停止实行水坊磨茶。

六月,壬寅朔(初一),在显谟阁绘制熙宁、元丰朝功臣像。

甲辰(初三),辽国主驻扎在旺国崖。

丙午(初五),诏令:"各路州军没有开设学校的,一律增设。"

戊申(初七),诏令将荆国公王安石配享孔子。

壬子(十一日),设置书学、画学、算学,学生都考试经书,取士的方法大致与太学上舍相同,分三等推施恩惠,依次为通仕郎、登仕郎、将仕郎。

戊午(十七日),诏令:"重新确定元祐、元符党人以及上书划入邪等的人,合并为一个名籍,共三百零九人,在朝堂刻石,其余的都划出名籍,从现在起不得再弹劾上奏。"

元祐奸党,文臣中曾任宰相、执政官的,有司马光等二十七人;待制以上官员,有苏轼等四十九人;其他官员,有秦观等一百七十六人;武臣,有张巽等二十五人;宦官,梁惟简等二十九人。为臣不忠,曾任宰相的,有王珪、章惇。

竹石图卷 北宋 苏轼

壬戌(二十一日),蔡京上奏:"奉诏令,让臣写下元祐奸党的姓名。敬思皇帝继位后的五年,分别善恶,赏罚分明守信,罢黜元祐破坏政务的大臣,没有漏罚。就命令有关官员,考察罪状,按次序排列其中的首恶者与其中依附者上报。确定三百零九人,皇帝书写姓名刻在石碑上,立在文德殿门东壁,永远作为子孙万世鉴戒。又诏令臣书写,公布天下。臣敢不遵守发扬皇命,继承陛下孝顺友悌继承新法的志向,谨写下元祐奸党的姓名,并连同原书本进呈。"因此诏令颁发到州县,命令都要刻石立碑。

有个长安石工安民,承担刻石,推辞说:"安民我是个愚笨的人,固然不懂得立碑的意思,只是像司马相公这样的人,海内的人都称赞他正直,现在说他是奸党,安民不忍心刻。"官府大怒,要给他定罪。安民哭泣说:"服劳役不敢推辞,请求在碑最后免刻安民二字,恐怕得罪后代人。"听到的人很惭愧。

癸亥(二十二日),吐蕃派使者向辽国进贡。

乙丑(二十四日),诏令:"朝廷内外官员不得越职议论事情。"

秋季,七月,壬申朔(初一),诏令:"所有列入党籍的人的父亲,不得在京城任职。"

癸酉(初二),封婉仪王氏为德妃。

戊寅(初七),贬任中大夫的蒋之奇,追复为右正议大夫,是考虑到他在奏答时曾经陈述继承新法的意见。

庚辰(初九),诏令:"从今以后大型礼仪不接受尊号,群臣不要上贺表。"

本日,辽国主在南山打猎。

癸未(十二日),辽国任命西北路招讨使萧德勒岱、北院枢密副使耶律慎思同时担任知北院枢密使事。

辛卯(二十日),蔡京等说:"自从开设田界,让百姓能够私相买卖田地,富有的人仗着有余财,抬高价以牟利;贫穷的人迫于困苦,按低税田以求迅速卖出。富有的人没有不是肥沃田地,反而征税轻;贫穷的人剩下的是贫瘠田地,反而征税重。沿袭到现在,弊害更严重。熙宁初年,神宗皇帝洞察这种弊害,就命令有关官员研究丈量田地的利弊,制定法令推行。大概按田地的肥沃与贫瘠来区别好坏,确定征税多少,记录为账本,那么步量亩数与好坏高下不能隐瞒;每户发给田帖,征税的升合数、征调的尺寸数就没有遗漏。凭此买卖百姓就不能取巧,凭此征税官吏就不能实施奸谋,国家财政从此充实,百姓的税赋从此减少。五路州县中丈量过田地的,到现在官府个人都认为很方便。遭到元祐的变故,好的用心和方法,没有遍及全国。现在核查《熙宁方田敕》,推广神宗的法令思想,删除重复的,采用应实行的,定为《崇宁方田敕令格式》,请求交付三省颁发实施。"同意了此意见。

辽国任命同知南院枢密使事萧迪里为西北路招讨使。

八月,壬寅朔(初一),下大雨,损坏百姓房屋,命令收葬死者。

甲辰(初三),蔡京等呈上《神宗正史》。

丙午(初五),门下侍郎许将免职。许将在政府任职十年,不能有建树。中丞朱谔,弹劾许将在元祐朝完全变更元丰朝所执行的法度,在绍圣朝则暗中保留在元祐朝的做法,于是外放任资政殿学士、知河南。朱谔,是蔡京的同党。

荆湖南路转运判官元书说:"澧州醴陵县学生季邦彦的考试卷,言辞涉及诽谤讥讽。"辛酉(二十日),诏令:"季邦彦特送到五百里以外编管,考核的学校长官宣布赶出学校。"

九月,乙亥(初五),任命赵挺之为门下侍郎,吴居厚为中书侍郎,翰林学士承旨张康国为尚书左丞,刑部尚书邓洵武为尚书右丞。

张康国,是扬州人,绍圣年间,蔡京负责役法,推荐为属官。等到蔡京掌国权,确定元祐党人名籍,设置看讲议司,汇编疏章文书,张康国都参与密谋,所以蔡京极力引用。从福建转运判官,不到三年进入翰林院担任承旨,于是进入政府任职。又任命他的哥哥张康伯代理翰林学士。

壬辰(二十二日),诏令:"各路州学另设学舍,以收纳培养勇武有才干的人。"

当初,东南六粮斛,从江、浙起运,到淮甸以及真、扬、楚、泗,修建七座粮仓,用来集蓄军粮储备,又从楚州、泗州设置往汴州的粮纲,运往京城,由江淮发运使主持此事,所以平时有六百万石供应京城,而各粮仓平时有数年的积蓄。州郡歉收,就折算按上等价钱交纳,称为额斛;计算本州每年的数额,用粮仓的储蓄代替输送到京城,称为代发。又在丰收时按中等价格收购粮食,谷价低官府就收购,不至于损害农户,歉收时就交钱,百姓认为很方便。本钱每年增加,军粮有剩余。到蔡京征收超额财物以供给奢侈用度,就任命他的亲家胡师文为发运使,以收购粮食的本钱数百万缗充作贡银,被提升为户部侍郎。从此继任的人也仿效,时常进贡,因此本钱枯竭。本钱枯竭就不能增购粮食,储蓄空虚而转运的办法也就破坏了。

冬季,十月,辛丑朔(初一),下大冰雹。

丁未(初七),贤妃张氏去世。

己酉(初九),凤凰在辽国的潮阴出现。

当初,蔡京让王厚招降西夏卓罗右厢监军仁多保忠,王厚说仁多保忠有归顺的意思但下面没有人归附,多次上奏章,不听从。蔡京督促王厚更急切,王厚就派他的弟弟去见仁多保忠;回来时,被西夏巡逻的人抓获,于是责令仁多保忠到牙帐。王厚认为仁多保忠纵然不被西夏杀掉,也不能再担任军政职务,即使得到他,只是一个普通人罢了,有什么益处!蔡京发怒,命令一定用金币招降他。西夏就召集延、渭、庆三路兵力,各数千人,派人向辽国求援。朝廷决议西部边境能够招降西夏人的,不问首领随从,按斩首给予奖赏。又任命陶节夫节制陕西、河东五路,在延州大力劝诱招降。西夏人派人恭请,都拒绝了,而且命令杀西夏放牧的人。西夏人于是侵犯泾原,戊午(十八日),包围平夏城,河西节度使赵怀德等人出城投降。西夏人又侵入镇戎军,抢掠数万人离去。因此,羌族人首领谿赊罗撒合兵逼近宣威城,知部州高永年出兵抵御他们,走了三十里,被羌族人抓获。多罗巴对他的下属说:“此人夺去我们的土地,使我们的宗族漂泊无处居住。”就杀了他,掏出他的心肝吃掉。谿赊罗撒又烧掉大通河桥,新开辟的地区大为震动。此事传来,皇帝大怒,亲自写下五路将领刘仲武等十八人的姓名,敕令御史侯蒙前往秦州逮捕处治。侯蒙到秦州,刘仲武等人穿囚衣听候处理,侯蒙宣布说:“你们都是侯伯,不必让狱吏辱待你们,只据实回答。”案子办好,侯蒙上奏说:“汉武帝杀掉王恢,就不如秦穆公赦免孟明。现在羌人杀了我们一个都护,而让十八位将领因此而死,这是自伤身体,想身体没有毛病,能做到吗?”皇帝醒悟,释放没有治罪。只有王厚因为拖延,贬责授予郢州团练使。

己未(十九日),辽国主到达南京。

己巳(二十九日),设立九庙,恢复祭祀翼祖、宣祖。

庚午(三十日),贵妃邢氏去世。

十一月,甲戌(初四),皇帝临幸太学,给议定的十六个人授予官职。又临幸辟雍,赐给司业吴细、蒋静四品官服,学官推施恩赏不等。

乙亥(初五),辽国主亲临迎月楼,给贫民赏赐金钱。

庚辰(初十),诏令:“上书列入邪等的候差选人,除了不得任知县、令、丞外,其他官职,录、参、判、司、簿、尉等都允许担任。”

当时虽然设立辟雍太学,以接纳士人中升级荐送的,然而州县仍按科举推荐士人,蔡京以此上报。丁亥(十七日),诏令:“天下录取士人,全部由学校升级荐送,其中州郡向上解送,凡是按礼部办法考试的都取消。”而每年考试的上舍生,就按礼部的办法派知举官。

癸巳(二十三日),改上神宗的谥号为体元显道帝德王功英文烈武钦仁圣孝皇帝。加上哲宗的谥号为宪元继道显德定功钦文睿武齐圣昭孝皇帝。

丙申(二十六日),在圜丘祭祀,大赦,所有贬谪的官员,除在元祐奸党党籍以及另外有指示不许迁移的人外,没有酌情迁移的人给予迁移。

十二月,辛丑(初二),辽国任命户部使张琳为南府宰相。

乙巳(初六),将通远军升格称为巩州。

再封孔子后代奉圣公孔端友为衍圣公。

这一年,各路发生蝗灾。

桂州黎洞蛮杨晟免等人归附内地。

当时蔡京致力于开辟边土,知桂州王祖道想乘机得利,就引诱王江蛮首领杨晟免等人让他们献纳土地,夸大其辞,说:"向往的人有一百三十洞,五千九百家,十余万人,那些与江洞相联络的人还不算。王江在各江河会合的地方,山川地势居于各洞首要地位,幅员两千里,应该开辟建立城池,控制各蛮族,让武将把守,设置谿洞司管理。"

同知枢密院事安焘去世,赠官特进。

二年后,安焘的长子安郊,提升为福建转运判官,上朝奏对回来,对客人说:"皇帝肃穆的面容,不符合相法,会有流亡的厄运。"客人告发他的话,因指斥皇帝的罪名被杀。流放他的弟弟安邦到涪州,而追贬安焘为单州团练副使,他就绝了后嗣。

崇宁四年　辽乾统五年(公元 1105 年)

春季,正月,庚午朔(初一),改熙河兰会路为熙河兰湟路。

丙戌(十七日),修筑谿哥城。

庚寅(二十一日),辽国任命辽兴军节度使常格为北府宰相。

壬辰(二十三日),诏令考察各路监司官中贪财残暴的人,定他的罪。

乙未(二十六日),尚书省说:"水磨茶场是元丰朝旧的办法,不能取消。想都予以保留,只是取消官府派人动磨,召磨户六十户,认交每年赋税三十万缗,每月平均交纳。"同意了。

丙申(二十七日),诏令:"京畿路改设置转运使、提点刑狱官。"

知枢密院事蔡卞免职。蔡卞因为他的哥哥蔡京晚来而地位在自己之上,致使自己不能任宰相,所以枢密院与尚书省的政事,时常不一致。到此时蔡京将任用童贯为陕西制置使,蔡卞说不应该用宦官,一定会贻误边事。蔡京在皇帝面前诋毁蔡卞,蔡卞要求离去,于是外放出任知河南府。

建立武学法。

丁酉(二十八日),秦凤路蕃族进献邦、潘、叠三州。任命童贯为熙河兰湟秦凤路经略安抚制置使。

二月,癸卯(初四),辽国主微服视察民间疾苦。

乙巳(初六),修筑御谋城。

丙午(初七),辽国主到达鸳鸯泺。

己酉(初十),中书省说:"《周官》中宫伯掌管王宫的士庶子。因为王宫内有士庶子做卫士,而士庶子,不是王族就是功臣之后,所以忧乐一致,上下亲睦内外明察。到了汉代以郎官执戟在殿中宿卫,推选官员的子弟担任;到唐代就分为三卫、五府,方法非常详细周密。现在殿中护卫,全部是用禁军。应该依照古法设立三卫郎一名,三卫中郎为副职,文武官员各一人,博士二人,主簿一人。设亲卫府郎十人,中郎十人;勋卫府也如此;翊卫府郎二十人,中郎二十人。亲卫立在殿上两边,勋卫立在侧殿,翊卫立在两阶卫士的前面。三卫官都以功臣皇戚的亲兄弟子孙考试充任;值班退下,都到府中读书,各攻一经,一个月一次非正规考试,一季一次正规考试;学习武艺的人允许进入武学学习。"采纳了此意见。

甲寅(十五日),任命尚书左丞张康国知枢密院事,兵部尚书刘逵同知枢密院事,吏部尚书何执中为尚书左丞。

乙卯(十六日),颁行方田法。

庚申(二十一日),诏令:"西部边境用兵,有办法能够招降羌人的,给予斩首级同等的赏赐。"

壬戌(二十三日),将赵州升格为庆源军。

甲子(二十五日),下冰雹。

乙丑(二十六日),改三卫郎为三卫侍郎。

闰月,壬申(初四),恢复元丰年间的铨选考试断案法。

命令州县依照尚书省的六曹设置六案。

西夏人屡次派使臣向辽国求婚,到此时辽国封本族的女子为成安公主,嫁给西夏国王李乾顺。

甲申(十六日),设置陕西、河东、京西监,铸造当二夹锡铁钱。从宋太祖以来,闽、蜀、陕西等地多使用铁钱,每十文值铜钱一文。到此时河东转运判官洪中孚说:"辽国、西夏用铁钱铸兵器,如果掺杂锡、铅,那么就脆而不能用作兵器,请改铸掺杂锡、铅铁钱。"所以有此诏令。

河西节度使赵怀德来投降。己丑(二十一日),皇帝亲临端门受降,授予赵怀德感德军节度使,封为安化郡王。

壬辰(二十四日),特赦熙河兰湟路。

诏令:"知大名府吕惠卿担任提举洞霄宫。"吕惠卿又上表请求让弟弟吕惠谅出名籍,表词中有"昭示先烈,哲宗皇帝增添光彩;阔略的文字,保全了蔡邸"。言官指论他引用比喻失当,特予贬责。

三月,壬寅(初五),设置青海马监。

甲辰(初七),任命赵挺之为尚书右仆射兼任中书侍郎。

丙午(初九),诏令将古王寨定为怀远军。

庚戌(十三日),提举洞霄宫吕惠卿,特令退休。

戊午(二十一日),蔡京报告九鼎铸成,诏令:"在中太一宫南修九殿以恭敬安放,每殿四周建城墙,上面修女墙,涂以与五行相配的方色土,外面修筑城墙环绕,称为九成宫。中央的称帝鼐,黄色,在土王日祭祀,祭品用黑色。东北称牡鼎,青色,在立春日祭祀,祭品用黑色。东方称苍鼎,碧色,在春分祭祀,是大祭祀,祭品用黄色,乐用宫架。北方的称宝鼎,黑色,在冬至日祭祀,祭品用黑色。东北称牡鼎,青色,在立春日祭祀,祭品用黑色。东方称苍鼎,碧色,在春分祭祀,祭品用青色。东南称风鼎,绿色,在立夏祭祀,祭品用红色。南方称彤鼎,紫色,在夏至祭祀,祭品用红色。西南方称阜鼎,黑色,在立秋祭祀,祭品用白色。西方称晶鼎,赤色,在秋分祭祀,祭品用白色。西北称魁鼎,白色,在立冬祭祀,祭品用黑色。八鼎都是中等祭祀,祭飨品用素食。所用乐舞,帝鼐奏《嘉安之曲》,八鼎都奏《明安之曲》。"帝鼐的铭文是皇帝亲自撰写,八鼎铭文命令蔡京撰写。

　　枢密院说,鄜延路经略司上报已收复银州,请求赐名,诏令仍用旧名。

　　此前陶节夫提议出兵到银州修城,属官都不愿跟从,甚至有人引用水洛之事相争,又说:"西夏人向东去,不过到麟府,离这里不过十日路程,怎么办?"陶节夫说:"我计划很周密了,西夏人必定往西奔向泾原,各位不跟从我,我将让两个儿子与士卒同生共死。"就选任耿彦端为都统制,而陶节夫的两个儿子跟随前往。迅速奔往银州,西夏来抵御的士众约万人。我军列好阵,一攻击就打败他们,于是筑城,五天完成。西夏人果然奔向泾原,骚扰萧关修筑事务。听说已在银州筑城,马上带兵来争夺,城已修筑完成几个月了,于是逃走。事情上报,陶节夫、耿彦端各升官一级。

　　乙丑(二十八日),诏令:"州县下属乡召集学生讲学的,不是经书诸子史书不要讲习。"

　　丁卯(三十日),牂牁、夜郎国的首领献地归附。

　　本月,西夏人进攻塞门寨。

　　夏季,四月,辛未(初四),辽国使臣枢密直学士高端礼前来探访,为西夏人请求退兵。

　　戊寅(十一日),西夏人侵犯临宗寨。

　　辛巳(十四日),诏令:"各路的走马承受官不要干预军政边防事务。"

　　甲申(十七日),辽国主在炭山射虎。

　　己丑(二十二日),西夏入侵犯顺宁寨,鄜延路第二副将刘延庆击败他们;又攻打湟州北蕃城,知州辛叔献等人击退他们。

　　五月,戊申(十二日),解除对元祐党人父兄子弟的禁令。

　　壬子(十六日),派王觌回访辽国。

　　赐信州龙虎山道士张继元道号为虚靖先生,他是汉代张道陵的三十年代孙子。张氏从此沿袭相承为山主,凡接受其传授法箓的人,就收纳为道士。

　　癸丑(十七日),取消转运司检察钩考法。

　　辛酉(二十五日),命令官员分部类断案。

　　六月,丙子(十一日),皇帝亲临紫宸殿,因为修复了解池,百官入朝祝贺。解池被水浸坏八年了,到此时才开出四千八百余畦。

　　丁丑(十二日),审查登录囚犯。

　　辛巳(十六日),免除陕西、河东的劳役。

　　甲申(十九日),特赦熙河、陕西、河东、京西路。

　　戊子(二十三日),尚书右仆射赵挺之免职。

　　当初,皇帝因为蔡京独任宰相,想设置右相,蔡京极力推荐赵挺之。担任宰相后,与蔡京争夺权力,屡次陈述蔡京奸恶,且请求离开宰相位以回避他,于是被罢免为中太一宫使,留在京城。

秋季,七月,丙申朔(初一),撤销三京国子监官,各设置司业官一人。

辛丑(初六),设置荧惑坛。

甲辰(初九),大司乐刘昺升官一级,赐给五品官服;大乐府师、授大乐局制造官魏汉津赐号为冲显宝应先生,是因为九鼎铸成推恩赏赐的缘故。

甲寅(十九日),诏令夺去元祐奸恶党人吕大防等十九人所管的坟寺,并改赐皇帝题的匾额为寿宁禅院,另召僧人居住。

右司谏姚祐请求设置辅郡以拱卫京畿。丁巳(二十二日),蔡京等人上奏:"以颍昌府作南辅,升格襄邑县的建制为辅州,作东辅,郑州为西辅,澶州为北辅,各驻扎马步兵二万人,每州积存粮草五百万。"同意了。

皇帝手谕:"所有上书、上奏疏被羁管、编管的人,可以特别给予放回乡里,仍然让三省衡量轻重,提供姓名及法律条文上报。"

户部尚书曾孝广,因为钱帛都缺少,外放任知杭州。

本月,辽国主拜谒庆陵。

八月,戊辰(初四),封德妃王氏为淑妃。

庚午(初六),因为王江古州归顺,设置提举谿洞官二人,改怀远军为平州,是采纳了桂州知州王祖道的提议。

丙子(十二日)改东辅辅州为拱州。

癸未(十九日),太常少卿冯澥贬责授予永州别驾,道州安置。

此前冯澥知凤翔府,上书说:"私下认为湟州、廓州、西宁三个州,本来是不毛之地,在黄河外,自然形成的阻隔。陛下用空数路财力,耗费内库,花尽百姓的心血去夺取它,哪里得到一金一钱补进内库,一兵一马备为战阵,而三个州每年的用度要按亿万计算,依靠官府而仓库中已经空虚,从百姓中征取而心血已耗尽,有关官员束手无策,不知怎么办。塞下没有十天的储备,战士饥寒,面有菜色。现在的残余游寇,没有马上归顺,狡猾的羌人反抗命令,公开相联络,窥探机会,突然施奸谋,那么将士又要调用,劳役必定再征发,经过摧残损害之后,哪能再承担!臣的愚见想采用前代羁縻的办法,提升他们的酋长,给以指挥权,排列首领次序,按等级授官,严格誓言约定,结以恩赏信用,他们将畏惧威力感激恩德,俯首听命。有得到土地的名声,无耗费钱财的弊端,不用兵打仗,边疆永远巩固,而又可以挫败北边敌国的说法,解除西边羌人的怨恨。一举而得到众多好处,没有比这更好的计策。"到此时诏令因为冯澥动摇国家大政,怀疑阻止新归顺的百姓,可以送吏部给予偏远小郡监当的处罚。臣僚又说冯澥罪行大责罚轻,不能安抚公众舆论,于是加重处罚他。

甲申(二十日),谨在九成宫安放九鼎。乙酉(二十一日)到九成宫酌酒祭献,到北方宝鼎旁,鼎忽然破裂,水流到鼎外。

丁亥(二十三日),库部员外郎姚舜仁提出在京城外边丙己的位置修建明堂,绘制图样呈上，皇上诏令按所制定的式样修建。

庚寅（二十六日），崇政殿演奏新乐曲，皇帝下令赐名为《大晟》，过去的乐曲不再使用。

壬辰（二十八日），诏令：“所有因上书编管的进士，已经放归乡里责令亲戚担保的，如果犯流放以上罪行，或者擅自离开州界，或者不改过自新，随意诽谤，担保的人与他们同罪。”

九月，乙未朔（初一），因为九鼎铸成，皇帝到大庆殿接受祝贺，开始使用新乐曲。赐给魏汉津嘉成侯称号。在铸鼎的地方做宝成宫，设殿祭祀黄帝、夏禹、周成王、周公旦、召公奭，设堂祭祀唐代李良以及魏汉津。魏汉津不久在京城去世，时年九十岁。

己亥（初五），大赦天下。诏令：“元祐奸党，责罚到边远地方很久了。为显示极为仁慈的胸怀，允许略向内地迁徙，在岭南地迁移到荆湖，在荆湖地迁移到江淮，在江淮的迁移到京城附近，只是不得迁到四个京畿辅郡。

乙巳（十一日），诏令：“京畿三路的保甲，都在农闲时训练。”

赏赐给魏汉津住宅一座，田六十顷，银五百两、绢五百匹，刘昺升官三级，其余的推广恩赏不等。

丙午（十二日），诏令：“各路丈量田地，不再专门派官员查核，命令提举司在本路现任官员中委派人员。”

辛亥（十七日），辽国主到达藕丝淀。

乙卯（二十一日），皇帝赐给上舍生三十五人及第资格。

本日，辽国主拜谒乾陵。

丙辰（二十二日），诏令：“从今以后不是宰相不能任命为特进。”

冬季，十月，己巳（初五），诏令：“明堂工程浩大，要放宽营建期限，等过了明年丙戌年的妨碍后，取旨兴建，其现在的工役可以暂时停止。”

庚午（初六），熙河兰湟路经略安抚判官李忱降官两级。言官指论：“李忱先前担任陕西漕臣时，皇上下令安排兴建修复解池，李忱专意要推行东北盐法，变相阻止。现在解池已经兴建修复，李忱还说所生产出的尽是硝碱，过五到七年也不知怎么样，肆意指责，毫无忌惮。”所以有这个贬责。

甲申（二十日），将左右司所编修的绍圣、元符朝以来的申明断案的例子颁行天下，刊定案例颁发给刑部。

丁亥（二十三日），将武冈县升格为军。

壬辰（二十八日），太阳中出现黑子。

从七月下雨不停直到本月。

十一月，戊戌（初四），辽国禁止商贾之家应试进士。

丙辰（二十二日），高丽国王王容去世，他的儿子王俣派中书舍人金缘向辽国报丧。金缘到辽国，设宴招待，将要演奏音乐，金缘说：“臣出发时本国的群臣都穿丧服，现在到了大国，承蒙设宴，作臣子的心情，不忍心听到音乐。”辽国主认为有节义而听从了他的意见。

设置各路提举学事官。

尚书省说："私下铸造当十钱，利润丰厚无法禁止，深深担忧民间物价上涨私钱泛滥。请求荆湖南、北路，江南东、西路，两浙路都改铸当五钱，过去的当二钱照旧。又担心会违法将钱运进东北，应该以长江为界。"

己未(二十五日)，舒州团练副使、湖州安置章惇去世。章惇的四个儿子接连中举，至今没有显赫的人。去世的那天，群妾争夺金钱绢帛，停尸数天，没有人在旁边，被老鼠吃掉一个指头。

辽国人请求停止对西夏出兵，书信使臣来往，至今没有明确的意见，到此时派翰林学士林摅访问辽国。林摅本是蔡京所荐用，因为陈述边境事务被皇上所看中，蔡京暗中让林摅激怒辽国人，挑起边境事端以获取功劳。到见辽国主时，跪着递国书，抬头说："西夏人数次犯边，朝廷发兵问罪，因为北边贵朝屡次派使臣讲和，所以尽力宽容。现在过了一年不进呈誓表，不派使臣祝贺天宁节，又修筑席经岭、马练川两座寨堡，侵犯不止。贵朝如果不深加追究，恐怕没有讲和的意思。"当时辽国主习惯于安定，听了林摅的话，虽然愤怒，但不想加以指责以挑起边境事端，只是派使臣前来通报而已。林摅自从入辽境，就盛气凌人对待迎接的人，略不如意，就加以指责究问。辽国中新建造的碧室，说是像宋朝的明堂，陪同的使臣行令说："白玉石，天子建碧室。"林摅对答说："口耳王，圣人坐朝堂。"陪同使臣说："使臣不识字，只有口耳壬，却无口耳王。"林摅无言以对，就骂他。到辞行时，回答的话又不恭敬，辽国人大怒，断绝客馆的水米，三天没有生火做饭，就让他回去，所有饭菜犒赏都停止了。回来复命，议论的人认为他激怒邻国挑起事端，仍然因为蔡京的力荐，升任礼部尚书。不久辽国派人来说使臣失礼，才将林摅贬责为知颍州。

十二月，癸酉(初十)，将拱州升格为保庆军节度。

乙亥(十二日)，诏令："京城的四个辅郡，兵力不可偏重，可各以二万人为限。"

尚书省说："各路学校都已经就绪，它们所推荐来的人，现在入选的，多是科举落第的老成之人。乡举里选的成效，从此可以看到。士人在学校，月度写评语，季度考试，如果有成材的，照理不应当等年月，便该贡选。现在依照《周官》每年考试德行才干、三年大考一次的意思，定下每年贡选的制度，等满三年，就赴殿试，排出名次给予恩惠，差不多使上民们更加努力。"诏令大司成薛昂等人审核增改，修订条例上报。

甲申(二十一日)，将平州分置为允州、格州。

癸巳(三十日)，皇帝亲笔手书诏令："前日降下的手诏，所有因上书被编管、羁管的人，让回到乡里，责令亲属担保，而有关官员只给予量情近移。其中诬蔑诽谤罪行严重的，除了范柔中、邓考甫不宽放外，其余的都按照已下达的指示，放回乡里，让亲属按规定担保。"

本年，苏、湖、秀三个州发生水灾，给没有粮食的人赏赐粟。泰州出现野生的禾苗。

任命朱勔在苏州主持应奉局。

当初，蔡京经过苏州，想建立僧寺阁，计算费用巨大，僧人说："一定要募集这笔钱，非郡人朱冲不可。"朱冲，是朱勔的父亲。蔡京就召朱冲说了此事，朱冲愿意独自担当。过了数天，朱冲请蔡京到寺中察看地方，到了那儿，就看到有数千棵大木料堆积在院中，蔡京器重他的才能。过一年,蔡京应召回朝,就带朱勔一起回来,安置他们父子的姓名在童贯的军籍中,两人都得到官职。皇帝很喜欢奇花异石,蔡京暗示朱冲搜取浙中的奇珍异物进呈。开始弄来三棵黄杨木,皇帝赞许他。以后年年增加,然而每年不过进贡两三次,进贡的物品只五六种。到此时逐渐增加,运送的船只在淮河、汴水首尾相接,号称"花石纲",在苏州设置机构,命令朱勔总管此事。

崇宁五年　辽乾统六年(公元1106年)

春季,正月,戊戌(初五),傍晚,彗星在西方出现,由奎宿划过胃宿、昂宿、毕宿。

庚子(初七),恢复设置江、湖、淮、浙路的常平仓。

甲辰(十一日),任命吴居厚为门下侍郎,刘逵为中书侍郎。

乙巳(十二日),因为星象变异,回避正殿,皇帝减少用膳。诏令朝廷内外官员,都允许直言朝政的缺失。

撤毁元祐党人碑。又诏令:"所有元祐年间以及元符末年列入名籍的人,贬降多年,已经受到惩戒,可以恢复官籍,允许他们改过自新。朝堂上的刻石,已经命令撤毁,如果别处有好党刻石,也命令撤毁。今后再不许拿从前的事纠举弹劾,经常令御史台注意,违犯的弹劾上报。"

丙午(十三日),尚书省说:"当十钱在东南各路私下铸造的很多,民间买卖不通畅。荆湖、两浙、江南、淮南路已下达指示,都改作当五钱使用。又考虑到民间盗铸不止,当十钱停止铸造,只铸小平钱。"同意了。

丁未(十四日),太白星白天出现。大赦天下,取消对党人的所有禁令。所有应叙复任用的人,依照不按次序赦免的恩例给予叙复。所有被贬责的官员,没有量情移近的给予量情移近。所有官员犯徒罪以下的,按照条例不因为赦令下宽减的,允许到刑部投诉状,刑部将原来所犯条款上报,没有断案的,都希望依照赦令宽减。又诏令:"已下达指示撤除元祐奸党石刻,并给列入名籍的人叙复拟派差遣,很担忧愚蠢的人随意揣测,想要改变熙宁、元丰朝的善政,如果妨害继承前朝政条,必定依法处罚。"暂时停止丈量田地。

戊申(十五日),诏令侍从官密封上奏事情。

己酉(十六日),取消各州每年进贡物品。

庚戌(十七日),三省一同奉御旨叙复元祐党籍中曾任宰相、执政官刘挚等十一人,待制以上官苏轼等十九人,其余文官任伯雨等五十五人,选人吕谅卿等六十七人。

辛亥(十八日),皇帝上正殿,恢复用膳规格。

壬子(十九日),诏令:"新建四个辅郡,城隍、廨舍、军营等,依次兴修,不得打扰百姓。"废除圜土法。

甲寅(二十一日),任命已退休的吕惠卿知青州。

丁巳(二十四日),诏令取消书、画、算、医四个学科。

戊午(二十五日),傍晚,彗星消失,从开始出现到此时共二十天。

二月,甲子朔(初一),诏令监司上奏陈述民间的疾苦。

丙寅(初三),尚书左仆射蔡京免职任命为开府仪同三司、中太一宫使。任命观文殿大学士赵挺之为特进、尚书右仆射兼中书侍郎。

赵挺之与蔡京不和,蔡京恐怕他留在京城窥察自己的所作所为;赵挺之也担心蔡京中伤他,数次请求回到青州私宅,诏令批准。已经办好舟船行装,将要入朝辞行,碰到彗星出现,皇帝惊恐责备自己,深刻地觉察蔡京的奸诈,因此十来天之内,凡是蔡京所做的都废除,派中使带着皇帝亲笔手书赐赵挺之说:"可在某日来上朝。"赵挺之奏对时,皇帝说:"蔡京所作的,都如卿所说。"赵挺之于是上奏:"蔡京引用个人同党,安排在朝廷,又建立四个辅郡,对国家不利。从祖宗开始,在京城屯驻重兵,沿汴河雍丘、襄邑、陈留三县,沿蔡河咸平、尉氏两县,都布列军队,是利用漕运的便利。到了神宗皇帝时,就所在分别隶属的各将领训练,士卒都很精良,如果需调用,虎符命令早晨发出军队晚上就到来。现在创建四个辅郡,不仅有修筑的劳苦,而且又不通水运,依靠什么转运粮饷!"皇帝说:"马上停止。"又上奏道:"各营士兵身高符合标准的,所要求的衣粮,只依照旧例,又轮番驻守西部边境,让他们冒着刀锋箭雨,战斗死亡的,不可计数。现在蔡京订立办法,招募四个辅郡的新军,降低身高标准,增加物品发放,添加每月供给的钱粮,而且不用出守边境。小人的想法,是唯利是图,如果看到新军是这样,那么旧兵就不好被朝廷调用了。"又说:"神宗皇帝建立尚书省都省,规模宏壮。一时蔡京因为虚妄的人宋安国献言,认为对宰相不利而毁掉它,深为痛惜!"皇帝都认为有道理,而且说:"天久干旱,现在蔡京要求离去而下雨,可喜。"罢免蔡京后,赵挺之就担任宰相。

庚午(初七),诏令:"翰林学士、两省官员以及馆阁从今都只任命进士出身的人。"

壬申(初九),减少朝廷内外的冗官,撤销医官中兼任宫观使的人。

丁丑(十四日),将前后所下达的御笔诏书,刻印成册,颁发朝廷内外;州县不遵守的,监司核查,监司推行不尽职的,各司互相查核。

辽国派遣知北院枢密使萧德勒岱、知南院枢密使牛温舒来访问,请求将侵占的土地归还西夏。此前侦察兵说辽国人集合兵力很急迫,等到使臣来到,人心纷扰,张康国、何执中等人都请求做好防备。只有赵挺之说:"辽国人文书的言辞很谦逊,而且派遣二位宰相大臣作使者,是为了尊重本朝。况且所要求的只是说的元符年间以后所侵占的地方而已。"于是答应了辽国人。皇帝说:"先帝已划分疆界,现在不再考虑。如果是要求从崇宁年间以来所侵占的地方,可以给他们。"于是就答应了辽国人。

三月,丙申(初四),诏令:"星象变异已经消除,取消征求直言。"

辛丑(初九),将威德军改名为石堡寨。

丁未(十五日),取消各州的武学。

乙卯(二十三日),撤销银州改为银川城。

丙辰(二十四日),蔡王赵似薨逝。

己未(二十七日),赐给蔡薿等礼部奏名进士及第、出身六百七十一人。

监察御史沈畸说:"小钱方便百姓很久了。古代兴兵,赏赐用钱供应不上,或者以一当百,或者以一当十,这是权宜之计,不能在平时无事时实行。现在当十的建议,一旦设炉鼓铸，无故就有数倍的利润，还怕什么而不做呢！即使每天斩杀，势头也不能阻止。在设炉铸造的，不只是街巷的小民，而是多出于富户、士大夫之家，还不到一年，东南的小钱就没有了。钱贬值所以物品就贵，物品贵困的百姓就更加困难，这就是盗贼兴起的原因。请求马上赐命停止。"

夏季，四月，丁丑（十六日），免除两浙受水灾州郡的夏税。

臣僚说："知江宁府徐勣、知虔州郭知章、知漳州陈次升、知福州朱绂，这四个人，都是元祐邪党，现在任命为州官，掌管一方，不能明示是非、好恶。"因此诏令徐勣等人各给予宫观职。

五月，丁酉（初六），左正言詹丕远奏对，议论当十钱。皇帝说："并行当十钱，本来是为了方便百姓，现在反而给百姓造成如此危害，不是卿陈述，朕不知道。想改作当三，恐怕远方客人积累成千上万巨额钱币的，骤然贬值，不会没有怨言。"詹丕远说："皇上担忧怜悯，对一个人没有得到也不安。暂时改按当五也可以。"皇帝感叹说："王安石帮助神宗理财，没有发行当十钱，在朝廷议论他的人，还说讲利不讲义。"詹丕远说："王安石执政多年，也没有实行茶盐专卖来获取。蔡京用人不当，贻害无穷，哪能跟王安石相比！"皇帝说："与其有聚敛的大臣，还不如有盗臣。以获利侍奉君主，只从这里就可以看到。"

丁未（十六日），颁行《纪元历》，是刘昺所制订的。

乙卯（二十八日），取消让地方举荐，完全恢复元丰年间的选官办法。

臣僚上奏："知鄂州张商英，奸邪狂悖。在元祐年间，附会邪党，著文赞颂，诋毁祖宗。到崇宁初年，交结显贵，暗中行贿，企望宰相职位。朝廷洞察他的奸谋，放置到闲散之地。近来因为宽大的诏令，让他主管一方州郡，又利用写谢表，随便议论时政，言辞涉及诽谤。希望严加贬降，以正公论。"诏令："张商英改任提举崇福宫。"

本月，辽国主到散水原消暑。

六月，癸亥（初二），制定各路监司互察法，包庇不举报的治罪，命令御史台查处。

将格州改为从州。

甲子（初四），下诏求得隐逸的士人，命令监司查核保举上奏；徇私情的，由御史监察。

丁卯（初七），诏令辅臣逐条陈述东南防备策略。

壬申（十二日），审问记录囚犯罪状。

乙亥（十五日），诏令："官府所铸的当十钱，已经命令各路以小钞兑换。那些私铸钱，如果不规定办法，全部交到官府，必定会违法私下使用，使百姓受到重刑。可以命令限定在一季内交纳官府，折算为铜价二分，以小钞还给他。如果有人隐藏不兑换，按私铸钱的法令论处。"

秋季，七月，庚寅朔（初一），应当有日食但食亏没有出现。

西夏人奉上表章请罪。言辞极为恭顺。答复诏书大略说："除先朝所划定的疆界，崇宁年间新开辟的土地可以归还。"当时知枢密院张康国上奏说："诏书内难以提及北朝请求和解的话。"皇帝说："北朝对西夏国以此作为恩惠，如果不言及，就疑心本朝不守信用。"赵挺之说:"陛下的话,神人也会感动高兴。伟大啊帝王之言,现在见到了。"就下诏:"西夏国的城堡,等誓表到了,就赐还他们。"

癸巳(初四),准布部向辽国进贡。

甲午(初五),辽国主到达黑岭,不久到鹿角山打猎。

壬寅(十三日),改明年年号为大观。

甲寅(二十五日)茅山道士刘混康加封葆真观妙冲和先生称号。

八月,因为与西夏通好,派遣礼部侍郎刘正夫到辽国通报访问。刘正夫应酬答对敏捷,与辽国人商议,都达到预先的要求。皇帝赞赏他,就有重用的意思。

九月,己巳(十七日),诏令:"设置武士学斋,仍然按所解送名额,取一名充贡,没有就贡荐文士。"

冬季,十月,己卯(二十一日),将澶州升格为开德府。庚辰(二十二日),下达德音诏书,减免开德府囚犯,徒刑以下的释放。

辽国任命皇太叔和啰噶为特里衮,越国王耶律淳为南府宰相。

十一月,乙未(初八),辽国任命色家努为南院大王,任命玛努为奚六部大王。

丙申(初九),辽国主行柴册礼。戊戌(十一日),大赦天下。封和啰噶为义和仁寿皇太叔,进封越国王耶律淳为魏国王,封皇子额噜温为晋王,寔纳埒为赵王。

己亥(十二日),辽国主拜谒太庙。甲辰(十七日),在木叶山祭祀。

乙巳(十八日),制定武士贡选办法,是采纳了大司成薛昂的建议。

辛亥(二十四日),合并京畿提刑到转运司。

癸丑(二十六日),臣僚上奏说:"伏读崇宁五年七月三日敕令:'所有列入旧党籍人的子弟允许到京城朝见的,朝见完毕就到吏部,让参加集注三次,三次集注满了没有授予差遣的,将给予直接差派。又,选人限定一个季度,如果在朝外指射差遣的,准许免除直接差派。上朝辞谢完,限三天出门。'这是陛下考虑在京时间长了对继承前朝政务有害,所以略加限制防范以显示好恶。然而到京城朝见,与朝见完毕到吏部,先没有时间限制。希望特别下旨意到京城三天,马上投交有关文字,朝见完毕,三天就到吏部,所有集注直接差派,上朝辞谢出门,还按原规定。那么别有想法的人,没有办法因为法令的疏忽而损害继承前朝的圣政。那些上书归入邪等的人公然放肆狂妄,非难皇上建立的法度,所谓自作自受,大概与在籍的子弟连坐不同,这样应该获罪比那些子弟重。现在陛下以仁慈之心宽免这些人,也本来应当防备限制。臣等愚见认为应该在七月三日敕令内添上'上书邪等'的人,差不多继承绍述志向,向四海明白展示,仁慈之心与道义之政,并用而不偏废。"同意此请求。

十二月,戊午朔(初一),应当日食却没有出现食亏,群臣上表祝贺。

己未(初二),中书侍郎刘逵免职。刘逵在朝任职,凡是蔡京所实行的违背道理害民的事,逐渐澄清纠正。赵挺之担心有后患,每有所建议,只开个头,而让刘逵说完,刘逵很自认为有功。蔡京就让他的同党向皇帝进言说:"蔡京更改法度,都是秉承皇上旨意,不是私自做的。现在一切都废除,恐怕不合绍述的本意。"皇帝被他们的说法迷惑,又有任用蔡京的想法,然而群臣没有人觉察到。郑居中出入郑妃父亲郑绅的住所,知道此事,就入朝晋见,说:"陛下建学校兴礼乐以装饰太平盛世,设置居养安济院以周济穷困的人,哪里违背天道导致天威责备呢?"皇帝很高兴。郑居中退下,告诉礼部侍郎刘正夫,刘正夫于是请求奏对,说法和郑居中相合,皇帝于是怀疑刘逵专擅朝政。因此蔡京的党羽御史余深、石公弼指论刘逵专横恣意反复无常,完全废除绍述的好法度,起用奸邪党人,就外放任知亳州。

壬戌(初五),诏令臣僚在假日请求奏对,特到便殿接见。

己巳(十二日),诏令:"监司办理事务怀有奸邪私情不据实的,给予流窜不叙复起用。"

辽国封耶律俨为漆水郡王,其余官员晋爵不等。耶律俨恨枢密都承旨马人望不依附自己,改任命为南京诸宫提辖制置。

本年,广西黎洞蛮韦晏闹等归附内地。

续资治通鉴卷第九十

【原文】

宋纪九十　起强围大渊献【丁亥】正月,尽上章摄提格【庚寅】十二月,凡四年。

徽宗体神合道骏烈逊功　圣文仁德宪慈显孝皇帝

大观元年　辽乾统七年【丁亥,1107】　春,正月,戊子朔,大赦天下。

甲午,中太一宫使、魏国公蔡京,复为尚书左仆射兼门下侍郎。

庚子,御笔:"议礼局依旧于尚书省置局,仍差两制二员详议,属官五员检讨,应缘礼制,可具本末,议定取旨。"

甘露降于帝鼐中,群臣称贺。

壬寅,尚书左丞吴居厚以老避位,罢为东太一宫使。

壬子,以何执中为中书侍郎,邓洵武为尚书左丞,户部尚书梁子美为尚书右丞。

子美初为河北都转运使,倾漕计以奉上,至捐缗钱三百万市北珠以进,由是诸路漕臣效尤,争进羡馀矣。此珠出于女直,子美市于辽。辽嗜其利,虐女直,捕海东青以求珠,女直深怨之。而子美用是显。

是月,辽主钓鱼于鸭子河。

二月,己未,诏令道士序位在僧上,女冠在尼上。

壬戌,向宗回徙封安康郡王。

甲子,诏:"淮南、两浙应私铸钱,限一季首纳;限满不首,并依私钱法。其纳到私钱,并许发赴京畿钱监改铸御书当十钱。"

以黎洞纳土,曲赦广西。

乙亥,复医学。

己卯,复行方田。

丙戌,以平昌郡君韦氏为才人。

凤翔府于仙姑,授清真冲妙先生。寻遣李瑰赍御封香往凤翔太平宫等处道场,因就宣于仙姑赴阙。

又有虞仙姑者,年八十馀,状貌如少艾,行大洞法。一日,帝诵《大洞经》,举首,见有仙官

侍立者。蔡京尝具饭招仙姑,见大猫,指而问京曰:"识之否?此章惇也。"意以讽京,京大不乐。帝尝问仙姑致太平之期,对曰:"当用贤人。"帝曰:"贤人谓谁?"曰:"范纯粹也。"帝以语京,京曰:"此元祐臣僚所使。"遂逐之。于是士大夫争言虞仙姑亦入元祐党矣。

辽主驻大鱼泺。

三月,己丑,幸金明池,赐宰相蔡京等宴。

丁酉,尚书右仆射赵挺之罢为佑神观使。以何执中为门下侍郎,邓洵武为中书侍郎,梁子美为尚书左丞,吏部尚书朱谔为尚书右丞。谔出蔡京门,善附会,故有是命。

以蔡攸为龙图阁学士兼侍读。

甲辰,诏以八行取士,善父母为孝,善兄弟为悌,善内亲为睦,善外亲为姻,信于朋友为任,仁于州里为恤,知君臣之义为忠,达义利之分为和。孝悌忠和为上,睦姻为中,任恤为下。又制为不忠、不孝、不悌、不和、不姻、不睦、不任、不恤之刑。诸犯八刑者,县令佐、州知通以其事自书于籍,报学。应有入学,不睦十年,不姻八年,不任五年,不恤三年,能改过自新不犯罪而有二行之实,耆邻保伍申县,县令佐审听入学;在学一年,又不犯第三等罪,听齿于诸生之列。

癸丑,观文殿大学士、佑神观使赵挺之卒。赠司徒,谥清宪。

以叶梦得为起居郎。梦得附蔡京,得为祠部员外郎。京罢相,赵挺之更其所行;及京再相,复反前政。梦得入对,因曰:"陛下前日所建立者,出于陛下乎,出于大臣乎?岂可以大臣进退而有所更张也!"帝悦,故有是命。

夏,四月,乙丑,以淑妃王氏为贵妃。

五月,己丑,朝散郎吴储,承议郎吴侔,坐与妖人张怀素谋反,伏诛。

怀素狱起,蔡京欲因以傅致吕惠卿之罪,下其子渊于狱,榜答数千下,欲令招伏与怀素谋反,渊卒不服,得免。是日,惠卿责授祁州团练副使,宣州安置,坐上表自劾,党庇其子,无责己之词也。

庚寅,中书侍郎邓洵武罢。张怀素狱,朝士多株连者,而洵武妻吴氏,侔之兄女也,坐出知随州,提举明道宫。

甲午,诏班新乐于天下。

癸卯,诏:"自今凡总一路及监司之任,勿以元祐学术及异议人充选。"

以安化蛮犯边,益兵赴广西讨之。

乙巳,皇子构生,才人韦氏所产也。寻进韦氏为婕妤。

六月,己未,以梁子美为中书侍郎。

壬戌,诏景灵宫建僖祖殿室。

甲子,以黎人地为庭、孚二州。

庚午,令诸州学以御制八行、八刑刻石,从江东转运副使家彬请也。

癸酉,赐上舍生二十九人及第。

乙亥,尚书右丞朱谔卒。赠光禄大夫,谥忠靖。谔初名绂,以与党籍人同姓名,故改名。

是月，以蔡薿为给事中。

薿以学录试策，揣蔡京且复用，即对曰："熙、丰之德业，足以配天，不幸继之以元祐；绍圣之缵述，足以永赖，不幸继之以靖国。陛下两下求贤之诏，冀以闻至言，收实用也；而见于元符之末者，方且幸时变而肆奸言，乘间隙而投异意，诋诬先烈，不以为疑，动摇国是，不以为惮，愿逆处于未至而绝其原。"于是擢为第一，以所对颁天下。甫解褐，即除秘书正字，不逾年至侍从，前此未有也。

辽主如散水原。

辽耶律(盂)〔孟〕简为六部院太保，处事不拘文法，时多笑其迂。(盂)〔孟〕简闻之，曰："上古之时，无簿书法令而天下治。盖簿书法令，适足以滋奸幸，非圣人致治之本也。"旋改高州观察使。

秋，七月，乙酉朔，伊、洛溢。

戊子，诏括天下漏丁。

壬寅，班祭服于州郡。

乙巳，贤妃武氏薨。

丙午，臣僚上言："苏州钱法之坏，始于蔡渭，成于蹇序辰，二人之罪惟均；而小平钱之害，又出序辰。渭已除名勒停，送蔡州羁管，而序辰止降三官，安居善郡。罪同罚异，士论咸疑。"诏："蹇序辰责授单州团练副使，江州安置。"

崇宁更钱法，以一当十，民嗜利犯法者纷纷。或捕得，以钱数大缶诬为枢密章楶子綖所铸。

綖，刘逵之妇兄也，蔡京怨逵，因而兴狱。初遣监察御史张茂直就平江鞫之，案上，綖不服。再遣侍御史沈畸，畸既至，系者数百人，尽释之，叹曰："为天子耳目司，而可傅会权要，杀人以苟富贵乎！"遂阅实，平反以闻。京大怒，别遣官锻炼，綖竟窜海岛，籍没其家。于是臣僚上言："畸去春尝上封事，訾毁朝廷法度，意在迎合大臣，怀奸异议。"诏贬畸监信州酒税，未几卒。

辽主如黑岭。

辽主以漠南大风伤草，马多死，执马群太保萧托斯和，鞭之三百，免其官。

八月，乙卯，太中大夫、提举崇福宫曾布卒于润州。

丁巳，封皇子构为蜀国公。

庚申，以户部尚书徐处仁为尚书右丞，兵部尚书林摅同知枢密院事。

张怀素妖事觉，摅以开封尹与中丞余深杂治，得士民交关书疏数百，摅请悉焚荡以安反侧。众称为长者，不知蔡京与怀素游最密，摅实为京地也。京深德之，用鞫狱明允，连擢数官，至是遂登枢府。

己巳，降德音于淮、海、吴、楚二十六州，减囚罪一等，流以下释之。

九月，庚寅，建显烈观于陈桥。

己酉，加上僖祖谥曰立道肇基积德起功懿文宪武睿和至孝皇帝。朝献景灵宫。

庚戌，祫太庙。

辛亥，祫明堂，赦天下。

升永兴军为大都督府。

章縡坐冒法，窜海岛。李景直等四人，以上书观望罪，并编管岭南。

庚子，宣义郎致仕程颐卒，年七十五。

颐于书无所不读，其学本于诚，以《大学》《论语》《孟子》《中庸》为标指，而达于《六经》。动止语默，一以圣人为师。尝言："吾无功泽及人，唯缀缉圣人遗书，庶几有补耳。"平生海人不倦，故学者出其门，渊源所渐，皆为名士，谢良佐、游酢、吕大临、尹焞、杨时尤著。世称颐为伊川先生。

冬，十月，己未，诏："士有才武绝伦者，岁贡，准文士上舍上等法。"

庚申，和赐蔡京《君臣庆会阁落成诗》。

辛酉，苏州地震。

乙丑，提举崇福宫张商英，责授安化军节度副使，归州安置，以臣僚言其罪大责轻也。

己巳，大雨雹。

辽主谒乾陵，猎于医巫闾山。

闰月，丙戌，以林摅为尚书左丞，资政殿学士郑居中同知枢密院事。

初，居中自言为郑贵妃从兄弟，妃家世微，亦倚居中为重，由是连擢至翰林学士，除同知枢密院事。时妃宠冠后宫，于居中无所赖，乃用宦官黄经臣策，以外戚秉政辞，改资政殿学士、中太一宫使兼侍读。蔡京再得政，居中之助为多，厚责报于京，京为言枢密本兵之地，与三省殊，无嫌于用亲。经臣力抗前说，京言不效，居中疑不己援，始怨之，乃与张康国间京。都水使者赵霖，得龟两首于黄河，献以为瑞，京曰："此齐小白所谓象罔，见之而霸者也。"居中曰："首岂宜有二！人皆骇异，而京独主之，殆不可测。"帝命弃龟金明池，谓"居中爱我"，遂申前命。

乙未，诏："守令以户口为殿最。"

升桂州为大都督府，建镇州于黎母山心，赐军额曰靖海，用知桂州王祖道策也。

乙巳，升太原府、邓州并为大都督府。

十一月，壬子朔，日有食之。蔡京以不及所当食分，率群臣称贺。

癸亥，诏以"议礼当追述三代之意，适今之宜，《开元礼》不足为法。今亲制《冠礼沿革》十一卷，付议礼局。馀五礼令视此编次。"

乙丑，置内外符宝郎。

宋初诸宝，多阶石为之。元丰中，诏依古作天子皇帝六玺，有玉而未成。元符初，始得玉工之善者琢之，但叠篆而已，玉亦不甚良。至是得汉传国玺，实秦玺，乃蓝田玉，李斯之鱼虫篆也，文曰"受命于天既寿永昌"。帝独取其文而黜其玺不用，因自作受命宝，其方四寸有奇。时又得古小玉印文曰"承天福延万亿永无极"者，帝又以其文仿李斯鱼虫作宝，大将五寸，皆为螭纽，其篆则蔡京命其子絛以意教之，名为镇国、受命二宝，合先帝六玺，是为八宝，命置官以掌之。

尚书省言："今禁中已有常用之宝，所用至多，不可改移。欲镇国、受命宝皆宝而不用，惟封禅则用之；皇帝之宝，答邻国书则用之；皇帝行宝，降御札则用之；皇帝信宝，赐邻国书及物则用之；天子之宝，答外国书则用之；天子行宝，封册则用之；天子信宝，举大兵则用之；馀皆用常用之宝。"从之。

己巳，升瀛州为河间府、瀛海军节度。

戊寅，尚书右丞徐处仁以母忧去位。

南丹州地与宜州及西南夷接壤，世为莫氏所居，自署刺史。王祖道欲取之，乃诬其酋莫公佞阻东兰州，不令纳土，发兵讨之，擒公佞，以南丹州为观州。公佞弟公晟，结溪峒报复，侵掠城邑，杀刺史，蔡京匿不以闻。特置黔南路，领庭、孚、平、允、从、宜、柳、融、观九州。

十二月，庚寅，蔡京以功加太尉，进何执中以下官二等，而召祖道为刑部尚书。

祖道在桂四年，厚以官爵金帛挑诸夷，建城邑，调兵镇戍，辇输内地钱布盐粟，无复齐限。地瘴疠，戍者十亡五六，实无尺土一民益于县官。时广西转运副使张庄与祖道表里，遂以代其任。祖道、庄既凿空超取显美，由是庞恭孙、赵遹、程邻相与效之，边壤益多故矣。

癸巳，以江宁、荆南、杭、越、洪、福、潭、广、桂并为帅府。

丁酉，置开封府府学。

己亥，以婉容乔氏为贤妃。

是岁，秦凤旱。京东水，河溢，遣官振济，贷被水户租。庐州雨豆。

乾宁军言黄河清，逾八百里，凡七昼夜，诏以乾宁军为清州。

涪州夷骆世叶等内附，以其地为珍、承二州，知州庞恭孙诱之以来也。

太庙斋郎方轸上书言："蔡京睥睨社稷，内怀不道，专以绍述之说为自媒之计，内而执政、侍从，外而帅臣、监司，无非其门人亲戚。京每有奏请，尽作御笔行出，语人曰'此上意也'；明日不行，又语人曰'京实启之也'。善则称己，过则称君，必欲陛下敛天下之怨而后已。自元符末陛下嗣服，忠义之士，投匦者无日无之。京分为邪等，黥配编置，不齿仕籍，则谁肯为陛下言哉！京又使子攸日以花石禽鸟为献，使陛下不知天下治乱。臣以为京必反也，请诛京以安天下！"诏宣示京。京请下轸狱，竟流岭南。

辽放进士李石等百馀人。

二年　辽乾统八年【戊子，1108】　春，正月，壬子朔，受八宝于大庆殿，大赦天下，文武进位一等。蔡京表贺符瑞。

乙卯，以婉仪刘氏为德妃。

己未，太尉蔡京进太师，加童贯节度使，仍宣抚。

庚申，进封京兆郡王桓为定王，蜀国公构为广平郡王。

戊寅，徙封向宗回为汉东郡王，向宗良为开府仪同三司。

改封赵怀德为顺义郡王、昭化军节度使、河南蕃部总领。以河南蕃将缅什罗蒙为节度观察留后，赐名赵怀忠。

河东、河北盗起。

辽主如春州。

二月,甲申,置诸路曹掾官。

丙戌,归州安置张商英移峡州居住。

甲午,诏建徽猷阁,藏《哲宗御集》,置学士、直学士、待制官。

以婕妤韦氏为修容。

三月,庚申,班《金箓灵宝道场仪范》于天下。

戊寅,赐上舍生十三人及第。

门下中书后省左右司言:"检会今年正月一日赦书,'元祐党人,怀奸睥睨,报怨不已,公肆诋诬,罪在宗庙者,朕不敢贷。其或情轻法重,例被放弃;或非身自犯,因人得罪;或志非诬谤,言有近似;或本缘辨理,语涉讥讪;或止因职事,偶涉更改。凡此之类,不据元贬责罪犯,审量其情分轻重等第,取情理轻者,与落罪籍,甄叙差遣'。今将元编类册内依详赦文,看详到孙固等四十五人。"诏除孙固、安焘、贾易外,馀并出籍。又,看详到叶祖洽等六人,诏并出籍。

诏:"监司岁举所部郡守二人,县令四人,赴三省审察。"

夏,四月,辛巳,手诏以追述先王寓马于农之意,募人给地免租牧马。行之期年,熙河颇见就绪。凡县镇寨关堡官衔内,并带管句给地牧马事,佐官同管句,庶使人人各知任责。

丙申,辽封高丽国王俣为三韩国公。

甲辰,童贯遣统制官辛淑献、冯瓘等复洮州。

五月,庚戌朔,日有食之。

辛亥,以复洮州功,赐蔡京玉带。初,神宗用唐故事,以玉带赐王安石,止系三日。及京受赐,遂为常服。

提举京西南路学事路瓌言:"臣所领八州三十馀县,比诸路最为褊小,学舍乃至三千三百馀区,教养生徒三千三百馀人,赡学田业等岁收钱斛六万三千馀贯石。窃计诸路学舍生徒田业钱斛之数,何翅数百万,此旷古所未尝有也。乞诏有司总会诸路州、军、县文武大小学生并学费所入所用实数,具图册上之御府,副在辟廱,仍宣付史馆。"从之。

壬子,谿哥城王子臧征扑哥降,复积石军。

臧征扑哥以咒诅扇蕃族,居谿哥空城。边吏谓既能动众,必为边患,童贯欲实其事,遂会诸路进兵,仍遣知西宁州刘仲武出奇趋谿哥城。臧征扑哥迎降,并女弱才二十八人,初未尝有兵也。洎就擒,边吏张大其功,过为缘饰,以金纸糊桶为头冠,木椅为胡床,浅红绢为伞,种种皆非羌物。捷闻,蔡京率百官称贺。诏俘臧征扑哥至京师,授正任团练使、邓州钤辖;寻死于邓州。

甲寅,复诸路岁贡供奉物。

丁巳,以童贯为检校司空、奉宁军节度使,赏收洮州、积石功也。

初,童贯议欲收积石军,积石与西(陵)〔宁〕接境,刘仲武诣贯计事,曰:"大兵入境,贼穷,必走夏国,路由西宁,当即掩捕;欲降,则招纳之。或深入巢穴,可乘其便;但河桥功力未易办,若禀命待报,虑失事机。"贯许以便宜。臧征扑哥果欲降,丐一子为质,仲武即遣子锡往。而河桥亦成,仲武以兵渡河,挈与归,献捷宣抚司。贯掩其功,止录河桥之劳,仲武终不自言。后帝遣使持金盏,赐先得积石军招纳降王者,使者访其实,以盏授仲武,且召对。帝慰劳久之,曰:"高永年失律,以不用卿言。今招纳降王,抚定河南,皆卿力也。"仲武谢。问几子,曰:"九子。"乃以锡为右班殿直、阁门祗候,馀悉补三班借职;命仲武复知西宁州。

壬戌,诏临洮城依旧为洮州,以收复功,诏蔡京特许奏补一子一孙官,馀依转官恩数。

戊辰,诏:"张康国以下各进官一等。"

己卯,以收复功,命户部侍郎洪中孚奏告天地、宗庙、社稷。

葆真观妙冲和先生刘混康卒,特赠大中大夫。

辽主清暑于散水原。

六月,乙酉,以涪夷地为(轸)〔珍〕州。

壬辰,辽西北路招讨使萧迪里率诸蕃来朝。

甲午,以平夏城为怀德军。

乙未,以殿中六尚、算学、太官局、翰林仪鸾司皆隶六察。

丙申,辽射柳祈雨。

戊戌,门下、中书后省左右司复依敕看详到韩维等九十五人,诏并出籍。

丁未,辽主如黑岭。

戊申,三省检会正月一日赦书:"应元祐党人不以存亡及在籍,可特与叙官。"勘会前任宰臣、执政官见存人韩忠彦、苏辙、安焘,身亡人文彦博、吕公著、吕大防、刘挚、曾布、章惇、梁焘、王岩叟、李清臣、范纯礼、黄履。诏见存人与(一复)〔复一〕官,文彦博等亦各追复有差。

秋,七月,庚戌,罢建僖祖殿室。

乙卯,以婉容王氏为贤妃。

戊辰,辽主以雨罢猎。

八月,辛巳,邢州河水溢,坏民庐舍,复被水者家。

丙申,中书侍郎梁子美罢,知郓州。

己亥,置保州敦宗院。

九月,辛亥,以林摅为中书侍郎,吏部尚书余深为尚书左丞。

壬戌,以向宗回为太子少保,致仕。

乙丑,诏:"诸路州学有阁藏书,皆以经史为名。方今崇八行以迪多士,尊《六经》以黜百家,史何足言!应置阁处赐名曰稽古。"

癸酉,皇后王氏崩。后性恭俭,郑、王二妃方尢宠,后待之均平。宦寺希旨,有诬后之过者,验之无迹。后见帝,未尝语及,帝转怜之。崩,年二十五。

削向宗回官爵。

丙子,曲赦熙河兰湟、秦凤、永兴军路。

冬,十一月,丁未朔,太白昼见。

辛酉,诏访求古礼器。

壬戌,命讨论臣庶祭礼。

乙丑,上大行皇后谥曰靖和。

丙寅,吕惠卿复宣奉大夫,提举明道宫,任便居住。

戊辰,诏受命宝增"镇国"二字。

十二月,己卯,峡州居住张商英,许任便居住。商英有别业在(宣)〔宜〕都县,恳蔡京乞归其地。京从都省批状依所申,商英深德之。

壬寅,陪葬靖和皇后于永裕陵。

是岁,同州黄河清。

夏人入贡。

涪州夷任应举、湖南(杨猺)〔猺杨〕再光内附。

知桂州张庄奏:"安化上三州、一镇诸蛮纳土,共五万馀户,二十六万馀人,幅员九千馀里。"又奏:"宽乐州、安沙州、谱州、四州、七原等州纳土,计二万人,一十六州、三十三县、五十馀峒,幅员万里。"蔡京率百官表贺,谓混中原风气之殊,当天下舆地之半。进庄兼黔南经略安抚使。

渝州蛮赵泰等内附,以其地为溱州。

诏孔伋从祀孔子庙庭。

秦州观察使、知府州折克行卒,赠武安军节度使,以其子可大为荣州团练使、知府州。克行沈勇有力,善抚士卒,在边三十年,战功最多。夏人畏其威名,号"折家父"。

三年 辽乾统九年【己丑,1109】 春,正月,丙午朔,辽主如鸭子河。

乙卯,祔靖和皇后神主于别庙。己未,减两京、河阳囚罪一等,民缘园陵役者蠲其赋。

丁卯,以涪夷地为承州。

甲戌,升湟州为向德军节度。

二月,丙子朔,播州杨文贵纳土,以其地置遵义军。

丁丑,提举崇福宫仪国公韩忠彦以宣奉大夫致仕。

庚子,臣僚上言:"知和州胡师文,昨为发运使,独衔建议将当二铜钱改铸当十。自古积山之利,以铜铸钱,不闻以钱铸钱。当二钱法与小平钱轻重相等,故私钱不禁而自止,民间便之,此神宗良法也。师文诏奉大臣,妄乱变更,将已行当二钱毁而改铸,识者痛心。"诏师文提举万寿观。

辽主如春州。

三月,丙午,立海商越界法。

辛酉,诏:"四川郡守,并选内地人任之。"

壬戌,并黔南入广西路。

乙丑,赐礼部奏名进士及第出身贾安宅等六百八十五人。小珰梁师成,亦厕名进士籍中。

壬申,知枢密院事张康国卒。

康国始因附蔡京而进,及在枢密府,浸为崖异。时帝恶京专愎,阴令康国狙其奸,且许以相。京忌康国,遂引吴执中为中丞,执中即劾京客刘昺、宋乔年。帝嘉执中之不阿,康国曰:"是乃为逐臣地耳。"已而执中将论康国,康国先知之,且奏事,留白帝曰:"执中今日入对,必为京论臣,臣愿避位。"既而执中对,果陈其事,帝怒,黜执中知滁州。至是康国因退朝趋殿庐,暴得疾,仰天吐舌,昇至待漏院死,或疑中毒云。

时童贯权益张,与黄经臣胥用事,中丞卢航表里为奸,搢绅侧目。右正言陈禾曰:"此国家安危之本也,吾任言责,此而不言,可乎!"遂上疏劾贯、经臣怙宠弄权之罪,愿亟窜之远方。论奏未终,帝拂衣起。禾引帝衣,请毕其说,衣裾落,帝曰:"正言碎朕衣矣!"禾言:"陛下不惜碎衣,臣岂惜碎首以报陛下!此曹今日受富贵之利,陛下它日受危亡之祸。"言愈切。帝变色曰:"卿能如此,朕复何忧!"内侍请帝易衣,帝却之曰:"留以旌直臣。"翼日,贯等相率前诉,谓国家极治,安得此不祥语!卢航奏禾狂妄,谪监信州酒。

夏,四月,戊寅,中书侍郎林摅罢。

集英胪唱贡士,摅当传姓名,不识甄盎字,帝笑曰:"卿误邪?"摅不谢,而语讠氏同列。御史论其寡学,倨傲不恭,失人臣礼,黜知滁州,犹为帝言:"顷使辽,见其国中携贰,若兼而有之,势无不可。"盖欲报其辱也。帝由是始有北伐之意。

壬午,五国部贡于辽。

癸巳,以郑居中知枢密院事,吏部尚书管师仁同知枢密院事。师仁,龙泉人也。

癸卯,以余深为中书侍郎,兵部尚书薛昂为尚书左丞,工部尚书刘正夫为尚书右丞。

昂与余深、林摅附蔡京为至久,至举家为京避私讳,或误及之,辄加笞责。昂尝误及,即自批其口。

五月,乙巳朔,孟翔献所画卦象,谓宋将中微,宜更年号,改官名,变庶事以厌之。帝不乐,诏窜之远方。

丙辰,令辟雍宴用雅乐。

丁巳,虑囚。

戊辰,大雨雹。

六月,甲戌朔,诏修乐书。

同知枢密院事管师仁以疾罢为佑神观使,寻卒。

乙亥,辽主清暑于特礼岭。

辽马群太保萧托斯和既免官,辽主念其谨愿,命为天齐殿宿卫。

丁丑,尚书左仆射蔡京罢。

中丞石公弼、侍御史张克公劾京罪恶,章数十上,乃以京为中太一宫使,请给恩数并依见任宰相例。公弼始与京有连,故得进用。及居言路,遇事利害,辄言不惮,京始忌之。既免京政,复上言吏员猥冗,庆元丰旧制,于是诏堂选归吏部者数十员,罢宫庙者千员,都水知埽六十员，县非大郡悉省丞，在京茶事归之户部，诸道市舶归之转运司，仕涂顿清。

辛巳，以何执中为特进、尚书左仆射兼门下侍郎。

泸州夷王募弱内附，以其地置纯、滋二州。

庚寅，冀州河水溢。

太学生陈朝老诣阙上书曰："陛下知蔡京之奸，解其相印，天下之人鼓舞，有若更生。及相何执中，中外黯然失望。执中虽不敢肆为非法，若蔡京之蠹国害民，然碌碌常质，初无过人。天下败坏至此，如人一身脏腑受沴已深，岂庸庸之医所能起乎！"疏奏，不省。

秋，七月，丁未，诏："谪籍人除元祐奸党及得罪宗庙外，馀并录用。"

甲寅，复张商英提举玉局观。

是月，辽地陨霜伤稼。

辽主以中京饥，命昭德军节度使耶律（孟）〔孟〕简偕学士刘嗣昌减价粜粟，事未毕而（孟）〔孟〕简卒。

辽漕司督赋甚急，县令多系狱。宁远令康公弼上书于朝，乃释之，因免县中租赋。宁远人德之，为立生祠。

八月，己丑，嗣濮王宗汉卒，兄子仲增嗣。

丙申，升融州为清远军节度。

丁酉，辽主以雪罢猎。

己亥，宣奉大夫致仕仪国公韩忠彦卒。

冬，十月，癸丑，减六尚局供奉物。

癸酉，辽主望祀木叶山。丁丑，免今年租税。

十一月，丁未，诏："算学以黄帝为先师，风后等八人配飨，巫咸等七十人从祀。"

己巳，蔡京进封楚国公，致仕，仍提举编修《哲宗实录》，朝朔望。长子攸，除枢密直学士，次子绦，除直秘阁。

十二月，甲申，高丽贡于辽，奏还女直九城。

戊子，以张商英为龙图阁学士、知杭州。

己亥，罢东南铸夹锡钱。

中丞石公弼言："蔡京盘旋京师，馀威震于群臣。愿持必断之决，以消后悔。"侍御史洪彦章言："京朋奸误国，公私困弊，既已上印，而偃塞都城，上凭眷顾之恩，中怀跋扈之志，愿早赐英断，遣之出京。"侍御史毛注言："孟翔以天文惑众，尝献蔡京诗，言涉不顺，京辄喜而受之，因以献《易书》而赐官，卒致诋诬以冒重辟，而京不复愧耻。张怀素以地理惑众，京熟与之游从，京妻葬地卜日，怀素主之，尝同游淮左，题字刻石，后虽阴令人追毁以掩其迹，而众所共知。以至尚书省事，多不取旨，直行批下，以作陛下之威；重禄厚赏，下结人心，以作陛下之福。林摅跋扈之党，而置之政本之地；宋乔年奸雄之亲，而置之尹京之任。考之以心，揆之以事，其志有不可量者。今盘旋辇毂，久而不去，其情状已可见矣。"太学生陈朝老复疏京恶十四事，乞投畀远方，皆不报。

是岁,江、淮、荆、浙、福建大旱,自六月不雨至于十月。秦、凤、阶、成饥,发粟振之,蠲其赋。

(峡)〔陕〕州、同州黄河清。

辽放进士刘桢等九十人。

四年 辽乾统十年【庚寅,1110】 春,正月,庚子朔,中丞吴执中言:"窃闻迩来诸路以八行贡者,如亲病割股,或对佛然顶,或刺臂出血,写青词以祷,或不茹荤,尝诵佛书,以此谓之孝。或尝救其兄之溺,或与其弟同居十馀年,以此谓之悌。其女适人,贫不能自给,取而养之于家,为善内亲。又以婿穷窭,收而教之,为善外亲。此则人之常情,仍以一事分为睦姻二行。尝一遇歉岁,率豪民以粥食饥者,而谓之恤。夫粥食饥者,乃豪民自为之而已,独谓之恤,可乎?又有尝收养一遗弃小儿,尝救一跛者之溺,而以为恤。如此之类,不可遽数。伏愿下之太学,俾长贰、博士考以道艺,别白是非,澄去冒滥,勿使妄进。申饬郡县长吏及学事司察验行实,有其人则举,无其人勿以妄贡,务在奉承诏旨,不失法意。"从之。

辛丑,辽主预行立春礼,如鸭子河。

癸卯,诏新置河东、河北、陕西诸监罢改铸当十钱。

辛酉,诏:"士庶拜僧者,论以大不恭。"

丁卯,夏人入贡。

吕惠卿降授正奉大夫。侍御史毛注劾惠卿上表谢复官,用《诗》《风雨》及《青蝇》《节南山》章句,以古君子自处而以乱世方盛时,罪不可赦,故有是命。二月,庚午朔,辽主驻大鱼泺。

辛未,以张商英为资政殿学士、中太一宫使。

初,商英起知杭州,过阙入对,言:"神宗修建法度,务以去害兴利而已。今诚一一举行,则尽绍述之美。法(莫)〔若〕有弊,不可不变,但不失其意足矣。"

戊寅,议礼局奏:"修成《大观礼书》二百三十一卷,《祭服制度》十六卷,《制服图》一册,据经稽古,酌今之宜,以正沿袭之误。又别为《看详》十二卷,《祭服看详》二册。"诏行之。

庚辰,罢京西钱监。

己丑,以余深为门下侍郎,资政殿学士张商英为中书侍郎,户部尚书侯蒙同知枢密院事。帝尝从容问蒙曰:"蔡京何如人也?"蒙对曰:"使京正其心术,虽古贤相何以加?"京闻而衔之。蒙,高密人也。

壬辰,罢河东、河北、京东铸夹锡钱。

癸巳,诏:"方田之法,均赋惠民。访闻近岁以来,有司推行怠惰,监司督察不严,贿赂公行,高下失实。可严饬所部,仍仰监司觉察。"

三月,庚子,募饥民补禁卒。

诏:"医学生并入太医局,算入太史局,书入翰林书艺局,画入翰林画图局,其学官等并罢。"

甲寅,敕所在振恤流民。

癸亥，诏：“罪废人稍加甄叙能安分守者，不俟满岁，各与叙进，以责来效。”

丙寅，赐上舍生十五人及第。

戊辰，诏：“上书邪下等人，可依无过人例，今后改官升任，并免检举。”

夏，四月，丙子，五国部长贡于辽。

己卯，班乐尺于天下。

癸未，蔡京上所修《哲宗实录》。

丙戌，辽主预行再生礼。癸巳，猎于北山。

丙申，立感生帝坛。

丁酉，诏修《哲宗正史》。

五月，壬寅，停僧牒三年。

丁未，彗出奎、娄。

甲寅，立词学兼茂科。帝以宏词科不足以致文学之士，改立此科，岁附贡士院试，去檄书而增制诰，中格则授馆职，岁不过五人。

丙辰，诏以彗见，避殿，减膳，令侍从官直言指陈阙失。

戊午，赦天下。

壬戌，改广西黔南路为广南西路。

癸亥，治广西妄言拓地罪，追贬帅臣王祖道为昭信军节度副使，放张庄于永州。

先是御史张克公奏论：“蔡京顷居相位，擅作威福，权震中外。轻锡予以蠹国用，托爵禄以市私恩。谓财利为馀积，皆出诞谩；务夸大以兴事功，肆为搔扰。援引小人，以为朋党；假借姻娅，布满要途。以至交通豪民，兴置产业；役天子之将作，营葺居第；用县官之人夫，漕运花石。曾无尊主庇民之心，惟事丰己营私之计。若是之类，其事非一，已有臣僚论列，臣更不敢具陈。（及）至若名为祝圣寿而修塔以壮临平之山势，托言灌民田而决水以符兴化之谶辞；致任俣之告变而谬为心疾，受孟翊之诬言而与之官爵；赵真欲辅之以妖术，张大成窃伺其奸意。骇动远迩，闻者寒心，皆足以鼓惑天下，为害之大者也。”

甲子，诏：“蔡京特降授太子少保，依旧致仕，在外任便居住。”制略曰：“轻爵禄以市私恩，滥锡予以蠹邦用，借助姻娅，密布要途，聚引凶邪，合成死党。以至假利民而决兴化之水，托祝圣而饰临平之山，岂曰怀忠，殆将邀福。屡有告陈之迹，每连狂悖之嫌，虽仅上于印章，犹久留于里第，偃蹇弗避，傲睨罔悛，致帝意之未孚，昭星文而申谴。言章继上，公议靡容，固欲用恩，难以屈法。宜褫师臣之秩，俾参宫保之官。聊慰群情，尚为宽典。”

丙寅，门下侍郎余深罢。深与蔡京结为死党，京既去国，深不自安，上疏乞罢，乃以资政殿学士知青州。

六月，庚午，御殿，复膳。

甲戌，辽主清暑于玉山。

乙亥，以张商英为尚书右仆射兼中书侍郎。

蔡京久盗国柄，中外怨疾。见商英能立异同，更称为贤，帝因人望而相之。时久旱，彗星中天,商英受命,是夕彗不见,明日雨。帝喜,因大书"商霖"二字以赐之。

癸未,夏国贡于辽。

壬辰,复向宗回为汉东郡王。

甲午,准布贡于辽。

乙未,虑囚。

丙申,门下侍郎薛昂罢为佑神观使。

秋,七月,辛丑,诏权罢方田。

辽主谒庆陵。

己未,张商英言:"当十钱,自唐以来,为害甚明,行之于今,尤见窒碍。盖小平钱出门,有限有禁,故四方商旅物货交易得钱者,必入中求盐钞、收买官告度牒,而馀钱又流布在街市,故官私内外,交相利养。自当十钱行,一夫负八十千,小车载四百千。钱既为轻赍之物,则告牒难售,盐钞非操虚钱而得实价则难行,重轻之势然也。今欲(传)〔权〕于内库并密院诸司借(文)〔支〕,应于封桩金银物帛并盐铁等,下令以当十钱盗铸伪滥害法,半年更不行用;令民间尽所有于所在州军送纳,每十贯官支金银物帛四贯文,择其伪铸者,送近便改铸小平钱,存其如样者,俟纳钱足十贯作三贯文,各拨还元借处。然后京城作旧钱禁施行,乃可议榷货通商钞法。"

八月,庚午,张商英又言:"陛下奋发英断,慨然欲救钱轻物重之弊,一旦发德音,下明诏,捐弃帑藏数千万缗钱宝,改当十为当三。令下之日,中外欢呼,万口一舌。然而奸邪之在内者,密倡其说曰:'不久必复,可畜以待也。'奸邪之在外者,晓民以掠美曰:'当三则亏汝,当七则中矣。'是以小民听而和之,令出五十日,而犹未大孚也。伏望陛下固志不移,使正议卒行,奸邪愧服,而消其凶悍不平之气。"

乙亥,以刘正夫为中书侍郎,侯蒙为尚书左丞,翰林学士承旨邓洵仁为尚书(左)〔右〕丞。

戊寅,省内外冗官。

庚辰,以资政殿学士吴居厚为门下侍郎。

丁亥,行内外学官选试法。

闰月,辛丑,诏:"诸路事有不便于民者,监司条奏之。"

辛亥,辽主谒怀陵;己未,谒祖陵。

辛酉,诏戒朋党。

以张阁知杭州。阁思所以固宠,乃因辞日,乞自领花石纲事,自此应奉益繁矣。

壬戌,辽皇太叔和啰噶从猎于庆州,道卒。

九月,丙寅朔,日有食之。

甲戌,辽主命免行重九节礼。

冬,十月,丁酉,立贵妃郑氏为皇后。后,开封人,本钦圣殿押班。初,帝为端王,常朝钦圣太后,太后命后供侍;及帝即位,遂以赐帝。后性谨,善顺承帝意,好观书,章奏能自制。帝爱其才,竟立为后。

蔡京之免,知枢密院事郑居中自许必得相,帝觉之,不果用。至是复以外戚罢为观文殿学士、中太一宫使。

戊戌,以吴居厚知枢密院事。

太白昼见。

辽主驻藕丝淀。

十一月,丁卯,祀圜丘,大赦;改明年元曰政和。

甲戌,罢拱州为襄邑县。

戊寅,诏通州安置人陈瓘与自便。

初瓘自合浦放还,居四明。而其子正汇干至馀杭,适闻蔡崇盛诧蔡京有动摇东宫之语,正汇即日自陈于杭帅蔡薿。薿方结京为死党,遂执正汇送京师,而飞书告京,俾预为计。事下开封府制狱,知开封李孝称,酷吏也,乃并下明州捕瓘。士民哭送之,瓘不为动,既就狱,顾其子笑曰:“不肖子烦吾一行。”孝称胁瓘使证正汇之妄,瓘曰:“正汇闻京将不利于社稷,传于道路,遽自陈告,瓘所不知。忘父子之恩而指其为妄,则情所不忍;挟私情以符合其说,又义所不为。况不欺不贰,平昔所以事君教子,岂于利害之际有所贪畏,自违其言乎!蔡京奸邪,必为国祸,瓘固尝论于谏省,亦不待今日语言间也。”时内侍黄经臣监勘,闻所对,失声叹息,谓瓘曰:“主上正欲知实状,右司第依此置对。”狱具,竟坐正汇以所言过实,流窜海岛,而瓘亦有通州安置之命。至此方许其自便。

十二月,己酉,辽诏明年改元天庆。

庚戌,改谥靖和皇后为惠恭。

以吕惠卿为观文殿学士、知大名府。

罢内藏东北出剩盐钞及六路上供钱钞。

是岁,夔州江水溢。海水清。

出宫女四百八十六人。

南丹州内附。

辽境内大饥,惟保静军马人望所治,粒食不阙,路不鸣桴。遥授人望为彰义军节度使。时谷价翔踊,宿卫士多不给,萧托斯和出私廪周之;旋召知南院枢密使事。

【译文】

宋纪九十　起丁亥年(公元1107年)正月,止庚寅年(公元1110年)十二月,共四年。

大观元年　辽乾统七年(公元1107年)

春季,正月,戊子朔(初一),大赦天下。

甲午(初七),中太一宫使、魏国公蔡京,复职为尚书左仆射兼门下侍郎。

庚子(十三日),皇帝御笔手诏:“议礼局依旧在尚书省设局,仍然派两制官员二人详细审议,所属官员五人整理,凡属礼法制度,可以说明本末,商议定下后取旨。”

甘露降到帝鼐中,群臣称贺。

壬寅(十五日),尚书左丞吴居厚因为年老让位,免职改任东太一宫使。

壬子(二十五日),任命何执中为中书侍郎,邓洵武为尚书左丞,户部尚书梁子美为尚书右丞。

梁子美原先担任河北都转运使,拿出全部漕费事奉皇帝,以至捐献缗钱三百万购买北地的珍珠呈献,因此各路转运司都效仿他,争相进献超额财物。这种珍珠产自女直部落,梁子美是向辽国购得。辽国贪求利益,虐使女直人捕海东青来寻找珍珠,女直很痛恨他们。而梁子美处身显贵。

海南儋州东坡书院载酒亭　北宋

本月,辽国主在鸭子河钓鱼。

二月,已未(初二),下诏规定道士排列位置在僧人之前,道姑排在尼姑之前。

壬戌(初五),改封向宗回为安康郡王。

甲子(初七),诏令:"淮南、两浙所有私自铸造的钱,限在一季度内自首交纳;期限满不自首,都按私铸钱的法令处理。所交纳的私铸钱,都允许送往京畿钱监改铸御书当十钱。"

因为黎洞献纳土地,特赦广西。

乙亥(十八日),恢复医学科。

已卯(二十二日),恢复实行方田法。

丙戌(二十九日),封昌平韦氏为才人。

凤翔府的于仙姑,被授予清真冲妙先生称号。不久派李瑰带皇帝亲封的香到凤翔太平宫等处道场,并就地宣布于仙姑赴朝廷。

还有虞仙姑,年纪八十多岁,容貌举止像少女,奉行大洞法。一天,皇帝读《大洞经》,抬头,看见有仙官侍立在旁。蔡京曾经备饭招待仙姑,见到大猫,指着问蔡京说:"认识它吗?这是章惇。"意在讽谕蔡京,蔡京大不高兴。皇帝曾向仙姑询问让天下太平的办法,回答说:"应当任用贤人。"皇帝说:"贤人指谁?"回答说:"范纯粹就是。"皇帝告诉蔡京,蔡京说:"这是元祐臣僚所指使。"就赶走她。因此士大夫争相说虞仙姑也加入了元祐奸党了。

辽国主驻扎在大鱼泺。

三月,己丑(初三),皇帝临幸金明池,给宰相蔡京等赐宴席。

丁酉(十一日),尚书右仆射赵挺之免职改任佑神观使。任命何执中为门下侍郎。邓洵武为中书侍郎,梁子美为尚书左丞,吏部尚书朱谔为尚书右丞。朱谔出自蔡京门下,善于钻营依附,所以有此任命。

任命蔡攸为龙图阁学士兼侍读。

甲辰(十八日),诏令按八种行为标准录取士人。善待父母为孝,善待兄弟为悌,善待内亲为睦,善待外亲为姻,对朋友守信义为任,在本州本地行仁义为恤,知道君臣道义关系为忠,明白义和利的区别为和。孝、悌、忠、和为上,睦、姻为中,任、恤为下。又制定不忠、不孝、不悌、不和、不姻、不睦、不任、不恤的刑律。触犯八种刑律的,县令、县佐和知州、通判将他们的事实自己记录在名册上,报给学校。所有进学校的,不睦的经过十年,不姻的经过八年,不任的经过五年,不恤的经过三年,能改过自新不再犯罪而有两种品行的事实,由年长的邻里和联保五户申报到县,县令、县佐审察后准许入学;在学校一年,又没有犯第三等罪行,可以允许列入普通学生行列。

癸丑(二十七日),观文殿大学士、佐神观使赵挺之去世。赠官司徒,谥号清宪。

任命叶梦得为起居郎。叶梦得依附蔡京,得以担任祠部员外郎。蔡京罢免宰相职,赵挺之改变他所办的事;等到蔡京再次担任宰相,又恢复先前政务。叶梦得入朝奏对,于是说:"陛下前时建立施行的政务,是出于陛下呢,还是出于大臣呢?怎么可以因为大臣的任免而有所变更呢!"皇帝所以有这项命令。

夏季,四月,乙丑(初九),封淑妃王氏为贵妃。

五月,乙丑(初四),朝散郎吴储,承议郎吴侔,因为与弄妖术的人张怀素谋反获罪,被杀。

张怀素案发,蔡京想用来罗织吕惠卿的罪名,关他的儿子吕渊到监狱,抽打几千下,想他招供与张怀素谋反,吕渊不服,得以幸免。这一天,吕惠卿被贬责为祁州团练副使,宣州安置,是因为他上表自我检讨时,包庇他的儿子,没有指责自己的话而获罪。

庚寅(初五),中书侍郎邓洵武免职。张怀素案,朝中的人株连很多,而邓洵武的妻吴氏,是吴侔的女儿,受株连出知随州,提举明道宫。

甲午(初九),诏令向天下颁布新乐。

癸卯(十八日),诏令:"从今凡总管一路以及监司的职务,不要以持有元祐学术观点和不同政见的人充任。"

因为安化蛮族侵犯边境,增兵到广西讨伐他们。

乙巳(二十日),皇子赵构出生,是才人韦氏所生。不久进封韦氏为婕妤。

六月,己未(初四),任命梁子美为中书侍郎。

壬戌(初七),诏令在景灵宫建立僖祖的殿室。

甲子(初九),在黎族人居住地建立庭、孚两个州。

庚午(十五日),命令各州学将御制的八种品行、八种刑律刻在石碑上,是采纳江东转运副使家彬的提议。

癸酉(十八日),赐给上舍生二十九人及第资格。

乙亥(二十日),尚书右丞朱谔去世。赠官光禄大夫,谥号忠靖。朱谔先叫朱绂,因为与在党籍的人同名,所以改名字。

本月,任命蔡薿为给事中。

蔡薿以学录身份考试策问,揣测蔡京将重新起用,就对答说:"熙宁、元丰朝的业绩,足以和天相比,不幸接着是元祐朝;绍圣朝对新法的继承,足以长久依靠,不幸接着是靖国朝。陛下两次下达求贤的诏书,希望听到至诚之言,收到实际效果;但在元符末年出现的一些人,正庆幸时政大变而放肆散布邪恶言论,找机会提出异端邪说,诋毁诬蔑先朝功业,毫不顾忌,动摇国政,毫不畏惧,希望迎头在还未到之前断绝其根源。"因此被提升为第一名,将所应对的话颁发全国。刚脱下布衣为官,就任命为秘书正字,不到一年位至侍从,此前从没有过。

辽国主到达散水原。

辽国耶律孟简为六部院太保,办事不按条令,当时的人笑他迂。孟简听到此话,说:"上古时,没有文书法令而天下安宁。因为文书法令,正会滋长奸邪侥幸,不是圣人达到治理的本来办法。"随即改任高州观察使。

秋季,七月,乙酉朔(初一),伊水、洛水溢出。

戊子(初四),诏令清查本国漏登记的丁口。

壬寅(十八日),向州郡颁行祭服制度。

乙巳(二十一日),贤妃武氏薨逝。

丙午(二十二日),臣僚说:"苏州钱法的破坏,始于蔡渭,到蹇序辰成事,两人的罪行相当;而小平钱的祸害,又出自蹇序辰。蔡渭已经给予除名勒停处罚,送往蔡州编管,而蹇序辰只贬官三级,安然居住在条件好的郡。罪行相同,处罚不一样,士人议论都很疑惑。"诏令:"蹇序辰贬责授予单州团练副使,江州安置。"

崇宁年间更改钱法,以一当十,百姓贪利犯法的人很多。有被捕获的,将几大瓮钱诬蔑为是枢密章楶的儿子章绖所铸造的。

章绖,是刘逵的妻兄,蔡京怨恨刘逵,因而兴起狱案。先派监察御史张茂直到平江拘捕,案子办来,章绖不服。再派侍御史沈畸,沈畸到达后,抓获的数百人,全部释放,感叹说:"作为天子的耳目官,就能够依附当权显要,杀人以图得富贵吗!"就查明实情,平反上报。蔡京大怒,另外派遣官员罗织案子,章绖最后流放到海岛,抄没他的家。因此臣僚对皇上说:"沈畸去年春天曾经密封奏事,诋毁朝廷法度,意图在于迎合大臣,怀有奸邪之心提出异议。"下诏贬沈畸监信州酒税,不久去世。

辽国主到达黑岭。

辽国主因为漠南大风毁坏牧草,马死亡很多,拘捕马群太保萧托斯和,鞭打三百下,免去官职。

八月,乙卯(初二),太中大夫、提举崇福宫曾布在润州去世。

丁巳(初四),封皇子赵构为蜀国公。

庚申(初七),任命户部尚书徐处仁为尚书右丞,兵部尚书林摅同知枢密院事。

张怀素弄妖术的事被发觉,林摅以开封尹的身份与中丞余深一起查处,得到官吏、百姓的书信、章疏数百封,林摅请求全部焚毁以安抚心中不安的人。众人称赞他是宽厚的人,殊不知蔡京与张怀素交游最密切,林摅实际是为蔡京考虑疏通。蔡京很感激他,以办案公平名义,连提数职,到此时就进入枢密府。

己巳(十六日),下达德音诏书到淮、海、吴、楚二十六州,减免囚徒罪行一级,流刑以下的释放。

九月,庚寅(初七),在陈桥建立显烈观。

己酉(二十六日),加封僖祖的谥号称立道肇基积德起功懿文宪武睿和至孝皇帝。朝献景灵宫。

庚戌(二十七日),祭飨太庙。

辛亥(二十八日),祭飨明堂,大赦天下。

将永兴军升格为大都督府。

章绛因为触犯法令获罪,流放到海岛。李景直等四人,以上书观望的罪名,都编管到岭南。

庚子(十七日),宣义郎致仕程颐去世,时年七十五。

程颐无书不读,他的治学本于诚心,以《大学》《论语》《孟子》《中庸》为依据,而通达《六经》。举止言行,一律以圣人为榜样。曾说:"我对人没有什么贡献,只有编录圣人留下的著作,算是有所弥补罢了。"平生诲人不倦,从他门下出来的学生,影响所及,都成为名士,谢良佐、游酢、吕大临、尹焞、杨时尤其著名。世人称程颐为伊川先生。

冬季,十月,己未(初七),诏令:"士人中有才干武艺出色的人,每年贡选,按文士上舍生上等的办法办理。"

庚申(初八),皇帝赐下和蔡京的《君臣庆会阁落成诗》。

辛酉(初九),苏州发生地震。

乙丑(十三日),提举崇福宫张商英,贬责授予安化军节度副使,归州安置,是因为臣僚说他罪行大处罚轻的缘故。

己巳(十七日),下大冰雹。

辽国主拜谒乾陵,并在医巫闾山打猎。

闰月,丙戌(初四),任命林摅为尚书左丞,资政殿学士郑居中为同知枢密院事。

当初,郑居中自称是郑贵妃堂兄弟,贵妃家世低微,也依靠郑居中来抬高自己,因此连连提升到了翰林学士,任命为同知枢密院事。这时郑贵妃在后宫中最受宠,对郑居中无所依赖,就用宦官黄经臣的计策,以外戚掌权的理由,改任他为资政殿学士、中太一宫使兼侍读。蔡京再次执政,郑居中帮助很多,向蔡京要求丰厚的报答,蔡京说枢密府本是管军务的地方,与三省不同,不要担心有用亲信的嫌疑,黄经臣极力反对此说,蔡京的话没有起作用,郑居中怀疑他不帮助自己,开始怨恨他,就和张康国离间蔡京。都水使者赵霖,在黄河得到两头龟,作为祥瑞献上,蔡京说:"这是齐小白所说的象罔,看见它能称霸。"郑居中说:"哪能有两个头!看到的人都惊骇,而唯独蔡京主张那个说法,定有不测之心。"皇帝命令丢弃在金明池中,说"居中爱我",就重申原先的任命。

乙未(十三日),诏令:"郡守、县令以户口数考核等次。"

将桂州升格为大都督府,在黎母山中心建立镇州,赐给驻军匾额为靖海,是采用了知桂州王祖道的计策。

乙巳(二十三日),将太原府、邓州一并升格为大都督府。

十一月,壬子朔(初一),出现日食。蔡京以没有到达食亏的位置为由,率领群臣祝贺。

癸亥(十二日),下诏令认为"议论礼法应当回溯和继承上古三代的本意,适合当今的时宜,《开元礼》不值得效法。现在亲自制订《冠礼沿革》十一卷,交付议礼局。其余五种礼法命令照此编排。"

乙丑(十四日),设置内外符宝郎。

宋初的宝玺,多是石头制作。元丰年间,诏令按古制制作皇帝六玺,有玉石但没有作成。元符初年,才得到好的玉工雕琢,只是用的叠篆体,玉也不很精良。到此时得到汉代的传国玺,实际上是秦代宝玺,是蓝田玉制作,用的是李斯的鱼虫篆体,玺文为"受命于天既寿永昌"。皇帝只用它的印文而放弃印石不用,因而自己制作受命宝玺,四寸多见方。当时又得到古代的小玉印,印文为"承天福延万亿永无极",皇帝又用它的印文依照李斯的鱼虫体制作宝玺,将近五寸见方大小,都是螭纽,上面的篆文是蔡京让他的儿子蔡絛着意模仿,取名为镇国宝、受命宝,加上先帝的六枚宝玺,共八枚宝玺,命令安排官员掌管印玺。

尚书省说:"现在宫禁中已有常用的宝玺,用处极多,不可改变。希望镇国宝、受命宝都珍藏不用,只是在封禅时使用;皇帝之宝,在回复邻国书信时使用;皇帝行宝,下达御札时使用;皇帝信宝,赏赐邻国书信以及物品时就用它;天子之宝,答复外国书信时就用它;天子行宝,册封时就用它;天子信宝,发动大军时用它;其他情况都用平常使用的宝玺。"同意了这个意见。

己巳(十八日),将瀛洲升格为河间府、瀛海军节度治所。

戊寅(二十七日),尚书右丞徐处仁因为母丧离职。

南丹州地界与宜州以及西南夷接壤,世代为莫氏掌握,自己设刺史署。王祖道想夺取它就捏造他们的首领莫公佞阻止东南州,不让他们献纳土地,于是发兵征讨,抓获莫公佞,将南丹州改为观州,莫公佞的弟弟莫公晟,纠结溪峒报复,侵夺城池,杀刺史,蔡京压下不报。特设置黔南路,统领庭、孚、平、允、从、宜、柳、融、观九个州。

十二月,庚寅(初九)蔡京因为有功加官为太尉,给何执中以下官员升官两级,而且召用王祖道为刑部尚书。

王祖道在桂州四年,用优厚的官爵引诱各夷族,建立城寨,调兵镇守,以车辇往内地运送钱、布、盐、粟,没有限度。当地流行瘴气瘟病,戍守的人十个死亡五六个,实际对朝廷没有一尺土地一个丁口的利益。当时广西转运副使张庄与王祖道内外支持,就让他代替自己的职务。王祖道、张庄既靠超限度的掠取获得显贵美职,因此庞恭孙、赵遹、程邻相继仿效,边境事情更多了。

癸巳(十二日),将江宁、荆南、杭州、越州、洪州、福州、潭州、广州、桂州都作为长官治所。

丁酉(十六日),设置开封府府学。

己亥(十八日),封婉容乔氏为贤妃。

这一年,秦凤路发生干旱。京东路发生水灾,黄河水泛滥,派遣官员赈济,宽免受水灾民户的租税。庐州下豆雨。

乾宁军报告说黄河水变清,超过八百里,共七昼夜,皇帝诏令将乾宁军改为清州。

涪州夷族骆世叶等归附内地,在那里建立珍州、承州二个州,是知州庞恭孙劝诱来的。

太庙斋郎方轸上书说:"蔡京藐视朝廷,心怀不轨,专以继承先帝政务的借口作为为自己谋利的计策,朝内的执政、侍从官,朝外的统帅长官、监司官,无不是他的门人亲戚。蔡京每有奏请,都作御笔诏书发下,对人说'这是皇帝的意图';他日不颁行,又对人说'实际是我这样提出'。好的就称是自己的,过失就说是皇帝的,一定要集天下的怨恨到陛下身上才罢休。自从元符末年陛下继位,忠义的人,投书的无日不有。蔡京将他们分作邪等,发配编管处理,开除出官籍,那么谁肯给陛下讲话呢!蔡京又让儿子蔡攸每天献上花石禽鸟,让陛下不知道天下是治还是乱。臣认为蔡京必定谋反,请求杀掉蔡京以安抚天下!"皇帝下诏将此奏给蔡京看,蔡京要求将方轸下狱,最后流放到岭南。

辽国放榜录取进士李石等一百多人。

大观二年   辽乾统八年(公元1108年)

春季,正月,壬子朔(初一),在大庆殿接受八种宝玺,大赦天下,文武官员进爵位一级。蔡京上表祝贺吉祥征兆。

乙卯(初四),封婉仪刘氏为德妃。

己未(初八),太尉蔡京晋封为太师,加封童贯节度使,仍然担任宣抚使。

庚申(初九),进封京兆郡王赵桓为定王,蜀国公赵构为广平郡王。

戊寅(二十七日),改封向宗回为汉东郡王,向宗良为开府仪同三司。

改封赵怀德为顺义郡王、昭化军节度使、河南蕃部总领。任命河南番将缅什罗蒙为节度观察留后,赐给姓名赵怀忠。

河东、河北出现盗贼。

辽国主到达春州。

二月,甲申(初三),设置各路曹掾官。

丙戌(初五),归州安置张商英移到峡州居住。

甲午(十三日),诏令修建徽猷阁,收藏《哲宗御集》,设置学士、直学士、待制官。

封婕好韦氏为修容。

三月,庚申(初十),向天下颁行《金箓灵宝道场仪范》。

戊寅(二十八日),赐给上舍生十三人及第。

门下中书后省左右司说:"查看今年正月初一敕令文书,'元祐党人,怀有奸邪轻视,报怨不止,公然大肆诋毁诬蔑,罪行有关宗庙国家的,朕不敢宽免。其中或者情节轻处罚重,照例被流放;或者不是自己犯罪,是因为别人获罪;或者本意不是诬蔑诽谤,言辞相近;或者本来是因为辨别道理,语言涉及讥讽;或者只是因为职责,偶然涉及变动。凡此之类,不按原来贬责的罪名,审察核定情节轻重等级,挑出情节轻的,给免除罪名,甄别叙复差遣。'现在将原来编排名册根据赦文,审查出孙固等四十五人。"诏令除孙固、安焘贾、易外,其余都除去名籍。另外,审查到叶祖洽等六人,诏令都除去名籍。

诏令:"监司每年推举部属中郡守两人,县令四人,到三省审察。"

夏季,四月,辛巳(初一),皇帝手诏按先帝养马于农的意愿,招募人提供土地免除租税养马。实行一年,熙河路很见成效。所有县、镇、寨、关、堡官衔内,都加上管句给地牧马事,副职加同管句给地牧马事,以让人人各自知道职责。

丙申(十六日),辽国封高丽国王王俣为三韩国公。

甲辰(二十四日),童贯派统制官辛淑献、冯瓘等收复洮州。

五月,庚戌朔(初一),出现日食。

辛亥(初二),因为收复洮州的功劳,赐给蔡京玉带。当初,神宗皇帝引用唐朝的旧例,将玉带赐给王安石,只佩带三天。到蔡京受赐时,成为常服。

提举京西南路学事路瑗说:"臣所统领的八州三十多县,和各路相比是狭小,学舍中竟达到三千三百余区,教育学生三千三百多人,供给学校的田产等每年收钱、粮六万三千多贯、石。私下估算各路学校学生田产钱粮数目,何止数百万,这是前所未有的。请诏令有关官员统计各路州、军、县文武大小学生以及学费收入花费的实际数目,造出图表上报内库,副本交辟雍保存,并下发到史馆。"同意这个意见。

壬子(初三),谿哥城王子臧征扑哥投降,宋军收复积石军。

臧征扑哥用咒语煽动蕃族,占据谿哥空城。边境官员认为既然能够煽动众人,必定是边境患害,童贯想证实此事,就会合各路进军,并派知西宁州刘仲武出奇兵奔赴谿哥城。臧征扑哥出城投降,加上妇女弱小才二十八人,开始就没有武装。等到擒获后,边境官员夸大功劳,过分编造,用金纸糊桶作为头冠,木椅当胡床,浅红色的绢做伞盖,以上种种都不是羌人物品。捷报传来,蔡京率领百官朝贺。诏送俘虏臧征扑哥到京城,授予正团练使、邓州钤辖;不久死在邓州。

甲寅(初五),恢复各路每年进贡供奉物品。

丁巳(初八),任命童贯为检校司空、奉宁军节度使,是奖赏收复洮州、积石军的功劳。

当初,童贯提议要收复积石军,积石军与西宁接壤,刘仲武到童贯那里商议计策,说:"大兵入境,贼无路可走,必定逃往西夏国,路经西宁,当即拦截抓获;想要投降,就招降收纳他们。或者深入巢穴,可以利用时机;但在河上修桥的事不容易办到,如果上报等待答复,担心失去机会。"童贯批准他随机行事。臧征扑哥果然想投降,请求派一个儿子作为人质,刘仲武就派儿子刘锡前往。而河桥也修成,刘仲武率兵渡河,将臧征扑哥带回,向宣抚司报捷。童贯掩盖他的功劳,只记下修河桥的功劳,刘仲武自己一直不说。后来皇帝派使者带金盏,赏赐先得到积石军招纳投降首领的人,使者查访实际情况,将金盏授予刘仲武,而且召见奏对。皇帝慰劳很长时间,说:"高永年失利,是因为没有采纳卿的意见。今天招纳投降首领,安抚平定黄河南部,都是卿的功劳。"刘仲武拜谢。问他有几个儿子,回答说:"九个儿子。"就任命刘锡为右班殿直、阁门祗候,其余全部补授三班借职;命令刘仲武继续任知西宁州。

壬戌(十三日),诏令临洮城仍旧为洮州,因为收复的功劳,诏令特允许蔡京奏报补一个儿子一个孙子的官职,其余的按照转官施恩。

戊辰(十九日),诏令:"张康国以下各晋升一级官阶。"

己卯(三十日),因为收复的功劳,命令户部侍郎洪中孚奏告天地、宗庙、社稷。

葆真观妙冲和先生刘混康去世,特别赠予大中大夫。

辽国主到散水原消暑。

六月,乙酉(初六),在涪夷地区设置珍州。

壬辰(十三日),辽国西北路招讨使萧迪里率领各蕃部来朝贡。

甲午(十五日),将平夏城改为怀德军。

乙未(十六日),将殿中六尚局、算学、太官局、翰林仪鸾司都划六察隶属。

丙申(十七日),辽国举行射柳求雨仪式。

戊戌(十九日),门下、中书后省左右司按照赦令审查出韩维等九十五人,诏令都除去党人籍。

丁未(二十八日),辽国主到达黑岭。

戊申(二十九日),三省查看正月初一赦令,"所有元祐党人,不论是否存亡及在名籍,可以特别给予叙复官职。"核查前任宰相、执政官现在活着的人有韩忠彦、苏辙、安焘,已死的人有文彦博、吕公著、吕大防、刘挚、曾布、章惇、梁焘、王岩叟、李清臣、范纯礼、黄履。诏令现在活着的人给予恢复一级官阶,文彦博等人也追复官阶不等。

秋季,七月,庚戌(初二),停止修建僖祖的殿室。

乙卯(初七),封婉容王氏为贤妃。

戊辰(二十日),辽国主因为下雨停止打猎。

八月,辛巳(初四),邢州河水泛滥,毁坏百姓房屋,免除受水灾民户的租税。

丙申(十九日),中书侍郎梁子美被免职,改知郓州。

己亥(二十二日),设置保州敦宗院。

九月,辛亥(初四),任命林摅为中书侍郎,吏部尚书余深为尚书左丞。

壬戌(十五日),任命向宗回为太子少保,离职退休。

乙丑(十八日),诏令:"各路州学有藏书阁的,都以经史作阁名。现在崇尚八种品行以启迪众多士人,尊《六经》以排斥百家,史哪里值得说!所有设置藏书阁的地方都赐给阁名为稽古。"

癸酉(二十六日),皇后王氏崩逝。皇后性情恭顺俭朴,郑妃、王妃正得宠,皇后待他们很公平。宦官迎合旨意,有诬蔑皇后过错的,查验没有事实。皇后见到皇帝,不曾谈到,皇帝转而怜惜她。崩逝时年二十五岁。

削去向宗回的官爵。

丙子(二十九日),特赦熙河兰湟路、秦凤路、永兴军路。

冬季,十一月,丁未朔(初一),太白星白天出现。

辛酉(十五日),下诏命令查访古代礼器。

壬戌(十六日),命令讨论臣僚和百姓的祭祀礼仪制度。

乙丑(十九日),上去世的皇后谥号为靖和。

丙寅(二十日),吕惠卿恢复宣奉大夫,提举明道宫,允许随意居住。

戊辰(二十二日),诏令受命印宝增加"镇国"二字。

十二月,己卯(初四),峡州居住张商英,允许随意居住。张商英另有产业在宜都县,向蔡京请求回到那里,蔡京从尚书省下批文同意他的请求,张商英很感激他。

壬寅(二十七日),在永裕陵陪葬靖和皇后。

这一年,同州黄河变清。

西夏人进贡。

涪州夷族任应举、湖南瑶人杨再光归附内地。

知桂州张庄上奏:"安化上三州一镇各蛮献纳土地,共五万多户,二十六万多人,幅员九千多里。"又上奏:"宽乐州、安沙州、谱州、四州、七原等州献纳土地,共计二万人、一十六州、三十三县,五十余峒,幅员万里。"蔡京率百官上表祝贺,说融合与中原不同的风俗,占据天下地域的一半。提升张庄兼任黔南经略安抚使。

渝州蛮赵泰等归附内地,在那里设立溱州。

诏令孔伋附祭于孔子庙庭。

秦州观察使、知府州折克行去世,赠官武安军节度使,任命他的儿子折可大为荣州团练使、知府州。

折克行沉着勇敢有力气,善于安抚士卒,在边境三十年,战功最多。西夏人畏惧他的威名,称为"折家父"。

大观三年 辽乾统九年(公元1109年)

春季,正月,丙午朔(初一),辽国主到达鸭子河。

乙卯(初十),安放靖和皇后的神位在另外的庙堂。己未(十四日),减免两京、河阳囚徒的罪行一级,百姓因为修陵园服役的免除租赋。

丁卯(二十二日),在涪夷居住区设立承州。

甲戌(二十九日),将湟州升格为向德军节度。

二月,丙子朔(初一),播州杨文贵献纳土地,在那里设置遵义军。

丁丑(初二),提举崇福宫仪国公韩忠彦以宣俸大夫衔离职退休。

庚子(二十五日),臣僚上奏说:"知和州胡师文,先前担任发运使,单独提出建议将当二铜钱改铸当十钱。自古收取山利,都是以铜铸钱,没有听说以钱铸钱的。当二钱与小平钱轻重相等,故私钱不禁自止,民间感到方便,这是神宗的好办法。胡师文谄媚迎合大臣,随便变更,将已经实行的当二钱销毁改铸,有见识的一人很痛心。"诏令胡师文免职为提举万寿观。

辽国主到达春州。

三月,丙午(初三),制定海商越界法。

辛酉(十七日),诏令:"四川郡守,都选内地人担任。"

壬戌(十八日),合并黔南路到广西路。

乙丑(二十一日),赐给礼部奏名的贾安宅等六百八十五人进士及第出身资格。小宦官梁师成,也混入进士名籍中。

壬申(二十八日),知枢密院事张康国去世。

张康国开始因为依附蔡京而受到进用,等到在枢密府任职,逐渐自作主张。当时皇帝厌恶蔡京专权跋扈,暗中让张康国阻止他的奸行,而且许以宰相职。蔡京忌恨张康国,就引用吴执中为中丞,吴执中就弹劾蔡京的门客刘昺、宋乔年。皇帝嘉勉吴执中刚直不阿,张康国说:"这是为驱逐臣作铺垫罢了。"不久吴执中将要指论张康国,张康国先知道此事,早上奏事,留下告诉皇帝说:"吴执中今天入朝奏对,必定为了蔡京指论臣,臣愿意避开。"接着吴执中奏对,果然陈述此事,皇帝发怒,罢免吴执中知滁州。到此时张康国退朝前往官署,得了暴病,仰天吐舌头,抬到待漏院就死了,有人怀疑是中毒。

当时童贯权势更大,与黄经臣掌权,中丞卢航内外勾结作恶,官员们侧目而视。右正言陈禾说:"这是国家安危的根本,我担任言官职责,对此不说话,可以吗!"就上疏弹劾童贯、黄经臣恃宠弄权的罪行,希望马上放逐到远方。论奏没有完,皇帝拂衣站起。陈禾拉住皇帝衣裳,请求让他说完,把衣襟扯下了,皇帝说:"正言你弄破了朕的衣裳!"陈禾说:"陛下不惜弄破衣服,臣哪里在乎掉脑袋以报答陛下!这些人今天享受富贵的好处,陛下他日将受到危亡的祸患。"言辞越发急切。皇帝改变面容说:"卿能够这样,朕还有什么担心!"内侍请皇帝换衣服,皇帝拒绝说:"留着以表彰直言的大臣。"次日,童贯等相继到皇帝前申诉,说国家正大治,怎么能有这样不吉祥的话!卢航也奏陈禾狂妄,贬为监信州酒。

夏季,四月,戊寅(初四),中书侍郎林摅被免职。

在集英殿举行传呼召见进士之礼,林摅负责传唱姓名,不认识甄盎的字,皇帝笑着说:"卿错了吧?"林摅不谢罪,还出语诋毁同僚。御史指论他学问浅,傲慢不谦恭,没有人臣的礼节,贬责知滁州,他还对皇帝说:"前不久出使辽国,看见他们国中有二心,如果兼并占有它,情势没有什么不可以。"大概是想报他受的羞辱。皇帝因此开始有北伐的念头。

壬午(初八),五国部向辽国进贡。

癸巳(十九日),任命郑居中为知枢密院事,吏部尚书管师仁同知枢密院事。管师仁,是龙泉人。

癸卯(二十九日),任命余深为中书侍郎,兵部尚书薛昂为尚书左丞,工部尚书刘正夫为尚书右丞。

薛昂与余深、林摅依附蔡京很久,以至全家为蔡京避私讳,有人误提及,就加以鞭责,薛昂曾误提及,马上自己打嘴巴。

五月,乙巳朔(初一),孟翔呈献所画的卦象,说宋将在中间衰微,应该更改年号,改官名,改变日常事务以抑制灾祸。皇帝不高兴,诏令流放他到远方。

丙辰(十二日),命令辟雍宴会使用雅乐。

丁巳(十三日),审查记录囚犯罪状。

戊辰(二十四日),下大冰雹。

六月,甲戌朔(初一),诏令修订乐书。

同知枢密院事管师仁因病免职为佑神观使,不久去世。

乙亥(初二),辽国主在特礼岭消暑。

辽国马群太保萧托斯和免职后,辽国主念他谨慎老实,任命为天齐殿宿卫。

丁丑(初四),尚书左仆射蔡京免职。

中丞石公弼、侍御史张克公弹劾蔡京的罪恶,十数次上奏章,就以蔡京为中太一宫使,恩惠待遇都按现任宰相的规格。石公弼开始与蔡京有联系,所以得到进用。等到担任言职,遇到事情的利弊,就说出不顾忌。免去蔡京执政职后,又上书说吏员冗多,违背元丰旧政,因此皇帝下诏堂选归吏部数十人,罢免宫观数千人,都水知埽六十人,不是大县的都省掉县丞,在京城的茶事归到户部,各道市舶归到转运司,官吏顿时清简。

辛巳(初八),任命何执中为特进、尚书左仆射兼门下侍郎。

泸州夷王募弱归附内地,在那里设置纯、滋两个州。

庚寅(十七日),冀州黄河水泛滥。

太学生陈朝老到朝廷上书说:"陛下了解蔡京的奸邪,解除他的宰相职,天下的人欢欣鼓舞,有如再生。等到以何执中为宰相,朝廷内外灰心失望。何执中虽然不敢公然放肆违法,像蔡京损国害民,然而本质上碌碌平常,没有过人才干。天下败坏到这样,像人一身的腑脏受害已深,岂是庸医所能治好的呢!"疏章奏上,没有考虑。

秋季,七月,丁未(初四),诏令:"在贬谪党籍中除元祐党人以及对宗庙犯下罪行的以外,其余都予录用。"

甲寅(十一日),重新起用张商英提举玉局观。

本月,辽国降霜损伤庄稼。

辽国主因为中京饥荒,命令昭德军节度耶律孟简和学士刘嗣昌一起减低粟价出售,事情没有办完而孟简去世。

辽国漕官促办赋税很急,县令很多被投入监狱。宁远县令康公弼上书朝廷,就释放了他,因此免除了该县的租赋。宁远人感激他,为他建立生祠。

八月,己丑(十七日),嗣濮王赵宗汉去世,哥哥的儿子赵仲增继位。

丙申(二十四日),将融州升格为为清远军节度。

丁酉(二十五日),辽国主因为下雪取消打猎。

己亥(二十七日),宣奉大夫致仕仪国公韩忠彦去世。

冬季,十月,癸丑(疑误),裁减六尚局供奉的物品。

癸酉(初二),辽国主遥祭木叶山。丁丑(初六),免去今年的租税。

十一月，丁未（初七），诏令："算学以黄帝为祖师，风后等八人配祭，巫咸等七十人从祭。"

己巳（二十九日），蔡京被晋封为楚国公，退休，仍主持编修《哲宗实录》，初一、十五上朝。长子蔡攸，任命为枢密直学士，次子蔡儵，任命直秘阁职务。

十二月，甲申（十四日），高丽向辽国进贡，奏请归还女直的九座城。

戊子（十八日），任命张商英为龙图阁学士、知杭州。

己亥（二十九日），取消东南部铸造夹锡钱。

中丞石公弼说："蔡京留在京城，余威还震慑群臣。希望拿出决断，以消除后悔。"侍御史洪彦章说："蔡京结党为奸误害国家，官府和百姓都受害，已经交还官印，还逗留在京城，上怀有借皇上爱惜的意思，内心怀有专横跋扈的志向，希望尽早做出英明决断，遣送出京城。"侍御史毛注说："孟翔以天象来迷惑众人，曾献给蔡京诗，语句涉及不恭顺，蔡京却喜欢而接受了，并以进《易书》的名义而赐给官职，最后导致因为诋毁诬蔑而受重刑，而蔡京不感到羞愧。张怀素用地理风水迷惑众人，蔡京与他交往很熟，蔡京的妻子埋葬的地方和推算日期，都是张怀素主持的，曾经一同游览淮左，题字刻石，后来虽然暗中让人毁掉以隐瞒事实，而众人都知道。至于尚书省处理事务，多不请示皇帝旨意，而直接批下，以行使陛下的威权；加重俸禄给予丰厚的赏赐，对下笼络人心，以行使陛下的赏赐权。林摅跋扈专横是其同党，却安置在朝廷要地；宋乔年像奸雄一样的亲戚，却安置在京府尹的职务。推求他的心思，估量他所做的事情，他的想法有不可估测的地方。现在在京城逗留，长久不离开，他的情形已经可以看到了。"太学生陈朝老又上疏奏蔡京的十四件恶行，请求流放到远方，都没有答复。

本年，江、淮、荆、浙、福建发生大旱，从六月不下雨直到十月。秦州、凤州、阶州、成州发生饥荒，拨给粮食赈济，免除那里的租赋。

陕州、同州段的黄河变清。

辽国放榜录取进士刘桢等九十人。

大观四年　辽乾统十年（公元1110年）

春季，正月，庚子朔（初一），中丞吴执中说："私下听说近来各路按八种品行贡选士人，如亲人病而割上腿上的肉，或者对佛烧炙头顶，或者刺臂出血，或者写青词祈祷，或者不食荤，或者常诵读佛书，以此作为孝行。或者曾经救兄弟溺水，或者与他的弟弟一同居住十多年不分家，以此作为悌。有女儿嫁人，贫困不能自给，接回养在家中，作为善待内亲。又有女婿穷困，收养而教育，作为善待外亲。这些都是人之常情，却以一件事分为睦姻两种品行。曾经一遇到歉收年份，率领大户送粥给饥民吃，而说是恤。那些以粥给饥民吃的人，是大户自己这样做而已，唯独说是恤，能行吗？又有曾经收养一个遗弃的小孩，曾经救一个跛足溺水的人，而作为是恤。如此这些，不可胜数。希望下到太学，使长官副长官和博士官考核道德才艺，辨别是非，澄清冒充的，不要让随意举荐。申令郡县长官以及学事司查核事实，有这样的人就推举，没有这样的人就不要随便贡选，务必遵守旨意，不要失去本意。"同意了这个意见。

辛丑(初二),辽国主预先举行立春的礼仪,到达鸭子河。

癸卯(初四),诏令新设置的河东、河北、陕西各路监停止改铸当十钱。

辛酉(二十二日),诏令:"官吏平民拜僧人的,定为大不恭的罪。"

丁卯(二十八日),西夏来朝贡。

吕惠卿降职授予正奉大夫。侍御史毛注弹劾吕惠卿上表感谢恢复官职,用《诗经》中《风雨》以及《青蝇》《节南山》中的句子,以古代君子自比而用乱世比盛世,罪行不可赦免,所以有此任命。

二月,庚午朔(初一),辽国主驻扎在大鱼泺。

辛未(初二),任命张商英为资政殿大学士、中太一宫使。

当初,张商英担任知杭州,经过朝廷入朝奏对,说:"神宗修订法度,极力去弊兴利罢了。现在确实加以落实执行,那么就完全继承了前朝法度的好处。法度如果有不足,不能不改变,只要不失去其本意就行了。"

戊寅(初九),议礼局上奏:"修撰成《大观礼书》二百三十一卷,《祭服制度》十六卷,《制服图》一册,根据经书考察古事,酌情考虑今天适合的,以纠正沿袭的错误。又别做《看详》十二卷,《祭服看详》二册。"诏令颁行。

庚辰(十一日),撤销京西钱监。

己丑(二十日),任命余深为门下侍郎,资政殿学士张商英为中书侍郎,户部尚书侯蒙同知枢密院事。皇帝曾经从容地问侯蒙说:"蔡京是什么样的人?"侯蒙回答说:"假如蔡京心术公正,即使是古代的贤相怎么能超过他?"蔡京听说了,心中恨他。侯蒙,是高密人。

壬辰(二十三日),停止在河东、河北、京东铸夹锡钱。

癸巳(二十四日),诏令:"方田法,平均了税赋给百姓好处。查访近年以来,有关官员推行不力,监司督促查核不严格,贿赂公开进行,高低等级失实。应严令部属,并希望监司督促考察。"

三月,庚子(初二),招募饥民补入禁军。

诏令:"医学学生并入太医局,算学学生并入太史局,书学学生并入翰林书艺局,画学学生并入翰林画图局,那些学官都罢免。"

甲寅(十六日),敕令所在地方官府赈济流民。

癸亥(二十五日),诏令:"因犯罪被罢废的人略加甄别起用,能够安分守己的,不等满一年,各与叙复进用,以督责后效。"

丙寅(二十八日),赐给上舍生十五人及第资格。

戊辰(三十日),诏令:"上书列入邪下等的人,可以按照对无过错的人的规定,今后改任和升职,都免予提出审查。"

夏季,四月,丙子(初八),五国部长向辽国进贡。

己卯(十一日),向天下颁行乐尺。

癸未(十五日),蔡京呈上所编修的《哲宗实录》。

丙戌(十八日)，辽国主预先举行再生礼仪。癸巳(二十五日)，在北山打猎。

丙申(二十八日)，设立感生帝坛。

丁酉(二十九日)，诏令编修《哲宗正史》。

五月，壬寅(初四)，停止发放僧人度牒三年。

丁未(初九)，彗星在奎宿、娄宿间出现。

甲寅(十六日)，设立词学兼茂科。皇帝认为宏词科不足以招选有文学才能的人，改设立此科，每年和贡士一起参加院试，去掉檄书而增加制诰，考中合格就授予馆阁职务，每年不超过五人。

丙辰(十八日)，诏令因为彗星出现，皇帝避正殿、减免膳食规格，令侍从官直言陈述朝廷的过失。

戊午(二十日)，大赦天下。

壬戌(二十四日)，改广西黔南路为广南西路。

癸亥(二十五日)，处治广西虚报开拓土地的罪行，追贬长官王祖道为昭信军节度副使，流放张庄到永州。

此前御史张克公上奏陈述："蔡京先前担任宰相职务，擅自利用权威，权势震动朝廷内外。随便赏赐损耗国家财物，依靠爵位以换取私人恩德。说财物有积余，都是荒诞；极力夸大以兴事邀得功劳，大肆骚扰。引用小人，作为党羽；借助婚姻，占据要职。以至于勾结豪强大户，兴办产业；役使皇帝的工匠，营造住宅；用国家民力，漕运奇花异石。无有尊重皇帝保护百姓的心愿，只从事营私肥自己的办法。像这样的事，不是一件，已经有臣僚指论，臣不再陈述。至于名义为祝贺皇帝寿辰而修造塔以增加临平山的气势，假托灌溉百姓的土地而放水以符合兴化的谶纬预言；至于侄子蔡俣告发他生事变而称他心理有毛病，受到孟翔的诬语而给予他官爵；赵真以妖术辅助他，张大成暗中揣摩他的奸心。震动惊骇远近的人，听到的人寒心，都足以鼓动迷惑天下，为害很大了。"

甲子(二十六日)，诏令："蔡京特降职授予太子少保，仍旧致仕，在京城外随意居住。"制词大致说："随便给官爵俸禄以换取私人恩德，滥加赏赐以损害国家财物，借助婚姻，暗中布满要职，聚集引用凶邪的人，结合为死党。以至于借方便百姓而放兴化的水，假托祝贺皇帝而装饰临平山，哪里是怀有忠心，简直是求得威福。屡次有祷告的迹象，常有狂悖不顺的嫌疑，虽然只是交出了官印，还长久逗留在家里，高傲不回避，傲慢不悔改，以致上帝心中不满，显示天象来谴责。言官的章疏相继呈上，公众的议论不能容忍，本来想给予恩惠，难以违背法令。应该削夺太师的官秩，让他担任宫保这样的官。聊以安慰公众的议论，还是很宽容的了。"

丙寅(二十八日)，门下侍郎余深免职。余深与蔡京结为死党，蔡京已经离开朝廷，余深自己心中不安，上疏请求免职，就以资政殿学士衔知青州。

六月，庚午(初三)，皇帝御正殿、恢复正常用膳。

甲戌(初七)，辽国主在玉山消暑。

乙亥(初八),任命张商英为尚书右仆射兼中书侍郎。

蔡京长久窃取国权,朝廷内外怨恨。看到张商英能够提出不同意见,更加称赞为贤能,皇帝根据人们的愿望而任命他为宰相。当时长久干旱,彗星出现在天空中,张商英接受任命,当晚彗星就不出现,次日下雨。皇帝大喜,于是书写"商霖"两个大字赐给他。

癸未(十八日),西夏国向辽国进贡。

壬辰(二十五日),向宗回复职为汉东郡王。

甲午(二十七日),准布向辽国进贡。

乙未(二十八日),审查记录囚徒罪状。

丙申(二十九日),门下侍郎薛昂免职改任佑神观使。

秋季,七月,辛丑(初四),诏令暂时停止方田法。

辽国主拜谒庆陵。

己未(二十二日),张商英说:"当十钱,从唐代以来,为害很清楚,今天实行,尤其显出妨碍。因为小平钱带出城门,有限制有禁令,所以四方的商人在交易货物中得到钱的,必定到官府中换盐钞、收买官告度牒,而其余的钱又在街市中流通,所以官府私人,互相得利。自从使用当十钱,一个人背八十千钱,小车可以装四百千钱。钱既然成为轻便携带的东西,那么告牒就难以出售,盐钞不是按虚钱而是按实价就难以流通,是重轻的形势造成这样的。现在想暂且在内库及枢密院各司借支,所有的封桩金银物帛以及盐铁等,下令因为当十钱盗铸假冒损害法令,半年内不再使用;让民间全部送到所在的州军交纳,每十贯由官府支付金银物帛四贯文,选出盗铸的,就近送去改铸小平钱,留下那些符合标准的,等到全部交纳后每十贯作三贯文,各拨回原来借出的地方。这样以后在京城规定旧钱禁止通行,就可以商议专卖货物通商钞法。"

八月,庚午(初四),张商英又说:"陛下英明决断,果断地要改变钱轻物贵的弊端,一时发下德音诏书,捐弃官内库藏的数千万钱财,改当十钱为当三钱。命令下达的当天,朝廷内外欢呼,众口一词。然而在朝廷的奸邪之臣,暗中宣扬说:'不久就会恢复,可以保存等待。'在朝廷外的奸臣,为得到美名对老百姓说:'当三就让你们吃亏,当七才合适。'这样老百姓听到了而附和他们,命令下达五十天,而还没有大信服。希望陛下坚持想法不要改变,让正确的意见最终得到实施,奸邪的人羞愧服从,而消除他们的凶悍不平之气。"

乙亥(初九),任命刘正夫为中书侍郎,侯蒙为尚书左丞,翰林学士承旨邓洵仁为尚书右丞。

戊寅(十二日),裁减朝廷内外的多余官员。

庚辰(十四日),任命资政殿学士吴居厚为门下侍郎。

丁亥(二十一日),实行内外学官选试法。

闰月,辛丑(初五),诏令:"各路政务有对百姓不方便的地方,监司列出奏报。"

辛亥(十五日),辽国主拜谒怀陵;己未(二十三日),拜谒祖陵。

辛酉(二十五日),下诏令禁止结为朋党。

任命张阁知杭州。张阁为了保持受到的宠信,就借辞行那天,请求自己主持花石纲事务,从此进奉更多。

壬戌(二十六日),辽国皇太叔和啰噶跟随国主在庆州打猎,路上去世。

九月,丙寅朔(初一),出现日食。

甲戌(初九),辽国主命令免行重九节礼仪。

冬季,十月,丁酉(初二),册立贵妃郑氏为皇后。皇后是开封人,本来是钦圣殿押班。当初,皇帝封为端王时,经常朝见钦圣太后,太后命令郑氏侍候;等到皇帝即位,就将她赐给皇帝。郑氏性情恭谨,善于顺从皇帝的意志,喜欢读书,能够自己写章奏。皇帝喜欢她的才干,最后册立为皇后。

蔡京免职,知枢密院事郑居中自认为必定得到宰相职,皇帝察觉此情,结果没有用他。到此时又因为是外戚的原因免职改任观文殿学士、中太一宫使。

戊戌(初三),任命吴居厚为知枢密院事。

太白星白天出现。

辽国主驻扎在藕丝淀。

十一月,丁卯(初三),到圜丘祭祀,大赦天下;改次年年号为政和。

甲戌(初十),撤销拱州改为襄邑县。

戊寅(十四日),诏令通州安置的陈瓘给予行动自由。

当初,陈瓘从合浦放回,居住在四明。他的儿子陈正汇因公到余杭,刚好听到蔡崇很诧异蔡京有动摇太子地位的话,陈正汇当天就向杭州长官蔡薿汇报。蔡薿刚与蔡京结为死党,就拘捕陈正汇送到京城,而送快信给蔡京,让他预先想办法。事情交给开封府办案,知开封府李孝称,是严酷的官吏,就同时下令明州拘捕陈瓘,士人百姓哭着送他,陈瓘面色不改,被抓到监狱后,对他的儿子笑着说:“不肖的儿还烦我来一趟。”李孝称胁迫陈瓘让他证实陈正汇是胡说,陈瓘说:“陈正汇听说蔡京将对社稷不利的话,在道路上流传,就自己去报告,我陈瓘不知道。忘掉父子的恩义而指责他是胡说,那么情理上不忍心;带有私情来与他的说法相符,又在道义上不应该做。况且不欺骗不要有二心,是平时用来事奉皇帝、教育子女的,难道能在利害的关头有所贪求惧怕,自己违背那些话吗!蔡京奸诈邪恶,必定成为国家的祸害,陈瓘我本来在谏官职上弹劾过,也不是等到今天才讲的。”当时内侍黄经臣监督查处,听到他的回答,失声叹息,对陈瓘说:“皇上正想知道实际情况,右司就按此奏对。”办好案子,最后以陈正汇言过其实定罪,流放到海岛,而对陈瓘也有通州安置的命令。到此时才允许他自由行动。

十二月,己酉(十五日),辽国下诏次年改国号为天庆。

庚戌(十六日),改上靖和皇后谥号为惠恭。

任命吕惠卿为观文殿学士、知大名府。

废止内库所藏东北出剩盐钞和六路上供钱。

本年,夔州长江水泛滥。海水变清。

放出宫女四百八十六人。

南丹州归附内地。

辽国境内发生大饥荒,只有保静军马人望所治理的地方,一粒粮食也不缺,路上没有击鼓申报的。辽国主遥授马人望为彰义军节度。当时粮价飞涨,宿卫士卒很多不能保证供给,萧托斯和拿出私人仓库的粮食周济他们;不久召任知南院枢密使事。

续资治通鉴卷第九十一

【原文】

宋纪九十一　起重光单阏【辛卯】正月,尽阏逢敦牂【甲午】十二月,凡四年。

徽宗体神合道骏烈逊功　圣文仁德宪慈显孝皇帝

政和元年　辽天庆元年【辛卯,1111】　春,正月,己巳,以贤妃王氏为德妃。

辛未,诏:"诸路州、军学生不及八十人处,不置教授;若熙、丰曾置教授者,虽人少,自合存留。"

壬申,毁京师淫祠一千三十八区。

丙戌,废白、龚二州。

壬辰,诏百官厉名节。

陈瓘尝谓绍圣史官专据王安石《日录》改修神宗史,变乱是非,不可传信,乃作《尊尧集》,深明诬妄,以正君臣之义。张商英奏请下明州取其书,送编修政典局。

是月,辽主钓鱼于鸭子河。

二月,壬寅,册皇后。

乙巳,诏陕西、河东复铸夹锡钱。

丙午,以太子少师郑绅为开府仪同三司。

辽主如春州。

三月,癸亥朔,御制书《政和新修五礼序》,议礼局请刻石于太常寺,许之。

以新知大名府吕惠卿为醴泉观使。

己巳,诏监司督州县长吏,劝民增值桑柘,课其多寡为赏罚。

癸酉,以吏部尚书王襄同知枢密院事。

乙亥,五国部长贡于辽。

夏,四月,乙卯,罢陕西、河东铸夹锡钱。

丙辰,虑囚。

立守令劝农黜陟法。

五月,癸亥,诏:"四川羡馀钱物归左藏库。"

2031

戊辰,诏:"见在当十钱并作当三行使,以为定制。"

己卯,东南有星昼陨。

丁亥,解池生红盐。

是月,再下通州取陈瓘《尊尧集》送编修政典局。

辽主清暑于散水原。

六月,甲寅,复蔡京为太子少师。

秋,七月,癸未,废平、从二州为砦。

戊子,醴泉观使吕惠卿,守本官,致仕。

八月,乙未,复蔡京为太子太师。

丁巳,尚书右仆射张商英罢,中丞张克公论给事中刘嗣明以缴驳事降官,商英理屈故也。

商英为政持平,谓蔡京虽明绍述,但借以劫制人主,禁锢士大夫耳。于是大革弊事,改京所铸当十大钱为当三以平泉货,复转般仓以罢直达,行盐钞法以通商旅,蠲横敛以宽民力,劝帝节华侈,息土木,抑侥幸,帝颇严惮之。尝葺升平楼,戒主者遇丞相导骑至,必匿匠楼下,过则如初,时称商英忠直。然意广才疏,凡所当为,先于公座诵言,故不便者得预为计。初,何执中与蔡京同相,凡营立皆预议,至是恶商英出己上,与居中日夜酝织其短,先使言者论其门下客唐庚,窜之惠州。又,帝在潜邸,方伎郭天信言当履天位,及践阼,颇眷宠之,商英因与往来,事觉,帝不悦,居中乃讽克公以嗣明事论之,遂罢政,出知河南府。

戊午,诏:"监司,部内官吏,一岁中有犯罪至三人以上,虽不及三人而或有尝荐举者,罪及监司。"

九月,辛酉朔,诏张商英落观文殿大学士,改知邓州;壬申,复降授大中大夫,仍知邓州。校书郎李士观、辟雍博士尹天民,并送吏部,与合入差遣。以刘嗣明奏商英擅便降敕,令天民、士观编类御前文字也。

戊寅,同知枢密院事王襄罢,知亳州。

辛巳,诏:"陈瓘自撰《尊尧集》,语言无绪,并系诋诬,合行毁弃;仍勒停,送台州羁管,令本州当职官常切觉察,不得放出州城,月具存在申尚书省。"于是行移峻急,所过州县,皆以兵甲防送,不得稽留。至台久之,人莫敢以居屋借赁者,暂馆僧舍。而郡守以十月之法,每令厢巡起遣,十日辄移一寺。数月后,朝廷起迁人石悈知州事,且令赴阙之官。悈既视事,遣兵官约束,毋得出入,又置逻卒前后巡察,钞录宾客书问之往还者。寻令兵官突入所居,搜检行李,摄瓘至州庭,大陈狱具,将胁以死。瓘揣知其意,大呼曰:"今日之事,岂被旨邪!"悈失措曰:"朝旨欲取《尊尧集》耳。"瓘曰:"君知《尊尧》所以立名乎?盖以神考为尧,而以主上为舜也。助舜尊尧,何谓诋诬!时相学术浅短,为人所愚;君所得几何,乃亦不畏公议,干犯名分乎!"悈惭,屡揖瓘退,终不能害瓘。何执中怒,遂罢悈,瓘由是得免。

童贯既得志于夏,遂谓辽亦可图,因请使辽以觇之,乃以端明殿学士郑允中充贺生辰使,而贯副之。或言:"以宦官为上介,国无人乎?"帝曰:"辽人闻贯破羌,故欲见之;因使觇其国,策之善者也。"遂行。

童贯至辽,辽君相聚指笑曰:"南朝人才如此!"然辽主方纵肆,贪得南方玉帛珍玩,而贯所赏皆极珍奇,至运两浙髹漆之具以为馈。辽主所以遗贯者亦称是。

冬,十月,庚寅朔,观文殿学士、光禄大夫、致仕吕惠卿卒。赠开府仪同三司,谥文敏。

惠卿负恩排王安石,众皆薄之,虽章惇、曾布、蔡京当国,咸畏恶其人,不敢引入朝,以是转徙外服,讫于死云。

辛卯,以用事之臣多险躁朋比,下诏申儆。

辛亥,知邓州张商英责授崇信军节度副使,衡州安置;单州安置张天信责授昭化军节度行军司马,移新州安置。以开封狱成,商英、天信尝令余负、僧德洪、彭几往来交结,臣僚再论列,故有是责。

辽主驻藕丝淀。

乌尔古德啰勒部叛辽,辽主以耶律棠古为乌尔古节度使。至部,谕降之,遂出私财及发富民积以赈其困乏,部民大悦。加镇国大将军。

十一月,壬戌,诏:"上书邪等及曾经入籍人,并不许试学官。"

丙子,臣僚言迩英讲经,其音释意义,当并以王安石等所进经义为准,从之。

乙酉,京畿提举学事林震乞自今应以八行延入县学者,并以州学外舍生例给食,从之。

十二月,己酉,诏台谏以直道核是非,毋惮大吏,毋比近习。

辛亥,废镇州,升琼州为靖海军。

乙卯,臣僚言:"陈瓘《尊尧集》十卷,大纲取《日录》之事,解释成文,有论及王安石事。臣虽不见其全文,但瓘在建中靖国间,尝以安石《日(历)〔录〕》为不然。昨来大臣领政典局,知瓘素有异论,欲助成非谋,故下瓘家取索。望特旨严赐禁约,不得传习;如有已曾传录之家,并乞立限缴纳,仍下瓘家取索稿本,一切焚毁。"诏依奏。

辽以知黄龙府事萧乌纳为东北路统军使。上书曰:"臣治与女直接壤,观其所为,其志非小,宜先其未发,举兵图之。"章数上,皆不听。

燕人马植,本辽大族,仕至光禄卿,行污而内乱,不齿于人。童贯使辽,道卢沟,植夜见其侍史,自言有灭燕之策,因得见贯。贯与语,大奇之,载与俱归,易姓名曰李良嗣,荐诸朝。植即献策曰:"女直恨辽人切骨,而天祚荒淫失道,本朝若自登、莱涉海,结好女直,与之相约攻辽,其国可图也。"议者谓祖宗以来虽有此道,以其地接诸蕃,禁商贾舟船不得行,百有馀年矣,一旦启之,惧非中国之利,不听。

帝召植问之,植对曰:"辽国必亡。陛下念旧民遭涂炭之苦,复中国往昔之疆,代天谴责,以治伐乱,王师一出,必壶浆来迎。万一女直得志,先发制人,事不侔矣。"帝嘉纳之。赐姓赵氏,以为秘书丞。图燕之议自此始。

二年　辽天庆二年【壬辰,1112】　春,正月,己未朔,辽主如鸭子河。

甲子,制:"上书邪等人并不除监司。"

丁丑,五国部长朝于辽。

癸未,诏:"释教修设水陆及祈禳道场,辄将道教神位相参者,僧尼以违制论;主者知而不举,与同罪。著为令。"

二月,戊子朔,诏:"太子太师致仕蔡京,两居上宰,辅政八年,首建绍述,勤劳百为,降秩居外,涉历岁时。况元丰侍从被遇神考者,今则无几,而又累经恩霈,理宜优异。可特复太师,仍为楚国公,赐第京师。"

丁酉,辽主如春州,幸混同江钓鱼,界外生女直部长在千里内者,以故事皆来朝。适遇头鱼宴,酒半酣,辽主临轩,命诸部长次第起舞。独阿古达辞以不能,谕之再三,终不从。它日,辽主密谓北院枢密使萧奉先曰:"前日之燕,阿古达意气雄豪,顾视不常,可托以边事诛之,否则必贻后患。"奉先曰:"粗人不知礼义,无大故而杀之,恐伤向化之心。假有异志,蕞尔小国,亦何能为!"辽主乃止。阿古达之弟乌奇迈等,尝从辽主猎,能呼鹿、刺虎,辽主喜,辄加官爵。

庚子,以婉容崔氏为贤妃。

三月,乙亥,诏蔡京到阙,朝见,引对,拜数特依元丰中文彦博例,许依旧服玉带,遇六参日趁赴起居,在大班退,亲王后入。

己卯,赐礼部奏名进士及第、出身莫俦等七百三十人。

夏,四月,己丑,诏县令以十二事劝农于境内,躬行阡陌,程督勤惰。

辛卯,复行方田。

日中有黑子,乍二乍三,如栗大。

甲午,燕蔡京等于太清楼,帝亲为之记。京又上记,备言宫室服玩之盛。

庚戌,以何执中为司空。

壬子,诏衡州安置张商英许自便。

蔡京言:"商英谴责远方,虽其所犯丑恶,而臣与之同遇先帝,出入三朝,薄有情契,拳拳之私,敢以此请。"故有是命。

五月,己巳,蔡京落致仕,以太师三日一至都堂议事,以尚书省令厅为治所,仍押敕札。

知永嘉县虞防言:"朝廷昨行当十钱,最富国便民之良法也,所贵推行之得其人而已。前日异议之人,务快一日之私,上欺天听,改为当三,亦误国之一也。望特许兴复,以便上下。"诏:"虞防除名勒停,送循州编管。"

(壬申)〔癸未〕,蔡京言:"门下省乃覆驳之地,臣(欲)〔乃〕兼而冒处,实有防嫌,委紊官制,望许臣免书门下省文字。"从之。

旧制,凡诏令皆中书、门下议,而后命学士为之。至熙宁间,有内降手诏,不由中书、门下共议,盖大臣有从阴中而为之者。及蔡京专政,患言者议己,乃作御笔密进,而丐帝亲书以降,谓之御笔手诏,违者以违制坐之。事无巨细,皆托而行,至有不类帝(私)〔札〕者,群下皆莫敢言。自是贵戚近臣争相请求,至使中人杨球代书,号曰"书杨"云。

臣僚上言,以科举废罢县学岁升之法非便,诏:"自今并依大观三年四月以前指挥;其后降指挥,更不施行。"

六月,己丑,以资政殿学士余深为门下侍郎。

庚寅,辽主清暑于南崖。

甲午，和州回鹘贡于辽。

甲辰，准布贡于辽。

乙卯，户部尚书陈显，因对，言再用蔡京，士民失望。帝怒，贬显知越州。显不复仕，归隐四明。

秋，七月，乙丑，辽主猎于南山。

壬申，访天下遗书。

九月，己未，辽主射获熊，宴群臣，辽主自御琵琶相娱乐。

癸未，更定官名。

蔡京率意自用，欲改制以继元丰之政，乃首更开封守臣为尹、牧。由是府分六曹，县分六案，内侍省职，悉仿机廷之号，修六尚局，建三卫郎。遂诏："太师、太傅、太保，古三公之官，今为三师，古无此称，合依三代以三公为真相之任。司徒、司空，周六卿之官，太尉，秦主兵之任，皆非三公，并宜罢。仍立三孤为次相之任。更侍中为左辅，中书令为右弼。尚书左仆射为太宰兼门下侍郎，右仆射为少宰兼中书侍郎。罢尚书令及文武勋官，而以太尉冠武阶。"然是时员既滥冗，名目紊杂，甚者黄冠道流，亦滥朝品，元丰之制，至此大坏。

阿古达自混同江宴归，疑辽主知其异志，遂称兵先并旁近部族。女直赵三阿鹘产拒之，阿古达掳其家属二人，走诉咸州详衮司，送北院枢密使萧奉先，作常事以闻。辽主仍送咸州诘责，欲使自新。后数召阿古达，竟称疾不至。

冬，十月，乙巳，得玉圭于民间，宣示群臣。蔡京、何执中等议，以为："此即禹锡之玄圭，陛下缵禹之绪，行尧之道，故天授以至宝，不胜大庆！"己酉，奏请行授宝之礼，诏不允，自是三上表，从之。

辽主驻奉圣州。

十一月，乙卯，辽主如南京。

己未，置知客省、引进、四方馆、东、西上閤门事。

丁卯，辽主谒太祖庙。

丁丑，御笔言："方田之法，本以均税，有司奉行违戾，货贿公行。豪右形势之家，类蠲赋役而移于下户，致使流徙；常赋所入，亏额致多，殊失先帝厚民裕国之意。已降指挥，权罢方量；有诉讼赋役不均者，且依未方以前旧数。其流移人户，仰守令多方措置，招诱归业。"

戊寅，日南至，受元圭于大庆殿，赦天下。

辛巳，蔡京进封鲁国公。以何执中为太宰、少傅兼门下侍郎。执政皆进秩。

十二月，乙酉，以郑居中为特进。

丙戌，以武信军节度使童贯为太尉。

乙巳，定命妇名为九等。

丙午，宴辅臣于延福宫。

初，蔡京欲以宫室媚帝，召内侍童贯、杨戬、贾详、何䜣、蓝从熙，讽以内中逼窄之状。贯等乃请于大内北拱宸门下，因延福旧名而新作之。五人分任工役，视力所致，争以侈丽高广相夸尚,各为制度,不务沿袭。及成,号延福五位,帝自为文以记之。每岁冬至后即放灯,自东华门以北,并不禁夜。徙市民行铺夹道以居,纵博群饮,至上元后乃罢,谓之先赏。

癸丑,始诏诸路给地牧马。又以诸路马食储积亦艰,沿边土旷,乘春发生,青草茂盛,诸城寨宜分番出牧,就野饱青,晚持草归以充夜秣,则官刍可省,诏陕西诸路相度措置奏闻。

是岁,高丽入贡。

成都路夷人董舜谘、董彦博内附,置祺、亨二州。

辽放进士韩昉等七十七人。

三年 **辽天庆三年【癸巳,1113】** 春,正月,甲子,以天锡元圭,遣官册告永裕、永泰陵。

丙寅,辽赐南京贫民钱。

丁卯,辽主如大鱼泺。

癸酉,追封王安石为舒王,子雱为临川伯。仲春释奠,以兖国、邹国公及舒王配飨文宣王庙。

甲戌,辽禁僧尼破戒。

丙子,辽主猎于狗(干)〔牙〕山。大寒,猎人多死。

丁丑,吴居厚罢,以郑居中知枢密院事。

居厚久居政府,以周谨自媚,一时聚敛者推为称首。至是上章告老,除武康军节度使、知洪州。

庚辰,诏:"议礼局新修《五礼仪注》,宜以《政和五礼新仪》为名。"

二月,甲申,以德妃王氏为淑妃。

庚寅,罢文臣勋官。

崇恩皇太后刘氏,帝以哲宗故,特加恩礼,而后颇(千)〔干〕预外事,且以不谨闻。帝与辅臣议,将废之。辛卯,后为左右所逼,即帝钩自缢而崩,年三十五。

甲午,以辽、女直相持,诏饬河北边防。

丁酉,诏:"百官奉祠禄者,并以三年为任。"

乙巳,增定六朝勋臣一百十六人。

三月,壬子朔,日有食之。

戊辰,升永安县为永安军。

癸酉,赐上舍生十九人及第。

复置算学。

甲戌,左街道录徐知常,特授冲虚先生。

辛巳,诏濮州王老志赐号安泊处士。老志,濮之临泉人,隶东京转运司为书吏。自言常遇钟离真人授内丹要诀,弃妻子,结草为庐,施病者药,喜与人言休咎,颇藉藉有闻,故有是命。

女直阿古达,一日率五百骑突至辽咸州,吏民大惊。翼日,赴详衮司,与赵三等面折庭下,阿古达不屈,送所司问状。一夕遁去,遣人诉于辽主,谓详衮司欲见杀,故不敢留。自是召不复至。

夏，四月，甲申，宣义郎黄冠言：“欲令天下士自乡而升之县学，自县学而升之州学，通谓之选士，其自称则曰外舍生。才之向成，升于内舍，则谓之俊士，自称内舍生。又其才之已成而贡之辟廱，然后谓之贡士，其自称亦以是。”从之。

戊子，作保和殿，总为屋七十五间，上饰纯绿，下漆以朱，无文藻、绘画五采；垣墉无粉泽，以浅墨作寒林平远禽竹；左实典谟训诰经史，右藏三代彝器，东序置古今书画，西序收琴阮笔砚焉。

癸巳，尚书右丞邓洵仁罢知亳州，以臣僚论其缔交黄经臣也。

乙巳，以福宁殿东建玉清和阳宫。

丙午，升定州为中山府。

己酉，以资政殿学士薛昂为尚书右丞。

庚戌，郑居中等奏：“编成《政和五礼新仪》并序例，总二百二十卷，目录六卷，共二百二十六卷，辨仪正误，推本《六经》，朝著官称，一遵近制。”诏令颁降。

闰月，甲寅，诏八行许添差诸州教授，从奉议郎王愈奏请也。

丙辰，改公主为帝姬，郡主为宗姬，县主为族姬。于是民间有无主之说，又言姬者饥也，亦用度不足之谶云。

戊午，复置医学。

辽主欲以严刑威众，会李洪以左道聚众为乱，遂支解之，分示五京。

辛酉，上崇恩皇太后谥曰昭怀。

五月，丙申，升苏州为平江府。

庚子，大盈仓火。

壬寅，以筑溱、播二州，进执政官一等。

丙午，葬昭怀皇后于永泰陵。

丁未，诏尚书内省分六司，以掌外省六曹所上之事，置内宰、副宰、内史、治中等官及都事以下吏员。

己酉，诏颁《大晟乐》于天下，旧乐遂禁。

六月，丙辰，夏国贡于辽。

丁巳，诏：“武学，州县外舍生称武选士，内舍生称武俊士。”

庚申，尚书省言：“县学为升贡之本。今天下令佐，吏部注授，多非其人。俗吏则以学为不急，不加察治，纵其犯法；庸吏则废法容奸，漫不加省，有罪不治。以故学生在学，殴斗争讼，至或杀人。盖令佐不加训治，州学不切举察，提举官失于提按，以致败坏如此。今立法整饬，乞赐指挥施行。”从之。

癸亥，祔昭怀皇后神主于太庙。

辛未，张商英特责授汝州团练副使。

秋，七月，癸未，升赵城县为庆祚军。

甲申，还王珪、孙固赠谥，追复韩忠彦、曾布、安焘、李清臣、黄履等官职。

己亥，诏："于编类御笔所置礼制局，讨论古今沿革，具画来上，朕将亲览，参酌其宜，以革千古之陋，成一代之典，庶几先王垂法后世。"

崇宁以来，稽古殿多聚三代礼器，若鼎、彝、簠、簋、牺、象、尊、罍、登、豆、爵、斝、璲、觯、坫、洗，凡古制器悉出，因得见商、周之旧，始验先儒所传大讹。至是既置礼制局，乃请御府所藏，悉加讨论，尽改以从古，荐之郊庙，焕然大备。有万寿玉尊者，大犹四升器，雕琢殊绝。玉坫阔盈尺有二寸，帝每祭祀饮福，大朝会，爵群臣则用焉。其它多称是。至其制作之精，殆与古埒，自汉以来，未之有也。中书舍人翟汝文奏乞编集新礼，改正《三礼图》以示后世，卒不果行。

庚子，贵妃刘氏薨。

壬寅，复置白州。

辽主如秋山。

八月，甲戌，以燕乐成，进执政官一等。

丙子，以何执中为少师。

丁丑，升润州为镇江府。

戊寅，封四镇山为王。

九月，庚寅，诏大理寺开封府不得奏狱空，其推恩支赐并罢。

辛卯，召王老志赴阙；丁酉，封为洞微先生。老志所居地必生花，谓之地锦。至京师，馆蔡京赐第南园，士大夫阗门。数召对禁中，帝手书"观妙明真"之号赐之。

戊戌，追册贵妃刘氏为皇后，谥曰明达。

辽主如藕丝淀。

冬，十月，戊申朔，元观法师程若(清)〔虚〕，封宝箓先生。

庚戌，手诏曰："朕荷天顾谌，锡以元圭，外赤内黑，尺有二寸，旁列十有二山，盖周之镇圭有法乎是。祗天之休，于以昭事上帝而体其道，过周远矣。将来冬祀，可搢大圭，执镇圭，庶格上帝之心，敷佑于下民，永为定制。"

乙丑，阅新乐器于崇政殿，出器以示百官。

戊辰，诏："冬祀大礼及朝景灵宫，并以道士百人执威仪前导。"

十一月，辛巳，朝献景灵宫。

壬午，飨太庙，加上神宗谥曰体元显道法古立宪帝德王功英文烈武钦仁圣孝皇帝。改上哲宗谥曰宪元继道世德扬功钦文睿武齐圣昭孝皇帝，于神宗加"法古立宪"四字，哲宗改"显德定功"曰"世德扬功"，皆蔡京所为，以彰绍述之义也。

癸未，祀圜丘，大赦天下。

帝有事于南郊，蔡攸为执绥官。玉辂出南薰门，帝忽曰："玉津园东若有楼台重复，是何处也？"攸即奏："见云间楼殿台阁，隐隐数重，既而审视，皆去地数十丈。"顷之，帝又问曰："见人物否？"攸即奏："有道流童子持幡节盖，相继而出云间，衣服眉目，历历可识。"乙酉，遂以天神降,诏告在位,作《天真降临示见记》。帝常梦被召,如在藩邸时,见老君坐殿上,仪卫如王者,谕帝曰:"汝以宿命,当兴吾教。"帝受命而出,梦觉,记其事。及是冬祀,王老志亦从。帝在太庙小次中,老志曰:"陛下昔梦,尚记之乎? 时臣在帝旁也。"黎明,出南薰门,见天神降于空中,议者谓老志所为。道教之盛自此始。

己丑,以贤妃崔氏为德妃。

壬辰,筑祥州。

甲午,辽以三司使虞融知南院枢密使事,西南面招讨使萧乐古为南府宰相。

知枢密使事耶律俨有疾,辽主命乘小车入朝,疾甚,遣太医视之。

己亥,诏有官人许举八行。

是月,大雨雪,连十馀日不止,平地八尺馀,冰滑,人马不能行,诏百官乘轿入朝。

十二月,癸丑,诏天下访求道教仙经。

甲寅,辽以枢密直学士马人望参知政事。人望有操守,未尝附丽求进。至是人贺,人望愀然曰:"得勿喜,失勿忧,抗之甚高,挤之必酷。"其畏慎如此。

河北转运判官张孝纯言:"《周官》以六艺教士,必射而后行。古者诸侯贡士,天子试之于射宫。乞诏诸路州郡,每岁荐贡士于国学,因讲射礼。"从之。

乙卯,诏天下贡医士。

丙辰,辽知枢密院事耶律俨卒。赠尚父,谥忠懿。俨颇以廉洁闻,顾不能以礼正家,藉以固宠,闻者鄙之。北院枢密使萧奉先,素与俨相结,俨死,荐其侄李处温为相,俨本姓李也。处温因奉先有援己力,倾心阿附,而贪污尤甚,凡所接引,类多小人。

辛酉,太白昼见。

癸亥,高丽贡于辽。

辽生女直部节度使乌雅舒,梦逐狼,屡发不能中,阿古达前,射中之。旦日,以所梦问僚佐,皆曰:"吉,兄不能得而弟得之之兆也。"是月,乌雅舒卒,阿古达袭位为达贝勒。辽使阿勒博往谓之曰:"何故不告丧?"阿古达曰:"有丧而不吊,而乃以为罪乎?"它日,阿勒博径至乌雅舒殡所,阅赠马,欲取之,阿古达怒,将杀之,宗雄谏而止。宗雄本名摩啰欢,乌雅舒之长子也。

阿古达欲伐辽而未决,乃之完颜部,谓都古噜纳曰:"辽名为大国,其实空虚,主骄而士怯,战陈无勇,可取也。吾欲举兵而西,君以为何如?"都古噜纳曰:"以公英武,士卒乐为用。辽帝荒于畋猎,政令无常,易与也。"阿古达然之。

是岁,江东旱。

四年 辽天庆四年【甲午,1114】 春,正月,戊寅朔,置道阶六字先生至额外鉴议品秩,比视中大夫至将仕郎,凡二十六等,并无请给人从及不许申乞恩例。

甲申,知秦州胡师文进中奉大夫,以讨论元圭推赏也。

辛丑,王老志加号观妙明真洞微先生。

甲辰,通判开(德)〔府〕王景文,转奉直大夫,与知州差遣,仍赴召都堂,以元圭得其家也。

是月,辽主如春水。

二月,丁巳,赐上舍生十七人及第。

癸亥,改滑井监为长宁军。

癸酉,皇长子桓冠。

三月,丙子朔,以淑妃王氏为贵妃。

丁丑,诏:"诸路应小学生及百人处,并增差教谕一员。"

辛卯,诏:"诸路监司,每路通选宫观道士十人,遣发上京,赴左右街道录院讲习科道声赞规仪,候习熟遣还本处。"

夏,四月,庚戌,幸尚书省,以手诏训诫蔡京、何执中,各官迁秩,吏赐帛有差。

癸丑,阅太学、辟雍诸生雅乐。

甲寅,尚书省言:"水磨茶场岁收钱约四百万贯以上,比旧已及三倍,不系省钱,别无支用,尚循旧例,只每季泛进,未有月进之数。今欲每月进五万贯,所收钱尚有馀,不至阙少。"诏依所奏,仍自今月为始。

甲子,改戎州为叙州。

五月,丙戌,初祭地祇于方泽,以太祖配。降德音于天下。

辽主清暑于散水原。

六月,戊午,虑囚。

庚午,诏:"小学仿太学立三舍法。"

壬申,以广西谿洞地置隆、兑二州。

秋,七月,丁丑,置保寿粹和馆,以养宫人有疾者。

戊寅,焚苑东门所储药可以杀人者,仍禁勿得复贡。

甲午,祔明达皇后神主于别庙。

辽主好畋猎,怠于政事,每岁遣使市名鹰于海上,道出生女直,使者贪纵,征索无艺,女直厌苦之。乌雅舒尝以辽主不遣阿苏为辞,稍拒其市鹰使者。及阿古达袭节度使,相继遣普嘉努、实古讷等索阿苏,辽主终不许。实古讷归,具言辽主骄肆废弛之状。阿古达乃召其所属,告以伐辽之故,使备冲要,建城堡,修戒器,以听后命。辽主使侍御阿勒博往诘之,阿古达曰:"我,小国也,事大国不敢废礼。大国德泽不施,而逋逃是主,以此字小,能无望乎!若还阿苏,朝贡如故;苟不获已,岂能束手受制也!"阿勒博还,辽主始为备,命统军萧托卜嘉调诸军于宁江州。阿古达闻之,使布萨哈复索阿苏,实观其形势。布萨哈还,言辽兵多,不知其数。阿古达曰:"彼初调兵,岂能遽集如此!"复遣呼实布往。还,言唯四院统军司与宁江州军及渤海八百人耳。阿古达曰:"果如吾言。"谓诸将佐曰:"辽兵知我将举兵,集诸路军备我,我必先发制之,无为人制。"众皆曰:"善!"乃入见颇拉淑妻富察氏,告以伐辽事,富察氏曰:"汝嗣父兄立邦家,见可则行。吾老矣,无诒我忧,汝亦必不至是。"阿古达奉觞为寿,即奉富察氏率诸将出门,举觞东向,以辽人荒肆不归阿苏并已用兵之意祷于皇天后土。酹毕,富察氏命阿古达正坐,与僚属会酒,号令诸部,使博勒和征伊兰古噜讷之兵,执辽障鹰官。

八月,乙巳,改端明殿学士为延康殿学士,枢密直学士为述古殿直学士。

辛亥,诏:"诸路学校及三百人以上者,三分增一分,百人以上者,增一分之半。"

癸亥,定武臣横班,以五十员为额。

九月,辛卯,诏以辟雍大成殿名颁诸路州学。

九月,己亥,诏:"诸路兵应役京师者,并以十月朔遣归。"

是月,女直阿古达举兵伐辽,进军宁江州,次寥晦城。博勒和征兵后期,杖之,复遣督军诸路兵皆会于拉林水,得二千五百人。申告于天地曰:"世事辽国,恪修职贡,有功不省,而侵侮是加。今将问罪于辽,天地其鉴佑之!"遂命诸将传梃而誓曰:"汝等同心尽力,有功者,奴婢部曲为良,庶人官之;先有官者,叙进轻重视功。苟违誓言,身死梃下,家属无赦!"

师将至辽界,先使宗干督士卒夷堑,既度,遇渤海军攻左翼七穆昆,众少却,辽兵直抵中军。呆出战,哲垤先驱,阿古达曰:"战不可易也。"遣宗干止之。宗干驰出呆前,控止导骑哲垤之马,呆遂与遽还,辽兵从之。耶律色实坠马,辽人前救,阿古达射救者,毙,并射色实,中之。有骑突前,又射之,彻札洞胸。色实拔箭走,追射之,中其背,偾而死。宗干与数骑陷辽军中,阿古达救之,免胄战。或自旁射之,矢拂于额,阿古达顾见射者,一矢而毙,谓将士曰:"尽敌而止!"众从之,勇气自倍。辽军大奔,蹂践死者十七八。

萨哈在别路,不及会战,阿古达使人以战胜告。萨哈遣其子宗翰及完颜希尹来贺,且劝称帝,阿古达曰:"一战而胜,遂称大号,何示人浅也!"

军至宁江州,填堑攻城。宁江人自东门出,邀击,尽殪之。辽统军司以闻,辽主射鹿于庆州,略不介意,遣海州刺史高仙寿统渤海军应援而已。冬,十月,宁江州陷,防御使大药师努被获,阿古达阴纵之,使招谕辽人。遂引兵还,谒富察氏,以所获颁宗族耆老。

初,女直部民皆无徭役,壮者悉为兵,平居则渔畋射猎,有警则下令诸部之长,凡步骑之仗粮,皆自备焉。其部长曰贝勒,行兵则称曰明安、穆昆。明安犹千夫长,穆昆犹百夫长也。

辽主闻宁江州陷,召群臣议。汉人行宫副部署萧托斯和曰:"女直虽小,其人勇而善射。我兵久不练,若遇强敌,稍有不利,诸部离心,不可制矣。今莫若大发诸道兵以威厌之。"北院枢密使萧德勒岱曰:"如托斯和之谋,徒示弱耳。但发滑水兵,足以拒之。"乃以司空萧嗣先为东北路都统,萧托卜嘉副之,发契丹、奚军三千人,中京禁兵及土豪二千人,选诸路武勇二千馀人,屯出河店。

乙巳,复置拱州。

十一月,辛巳,观妙明真洞微先生王老志卒。老志乞归,留之不得,寻卒,赐金以葬。

辽都统萧嗣先等将步骑诸军会于鸭子河北,阿古达帅众来御。未至鸭子河,会夜,阿古达方就枕,若有扶其首者三,寤而起,曰:"神明警我也。"即鸣鼓举燧而行。黎明,及河。辽人方坏陵道,阿古达选壮士千人击走之,因帅众继进,遂登岸,与辽兵遇于出河店。会大风起,尘埃蔽天,阿古达乘风奋击,辽兵溃。逐至斡论泺,杀获不可胜计,辽将士得免者十有七人。枢密萧奉先,惧兄嗣先得罪,辄奏:"东征溃军,所至劫掠,若不肆赦,恐聚为患。"辽主从之,嗣先但免官而已。于是诸军相谓曰："战则有死无功,退则有生无罪。"故士无斗志,见敌辄溃。

壬辰,辽都统萧迪里等营于斡论泺,又为女直兵所袭,死者甚众。迪里亦坐免官。

辽人尝言女直兵满万则不可敌,至是始满万云。

十二月,己酉,以禁中神御殿成,减天下囚罪一等。

癸丑,定朝仪,奉直大夫以八十员为额。

乙卯,雪降,赐宴于蔡京第。

己未,诏广南市舶司岁贡真珠、犀角、象齿。

环州定远大首领夏人李阿雅卜,以书遗其国统军梁多凌曰："我居汉二十七年,每见粮草转输,例给空券。方春末秋初,士有饥色。若径捣定远,唾手可取。既得定远,则旁十馀城不劳而下矣。我储谷累岁,掘地藏之,大兵之来,斗粮无赍,可坐而饱也。"多凌遂以万人来迎。转运使任谅,先知其谋,募兵尽发窖谷。多凌围定远,失所藏,越七日,阿雅卜遂以其部万馀人归夏,夏筑藏(河底)〔底河〕城。诏童贯为陕西经略使以讨之。

辽宾、咸、(详)〔祥〕三州及铁(丽)〔骊〕部俱降于女直。

铁州杨朴,尝仕辽为秘书郎,至是降于女直,说阿古达曰："大王创兴师旅,当变家为国,图霸天下。比者诸部兵众皆归大王,今力可(援)〔拔〕山填海,而不能革故鼎新,册帝号,封诸蕃,传檄(向)〔响〕应千里。自是东接海隅,南连宋,西通夏,北安远国之民,建万世之磁基,兴帝王之社稷,行之有疑,祸如发矢,大王如何?"乌奇迈、萨哈等并以朴言为然,率官属劝进,愿以新岁元日上尊号,阿古达不许。普嘉努、宗翰等进曰:"今大功已建,若不称尊号,无以系天下心。"阿古达曰:"吾将思之。"

【译文】

宋纪九十一　起辛卯年(公元1111年)正月,止甲午年(公元1114年)十二月,共四年。

政和元年　辽天庆元年(公元1111年)

春季,正月,己巳(初六),封贤妃王氏为德妃。

辛未(初八),诏令:"各路州、军学生不到八十人的地方,不设置教授职;如果熙宁、元丰年间曾经设置教授职称的,虽然学生少,自然应该保留。"

壬申(初九),拆毁京城滥建的祠庙一千零三十八处。

丙戌(二十三日),撤销白州、龚州两个州。

壬辰(二十九日),诏令百官增加名节观念。

陈瓘曾经说绍圣年间的史官专门依据王安石的《日录》修改神宗朝的历史,搞乱是非,不能够流传相信,就作了《尊尧集》,深刻地辨明诬蔑不实之词,以端正君臣的道义。张商英奏请下令明州取来此书,送到编修政典局。

本月,辽国主在鸭子河钓鱼。

二月,壬寅(初九),册封皇后。

乙巳(十二日),诏令陕西、河东恢复铸夹锡钱。

丙午(十三日),任命太子少师郑绅为开府仪同三司。

辽国主到达春州。

三月,癸亥朔(初一),皇帝撰写《政和新修五礼序》一书,议礼局请求在太常寺刻石,批准了。

任命新知大名府吕惠卿为醴泉观使。

己巳(初七),诏令监司督促州县长官,鼓励百姓增种桑树、柘树,考核多少作为赏罚依据。

癸酉(十一日),任命吏部尚书王襄同知枢密事。

乙亥(十三日),五国部长向辽国进贡。

夏季,四月,乙卯(二十三日),停止陕西、河东铸夹锡钱。

丙辰(二十四日),审讯并记录囚犯。

制定守令劝农黜陟法。

五月,癸亥(初二),诏令:"四川羡余钱物归左藏库。"

戊辰(初七),诏令:"现存的当十钱都当三钱使用,作为规定。"

己卯(十八日),东南方有星白天陨落。

丁亥(二十六日),解池生出红盐。

本月,再次下令通州取来陈瓘《尊尧集》送到编修政典局。

辽国主在散水原消暑。

六月,甲寅(二十三日),恢复蔡京为太子少师。

秋季,七月,癸未(二十二日),撤销平州、从州,改为寨。

戊子(二十七日),醴泉观使吕惠卿,保留原官衔,退休。

八月,乙未(初五),恢复蔡京为太子太师。

丁巳(二十七日),尚书右仆射张商英免职,是因中丞张克公弹劾给事中刘嗣明为缴驳的事降职,张商英理屈的缘故。

张商英主持政务公平,认为蔡京虽然表面是继承法度,只是借用来挟制皇帝,制约士大夫罢了。因此大力革除弊端,改蔡京所铸造的当十大钱为当三钱以平抑钱币,恢复转运仓以取消直接运送,实行盐钞法以使商业通畅,放宽横征税赋以减轻百姓负担,劝皇帝节省奢华支出,停止兴建

北海名石　北宋

土木,抑制侥幸心理。皇帝很敬重畏忌他,曾经修升平楼,告诫主持的人遇到丞相的开道骑兵来到,一定让匠人躲在楼下,过去后再干,当时的人称赞张商英忠心正直。然而志大才疏,

凡所要做的,先在大众场所说出,所以有所不利的人得以先定下对策。当初何执中与蔡京一同担任宰相,凡要做的都预先商议,到此时张商英升到他的前面,就与郑居中日夜酝酿罗织张商英的过失,先让言官弹劾他的门客唐庚,放逐到惠州。又,皇帝在藩邸为端王时,方士郭天信预言端王要登上帝位,等到即位,很宠信他,张商英因而与他来往,事情被发觉,皇帝不高兴,郑居中就暗示张克公以刘嗣明的事弹劾他,于是免职,外放知河南府。

戊午(二十九日),诏令:"监司,部内官吏,一年中有三人以上犯罪的,虽然不到三人但有人曾经举荐的,监司连带治罪。"

九月,辛酉朔(初一),诏令张商英免观文殿大学士职,改知邓州;壬申(十二日),又贬降为大中大夫,仍然知邓州。校书郎李士观、辟雍博士尹天民,都送往吏部,给予合入差遣。是因为刘嗣明上奏张商英擅自降下敕令,命令尹天民、李士观编类御前文字的缘故。

戊寅(十八日),同知枢密院事王襄免职,改知亳州。

辛巳(二十一日),诏令:"陈瓘自撰的《尊尧集》,语言没有章法,都是诋毁诬蔑,全部毁弃;仍然勒停处理,送台州羁管,命令该州的主管官员常常切实觉察,不得放出州城外,每月提供情况上报尚书省。"因此移送急迫,所经过州县,都以兵卒保护押送,不得停留。到台州很久,没有人敢借租房屋,暂时住在僧人房舍。郡守按十月移送的办法,常让厢巡逻兵遣送,十天就移一个僧寺。数个月后,朝廷起用被贬的人石悈任知州,且让他到朝廷后再上任。石悈到以后,派官兵约束陈瓘,不得出入,又安排巡逻兵在前后巡察,记录宾客和书信来往的人。不久命令官兵突然闯入住所,搜查行李,押陈瓘到州府堂上,布列刑具,以死相威胁。陈瓘揣测他的意图,大声说:"今天的事情,难道是奉了旨意吗!"石悈惊慌失措地说:"朝廷有旨让取《尊尧集》。"陈瓘说:"您知道《尊尧集》取名的原因吗?是以神宗皇帝为尧,而以皇上为舜。帮助舜尊重尧,怎么说是诋毁诬蔑!现任宰相学问浅薄,被人所愚弄;您能得到多少好处,却也不怕公论,违背名分吗!"石悈很惭愧,数次作揖请陈瓘退下,终究不能害陈瓘。何执中发怒了,就免了石悈的职,陈瓘因此得以幸免。

童贯对西夏获胜后,就说辽国也可以谋取,于是请求派使臣到辽国窥探,就任命端明殿学士郑允中为祝贺生日的使臣,任命童贯为副使。有人提出:"以宦官作为高级使臣,国家没有人了吗?"皇帝说:"辽国人听说童贯攻下羌地,所以想见他;因而派他窥探他们国家的情况,也是个好主意。"于是出发了。

童贯到了辽国,辽国主和大臣们聚在一起指着他笑道:"南朝的人才就是这样的!"然而辽国主正放纵无度,贪图南方的玉帛珍奇玩物,而童贯所带的都是极为珍奇的东西,甚至于运去两浙路的髹漆具作为赠品。辽国主所用来赠送童贯的东西也是如此。

冬季,十月,庚寅朔(初一),观文殿学士、光禄大夫、致仕吕惠卿去世。赠开府仪同三司职,谥号文敏。

吕惠卿忘恩排挤王安石,众人都轻看他,即使是章惇、曾布、蔡京当政,都害怕厌恶他这个人,不敢引用到朝廷中任职,因此在外迁移辗转,最后死去。

辛卯(初二),因为执政的大臣中多有急躁求进、结为帮派的,皇帝下诏申令警告。

辛亥(二十二日),知邓州张商英贬责授予崇信军节度副使,衡州安置;单州安置张天信贬责授予昭化军节度行军司马,移到新州安置。因为开封的狱案办理完,张商英、张天信曾经让余负、僧人德洪、彭几来往勾结,臣僚再次弹劾,所以有这个贬责。

辽国主驻扎在藕丝淀。

乌尔古德呌勒部背叛辽国,辽国主任命耶律棠古为乌尔古节度使。耶律棠古到了乌尔古部,宣布招降他们,就拿出私人钱财以及富人的积蓄赈济贫困的百姓,部民们大为高兴。加封为镇国大将军。

十一月,壬戌(初三),诏令:"上书被列入邪等以及曾经列入党籍的人,都不允许参加学官考试。"

丙子(十七日),臣僚说在迩英殿讲习经书,读音和释义,应当都按王发石等人所进呈的经书释义为准,同意了这个意见。

乙酉(二十六日),京畿提举学事林震请求从今以后所有按八种品行收入县学的人,都按州学外舍生的规格供给伙食,同意了这个意见。

十二月,己酉(二十一日),诏令台谏官以正直的道义核查是非,不要畏惧高官,不要附和皇帝近臣。

辛亥(二十三日),撤销镇州,将琼州升格为靖海军。

乙卯(二十七日),臣僚上奏说:"陈瓘《尊尧集》十卷,主要内容是利用了《日录》中的记事,加以阐发成书,有论及王安石的一些事情。臣虽然没有见到全书,但是陈瓘在建中靖国年间,曾经认为王安石的《日录》不怎么样。前些时大臣主持政典局,知道陈瓘素有不同意见,想促成这种不对的图谋,所以下令到陈瓘家索要此书。希望特别下旨意严加禁止,不得传看;如有人家已经传抄的,都请求定下期限缴纳,并下令到陈瓘家索取原稿,统统焚毁。"诏令按这个意见办。

辽国任命知黄龙府事萧乌纳为东北路统军使。萧乌纳上书说:"臣统领的地方与女直接界,观察他们的行为,他们的志向不小,应该在他们还没有发起时,发兵解决此事。"数次上章,都没有采纳。

燕地人马植,本来是辽国的大族,官至光禄卿,行为不正而且乱伦,为人所不齿。童贯出使辽国,经过卢沟,马植夜间入见随从官,自称有灭燕的计策,因而得以见到童贯。童贯与他谈话,认为是大奇才,同车带回,改姓名为李良嗣,推荐给朝廷。马植就献计说:"女直对辽国人恨之入骨,而辽国天祚皇帝荒淫无道,本朝如果从登州、莱州渡海,与女直结盟,相约进攻辽国,辽国就可以谋取了。"议论的人认为祖宗以来虽然有这条通道,因为那里与各蕃国接近,禁止商人舟船往来,已有一百多年了,一旦开通,恐怕对本朝不利,皇帝没有听从这个意见。

皇帝召见马植询问此事,马植回答说:"辽国必亡。陛下念及过去的臣民,遭受涂炭之苦,恢复本朝过去的疆土,替天谴责辽国,用治讨伐乱,朝廷的军队一出兵,老百姓必定以酒浆茶水来迎接。万一女直人的意图得逞,先发制人,事情就不一样了。"皇帝很欣赏地采纳了这个意见。赐他姓赵，任命为秘书郎丞。谋取燕国的议论从此开始了。

政和二年 辽天庆二年(公元 1112 年)

春季，正月，已未朔(初一)，辽国主到达鸭子河。

甲子(十六日)，皇帝下制书："上书列入邪等的人都不得担任监司的职务。"

丁丑(十九日)，五国部长向辽国进贡。

癸未(二十五日)，诏令："佛教修设的水陆道场和祈福消灾的道场，随意将道教神位混杂的，僧人尼姑按违背制令论处；主持者知道而不举报，与僧人尼姑同罪。著为令。"

二月，戊子朔(初一)，诏令："太子太师致仕蔡京两次担任宰相，辅政八年，首先提出继承前朝政务，勤劳地做了很多事务，降职在京城外居住，已过了一段时间。况且元丰年间的侍从受到神宗皇帝恩遇的人，现在已经不多了，而又多次经过恩泽，理应特别优待。可以特恢复太师职，仍为楚国公，赐给京城的宅第。"

丁酉(初十)，辽国主到达春州，到混同江钓鱼，住在界外的生女直部首领，在一千里内的，都按旧例来朝见。正遇上举行头鱼宴，酒至半酣，辽国主站在殿栏前，命令各部族首领起舞。只有阿古达推辞说不会，辽国主再三传令，始终没有听从。他日，辽国主私下对北院枢密使萧奉先说："前天的宴会，阿古达气魄宏大，顾盼不平常，可以借口边境的事杀掉他，否则必定会留下后患。"萧奉先说："粗人不懂礼仪，没有大的缘故而杀掉他，恐怕损伤归附顺化的人心。假使有别的图谋，那点小国，又能做什么！"辽国主就作罢了。阿古达的弟弟乌奇迈等人，曾经跟随辽国主打猎，能够招引鹿、刺杀老虎，辽国主高兴，就加封给官爵。

庚子(十三日)，封婉容崔氏为贤妃。

三月，乙亥(十八日)，诏令蔡京到朝廷，入朝拜见，招来奏对，叩拜的礼节按元丰朝时文彦博的先例，允许仍然佩玉带，遇到每月六次参见的日子进宫起居礼，在朝臣大班退下后，跟在亲王后面进入。

己卯(二十二日)，赐给礼部上报名单的莫俦等七百三十人进士及第、出身资格。

夏季，四月，已丑(初三)，诏令县令按十二个事项在境内鼓励农民耕种，亲临田间，考核监督勤劳与懒惰。

辛卯(初五)，恢复实行方田法。

太阳中有黑子，有时两个，有时三个，像栗子那么大。

甲午(初八)，在太清楼宴请蔡京，皇帝亲自撰文记述。蔡京又呈上记述文字，详细描写宫中服饰玩赏物品的豪华。

庚戌(二十四日)，任命何执中为司空。

壬子(二十六日)，诏令衡州安置张商英允许自由居住。

蔡京说："张商英遣放责罚到远方，虽然他犯下恶劣罪行，但臣与他一同受到先帝恩遇，历经三个朝代，略有情谊，拳拳私情，冒昧地提出请求。"所以有这个命令。

五月，已巳(十三日)，蔡京取消致仕，以太师身份三天到都堂议事一次，以尚书省令厅为办公地方，仍然负责敕札。

知永嘉县虞防说："朝廷前时实行当十钱,是富国便民的最好办法,所贵之处在于得到合适的人来推行。前时有不同意见的人,只求满足一时的私愿,对上欺骗皇上,改为当三钱,这也是误国的一个方面。希望特别批准恢复,以使朝廷和百姓都得到便利。"皇帝下诏："给虞防除名勒停处理,送往循州编管。"

癸未(二十七日),蔡京说："门下省是复查驳回诏命的地方,我兼任此职,实在有妨碍之嫌,紊乱官制,希望准许臣免去负责门下省文书的职责。"皇帝同意了这个要求。

旧例,凡是诏令都由中书省、门下省共同商议,然后命令学士制作。到了熙宁年间,有皇帝下达的手诏,不由中书省、门下省共同商议,是因为有大臣暗中所为。到蔡京专权,担心言官议论自己,就制作好御笔文书暗中呈进宫中,而请求皇帝手写下达,称为御笔手诏,违抗的按违背制命论处。事无大小,都托词按御笔手诏实行,以至有不像皇帝亲笔书写的,下面的人都不敢说一句。从此皇帝贵戚和皇上近臣都争相请求御笔手诏,以至让宦官杨球代笔,被称为"书杨"。

臣僚上奏说,因为科举而废止县学每年升级的办法不适宜,诏令:"从此都按照大观三年四月以前所下达的指示;此后下达的指示,不再执行。"

六月,己丑(初四),任命资政殿学士余深为门下侍郎。

庚寅(初五),辽国主在南崖消暑。

甲午(初九),和州回鹘向辽国进贡。

甲辰(十九日),准布部向辽国进贡。

乙卯(三十日),户部尚书陈显,在奏对时,说再次起用蔡京,使士人百姓失望。皇帝发怒,贬责陈显到越州。陈显不再做官,回去隐居在四明。

秋季,七月,乙丑(初十),辽国主在南山打猎。

壬申(十七日),访求天下散佚的书籍。

九月,己未(初五),辽国主射杀到熊,宴请群臣,辽国主自己弹奏琵琶相互娱乐。

癸未(二十九日),改定官职名称。

蔡京自己任意行事,想改革制度以继承元丰朝的政务,就首先改开封守臣为尹、牧。由此在府内分设六曹,县内分设六案,内侍省的职务,都依照外面朝廷的称呼,整顿六尚局,建立三卫郎。于是诏令:"太师、太傅、太保,是古代三公之官,现在称为三司,古代没有这个称呼,应按照三代以三公作为实任宰相。司徒、司空,是周代六卿之官,太尉,在秦代主持军事职责,都不是三公,都应该撤销。并立三孤为次相的官号。改侍中为太辅,中书令为右弼。尚书左仆射为太宰兼门下侍郎,右仆射为省宰兼中书侍郎。撤销尚书令以及文武官员的勋官职衔,而以太尉为武官最高官阶。"但是此时官员已经很多很滥,名目杂乱,甚至戴黄冠的道士之流,也混入朝官,元丰的制度,到此时已经非常混乱。

阿古达自从在混同江宴会上回来,怀疑辽国主知道他的图谋,就先发兵吞并附近的部族。女直部赵三阿鹘产抵抗他,阿古达就抓走他的家属两人,赵三阿鹘产逃到咸州详衮司投诉,报送给北院枢密使萧奉先,也只作为平常的事再上奏。辽国主仍然下达给咸州责问,想让他改过自新。后来数次传召阿古达，始终假称有病不到。

冬季，十月，乙巳(二十一日)，在民间得到玉圭，皇帝展示给群臣看。蔡京、何执中等提议，认为："这就是尧赐给禹的玄圭，陛下继承禹的事业，行尧的道义，所以上天授予最宝贵的东西，是不可比拟的大喜事!"己酉(二十五日)，上奏请求举行授宝典礼，诏令不允许，自此三次上表请求，就允许了。

辽国主驻扎在圣州。

十一月，乙卯(初二)，辽国主到达南京。

己未(初六)，设置知客省、引进、四方馆、东西上阁门事。

丁卯(十四日)，辽国主拜谒太祖庙。

丁丑(二十四日)，下御笔诏书说："方田法，本来是为了平均赋税，有关官员执行中违背旨意，贿赂公开进行。有权势的大户人家，照例都免除了赋税劳役而转移到下户人家，以至让他们流亡。平常赋税的收入，亏欠极多，完全失去先帝富民富国的本意。已经下达指示，暂时停止丈量；有申诉赋税劳役不平均的，就依照没有丈量以前的旧数。那些流亡的人家，希望郡守县令多方安排，招劝回来务农。"

戊寅(二十五日)，太阳到了冬至位置，在大庆殿接受玄圭，大赦全国。

辛巳(二十八日)，蔡京晋封为鲁国公。任命何执中为太宰、少傅兼门下侍郎。执政官员都晋升官阶。

十二月，乙酉(初二)，任命郑居中为特进。

丙戌(初三)，任命武信军节度使童贯为太尉。

乙巳(二十二日)，确定命妇名号为九等。

丙午(二十三日)，在延福宫宴请辅臣。

当初，蔡京想用宫殿来讨好皇帝，就召来内侍童贯、杨戬、贾详、何䜣、蓝从熙，暗示以宫内狭窄的情况。童贯等就请求在皇宫北拱宸门内，用延福宫的旧名称而建造新宫殿。五个人分别主持工役，在所能看到的范围内，争相以华丽高大宽广相夸耀，各定规矩，尽量不沿袭旧制。落成后，称为延福五位，皇帝新撰文记述此事。每年冬至后就点灯，从东华门向北，都取消夜禁。迁来市民店铺夹道居住，纵情赌博和饮酒，到上元节后才停止，称为先赏。

癸丑(三十日)，皇帝开始诏令各路提供土地养马。又因为各路马料储备很难，边境一带土地开阔，春天万物生长，青草茂盛，各城寨应轮番外出放牧，让马到野地吃草，晚上带着草回来充当夜料，那么官府的草料就可以节约，诏令陕西各路根据情况安排上报。

本年，高丽前来进贡。

成都路夷人董舜谘、董彦博归附内地，设置祺、亨两个州。

辽国放榜录取进士韩昉等七十七人。

政和三年　辽天庆三年(公元1113年)

春季，正月，甲子(十一日)，因为上天赐给玄圭，派官员到永裕、永泰陵册告。

丙寅(十三日)，辽国赐给南京贫民钱财。

丁卯(十四日),辽国主到达大鱼泺。

癸酉(二十日),追封王安石为舒王,他的儿子王雱为临川伯。仲春释奠时,以衮国公、邹国公、舒王神位配享文宣王孔子的庙堂。

甲戌(二十一日),辽国禁止僧人尼姑违反戒律。

丙子(二十三日),辽国主在狗牙山打猎。天气极冷,不少猎人都冻死了。

丁丑(二十四日),吴居厚被免职,任命郑居中为知枢密院事。

吴居厚在枢密院任职很久,以周密谨慎自居,一时聚敛的人推为首领。到此时上章提出年纪大了,就任命为武康军节度使、知洪州。

庚辰(二十七日),诏令:"议礼局新编修的《五礼仪注》,应该以《政和五礼新仪》作名称。"

二月,甲申(初二),封德妃王氏为淑妃。

庚寅(初八),取消文臣的勋官称号。

对崇恩皇太后刘氏,皇帝因为哲宗的缘故,特别加以恩遇礼待,而太后经常干预宫外的事,而且因为不谨慎而有传闻。皇帝与辅臣商议,将要废掉她。辛卯(初九),太后被左右的人所逼迫,就在帘钩上自缢而死,时年三十五岁。

甲午(十二日),因为辽国、女直互相对峙,诏令加强河北边防。

丁酉(十五日),诏令:"享受宫观俸禄的官员,都以三年为一个任期。"

乙巳(二十三日),增补确定前六朝功勋大臣的名单为一百一十六人。

三月,壬子朔(初一),出现日食。

戊辰(十七日),将永安县升格为永安军。

癸酉(二十二日),赐给上舍生十九人及第资格。

恢复设置算学。

甲戌(二十三日),左街道录徐知常,特授予冲虚先生称号。

辛巳(三十日),诏令赐给濮州王老志安泊处士称号。王老志,是濮州临泉人,在东京转运使属下担任办理文书的吏员。自称曾遇到钟离真人授给内丹要诀,抛弃妻子儿女,用茅草盖房,给病人施舍药物,喜欢与人谈论吉凶,很有些名气,所以有这个命令。

女真人阿古达,一天突然率领五百骑兵到辽国的咸州,官吏百姓大为惊恐。次日,阿古达来到详衮司,与赵三等人当堂辩论,阿古达不服,送给主管官员讯问情况。一天夜晚逃走,派人向辽国主申诉,说详衮司想要杀他,所以不敢留下。从此传召不再前来。

夏季,四月,甲申(初三),宣义郎黄冠说:"希望下令天下的士人从乡升到县学,从县学升到州学,都称为选士,他们自称为外舍生。学业将要完成,升到内舍,就称为俊士,他们自称为内舍生。又那些学业已经完成而贡选到辟雍的,然后才称为贡士,他们自称也是这样。"同意了这个意见。

戊子(初七),修建保和殿,共有七十五间,上面粉饰纯绿色,下面漆上朱红色,不使用花纹藻饰、五彩绘画;围墙也不粉饰,而是用浅黑色画上寒林飞鸟墨竹;左边装满典谟训诰和经史图书,右边收藏三代祭器,东厢房放置古今书画作品,右厢房放置琴阮乐器笔砚等物品。

癸巳(十二日),尚书右丞邓洵仁免职改任知亳州,是因为臣僚弹劾他与黄经臣结交的缘故。

乙巳(二十四日),在福宁殿东边建造玉清和阳宫。

丙午(二十五日),将定州升格为中山府。

己酉(二十八日),任命资政殿学士薛昂为尚书右丞。

庚戌(二十九日),郑居中等上奏:"编修完成《政和五礼新仪》和序列,共二百二十卷,目录六卷,总共二百二十六卷,考辨礼仪纠正错误,都以《六经》为依据,上朝服饰官员称呼,都遵照近代以来的制度。"皇帝下诏命令颁发。

闰月,甲寅(初四),诏令有八种品行的允许补任各州教授职,是采纳了奉议郎王愈的奏请。

丙辰(初六),改公主称号为帝姬,郡主称号为宗姬,县主称号为族姬。因此民间出现无主的说法,又传言姬就是饥,是财用不足的谶语等等。

戊午(初八),恢复设置医学。

辽国主想用严酷的刑罚威慑臣民,碰上李洪用邪门左道聚众作乱,就肢解了他,分送到五京示众。

辛酉(十一日),给崇恩皇太后上谥号为昭怀。

五月,丙申(十七日),将苏州升格为平江府。

庚子(二十一日),大盈仓失火。

壬寅(二十三日),因为修筑溱州、播州,晋升执政官一级官阶。

丙午(二十七日),在永泰陵安葬昭怀皇后。

丁未(二十八日),诏令尚书内省设置六司,以主管外省六曹所上报的事务,设置内宰、副宰、内史、治中等官以及都事以下官员。

己酉(三十日),诏令向全国颁行《大晟乐》,旧乐予以禁止。

六月,丙辰(初七),西夏国向辽国进贡。

丁巳(初八),诏令:"武学中,州县外舍生称为武选士,内舍生称为武俊士。"

庚申(十一日)尚书省上奏:"县学为贡选的基础。现在天下县令县丞,都是吏部选派的,很多人不合适。见识一般的官员则认为学校无关紧要,不加督管,听从他们违法;平庸的官员则将法令置于一旁而容忍奸行,放任不加处治。所以学生在学校,斗殴争吵,有的甚至杀人。是因为令佐不加训治,州学不切实察举,提举官失于管理,以致坏到这个田地。现在订立法令整治,请赐下指示执行。"同意了这个意见。

癸亥(十四日),将昭怀皇后的神位迁到太庙合祭。

辛未(二十二日),张商英特贬责授予汝州团练副使。

秋季,七月,癸未(初五),将赵城县升格为庆祚军。

甲申(初六),恢复赠给王珪、孙固的谥号,追复韩忠彦、曾布、安焘、李清臣、黄履等人的官职。

己亥(二十一日)，诏令："在编类御笔所设置礼制局，讨论古今礼制沿革，绘成册呈上，朕将亲自阅览，考虑其中合适的，改革千年的陋习，形成一代新的典制，差不多接近先王的礼制成为后代效法的典章。"

崇宁朝以来，稽古殿收藏了很多三代的礼器，如鼎、彝、簠、簋、牺、象尊、罍、登、豆、爵、斝、琏、觯、坫、洗，所有古代祭器都列出，因而得以见到商、周的旧制，开始验证出古代儒者所传说的大为错谬。到此时设置礼制局后，就奏请调出御府中所收藏的，全部加以讨论，都按古制加以改变，进献到郊祭的庙堂，焕然一新，大为完备。有一座万寿玉尊，大如四升器，雕琢精致不同凡响。玉坫宽有一尺一寸，皇帝每次祭祀饮供神酒，大朝会，或者犒赏群臣时，就使用它。至于制作精巧，差不多与古器相当，从汉代以来，还不曾有过。中书舍人翟汝文奏请编排新礼制，改正《三礼图》展示给后世，终究没有实行。

庚子(二十二日)，贵妃刘氏去世。

壬寅(二十四日)，恢复设置白州。

辽国主举行秋山仪式。

八月，甲戌(二十六日)，因为宴乐完成，给执政官晋升一级官阶。

丙子(二十八日)，任命何执中为少师。

丁丑(二十九日)，将润州升格为镇江府。

戊寅(三十日)，封四镇山山神为王。

九月，庚寅(十二日)，诏令大理寺开封府不得上奏监狱空无在押犯，所有推广恩遇赏赐都取消。

辛卯(十三日)，传召王老志到朝廷；丁酉(十九日)，封为洞微先生。王老志所住的地方必定生花，称为地锦。到了京城，住在赏赐给蔡京的私宅的南园，拜访的士大夫盈门。数次传召到宫中奏对，皇帝亲笔书写"观妙明真"的称号赐给他。

戊戌(二十日)，追封贵妃刘氏为皇后，谥号为明达。

辽国主到达藕丝淀。

冬季，十月，戊申朔(初一)，元观法师程若虚，被封为宝箓先生。

庚戌(初三)，下达亲笔手诏说："朕受到上天眷爱，赐给玄圭，外面红里面黑，有一尺二寸，旁边排列有十二座山，周代的镇圭就是仿效这种样式。受到上天美意，用来明白地事奉上帝而体会天道，超过周代很远。将要到来的冬祭，可以佩着大圭，拿着镇圭，以感动上帝的心，保佑人间百姓，永远作为定制。"

乙丑(十八日)，皇帝在崇政殿观看新乐器，拿出乐器展示给百官看。

戊辰(二十日)，诏令："冬祀大礼以及在景灵宫的朝献礼，都由道士一百人拿着威严的仪仗作为前导。"

十一月，辛巳(初四)，在景灵宫行朝献礼。

壬午(初五)，在太庙行合祭礼，加上神宗皇帝谥号为体元显道法古立宪帝德王功英文烈武钦仁圣孝皇帝。改上哲宗皇帝谥号为宪元继道世德扬功钦文睿武齐圣昭孝皇帝,在神宗皇帝谥号中加上"法古立宪"四个字,将哲宗谥号中"显德定功"改为"世德扬功",都是蔡京办理的,以宣扬继承前朝新法的意思。

癸未(初六),祭祀圜丘,大赦天下。

皇帝到南郊祭祀,蔡攸担任执绥官。皇帝的车马出南薰门,皇帝忽然说:"玉津园东好像有重叠的楼台,那是什么地方?"蔡攸就上奏:"看见云间楼台亭阁,隐隐约约有数重,接着细看,都离地数十丈。"过了一会儿,皇帝又问道:"看见人物了吗?"蔡攸就上奏:"有道家童子拿着幡旗、符节、伞盖,相继从云间走出,衣服眉目,历历可见。"乙酉(初八),因为天神降临,下诏向官员们宣告,撰写《天真降临示见记》。皇帝常常梦见被传召,像是在藩王宅第时,看见老君坐在殿上,仪仗护卫像帝王一样,向皇帝宣布说:"你因为前世宿命注定,应当兴复我们教派。"皇帝接受命令退出,从梦中醒来,记下了这件事情。到这年冬祀时,王老志也跟着。皇帝在太庙中略停留时,王老志说:"陛下过去的梦,还记得吗?当时臣在皇上的身边。"黎明时,刚出南薰门,就看见天神从天空降下,议论的人认为是王老志所施法术。道教的兴盛从此开始。

己丑(十二日),封贤妃崔氏为德妃。

壬辰(十五日),修筑祥州城。

甲午(十七日),辽国任命三司使虞融知南院枢密使事,西南面招讨使萧乐古为南府宰相。

知密院使事耶律俨有病,辽国主命令乘小车上朝,病重时,派太医察看。

己亥(二十二日),诏令有官阶的人允许推举具备八行的人。

本月,下大雪,接连十天不停,平地积下八尺多深的雪,冰很滑,人和马都不能走,诏令百官乘轿上朝。

十二月,癸丑(初六),诏令全国访求道教的经书。

甲寅(初七),辽国任命枢密直学士马人望为参知政事。马人望有节操,不曾依附显贵求得进用,到此时人们祝贺他,马人望担忧地说:"得勿喜,失勿忧,抬得越高,倾轧越残酷。"他是如此的小心谨慎。

河北转运判官张孝纯说:"《周官》以六种才艺教育士人,必须学习射才能通过。古代诸侯贡选士人,皇帝要在射宫考试。请求诏令各路州郡,每年推荐贡士到国学,要学习射箭方法。"同意了这个意见。

乙卯(初八),诏令天下贡选医士。

丙辰(初九),辽国知枢密院事耶律俨去世。赠给尚父之号,谥号为忠懿。耶律俨以非常廉洁著称,却不能以礼法治家,借以巩固国主的宠信,知道的人都看不起他。北院枢密使萧奉先,平素与耶律俨交好,耶律俨去世,推荐他的侄子李处温为宰相,耶律俨本来就姓李。李处温因为萧奉先帮助自己出了力,倾心依附,而贪污尤其严重,凡所交接的人,多是小人。

辛酉(十四日),大白星白天出现。

癸亥(十六日),高丽向辽国进贡。

辽国生女直部节度使乌雅舒,梦见追狼,屡次发箭不能射中,阿古达上前,射中了狼。次日早晨,以这个梦询问僚属,都说:"是吉兆,预示兄不能得到而弟弟能够得到。"本月,乌雅舒去世,阿古达继位为达贝勒。辽国使臣阿勒博前往对他说:"为什么不报丧?"阿古达说:"有丧不来祭吊,还认为有罪吗?"另一天,阿勒博径直来到停放乌雅舒灵柩的地方,看见送葬用的马,想牵走它,阿古达发怒了,要杀他,宗雄劝谏才作罢。宗雄本名叫摩啰欢,是乌雅舒的长子。

阿古达想伐辽国还没有拿主意,就到完颜部族,对都古噜说:"辽国名义上是大国,实际上很空虚,国主骄纵而士兵怯战,在战阵上不勇敢,可以夺取。我想向西举兵,您认为怎么样?"都古噜说:"凭您的勇武,士兵乐于为您所用。辽国主荒废在打猎上,政令变化不定,容易解决。"阿古达认为有道理。

这一年,江东干旱。

政和四年　辽天庆四年(公元1114年)

春季,正月,戊寅朔(初一),设置道士品级从六字先生到额外鉴议,比照中大夫至将仕郎,共二十六级,都没有供给以及随从人员,并不许申请恩例待遇。

甲申(初七),知秦州胡师文晋封为中奉大夫,是因为讨论玄圭推广恩赏的缘故。

辛丑(二十四日),给王老志加观妙明真洞微先生称号。

甲辰(二十七日),淯判开府王景文,转升为奉直大夫,给予知州差遣,并在都事堂召见,是因为玄圭从他家中得到的缘故。

本月,辽国主举行春水游猎。

二月,丁巳(十一日),赐给上舍生十七人及第资格。

癸亥(十七日),改漓井监为长宁军。

癸酉(二十七日),给皇长子赵桓行冠礼。

三月,丙子朔(初一),封淑妃王氏为贵妃。

丁丑(初二),诏令:"各路所有小学生达到一百人的地方,都增派教谕官一名。"

辛丑(二十六日),诏令:"各路监司,每一路从全部宫观道士中选拔十人,派遣到京城,前往左右街道录院讲习科道读唱的礼仪规矩,等到熟悉后再派回原处。"

夏季,四月,庚戌(初五),皇帝亲临尚书省,以手诏训诫蔡京、何执中,各位官员晋升官阶,吏员赏赐绢帛不等。

癸丑(初八),皇帝观赏太学、辟雍各学生演奏的雅乐。

甲寅(初九),尚书省报告说:"水磨茶场每年收钱财在四百万贯以上,与过去相比达到三倍,这些都不是系省钱,没有别的开支,还按照旧例,只是在每季笼统上交,没有每月上交的数目。现在想每月上交五万贯,所收的钱还有余,不至于缺少资金。"诏令按所报告的意见办理,就从本月开始。

甲子(十九日),将戎州改为叙州。

五月,丙戌(十二日),初次在方泽祭祀地神,以太祖神位配祭。向天下下达德音诏书。

辽国主在散水原消暑。

六月,戊午(十五日),审讯并记录囚犯罪状。

庚午(二十七日),诏令:"小学仿照太学制订三舍法。"

壬申(二十九日),在广西獠洞人居住的地方设置隆州、兑州两个州。

秋季,七月,丁丑(初四),设置保寿粹和馆,以收养有病的宫女。

戊寅(初五),焚毁苑东门所储藏的可以致人死命的药,并禁令不要再上贡。

甲午(二十一日),在另外的庙堂安放明达皇后的神位。

辽国主好打猎,荒于政务,每年派使者到海上购买名鹰,路上要经过生女直,使者贪婪放纵、索取无度,女直为此厌烦苦恼。乌雅舒曾经以辽国主不送回阿苏作托词,逐渐拒绝那些购买鹰的使者。等到阿古达袭节度使职后,相继派普嘉努、实古讷等人索要阿苏,辽国主终究没有批准。实古讷回来后,报告了辽国主骄横放纵荒废政务的情况。阿古达就召集所属各部,宣布讨伐辽国的原因,让他们在险要处处防、修建城堡、修造兵器,以听候上边的命令。辽国主派侍御官阿勒博前往责问,阿古达说:"我们,是小国家,事奉大国不敢失去礼仪。大国不施恩德,却收护从这里逃走的人,以这种方法对待小国,能没有怨言!如果遣还阿苏,照旧进贡;如果不达到要求,岂能束手受制呢!"阿勒博返回后,辽国主开始做出防备,命令统军萧托卜嘉调各军到宁江州。阿古达听说了,让布萨哈再去索要阿苏,实际是观察辽国形势。布萨哈回来后,说辽国兵卒很多,不知道数目。阿古达说:"他们刚开始调兵,哪能马上集合这么多兵力!"再派呼实布前往。呼实布回来说,只有四院统军司与宁江州军以及渤海兵八百人罢了。阿古达说:"果然像我所说。"就对各主将副将说:"辽国兵知道我们将要发兵,集合各路军队防备我军,我们一定要先出兵制服他们,不要被人家制服。"众将都说:"对!"就进见颇拉淑的妻子富察氏,告诉她讨伐辽国事情,富察氏说:"您接替父兄之位建立国家,看到可行就办,我老了,不要让我担忧,你也一定不至于这样。"阿古达举起酒觞祝寿,就马上奏请富察氏带领各将领出门,举起酒觞向东方,以辽国主荒废放纵不送还阿苏并已将用兵的意思向皇天后土祷告。以酒洒地后,富察氏让阿古达坐在正座,与部属将领一起喝酒,向各部发出号令,让博勒和征调伊兰古噜讷的兵力,抓获辽国的障鹰官。

八月,乙巳(初三),改端明殿学士为延康殿学士,枢密直学士为述古殿直学士。

辛亥(初九),诏令:"各路学校学生达三百人以上的,增加三分之一,一百人以上的,增加二分之一。"

癸亥(二十二日),确定武臣横班的人数,以五十人为限额。

九月,辛卯(十九日),诏令将辟雍大成殿殿名向各路州学公布。

九月,己亥(二十七日),诏令:"各路兵凡到京城服役的,都在十月初一遣送回。"

本月,女直部阿古达的兵讨伐辽国,向宁江州进军,停驻在寥晦城。博勒和征兵误了日期,杖罚了他,又派他指挥军队。各路兵都会集在拉林水,集中到二千五百人。向天地祷告说:"世代事奉辽国,尽职纳贡,有功劳看不到,而加以欺凌侮辱。今天将向辽国问罪,天地请明鉴保佑我们!"就命令各将领传递木棒发誓说:"你们同心尽力,立功的,奴婢部曲改为良人,平民给予官职;先担任官职的,视功劳大小给予轻重不同的提拔。如果违背誓言,打死在木棒下,家属也不赦免!"

军队将要到达辽国边界,先派宗干督令士兵填平壕沟,越过壕沟后,遇到渤海兵攻左翼七穆昆,女直兵略微退却,辽兵直冲到中军。完颜杲出战,哲垤在前面开道,阿古达说:"打仗不可轻率。"派宗干阻止。宗干骑马到完颜杲的前面,抓住先锋哲垤的马,完颜杲就和他一同返回,辽兵跟随追击。耶律色实落马,辽国人上前救他,阿古达发箭射来救的人,杀死他,又射色实,射中了。有一骑突然冲上前,又射中了他,箭穿透铠甲洞穿胸部。色实拔箭逃跑,追射他,射中他的背部,倒地而死。宗干与数名骑兵陷入辽军阵中,阿古达援救他们,脱去甲胄作战。有辽兵从旁边射他,箭从额头擦过,阿古达回头看见发箭的人,一箭射死了他,对将士说:"杀尽敌人再收兵!"众人跟着他,勇气倍增,辽军急忙奔逃。践踏死的十个中有七八个。

萨哈在另外一路,没有赶上会战,阿古达派人告诉战胜的消息。萨哈派他的儿子宗翰以及完颜希尹来祝贺,且劝阿古达称帝,阿古达说:"打胜了一仗,就称大号,何必让人看起来浅薄呢!"

女直军到达宁江州,填平壕沟攻城。宁江人从东门出来,挑战,全部歼灭了。辽统军司上报情况,辽国主在庆州射鹿,毫不介意,只是派海州刺史高仙寿统领渤海军接应救援罢了。冬季,十月,宁江州失陷,防御史大药师努被俘获,阿古达暗中放了他,让他招降劝谕辽国人。阿古达就带兵返回,拜谒富察氏,将所获得的财物分发给宗族的老人。

当初,女直部民都没有徭役,壮年人都当兵,平时生活就是打猎捕鱼,有紧急情况就下令各部首领,所有步兵骑兵武器粮食,都是自备。他们的部长称贝勒,组成军队就称为明安、穆昆。明安犹如千夫长,穆昆犹如百夫长。

辽国主听说宁江州失陷,召集群臣商议。汉人行宫副部署萧托斯和说:"女直虽然小,他们部族的人善于射箭。我国军队长期不训练,如果遇到强敌,稍遇到不利的情况,各部心意不一,就无法控制。现在不如大规模发动各路兵力威慑镇住他们。"北院枢密使萧德勒岱说:"按萧斯托和的计策,是徒然示弱罢了。只发滑水的兵力,就足以抵御他们。"于是就任命司空萧嗣先为东北路都统,萧托卜嘉为副都统,征调契丹、奚军三千人,中京的禁兵和地方豪族士兵二千人,挑选各路武勇之士二千多人,驻扎在出河店。

乙巳(初四),恢复设置拱州。

十一月,辛巳(初十),观妙明真洞微先生王老志去世。王老志请求还乡,留他不住,不久去世,赏赐金钱安葬他。

辽国都统萧嗣先率步兵骑兵各路军队会合在鸭子河北面,阿古达率领士众前来抵御。还没有到鸭子河,天黑了,阿古达刚睡下,像有什么托起他的头,如此三次,惊醒而起床,说:"这是神明提醒我。"就击鼓举着火把行军。黎明时,到达鸭子河。辽国人正在破坏通道,阿古达挑选壮士一千人打跑他们,于是带领士众继续前进,渡河上岸,与辽国军队在出河店相遇。正好起大风,尘土遮住了天空,阿古达借风奋勇攻击,辽兵溃败。追到斡论泺,杀死和俘获不可计数,辽国将士逃脱的只有十七人。辽国枢密使萧奉先,害怕哥哥萧嗣先获罪,就上奏说:"东征溃败的将士,所到之处都抢掠,如果不赦免他们,恐怕聚集作恶。"辽国主采纳了这个意见,萧嗣先只是免除官职罢了。因此各军相互说:"作战则可能死而没有功劳,逃跑则可以生却没有罪。"所以士兵没有斗志,看见敌人就溃败。

壬辰(二十一日),辽国都统萧迪里等在斡论泺建军营,又被女真人所袭击,死的人很多。萧迪里也因此免职。

辽国人曾说女直兵力满万人不可抵御,到此时才开始满一万人了。

十二月,己酉(初八),因为皇宫中神御殿修成,减免天下的囚犯罪行一级。

癸丑(十二日),确定上朝礼仪,奉直大夫以八十人为限额。

乙卯(十四日),下雪,在蔡京的宅第设宴。

己未(十八日),诏令广南市舶司每年进贡珍珠、犀角、象牙。

环州定远大首领西夏人李阿雅卜,写信给西夏国统军梁多凌说:"我在汉地居住二十七年,经常看到粮草运输,照例是空券而已。在春末秋初时,士兵面有饥色。如果直接攻打定远,唾手可得。攻占定远,那么旁边十余座城不费力气就可攻下。我这里多年储备粮食,挖地窖埋藏,大军来了,不用带一斗粮食,可以就地吃饱。"梁多凌于是带一万人来接应。环州转运使任谅,事先知道了他的密谋,招募士兵挖取了地窖中全部粮食。梁多凌围住定远,失去了埋藏的粮食,过了七天,李阿雅卜就带他的部属万余人归附西夏,西夏修筑臧底河城。皇帝诏令童贯为陕西经略使,让他去讨伐他们。

辽国宾州、咸州、祥州三个州以及铁骊部都投降女直。

铁州杨朴,曾经在辽国担任秘书郎的官职,到此时投降女直,向阿古达游说:"大王创建军队,应当把家族变为国家,图谋称霸天下。近来各部族的兵马都归附大王,现在力量可以拔山填海,而不能改革旧制建立国家,册封皇帝称号,分封蕃族,传檄文让千里响应。从此东接大海,南连宋朝,西通夏国,北安抚远方国度的臣民,建立万世的基业,兴起帝王的国家,迟疑不实行,那祸患就像发出的箭头一样,大王怎么办?"乌奇迈、萨哈等人都认为杨朴的话有道理,率领属官劝阿古达称帝,希望在新年元旦上尊号,阿古达不同意。普嘉努、宗翰等进言说:"现在大功已完成,如果不称皇帝尊号,不能维系天下人心。"阿古达说:"我将考虑这件事。"

续资治通鉴卷第九十二

中华传世藏书

續資治通鑑

【原文】

宋纪九十二　起旃蒙协洽【乙未】正月，尽强圉作噩【丁酉】十二月，凡三年。

徽宗体神合道骏烈逊功　圣文仁德宪慈显孝皇帝

政和五年　辽天庆五年，金收国元年【乙未，1115】　春，正月，壬申朔，女直阿古达称皇帝，谓其下曰："辽以宾铁为号，取其坚也。宾铁虽坚，终亦变坏。惟金不变不坏，金之色白，完颜部色尚白。"于是国号大金，改元收国，更名旻。鄂兰哈玛尔及宗翰以耕具九为献，祝曰："使陛下无忘稼穑之艰。"金主敬而受之。旋以鄂兰哈玛尔为古论贝勒。

丙子，金主自将攻黄龙府，进临益州，州人走保黄龙，取其馀民以归。

丙戌，泸南晏州夷卜漏等反，攻梅岭堡，陷之。

晏州六县水路十二村及十州五村团思峨洞诸熟夷，素黠勇善斗，大中祥符、元丰间，屡为边患。泸帅贾宗谅，武人也，喜生事，尝以需竹木扰夷，夷怨之。至是又诬致其酋斗簛旁等罪，杖脊，黥配，诸夷愤怒。卜漏遂主盟，合从入寇，因上元张灯，袭破梅岭堡。知寨高公老妻，族姬也，公老尝携族姬以金玉器与卜漏辈饮思峨洞，卜漏艳之，故来攻。公老遁去，遂略其妻及金玉，四出焚掠以归。族姬，濮安懿王之曾孙，于帝服属为近，事闻，帝甚骇。

时蜀久安，人巽懦不习兵，所至阙战守备，远近闻警骚动。梓州转运使赵遹，适案部次昌州，即驰至泸，而提点刑狱贾若水亦至。遹恐贼逾泸水益难御，乃急督宗谅率兵进屯江安县，据水当贼冲，且以近边诸垒转饷给军，储备无乏。若水摘比近巡尉兵既至，又成都、利、夔路援师亦集，与宗谅所部，得众万馀。逮贼再犯武宁、乐共、梅岭，宗谅出兵与贼战，官军大衄，裨将陈世基等死之。贼屡胜，愈猖獗，出没无虚日，蜀土大震。

己丑，令诸州县置医学，立贡额。

甲午，改龙州为政州。

辽遣行军都统耶律鄂尔多、左副统萧伊苏、右副统耶律章努、都监萧色佛埒、骑二十万、步卒七十万戍边。辽主率兵趋达噜噶城，次宁江州西。辽主下诏亲征，遣僧嘉努持书约和，斥金主旧名，且使为属国。金主遣萨喇复书："若归叛人阿苏，迁黄龙府于别地，然后议之。"庚子，进师逼达噜噶城。

金主登高,望辽兵若连云灌木状,顾谓左右曰:"辽兵心贰而情怯,虽多,不足畏。"遂趋高阜为陈。宗雄以右翼先驰辽左军,左军却。右翼出其陈后,辽右军皆力战,洛索、尼楚赫冲其坚,凡九陷陈,皆力战而出。宗翰请以中军助之,金主使宗干往为疑兵。宗雄已得利,击辽右军,辽兵遂败。乘胜追蹑至其营,会日已暮,围之。黎明,辽军溃围出,逐北至阿噜冈,辽步卒尽殪。

是役也,辽人本欲屯田,且战且守,故金并得其耕具以给诸军。

童贯遣熙河经略使刘法将步骑十五万出湟州,秦凤经略使刘仲武将兵五万出会州,贯以中军驻兰州,为两路声援。仲武至清水河,筑城屯守而还。法与夏右厢军战于古骨龙,大败之,斩首三千级。

二月,乙巳,立定王桓为皇太子。

甲寅,册皇太子,赦天下。

庚午,以童贯领六路边事。时永兴、鄜延、环庆、秦凤、泾原、河西各置经略安抚使,以贯总领之,于是西兵之柄皆属于贯。

辽饶州渤海摩哩等反,自称大王,辽主遣萧色(拂)〔佛〕埒等讨之。

三月,辛未朔,太白昼见。

金主猎于寥晦城。

癸酉,张商英复通奉大夫,提举崇福宫。

梓州路转运使赵遹密奏贾宗谅激变晏夷之罪,且曰:"泸南边事,转运使官不当干预,臣不敢坐视,已收赢兵驰赴乐共城,权行招安之策,庶边徼早得宁息。"然遹本意乃欲专事进讨,兵端愈大矣。诏:"罢宗谅等;审度事宜,如晏夷尚敢猖獗,即仰前去掩杀;若已退散著业,或悔过归降,即不得要求功赏,别生事端。"代以康延鲁而听遹节制。

甲申,追论至和、嘉祐定策功,封韩琦为魏郡王,复文彦博官。

丁亥,诏以立皇太子,见责降文武臣僚,并与牵复甄叙,凡千五百人。

壬辰,升舒州为德庆军节度。

癸巳,赐礼部奏名进士出身何㮚等六百七十人。

夏,四月,甲辰,作葆真宫。

丙午,赵遹奏:"节次招到晏州夷贼千馀人及首领斗冈等二百四十七人,又说谕到贼首卜漏等十馀人,俱来梅赖村坝,去君城十里,与所差使臣同刺猫牲、鸡血,和酒饮誓,称一心归宋,更不作过。比引问于听事之所,先以疏其过恶,次以明扬君父不杀之恩,率皆面阙稽颡再拜以谢。臣即犒以酒食,锡以银采,俾令著业。遂分兵修复梅岭堡,兼创筑诸城寨,以备不虞。"

丁未,诣景灵宫;还,幸秘书省,进馆职官一等。

庚戌,改集英殿为右文殿。

癸丑,辽萧色佛埒等为渤海摩哩所败,以南面副部署萧托斯和为都统,赴之。托斯和与摩哩战,复败绩。

癸亥,置宣和殿学士。

诏东宫讲〔读〕官罢读史。

辽主使耶律章努等赍书使金,斥其主名,冀以速降。金主以为书辞侮慢,留其五人,独遣章努还,报书亦如之。

五月,庚午朔,金主避暑于近郊。甲戌,拜天,射柳。自后每岁以五月五日、七月十五日、九月九日拜天,射柳。

六月,己亥朔,辽章努复以国书致金主,犹斥其名,辞与前同;金主亦斥辽主名以报之,且谕之使降。

癸丑,以修三山河桥,降德音于河北、京东、京西路。

蔡京以孟昌龄为都水使者,献议导河大伾,可置永远浮桥,谓:"河流自大伾之东而来,直大伾山西而止,数里方回南,东转而过,复折北而东,则又直至大伾山之东,地形水势,迫束相直,曾不十余里。且地势卑,不可以成河,倚山可为马头。又有中潬,正如河阳,若引使穿大伾大山及东北二小山,分为两股而过,合于下流,因三山为趾以系浮梁,省费数十百倍,可宽河朔诸路之役。"朝廷喜而从之,置提举,修系永桥,所调役夫数十万,民不聊生。至是工毕,诏提举所具功力等第闻奏。又诏居山至大伾山浮桥属濬县者,赐名天成桥;大伾山至汶子山浮桥,属滑州者,赐名荣光桥,俄改荣光曰圣功。御制桥铭,磨崖刻之。昌龄迁工部侍郎。方河之开也,水流虽通,然湍激猛暴,遇山稍隘,往往泛溢,近砦民夫,多被漂溺,因及通利军,后遂注成巨浸云。

秋,七月,戊辰朔,日有食之。

金主以弟乌奇迈为安班贝勒,以国相萨哈、弟杲并为古论贝勒。

乙亥,升汝州为陆海军节度。

丁丑,诏建明堂于寝之南。

赵遹奏:"晏州夷贼渝盟作过,出没剽掠,若置而不问,恐养成奸恶,别生大患,不可不早为之计。但事力未胜,不敢轻举深入。乞就秦凤、泾原、环庆路共调兵三万,前来攻讨。"诏永兴路选兵二千人赴之。辛巳,又诏泾原发兵三千,环庆二千,押赴泸南听用。仍以赵遹为泸南招讨统制使,王育、马觉为同统制,雷迪、丁升卿军前承受,孙羲叟、王良弼应副钱粮,并听遹节制。

甲申,以昭庆军节度使蔡卞为开府仪同三司。

是月,辽使萨喇以国书致金主,金主留之不遣。

八月,戊戌朔,金主自将攻黄龙府,次混同江,无舟;金主使一人导前,乘赭白马径涉,曰:"视吾鞭所指而行。"诸军随之,水及马腹。后使舟人测其渡处,深不得其底。

己亥,都水监言:"大河已就三山通流,正在通利之东,虑水溢为患,乞移军城于大伾山、居山之间以就高仰。"从之。

己西,诏秘书省移于它所,以其地为明堂。杭州观察使陈彦,言明堂基宜正临丙方稍东,以据福德之地,故有是诏。命蔡京为明堂使,开局兴工,日役万人。

庚戌,诏:"中书舍人陈邦光,提举洞霄宫,池州居住。"

先是邦光以中书舍人兼太子詹事,会蔡京献太子以大食琉璃酒器,罗列宫庭。太子怒曰:"天子大臣,不闻道义相训,乃持玩好之具荡吾志邪!"命左右击碎之。京闻邦光实激太子,含怒未发,遂因事斥之。

辛亥,升通利军为濬州。

嗣濮王仲增薨,弟仲御嗣。

丙寅,陈瓘特叙承事郎,许任便居住,缘立太子赦也。瓘既寓通州,而盛章与石悈有隙,取密旨编置通州,扬言为瓘报仇,瓘闻而叹曰:"此岂盛世所宜有邪!"因谋徙避,遂挈家至九江卜居焉。

九月,丁卯朔,辽黄龙府陷于金。金主遣辽使萨喇还,遂班师,至混同江,径度如前。

金宗翰及其弟宗弼等遗书辽主,阳为卑哀之辞,实欲求战。辽主怒,下诏亲征,有"女直作过,大军翦除"之语。金主聚众,劙面仰天恸哭曰:"始与汝等起兵,盖苦契丹残忍,欲自立国。今天祚亲征,奈何?非人死战,莫能当也。不若杀我一族,汝等迎降,转祸为福。"诸军皆曰:"事已至此,惟命是从。"

癸巳,金以古论贝勒萨哈为古论呼图贝勒,鄂兰哈玛尔为古论伊实贝勒。

王厚与刘仲武合泾原、鄜延、环庆、秦凤之师攻夏藏底河城,败绩,死者十四五,秦凤等三将、全军万人皆没。厚惧罪,重赂童贯,匿不以闻。未几,夏人大掠萧关而去。

辽师渡混同江,副都统耶律章努反,奔上京,谋迎立魏国王淳。辽主遣驸马萧昱领兵诣广平淀,护后妃行宫,实达尔伊逊持书驰报淳。时章努先遣淳妃亲弟萧迪里以所谋说淳,淳曰:"此非细事,主上自有诸王当立,北、南面大臣不来,而汝言及此,何也?"密令左右拘之。有顷,伊逊赍御札至,备言章努等谋废立事。淳对伊逊号哭,立斩迪里首以献,单骑间道诣广平淀待罪,辽主遇之如初。

章努知淳不见听,乃率麾下掠取上京府库财物,至祖州,率其党告太祖庙,数辽主过恶,移檄州县,遂结渤海群盗数万趋广平,犯行宫,不克,北趋上顺国。女直阿固齐,以三百骑一战胜之,擒其贵族二百馀人,并斩以徇,馀得脱者皆奔金。章努诈为使者,亦欲奔金,为逻者所获,缚送行在,腰斩于市,剖其心以献祖庙,支解以徇。

冬,十月,癸卯,以嵩山道人王仔昔为冲隐处士。仔昔,豫章人,自言遇许逊真君,授以大洞隐书、豁落七元之法,能知人祸福。王老志死后,仔昔来都下,帝知之,召令踵老志事,寓蔡京第,因有是命。

己酉,赵遹统兵发江安县,亲督王育由乐共城路,命马觉以别部由长宁军路,张思正由梅岭堡、水芦毡中路,期悉会于晏州轮缚大囤,合陕西三路兵,将本路土军、义军、土丁子弟、保甲弓手、人夫共三万五百四十人。

戊午,夏人入贡。

十一月,癸酉,录昭宪杜皇后之裔。

庚辰,赵遹攻破晏州轮缚大囤,夷贼卜漏遁去,官军追获之,降者相继而至,诸囤悉平。

初，王育等既攻破上、下落样村及思峨州，所向若破竹，无不即下，通遂与马觉、张思正军皆至轮缚大囤。其山崛起数百仞，周四十馀里，卜漏居之，凡诸囤之奔亡者悉归于此，共保聚拒守。贼自上施矢石，直瞰官军，中者即虀粉。官军以强弓弩射之，曾不能及半，兵陈四周凡累日，将士相顾无计。泸州都巡检使种友直，山西将家子，沈密能任事；思黔州巡检田祐恭，本思黔夷所部土丁药箭手，轻趫习山险。通乃微服乘马，命友直、祐恭从，案视形势；见山隈崖壁尤陡绝，贼以险故不设备，通乃悉移军当贼，而命二人率所部军于下，谓曰："此处崖壁，疑可以计登。且山多猱，思黔人善能捕取，汝等急办之。"信宿，友直捕得生猱数千，通喜曰："事济矣。"乃悉以成算授友直，且令诸军各备云梯，视山上火发，即以进。

是日，友直选所部与祐恭之众，得二千馀，纫麻为长炬，灌以膏蜡，使群猱背负之。暮夜，先以数辈登崖巅，系绳梯数十，缒而下，众各衔枚，挈群猱次第挽绳梯而登。鸡方唱，众已悉登，及栅，乃然炬纵猱。贼庐舍皆茅竹为之，群猱所历，火辄发，贼奔呼扑救不暇。猱益惊跳，火益炽，争前驱逐群猱。官军已破栅，鼓噪击其后，贼犹与官军力斗。通望火发，令诸军挝鼓，俱以云梯进，贼蹂乱，官军内外相应，遂斩关环城而登。卜漏从诸酋突围遁，通命友直及统领官刘庆以步骑五千追至山后，擒卜漏及诸酋长。通自入酋境至破轮缚，凡所平州二，县八，诸囤三十馀城，以其地之要害者建置寨堡，拓地环二千馀里，皆衍沃宜种植，画其疆亩，募并边之人耕之，使习战守，如西北弓箭社之制，号曰胜兵。

庚寅，高丽遣子弟入学。

是月，辽主自将亲军七十万驰（至驸马门）〔至驼门，驸马〕萧特默、林牙萧萨喇等将骑兵五万、步卒四十万至斡邻泺。金主自将御之。

十二月，己亥，升遂州为遂宁〔府〕（军节度）。

乙巳，辽都监章嘉努叛。

丙午，以赵遹为龙图阁直学士，知熙州。

金主行次约罗，会诸将议，皆曰："辽兵号七十万，其锋未易当；吾军远来，人马疲乏，宜深沟高垒以待。"从之。

丁未，金主以骑兵亲候辽军，获督饷者，知辽主以耶律章嘉努叛，西还二日矣。诸将请追击之，金主曰："敌来不迎战，去而追之，欲以此为勇邪？"众皆悚愧，愿自效。金主曰："诚欲追敌，约赍以往，无事馈馈。若破敌，何求不得！"众皆奋跃，追及辽主于呼卜图冈。是役也，兵止二万。金主曰："彼众我寡，兵不可分。视其中军最坚，其主必在焉；败其中军，可以得志。"乃使右翼先战，兵数交，左翼合而攻之。辽兵溃，金师驰之，横出其中，死者相属百馀里，获舆辇、帝幄、兵械、军资、它宝物、马牛不可胜计。金师乃还。

己未，辽锦州刺史耶律珠泽叛应章嘉努，遣北面林牙耶律玛格讨之。

庚申，以平晏夷，曲赦四川。

癸亥，置泸南沿边安抚司，以孙义叟为集贤殿修撰、知泸州，充安抚使。

辽以北院宣徽使萧罕嘉努知北院枢密使事，南院宣徽使萧特默为汉人行宫都部署。

是岁，平江府、常、湖、秀三州水。

夏改元雍宁。

六年 辽天庆六年,金收国二年【丙申,1116】 春,正月,丙寅朔,辽东京有恶少年十馀,乘酒持刃,逾入留守府,问留守萧保先所在,今军变,请为备;保先出,刺杀之。户部使大公鼎闻乱,即摄留守事,与副留守高清明集奚、汉兵千人,尽捕其众,斩之,抚定其民。

东京,故渤海地,辽太祖力战二十馀年乃得之。而保先严酷,(北)〔渤〕海苦之,故有是变。其裨将渤海高永昌,时以兵三千屯八甗口,见辽政日衰,金势方强,遂觊觎非常,诱渤海并戍卒入辽阳,据之。旬日之间,远近响应,有兵八千人,因僭称国号大元,建元隆基。辽主遣萧伊苏、高兴顺招之,永昌拒命不从。

戊子,以泸南献捷,转宰职一官。

以童贯为陕西、河北宣抚使。

是日,金主下诏曰:"自破辽兵,四方来降者众,宜加优恤。自今诸部官民已降或为军所俘获,逃遁而还者,勿罪。仍官其酋长,且使从宜居处。"

闰月,壬寅,升颍州为顺昌府。

庚申,太府寺丞王鼎奏:"《五礼新仪》既已成书,欲乞依仿新乐颁行之。仍许令州县召募礼生肄业于官,使之推行民间,专以新仪从事。"辛西,开封府尹王革奏:"乞下国子监,委学官将新仪内冠、昏、丧、祭民间所当通知者,别编类作一帙,镂板付诸路学事司,劝谕学生,务令通知节文之意。"并从之。

辽贵德州守将耶律伊都以广州渤海叛附高永昌。辽主遣萧罕嘉努、张琳讨之。

二月,壬申,令道教改隶秘书省。

癸未,诏:"访闻棣州士人刘栋,蔬食葆神,虚心契道,人之隐奥,洞然照知,处方书符,每有应验。可令敦遣赴尚书省审验外,于上清宝箓宫安下,仍给路费驿券递马,无令失所。"

丁亥,诏增广天下学舍。

庚寅,诏广京城。

辽侍御司徒托卜嘉等讨章嘉努,战于祖州,败绩;复遣汉人行宫都部署萧特默率诸将讨之。章嘉努诱饶州渤海及中京贼侯概等万馀人,攻陷高州。

三月,癸丑,赐上舍生十一人及第。

乙卯,赐王仔昔号通妙先生。

辽东面行军副都统萧酬干等擒侯概于川州。

夏,四月,乙丑,会道士于上清宝箓宫。宫建于景龙门,对晨晖门,密连禁署,用道士林灵素言也。

灵素,永嘉人,少从浮屠学,苦其师笞骂,去为道士,左街道录徐知常引之以附会诸阉。时王仔昔宠稍衰,帝访方士于知常,以灵素对,一见,帝视如旧识。灵素大言曰:"天有九霄,而神霄最高,其治曰府。神霄玉清王者,上帝之长子,主南方,号长生大帝君,陛下是也。既下降于世,其弟号青华帝君者,主东方,摄领之。已乃府仙卿,曰褚慧,亦下降帝君之治。"又目蔡京为左元仙伯,王黼为文华吏,蔡攸为园苑宝华吏,郑居中、刘正夫、盛章、王革及诸巨阉,皆有名位。而贵妃刘氏方有宠,则曰九华玉真安妃也。帝心独喜其说,赐号通真先生,作上清宝箓宫,帝时登皇城,下视之。由是开景龙门,城上作复道通宝箓宫,以便斋醮之事。

辛未,尚书右仆射何执中致仕。执中辅政一纪,年高疾甚,赐之宽告。它日造朝,命止赴六参起居,退治省事,遂以太傅、荣国公就第,朝朔望,仪物廪稍,一如居位时。入见,帝曰:"自相位致为臣,数十年无此矣。"执中对曰:"昔张士逊亦以旧学际遇,用太傅致仕,与臣适同。"帝曰:"当时恩礼,恐未必尔。"执中顿首谢。执中尝为端王侍讲,故终始恩遇不替;然无所建明,惟以谨畏迎顺主意,赞饰太平而已。

辽主亲征章嘉努,癸酉,败之。甲戌,诛叛党,饶州渤海平。丙子,赏平贼将士有差。而萧罕嘉努、张琳复为贼馀党所败。

丁丑,诏:"天宁诸节及壬戌日,杖以下罪听赎。"

丙戌,却监司守臣进献。

蔡京三上章乞致仕,帝不允;庚寅,诏京三日一造朝,正公相位,通治三省事。

辛卯,高阳关路安抚使吴珍言冀州枣强县黄河清;诏许称贺。

五月,甲午朔,令蔡京遇朔望赴朝,三日一知印当笔;不赴朝日,许府第书押。寻又诏:"自今遇有奏事,非造朝日亦赴,仍许正谢。"

丁酉,废锡钱。

庚子,以郑居中为少保、太宰兼门下侍郎,刘正夫为特进、少宰兼中书侍郎。

时蔡京大兴工役,民不聊生,变乱法度,吏无所师。居中每为帝言,帝亦恶京专,乃拜居中太宰,使伺察之。又以正夫议论数与京异,拜为少宰。居中存纪纲,守格令,抑侥幸,振淹滞,士论翕然望治。

壬寅,以保大军节度使邓洵武知枢密院事。

辽主以章嘉努既平,将清暑散水原,萧托斯和请曰:"今边兵懈弛,若清暑岭西,则汉人啸聚,民心益摇。臣愚以为宜罢此行。"不纳。

先是高永昌使托卜嘉求援于金,且曰:"愿并力以取辽。"金主使呼实布谓永昌曰:"同力取辽固可;东京近地,汝辄据之以僭大号则不可。若能归款,当授王爵。"永昌不从。金主乃遣干鲁帅诸军攻永昌,遇辽兵,败之,遂取沈州。永昌闻之,大惧,使家奴塔喇诣金师,请去僭号称藩,干鲁知其诈,进兵攻之。永昌遂支解呼实布等,率众拒金,遇于活水。金师既济,永昌之军不战而却,逐北至辽阳城下。明日,永昌尽率其众与金战,大败,以五千骑奔长松岛。辽阳人执永昌妻子以城降,托卜嘉亦执永昌以献,金主命杀之。于是辽之东京州县及南路系辽女直皆降于金。金主诏除辽法,省赋税,置明安、穆昆,以干鲁为南路都统,沃棱知东京事。

六月,乙丑,辽籍诸路兵,有杂畜十头以上者皆从军。

丙寅,班《中书官制格》。

庚午,虑囚。

甲戌,诏:"堂吏迁官,至奉直大夫止。"

庚辰,辽魏国王淳进封秦晋国王,为都元帅;以上京留守萧托卜嘉为契丹行宫都部署兼副元帅。

癸未,皇太子立妃朱氏。妃,祥符人,武(泰)〔康〕军节度使伯材女也。

丁亥,辽知北院枢密使事萧罕嘉努为上京留守。

秋,七月,壬辰朔,以震武城为震武军。

甲午,以德妃崔氏为贵妃。

辛亥,宴州夷贼卜漏及沅州黄安俊、定边军李咃嵺并伏诛,诏函首于中库。

壬子,曲赦湖北。

戊午,蔡京请名三山桥铭阁曰"缵禹冀文之阁",门曰"铭功之门"。

己未,解池生红盐。

辛酉,改走马承受公事为廉访使者。

辽主猎于秋山。春州渤海二千馀户叛,东北路统军使勒兵追及,尽俘以还。

八月,壬戌朔,戒北边帅臣毋生事。

己巳,以侯蒙为中书侍郎,薛昂为尚书左丞。

庚辰,蔡京奏:"臣昨以年逮七十,加之疾病,乞解机务,蒙恩特许三日一朝。今臣病已痊,筋力尚可勉强,伏望许臣日奉朝请,其治事即依已降指挥。"从之。

壬午,诏天下监司、郡守搜访岩谷之士,虽恢诡谲怪自晦者,悉以名闻。

丁亥,诣建隆观,遂幸蔡京赐第。

己丑,升晋州为平阳府,寿州寿春府,齐州济南府。

是月,金萨里罕陷辽保州。

保州本高丽地,萨里罕攻之,久不克,请济师。高丽使谓金曰:"保州本吾壤土,愿以见还。"金主曰:"尔其自取之。"金主乃益萨里罕兵,无合高丽,至是拔之。

九月,辛卯朔,帝奉玉册玉宝诣玉清和阳宫,上尊号曰太上开天执符御历含(仁)〔真〕体道昊天玉皇上帝。

丙申,赦天下,令洞天福地修建宫观,塑造圣像。又禁中外不许以龙、天、君、玉、帝、上、圣、皇等为名字。

癸卯,诏定鼎阁于天章阁,以方士王仔昔言九鼎神器宜纳之禁中,不可处外也。命蔡京为定鼎礼仪使。

丙午,辽主谒怀陵。

己未,以童贯为开府仪同三司。

金始制金牌。

冬,十月,乙丑,太白昼见。

丁卯,辽以张琳军败,夺其官。

戊寅,张商英复观文殿学士。

乌库部叛辽,辽遣中丞耶律托卜嘉招之;庚辰,乌库部降。

甲申,诏诚感殿长生大帝君神像可迁赴天章阁西位鼎阁奉安。

辛卯,蔡京等言冀州三山河清,乞拜表称贺。

十一月,甲午,诏:"帝鼐改为(龙)〔隆〕鼐,正南彤鼎为明鼎,西南阜鼎为顺鼎,正西晶鼎为蕴鼎,西北魁鼎为建鼎,正北宝鼎依旧,东北牡鼎为和鼎,正东仓鼎为育鼎,东南(冈)〔风〕鼎为洁鼎,鼎阁为圜象徽调之阁。阁上神像,(在)〔左〕周鼎星君,中帝席星君,右大角星君。阁下鼎鼐神像,各守逐鼎排列。"亦用王仔昔建议也。

己亥,祀圜丘,赦。

庚子,以礼部尚书白时中为尚书右丞。

戊申,辽东面行军副都统玛格攻金之哈斯罕,败绩,辽主削其官。

夏人大举兵攻泾原靖夏城。时久无雪,夏人使数万骑绕城践之,尘起涨天,乃潜穿壕为地道,入城中,城遂陷,屠之而去。

十二月,庚申朔,金安班贝勒乌奇迈及群臣上其主尊号曰大圣皇帝。改明年为天辅元年。

己巳,以婉仪刘氏为贤妃。

乙亥,辽封庶人萧氏为太皇太妃。

戊寅,以熙河进筑功成,进执政一官。

乙酉,尊九鼎于圜象徽调阁;翼日,复诣阁行香,百官陪位。

特进、少宰刘正夫罢。正夫由博士入都,驯致宰相,能迎时上下,持禄养权,至是以开府仪同三司致仕。

是岁,茂州夷至永寿内附,以其地置寿宁、延宁军。

七年 辽天庆七年,金天辅元年【丁酉,1117】 春,正月,乙未,令:"天下道士,与免阶墁迎接衙府,宫观科配借索骚扰;郡官、监司相见,依长老法。"

庚子,以殿前都指挥使高俅为太尉。

甲寅,辽减厩马粟,分给诸局。

是月,金军攻辽春州,辽东北面诸军不战自溃。女古皮室四部及渤海人皆降于金;贝勒呆复陷泰州。

二月,癸亥,以大理国主段和誉为云南节度使、大理国王。

甲子,诏通真先生林灵素于上清宝箓宫宣谕清华帝君降临事。

初,刘混康、虞仙姑、王老志、王仔昔,皆为帝所礼,然其神怪事多出自方士也。及灵素至,乃以事归之于帝,而曰己独佐之,每自号小吏佐治,故上下莫有攻其非者。然灵素实无术,徒敢为大言。是时帝兴道教将十年,独思未有一厌服群下者。灵素因希指造为清华帝君夜降宣和殿事,假帝诰天书云篆。帝乃会道士二千馀人于上清宝箓宫,俾灵素宣谕其事。左街道录傅希烈等,皆作记上之。

丁卯,御右文殿,策高丽进士。

辛未,诏天下:"天宁万寿观改为神霄玉清万寿宫,仍于殿上设长生大帝君、青华帝君圣像。"

乙亥,幸上清宝箓宫,命灵素讲道经。自是每设大斋,费缗钱数万,谓之千道会,令士庶入殿听讲,帝为设幄其侧。灵素据高座,使人于下再拜请问。然所言无殊绝者,时杂以捷给嘲诙,以资媟笑。复令吏民诣宫受神霄秘箓,朝士之嗜进者亦靡然从之。

辽涞水县贼董庞儿聚众万馀,西京留守萧伊苏、南京统军都监扎拉与战于易水,破之。

三月,庚寅,赐高丽祭器。高丽进士权适等四人,赐上舍及第。

乙未,以童贯领枢密院。

丙申,升鼎州为常德军节度。

壬子,御制《明堂上梁文》。

辽董庞儿之党复聚,萧伊苏复击破之。

夏,四月,庚申,帝讽道录院曰:“朕乃昊天上帝元子,为大霄帝君,睹中华被金狄之教,焚指炼臂,舍身以求正觉,朕甚闵焉。遂哀恳上帝,愿为人主,令天下归于正道。帝允所请,令弟青华帝君权朕大霄之府。朕凤昔惊惧,尚虑我教所订未周,卿等可上表章,册朕为教主道君皇帝。”于是群臣及道录院上表册之,然止用于教门章疏,而不施于政事也。教主道君皇帝者,即长生大帝君,道教五宗之一,所谓神化之道,感降仙圣,不系教法之内者也。

辛酉,升温州为应道军节度,为林灵素也。

丙子,诏亲祀明堂。

五月,戊子朔,升庆州为庆阳军节度,渭州为平凉军节度。

己丑,诣玉清和阳宫,上地祇徽号。诏曰:“王者父天母地,乃者祇率万邦黎庶,强为之名,以玉册玉宝昭告上帝,而地祇未有称谓,谨上徽号曰承天效法厚德光大后土皇地祇,诣宫上宝册,仪礼一如上帝。”

辛卯,命蔡攸提举秘书省,并左右街道录院。

乙未,诏权罢宫室修造。

辛丑,祭地于方泽,降德音于诸路。

以监司州县共为奸贼,令廉访使者察奏,仍许民径赴尚书省陈诉。

癸卯,改玉清和阳宫为玉清神霄宫。

乙巳,辽主命围场隙地许民樵采。

丁未,诏:“应监司兼领措置起发花石。”

金主命:“自收宁江州以后,同姓为婚者,杖而离之。”

六月,戊午朔,以明堂成,进封蔡京为陈鲁国公。京辞两国不拜,诏官其亲属二人。

己未,童贯加检校少傅,梁师成为检校少保,宣和殿学士蔡攸、盛章、开封尹王革、显谟阁待制蔡儵、蔡翛,各迁官有差,皆以明堂成推赏也。

乙亥,蔡京等上表请御明堂听朝,颁常视朔,诏答不允;表三上,乃从之。

辛巳,辽以同知枢密院事伊勒嘉为北院大王。

壬午,诏禁巫觋。

丙戌,贵妃宋氏薨。

秋，七月，丁亥朔，令："僧徒如有归心道门，愿改作披戴为道士者，许赴辅正亭陈诉，立赐度牒、紫衣。"

壬辰，熙河、环庆、泾原地震。

庚子，诏："八宝内增定命宝，今后以九宝为首。"

癸卯，辽主猎于秋山。

自建隆初，女直尝由苏州泛海至登州卖马，故道虽存，久闭不通。至是金之苏州汉儿高药师、曹孝才及僧即荣等，率其亲属二百馀人，以大舟浮海，欲趋高丽避乱，是月，为风漂达宋界驼基岛，备言"女直既斩高永昌，渤海、汉儿群聚为盗，契丹不能制。女直攻契丹夺其地，已过辽河之西"。知登州王师中具奏其事，朝议固欲交金以图辽，闻之甚喜，乃召蔡京及童贯等共议，即共奏："国初时，女直常贡奉，而太宗屡诏市马女直，其后始绝。宜降诏，遵故事，以市物为名，就令访闻事体虚实。"乃诏师中选差将校七人，各借以官，用平海指挥兵船载高药师等，赍市马诏，泛海以往。

政和初，蔡京被召，帝戏语京子攸，谓须进土宜，遂得橄榄一小株，杂诸草木进之，当时以为珍。其后又有使臣王永从、士人俞𬮿，皆隶蔡攸，每花石至，动数十舟。盛章守苏州，及归，作开封尹，亦主进奉，然朱勔之纲为最。四年以后，东南郡守，二广市舶，率有应奉，多主蔡攸，至是则又有不待旨者。但进物至，计会诸阉人，阉人亦争取以献焉，天下乃大骚然矣。大率太湖、灵璧、慈谿、武康诸石，二浙花竹、杂木、海错，福建异花、荔子、龙眼、橄榄，海南椰实，湖湘木竹、文竹，江南诸果，登、莱、淄、沂海错、文石，二广、四川异花、奇果，贡大者越海渡江，毁桥梁，凿城郭而置植之，皆生成，异味珍苞，率以健步捷走，虽万里，用四三日即达，色香未变也。蔡京因奏："陛下无声色犬马之奉，所尚者山林竹石，乃人之弃物。但有司奉行过当，可即其浮滥而惩艾之。"乃作提举人船所，命巨阉邓文诰领焉。又诏监司、郡守等不许妄进，其系应奉者，独令朱勔、蔡攸、王永从、俞𬮿、陆渐、应安道六人听旨，它悉罢之，由是稍戢；未几，天下复争献如故。又增提举人船所，进奉花石，纲运所过，州县莫敢谁何，殆至劫掠，遂为大患。

八月，丙辰朔，宣和殿大学士蔡攸奏："庄、列、亢桑、文子，皆著书以传后世。今《庄》《列》之书已入国子学，而《亢桑子》《文子》未闻颁行，乞取其书，精加雠定，列于国子之籍，与《庄》《列》并行。"从之。

癸亥，诏明堂并祀五帝。

少保、太宰郑居中，以母忧去位。

居中与蔡京不相能，及居丧，京惧其起复，以居中王珪之婿，乃使蔡确子懋重理定策事以沮之。遂追封确清源郡王，御制碑文，立石墓前，而擢懋同知枢密院事，用居中诸子于朝。懋，即渭也。

丙寅，辽命都元帅秦晋王淳，赴沿边会四路兵马防秋。

金之拔保州也，高丽兵已在城中，金人入守。高丽王复使蒲马如金贺捷，且曰："保州本吾旧地，愿以见还。"金主曰："保州近尔边境，听尔自取。今乃勤我师徒，破敌城下，地何可得也!"

九月,戊子,诏:"湖北民力未舒,胡耳西道可罢进筑。"

辛卯,祀上帝于明堂,以神宗配享。赦天下。

乙未,特进、少宰刘正夫卒。

丙申,以御史中丞王安中为翰林学士。

安中之为中丞也,一日,请对,曰:"臣起诸生,蒙陛下亲擢,备员中执法,惧无以报。今臣所论,事关宗社,倘陛下少留听采,幸甚!"帝悚然。安中出袖中疏,所论乃蔡京也。帝曰:"诚如卿言。"安中即伏奏曰:"臣孤远一介,不自量力,辄论大臣。京老奸多智,必将为所中害,自此窜逐,无复再望清光矣。愿拜辞。"帝曰:"勿如此,当为卿罢京。"时蔡攸日夜出入禁中,尽率子弟见帝,泣且拜,帝曰:"中司文字如此,奈何?"攸等固恳:"陛下傥全臣宗,乞移安中一别差遣,则事自已矣。"帝恻然,许之。安中方草第三疏,翼日求对,中夜有扣门者曰:"适御笔,中丞除翰林学士,日下供职矣。"安中叹曰:"吾祸其在此乎!"自是京之势益盛。

丁酉,西蕃王子益麻党征降,见于紫宸殿。

癸丑,贵妃王氏薨。

辽主自燕至阴凉河,置怨军八营,募自宜州者曰前宜、后宜,自锦州者曰前锦、后锦,自乾、自显者曰乾、曰显。又有乾显大营二万八千馀人,屯卫州蒺藜山。

冬,十月,乙卯朔,御明堂平朔左个,以是月天运政治布告天下;又颁来岁岁运历数。

辽主至中京。

戊寅,中书侍郎侯蒙罢,蔡京恶之也。

辛巳,诏以来年正月一日祗受受命宝。

时得于阗大玉,逾二尺,色如截肪,帝乃制为宝,文曰"范围天地,幽赞神明,保合太和,万寿无疆",篆以虫鱼,制作之工,几于秦玺,号曰受命宝。帝甚重之,曰:"八宝者,国之神器;至于定命,乃我所自制也。"

十一月,庚寅,诏:"太师、鲁国公蔡京五日一朝,次赴都堂治事,恩礼宠数,并如旧制。"

辛卯,郑居中起复为太宰;以余深为特进、少宰、中书侍郎,白时中为中书侍郎。

壬辰,复置醴州。

丙申,太傅致仕何执中卒。赠太师、清源郡王,谥正献。

升石泉县为军。

十二月,甲寅朔,有星如月。

丁巳,以薛昂为门下侍郎。

甲子,金咸州都统乌楞古等败辽秦晋国王淳兵于蒺藜山。淳初遗乌楞古书议和,乌楞古告于金主,金主曰:"归我行萨喇及送阿苏等,则和议可成。"淳军蒺藜山,乌楞古及知东京事沃棱等进攻显州。辽怨军帅郭药师乘夜来袭,沃棱击走之。乌楞古遂与淳战,败走,乌楞古追至额勒锦陂,遂拔显州。于是,乾、懿、豪、徽、成、川、惠等州皆降于金。辽主下诏自责,遣伊勒希巴扎拉与大公鼎诸路募兵。

戊辰,诏天神降于坤宁殿,刻石以纪之。

庚午,以童贯领枢密院。

命户部侍郎孟揆于上清宝箓宫之东筑山,以象馀杭之凤皇山,号曰万岁,周十馀里。

辛未,御笔改《老子道德经》为《太上混元上德皇帝道德真经》。

丁丑,辽以西京留守萧伊苏为北府宰相。

癸未,以张商英为观文殿大学士。

是岁,大旱,帝以为念。侍御史黄葆光上疏言:"蔡京强悍自专,侈大过制,无君臣之分。郑居中、余深,依违畏避,不能任天下之责,故致此灾。"不报,且欲再上章。京权势震赫,举朝结舌,葆光独出力攻之。京惧,中以它事,贬知昭州立山县。又使言官论其附会交结,泄漏密语,诏以章揭示朝堂,安置昭州。

王仔昔倨傲而戆,帝待以客礼,故遇宦者若僮奴,又欲群道士宗己。林灵素忌之,与宦者冯浩诬以言语怨望,下狱死。

【译文】

宋纪九十二　起乙未年(公元1115年)正月,止丁酉年(公元1117年)十二月,共三年。

政和五年　辽天庆五年,金收国元年(公元1115年)

春季,正月,壬申朔(初一),女直阿古达称皇帝,对臣下说:"辽国以宾铁作为国号,是取它坚硬的含义。宾铁虽然坚硬,终究也会变坏。只有金不变化不坏,金子的颜色是白的,我们完颜部尚白色。"因此定国号为大金,改年号为收国,改名字为完颜旻。鄂兰哈玛尔以及宗翰献上九种农具,祝贺说:"让陛下不要忘记耕作的艰难。"金国主恭敬地接受了。不久任命鄂兰哈玛尔为古论贝勒。

丙子(初五),金国主自己带兵攻打黄龙府,进逼益州,益州人退保黄龙府,金人掠取剩下的百姓而返回。

丙戌(十五日),泸南晏州夷卜漏等人谋反,攻打梅岭堡,攻下了该城。

晏州六县水路十二村以及十州五村团的思峨洞各熟夷,向来狡黠勇敢善战,大中祥符、元丰年间,屡次兴起边境事端。泸州守臣贾宗谅,是位武人,喜欢制造事端,曾经因为需要竹木侵扰夷人,夷人怨恨他。这时又诬陷使他们的首领斗箇旁等人获罪,杖打脊背,刺字发配,夷人各部愤怒了。卜漏就主持结盟,合伙入侵,利用上元节张灯,袭击攻破梅岭堡。知寨高公老的妻子,是族姬,高公老曾经带着族姬用金玉器和卜漏等人在峨思洞饮酒,卜漏很艳羡,所以来进攻。高公老逃走了,就抢掠他的妻子和金玉器,四处焚烧返回。族姬,是濮安懿王的曾孙,与皇帝亲属关系很近,事情上报,皇帝很惊骇。

当时蜀地安定了很长时期,人们懦弱不习惯战事,贼人所到之处缺乏作战防守准备,远近听到报警就出现混乱。梓州转运使赵遹,正好巡察部属停在昌州,立即飞驰到泸州,而提点刑狱贾若水也到了。赵遹担心贼人过了泸水就更难抵御,就急令贾宗谅率军进驻江安县,占据泸水挡在贼人的要道上,而且从附近各营垒转运粮饷供给军队,使储备不缺。贾若水挑选附近巡尉兵到后，加上成都府路、利州路、夔州路援军也集结，与贾宗谅部，共有士兵一万多人。等到贼兵再侵犯武宁、乐共、梅岭时，贾宗谅出兵与贼兵作战，官军大败、偏将陈世基等人战死。贼军屡次获胜，愈加猖狂，没有一天不出来抢掠，蜀地大为震动。

己丑（十八日），命令各州县设置医学校，规定贡选的数额。

甲午（二十三日），将龙州改为政州。

辽国派行军都统耶律鄂尔多、左副统萧伊苏、右副统耶律章努、都监萧色佛垮以及骑兵二十万、步兵七十万人戍守边境。辽国主率军前往达噜噶城，停驻在宁江州西。辽国主下诏宣布亲征，派僧嘉努带书信约和，直指金国主的旧名，而且让作属国。金国主派萨喇复信："如果归还叛逃的人阿苏，迁移黄龙府到别的地方，然后商议此事。"庚子（二十九日），辽军进逼达噜噶城。

金国主登上高处，望见辽兵像连接成云朵的灌木一样，回头对身边的人说："辽国士兵有二心而心中害怕，虽然很多，不可怕。"就前往高岗处布阵。宗雄带领右翼先进攻辽军的左军，辽左军退却。右翼攻到辽右军阵地背后，辽右军都力战，洛索、尼楚赫冲击辽军的中坚，共九次冲入阵地，都被他们死战赶出。宗翰请求带中军援助，金国主让宗干布下疑兵。宗雄已得利，攻击辽右军，辽兵于是败下阵。乘胜追击到辽军军营，正好天色已晚，就围困辽军。黎明时，辽军突围而出，向北追赶到阿噜冈，辽步兵全部被歼。

这场战役，辽国人本来想屯田耕种，边作战边防守，所以金军一并得到他们的农具供给各部队。

童贯派熙河经略使刘法带领步兵骑兵十五万从湟州出发，秦凤经略使刘仲武带兵五万从会州出发，童贯带中军驻扎在兰州，作为两路的接应。刘仲武到清水河，修筑城寨屯驻返回。刘法与西夏右厢军在古骨龙作战，打败西夏军，斩杀三千人。

二月，乙巳（初五），立定王赵桓为皇太子。

甲寅（十四日），册封皇太子，大赦天下。

庚午（二十日），任命童贯统管六路边防事务。当时永兴路、鄜延路、环庆路、秦凤路、泾原路、河西路各设置经略安抚使，命童贯统领，因此西部的兵权都归到童贯手中。

辽国饶州渤海摩哩等反叛，自称为大王，辽国主派萧色佛垮等人讨伐他。

三月，辛未朔（初一），太白星白天出现。

金国主在寮晦城打猎。

癸酉（初三），张商英恢复为通奉大夫，提举崇福宫。

梓州路转运使赵遹暗中奏报贾宗谅激起晏夷变乱的罪状，而且说："泸南的边防事务，转运使官不应当干预，但臣不敢坐视不管，已经招集弱兵奔往乐共城，暂时实行招安的策略，使边境早日得到安宁。"然而赵遹的本意在于一心讨伐，所以战事更大了。皇帝下诏令："罢免贾宗谅等人。观察情况，如果晏夷还敢猖狂，即希望前往攻杀；如果已经退去分散到各自本业，或者悔过归附投降，就不可邀功求赏，另生事端。"并以康延鲁代替贾宗谅交给赵遹指挥。

甲申（十四日），追加评议至和、嘉祐年间确立英宗皇帝继位的功劳，封韩琦为魏郡王，恢复文彦博的官职。

丁亥(十七日),诏令因为册立皇太子,被贬责降职的文武官员,都加以叙复甄别任用,共一千五百人。

壬辰(二十二日),将舒州升格为德庆军节度。

癸巳(二十三日),赐给礼部奏报姓名的何㮚等六百七十人进士出身资格。

夏季,四月,甲辰(初五),修建葆真宫。

丙午(初七),赵遹上奏:"依次招安到晏州夷贼一千多人以及首领斗冈等二百四十七人,又宣谕劝说到贼人首领卜漏等十多人,一起来到梅赖村坝,在离君城十里的地方,与所派的使臣一起刺杀猫和鸡的血,掺和在酒中饮酒发誓,要一心归服宋朝,不再作乱。近来带到办公的地

芙蓉锦鸡图轴　宋徽宗

方询问他们,先是列出他们的恶行,再明白地宣传皇帝不杀他们的恩德,都面对朝廷叩头再拜谢恩。臣就设酒宴犒赏他们,赐给银和彩绢,让他们各自就本业。于是分派兵卒修复梅堡岭,并修建各城寨,以防备不测。"

丁未(初八),皇帝到景灵宫;回来时,临幸秘书省,给馆阁官员晋升官阶一级。

庚戌(十一日),将集英殿改为右文殿。

癸丑(十四日),辽国萧色佛埒等人被渤海摩哩打败,任命南面副部署萧托斯和为都统,奔赴那里。萧托斯和与渤海摩哩作战,又被打败。

癸亥(二十四日),设置宣和殿学士。

诏令东宫讲读官停止读史。

辽国主让耶律章努带书信到金国,直指金国主的名字,希望马上投降。金国认为书信中言辞轻慢,扣留他们五个人,只放章努回去,复信也用同样的措辞。

五月,庚午朔(初一),金国主在近郊避暑。甲戌(初五),举行祭拜上天、射柳仪式。从此在每年的五月五日、七月十五日、九月九日举行拜天、射柳。

六月,己亥朔(初一),辽国章努又送国书给金主,仍然直指他的名字,措辞与先前一样;

金国复信也直指辽国主的名字,而且劝辽国主投降。

癸丑(十五日),因为修建三山河桥,向河北路、京东路、京西路下达德音诏书。

蔡京用孟昌龄做都水使者,提议在大伾疏通河道,可以设置永久浮桥,说:"黄河从大伾东边流过来,直到大伾山西面止,数里才折向南面,向东流转过去,又折向北而东流,就又直流到大伾山的东侧,地形和水势,狭窄直急,不到十余里。而且地势低下,不能形成河道,靠山可以修建码头。又有河中沙洲,正像河阳城,如果引水让它穿过大伾主山和东北两座小山,分为两股流过,在下游会合,依靠三座山为根基架设浮桥,节省费用几十上百倍,可以减轻河朔各路的徭役。"朝廷高兴地采纳了,任命提举官,修造浮桥,所征调的民工数十万人,以致民不聊生。到此时工程完毕,皇帝下诏命令提举官根据功劳大小上报。又下诏从居山到大伾属于濬县的浮桥,赐名为天成桥;从大伾山到汶子山属于滑州的浮桥,赐名为荣光桥,随后改荣光桥为圣功桥。皇帝亲笔撰写建桥铭文,在山崖上磨石凿刻。孟昌龄升为工部侍郎。在河道开通时,水流虽然通了,但是水势湍激凶猛,遇到山势稍微狭窄,河水常常泛滥,附近寨子的民工,多被冲走淹死,水因而到达通利军,就形成大湖泊了。

秋季,七月,戊辰朔(初一),出现日食。

金国主任命弟弟乌奇迈为安班贝勒,任命国相萨哈、弟弟完颜杲同为古论贝勒。

乙亥(初八),将汝州升格为陆海军节度。

丁丑(初十),在寝庙的南面修建明堂。

赵遹上奏:"晏州夷贼违背誓言作乱,出来抢掠,如果放任不追究,恐怕会助养邪恶,另生出大患害,不能不早定计策。只是处理力量不够,不敢轻易举兵深入。请求从秦凤路、泾原路、环庆路同时调集三万人,前来攻击讨伐。"皇帝诏令永兴路选派二千人前往。辛巳(十四日),又诏令泾原路发兵三千人,环庆路发兵二千人,押送到泸南听候调用。并任命赵遹为泸南招讨统制使,王育、马觉为同统制,雷迪、丁升卿为军前承受,孙義叟、王良弼为应副钱粮,都由赵遹指挥。

甲申(十七日),任命昭庆军节度使蔡卞为开府仪同三司。

本月,辽国使臣萨喇送国书给金国主,金国主扣留他不放回。

八月,戊戌朔(初一),金国主自己带兵攻打黄龙府,停驻在混同江。没有渡船;金国主派一人作为先导,骑着白色的马直接涉水渡河,说:"看着我马鞭所指的地方走。"各军都跟着他,水深只到马腹。后来派人乘船测量他们渡河的地方,水深不见底。

己亥(初二),都水监说:"黄河已在三山通道上流过,正好在通利军的东面,考虑到河水泛滥为害,请求将通利军城移到大伾山、居山之间的高处。"同意了这个意见。

己酉(十二日),诏令秘书省移到另外的地方,在原地方建明堂。杭州观察使陈彦,提明堂的殿基应该正对丙方稍东,以占据有福有德的地方,所以有这个诏令。任命蔡京为明堂使,设置机构开工,每天使用民工一万人。

庚戌(十三日),诏令:"中书舍人陈邦光,任命为提举洞霄宫,池州居住。"

此前陈邦光任中书舍人兼太子詹事,碰上蔡京献上大食国的玻璃酒器,陈列在宫廷中。

太子发怒说:"作为天子的大臣,听不到道德义理相训诫,只拿精美的玩物来消磨我的意志吗!"就命令身边的人打碎了那些东西。蔡京听说实际是陈邦光激怒挑动太子,忍住怒气没有发作,就借机贬斥他。

辛亥(十四日),将通利军升格为濬州。

嗣濮王赵仲增去世,他的弟弟赵仲御继位。

丙寅(二十九日),因为盛章与石諴有怨隙,就请求得到了密旨将他编置到通州,扬言是为陈瓘报仇,陈瓘听说了叹息说:"这哪里是盛世所应该做的呢!"就计划移居躲避,于是带着全家到九江择地居住。

九月,丁卯朔(初一),辽国黄龙府陷入金人手中。金国主放回辽国使萨喇,就撤走军队,到混同江,像上次一样直接涉水过河。

金国宗翰以及他的弟弟宗弼等人送书信给辽国,表面上是谦卑之辞,实际上想求战。辽国主发怒,下诏书宣布亲征,有"女直作恶,大军前往剿除"的话。金国主聚集兵众,用刀划面仰天痛哭说:"开始与你们起兵,是因为苦于契丹的残忍,想自己建立国家。现在辽国天祚皇帝亲征,怎么办呢?如果不是人人拼死作战,就不能抵挡。不如杀掉我这一族,你们迎接投降,转祸为福。"各军都说:"事已至此,只有服从命令。"

癸巳(二十七日),金国任命古论贝勒萨哈为古论呼图贝勒,鄂兰哈玛尔为古论伊实贝勒。

王厚与刘仲武集合泾原路、鄜延路、秦凤路的兵力进攻西夏国藏底河城,被打败,战死的人占十分之四五,秦凤等路的三员大将、全军一万人都被歼灭。王厚怕获罪,对童贯大加贿赂,隐瞒不将情况上报。不久,西夏人大肆抢掠萧关而离去。

辽国军队渡过混同江,副都统耶律章努谋反,奔往上京,谋划迎立魏国王耶律淳。辽国主派驸马萧昱带兵到广平淀,保护后妃的行宫,派实达尔耶律伊逊带着书信报告耶律淳。当时耶律章努先派耶律淳的妃子的亲弟弟萧迪里将这个谋划告诉耶律淳,耶律淳说:"这不是小事情,主上自有众王当立,北、南面的大臣不来,而你来说此事,为什么?"暗中命令随从拘押他。不一会儿,耶律伊逊带御札诏书来到,详细说了章努等人阴谋废国主另立的事。耶律淳对耶律伊逊大哭,马上斩下萧迪里的头献上,自己单骑从小路到广平淀等候处罚,辽国主待他如当初一样。

耶律章努知道耶律淳不听从安排,就率领属下抢掠京城府库中的财物,到了祖州,率领他的党羽在太祖庙祷告,历数辽国主的罪恶,送檄文到各州县,就勾结渤海盗贼数万人奔往广平淀,攻打行宫,没有攻下,向北奔往上顺国。女直阿固齐,带三百人一仗就战胜了他,抓获贵族二百多人,都斩杀示众,其余逃脱的都奔往金国。耶律章努谎称是使臣,也想投奔金国,被巡逻兵抓获,在市场上腰斩,挖出他的心献给祖庙,肢解尸体示众。

冬季,十月,癸卯(初七),封嵩山道人王仔昔为冲隐处士。王仔昔,是豫章人,自称遇到许逊真君,将大洞隐书、豁落七元之法传授给他,能够预知人的祸福。王老志死后,王仔昔来到京城,皇帝知道了,传召命他接着做王老志的事务,住在蔡京宅第中,因此有这个任命。

己酉(十三日)，赵遹统兵从江安县出发，亲自督令王育从乐共城路，命令马觉带另一支部队从长宁军路，张思正从梅岭堡、水芦毡中路，约定日期全部在晏州轮缚大囤会合，会合陕西三路士兵，率本路士兵、义军、土丁丁弟、保甲弓手、民工共三万零五百四十人。

戊午(二十二日)，西夏人入朝进贡。

十一月，癸酉(初八)，录用昭宪杜皇后的后代。

庚辰(十五日)，赵遹攻下晏州轮缚大囤，夷贼卜漏逃走，官军追击抓获他，投降的人相继而来，各囤全部平定。

当初，王育等人攻下上、下落样村以及思峨州，所到之处势如破竹，无不马上攻下，赵遹就与马觉、张思正的部队都到达轮缚大囤。那里山峰高耸达数百丈，方圆四十多里，卜漏占据这里，所有各囤中逃亡的人都聚集到这里，一起坚守抵抗。贼人从上往下抛射石头，直压向官军，被石头击中的立即粉身碎骨。官军用强弩射他们，还不能到达半山腰，部队在四周布阵好几天，将士相互对视拿不出计策。泸州都巡检使种友直，是山西将官家的后代，沉着能够担当重任；思黔州巡检田祐恭本来是思黔夷部族的士兵药箭手，轻盈矫健善走山路。赵遹就穿便装骑马，让种友直、田祐恭跟随，察看山势；看到山势崖壁尤其陡峭，贼人因为险峻的缘故没有设防，赵遹于是调动全部部队与贼军对抗，而命令他们两人率领所部兵力到悬崖下，对他们说："这里山崖陡峭，估计可以想办法登上去。而且山上猴子很多，思黔人善于捕捉，你们马上办这件事。"过了两天，种友直捕捉到野猴子数千只，赵遹高兴地说："事情能成功了。"就将想好的计划告诉种友直，并让各军准备云梯，看到山上点火马上进攻。

这一天，种友直挑选所部与田祐恭的士兵，共二千人，连缀麻做成长火把，灌上油蜡，让一群猴子背上。晚上，先让数人登上山崖顶，系上数十根绳梯，缒吊下来，众人各自衔枚，带着猴子依次抓住绳梯往上登。鸡刚打啼，众人已经全部登上，到栅栏边，就点燃火把放开猴子。贼人的房屋都是茅草和竹木搭建，群猴所经过的地方，立即起火，贼人奔跑呼喊扑救不及。猴子更受惊奔跳，火越发猛烈，夷贼争着去驱赶猴子。官军已经攻破栅栏，呼喊着攻打背后，贼兵还在与官军力战。赵遹看见火起，命令各军击鼓，全部用云梯往上攻，贼兵混乱相践踏，官军内外呼应，就打开关口，从城寨四周登上去。卜漏跟着各首领突围逃走，赵遹命令种友直以及统领官刘庆带步骑兵五千人追到山后面，抓获卜漏以及各首领。赵遹自从进入夷族地界到攻破轮缚大囤，共平定两州、八县，各囤三十多城寨，在该地险要的地方建立设置寨堡，开拓土地方圆二千多里，都是肥沃适合种植的土地，划分田界，招募边地的人耕种，让他们训练作战防守，如同西北各路弓箭社的建制，号称胜兵。

庚寅(二十五日)，高丽派遣子弟来宋留学。

本月，辽国主自己带领亲军七十万飞驰到驼门，驸马萧特默、林牙萧萨喇等人带骑兵五万、步兵四十万到达斡邻泺。金国主自己带领兵将抵御辽军。

十二月，己亥(初四)，将遂州升格为遂宁军节度。

乙巳(初十)，辽国都监章嘉努发动叛乱。

丙午(十一日)，任命赵遹为龙图阁直学士，知熙州。

金国主出兵停驻在约罗,会集众将商议,都说:"辽国兵号称七十万,它的锋芒不容易抵挡;我军远道而来,人马疲惫,应该深挖壕沟高筑堡垒来备战。"采纳了这个意见。

丁未(十二日),金国主带领骑兵亲自迎击辽军,抓获督粮草的人,知道辽国主因为耶律章嘉努叛乱,向西退回已经两天了。各将领要求追击他,金国主说:"敌人来了不迎战,撤离了而去追它,想以此表现勇敢吗?"众将领都很愧疚,希望自己能够效力。金国主说:"确实想追击敌人,轻装前往,不带粮饷。如果攻破敌人,要什么得不到!"众将都奋勇争先,在呼卜图冈追上并攻击辽国主。这一仗,只有两万兵力,金国主说:"敌众我寡,兵力不可分散。观察敌人的中军最强,辽国主必定在那里;打败敌人的中军,可以得势。"就让右翼先出战,士兵数次交阵,左翼会合进攻敌人。辽军溃败,金军追赶,横冲向辽军中间,辽军被杀死的绵延数百里,缴获辽国主的车辇、幕帐、武器、军用物资,其他宝物、马牛不计其数。金军于是返回。

己未(二十四日),辽国锦州刺史耶律珠泽反叛呼应章嘉努,辽国主派遣北面林牙耶律玛格讨伐他。

庚申(二十五日),因为平定晏夷,特赦四川地区。

癸亥(二十八日),设置泸南沿边安抚司,任命孙羲叟为集贤殿修撰、知泸州,充任安抚使。

辽国任命北院宣徽使萧罕嘉努知北院枢密使事,南院宣徽使萧特默为汉人行宫都部署。

这一年,平江府,常州、湖州、秀州三个州发生水灾。

西夏国改年号为雍宁。

政和六年 辽天庆六年,金收国二年(公元1116年)

春季,正月,丙寅朔(初一),辽国东京有十多个恶少年,乘着酒意持刀,翻墙进入留守府,问留守萧保先在哪里,说现在发生兵变,请做好准备;萧保先出来,恶少年刺死了他。户部使大公鼎听说发生变乱,就代理留守事务,与副留守高清明集奚、汉兵千人,将恶少年全部抓获,杀掉,安定百姓。

东京,是渤海的旧地,辽太祖力战二十多年才得到它。而萧保先严厉冷酷,渤海人以他为苦,所以有这次变乱。他的副将渤海人高永昌,当时带兵三千屯守在八甎口,看到辽国政务日渐衰落,金国势力正强盛,就图谋不轨,诱致渤海人和戍卒进入辽阳,占据那里,十天左右远近的人都响应,得到兵力八千人,因而僭称国号为大元,建立年号为隆基。辽国主派遣萧伊苏、高兴顺招安他,高永昌拒不听命。

戊子(二十三日),因为泸南传来捷报,给宰相升一级官阶。

任命童贯为陕西、河北宣抚使。

本日,金国主下诏说:"自从打败辽军,四方来投降的人很多,应该加以优待抚恤。从今各部官民已经投降或者被部队抓获,逃跑而回来的人,不加治罪。仍让他们的酋长为首领,且让他们住在适宜的地方。"

闰月,壬寅(初七),将颍州升格为顺昌府。

庚申(二十五日),太府寺丞王鼎上奏:"《五礼新仪》已经成书,想请求按照新乐的办法颁布实行。并允许州县招募礼仪学生到官府学习,让他们推行到民间,专门按照新礼仪执行。"辛酉(二十六日),开封府尹王革上奏:"请求指示国子监,委派学官将新仪中冠礼、婚礼、丧礼、祭礼等民间所应当知道的,另外编排作中卷,刻印交付各路学事司,劝谕学生,务必使他们完全知道礼节文章的本意。"都采纳了。

辽国贵德州守将耶律伊都带着广州渤海部叛变归附高永昌。辽国主派萧罕嘉努、张琳征讨他。

二月,壬申(初八),命令道教改隶属秘书省管辖。

癸未(十九日),诏令:"查访听说棣州士人刘栋,素食保养精神,虚心以求合道,人的隐秘,能洞彻知晓,开的处方与书符,常常应验。可以下令送往尚书省审查验证外,在上清宝箓宫安排,并给予路费驿券递马,不要让他没有住处。"

丁亥(二十三日),诏令增加天下的学校房舍。

庚寅(二十六日),诏令扩建京城。

辽国侍御司徒托卜嘉等人讨伐章嘉努,在祖州接战,结果失败;又派汉人行宫都部署萧特默率领各将领讨伐他。章嘉努诱致饶州渤海以及中京贼人侯概等万余人,攻占高州。

三月,癸丑(十九日),赐上舍生十一人及第资格。

乙卯(二十一日),赐给王仔昔通妙先生称号。

辽国东面行军副都统萧酬干等人在川州抓住侯概。

夏季,四月,乙丑(初二),在上清宝箓宫会见道士。上清宝箓宫建在景龙门,与晨晖门相对,暗中通皇宫,是采用了道士林灵素的意见。

林灵素是永嘉人,从小学佛苦于受到师傅的打骂,离开作了道士,左街道录徐知常引荐他巴结宦官。当时王仔昔受到的宠信渐减,皇帝向徐知常访求方士,徐知常就回答有林灵素,一见面,皇帝视他如同旧相识。林灵素夸张说:"天有九霄,其中神霄最高,治所称为府。神霄玉清王,是上帝的长子,主管南方,称为长生大帝君,陛下就是。降临人世后,他的弟弟叫作青华帝君的,主管东方,代理他管理。我自己是府中的仙卿,叫褚慧,也是从帝君的治府下降人世。"又称蔡京是左元仙伯,王黼为文华吏,蔡攸为园苑宝华史,郑居中、刘正夫、盛章、王革以及各大宦官,都有名号位置。而贵妃刘氏刚得宠,就说是九华玉真安妃。皇帝心中独自喜欢他的说法,赐给名号为通真先生,修建上清宝箓宫,皇帝时常登上皇城,向下看。因此开启景龙门,城上修建复道直接通到宝箓宫,以方便举行斋戒祈祷一类的事情。

辛未(初八),尚书右仆射何执中致仕退休。何执中辅政十二年,年高病重,赐他长假。有一天上朝,命令只每月六次上朝参见,退到治所办理政事,接着以太傅、荣国公回到宅第,每月初一和十五上朝,礼仪俸禄,都和在职时一样。入朝晋见,皇帝说:"从宰相位置到一般大臣,数十年没有这样的。"何执中回答说:"过去张士逊也因为旧日讲学的机会受到知遇,以太傅身份退休,和臣正好相同。"皇帝说:"当时的恩遇礼仪,恐怕还未必如此。"何执中叩头称谢。何执中曾为端王的侍讲官,所以恩遇始终不变;但是没有什么建树,只是因为谨慎敬畏地迎合皇帝的意志,称赞粉饰太平罢了。

辽国主亲征章嘉努,癸酉(初十),打败了他。甲戌(十一日),诛杀叛党,饶州渤海部平定。丙子(十三日),依次奖赏平定贼兵的将士。而萧罕嘉努、张琳又被贼军余党打败。

丁丑(十四日),诏令:"天宁各节以及壬戌日,杖刑以下的允许用金钱赎罪。"

丙戌(二十三日),拒绝监司守臣进献贡品。

蔡京三次上章请求退休,皇帝不允许;庚寅(二十七日),诏令蔡京三天上朝一次,确定公相的位置,总管三省政务。

辛卯(二十八日),高阳关路安抚使吴珍报告冀州枣强县黄河变清;皇帝下诏令允许庆贺。

五月,甲午朔(初一),命令蔡京遇到初一和十五上朝,三天掌印执笔处理政务一次;不赴朝的日子,允许在宅第签署文书。不久又下诏:"从今遇到有事上奏,不是上朝的日子也可以上朝,并允许该上朝日辞免。"

丁酉(初四),废除锡钱。

庚子(初七),任命郑居中为少保、太宰兼门下侍郎,刘正夫为特进、少宰兼中书侍郎。

当时蔡京大兴工程,民不聊生,改变搞乱法度,官员无所遵从。郑居中常常向皇帝说及,皇帝也厌恶蔡京专权,就任命郑居中为太宰,让他监视蔡京。又因为刘正夫多次与蔡京意见不一致,任命为少宰。郑居中保留法纪,遵守条令,抑制侥幸进用的人,提拔被埋没的人,士人一致盼望大治。

壬寅(初九),任命保大军节度使邓洵武知枢密院事。

辽国主因为章嘉努已经平定,将在散水原消暑,萧托斯和请求说:"现在边境军事松懈,如果在岭西避暑,那么汉人呼喊聚集,民心更加动摇。臣愚见认为应该取消这次避暑行动。"没有采纳。

此前高永昌让托卜嘉向金国求援,而且说:"愿意合力攻下辽国。"金国主让呼实布对高永昌说:"合力攻下辽国固然可以;在东京附近地方,你随意占据僭称大号则不行。如果能够归顺,一定授给你王爵。"高永昌不服从。金国主就派干鲁带各军攻打高永昌,遇到辽军,打败他们,于是占领沈州。高永昌听说,大为恐惧,让家奴嗒喇到金军中,请求去掉僭号作藩属,干鲁知道他有诈,进兵攻打他。高永昌就肢解了呼实布等人。率领兵众抗拒金军,在活水相遇。金军渡河后,高永昌的部队不战而退,追赶到辽阳城下。次日,高永昌率领全部兵众与金军作战,大败,带五千骑逃奔到长松岛。辽阳人抓住高永昌的妻子开城投降,托卜嘉也抓住高永昌献上,金主命令杀掉他。因此辽国的东京州县以及南路属于辽国的女直部族都投降金国。金国主下诏命令废除辽国法令,减免赋税,设置明安、穆昆,任命干鲁为南路都统,沃棱知东京事。

六月,乙丑(初三),辽国登记各路兵员,有各种牲畜十头以上的都要从军。

丙寅(初四),颁布《中书官制格》。

庚午(初八),审讯并记录囚犯罪状。

甲戌(十二日),诏令:"政事堂官吏迁升官职,到直奉大夫为止。"

庚辰(十八日),辽国魏国王耶律淳晋封为秦晋国王,任都元帅;任命上京留守萧托卜嘉为契丹行宫都部署兼副元帅。

癸未(二十一日),皇太子赵桓册立妃子朱氏。妃子是祥符人,武康军节度使朱伯材的女儿。

丁亥(二十五日),辽国知北院枢密使事萧罕嘉努担任上京留守。

秋季,七月,壬辰朔(初一),将震武城改为震武军。

甲午(初三),封德妃崔氏为贵妃。

辛亥(二十日),宴州夷贼卜漏以及沅州的黄安俊、定边军的李吡啰都被杀掉,诏令用盒装首级存入内库。

壬子(二十一日),特赦湖北地区。

戊午(二十七日),蔡京请求命名三山桥的铭文,阁为"缵禹冀文之阁",门为"铭功之门"。

己未(二十八日),解池生出红色的盐。

辛酉(三十日),将走马承受公事改名为廉访使者。

辽国主在秋山打猎。春州渤海部二千多户叛逃,东北路统军使派兵追上他们,全部俘获押回。

八月,壬戌朔(初一),诫令北部边境长官不要制造事端。

己巳(初八),任命侯蒙为中书侍郎,薛昂为尚书左丞。

庚辰(十九日),蔡京上奏:"臣前些时因为年近七十,加之患病,请求离职,蒙施恩特别允许三天一上朝。现在臣病已痊愈,精力还勉强可以,希望允许臣每天上朝奏请,处理政务就按已下达的指示办理。"同意了。

壬午(二十一日),诏令天下监司、郡守寻找访求天下的隐士,即使是古怪奇异自我韬晦的,全部将名字上报。

丁亥(二十六日),皇帝到建隆观,因此亲临蔡京的宅第。

己丑(二十八日),将晋州升格为平阳府,寿州升格为寿春府,齐州升格为济南府。

本月,金国萨里罕攻下辽国的保州。

保州本来是高丽的疆土,萨里罕攻打它,久攻不克,请求派援军。高丽的使者对金国说:"保州本来是我国疆土,希望还给我们。"金国主说:"你们自己去取。"金国主就增加萨里罕的兵力,不让他会合高丽兵,到此时攻下该城。

九月,辛卯朔(初一),皇帝谨送玉册玉宝到玉清和阳宫,给玉皇大帝上尊号为太上开天执符御历含真体道昊天玉皇上帝。

丙申(初六),大赦天下,命令在洞天福地修建宫观,塑造圣像。又下禁令不许朝廷内外以龙、天、君、玉、帝、上、圣、皇等作为名字。

癸卯(十三日),诏令在天章阁设定鼎阁,是因为方士王仔昔说九鼎神器应该收藏在宫中,不能放置在外面的缘故。任命蔡京为定鼎礼仪使。

丙午（十六日），辽国主拜谒怀陵。

己未（二十九日），任命童贯为开府仪同三司。

金国开始制作金牌。

冬季，十月，乙丑（初五），太白星白天出现。

丁卯（初七），辽国因为张琳打了败仗，免除他的官职。

戊寅（十八日），张商英恢复为观文殿学士。

乌库部背叛辽国，辽国派中丞耶律托卜嘉招降他；庚辰（二十日），乌库部投降。

甲申（二十四日），诏令诚感殿长生大帝君的神像可以迁往天章阁西位的鼎阁安放。

辛卯（疑误），蔡京等人说冀州三山的河水变清，请求上表祝贺。

十一月，甲午（初五），诏令："帝鼐改称隆鼐，正南彤鼎改称明鼎，西南阜鼎改称顺鼎，正西晶鼎改称蕴鼎，西北魁鼎改称建鼎，正北宝鼎照旧名，东北牡鼎改称和鼎，正东仓鼎改称育鼎，东南风鼎改称洁鼎，鼎阁改称圜象徽调之阁。阁上的神像，左为周鼎星君，中为帝席星君，右为大角星君。阁下面的鼎鼐上的神像，各按每个鼎的位置排列。"也是采纳了王仔昔的建议。

己亥（初十），祭祀圜丘，大赦天下。

庚子（十一日），任命礼部尚书白时中为尚书右丞。

戊申（十九日），辽国东面行军副都统玛格攻打金国的哈斯罕，结果失败，辽国主免去他的官职。

西夏人大举发兵进攻泾原路靖夏城。当时很久没有下雪，西夏人派数万骑兵绕城奔跑，扬起尘土布满天空，就暗中挖通壕沟作地道，进入城中，城因此失陷，屠杀后离开。

十二月，庚申朔（初一），金国安班贝勒乌奇迈以及群臣上他们国主的尊号为大圣皇帝。改次年年号为天辅元年。

己巳（初十），封婉仪刘氏为贤妃。

乙亥（十六日），辽国主封庶人萧氏为太皇太妃。

戊寅（十九日），因为熙河增修完工，升执政官官阶一级。

乙酉（二十六日），在圜象徽调阁恭敬地安放九鼎；次日，皇帝又到阁中烧香，百官陪同。

特进、少宰刘正夫被免职。刘正夫由博士进入京城，逐渐到了宰相职位，能上下迎合潮流，保住俸禄和权力，到此时以开府仪同三司的身份退休。

本年，茂州夷人至永寿归附内地，在该地设置寿宁军、延宁军。

政和七年 辽天庆七年，金天辅元年（公元 1117 年）

春季，正月，乙未（初六），皇帝下令："天下的道士，免予下台阶迎接官员，免除对宫观征税摊派借贷索求；郡官、监司与道士相见，按与长老相见的规矩。"

庚子（十一日），任命殿前都指挥使高俅为太尉。

甲寅（二十五日），辽国减少厩马的饲料，分给各个局。

本月，金军攻打辽国的春州，辽国东北各军不战自败。女古皮室四个部族以及渤海人都投降金军;贝勒完颜杲又攻下泰州。

二月,癸亥(初五),任命大理国主段和誉为云南节度使、大理国王。

甲子(初六),诏令通真先生林灵素在上清宝箓宫宣谕清华帝君降临的事。

当初,刘混康、虞仙姑、王老志、王仔昔,都受到皇帝的礼遇,然而那些神怪的事多出自方士。等到林灵素来后,就将那些事都归到皇帝那里,而说自己只是辅助他,常常自称为小吏佐治,所以朝廷上下无人敢指摘他的不对。然而林灵素实在没有术数,只是敢说大话。当时皇帝倡导道教近十年,只是想没有一个压服群臣百姓的人。林灵素于是迎合编造了清华帝君夜晚降临宣和殿的事,借用帝诰天书云篆。皇帝就聚集道士二千多人到上清宝箓宫,让林灵素宣讲此事。左街道录傅希烈等人,都做文章记述此事呈上。

丁卯(初九),皇帝亲临右文殿,策试高丽进士。

辛未(十三日),诏令天下:"天宁万寿观改为神霄玉清万寿宫,仍在殿中高立长生大帝君、青华帝君圣像。"

乙亥(十七日),皇帝临幸上清宝箓宫,让林灵素讲道经。从此常常设立大斋会,花费钱财数万,称为千道会,让士人百姓进入殿中听讲,皇帝为此在旁边设置幕帷。林灵素占据高座,让人在下面两次叩拜提问。然而所说的话毫无特殊之处,时常夹杂插科打诨,以作谈笑。又让官员百姓到上清宝箓宫接受神霄秘箓,朝士中贪图进用的人都一致跟从。

辽国涞水县贼人董庞儿聚众一万多人,西京留守萧伊苏、南京统军都监扎拉与董庞儿在易水作战,打败了他。

三月,庚寅(初二),赐给高丽国祭器。高丽进士权适等四人,被赐给上舍及第。

乙未(初七),任命童贯主持枢密院政务。

壬子(二十四日),皇帝亲自撰写《明堂上梁文》。

辽国董庞儿的党羽又聚集作乱,萧伊苏再次打败他们。

夏季,四月,庚申(初二),皇帝暗示道录院说:"朕是昊天上帝的长子,担任大霄帝君,看到中华百姓受到金人之教,焚指臂修炼,舍身以求得正果,朕很担忧。于是哀求上帝,愿意做人间皇帝,让天下人归于正道。上帝批准了朕的要求,命令朕的弟弟青华帝君暂代朕主持大霄府。朕日夜惊恐,还担心我教教义订立不周详,卿等可以上表章,册封朕为道君皇帝。"因此群臣以及道录院上表册封他,然而只用在教门的章疏中,而不在政务中施用。教主道君皇帝,就是长生大帝君,是道教的五宗之一,所说的神化之道,感动上帝降下仙圣,不限于教法内的人。

辛酉(初三),将温州升格为应道军节度,是因为林灵素是温州人的缘故。

丙子(十八日),皇帝下诏亲自到明堂祭祀。

五月,戊子朔(初一),将庆州升格为庆阳军节度,渭州为平凉军节度。

己丑(初二),皇帝到玉清和阳宫,给土地神上徽号。诏令说:"王以天为父,以地为母,过去恭敬地率领天下百姓,勉强作名字,以玉册玉宝敬告上帝,而地神还没有称呼,谨上徽号为承天效法厚德光大后土皇地祇,到玉清宫中呈上宝册,礼仪与上帝完全一样。

辛卯（初四），命令蔡攸提举秘书省，并提举左右街道录院。

乙未（初八），诏令暂时停止修造宫室。

辛丑（十四日），在方泽祭地神，向各路颁发德音诏书。

因为有监司和州县共为邪恶贪赃，命令廉访使者监察上报，并允许百姓直接前往尚书省陈报申诉。

癸卯（十六日），将玉清和阳宫改为玉清神霄宫。

乙巳（十八日），辽国主命令围场打猎的空地允许百姓伐木。

丁未（二十日），诏令："所有监司兼任掌管安排起运奇花异石。"

金国主下令："自从攻下宁江州后，同姓成婚的，杖责而让他们离婚。"

六月，戊午朔（初一），因为明堂建成，进封蔡京为陈鲁国公。蔡京推辞封为两公不拜受，诏令给他的亲属两人任命官职。

己未（初二），童贯加封检校少傅，梁师成为检校少保，宣和殿学士蔡攸、盛章、开封尹王革、显谟阁待制蔡翛、蔡脩，各升官不等，都是因为明堂建成推广恩赏。

乙亥（十八日），蔡京等人上表请皇帝到明堂听政，颁布历法，诏令答复不批准；三次上表，才同意了。

辛巳（二十四日），辽国任命同知枢密院事伊勒嘉为北院大王。

壬午（二十五日），诏令禁止巫婆神汉活动。

丙戌（二十九日），贵妃宋氏去世。

秋季，七月，丁亥朔（初一），诏令："僧人如果有归心到道教门下，愿意改变穿戴作道士的，允许前往辅正亭陈述申诉，马上赐给度牒、紫衣。"

壬辰（初六），熙河路、环庆路、泾原路发生地震。

庚子（十四日），诏令："在八宝内增加定命宝，今后作为九宝之首。"

癸卯（十七日），辽国主在秋山打猎。

从建隆初年以来，女直曾经从苏州渡海到登州卖马，旧道虽然存在，长期关闭不通。到此时金国的苏州汉人高药师、曹孝才和僧人即荣等人，率领他们的亲属二百多人，乘大船渡海，想前往高丽避难。本月，被风吹到宋国界内的驼基岛，详细说："女直斩高永昌后，渤海部、汉人成群聚集作盗贼，契丹不能控制。女直进攻契丹夺取它的土地，已经过了辽河之西。"知登州王师中全部上报此事，朝廷的意见本来想结交金国以谋取辽国，听说此事很高兴，就召蔡京和童贯一起商议，他们共同上奏："开国初年，女直经常进贡，而太宗皇帝屡次下诏到女直买马，之后才断绝来往。应该下达诏书，按照旧例，以交易物品的名义，前去查访事情的虚实。"就下诏在军中选派将校官七人，各借用其他官职，用平海指挥兵船载着高药师等人，带着买马诏书，渡海前往。

政和初年，蔡京被传召，皇帝对蔡京的儿子蔡攸开玩笑，说必须进贡土产，就得到一小株橄榄，和其他草木一起进献，当时认为是很珍贵。之后又有使臣王永从、士人俞辄都跟随蔡攸进献，每当花石纲运到，运用数十条船。盛章担任苏州知州，到归来时，担任开封尹，也主持进贡,然而以朱勔运送的花石纲最突出。四年以后,东南的郡守,两广的市舶司,都有贡奉,多归蔡攸主持,到此时又有不等待旨意就进贡。只要进贡的物品到达,由宦官登记,宦官也争着以此进献,天下就大受骚扰。大概太湖、灵璧、慈溪、武康的各种石头、两浙的花竹、杂木、海鲜、福建的奇花、荔枝、龙眼、橄榄、海南的椰子、湖湘的木竹、文竹、江南的各种水果,登州、莱州、淄州、沂州的海鲜、文石、两广、四川的奇花、异果,大型的贡物渡海过江,拆毁桥梁,凿开城墙而种植,都能成活,奇珍异味,都用强壮的人快送,即使相隔万里,用三四天就送达,颜色香味没有改变。蔡京于是上奏说:"陛下没有声色犬马的要求,所喜欢的只是山林竹石,是人们丢弃的东西。只是有关官员进奉过当,可对那些胡来的人给予惩罚。"就设置提举人船所,命令大宦官邓文诰主持。又诏令监司、郡守不许随便进贡,那些受命进贡的,只命令朱勔、蔡攸、王永从、俞𫐓、陆渐、应安道六个人听候旨意,其他的人都取消,因此略微收敛;没过几天,天下又照旧争着进贡。又增设提举人船所,贡奉花石,运送花石纲所经过的地方,州县谁也奈何不得,甚至抢夺,于是成为大祸害。

八月,丙辰朔(初一),宣和殿大学士蔡攸上奏:"庄子、列子、亢桑、文子,都著书以流传后世。现在《庄子》《列子》的书已经列入国子监学习,而《亢桑子》《文子》没有听说颁布列入,请求取来这些书,精心加以校定,列入国子监学习的书籍中,与《庄子》《列子》一同流传。"同意了。

癸亥(初八),诏令在明堂中合祭五帝。

少保、太宰郑居中,因为守母丧离职。

郑居中与蔡京不和,等到郑居中服丧期间,蔡京怕他重新起用,因为郑居中是王珪的女婿,就让蔡确的儿子蔡懋重新办理确定皇位的事来阻止他。于是追封蔡确为清源郡王,皇帝亲题碑文,在墓前立石碑,而提升蔡懋为同知枢密院事,在朝廷中安排郑居中的几个儿子。蔡懋,就是蔡渭。

丙寅(十一日),辽国命令都元帅秦晋王耶律淳,前往边境会合四路的兵马在秋天做好防备。

金国攻下保州时,高丽兵已经在城中,金军进入占据。高丽王又派使臣蒲马到金国祝贺胜利,而且说:"保州本来过去是我国的地方,希望归还。"金国主说:"保州接近你们的边境,任由你自己夺取。现在让我军劳顿,在城下打败敌人,地方怎么能归你们!"

九月,戊子(初三),诏令:"湖北的民力不够宽松,胡耳西道可以停止修筑。"

辛卯(初六),在明堂祭祀上帝,用神宗神位配享。大赦天下。

乙未(初十),特进、少宰刘正夫去世。

丙申(十一日),任命御史中丞王安中为翰林学士。

王安中担任中丞时,一天,请求奏对,说:"臣出身儒生,承蒙陛下亲自提拔,担任官职执行法令,怕无法报答。现在臣所陈述的,事关宗庙社稷,如果陛下能够略微听从采纳,就很荣幸了!"皇帝吃惊了。王安中拿出袖中的疏章,所指论的是蔡京。皇帝说:"确实像卿所说。"王安中马上伏在地上说:"臣是一个孤单疏远的大臣,自不量力,轻易地议论大臣。蔡京老奸巨猾,必定将会被他所害,从此受到贬责流放,不能再见到皇上了。希望叩拜告辞。"皇帝说:"不要这样,应该为你罢免蔡京。"当时蔡攸日夜出入皇宫中,率领所有的弟子觐见皇帝,哭泣叩拜,皇帝说:"中丞的疏章文字是这样的,怎么办呢?"蔡攸等人坚持恳求说:"陛下倘若保全臣全家,请求改安排王安中另一差派,那么事情自然就作罢了。"皇帝生出恻隐之心,同意了。王安中正起草第三个疏章,次日请求奏对,半夜有人敲门说,"刚才降下御笔诏书,中丞任命为翰林学士,在皇帝身边供职。"王安中叹息说:"我的祸事就在这里了!"从此蔡京的势力日益强大。

丁酉(十二日),西蕃王子益麻党征投降,在紫宸殿朝见。

癸丑(二十八日),贵妃王氏去世。

辽国主从燕地到达阴凉河,设置怨军八营,从宜州招募的称为前宜、后宜,从锦州招募的称为前锦、后锦,从乾州、显州招募的称为乾、显。又设有前显大营二万八千人,驻扎在卫州蔌藜山。

冬季,十月,乙卯朔(初一),皇帝亲临明堂左侧室,将本月的天运政治布告天下;又颁布来年天运历法。

辽国主到达中京。

戊寅(二十四日),中书侍郎侯蒙免职,是蔡京讨厌他的缘故。

辛巳(二十七日),诏令在来年正月初一敬受受命宝。

当时得到于阗出产的大玉,超过两尺,颜色像切开的脂肪,皇帝就制作成宝玺,玺文为"范围天地,幽赞神明,保合太和,万寿无疆",篆文采用鱼虫体,制作精巧,可与秦玺相比,号称为受命宝。皇帝很看重,说:"八宝,是国家的神器;至于定命宝,是我自己制作的。"

十一月,庚寅(初六),诏令:"太师、鲁国公蔡京五天一上朝,次日到都堂议事,恩泽礼数,都按旧制。"

辛卯(初七),郑居中起复为太宰;任命余深为特进、少宰、中书侍郎,白时中为中书侍郎。

壬辰(初八),恢复设置醴州。

丙申(十二日),太傅致仕何执中去世。赠给太师、清源郡王,谥号为正献。

将石泉县升格为军。

十二月,甲寅朔(初一),有星星如同月亮。

丁巳(初四),任命薛昂为门下侍郎。

甲子(十一日),金国咸州都统乌楞古等在蔌藜山打败辽国秦晋国王耶律淳,耶律淳当初送信给乌楞古议和,乌楞古报告给金国主,金国主说:"归还我行萨喇以及送回阿苏等人,那么就可以讲和。"耶律淳的部队停驻在蔌藜山,乌楞古就与耶律淳交战,耶律淳败逃,乌楞古追到额勒锦陂,于是攻下显州。因此,乾州、懿州、豪州、徽州、成州、惠州都投降金国。辽国主下诏书自我谴责,派伊勒希巴扎拉与大公鼎到各路募兵。

戊辰(十五日),诏令因为天神降临在坤宁殿,刻石碑以纪念此事。

庚午(十七日),任命童贯主持枢密院。

命令户部侍郎孟揆在上清宝箓宫的东面堆筑一座山,来模仿余杭的凤凰山,取名万岁山,方圆十多里。

辛未(十八日),皇帝亲笔改《老子道德经》为《太上混元上德皇帝道德真经》。

丁丑(二十四日),辽国任命西京留守萧伊苏为北府宰相。

癸未(三十日),任命张商英为观文殿大学士。

本年,天大旱,皇帝为此担心。侍御史黄葆光上疏说:"蔡京骄横专权,超过礼制,没有君臣的名分。郑居中、余深,依附惧怕回避,不能担当天下重任,所以导致这样的灾祸。"没有答复,又想再上疏章。蔡京权势显赫,满朝张口结舌,只有黄葆光花力气攻击。蔡京惧怕了,用别的事中伤黄葆光,贬责他为昭州立山县知县。又让言官指论他依附勾结,泄露秘密的话,诏令将奏章在朝廷张贴公布,将他安置昭州。

王仔昔傲慢而愚莽,皇帝以客人的礼节对待他,所以他对宦官如奴仆,又想众道士尊崇他。林灵素忌妒他,与宦官冯浩诬告他有怨恨的言辞,被投入监狱而死。

续资治通鉴卷第九十三

【原文】

宋纪九十三　起著雍阉茂【戊戌】正月,尽上章困敦【庚子】十二月,凡三年。

徽宗体神合道骏烈逊功　圣文仁德宪慈显孝皇帝

重和元年　辽天庆八年,金天辅二年【戊戌,1118】　春,正月,甲申朔,御大庆殿,受定命宝,百僚称贺。

金杨朴言自古英雄开国或受禅,必先求大国封册,金主遂遣使如辽。丁亥,辽遣耶律努克等如金议和,以萧奉先等言许之可以弭兵故也。

己丑,大赦。应元符末上书邪中等人,亦得准依无过人例。

庚戌,以翰林学士承旨王黼为尚书左丞。黼,祥符人,美风姿,有口辩,才疏隽而寡学术,然多智善佞。初因何执中荐,擢校书郎,迁左司谏。张商英在相位,寖失帝意,帝遣使以玉环赐蔡京于杭;黼觇知之,因数条奏京所行政事,并击商英。及京复相,德其助己,岁中三迁,为御史中丞。黼欲去执中,使京专国,遂疏执中三十罪,已而改翰林学士。会京与郑居中不合,黼复纳交居中,京由是怨之,徙为户部尚书,将陷以罪;黼以智获免,还为学士承旨,至是遂入政府。

〔庚寅〕,辽保安军节度使张崇以双州二百户降金。时东路诸州盗贼蜂起,至掠民自随以充食。

二月,戊辰,增诸路酒价。

庚午,遣武义大夫马政同高药师等使女直,讲买马旧好。

初,药师等兵船至海北,见女直逻者,不敢前,复回青州,称已入苏州界,女直不纳,几为逻者所杀。青州安抚使崔直躬具奏其事,帝怒,诏元募借补人并将校一行并编配远恶,仍委童贯措置通好女直事,监司、帅臣不许干预。贯更令王师中别选能吏以往。政,洮州人也,责官青州,寓家牟平。师中言政可使,遂用之。

辛未,金贝勒忠、洛索自军中入朝,金主以辽主近在中京而敢辄来,皆杖之。

甲戌,升六安县为六安军。

丁丑,诏:“监司辄以禁钱买物为苞苴馈献者,论以大不恭。”

辽使耶律努克还自金,金主复书曰:"能以兄事朕,岁贡方物,归我上、中京、兴中府三路州县,以亲王、公主、驸马、大臣子孙为质,还我行人及元给信符,并宋、夏、高丽往复书、诏、表、牒,则可以如约。"

(辽)〔金〕和勒博等言咸州都统乌楞古,知辽主在中京而不进取,刍粮丰足而不以实闻,攻显州时所获生口财畜多自取。三月,癸未朔,乌楞古降为穆昆。

丙戌,诏:"监司、郡守,自今须满三岁乃得代,仍毋得通理。"

癸巳,令嘉王楷赴廷对。楷,帝第二子也。

丁酉,知建昌陈并等改建神霄宫不虔及科决道士,诏并勒停。

庚子,金洛索言黄龙府地僻且远,宜重戍守,金主命合诸穆昆,以洛索为万户,镇之。

戊申,赐礼部奏名进士及第、出身七百八十三人。有司以嘉王楷第一,帝不欲楷先多士,遂以王昂为榜首。

辽复使耶律努克如金,申前议也。

夏,四月,癸丑朔,筑靖夏城、制戎城。

乙卯,御笔以淮南转运使张根,轻躁妄言,落职,监信州酒税。

是时承平日久,锡予无艺,营缮并兴,殆无虚日,以故国用益窘,帝多命臣僚条具财计。于是中外所陈非一,根因而进节用之说,权幸以其不利于己也,莫不切齿;而大臣以赐第事谓根议己,力谋所以中根者。于是言章交上,而帝察根之诚,不之罪也。会御前人船所拘占直达纲船以应花石之用,根以上供期迫,奏乞还之,重忤权幸意。且因被命督促竹石,又上言:"东南花石纲之费,官买一竹至费五十缗;本路尚然,它路犹不止此。今不以给苑囿而入诸臣之家,民力之奉,将安所涯!愿示休息之期,以厚幸天下。"于是权幸益怒,故有是命。

辛酉,辽以西南面招讨使萧德勒岱为北院枢密使,宠任弥笃。时诸路大乱,飞章告急者络绎而至;德勒岱不即上闻,有功者亦无甄别,由是将校怨怒,士无斗志。

癸亥,减捶刑。

己卯,诏:"每岁以季秋亲祀明堂,如孟月朝献礼。以太上混元上德皇帝二月十五日生辰为真元节。"

辛巳,道录院上看详释经六千馀卷,内诋谤道、儒二教恶谈毁词,分为九卷,乞取索焚弃,仍存此本,永作证验;又,林灵素上《释经诋诬道教议》一卷,乞颁降施行。并从之。

五月,壬午朔,日有食之。

乙酉,诏:"诸路选漕臣一员,提举本路神霄宫。"

丁亥,以林灵素为通真达灵元妙先生,张虚白为通元冲妙先生。

虚白,南阳人,通太乙六壬术,帝召管太一宫,恩赍无虚日,官太虚大夫、金门羽客,出入禁中,终日论道,无一言及时事,曰:"朝廷事有宰相在,非予所知也。"帝每以张胡呼之而不名。

壬辰,颁御制《圣济经》,以青华帝君八月生辰为元成节。

戊戌,辽复遣耶律努克使金,要以酌中之议。金主遣呼图克昆与努克持书报,如前约。

庚子,手敕两浙漕司,以权添酒钱尽给御前工作。

辽主如纳葛泺。

土贼安生儿、张高儿,聚众二十万,耶律玛格等斩生儿于龙化州;高儿亡入懿州,与霍石相合。

六月,乙卯,以贤妃刘氏为淑妃。

壬申,门下侍郎薛昂奏:"承诏编集王安石遗文,乞差验阅文字官三员。"从之。

霍石陷辽之海北州,趋义州,军帅和勒博击败之。

甲戌,辽通、祺、双、辽四都之民八百馀户降于金,金主命分置诸部,择膏腴之地处之。

秋,七月,壬午,以西师有功,加蔡京恩,官其一子,郑居中为少傅,余深为少保,邓洵武为特进,进执政官一等。

癸未,诏蔡京、郑居中、余深、童贯并兼充神霄玉清万寿宫使,邓洵武、薛昂、白时中、王黼、蔡攸并兼充副使。

己酉,遣廉访使者六人赈济东南诸路水灾。

辽耶律努格等赍宋、夏、高丽书、诏、表、牒至金,金乃遣呼图克昆如辽,"免取质子及上京、兴中府所属州郡,裁减岁币之数,如能以兄事朕,册用汉仪,可以如约。"辽于是遣努克及托实如金议册礼。金留托实,遣努克还,谓之曰:"言如不从,勿复遣使。"

是月,辽主猎于秋山。

八月,甲寅,以童贯为太保。

戊午,知兖州王纯奏乞令学者治御注《道德经》,间于其中出论题,从之。

庚午,诏:"自今学道之士,许入州县学教养;所习经以《黄帝内经》《道德经》为大经,《庄子》《列子》为小经外,兼通儒书,俾合为一道,大经《周易》、小经《孟子》。其在学中选人,增置士名,分入官品。元士、高士、上士、良士、方士、居士、隐士、逸士、志士,每岁试经拨放。州县学道之士,初入学为道徒,试中升贡,同称贡士。到京,入辟廱,试中上舍,并依贡士法。三岁大比,许襕鞸就殿试,当别降策问,庶得有道之士以称招延。"

辛未,资政殿大学士、知陈州邓洵仁,奏乞选择《道藏经》数十部,先次镂板,颁之州郡,道录院看详,取旨施行,又乞禁士庶妇女辄入僧寺,诏令吏部申明行下。

壬申,诏:"执政非入谢及丐去,毋得独留奏事。"

乙亥,升兖州为袭庆府。

是月,掖廷大火,自甲夜达晓;大雨如倾,火益炽。凡爇屋五千馀间,后苑广圣宫及宫人所居几尽,焚死者甚众。

九月,辛巳,大飨明堂。

壬午,诏罢拘白地、禁榷货、增方田、添税酒价、取醋息、河北加折耗米、东南水灾强籴等事。

丙戌,诏:"太学、辟廱各置《内经》《道德经》《庄子》《列子》博士二员。"

2087

戊子,金主诏曰:"国书诏令,宜选善属文者为之,其令所在访求博学雄才之士,敦遣赴阙。"

己丑,以岁当戌月当壬为元命,降德音于天下。

庚寅,门下侍郎薛昂罢为佑神观使,以白时中为门下侍郎,王黼为中书侍郎,翰林学士承旨冯熙载为尚书左丞,刑部尚书范致虚为尚书右丞。

颁《御注道德经》,刻石神霄宫。

壬辰,禁州郡遏籴及边将杀降以幸功(偿)〔赏〕者。

癸巳,禁群臣朋党。

丁酉,用蔡京言,集古今道教事为纪志,赐名《道史》。

辛丑,郑居中罢,乞持馀服,诏从之。

壬寅,诏:"视中大夫林灵素,视(见)〔中〕奉大夫张虚白,并特授本品真官。"

先是帝用方士言,铸神霄九鼎,名曰太极飞云洞劫之鼎,苍(壶)〔壸〕祀天贮醇酒之鼎,山岳五神之鼎,精明洞渊之鼎,天地阴阳之鼎,混沌之鼎,浮光洞天之鼎,灵光晃耀炼神之鼎,苍龟火蛇虫鱼金轮之鼎,至是始成。〔二月,辛酉〕,奉安于上清宝箓宫之神霄殿。

霍石降于金。闰月,庚戌朔,金以石为千户。既而萧宝、张应古、李孝功皆率众降,并以所部为千户。

己未,以刘栋为守静先生、视中大夫,栋辞不受。

庚申,诏江、淮、荆、浙、闽、广监司,督责州县还集流民。

乙亥,给事中赵野奏乞诸州添置道学博士,择本州官兼充,从之。

丙子,诏:"(用)〔周〕柴氏后已封崇义公,复立恭帝后为宣义郎,监周陵庙,世世为国三恪。"

冬,十月,己卯朔,太白昼见。

壬辰,知陈州邓洵仁奏:"本州学内舍生宋瑀,系故翰林学士宋祁之孙,行艺清修,愿换道学内舍生。旧有撰到《道论》十篇及近撰《神霄玉清万寿宫雅》,谨具缴奏呈。"御笔:"宋瑀特与志士,仍许赴将来殿试。"

己亥,升端州为肇庆府,仍改兴庆军额曰肇庆。

癸卯,帝如上清宝箓宫,传度玉清神霄秘策,会者八百人。时道士有俸,每一斋施,动获数十万;每一观,给田亦不下数百千顷。贫下之人,多买青布幅巾以赴,日得一饭餐及衬施钱三百。

甲辰,置道官二十六等,道职八等,有诸殿侍晨、校籍、授经,以拟特制、修撰、直阁之名。

戊申,徽猷阁待制、提举万寿观蔡脩以罪勒停。

十一月,己酉朔,诏改明年元曰宣和,大赦天下。

辛亥,日中有黑子如李大。

丙辰,以婉(仪)〔容〕王氏为贤妃。

丁卯,茂德帝姬下嫁蔡鞗,父京请免见舅姑行盥馈之礼,诏不允。

己巳,升梓州为潼川府。

丙子，提举成都府路学事翟栖筠奏："字形书画，咸有不易之体，学者略而不讲，从俗就简，转易偏旁，渐失本真。如期、朔之类从月，股、肱之类从月，胜、服之类从舟，丹、青之类从丹，靡有不辨，而今书者乃一之。故幼学之士，终年诵书，徒识字之近似而不知字之正形。愿诏儒臣重加修定，去其讹谬，一以王安石《字说》为正，分次部类，号为《新定五经字样》，颁之庠序。"诏太学官集众修定。

辽副元帅萧托卜嘉卒。

十二月，戊寅朔，复京西钱监。

已卯，诏："九鼎新名，乃狂人妄有改革，皆无稽据，宜复旧名。"狂人，指王仔昔也。

马政等还自金，与其使者俱来，是日至登州，登州遣赴阙。

政与平海指挥使呼庆随高药师、曹孝才以闰月六日下海，才达北岸，为逻者所执，并其物夺之，欲杀者屡矣。已而缚之，行经十馀州，至金主所居拉林河，约三千馀里。问海上遣使之由，以实对。金主与众议数日，遂质登州小校王美、刘亮等，遣索多及李庆善等赍国书并北珠、生金、貂革、人参、松子，同政等来报使。

甲申，辽议定册礼，遣耶律努克使金。时山前诸路大饥，乾、显、宜、锦、兴中等路斗粟直数缣，民削榆皮食之，既而人相食。宁昌军节度使刘宏以懿州户三千降于金，金以为千户。

已丑，置裕民局。

是岁，江、淮、荆、浙、梓州水。

辽放进士王翚等百三人。

宣和元年　辽天庆九年，金天辅三年【己亥，1119】　春，正月，戊申朔，日下有五色云。

乙卯，诏："佛改号大觉金仙，馀为仙人、大士之号。僧为德士，易服饰，称姓氏。寺为宫，院为观，即住持之人为知宫观事。所有僧录司可改作德士司，左右街道录院可改作道德院。德士司隶属道德院，蔡攸通行提举。天下州府僧正司可并为德士司。"寻又改女冠为女道，尼为女德。时林灵素欲废释氏以逞前憾，请悉更其号，故有是命。

丁巳，金使李善庆等入国门，馆于宝相院，诏蔡京、童贯及邓文诰见之议事。补善庆修武郎，散般从义郎，勃达秉义郎，给全俸。居十馀日，遣直秘阁赵有开、武义大夫马政、忠翊郎王瑰充使副，赍诏书礼物，与善庆等渡海聘之。瑰，师中子也。

初，议报女直仪，赵良嗣欲以国书，用国信礼，有开曰："女直之酋止节度使，世受契丹封爵，常慕中朝，恨不得臣属，何必过为尊崇，用诏书足矣。"问善庆："何如？"善庆曰："二者皆可用，惟朝廷所择。"于是从有开言。有开与善庆等至登州，未行而有开死。会河北奏得牒者，言契丹已割辽东地，封女直为东怀王；且妄言女直常祈修好，诈以其表闻。乃召马政等勿行，止差呼庆持登州牒送李善庆等归。

戊午，以余深为太宰兼门下侍郎，王黼为特进、少宰兼中书侍郎。黼赐第城西曰，导以教坊乐，供帐什器，悉取于官，宠倾一时。

是时朝廷已纳赵良嗣之计，将会金以图燕。会(牒)〔谍〕云辽主有亡国之相，黼闻画学正陈尧臣善丹青，精人伦，因荐尧臣使辽。尧臣即挟画学生二人与俱，绘辽主像以归，言于帝曰："辽主望之不似人君,臣谨画其容以进,若以相法言之,亡在旦夕,幸速进兵,兼弱攻昧,此其时也。"并图其山川险易以上。帝大喜,取燕、云之计遂定。

乙丑,改湟州为(泺)〔乐〕州。

乙亥,帝耕籍田。

罢裕民局。

封占城杨卜麻叠为占城国王。占城在中国西南,所统大小聚落一百五,略如州县。自上古未常通中国,周显德中始入贡,自是朝贡不绝。然北与交阯接壤,互相侵扰。及诏封为王,始与交阯加恩均矣。

金使乌凌阿赞谟如辽,迎封册也。

二月,庚辰,改〔元宣和,易〕宣和殿为保和殿。

戊戌,以邓洵武为少保。

辽主如鸳鸯泺。章萨巴诱中京射粮军,僭号,南面军帅耶律伊都讨擒之。

三月,丁未朔,辽遣太傅萧实埒讷等册金主为东怀国皇帝。

庚戌,蔡京等进安州所得商六鼎。

己未,以冯熙载为中书侍郎,范致虚为尚书左丞,翰林学士张邦昌为尚书右丞。邦昌,东光人也。

诏:"天下知宫观道士,与监司、郡、县官以客礼相见。"

童贯令熙河经略使刘法取朔方,法不欲行,强遣之。出至统安城,遇夏主弟察(哥)〔克〕率步骑三陈以当法前军,而别遣精骑登山出其后。大战移七时,兵饥马渴,死者甚众。法乘夜遁,比明,走七十里,至盉(米)〔朱〕峗,守兵追之,法坠崖折足,乃斩首而去。是役也,丧师十万,贯隐其败而以捷闻。

察(哥)〔克〕见法首,恻然语其下曰:"刘将军前败我古骨龙、仁多泉,吾尝避其锋,谓天生神将,岂料今为一小卒枭首哉! 其失在恃胜轻出,不可不戒。"遂乘胜围震武。震武在山峡中,熙、秦两路不能饷,自筑后三岁间,知军李明、孟清,皆为夏人所杀。至是城又将陷,察克曰:"勿破此城,留作南朝病块。"乃自引去。宣抚使乞以捷闻,受赏数百人。

甲子,知登州宗泽,坐〔建〕神霄宫不(敬)〔虔〕,除名,编管。

辛未,赐上舍生(四)〔五〕十(五)〔四〕人及第。

甲戌,皇后亲蚕。

夏,四月,丙子朔,日有食之。

庚寅,童贯以鄜延、环庆兵大破夏人,平其三城。辛丑,进辅臣官一等。

五月,丙午朔,京师茶肆佣,晨兴见大犬蹲榻榜,近视之,乃龙也,军器作坊兵士取食之。逾五日,大雨如注,历七日而止,京城外水高十馀丈。帝惧甚,命户部侍郎唐恪决水,下流入五丈河。起居郎李纲言:"阴气太盛,国家都汴百五十馀年矣,未尝有此异。夫变不虚生,必有感召之由,当以盗贼、外患为忧。"诏贬纲监沙县税务。

丁未,诏:"德士许入道学,依道士法。"

丙辰，败夏人于(灵)〔震〕武。

壬戌，金主谕咸州路都统司曰："军兴以前，哈斯罕诸部民有犯罪流窜边境，或亡入于辽者，本皆吾民，远在异境，朕甚悯之。今既议和，当(今)〔行〕理索，可明谕诸路千户穆昆，遍与询访其官称、名氏、地里，具录以上。"

壬申，班御制《九星二十八宿朝元冠服图》。

是月，西北有赤气亘天。

辽准布部人叛，执招讨使耶律鄂尔多，都监萧色埒德死之。

六月，戊寅，呼庆等至金主军前，金主及宗翰等责以中辍，且言登州不当行牒。呼庆对："本朝知贵朝与契丹通好，又以使人至登州，缘疾告终，因遣庆与贵朝使臣同行，欲得早到军前，权令登州移文，非有它故。若贵朝果不与契丹通好，即朝廷定别遣使人共议。"金主不听，遂拘留庆等。又以索多受宋团练使，杖而夺之。

壬午，诏："西边武臣为经略使者，改用文臣。"

甲申，诏封庄周为微妙元通真君，列御寇为致虚观妙真君，仍用册命，配享混元皇帝。

童贯因关右既困，讽夏人因辽进誓表纳款。己亥，诏六路罢兵。及夏遣使来贺天宁节，授以誓诏，夏使辞不取，贯不能屈，但遣馆伴强之使持还。及境，弃之道中而去，贾琬得而上之，贯始大沮。寻加贯太傅，封泾国公。时人称蔡京为"公相"，贯为"媪相"。

秋，七月，丙辰，诏以蔡絛向缘狂率，废黜几年，念其父京元老，勋在王室，未忍终弃，可特叙旧官，外与宫观，任便居住。既而京言叙不以法，乞赐寝罢，诏候过大礼取旨。

辽主猎于南山，金复遣乌凌阿赞谟如辽，责册文无兄事之语，不言大金而云东怀，乃小邦怀其德之义。又册文有"渠材"二字，语涉轻侮；若"遥芬""多戬"等语，皆非善意，殊乖体式。如依前书所定，然后可从。

辽杨(洵)〔询〕卿、罗子韦率众降金，金主命各以所部为穆昆。

八月，戊寅，诏："诸路未方田处，并令方量，均定租课。"

丙戌，御制御笔《神霄玉清万寿宫记》，令京师神霄宫刻记于碑，以碑本赐天下，摹勒立石。

己丑，金颁女直字于(中国)〔国中〕。

女真初无文字，及获契丹、汉人，始通契丹、汉字，于是宗雄、希尹等学之。宗雄因病，两月并通大小字，遂与宗干等立法(制定)〔定制〕，凡与辽、宋往来书问，皆宗雄、希尹主之。金主因命希尹依仿汉人楷字，因契丹字制度，合本国语，制女直字行之。

丁酉，尚书左丞范致虚以母忧去位。时朝廷欲用师于辽，致虚言边隙一开，必有意外之患，宰相谓其怀异，竟不起复。

辽以皇子赵王实讷埒为西京留守。

辽主诸子，惟晋王额噜温最贤，乐道人善而矜人不能。时宫中恶读书，见之辄斥。额噜〔温〕尝入寝殿，见近侍阅书，因取观之，会诸王至，阴袖而归之，曰："勿令它人见之也。"一时号称长者。

九月,乙卯,曲宴蔡京于保和新殿。殿西南庑有玉真轩者,刘妃妆阁也。

癸亥,幸道德院观金芝;由景龙江至蔡京第鸣鸾堂,赐京酒。京诉开封尹聂山离间事,山即坐黜。因作《鸣鸾记》以进。时京子攸、儵、鯈及攸子行,皆为大学士,夆尚帝姬;家人厮养,亦居大官,媵妾封夫人。京每侍上,恒以君臣相悦为言。帝时乘轻车小辇,频幸其第,命坐,赐酒,略用家人礼。

丙寅,蔡京奏:"臣伏蒙圣慈,以臣夏秋疾病,特命于龙德太一宫设普天大醮,又亲制青词以见诚意。至日临幸醮筵,别制密词,亲手焚奏。仰惟异礼,今昔所无,殒首杀身,难以仰报。"

方京病笃,人谓其必死,独晁冲之谓陆宰曰:"未死也。彼败坏国家至此,若使宴然死牖下,备极哀荣,岂复有天道哉!"已而果愈。

丁卯,以蔡攸为开府仪同三司。

攸有宠于帝,进见无时,与王黼得预宫中秘戏。或侍曲宴,则短衫窄袴,涂抹青红,杂倡优侏儒中,多道市井淫媟谑浪语以献笑取悦。攸妻宋氏,出入禁掖,攸子行,领殿中监,宠信倾其父。攸尝言于帝曰:"所谓人主,当以四海为家,太平为娱,岁月能几,岂可徒自劳苦!"帝深纳之。因令苑囿皆仿江、浙为白屋,不施五采,多为村居、野店,及聚珍禽异兽,动数千百,以实其中。都下每秋风夜静,禽兽之声四彻,宛若山林陂泽间,识者以为不祥之兆。

金主以辽册礼使失期,诏诸路军过江屯驻。辽乃令实墶讷等先持册稿如金,而后遣使送乌凌阿赞(谋)〔谟〕持书以还。

辽耶律程古努等二十馀人谋反,伏诛。

十一月,乙卯,祀圜丘,赦天下。

甲子,诏:"东南诸路水灾,令监司、郡守悉心赈救。"

戊辰,以张邦昌为尚书左丞,翰林学士王安中为尚书右丞。安中附童贯、王黼为中丞,因论蔡京罪,为帝所知,遂居政府。

淮甸旱饥,民失业,遣监察御史察访。

太学生邓肃,以朱勔花石纲害民,进诗讽谏,诏放归田里。

壬申,放林灵素归温州。

释氏既废,灵素益尊重,官冲和殿侍晨,出入呵引,至与诸王争道,都人称曰"道家两府"。灵素与道士王允诚共为怪神,后忌其相轧,毒之死。都城暴水,遣灵素厌胜,方率其徒步虚城上,役夫争举梃将击之,走而免。帝知众所怨,始不乐。灵素恣横不悛,道遇皇太子,弗敛避。太子入诉,帝怒,以为太虚大夫,斥还故里,命江端本通判温州,几察之。端本廉得居处过制罪,诏徙置楚州,而已死,遗奏至,犹以侍从礼葬焉。

十二月,甲戌,诏:"京东路盗贼窃发,令东西路提刑督捕之。"

辛卯,大雨雹。

自政和以来,帝多微行,乘小轿子,数内臣导从。置行幸局,局中称出日为有排当;次日未还,则传旨称疮痍,不坐朝。始,民间犹未知,及蔡京谢表有"轻车小辇,七赐临幸"之语,自是邸报传之四方,而臣僚阿顺莫敢言。

秘书省正字曹辅上疏谏曰:"陛下厌居法宫,时乘小辇出廛陌郊坰,极游乐而后返,臣不意陛下当宗社托付之重,玩安忽危,一至于此!夫君之与民,本以人合,合则为腹心,离则为楚、越,畔服之际,在于斯须,甚可畏也!万一当乘舆不戒之初,一夫不逞,包藏祸心,虽神灵垂护,然亦损威伤重矣。又况有臣子不忍言者,可不戒哉!"帝得疏,出示宰臣,令赴都堂审问。余深曰:"辅小官,何敢论大事!"辅曰:"大官不言,故小官言之。"王黼阳顾张邦昌、王安中曰:"有是事乎?"皆应以不知。辅曰:"兹事虽里巷小民无不知,相公当国,独不知邪?曾此不知,焉用彼相!"黼怒,令吏从辅受词,辅操笔曰:"区区之心,一无所求,爱君而已。"退,待罪于家。黼奏:"不重责辅,无以息浮言。"丙申,诏编管郴州。

初,辅将有言,知必获罪,召子绅来,付以家事,乃闭户草疏。及贬,怡然就道。

将乐杨时,初登进士第,闻程颢兄弟讲学,以师礼见颢于颍昌。其归也,颢目送之曰:"吾道南矣。"颢卒,又师事颐。颐偶瞑坐,时与游酢侍立不去,既觉,则门外雪深一尺矣。海内称龟山先生。

蔡京客张常言于京曰:"今天下多故,至此必败,宜急引旧德老成,置诸左右,庶几犹可及。"京问其人,常以时对,京因荐之。会路允迪自高丽还,言高丽国王问龟山先生安在,乃召为秘书郎。

呼庆留金凡六月,数见金主,执其前说,再三辩论。金主与宗翰等议,乃遣庆归。临行,语曰:"跨海求好,非吾家本心。吾已获辽人数路,其它州郡,可以俯拾,所以遣使人报聘者,欲交邻耳。暨闻使日不以书来而以诏诏我,此已非其宜。使人虽卒,自合复遣;止遣汝辈,尤为非礼,足见翻悔。本欲留汝,念过在汝朝,非汝罪也。归见皇帝,若果欲结好,请早示国书;或仍用诏,决难从命。且我尝遣使求辽主册吾为帝,取其卤簿;使人未归,尔家来通好。而辽主册吾为东怀国,立我为至圣至明皇帝,吾怒其礼仪不备,又念与汝家已通好,遂鞭其来使,不受法驾等。乃本国守两家之约,不谓贵朝如此见侮。汝可速归,为我言其所以!"庆以是月戊戌离金主军前,朝夕奔驰,从行之人,有裂肤堕指者。

是月,京西饥,淮东大旱,遣官赈济。

岚州黄河清。

升赵州为庆源府,均州为武当军节度。

二年 辽天庆十年,金天辅四年【庚子,1120】 春,正月,癸亥,追封蔡确为汝南郡王。

甲子,罢道学,以儒道合而为一,不必别置道学也。

二月,乙亥,遣中奉大夫、右文殿修撰赵良嗣、忠训郎王(环)〔瑰〕使金。

先是呼庆以正月至自登州,具道金主所言,并其国书达于朝。王师中亦遣子(环)〔瑰〕同庆诣童贯白其事。贯时受密旨图辽,欲假外援,因建议遣良嗣等持御笔往,仍以买马为名;其实约夹攻辽,取燕京旧地,第面约不赍国书。夹攻之约,盖始于此。

唐恪罢。

戊子,令所在赡给淮南流民,谕还之。

甲午,诏别修《哲宗正史》。

金主使乌凌阿赞谟持书及册文副本至辽,且责其乞兵于高丽。

辽以金人所定"大圣"二字,与先世称号同,遣实埒讷往议。金主怒,谓群臣曰:"辽人屡败,遣使求成,惟饰虚辞以为缓兵之计,当议进兵。"乃令咸州路统军司治军旅,修器械,具数以闻,将以四月进师。令色克留兵一千镇守,栋摩以馀兵来会于浑河。和议遂绝。

三月,壬寅,赐上舍生二十一人及第。

乙卯,改熙河兰湟路为熙河兰廓路。

辽复遣实埒讷以国书如金。

夏,四月,丙子,诏:"江西、广东两界,群盗啸聚,添置武臣提刑、路分都监各一员。"

乙未,金主自将伐辽,分三路出师,趋上京。

辽主猎于呼图里巴山。闻金师再举,耶律拜萨巴选精兵三千以济辽师。

五月,庚子朔,以淑妃刘氏为贵妃。

己酉,日中有黑子如枣大。

赵良嗣等以四月甲申至苏州,守臣高国宝迎劳甚恭。会金主已出师,以是月壬子会青牛山,议所向。翼日,良嗣等至,金主令良嗣与辽使实埒讷并从军。每行数十里,辄鸣角吹笛,鞭马疾驰,比明,行六百五十里。至上京,命进攻,且谓良嗣等曰:"汝可观吾用兵,以卜去就。"遂临城督战。诸军鼓噪而进,自旦及巳,栋摩以麾下先登,克其外城,留守托卜嘉以城降。良嗣等奉觞为寿,皆称万岁。是日,赦上京官民,仍诏谕辽副都统耶律伊都。

丁巳,祭地于方泽,降德音于诸路。

布衣朱梦说上书论宦寺权太重,编管池州。

壬戌,金兵次沃(里)〔黑〕河,宗干率群臣谏曰:"地远时暑,军马罢乏,若深入敌境,粮馈乏绝,恐有后艰。"金主乃班师,命分兵攻庆州。辽耶律伊都袭栋摩于辽河,金兵战却之。

辽上京已破,枢密使恐忤旨,不以时奏。辽故事,军政皆关决于北枢密院,然后奏知。至是同平章事左企弓为辽主言之,辽主曰:"兵事无乃非卿责邪?"企弓曰:"国势如此,岂敢循例为自全计!"因陈守备之策。拜中书侍郎、平章事。

戊辰,诏:"宗室有文行才术者,令大宗正司以闻。"

六月,癸酉,诏开封府赈济饥民。

丁丑,太白昼见。

太师、鲁国公、神霄玉清万寿宫使蔡京,屡上章乞致仕,戊寅,诏依所请,守本官,在京赐第居住,仍朝朔望。

京专政日久,公论不与,帝亦厌薄之。子攸,权势既与父相轧,浮薄者复间焉,由是父子各立门户,遂为仇敌。攸别居赐第,一日,诣京,甫入,遽起,握父手为诊视状,曰:"大人脉势舒缓,体中得毋有不适乎?"京曰:"无之。"京语其客曰:"此儿欲以为吾疾而罢我耳。"阅数日,果有致仕之命。

辛巳,诏:"自今(冲)〔动〕改元丰法制,论以大不恭。"

中牟县民诉方田不均,乙酉,诏罢诸路方田。

辽以北府宰相萧伊苏为上京留守。

金人之攻陷上京也,辽太祖天膳堂在祖州,太宗崇元殿在怀州,以及庆州之望仙、望圣、神仪三殿,焚烧殆尽。所司以闻,萧奉先抑而不奏,后辽主知而问之,奉先曰:"初虽侵犯元宫,劫掠诸物,尚惧列圣威灵,不敢毁坏灵寝,已指挥有司修葺防护。"奉先迎合诞谩类此。

丙戌,诏:"三省、枢密院额外吏职,并从裁汰。及有妄言惑众,稽违诏令者,重论之。"

诏:"诸司总辖、提点之类,非元丰法,并罢。"

丁亥,复寺院额,寻又复德士为僧。

甲午,罢礼制局并修书五十八所。

秋,七月,壬子,罢文臣起复。

己未,罢医、算学。

八月,庚辰,诏减定医官额。

乙未,诏:"监司所举守令非其人,或废法不举,令廉访使者劾之。"

是月,赵良嗣于上京出御笔与金主议约,以燕京一带本汉旧地,约夹攻契丹,取之。金主命译者曰:"契丹无道,其土疆皆我有,尚何言!顾南朝方通欢,且燕京皆汉地,当与南朝。"良嗣曰:"今日约定,不可与契丹复和也。"金主曰:"有与契丹乞和,亦须以燕京与尔家方和。"许遂议岁币,良嗣初许三十万,辩论久之,卒与契丹旧数。金主又谓良嗣曰:"吾军已行,九月至西京,汝等到南朝,请发兵相应。"遂以手札付之,约以本国兵径自平地松林趋古北口,南朝兵自雄州趋(北)〔白〕沟夹攻,不如约,即地不可得。金师至松林,会大暑,马牛疫,金主乃还,遣驿追良嗣至,易国书,约来年同举。宗翰曰:"使副至南朝奏皇帝,勿如前时中绝也。"留良嗣饮食数日,及令所掳辽吴王妃歌舞,谓良嗣曰:"此契丹儿妇也,今作奴婢,为使人欢。"遣萨喇、哈噜等持其国书来报聘。

九月,壬寅,金萨喇、哈噜等至,诏卫尉少卿董耘馆之,止作新罗人使引见。后三日,对于崇政殿,帝临轩,萨喇、哈噜等捧书以进,礼毕而退。

诏:"罢政和二年给地牧马条法,收见马以给军,应牧田及置监处并如旧制。"

丙辰,诏登州铃辖马政借武显大夫,使聘于金。是日,萨喇、哈噜等入辞于崇政殿,赐宴显静寺,命赵良嗣押宴,王(环)〔瑰〕伴送,政持国书及事目随哈噜等行。书曰:"大宋皇帝致书于大金皇帝:远承信介,持示函书,具聆启处之详,殊副瞻怀之素。契丹逆天贼义,干纪乱常,肆害忠良,恣为暴虐。知凤严于军旅,用绥集于人民,致罚有辞,逖闻为慰。今者确示同心之好,共图问罪之师,念彼群黎,旧为赤子,既久沦于涂炭,思永靖于方垂,诚意不渝,义当如约。已差太傅、知枢密院事童贯勒兵相应,使回,请示举军之日,以凭夹攻。所有五代以后陷没幽蓟等州旧汉地及汉民,并居庸、古北、松亭、榆关,已议收复,所有兵马,彼此不得过关外,据诸色人及贵朝举兵之后背散到彼馀处人户,不在收留之数。绢银依与契丹数目岁交,仍置榷场。计议之后,契丹请和听命,各无允从。"乃别降枢密院札目付政,遣政子扩从行。

初,朝议止欲得燕京旧地。及赵良嗣还朝,言尝问金主,燕京一带旧汉地,并西京亦是。

金主曰："西京我安用,止为挈阿适,西一临尔。事竟,亦与汝家。"阿适,辽主小字也。又言平、营本燕京地,高庆裔曰:"平、滦非一路。"金主曰:"此不须议。"故事目并及山后寰、应、朔、蔚、妫、儒、新、武诸州。两国之衅,由此生矣。

是秋,辽主猎于沙岭。

萧伊苏守上京,为政宽猛得宜,乘金兵残破之后,民多穷困,辄加赈恤,众咸爱之。

冬,十月,戊辰朔,日有食之。

己巳,尚书省言:"州县武学已罢,内外愿入京武学人,乞依元丰法试补入学举试;其考选升补推恩,并依大观武学法。"从之。

以内侍梁师成为太尉。师成黠慧习文法,初领睿思殿文字外库,主出外传上旨。政和中,渐得幸,因窜名进士籍中,累迁河东节度使,至是遂有此命。

时中外泰宁,帝留意礼文符瑞之事,师成逢迎希恩宠,帝本以隶人畜之,命入处殿中,凡御书号令,皆出其手,多择善书吏习仿帝书,杂诏旨以出,外庭莫能辨。师成实不能文,而高自标榜,自言苏轼出子。时天下禁诵轼文,其尺牍在人间者皆毁去,师成诉于帝曰:"先臣何罪?"自是轼之文乃稍出。以翰墨为己任,四方名士,必招致于门下,多置书画卷轴于外舍,邀宾客纵观,得其题识,合意者辄密加汲引,执政、侍从,可阶而升。王黼以父事之,称为"恩府先生",蔡京父子亦诣附焉。都人目为"隐相",所领职局,多至数十百。

睦州(清)〔青〕溪民方腊,世居县之垟村,托左道以惑众。县境梓桐、帮源诸洞,皆在山谷幽险处,民物繁夥,有漆楮杉材之饶,富商巨贾多往来。腊有漆园,造作局屡酷取之,腊怨而未敢发。时吴中困于朱勔花石之扰,比屋致怨。腊因民不忍,阴聚贫乏游手之徒,以朱勔为名,遂作乱。

马政等达金拉林河,留帐前月馀,议论不决。金主初不认事目内已许西京之语,且言平、滦、营三州不系燕京所管,政等不能对,唯唯而已。金主又与其群臣谋,谓:"北朝所以雄盛者,缘得燕地汉人。今一旦割还南朝,不惟国势微削,兼退守五关之北,无以临制南方,坐承其弊。若我将来灭契丹,尽有其地,与宋为邻,时或以兵压境,更南展提封,有何不可!"群臣皆以为然。唯宗翰云:"南朝四面被边,若无兵力,安能立国! 未可轻之。"金主遂将马扩远行射猎,久之乃还,令诸大臣具饮食,递邀南使。十馀日,始草国书,遣哈噜与政等来报。聘书中大略云:"前日赵良嗣等回,许燕京东路州镇,已载国书,若不夹攻,应难如约。今若更欲西京,请便计度收取,若难果应,冀为报示。"

十一月,戊戌朔,方腊自号圣公,建元永乐,以其月为正月。置官吏、将帅,以巾饰为别,自红巾而上,凡六等。无弓矢、介胄,唯以鬼神诡秘事相扇诱。焚室庐,掠金帛、子女,诱胁良民为兵,不旬〔日〕,聚众至数万,陷(清)〔青〕溪县。

己亥,少傅、太宰兼门下侍郎余深罢。时福建以取花果扰民,深为言之,帝不悦,出知福州。

庚戌,以王黼为少保、太宰兼门下侍郎。

初,蔡京致仕,黼阳顺人心,悉反其所为,四方翕然称为贤相。及拜太宰,遂乘高为邪,多畜子女玉帛自奉,僭拟禁省。因请置应奉局,自兼提领,中外名钱,皆许擅用,竭天下财力以供费。官吏承望风旨,凡四方水土珍异之物,悉苛取于民,进帝所者,不能什一,馀皆入于黼家。

己未,两浙都监蔡遵、颜坦击方腊于息坑,死之。

十二月,戊辰,方腊陷睦州,杀官兵千人,于是寿昌、分水、桐庐、遂安等县皆为贼据。

甲申,方腊陷休宁县,知县事麴嗣复为贼所执。胁之使降,嗣复骂贼不绝口,曰:"何不速杀我!"贼曰:"我休宁人也,公邑宰,有善政,前后官无及公者,我忍杀公乎!"委之而去。朝廷因命嗣复知睦州,进官二等。寻为贼所伤,自力渡江,将乞兵于宣抚司,未及行而卒。

丙戌,方腊陷歙州,东南将郭师中战死,士曹掾栗先守狱,诟贼遇害。于是婺源、绩溪、祁门、黟县官吏皆逃去。寻又陷富阳、新城,遂逼杭州。凡贼兵所至,得官,必断脔支体,探其肺肠,或熬以膏油,丛镝乱射,备尽楚毒,以偿积怨。

警奏至京师,时方聚兵以图北伐,王黼匿不以闻,于是附者益众,东南大震。淮南发运使陈遘上言:"贼众强,官军弱,乞调京畿兵及鼎、澧枪牌手兼程以来,不致滋蔓。"帝得疏,大惊,乃罢北伐之议。丁亥,以谭稹为两浙制置使,童贯为江、淮、荆、浙宣抚使,率禁旅及秦晋蕃汉兵十五万讨之。

己丑,以少傅郑居中权领枢密院。

庚寅,诏访两浙民疾苦。

是月,方腊陷杭州,知州赵霆遁;廉访使者赵约诟贼,死之。

是冬,辽主至西京。郡县多陷没,而辽主畋游不恤,忠臣多被疏斥。文妃萧氏作歌以讽谏,辽主见而衔之。

真腊遣人来朝,诏封其主为真腊国王。

是岁,夏改元元德。

【译文】

宋纪九十三　起戊戌年(公元1118年)正月,止庚子年(公元1120年)十二月,共三年。

重和元年　辽天庆八年,金天辅二年(公元1118年)

春季,正月,甲申朔(初一),皇帝亲临大庆殿,接受定命宝,百官祝贺。

金国杨朴说自古英雄人物开国或者接受禅位,一定先请大国册封,金国于是向辽国派遣使者。丁亥(初四),辽国派遣耶律努克等人到金国讲和,是因为萧奉先说答应了他们就可以平息兵端的缘故。

己丑(初六),大赦天下。所有元符末年上书列入邪人中等的人,也得以准许按没有过错的人对待。

庚戌(二十七日),任命翰林学士承旨王黼为尚书左丞。王黼,是祥符人,风度俊美,有口才,才疏学浅,然而多智谋有手腕。当初因为何执中的推荐,提拔担任校书郎,又升迁为左司谏。张商英担任宰相时,逐渐失去皇帝的宠信,皇帝派人带玉环到杭州赐给蔡京;王黼察知此事,于是几次上奏陈述蔡京的政绩,并且攻击张商英。等到蔡京再次担任宰相,感激他帮助自己,一年中三次提升他,任命为御史中丞。王黼想排挤走何执中,让蔡京独掌国权,于是上疏奏告何执中三十条罪状,不久将他改任为翰林学士。碰上蔡京与郑居中不和,王黼又结交郑居中,蔡京因此不喜欢他,改任他为户部尚书,并找罪名陷害他;王黼用计免予获罪,回来再担任翰林学士承旨,到此时就进入政府任职。

辽国保安军节度使张崇带双州二百户投降金国。当时东路各州盗贼蜂起,以至抢掠百姓带着充作食物。

二月,戊辰(十六日),提高各路的酒价。

庚午(十八日),派遣武义大夫马政同高药师等人出使女直,商议过去买马的友好关系。

当初,高药师等人的兵船到达海北,看见女直的巡逻兵,不敢向前,又回到青州,声称已经进入苏州地界,女直不接纳,差点被巡逻兵杀死。青州安抚使崔直躬详细地上报此事,皇帝大怒,诏令将原来招来借补官职的以及将校一行人都编管发配到边远恶劣的地方,仍然委派童贯安排与女直通好的事宜,监司、帅臣都不许干预。童贯改命王师中另选有才干的官吏前往。马政,是洮州人,受贬到青州任职,家住在牟平。王师中说马政可以担当,于是就任用了他。

辛未(十九日),金国贝勒完颜忠、洛索从军营中来到朝廷,金国主因为辽国主近在中京而他们敢随意来朝廷,都给予杖罚。

甲戌(二十二日),将六安县升格为六安军。

丁丑(二十五日),诏令:"监司擅自用国库的钱购买物品作为礼物敬献馈赠的,按大不恭论罪。"

辽国的使臣耶律努克从金国回来,金国主又写信说:"能够按兄长来事奉朕,每年进贡地方特产,把上京、中京、兴中府三路州县划给我,将亲王、公主、驸马、大臣的子孙作为人质,送还我国使者以及原来的信符,包括与宋朝、西夏、高丽往来的书信、诏书、表章、文牒,那么就可以定和约。"

金国和勒博等说咸州都统乌楞古,知道辽国主在中京而不攻打,粮草充足而不据实报告,攻打显州时获得的牲口财物多自己取用。三月,癸未朔(初一),乌楞古贬职担任穆昆。

丙戌(初四),诏令:"监司、郡守,从现在起必须满三年才能代换,并不得兼职通理。"

癸巳(十一日),命令嘉王赵楷前往朝廷奏对。赵楷,是皇帝的第二个儿子。

丁酉(十五日),知建昌陈并等人改建神霄殿不虔诚以及判决道士,诏令都给予勒停处罚。

庚子(十八日),金国洛索说黄龙府地方偏僻而且遥远,应该重兵把守,金国命令会合几个穆昆的兵力,任命洛索为万户,镇守该地。

戊申(二十六日),赐给礼部上奏姓名的七百八十三人进士及第、出身资格。有关官员将嘉王赵楷作第一,皇帝不希望赵楷在很多士人前面,就将王昂放在榜首。

辽国又派耶律努克到金国,提出先前的建议。

夏季，四月，癸丑朔（初一），修筑靖夏城、制戎城。

乙卯（初三），下御笔诏书，因为淮南转运使张根，轻浮随便乱说，免职，改任监信州盐酒税。

当时天下长期太平，赏赐没有限度，营建修缮都在兴起，差不多没有空闲的时候，因此国家用度日益紧张，皇帝多次命令大臣提出理财办法。因此朝廷内外提出了各种建议，张根因而提出节省用度的意见，受宠信的权臣认为对自己不利，没有不切齿痛恨的。而大臣们认为赐第的事是在议论自己，极力想出中伤张根的办法。因此指责的奏章交相递上，而皇帝感觉出张根的诚心，不加罪于他。碰上御前人船所扣占直运的纲船以供花石纲之用，张根因为朝廷供送时间紧迫，请求归还给船只，很违逆了权臣的意志。而且因为被命令督促竹石时，又上告："东南花石纲的费用，官府购买一棵竹子要花费五十缗；本路尚且这样，其他路还不止如此。现在不是用来供给皇家苑囿而是送入各大臣家中，百姓的供奉，将哪里有尽头！希望明白宣布停止的日期，以厚待天下。"因此权臣更加恼怒，所以有这个任命。

辛酉（初九），辽国任命西南面招讨使萧德勒岱为北院枢密使，宠信任用更加深厚。当时各路大乱，快速送章疏告急的前后不停地到达；萧德勒岱不马上报告，有功的人也不加以甄别，因此将校官怨恨，士兵没有斗志。

癸亥（十一日），减轻杖刑。

己卯（二十七日），诏令："每年在在季秋亲自到明堂祭祀，按孟月朝献的礼仪。将太上混元上德皇帝二月十五日生辰作为真元节。"

辛巳（二十九日），道录院送上审查的佛教经书六千多卷，其中诋毁诽谤道教、儒教两教的恶劣言辞，分作九卷，请求找出烧毁，并保留这个本子，永远作为证据；另外，林灵素呈上《释经诋诬道教议》一卷，请求颁发。都采纳了。

五月，壬午朔（初一），出现日食。

乙酉（初四），诏令："各路选出转运司官员一名，主管本路神霄宫。"

丁亥（初六），封林灵素为通真达灵元妙先生，张虚白为通元冲妙先生。

张虚白，是南阳人，通晓太乙六壬术，皇帝召来管理太一宫，无日不给予恩赏，任命太虚大夫、金门羽客官职，出入皇宫中，整天谈论道教，没有一句话谈及时事，说："朝廷的事务有宰相在，不是我所知道的。"皇帝常常用"张胡"称呼他而不喊名字。

壬辰（十一日），颁布皇帝撰写《圣济经》，将青华帝君八月的生辰作为元成节。

戊戌（十七日），辽国又派耶律努克出使金国，提出折中的建议。金国主派呼图克昆与耶律努克带着书信答复，内容和先前一样。

庚子（十九日），皇帝下亲笔敕令给两浙路漕司，将暂时提高的酒价全部供给皇宫工程。

辽国主到达纳葛泺。

地方盗贼安生儿、张高儿，聚众二十万人，耶律玛格在龙化州杀掉了安生儿；张高儿逃往懿州，与霍石会合。

六月，乙卯（初四），封贤妃刘氏为淑妃。

壬申(二十一日)，门下侍郎薛昂上奏："奉诏令编集王安石的遗作，请派校阅文字官三人。"同意了。

霍石攻陷辽国的海北州，趋义州，军帅和勒博打败了他。

甲戌(二十三日)，辽国通州、祺州、双州、辽州四城的百姓八百多户向金国投降，金国主命令分别安排在各部，选择肥沃的地方让他们居住。

秋季，七月，壬午(初二)，因为西边部队立下功劳，给蔡京加恩，让他的

神臂弓　北宋

一个儿子做官，郑居中被任命为少傅，余深被任命为少保，邓洵武为特进，晋升执政官一级。

癸未(初三)，诏令蔡京、郑居中、余深、童贯都兼任神霄玉清万寿宫使，邓洵武、薛昂、白时中、王黼、蔡攸都兼任神霄玉清万寿宫副使。

己酉(初五)，派廉访使者六人赈济东南各路的水灾。

辽国耶律努格等人带着宋朝、西夏、高丽的书信、诏书、表章、文牒到金国，金国就派呼图克昆到辽国，说："免予以大臣的子孙作人质并放弃索要上京、兴中府路所属州郡，减少每年进贡钱币的数目，如果能够用事奉兄长的礼节对待朕，用汉人仪式册封，可以讲和。"辽国因此派耶律努克以及耶律托实到金国商议册封礼仪。金国留下耶律托实，让耶律努克返回，对他说："所说的话如果不听从，不要再派使臣。"

本月，辽国主在秋山打猎。

八月，甲寅(初四)，任命童贯为太保。

戊午(初八)，知兖州王纯上奏请求让学者研习皇帝注释的《道德经》，间或在其中出论题，同意了这个建议。

庚午(二十日)，诏令："从现在起学习道教的人，允许进入州县学校学习培养；所学习的经书除以《黄帝内经》《道德经》作为大经，《庄子》《列子》作为小经外，兼要通晓儒家经书，使它们合为一个学说，儒经以《周易》为大经、以《孟子》作为小经。那些选入学校的人，增设士的名称，分别列入官阶。元士、高士、上士、良士、方士、居士、隐士、逸士、志士，每年考核经书后发放。州县学习道教的人，初入学校时为道徒，考试选中贡送的，都称为贡士。到了京城，进入辟雍，考试选中入上舍，都按贡士的办法。三年大考，允许穿襕鞹之服到殿中参加考试，并另外出题策问，差不多可以得到有道之人以与招纳人才相称。"

辛未(二十一日)，资政殿大学士、知陈州邓洵仁，上奏请求选择《道藏经》数十部，先后刻版，颁发给州郡，道录院审查后，得到旨意施行，又请求禁止士人百姓妇女随意进入僧寺，下诏书命令吏部规定下达。

壬申(二十二日)，诏令："执政不是入朝辞谢以及请求离去，不得单独留下奏事。"

乙亥(二十五日),将兖州升格为袭庆府。

本月,皇宫发生大火灾,从晚上开始直到早晨;大雨倾盆,火更旺。共烧坏房屋五千余间,后苑的广圣宫以及宫人居住的地方差不多烧毁完,烧死的人很多。

九月,辛巳(初二),在明堂举行大飨礼。

壬午(初三),下诏取消收白地钱、货物专卖、增加方田、提高酒价、收醋税、河北加折耗米、东南水灾强行收购粮食等事项。

丙戌(初七),诏令:"太学和辟雍各设置两名《内经》《道德经》《庄子》《列子》博士。"

戊子(初九),金国主诏令:"国书和诏令应该选善于写文章的人撰写,命令各处访求博学有大才华的人,敦促送到朝廷。"

己丑(初十),确定年逢戊月逢壬作为元命年,向天下下达德音诏书。

庚寅(十一日),门下侍郎薛昂免职担任佑神观使,任命白时中为门下侍郎,王黼为中书侍郎,翰林学士承旨冯熙载为尚书左丞,刑部尚书范致虚为尚书右丞。

颁布《御注道德经》,在神霄宫刻碑石。

壬辰(十三日),禁止州郡阻止购粮以及边将杀死投降的人以求功赏。

癸巳(十四日),禁止群臣结为朋党。

丁酉(十八日),皇帝采纳蔡京的建议,集中古今道教的事编为志书,赐名为《道史》。

辛丑(二十二日),郑居中被免职,请求继续守丧,下诏批准。

壬寅(二十三日),诏令:"视中大夫林灵素,视中奉大夫张虚白,都特别授予本品级实职。"

此前皇帝采纳方士的建议,铸造神霄九鼎,名为太极飞云洞劫之鼎、苍壶祀天贮醇酒之鼎、山岳五神之鼎、精明洞渊之鼎、天地阴阳之鼎、混沌之鼎、浮光洞天之鼎、灵光晃耀炼神之鼎、苍龟火蛇虫鱼金轮之鼎,到此时才铸成。安放在上清宝箓宫的神霄殿。

霍石投降金国。闰月,庚戌朔(初一),金国任命霍石为千户。接着萧宝、张应古、李孝功都带着士众投降,都任命为所辖部众的千户。

己未(初十),任命刘栋为守静先生、视中大夫,刘栋不接受。

庚申(十一日),诏令江、淮、荆、浙、闽、广各路的监司,督促州县招集流民。

乙亥(二十六日),给事中赵野上奏请求各州增设道学博士,选择本州官员兼任,皇帝同意了。

丙子(二十七日),诏令:"后周柴氏的后代已被封为崇义公,再册立后周恭帝的后代为宣义郎,监护后周的陵庙,世代为国家尊重的前朝家族。"

冬季,十月,己卯朔(初一),太白星白天出现。

壬辰(十四日),知陈州邓洵仁上奏:"本州学校的内舍生宋瑀,是已故翰林学士宋祁的孙子,品行清正,愿意换为道学内舍生。过去撰写的《道论》十篇以及最近撰写的《神霄玉清万寿宫雅》,谨都呈上。"皇帝下御笔诏书:"宋瑀特别授予志士,并允许参加将来的殿试。"

己亥(二十一日),将端州升格为肇庆府,并改兴庆军名称为肇庆军。

2101

癸卯(二十五日),皇帝到上清宝箓宫,传授玉清神霄秘箓,到会的有八百人。当时道士有俸禄,每一次斋会的施恩,动辄数十万;每一个宫观,提供田地也不少于数百上千顷。贫困在下层的人很多买青布幅巾前往,每天得到一餐饭以及施舍钱三百。

甲辰(二十六日),设置道官二十六等,道职八等,有各殿侍晨、校籍、授经,用来比照特制、修撰、直阁等官职名称。

戊申(三十日),徽猷阁待制、提举万寿观蔡絛因为获罪给予勒停处罚。

十一月,己酉朔(初一),诏令明年改年号为宣和,大赦天下。

辛亥(初三),太阳中出现黑子,有李子那么大。

丙辰(初八),封婉容王氏为贤妃。

丁卯(十九日),公主茂德帝姬下嫁蔡絛,他的父亲蔡京请求免去见公婆时行盥馈之礼,皇帝下诏不同意。

己巳(二十一日),将梓州升格为潼川府。

丙子(二十八日),提举成都府路学事翟栖筠上奏:"字形笔画,都有不能改变的样式,学者略去不讲授,从俗就简,改换偏旁,逐渐失去本来面目。如期、朔之类的字从月,股、肱之类的字从月,胜、服之类的字从舟,丹、青之类的字从丹,没有分辨不清楚的,而现在书写的人写成了一样的。所以从小学习的士人,终年阅读,只是了解字的近似形状而不知道字的本来形状。希望诏令儒臣重新加以修订,去除错谬,一律按王安石的《字说》为正形,按次序编排,称作《新定五经字样》,向州郡学校颁行。"诏令太学的官员召集学者修订。

辽国副元帅萧托卜嘉去世。

十二月,戊寅朔(初一),恢复设置京西钱监。

己卯(初二),诏令:"九鼎的新名称,是狂妄的人任意变更的,完全没有根据,应该恢复过去的名称。"狂妄的人,是指王仔昔。

马政等人从金国返回,与金国的使者一起到来,这一天到达登州,登州派官员遣送到朝廷。

马政与平海指挥使呼庆随同高药师、曹孝才在闰月初六出海,刚抵达北岸,为巡逻兵抓住,将所有的物品都抢走,多次想杀掉他们。不久捆绑住他们,经过十多个州,到达金国主所居住的拉林河,约走了三千多里。询问派使者从海上来的原因,就按实际情况做了回答。金国主与众大臣商议了数天,就留下登州的小校王美、刘亮等作人质,派遣索多以及李庆善等人带着国书和北地的珍珠、未提练的金矿石、貂皮、人参、松子,和马政等前来回访。

甲申(初七),辽国商议确定册封礼仪,派遣耶律努克出使金国。当时山前各路在闹饥荒,乾州、显州、宜州、锦州、兴中等路一斗粟值几匹丝,百姓剥榆树皮吃,随后发展到人吃人。宁昌军节度使刘宏带领懿州三千户投降金国,金国任命他为千户。

己丑(十二日),设置裕民局。

本年,江南、淮南、荆湖、两浙、梓州路发生水灾。

辽国放榜录取进士王翚等一百零三人。

宣和元年　辽天庆九年,金天辅三年(公元1119年)

春季,正月,戊申朔(初一),太阳下出现五色的云彩。

乙卯(初八),诏令:"佛改名称为大觉金仙,其余都称为仙人、大士称号。僧人称为德士,改换服饰,称呼姓名。佛寺称为宫,佛院称为观,原来寺院中任主持的人担任知宫观事。所有的僧录司都改为德士司,左右街道录院可以改为道德院。德士司隶属道德院,蔡攸全面主管。全国各州府僧正司可以都改称德士司。"不久又将女冠改为女道,尼姑改称女德。当时林灵素想废佛教以实现先前的缺憾,请求改变全部名称,所以有这个诏令。

丁巳(初十),金国使者李善庆等人进入京城,下榻在宝相院,诏令蔡京、童贯以及邓文诰会见他们商议事务。委任李善庆为修武郎,散都为从义郎,勃达为秉义郎,供给全额俸禄。停留十多天后,派遣直秘阁赵有开、武义大夫马政、忠翊郎王瓖充任副使,带着诏书礼物,与李善庆等人渡海前往访问。王瓖,是王师中的儿子。

当初,商议回复女真的礼仪,赵良嗣想用国书,使用国家书信的格式,赵有开说:"女直的首领只是节度使,世代接受契丹的封爵,总是仰慕我们中土朝廷,为不能臣属我朝而遗憾,有什么必要过分的尊崇,只用诏书就足够了。"询问赵善庆:"怎么样?"赵善庆说:"两种办法都可以使用,只是由朝廷选择。"因此采纳了赵有开的建议。赵有开与李善庆等人到达登州,没有再动身赵有开去世了。正好河北上奏抓到探子,说契丹已经割给辽东的土地,封女真为东怀王;并且假称女真常常祈求和好,假作他们的表章上报。于是就传召马政等人不要前往,只派呼庆带着登州的文书送李善庆等人回去。

戊午(十一日),任命余深为太宰兼门下侍郎,王黼为特进、少宰兼中书侍郎。给王黼赏赐城西宅第的那一天,以教坊乐作先导,帷帐和各种器皿,都取自官府,宠幸倾倒一时。

当时朝廷已经采纳赵良嗣的计策,将要会合金国谋取燕地。正好侦探报告辽国主有亡国的相貌,王黼听说画学正陈尧臣善于绘画,精通相法,就推荐陈尧臣出使辽国。陈尧臣就带着两名绘画的学生同去,绘制辽国主像回来,对皇帝说:"辽国主看上去不像帝王,臣谨绘制他的容貌呈上,如果按相法说,亡在朝夕,希望赶快进军,兼并弱小攻打昏昧,现在是时候了。"并绘制辽国的山川险要图呈上。皇帝大为高兴,攻取燕云等州的计划就确定了。

乙丑(十八日),将湟州改为乐州。

乙亥(二十八日),皇帝亲自耕种籍田。

撤销裕民局。

册封占城的杨卜麻叠为占城国王。占城在中国的西南部,所统辖的大小村落一百零五个,大致相当于州县。从上古时不曾和中原来往,后周显德年间才开始进贡,从此与朝廷来往没有断绝。然而北面与交趾接界,互相侵犯干扰。等到下诏令册封为王,就与交趾的恩遇一样了。

金国使者凌阿赞谟到达辽国,是为了迎接册封。

二月,庚辰(初四),将宣和殿改为保和殿。

戊戌(二十二日),任命邓洵武为少保。

辽国主到达鸳鸯泺。章萨巴诱惑中京的射粮军造反,僭越称帝,南面军帅耶律伊征讨抓获他。

三月,丁未朔(初一),辽国派遣太傅萧埒实讷等册封金国主为东怀国皇帝。

庚戌(初四),蔡京等人送进安州所获得的商代六鼎。

己未(十三日),任命冯熙载为中书侍郎,范致虚为尚书左丞,翰林学士张邦昌为尚书右丞。张邦昌,是东光人。

诏令:"天下知宫观道士,与监司、郡县官以宾客的礼节相见。"

童贯命令熙河经略使刘法攻取朔方,刘法不想前往,强令派他去。出兵到统安城,遇到西夏国主的弟弟察克率领步兵骑兵三个阵以抵挡刘法的军队,而另派遣精锐骑兵登山出兵到背后。大战七个时辰。兵饥马渴,死的人很多。刘法乘着夜色逃跑,快天亮时,逃了七十里,到盏朱崄,守兵追击他,刘法坠下悬崖折断了腿,守兵杀取他的头而离开。这一仗,宋军损兵十万人,童贯隐瞒败绩而以战胜上报。

察克看见刘法的头,感伤地对他的部下说:"刘将军先前在古骨龙、仁多泉打败了我,我曾经避开他的锋芒,认为他是天生的神将。哪里料到今天被一个小兵杀掉了头啊!他的失败在于依仗得胜轻率出兵,不能不引以为戒。"于是乘胜围攻震武。震武在山谷中,熙州、秦凤两路不能供应粮饷,从修筑后三年间,知军李明、孟清,都被西夏人所杀。到此时城又将要被攻陷,察克说:"不要攻下此城,留下作为南朝的一块心病。"就自己带兵离开。宣抚司以战胜上报,数百人受到赏赐。

甲子(十八日),知登州宗泽,因为修建神霄宫不虔诚获罪,被给予除名、编管。

辛未(二十五日),赐给上舍生五十四人及第。

甲戌(二十八日),皇后亲自养蚕。

夏季,四月,丙子朔(初一),出现日食。

庚寅(十五日),童贯带领鄜延、环庆的兵力大败西夏人,攻下三座城。辛丑(二十六日),皇帝给辅政大臣进官阶一级。

五月,丙午朔(初一),京城茶馆的伙计,早晨起床看见像是有大狗蹲在床边,近看,却是一条龙,军器作坊的士兵抓来吃掉了他。过了五天,大雨如注,经过七天才停下。起居郎李纲说:"阴气太盛,国家在汴京作都城五十多年了,不曾有此异变。异变不会无故生出,必定有导致的原因,应当以盗贼、外部边患作为担心的事。"下诏贬责李纲为监沙县税务。

丁未(初二),诏令:"德士允许进入道学,按照道士的办法。"

丙辰(十一日),在震武打败西夏人。

壬戌(十七日),金国主告谕咸州都统司说:"兴兵以前,哈斯罕各部百姓有犯罪流放到边境,或者逃入辽国的,本来都是我们的百姓,远在异地,朕很怜悯他们。现在已经议和,应当清理要回,可以明白地告谕各路千户穆昆,四处寻访他们的官名、姓名、乡里,全部列出上报。"

壬申(二十七日),颁布皇帝定下的《九星二十八宿朝元冠服图》。

本月，西北部有红色的云气横贯天空。

辽国准布部族人叛乱，抓获招讨使耶律鄂尔多，都监萧色垥德处死了他。

六月，戊寅（初三），宋使呼庆等人到金国主军帐前，金国主以及宗翰等人指责他半途停止派国使，而且说登州不应当发文书。呼庆回答说："本朝知道贵朝与契丹通好，又因为使臣到达登州，因病去世，于是派我与贵朝的使臣同行，想得以早点到达军前，暂时让登州发文书，不是有其他的原因。如果贵朝果然不与契丹通好，朝廷定会马上另派使臣来共同商议。"金国主不听从，就扣留呼庆等人。又因为索多接受宋朝授予的团练使，杖罚而免了他的职。

壬午（初七），诏令："西部有武臣担任经略使的，改用文臣担任。"

甲申（初九），诏令封庄周为微妙元通真君、列御寇为致虚观妙真君，仍用册书任命，配享混元皇帝。

童贯因为关右形势紧张，就暗示西夏人通过辽国呈进誓表，表示归顺。己亥（二十四日），皇帝下诏令六路停止用兵。等到西夏人派遣使臣前来祝贺天宁节，授给他们盟誓诏命，西夏使臣推辞不接受，童贯不能让他们服从，只是派遣馆伴使强行让他们拿回去。等到了边境，丢弃在道路上而离去，贾琬得到呈上，童贯开始大为沮丧。不久加封童贯为太傅，封泾国公。当时的人称蔡京为"公相"，称童贯为"媪相"。

秋季，七月，丙辰（十二日），皇帝下诏因为蔡絛过去由于轻率，被罢废了几年，念及他的父亲蔡京是元老大臣，对皇帝有功勋，不忍心一直废弃，可以特别叙复旧的官职，在朝外安排宫观职，让他随意居住。接着蔡京说不是按法令叙复，请求赐令停止，下诏令等候行大礼听候圣旨。

辽国主在南山打猎，金国又派遣乌凌阿赞谟到达辽国，指责册封文书没有事奉兄长的话，不称大金而称东怀，是小邦感怀它的恩德的意思。另外册封文书中有"渠材"二字，语言涉及轻慢侮辱；像"遥芬""多戬"等话，都不是善意，很不符合体式。如果按先前书信中确定的办，然后可以同意。

辽国杨询卿、罗子韦率领部众投降金国，金国主命令就在各部设置穆昆。

八月，戊寅（初四），诏令："各路没有丈量田地的地方，命令都要进行丈量，平均确定租赋。"

丙戌（十二日），皇帝亲笔撰写《神霄玉清万寿宫记》，命令京城的神霄宫刻记在石碑上，将碑文原本赐给天下，各地临摹立碑。

己丑（十五日），金国在国中颁布女直文字。

女直开始没有文字，等到得到契丹人、汉人，开始熟悉契丹文、汉字，因此宗雄、希尹等人学习契丹文、汉字。宗雄因病得闲，两个月就通晓了大小字，于是与宗干等人立法定制，凡是与辽国、宋朝的书信往来，都要宗雄、希尹主持办理。金国主于是命令希尹依照汉人的正楷字，利用契丹文字的格式方法，结合本国语言，制定女直文字颁行。

丁酉（二十三日），尚书左丞范致虚因为母亲去世而离职。当时朝廷想向辽国用兵，范致虚说边境事端一开，必定有意外的祸患，宰相认为他怀有异心，最后没有再起用复职。

辽国任命皇子赵王耶律实讷为西京留守。

辽国主和各个儿子,只有晋王额噜温最有能力,喜欢说人家的好处而同情别人的能力不足。当时宫中的人讨厌读书,看见了就指责。额噜温曾经进入皇帝寝宫,看见近侍在读书,于是拿来观看,正好碰上诸王到了,就放在袖中带回,说:"不要让他人看见了。"一时被称为忠厚的人。

九月,乙卯(十二日),皇帝在保和新殿特别设宴招待蔡京。殿西南有玉真轩,是刘妃的梳妆阁。

癸亥(二十日),皇帝临幸道德院观看金芝;由景龙江到蔡京的宅第鸣鸾堂,赏赐给蔡京酒。蔡京申诉开封府尹聂山离间的事,聂山马上因此被罢黜。于是作《鸣鸾记》呈上。当时蔡京的儿子蔡攸、蔡絛、蔡翛以及蔡攸的儿子蔡行,都担任大学士,蔡鯈娶了公主;家人仆从,也担任大官,他们的妻妾被封为夫人。蔡京每次侍奉皇上,始终以君臣要相互融洽作为话题。皇帝当时乘坐轻便小车,频繁临幸蔡京的宅第,命坐,赐酒,大致用家人的礼节。

丙寅(二十三日),蔡京上奏:"臣蒙受皇上慈爱,因为臣从夏秋患病,皇上特别让在龙德太一宫设立普天大醮的法会,又亲自撰写青词祈祷以表诚心。以至每天临幸祈祷法会,另外撰写秘词,亲自焚烧祈祷。仰受特别礼仪,古今所没有,杀头杀身,也难以报答。"

在蔡京病重时,人们认为他必定会死,只是晁冲之对陆宰说:"不会死。他把国家败坏到这个样子,如果让他安然死在家中,享受极高的哀荣,哪里还有天道呢!"不久果然病愈。

丁卯(二十四日),任命蔡攸为开府仪同三司。

蔡攸受到皇帝宠信,进见没有时间限制,与王黼得以参与宫中的秘戏。或者侍奉私宴,就穿短衫窄裤,涂抹青红色,混在倡优侏儒中,说很多市井淫邪轻浪的话以取悦皇帝。蔡攸的妻子宁氏,出入宫中,蔡攸的儿子蔡行,担任殿中监,宠信超过他的父亲。蔡攸曾经对皇帝说:"所谓帝王,应当以四海为家,太平作乐,岁月能有多久,岂能自我劳苦!"皇帝很听信这些话。于是命令在皇家苑囿中都依照江、浙地方建白屋,不加五彩,多建的是村居、野店,以及聚集珍禽异兽,动辄数千,充实在其中。京城中每到秋风吹来夜深人静时,禽兽的声音四处响起,就像山林湖沼中,有见识的人认为是不祥的征兆。

金国主因为辽国册封礼仪耽误时间,诏令各路军过江屯驻。辽国就让实埒讷等人先带册封草稿到金国,然后派遣使臣送乌凌阿赞谟带着册封文书回来。

辽国耶律程古努等二十多人谋反,被杀。

十一月,乙卯(十三日),在圜丘行祭祀礼仪,大赦天下。

甲子(二十二日),诏令:"东南各路发生水灾,命令监司、郡守尽心赈救。"

戊辰(二十六日),任命张邦昌为尚书左丞,翰林学士王安中为尚书右丞。王安中依附童贯、王黼担任中丞,因为指论蔡京的罪状,受到皇帝赏识,于是进入政府任职。

淮甸因干旱出现饥荒,百姓失去生业,派遣监察御史考察查问。

太学生邓肃,因为朱勔办理花石纲损害百姓,写诗呈上劝谏,诏令放回故里。

壬申(三十日),送林灵素回到温州。

佛教已经被废,林灵素更加受到尊重,官任冲和殿侍晨,出入呵斥开路,以至与各位王爷争道,京城的人称他是"道家两府"。林灵素与道士王允诚一同作神作怪,后来忌恨他相互倾轧,毒死了他。京城涨水,派遣林灵素驱除,刚带着徒弟走到虚城上,民工们争相举起木棒要打他,逃跑才得幸免。皇帝知道众人怨恨,开始不高兴。林灵素放肆横行不改,道路上遇到皇太子,不回避。太子进宫申诉,皇帝发怒,任命他为太虚大夫,贬还故乡,命令江端本为温州通判,监视他。江端本监察到他居住逾越制度的罪状,诏令迁移安置到楚州,而人已经死了,遗疏上报到朝廷,还以侍从的礼仪安葬了他。

十二月,甲戌(初二),诏令:"京东路盗贼暗中活动,命令东西路提刑督促抓获他们。"

辛卯(十九日),下大冰雹。

自从政和年间以来,皇帝多微服出行,乘小轿子,让数个内侍跟从。设置行幸局,局中称出行的日子为有饮宴安排;次日没有回来,就传旨称有病痛,不上朝。开始,民间还不知道,等到蔡京上表有"乘轻便小车,七次赏赐临幸"的话,从此邸报就传向四方,而臣僚阿谀顺从不敢说。

秘书省正字曹辅上疏劝谏:"陛下厌倦在宫中居住,时常乘小车出行到乡野,极尽游乐之后返回,臣想不到陛下担当着国家的重托,轻视安危,竟然到了如此地步!君与民,本来在于人心相合,合就成为心腹,离就成为楚、越那样的仇敌,服从与背叛的关键,就在那一时之间,很让人害怕!万一在车驾没有防备时,一个人怀有不满,包藏祸心,即使有神灵保佑,然而也严重地损害了威严。又况且有臣不愿说的事呢,能不警戒吗!"皇帝得到奏疏,拿出给群臣看,命令召到都堂审问。余深说:"曹辅你一个小官,怎么敢谈论大事!"曹辅说:"大官不说,所以小官就说。"王黼表面上对张邦昌、王安中说:"有这件事吗?"都回答说不知道。曹辅说:"这件事即使是里巷小民也没有不知道的,宰相担当国政,唯独不知道吗?不知道此事,怎么任用你担任宰相!"王黼发怒,命令吏员向曹辅录口供,曹辅拿笔说:"微臣的心,一无所求,爱君罢了。"退下后,在家中待罪。王黼上奏说:"不重责曹辅,不能平息流言。"丙申(二十四日),诏令将曹辅编管郴州。

当初,曹辅将要上言,知道必定获罪,召来儿子曹绅,将家事交付给他,就闭门起草疏章。等到被贬,心情随和地上路。

将乐人杨时,初考中进士,听说程颢兄弟讲学,在颍昌用拜师的礼节见程颢。他回来时,程颢目送他说:"我的学说到南部了。"程颢去世后,又从师于程颐。程颐偶尔闭目养神,杨时与游酢站立等候不离开,醒后,门外已经积雪一尺深了。海内的人称杨时为龟山先生。

蔡京的门客张常对蔡京说:"现在天下多变,到此时必定失败,应该马上安排有旧德老成的人,安置在皇帝身边,差不多还可以挽救。"蔡京问谁是这样的人,张常就回答有杨时,蔡京因而推荐他。碰上路允迪从高丽回来,说高丽国王问龟山先生在哪里,就召用杨时为秘书郎。

呼庆留在金国十个月,数次见金国主,坚持先前的说法,再三辩论。金国主与宗翰等商议,就送呼庆返回。临行时,对他说:"跨过海来求通好,不是我们的本意。我们已经获得辽国人几个路,其他州郡,可以俯首得到,之所以派遣使臣前来回访,是想结交邻国罢了。后来听说使臣出使时不是带着国书来而是以诏书对待我国,这已经不合宜。使臣虽然去世,自然应该再派遣;只派遣你们,尤其是不合礼仪,足见已经改变主意。本来想留下你们,念及过错在你们朝廷,不是你们有罪。回去见到皇帝,如果真想通好,请早点下国书;如果仍然用诏书,坚决难以从命。而且我们曾经派遣使臣请求辽国主册封我为皇帝,领取他们的仪册;使臣没有回来,你们来通好。而辽国主册封我为东怀国,立我为至圣至明皇帝,我恼怒他们礼仪不全,又念及与你们通好,就鞭打他们来的使臣,不接受车驾等。这是本国信守两家的约定,不想贵朝这样欺侮。你们可以马上回去,给我说明事情原委!"呼庆在本月戊戌(二十六日)离开金国主军前,日夜兼程,随行的人,有皮肉冻裂甚至冻掉手指的。

本月,京西发生饥荒,淮东出现大旱,派遣官员赈济。

岚州的黄河变清。

将赵州升格为庆源府,均州升格为武当军节度。

宣和二年 辽天庆十年,金天辅四年(公元1120年)

春季,正月,癸亥(二十二日),追封蔡确为汝南郡王。

甲子(二十三日),取消道学,因为认为儒道合而为一,不必另外设置道学了。

二月,乙亥(初四),派遣中奉大夫、右文殿修撰赵良嗣、忠训郎王瓖出使金国。

此前呼庆在正月从登州到来,全部汇报了金国主说的话,并将金国的国书送达朝廷。王师中也派他的儿子同呼庆到童贯那里报告此事。童贯当时接到秘密旨意图谋辽国,想假外援。于是提出建议派遣赵良嗣等人带皇帝亲笔信前往,仍然以买马为名;实际上是约定夹攻辽国,攻取过去燕京的地方,只是当面约定不带国书。夹攻的约定,就是从此开始的。

唐恪被免职。

戊子(十七日),命令各地给淮南的流民提供食物,劝说他们返回。

甲午(二十三日),下诏另外修撰《哲宗正史》。

金国主派乌凌阿赞谟带着国书和册文副本到达辽国,而且责备他们向高丽要求派兵。

辽国因为金人所定的"大圣"二字,与辽国前代的称号相同,派遣实埒讷前往商议。金国主发怒,对群臣说:"辽国人屡次失败,派遣使臣求和,只是说些假话作为缓兵之计,应当商议进兵。"就命令咸州路统军司整治军队,修整兵器,报上数字,将在四月进兵。命令色克留下一千人镇守,栋摩以其余的部队到浑河来会合。和议因此停止。

三月,壬寅(初二),赐给上舍生二十一人及第资格。

乙卯(十五日),将熙河兰湟路改为熙河兰廓路。

辽国再派遣实埒讷带国书到达金国。

夏季,四月,丙子(初六),诏令:"江西、广东两地,群盗聚集,增设武臣提刑、路分都监各一人。"

乙未(二十五日),金国主自己将要讨伐辽国,分三路出兵,直奔上京。

辽国主在呼图里巴山打猎。听说金国再次出兵,耶律拜萨巴选精兵三千人援助辽军。

五月,庚子朔(初一),封淑妃刘氏为贵妃。

己酉(初十),太阳出现黑子有枣那么大。

赵良嗣等人在四月甲申(十四日)到达苏州,守臣高国宝迎接慰劳很恭敬。碰上金国主已经出兵,在本月壬子(十三日)会合在青牛山,商议进军方向。次日,赵良嗣等人到达,金国主命令赵良嗣与辽国使臣实埒讷都跟着部队。每走数十里,就鸣号吹笛,鞭打马匹奔驰,到天明时,走了六百五十里。到达上京,命令进攻,而且对赵良嗣等人说:"你们可以观看我用兵,以便决定去留。"于是临城督战。各军呼喊着,从早晨到巳时,栋摩指挥属下先登上城,攻下外城,留守托卜嘉率城投降。赵良嗣等人举杯祝寿,都呼万岁。本日,大赦上京的官员百姓,仍诏谕副都统耶律伊都来降。

丁巳(十八日),在方泽祭地,向各路下达德音诏书。

平民朱梦说上书论述宦官权力太大,被编管到池州。

壬戌(二十三日),金兵停驻在黑河,宗干率领群臣劝谏说:"路远天热,兵马疲乏,如果深入敌境,粮饷供应不足,恐怕后来有困难。"金国主就班师返回,命令分出兵力攻打庆州。辽国耶律伊都在辽河袭击栋摩,金兵打退了他。

辽国上京已经被攻下,枢密使恐怕违背旨意,不及时上报。辽国旧例,军政事务都取决于北枢密院,然后上奏。到此时同平章事左企弓向辽国主报告此事,辽国主说:"军事不是不由你负责吗?"左企弓说:"国家形势到如此地步,哪里敢按例去为自我保全考虑。"于是陈述防守战备的计策,被任命为中书侍郎、平章事。

戊辰(二十九日),诏令:"宗室中有文行才干的人,命令大宗正司以此上报。"

六月,癸酉(初四),诏令开封府赈济饥民。

丁丑(初八),太白星白天出现。

太师、鲁国公、神霄玉清万寿宫使蔡京,屡次上疏章请求离职退休,戊寅(初九),下诏令批准他的请求,保留本来官职,在京城赏赐宅第居住,仍然在初一、十五上朝。

蔡京独揽朝政很久,公众的意见不支持他,皇帝也厌恶轻视。他的儿子蔡攸,权势能和父亲相倾轧,轻浮的人又离间,因此父子各自立下门户,成为仇敌。蔡攸另外居住在赏赐的宅第中,一天,到蔡京那里,刚进入,马上站起,握着父亲的手坐诊视状说:"大人的脉势舒缓,身体该不会不适吧?"蔡京说:"没有。"蔡京对他的门客说:"这小子想认为我有病而罢免我了。"过了数天,果然有退休的命令。

辛巳(十二日),诏令:"从今改动元丰的法度,按大不恭论罪。"

中牟县民申诉丈量田地不公平,乙酉(十六日),诏令各路停止丈量田地。

辽国任命北府宰相萧伊苏为上京留守。

金国人进攻上京,在祖州的辽太祖天膳堂,在怀州的太宗崇元殿,以及庆州的望仙、望圣、神仪三座殿,几乎全部焚毁。有关部门上报,萧奉先压下不上奏,后来辽国知道了而问此事,萧奉先说:"当初虽然开始侵犯陵寝,抢掠各种物品,还惧怕列位先圣的威灵,不敢毁坏灵寝,已经指示有关部门修复和保护。"萧奉先迎合欺骗就是这个样子。

丙戌(十七日),诏令:"三省、枢密院额外的官职,都予裁减。有妄言惑众,拖延违背诏令的,重罚他。"

诏令:"各司总辖、提点之类的官员,不符合元丰法度的,都罢免。"

丁亥(十八日),恢复寺院名称,不久又恢复德士为僧。

甲午(二十五日),撤销礼制局以及五十八个修书所。

秋季,七月,壬子(十四日),取消文臣起复。

己未(二十一日),取消医学、算学。

八月,庚辰(十二日),诏令确定减少医官的名额。

乙未(二十七日)诏令:"监司所推举守令不恰当,或者违背法令不推举,命令廉访使弹劾他们。"

这个月,赵良嗣在上京拿出皇帝亲笔书信与金国主商议定约,因为燕京一带本来是汉人的旧地,相约夹攻契丹,攻取燕地。金国主命令翻译说:"契丹失去道义,它的疆土都被我所有,还有什么说的!考虑到南朝刚刚通好,而且燕京都是汉人的地方,应当给南朝。"赵良嗣说:"今天定约,不能再与契丹议和了。"金国主说:"要与契丹求和,也必须将燕京给你们才能议和。"接下来就商议每年献纳钱币数,赵良嗣开始同意给三十万,辩论很久,最后同意按过去给契丹的数字给。金国主又对赵良嗣说:"我军已出发,九月到西京,你们到达南朝,请发兵响应。"于是将手札交付给他,相约本国的军队径直从平地松林奔往古北口,南朝的军队从雄州奔往白沟夹攻,不按约定,那么土地就不能得到。金军到达松林,碰上天气炎热,马牛得疫病,金国主就返回,派驿兵追上赵良嗣,改换国书,相约来年同时出兵,宗翰说:"正副来使到南朝奏报皇帝,不要像先前那样路途断绝了。"留下赵良嗣居住数日,就让所抢来的辽国吴王的妃子唱歌跳舞,对赵良嗣说:"这是契丹国王的儿媳妇,现在成了奴婢,给使者取乐。"派遣萨喇、哈噜等人带着国书来回访。

九月,壬寅(初四),金国萨喇、哈噜等人到达,诏令卫尉少卿董耘安排住宿,只当作新罗人使者引见。三天后,在崇政殿奏对,皇帝来到殿前,萨喇、哈噜等人捧着国书呈进,礼毕退下。

诏令:"取消政和二年供给土地养马的条例,收回现在的马匹供给军队,所有牧田以及置监处都按旧办法。"

丙辰(十八日),诏令登州钤辖马政借武显大夫的名义,出使回访金国。本日,萨喇、哈噜等人到崇政殿告辞,在显静寺赐宴,命令赵良嗣主持宴会,王瓌陪同送行,马政带着国书以及事项摘要随哈噜等人同行。国书说:"大宋皇帝致信给大金皇帝:承蒙从遥远地方派来使者,带着国书,全部聆听到详情,很符合瞻仰怀念的凤愿。契丹违背天道,败坏纲纪伦常,大肆陷害忠良,肆意作恶。了解到贵朝严于军纪,安抚百姓,征伐有名义,在远方听说很是安慰。现在明确表示结为同心之好,共同谋划出兵问罪,顾念那里的百姓,过去是我朝赤子,已经沦落于涂炭之苦很久,思念永远平定,诚心不变,按道义应当履约。已经命令太傅、知枢密院事童贯领兵呼应,使臣返回时,请告诉出兵的确定日期,以此夹攻。所有五代以后陷落的幽蓟等州过去的汉地以及汉民,包括居庸、古北、松亭、榆关,已经议定收复,所有兵马,彼此不得过关外,其他各族人以及贵朝举兵之后逃散到其他各处的民户,不在收留之列。绢银按给契丹的数目交纳,仍然设置交易榷场。计划商定之后,契丹请求和议服从命令,都不得允许。"就另外下达枢密院书札交付马政,派遣马政的儿子马扩同行。

当初,朝廷议论只想得到燕京的旧地。等到赵良嗣回朝,说曾经问金国主,燕京一带是过去汉人土地,包括西京也是的。金国主说:"西京我有什么用,只是为了捉阿适,到西去罢了。事毕,也给你们。"阿适,是辽国主的小名。又说平州、营州本来是燕京的土地,高庆裔说:"平州、滦州不属一路。"金国主说:"这不须商议。"过去的事项包括山后寰州、应州、朔州、蔚州、妫州、儒州、武州各州。两国的事端,由此发生了。

这年秋天,辽国主在沙岭打猎。

萧伊苏把守上京,执行政务宽严得当,乘金军破坏之后,百姓多贫困,就加以赈济,百姓都爱戴他。

冬季,十月,戊辰朔(初一),出现日食。

己巳(初二),尚书省说:"州县武学已经撤销,京城内外愿意进入京城武学的学生,请求按照元丰法令考试入学;考试选拔升级补官恩赏,都按大观年间武学的办法。"同意了。

任命内侍梁师成为太尉。梁师成狡猾聪明熟悉文法,开始主持睿思殿文字外库,负责出宫传达皇帝旨意。政和年间,逐渐得到宠信,因而混入进士名籍中,多次升官担任河东节度使,到此时就有这个任命。

当时朝廷内外平安,皇帝留意礼仪和符瑞之类的事,梁师成逢迎希望得到宠信,皇帝本来把他当奴仆对待,命令他处在殿中,凡是皇帝手书命令,都出自他的手笔,多是挑选善于书法的人模仿皇帝的笔迹,混杂在皇帝诏令中下达,宫外的人不能辨别。梁师成其实不能写文章,而自我拔高标榜,自称是苏轼的外甥。当时天下禁止读苏轼的文章,他的书信留存在民间的都毁掉了,梁师成向皇帝申诉说:"先臣有什么罪?"从此苏轼的文章就逐渐复出。他以诗文作为事业,四方的名士,必定招致门下,在外屋设置很多书画卷轴,邀请宾客随意参观,得到他们题写的款识,合心意的就暗中引用,执政、侍从,可以一步步高升。王黼把他当父亲对待,称他为"恩府先生",蔡京父子也谄媚附和。京城的人视他为"隐相",所主持的机构,多达数十上百。

睦州青溪百姓方腊,世代居住在青溪县的堨村,借旁门左道以迷惑民众。县境内的梓桐、帮源各洞,都在山谷的险要深处,百姓物产很繁盛,有丰富的漆树、楮树、杉树木材,富商巨贾多来往这里。方腊有漆树园,造作局屡次残酷掠夺,方腊怨恨而不敢发作。当时吴地受到花石纲的困扰,导致家家怨恨。方腊利用百姓不能忍受的情况,暗中聚集贫困游手好闲的人,以讨伐朱勔的名义,造反作乱。

马政等人到达金国的拉林河,留在军帐前一个多月,商议不能定下。金国主最初不承认事项内已经允许西京的话,而且说平州、滦州、营州三州不是燕京所管辖,马政等人不能回答,只是唯唯而已。金国主又与他的群臣谋划,说:"北朝之所以兴盛雄大,是因为得到燕地的汉人。现在一旦交割不给南朝,不只是国势削弱,加上退到五关之北把守,不能面临控制南方,坐受其害。如果我朝将来灭掉契丹,全部拥有辽国土地,与宋朝为邻国,那时或者出兵压境,更向南边扩展国土,有什么不可以的!"群臣都认为有理。只有宗翰说:"南朝四面与他国接壤,如果没有兵力,怎能立国! 不能轻视它。"金国主于是带领马扩远行打猎,很长时间才返回,命令各大臣准备饮食,轮番邀请南朝使臣。十余天后,才起草国书,派遣哈噜与马政一同回访。问候书信中说:"先前赵良嗣等人返回,已答应交还燕京东路各州镇,写在国书中,如果不夹攻,就难以如约。现在如果还想要西京,请自行确定计划收取,如果难以如愿,希望通报。"

十一月,戊戌朔(初一),方腊自称为圣公,建立年号为永乐,以本月为正月。设置官员、将帅,以头戴饰巾作为区别,从红巾以上,共六等。没有弓箭、盔甲,只是以鬼神等诡秘的活动相扇动恫吓。烧毁房屋,抢掠金帛、子女,诱逼良民当兵,不到十天,聚众到数万人,攻陷青溪县。

己亥(初二),少傅、太宰兼门下侍郎余深被免职。当时福建因为掠取花木、水果骚扰百姓,余深为此上言,皇帝不高兴,贬他外放知福州。

庚戌(十三日),任命王黼为少保、太宰兼门下侍郎。

当初,蔡京退休,王黼表面上顺合人心,完全反着蔡京的做法,四方纷纷称赞他为贤相。等到被任命为太宰,就乘着高位妄为,多积蓄子女玉帛自己享用,僭越模拟宫中。因而请求设置应奉局,自己兼任提领官,朝廷内外的各种钱物,都让他擅自享用,耗尽天下的财物以供他花费。官员秉承意图,凡是四方的水中土中的珍奇物品,全部向百姓苛取,进贡给皇帝的东西,不到十分之一,其余都落入王黼家中。

己未(二十二日),两浙都监蔡遵、颜坦在息坑攻打方腊,战死。

十二月,戊辰(初二),方腊攻陷睦州,杀死上千名官兵,接着寿昌、分水、桐庐、遂安等县都被贼军占据。

甲申(十八日),方腊攻陷休宁县,知县事鞠嗣复被贼军抓获。威胁他投降,鞠嗣复骂贼不止,说:"为什么不马上杀掉我!"贼人说:"我是休宁人,你是县里长官,有好的政绩,前后的官员没有能比得上你的,我忍心杀你吗!"放他而离开了。朝廷于是任命鞠嗣复为知睦州,晋升两级官阶。不久被贼击伤,自己奋力渡江,将要到宣抚司请兵,没有来得及成行就死了。

丙戌(二十日),方腊攻陷歙州,东南将郭师中战死,士曹掾栗先看守监狱,骂贼遇害。因此婺源、绩溪、祁门、黟县官员都逃走。不久又攻陷富阳、新城,于是逼近杭州。凡是贼兵所到之处,抓获官员,必定分解肢体,挖出肺肠,或者用油熬,或者乱箭射杀,用尽毒辣手段,以报复积怨。

警报送到京城,当时正聚集兵力图谋北伐,王黼隐瞒不上报,于是依附的人更多,东南大为震动。淮南发运使陈遘上书说:"贼众强大,官军弱小,请求调集京畿兵力以及鼎州、澧州的枪牌手兼程前来,才不至于蔓延。"皇帝得到奏疏,大为惊恐,就停止了北伐打算。丁亥(二十一日),任命谭积为两浙制置使,童贯为江、淮、荆、浙宣抚使,率领禁军以及秦、晋的蕃汉士兵十五万征讨方腊。

己丑(二十三日),任命少傅郑居中暂时主持枢密院。

庚寅(二十四日),皇帝下诏查访民间的疾苦。

本月,方腊攻陷杭州,知州赵震逃走;廉访使者赵约骂贼兵,被杀死。

本年冬季,辽国主到西京。郡县多被攻陷,而辽国主游猎不担忧,忠臣多被贬斥疏远。文妃萧氏撰写歌曲以委婉劝谏,辽国主见到了而恨她。

真腊国派遣使者来朝见,下诏封他们的国主为真腊国王。

本年,西夏改年号为元德。

续资治通鉴卷第九十四

【原文】

宋纪九十四　起重光赤奋若【辛丑】正月,尽昭阳单阏【癸卯】三月,凡二年有奇。

徽宗体神合道骏烈逊功　圣文仁德宪慈显孝皇帝

宣和三年　辽保大元年,金天辅五年【辛丑,1121】　春,正月,丁酉朔,日中有眚,旁有青黑气如水波旋转。

辽以改元肆赦。

壬寅,邓洵武卒。邓氏自绾以来,世济其奸,而洵武阿蔡京尤甚。京之败乱天下,祸源自洵武始。

己未,诏:“淮南、江南、福建,各权添置武臣提刑一员。”

帝初以东南之事付童贯,且曰:“如有急,即以御笔行之。”贯至吴,见民困花石之扰,众言贼不亟平,坐此耳。贯即命其僚董耘作手诏罪己,罢苏、杭造作局及御前纲运并木石采色等物,而帝亦黜朱勔父子弟侄之在职者,吴民大悦。

是月,方腊陷婺州,又陷衢州,守臣彭汝方死之。

辽主有四子:长曰赵王实讷坾,母赵昭容;次晋王额噜温,母萧文妃;次秦王定、许王宁,皆元妃所生。枢密使萧奉先,元妃之兄,而秦、许王之舅也,以国人属意晋王,恐秦王不得立,因潜图之。文妃姊适耶律达哈勒,妹适耶律伊都。一日,其姊若妹俱会军前,奉先讽人诬文妃与驸马萧昱及达哈拉、伊都等谋立晋王而尊辽主为太上皇。辽主信之,遂诛萧昱、达哈拉而赐文妃死。伊都在军中,闻之大惧,即率千馀骑叛入金。辽主使知奚王府事萧锡默、北府宰相萧德恭、四军太师萧干将所部兵追之,及诸间山县。锡默等议曰:“主上信萧奉先言,视吾辈蔑如也。伊都乃宗室豪俊,常不肯为奉先下。若擒伊都,它日吾党皆伊都也,不若纵之。”还,即绐曰:“追袭不及。”奉先既见伊都之亡,恐后日诸将校亦叛,遂劝辽主骤加爵赏以结众心,以萧锡默为奚王,以萧德恭试中书门下平章事兼判上京留守事,萧干为镇国大将军。

二月,甲戌,降诏招抚方腊。

乙酉,罢天下三舍及宗学、辟雍、诸路提举学官事。

癸巳,赦天下。

方腊陷旌德县及处州。步军都虞候王禀复杭州。

淮南盗宋江以三十六人横行河朔,转掠十郡,官军莫敢撄其锋。知亳州(候)〔侯〕蒙上书,言江才必过人,不若赦之,使讨方腊以自赎。帝命蒙知东平府,未赴而卒,又命张叔夜知海州。江将至,叔夜使间者觇所向,江径趋海滨,劫巨舟十馀,载卤获。叔夜募死士得千人,设伏近城,而出轻兵距海,诱之战,先匿壮卒海旁,伺兵合,举火焚其舟。贼闻之,皆无斗志,伏兵乘之,擒其副贼,江乃降。

辽主如鸳鸯泺。

先是镇国上将军唐古,尝为辽主言萧德勒岱之误国,臣虽老,愿为国破敌。辽主不纳,至是听其致仕。

是月,金使哈噜等至登州。

初,女直往来议论,皆主童贯,以赵良嗣上京之约,欲便举兵应之,故选西京宿将会京师,又诏环庆、鄜延军与河北禁军更戍。会方腊叛,贯以西京兵讨贼,朝廷罢更戍,指挥登州守臣以童贯未回,留金使不遣。哈噜狷忿,屡出馆,欲徒步入京师,寻诏马政、王(环)〔瑰〕引之诣阙。

三月,庚申,赐礼部奏名进士及第、出身何涣等六百三十人。

是月,方腊再犯杭州,步军都虞候王禀等战于城外,斩首五百级。官军与贼战于桐庐,败之,遂复睦州。

金人闻耶律伊都之降,夏,四月,乙丑朔,宗翰言于金主曰:"辽主失德,中外离心。我朝兴师,大业既定,而根本弗除,后必为患。今乘其衅,可袭取之,天时人事,不可失也。"金主然之,命诸路戒备军事。

丙寅,贵妃刘氏薨。

妃本酒家保女,父宗元,以女贵,为兴宁节度使。初入宫,颇被顾遇,后以事因于宦者何䜣家,杨戬奏取归,复得入宫,由才人累迁至贵妃。性颖悟,能迎旨意,又善装饰,衣冠涂饰一新,世争效之。林灵素谓帝为长生帝君,妃为九华玉真安妃,每神霄降,必别置安妃位,图画肖妃像。始,妃因何䜣家,䜣不礼焉,及得志,遂陷䜣以罪。至是薨,年三十(三)〔四〕。

童贯、谭稹前锋至清河堰,水陆并进。方腊焚官舍、府库、民居宵遁,还(清)〔青〕溪帮源洞。贯等合兵击之,腊众尚二十万,与官军力战而败,深据岩屋,诸将莫知所入。王渊裨将韩世忠,潜行溪谷,问野妇得径,即挺身仗戈直前捣其穴,格杀数十人。庚寅,擒腊以出。世忠,延安人也。忠州防御使辛兴宗,领兵截洞口,掠为己功。诸将并取腊妻子及伪相方肥等五十二人于洞石穴中,杀贼七万馀人,其党皆溃。腊之乱,凡破六州、五十二县,戕平民二百万。所掠妇女,自贼洞逃出,裸而缢于林中者,相望百馀里。

诏:"两浙、江东被贼州县,给复三年。"

癸巳,汝州牛生麒麟。

五月,戊戌,权领枢密院事郑居中落权字。

金主射柳,宴群臣,顾谓宗翰曰:"今议西征,汝前后计议,多合朕意。宗室中虽有长于汝

2115

者,若谋元帅,无以易汝,汝当治兵以俟师期。"金主亲酌酒饮之,且命之醮,解御衣以衣之。群臣言时方溽暑,乃止。

己亥,诏:"杭、越江宁守臣并带安抚使。"

甲辰,追册贵妃刘氏为皇后,谥曰明节。

改睦州建德军为严州遂安军,歙州为徽州。

丙午,哈噜等入国门,诏国子司业权邦彦、观察使童师礼馆之。未几,师礼传旨邦彦等曰:"辽已知金人海上往还,难以复如前议,谕其使者令归。"邦彦惊曰:"如此,则失其欢心,曲在朝廷矣。"师礼入奏,复传旨,候童贯徐议之。

癸亥,诏:"三省觉察台谏罔上背公者,取旨谴责。"

初,御史中丞陈过庭,以睦寇窃发,尝上言:"致寇者蔡京,养寇者王黼,窜二人则寇自平。"又言:"朱勔父子,本刑馀小人,结交权近,窃取名器,罪恶盈积,宜昭正典刑,以谢天下。"黼深恨之,至是陷以罪,罢知蕲州;未半道,责黄州安置。

辽耶律伊都之降金也,先使人送款,乞援接于桑林渡。金主诏曰:"伊都到日,使与其官属偕来,馀众处之便地。"是月,伊都至咸州,送上辽国宣诰及器甲、旗帜,先遣其将士韩福努等入谢,上书(俱)〔具〕言所以降之意,大略谓:"辽主沉湎,荒于游畋,不恤政事,好佞人,远忠直,淫刑吝赏,刑烦赋重,民不聊生;枢密使德勒岱,本无材能,但阿谀取容。"又自言:"粗更军事,尝进策于辽主,为德勒岱所抑,辽主亦不省察。"又曰:"大金疆土日辟,伊都灼知天命,自去年与耶律慎思等定议,约以今夏来降。近闻德勒岱欲发其事,仓卒之际,不及收合四远,但收傍近部族户三千,车五百两,畜产数万,北军都统以兵袭追,遂弃辎重转战至此。"旋率其将吏入见,金主抚慰之,命之坐,班同宰相,赐宴,尽醉而罢。金主命伊都以旧官领所部,且谕之曰:"若能为国立功,别当奖用。"自伊都降,金益知辽之虚实矣。

闰月,丙寅,减诸州曹掾官。

王黼言于帝曰:"方腊之起,由茶盐法也,而童贯入奸言,归过陛下。"帝怒,甲戌,诏复应奉局,命黼及梁师成领之,而朱勔亦复得志矣。

初,贯宣抚两浙,令董耘权作手诏,罢花石以安人情。帝见其词,大不悦。及复应奉,贯又对帝叹曰:"东南人家饭锅子未稳在,复作此邪?"帝益怒,董耘由是得罪。

辛巳,金古论贝勒萨哈卒。金主往吊,乘白马,擗额,哭之恸。及葬,复亲临之,赠以所御马。

萨哈敦厚多智,长于用人。家居纯俭,好稼穑。自始为国相,能驯服诸部,讼狱得其情,当时有言:"不见国相,事何从决!"及主兵伐辽,萨哈每以宗臣为内外依重,不以战多为其功也。后追谥忠毅。

六月,庚子,金主命其弟安班贝勒晟曰:"汝唯朕之母弟,义均一体,是用汝贰我国政。凡军事违者,阅实其罪,从宜处之,其馀事无大小,一依本朝旧制。"

是月,河决恩州清河埽。

秋,七月,丁卯,振温、处等八州。

庚午,令三京置女道录、副道录各一员,节镇置道正、副各一员,馀州置道正一员,从蔡攸奏请也。

庚辰,金主诏咸州都统司曰:"自伊都来,灼见辽国事宜,已决议亲征,其治军以俟师期。"寻以连雨,罢亲征。

辽主猎于炭山。

初,夔峡、广南边臣开纳土之议,建立军州,上蠹国用,下殚民财,至是言者以为病。丁亥,诏废纯、兹、祥、亨、淇、溱、承、播、恩、隆、充、孚十二州及熙宁、遵义二军,或为县,或为堡塞。

是月,河南府畿内讹言,有物如人或如犬,其色正黑,不辨眉目,始夜则掠小儿食之,后白昼入人家为患,所至喧然不安,谓之黑汉。有力者夜执枪自卫,亦有托以作过者。二年乃息。

八月,甲辰,曲赦两浙、江东、福建、淮南路。

乙巳,以童贯为太师,谭稹加节度使。

丁未,袝明节皇后神主于别庙。

金哈噜等留阙下凡月馀。壬子,遣呼庆送归,但付国书,不复遣使,用王黼议也。书辞曰:"远勤专使,荐示华缄,具承契好之修,深悉疆封之谕。维凤悼于大信,已备载于前书,所有汉地等事,并如初议。俟闻举军到西京的期,以凭夹攻。"时帝深悔前举,意欲罢结约,黼及梁师成又与童贯更相矛盾,故帝心甚阑,而浮沉其辞如此。

丙辰,方腊伏诛。

九月,丙寅,以王黼为少傅,郑居中为少宰。庚午,进执政官一等。

辽主至南京。

冬,十月,甲寅,诏:"自今赃吏狱具,论决勿贷。"

童贯复领陕西、两河宣抚。

丙辰,御神霄宫,亲授王黼等元一六阳神仙秘箓及保仙秘箓。

十一月,癸亥,辽以西京留守赵王实纳坾为特里衮。

甲子,御笔:"提举道录院见修《道史》,《表》不须设。《纪》断自天地始分,以三清为首。三皇而下,帝王之得道者,以世次先后列于《纪》《志》,为十二篇,《传》分十类。"又诏:"自汉至五代为《道史》,本朝为《道典》。"

丁丑,中书侍郎冯熙载罢知亳州。以张邦昌为中书侍郎,王安中为尚书左丞,翰林学士李邦彦为尚书右丞。

邦彦本银工子,俊爽美风姿。生长闾阎,习猥鄙事,应对便捷,善讴谑,能蹴鞠,每缀街市俚言为词曲,人争传之,自号李浪子。以善事中人,争荐誉之,遂登政府。

壬午,观文殿大学士、提举崇福宫张商英卒。赠少保。

陈瓘语人曰:"商英非粹德,且复才疏,然时人归向之。今其云亡,人望绝矣。近观天时人事,必有变革。正恐虽有盛德者,未必孚上下之听,殆难济也。"

十二月,辛卯朔,日中有黑〔子〕如李大。

金宗翰复请伐辽，诸军久驻，人思自奋，马亦强健，宜乘此时，进南朝，取中京。辛丑，金主命杲为内外诸军都统，以昱、宗翰、宗干、宗望、宗磐等副之，悉师渡辽而西，用伊都为前锋，趋辽中京。甲辰，诏曰："辽政不纲，人神共弃。今命汝率大军以行讨伐，尔其择用善谋，赏罚必行，粮饷必继，勿扰降服，勿纵俘掠。见可而进，无淹师期；事有从权，毋须申禀。"戊申，又诏曰："若克中京，所得礼乐仪仗、图书文籍，并先次津发赴阙。"

壬子，进封广平郡王构为康王。

是岁，诸路蝗。

以孔端友袭封衍圣公。

内侍杨戬，少给事掖庭，善测伺人主意，自崇宁后日有宠，首建期门行幸事以固其权，势与梁师成埒，累官节度使、检校少保至太傅。

有胥吏杜公才者，献策于戬，立法索民田契，自甲之乙、乙之丙，展转究寻，至无可证，则度地所出，增立赋租。始于汝州，浸淫于京东、西、淮西、北，括废堤、弃堰、荒山、退滩及大河淤流之处，皆勒民主佃；额一定后，虽冲荡回复不可减。一邑率于常赋外增租钱至十馀万缗；水旱蠲税，此不得免。擢公才为观察使。

至是戬死，以内侍李彦继之，很愎，密与王黼表里，置局汝州，临事愈剧。凡民间美田，使它人投牒告陈，皆指为天荒；虽执印券，皆不省。鲁山阖县尽括为公田，诉者辄加刑威，致死者千万。田主既输租，其旧税，转运使亦不为奏除，乃均诸别州。京西提举官及京东州县吏皆助彦为虐，民不胜忿痛。发物供奉，大抵类朱勔，责办于民，无休息期，农不得之田，牛不得耕垦，殚财麋刍，力竭饿死，或自缢辕轭间。如龙鳞薜荔一本，辇至之费逾百万。喜赏怒刑，祸福转手，因之得美官者甚众。颍昌兵马钤辖范寮不为取竹，诬以罪，勒停。前执政官冠带操笏迎谒(为)〔马〕首，彦处之自如。所至倨坐堂上，监司、郡守不敢抗礼。有言于帝者，梁师成时适在旁，抗声曰："王人虽微，序于诸侯之上，岂足为过！"言者惧，不敢复言。

四年 辽保大二年，金天辅六年【壬寅，1122】 春，正月，丁卯，以蔡攸为少保，梁师成为开府仪同三司。

癸酉，金都统杲克辽之高恩、回纥二城。乙亥，陷辽中京，遂下泽州。辽主出居庸关，至鸳鸯泺，闻伊都引洛索奄至，忧甚。枢密使萧奉先曰："伊都，宗支也，岂欲辽亡哉？不过欲立其甥晋王耳。若为社稷计，不惜一子，明其罪诛之，可不战而退。"会耶律萨巴等谋立晋王额噜温，事觉，辽主召枢密萧德勒岱等议曰："反者必以此儿为名，若不除去，何以复安！"德勒岱唯唯。辽主乃遣人缢之。或劝额噜温亡，额噜温曰："安能为蕞尔之躯而失臣子之节！"遂就死。辽主素服三日。萨巴等皆伏诛。额噜温素有人望，诸军闻其死，无不流涕，由是人人解体。

伊都引金兵逼辽主行宫，辽主率卫士五千馀骑自鸳鸯泺走西京，左企弓谏，不听。仓卒出走，遗传国玺于桑乾河。辽主以深入为忧，萧奉先曰："女直虽能陷我中京，终不能远离巢穴，越三千里直捣云中也。"

金都统杲遣人献捷，金主赐诏嘉之，且曰："山后若未可往，即营田牧，俟秋大举，更当熟议,见可则行。无恃一战之胜,辄自弛慢。"

二月,庚寅朔,日有食之。

己亥,金宗翰率偏师趋北安州。辽奚王萧锡默先使人绐降,已而出师围之。金兵去马殊死战,败锡默兵,追杀至暮,遂取北安州。

癸卯,雨雹。

是月,管句太平观陈瓘卒。

或问游酢以当今可以济世者,酢曰:"陈了翁其人也。"刘安世尝因瓘病,使人勉以医药自辅,曰:"天下将有赖于公,当力加保养以待时用。"了翁,瓘别号也。至是卒于楚州。

三月,辛西,幸秘书省,遂幸太学,赐秘书少监翁彦深、王时雍、国子祭酒韦寿隆、司业权邦彦章服,馆职、学官、诸生恩锡有差。

金宗翰驻兵北安,遣希尹略近地,获辽护(尉)〔卫〕实纳垿,始知辽主杀其子晋王,众心益离,西北、西南两路兵马,皆羸弱不可用。使人报呆曰:"辽主穷迫于山西,犹事畋猎,不恤危亡;自杀其子,臣民失望。攻取之策,幸速见谕。"呆使还报曰:"顷奉诏旨,不令便趋山西,当审详徐议。"宗翰知呆无意进取,即决策进兵,复报呆曰:"初受命,虽未令便取山西,亦许便宜从事。辽人可取,其势已见,一失机会,后难图矣!今已进兵,当以大军会于何地,幸以见报。"宗干谓呆曰:"再使来请,必非轻举。且彼发兵,不可中止。"再三言之,呆乃许会师。呆出青岭,宗翰出瓢岭,期会于羊城泺,宗望、宗弼率百骑先进。辽主闻金师将出岭西,遂趋白水泺。宗翰、宗干以精兵六千袭之,希尹为前驱,一日三败辽师。

辽主至漠北,闻金兵将近,计不知所出。萧奉先请趋夹山,辽主遂弃辎重,乘轻骑入夹山。既至,始悟奉先之不忠,怒曰:"汝父子误我至此,今欲诛汝,何益于事!恐军心忿怒,尔曹避敌苟安,祸必及我,其勿从行。"奉先下马哭拜而去。行未数里,左右执其父子,缚送于金,金人斩其长子昂,以奉先及其次子昱械送金主;道遇辽军,夺以归国,并赐死。元妃萧氏,德勒岱之姑也,谓德勒岱曰:"尔任国事,致君如此,何以生为!"德勒岱但谢罪而已。明日,辽主遂逐之,召托卜嘉典禁卫。

戊辰,辽同知殿前点检事耶律高八率卫士降金。

初,辽主走云中,留南府宰相张琳,参知政事李处温与秦晋国王淳守燕京。处温闻辽主入夹山,命令不通,即与族弟处能及子奭,外假怨军,内结都统萧干,谋立淳。处温邀张琳白其事,琳曰:"摄政则可,即真则不可。"处温曰:"今日之事,天意人心已定,岂可易也!"琳不敢执,遂与诸大臣耶律达实、左企弓、虞仲文、曹(易勇)〔勇义〕、康公弼,集番、汉百官诸军及父老数万人诣淳府,引唐灵武故事劝进,淳不许。李奭持赭袍被之,令百官拜舞山呼,淳惊骇,再三辞,不获,从之。群臣上尊号曰天锡皇帝,改元建福,以妻萧氏为德妃。妃,普贤女也。加处温守太尉,琳守太师,馀与谋者授官有差。改怨军为常胜军。军旅之事,悉委达实。遥降天祚为湘阴王,遂据有燕、云、平及上京、辽西之地。天祚所有,沙漠以北、西南、西北两都招讨府诸番部族而已。

淳将降敕,燕京父老俱言内库都点检刘彦良以奸佞得幸于天祚,专导引为失德之事;其妻倡也，出入禁中，夫妇并为国害。乃枭彦良夫妇于市，然后大赦。

达实，太祖八世孙，通辽、汉字，善骑射，登进士第，累擢翰林学士承旨，故称达实林牙云。

耶律淳请和于金，都统杲责其不先禀命，辄称大号，若能自归，当以燕京留守处之。淳复乞存宗祀，杲复书曰："阁下向为元帅，总统诸军，任非不重，曾无尺寸之功，欲据一城以抗我国之兵，不亦难乎？所任用者既不能死国，今谁肯为阁下用者？欲恃此以成功，计亦疏矣。幕府奉诏，归者官之，逆者讨之，若执迷不送，期于殄灭而已！"淳乃遣使请于金主，赐以诏曰："汝，辽之近属，位居将相，不能与国存亡，乃窃据孤城，僭称大号，若不降附，将有后悔！"

命童贯为河北、河东路宣抚使。

睦寇初平，帝亦悔用兵。王黼独言曰："中国与辽虽为兄弟之邦，然百馀年间，彼之所以开边慢我者多矣。且兼弱攻昧，武之善经也。今而不取燕、云，女直必强，中原故地将不复为我有。"帝遂决意治兵。

黼于三省置经抚房，专治边事，不关枢密。括天下丁夫，计口出算，得钱（二）〔六〕千（六）〔二〕百万缗以充用。黼又遗童贯书曰："太师若北行，愿尽死力。"会耶律淳遣使告即位，且言免岁币，结前好。朝议谓机不可失，乃以蔡攸副贯，勒兵十五万巡北边以应金，且招谕幽燕。攸童骇不习事，谓功业可唾手致，入辞之日，肆言无忌，帝弗责。

初，夹攻之约，蔡京、童贯主之。熙河钤辖赵隆尝极言其不可，贯曰："君能共此，当有殊拜。"隆曰："隆武夫，岂敢干赏以败祖宗二百年之好！异时启衅，万死不足谢责。"贯不悦。郑居中亦力陈不可，谓京曰："公首台元老，不守两国盟约，辄造事端，诚非庙算。"京曰："上厌岁币五十万故尔。"居中曰："公独不见汉世和戎之费乎？使百万生灵肝脑涂地，公实为之！"时又有安尧臣者，亦上书论燕、云之事曰："宦寺专命，倡为北伐。燕、云之役兴，则边衅遂开；宦寺之权重，则皇纲不振。今童贯深结蔡京，纳赵良嗣以为谋主，故建平燕之议。臣恐异时唇亡齿寒，边境有可乘之衅，强敌蓄锐伺隙以逞其欲，此臣所以日夜寒心。伏望思祖宗积累之艰难，鉴历代君臣之得失，杜塞边隙，务守旧好，无使新起之敌乘间以窥中国，上以安宗庙，下以慰生灵。"帝然之，由是议稍寝。及辽势日蹙，贯乃复乞举兵，居中又言不宜幸灾而动，待其自毙可也，不听。

辽耶律淳僭立，患本俗兵少；萧干建议籍东、西奚及岭外南北大王诸部，得万馀户，户选一人为军，谓之瘦军，散处涿、易间，肆为侵掠，民甚苦之。

萧德勒岱之见逐也，道为金兵所执；伺间亡归，复为人执送耶律淳。德勒岱自知不免，诡曰："吾不能事僭窃之君。"不食数日死。

夏，四月，辛卯，辽西南面招讨使耶律佛顶及云内、宁边、东胜等州并降于金。

金获阿苏以归。金人之起兵也，以不归阿苏为词，及既获，不过杖而释之。金人见阿苏，或问为谁，阿苏曰："我，破辽鬼也。"

金师攻西京，辽耿守忠救之。宗翰、宗雄、宗干等继至，宗翰率麾下自其中冲击，使馀兵去马从旁射之。守忠大败，西京遂陷，西路州县部族皆降金。辽主遂遁于额苏伦，唯北部玛克实赆马驼食羊焉。

癸卯,白虹贯日。

丙午,令郡县访遗书。

金都统杲遣宗望入奏,请金主临军。五月,辛酉,宗望至上京奏捷,群臣入贺,赐宴。宗望曰:"今云中新定,诸路辽兵尚数万;辽主在阴山、天德之间,而耶律淳自立于燕京。新降之民,其心未固,是以诸将望陛下幸军中京。"金主许之。

壬戌,以高俅为开府仪同三司。

甲戌,嗣濮王仲御薨,以其弟仲爰嗣。

辽都统玛格,收集散亡,会于沤里谨,辽主命知北院枢密使事兼都统。

庚辰,以谭稹为太尉。

童贯至高阳关,用知雄州和诜计,降黄榜及旗,述吊民伐罪之意,且云:"若有豪杰能以燕京来献者,即除节度使。"遂命都统制种师道尽护诸将。

师道谏曰:"今日之举,譬如盗入邻家,不能救,又乘之而分其室焉,无乃不可乎!"贯不听。分兵为两道,师道总东路之兵趋白沟,辛兴宗总西路之兵趣范村。耶律淳闻之,遣耶律达实、萧干御之。师道次白沟,辽人噪而前,师道前军统制杨可世败绩,士卒多伤。师道先令人持一巨梃自防,赖以不大败,退师雄州;辽人追击,至于城下。辛兴宗与萧干战,亦败于范村。

辽使来言曰:"女直之叛本朝,亦南朝之甚恶也。今射一时之利,弃百年之好,结新起之邻,基它日之祸,谓为得计,可乎?救灾恤邻,古今通义,唯大国图之!"贯不能对。师道复请许之和,贯不纳,而密劾师道助贼。王黼怒,责授师道右卫将军,致仕。

六月,戊子朔,金主自将伐辽,发自上京,命安班贝勒晟监国。

己丑,帝闻种师道等兵败,惧甚,诏班师。

壬寅,以王黼为少师。

辽耶律淳寝疾,闻天祚传檄天德、云内、朔、武、应、蔚等州,合诸蕃精骑五万,约以八月入燕,并遣人问劳,索衣裘茗药。淳大惊,命南北面大臣议。而李处温、萧干等有迎秦拒湘之说,集蕃、汉百官议之,从其议者东立,唯南面行营都部署耶律宁西立。处温等问故,宁曰:"天祚果能以诸蕃兵大举夺燕,则是天数未尽,岂能拒之?否则秦、湘父子也,拒则皆拒,自古安有迎子而拒其父者?"处温等相顾微笑,以宁扇乱军心,欲杀之。淳倚枕长叹曰:"彼,忠臣也,焉可杀?天祚果来,吾有死耳,复何面目相见乎!"

已而淳死,众乃议立德妃萧氏为皇太后,主军国事,奉遗命,迎立天祚次子秦王定为帝。萧妃遂称制,改元德兴,谥淳为孝章皇帝,庙号宣宗,葬于燕西之香山。

处温父子惧祸,南通童贯,欲挟萧妃纳土;北通于金,谋为内应。事觉,萧妃执处温问之。处温自陈有定策功,萧妃曰:"误秦晋国王者,皆汝父子,何功之有!"并数其前后罪恶,处温无以对,乃赐死,裔其子奭。籍其家,得钱七万缗,金玉宝器称是,皆为宰相数月间所取也。

辽主闻耶律淳死,下诏追夺所授官爵封号,妻萧氏降为庶人,改姓虺氏。

玛克实以兵援辽,金人败之于洪灰水。

夏人亦使李良辅将兵三万救辽，金斡鲁、洛索败之于宜水。至野谷，涧水暴至，夏人漂没者不可胜计。

辽主之出奔也，耶律棠古谒于倒塌岭，为辽主流涕，辽主慰止之，复拜乌尔古部节度使。

秋，七月，丁巳朔，德埒勒部叛辽，以五千人来犯，棠古率家奴击破之，加太子太（傅）〔保〕。未几，棠古卒。

己未，废贵妃崔氏为庶人。

辛未，夏国遣使如辽，问辽主起居。

壬午，王黼以辽耶律淳死，复命童贯、蔡攸治兵，以河阳三城节度使刘延庆为都统制。

初，遣陈遘经制江、淮七路，治杭州，以供馈饷。遘以财用不给，倡议比较酒务及度公家出纳钱粮，取其赢余，号经制钱，遂为东南七路之害。

八月，己丑，金主次鸳鸯泺，闻辽主在大鱼泺，乃自将精兵万人袭之，昱、宗望率兵四千为前锋，昼夜兼行。戊戌，追及辽主于石辇驿，军士至者才千人。辽兵二万五千，方治营垒。昱与诸将议，耶律伊都曰："我军未集，人马疲剧，未可战也。"宗望曰："今追及辽主而不亟战，日入而遁，则无及矣。"遂战，短兵接，辽兵围之数重，副统军萧德默谕将士以君臣之义，士皆殊死战。辽主谓宗望兵少必败，遂与妃嫔登高阜观战。伊都指辽主麾盖以示诸将，宗望等遂以骑驰赴之。辽主望见，大惊，即遁去，辽兵遂溃。宗望等还，金主曰："辽主去不远，盍即追之！"宗望追至鄂勒哲图，辽主弃辎重而遁，萧德默被执。

庚子，赐新除太仆寺少卿王棣进士出身，以安石孙，故旌之。

九月，戊午，诏："熙、丰政事，悉自王安石建明，今其家沦替，理宜褒恤，可赐第一区，孙棣除显谟阁待制、提举万寿观，曾孙玮、珏，并转宣义郎，孙女、曾孙女亦各加封号。"

朝散郎宋昭上书，极言辽不可攻，金不可邻，异时金必败盟，为中国患，乞诛王黼、童贯、赵良嗣等，且曰："两国之誓，败盟者祸及九族。陛下以孝治天下，其忍忘列圣之灵乎？陛下以仁覆天下，其忍使河北之民肝脑涂地乎？"王黼大恶之，除名，编管广南。

辛酉，大飨明堂。

乙丑，金通议使高庆裔等见于崇（德）〔政〕殿，奉国书以进。帝特令引上殿奏事。

先是金既袭破辽天祚行帐，仍占山后州县，忽闻童贯举兵趋燕，号二百万，金主与群臣议，恐爽约，遂专遣使乘回船至登州，且自招军乘机措置。及庆裔等进国书，因跪奏曰："皇帝遣臣来言，贵朝海上之使，屡来本国，共议契丹，已载国书。中国礼义之乡，必不爽约。如闻贵朝又复中辍，故遣臣来聘。"赵良嗣答曰："皇帝闻贵朝今年正月已克中京，引兵至松亭关、古北口，取西京，虽不得大金报起兵月日，已知贵朝大兵起发，遂令童贯统兵以应贵朝夹攻之意。彼此不报，不在较也。"遂各退归。

帝待庆裔等甚厚，屡命贵臣主宴，赐金帛不赀，至辍御茗调膏赐之。引登明堂，入龙德宫、蕃衍宅、别篆、离宫，无所不至，礼过契丹数倍。庆裔，渤海人，桀黠知书史，虽外为恭顺，称恩颂德，而屑屑较求故例无虚日，如乞馆都亭驿，乞上殿奏事。朝廷以两国往来之议未定，请姑俟它日；况契丹修好之初，亦尝如此。庆裔遂出契丹例卷，面证朝廷之非，请载之国书，朝廷不得已,皆从之。及赐金线袍段,疑与夏国棉褐同,却而不受。越四日,诏金使诣太宰王黼第计事,庆裔等庭趋讫,升堂,讲宾主之礼,面发回书。又明日,诏梁师成临赐御筵,供具皆出禁中,仍以绣衣、龙凤茶为贶。

初,高丽之俗,兄终弟及,至是其王俣卒,诸弟争国,其相李资深立俣子楷。己巳,遣路允迪吊祭。

先是俣求医于朝,诏二医往,留二年而还,楷语之曰:"闻朝廷将用兵于辽,辽兄弟之国,存之足为边捍,女直之人,不可交也。业已然,愿二医归报天子,宜早为备。"医还,奏之,帝不悦。

辛未,辽知易州高凤遣人来约降。

甲戌,诏(大)〔太〕中大夫赵良嗣充大金国信使,保义郎马扩副之,扩父政充伴送使。是日,高庆裔等入辞于崇政殿,帝谕以早取燕京。

良嗣将行,以国书副本及事目示马扩。扩大惊曰:"金人方以不报师期,恐王师下燕,守(官)〔关〕不得岁币,所以遣使通议,一则欲嗣音继好,二则视我国去就,犹未知杨可世、种师道白沟之衄,宣抚司气沮而退也。在我固当守前约,且云:'缘贵朝不报师期,疑海道难测,所以不俟音,即举兵相应。今仍趣宣抚司进兵,克期下燕。'如此,则既于夹攻元约不爽,又绝日后轻侮之患。奈何自布露腹心,倾身倚之,大事去矣!"良嗣愕然曰:"宣抚司尽力不能取,若不以金币藉女直取之,何以得燕?"扩曰:"既知力不能取,胡不明白尽与大金,退修边备,保吾旧疆!安得贪目前小利,不虞后患,爱掌失指耶!"良嗣曰:"朝廷之意已定,不可易也。"遂出国门。

金穆昆宗雄卒。金主往视疾,不及见,哭之恸,谓群臣曰:"此子谋略过人,临陈勇决,少见其比。"赙赠加等。

宗雄材武跷健,挽强射远,几二百步。后封楚王,谥威敏。

己卯,辽将郭药师以涿州来降。

药师本常胜军帅,为涿州留守,闻高凤降,意动。会萧干自燕来涿,药师疑其图己,遂偕其偏将甄五臣等拥所部八千人来降。童贯以闻,诏授药师恩州观察使,以兵隶刘延庆。

辽德坲勒部复叛,都统耶律玛格讨平之。

时守令多弃城遁,奉圣州人迎鞠监李师夔主州事。金都古噜讷师至,师夔与其友沈章密谋出降,乃出城潜见耶律伊都,约无以兵入城及俘掠境内。伊都许诺,遂降。金主以师夔领节度,以章佐之。

冬,十月,丙戌朔,金主至奉圣州,诏曰:"朕屡饬将臣,安辑怀附,无或侵扰。而愚民无知,尚多逃匿山林。即欲加兵,深所不忍。今免其罪,有率众归附者,授之世官。"未几,蔚州降于金。

庚寅,诏:"山前收复州县,合置监司,以燕山府路为名。山后别名云中府。"又赐涿州曰涿水郡、威行军,檀州曰横山郡、镇远军,平州曰渔阳郡、抚宁军,易州曰遂武郡,营州曰平卢郡,顺州曰顺兴郡,蓟州曰广川郡,景州曰滦川郡,并燕山府为山前九州。云中府路则领武、应、朔、蔚、奉圣、归化、儒、妫并云中府,所谓山后九州也。寻以蔡攸为少傅、判燕山府。

辽萧妃闻常胜军降,惧甚,遣萧容、韩昉奉表称臣,乞念前好。昉等见童贯、蔡攸于军中,言:"女直蚕食诸国,若大辽不存,必为南朝忧。唇亡齿寒,不可不虑。"贯、攸叱出之。昉大言于庭曰:"辽、宋结好百年,誓书具在,汝能欺国,独能欺天邪!"贯亦不以闻于朝。

癸巳,童贯遣刘延庆将兵十万出雄州,以郭药师为乡导,渡白沟。延庆军无纪律,药师谏曰:"今大军拔队而行,不设备,若敌人置伏邀击,首尾不相应,则望尘决溃矣。"不听。至良乡,萧干率众来拒,延庆与战而败,遂闭垒不出。药师曰:"干兵不过万人,今悉力拒我,燕山必虚,愿得奇兵五千,倍道袭之,城可得也。"因请延庆子光世简师为后继,延庆许之。〔己酉〕,遣大将高世宣、杨可世与药师率兵六千,夜半渡卢沟,倍道而进。质明,常胜军甄五臣领五千骑夺迎春门以入,药师等继至,陈于悯忠寺,遣人谕萧妃使速降。萧妃密报萧干,干举精甲三千还燕,巷战,光世渝约不至,药师失援而败,与可世弃马缒城而出,杀伤过半,世宣死焉。

延庆营于卢沟南,干分兵断饷道,擒护粮将王渊,得汉兵二人,蔽其目,留帐中。夜半,伪相语曰:"吾师三倍汉兵,当分左右翼,以精兵冲其中,左右翼为应,举火为期,歼之无遗。"既言,乃阴逸一人归报。延庆闻而信之。明旦,见火起,以为敌至,即烧营而遁,士卒蹂践死者百馀里,干因纵兵追至涿水而去。自熙、丰以来,所储军实殆尽,退保雄州。燕人知宋之无能为,作赋及歌诗以诮之。

初,朝议与金约,但求石晋赂契丹故地,而不思平、营、滦三州非晋赂,乃刘仁恭所献以求援者,王黼欲并得之,金主不肯。

是月,赵良嗣等至奉圣州,金主令宗望及富吉等责良嗣以出兵失期,且云:"今更不论夹攻元约,特与燕京六州、二十四县汉地、汉民。"六州,谓蓟、景、檀、顺、涿、易也。又言:"南朝即自得平、滦,本朝兵马亦借路平、滦以归。"良嗣言:"元约山前、山后十七州,今乃如此,信义安在?"又言:"本朝得燕,必分兵屯守,大国人马经过,岂敢专听!"富吉曰:"汝但知阻我借路过关,不道汝国人马又败。"盖闻刘延庆又败于新城也。又欲留良嗣等,良嗣辞以留使人无例,金主曰:"吾方行师,岂用例邪!"遂以国书示良嗣等,遣李靖、王度喇充回国信使副,萨噜谟充议计使。良嗣云:"所说燕京,如大金得之,亦与南朝,国书中不甚明白。"富吉乃曰:"一言足矣,喋喋何为! 若必欲取信,待到燕京,使人面约。"遂留马扩,独遣良嗣与使者偕行。

是月,曲赦所复州县。

十一月,丙辰朔,行新玺。庚午,祀圜丘,赦天下。东南官吏缘寇盗贬责者,并次第移放,上书邪等人特与磨勘。

庚辰,金使李靖、王度喇、萨鲁谟等入见,言:"自燕京六州所管汉民外,其女直、渤海、契丹、奚及杂色人户,平、滦、营三州,纵贵朝克复,亦不在许与之限,当须本朝占据。如或广务于侵求,必虑难终于信义。所有信誓分立界至及岁币数目,候到燕京续议画定。"靖等既引对毕,诏令诣王黼第。黼论西京、平、滦当如约,萨鲁谟曰:"元约勿言,姑议目前可也。"黼曰:"大国所欲,本朝无一不从。本朝所须,大国莫降心相从否?"李靖曰:"平、滦等三州,本朝欲作关隘。以靖所见，莫若先以燕京六州交契丹岁币，其平、滦等州，当从容再议，或得亦不可知。一概言之，徒往返也。”

十二月，丁亥，郭药师及辽萧干战于永清县，败之。诏加药师武泰军节度使。

戊子，金使李靖等辞于崇政殿，诏龙图阁学士赵良嗣为国信使兼送伴，显谟阁待制周武仲副之，又领国书。又，御笔付良嗣等云：“平、滦颇出桑麻，金所欲得，可与契丹岁币数目外，特加绢五万匹，银五万两，以曲尽交欢之意。所有营、平、滦及西京地土，本朝尽行收复。”

童贯再举伐燕，不克成功，惧得罪，乃密遣王瑰如金，以求如约夹攻。

金主自将伐燕京，宗望率七千先之，实古讷出得胜口，尼楚赫出居庸关，洛索为左翼，博勒和为右翼。辽萧妃五上表于金，求立秦王定，金主不许，辽人遂以劲兵守居庸关。金兵至关，崖石自崩，戍卒多压死，辽人不战而溃。金兵度关而南，辽统军都监杲睦等送款于金。辛卯，金主至燕京，遂自南门入，使尼楚赫、洛索陈于城上。金主次城南，辽宰相左企弓、参政虞仲文、康公弼、枢密使曹（义勇）〔勇义〕、张彦忠、刘彦宗等奉表降，诣金营请罪，金主并释之，命守旧职。器彦宗之才，迁左仆射，遣左企弓等抚定燕京诸州县。萧妃与萧干自古北口趋天德。于是辽五京皆为金有。金主遣马扩归告捷。

甲辰，金复遣李靖、王度喇与赵良嗣等同来。

良嗣至金主军前，金主谓曰：“数年相约夹攻，而汝国不出师，复不遣报，今将若何？”良嗣对曰：“夹攻虽是元约，据昨奉圣州军前别议，特许燕京，不论夹攻与否。今月二日，本朝于永清击走萧干，追至燕京，虽非夹攻，亦其意也。”金主曰：“夹攻且勿言，其平、滦等州未尝议及，如何欲取？若必欲取平、滦，并燕京亦不与矣。”便令良嗣归馆。居四日，诏趣令南使辞归，良嗣曰：“今合议事甚多，略未尝及，而遽令辞，何也？”萨鲁谟曰：“皇帝已怒。”遂令入辞，以国书副本示良嗣，良嗣曰：“自古及今，税租随地，岂有与其地而不与其税租者？可削去此事。”宗翰曰：“燕自我得之，税赋当归我。大国熟计之，若不见与，请速退涿州之师，无留吾疆。”于是复以国书遣良嗣及靖等。

丙辰，贬刘延庆为率府率，安置筠州。

辽主闻金取燕京，遂由帰里关出居四部族详衮之家。

黄龙府仍附于辽，金宗辅讨平之。

是岁，万岁山成，御制《艮岳记》以纪其胜。万岁山，始名凤皇山，后神霄降，其诗有“艮岳排空霄”之句，因改名艮岳，以山在国之艮位也。其最高一峰九十步，上有（亭界）〔介亭〕，分东南二岭，直接南山。南山之外又为小山，名曰芙蓉城，穷极窈眇。岳之北乃所谓景龙江也，江外诸馆舍尤精。其北又因瑶华宫火，取其地作大池，名曰曲江池，东尽封丘门而止。其西自天波门桥入，西直殆半里，江乃折南，又折北。折南者出闾阖门桥，为复道，通茂德帝姬宅。折北者四里，属之龙德宫，帝潜邸也。其后以金芝产于万寿峰，又更名寿岳云。

山周十馀里，运四方奇花异石置其中，千岩万壑，麋鹿成群，楼观台殿，不可胜计。最后朱勔于太湖取巨石，高广数丈，载以大舟，挽以千夫，凿河断桥，毁堰拆闸，数月方至京师，赐号昭功庆成神运石，时初得燕地故也，勔缘此授节度使。其后金兵再至，围城日久，拆屋为薪,凿石为炮,伐竹为箭篱,唯大石基址存焉。

户部上今岁民数,凡主客户二千八十八万二千三百五十八,口四千六百七十三万四千七百八十四,视西汉盛〔时〕,盖有加焉,隋、唐疆里虽广,而户口皆不及。

五年 辽保大三年,金天辅七年【癸卯,1123】 春,正月,丁巳,辽知北院枢密事奚王和勒博即箭笴山自立为奚国皇帝,改元天复。设奚、汉、渤海三枢密院,改东西节度使,二王分司建官。辽主命都统耶律玛格讨之。

先是金主使完颜昂监护诸部降人,处之岭东,就以兵守临潢府。昂不能抚御,降人苦之,多亡归辽,辽主招集散亡,稍得自振。金主谕安班贝勒晟曰:“昂违命失众,当置重法。若有所疑,则禁锢之,俟师还定议。”

戊午,金使李靖等入对,退,见王黼。黼谓靖等曰:“大计定矣,忽于元约外求租赋,类有间谍害吾两国之成者。”萨鲁谟谢曰:“有之。契丹曰后为皇帝言,有国都如此而以与人,用事大臣颇惑其言;唯皇帝与宗翰、洛索持之甚坚,曰:‘已许南朝,不可改也。’”黼曰:“租税,非约也。上意以交好之深,特相迁就,然飞挽殊远,欲以银绢充之。”请问其数,黼曰:“已遣赵龙图面约多寡矣。”靖复请去年岁币,帝亦许之。明日,诏赵良嗣、周武仲、马扩奉国书与靖等偕往。

朝廷以金人将归燕,谋帅臣守之。左丞王安中请行,王黼赞于帝。辛酉,授安中庆远军节度使,河北、河东、燕山府路宣抚使,(加)〔知〕燕山府;詹度、郭药师同知府事。

诏药师入朝,礼遇甚厚,赐以甲第、姬妾、贵戚、大臣,更互设宴。又召对于后苑延春殿,药师拜庭下,泣言:“臣在契丹,闻赵皇如在天上,不谓今日得望龙颜!”帝深褒称之,委以守燕,对曰:“愿效死。”又令取天祚以绝燕人之望,药师变色言曰:“天祚,故主也,国破出走,臣是以降陛下。使臣毕命,它所不敢辞;若使反故主,非所以事陛下,愿以付它人。”因伴泣如雨。帝以为忠,解所御珠袍及二金盆以赐。药师出,谕其下曰:“此非吾功,汝辈力也。”即剔盆分给之。加检校少傅,归镇燕山。

新除燕山府路转运使吕颐浩言:“开边极远,其势难守,虽穷力竭财,无以善后。”又奏燕山、河北危急五事。帝怒,命贬官,而职任如故。

壬申,金使招和勒博降,不听。

甲申,录富弼后。

辽平州人张毂,第进士,建福中,授辽兴军节度副使。平州军乱,杀其节度使萧谛里;毂抚定乱者,州民推毂领州事。耶律淳死,毂知辽必亡,乃籍壮丁五万人、马千匹,练兵为备。萧妃遣时立爱知平州,毂拒弗纳。金人入燕京,访毂情状于萧公弼,公弼曰:“毂狂妄寡谋,其何能为!当示以不疑。”金人招时立爱赴军前,加毂临海军节度使,仍知平州。既而宗翰又欲先下平州,擒毂,公弼曰:“若加兵,是趣之叛也,请自往觇之。”遂见毂,毂曰:“契丹八路皆陷,今独平州存,敢有异志?所以未解甲者,防萧干耳。”厚赂公弼使还。公弼见宗翰曰:“彼无足虑。”宗翰信之,乃升平州为南京,加毂试中书门下平章事,判留事。

二月,乙酉朔,以李邦彦为尚书左丞,翰林学士赵野为尚书右丞。

丙戌，赵良嗣等自燕山还，至雄州，以金国书递奏。

初，良嗣以前月抵燕，诸将列馆郊外，独置南使于一废寺，以毡帐为馆。良嗣见金主曰："本朝徇大国多矣，岂平、滦一事不能相从邪？"金主曰："平、滦欲作边镇，不可得也。"遂议租税，金主曰："燕租六百万，今止取一百万，亦不为多。不然，还我涿、易旧疆及常胜军，吾且提兵按边。"良嗣曰："本朝自以兵下涿、易，今乃云尔，岂无曲直邪？"且言御笔许十万至二十万，不敢擅增。乃令良嗣以国书归报。金主问来期何时，良嗣以半月对，金主曰："我欲二月十日巡边，无妨我。"良嗣曰："此去朝廷数千里，今正月且尽，安能及期！莫若使人留雄州，以书驿闻为便。"金主许之。时金人得左企弓辈，日与之谋，以为南朝雅畏契丹。加以刘延庆之败，益有轻我心。企弓尝献诗曰："君王莫听捐燕议，一寸山河一寸金。"故金人欲背初约，要求不已。然南使过卢沟，金人悉断其北桥梁，焚次舍，盖亦恐我不从而自防也。其书略言："贵朝兵今不克夹攻，特因己力下燕。今据燕管内，每年租六百万贯，良嗣等称御笔许二十万，以上不敢自专。其平、滦等州，不在许限；傥务侵求，难终信义。仍速追过界之兵。"王黼欲功之速成，乃请复遣使，从之。

庚寅，诏遣良嗣等自雄州再往，许契丹旧岁币四十万之外，每岁更加燕京代税一百万缗，及议画疆与遣使贺正旦、生辰、置榷场交易。

辽德妃萧氏见辽主于四部族，辽主怒，杀萧氏，萧干奔奚。辽主责耶律达实曰："我在，何故立淳？"达实曰："陛下以全国之势，不能一拒敌，弃国远遁，使黎庶涂炭。即立十淳，皆太祖子孙，岂不胜乞命它人邪？"辽主无以答，赐酒食，赦其罪。

赵良嗣等至燕京，见金主，金主得书，大喜。良嗣谓洛索曰："贵朝所须岁币不赀，皇帝无少吝。今平州已不可得，唯西京早定夺，庶人情无亏。"洛索笑曰："此无它，皇帝意南朝犒赏诸军耳。"马扩答以"贵朝既许西京，朝廷岂无酬酢之礼！"洛索曰："此亦须再遣使去。"于是遣尼楚赫等三人与良嗣俱来。金主谓良嗣曰："尼楚赫，贵臣也，可善待之。"

三月，乙卯，尼楚赫等入见于崇政殿，其国书、誓书并无一语及西京者。对罢，诣王黼第，黼欲令庭趋，尼楚赫不可，分庭而见。尼楚赫乃言："士卒取西京劳甚，宜有犒劳。"黼皆许诺。帝以其主有"善待"之语，诏特预春宴。宴日，就辞于集英殿。诏吏部侍郎卢益、良嗣俱充国信使，马扩副之，持国书及誓书往军前，议交燕月日。

戊午，金都统昺等言："耶律伊都、图喇谋叛，宜早图之。"金主招伊都等，从容谓之曰："朕得天下，皆我君臣同心同德以成大功，固非汝等之力。今闻汝等谋叛，若诚然邪，必须鞍马、甲胄、器械之属，当悉付汝，朕不食言。若再为我擒，无望免死。欲留事朕，无怀异志，朕不汝疑。"伊都等皆战栗不能对。命杖图喇七十，馀并释之。

卢益、赵良嗣、马扩行至涿州，金洛索、高庆裔等先索誓书观之，斥字画不谨，令易之。益言："主上亲御翰墨，所以示尊崇于大国也。"金人不听，兼求细故纷纷，至汴京更易者数四。金人又言："近有燕京职官赵温讯、李处能、王硕儒、韩昉、张轸等越境去，南朝须先以见还，方可议交燕月日。"是数人者，皆契丹所指名，故金人索之。良嗣欲谕宣抚司遣去，益、扩不可，曰："诸人闻已达京师，今欲悉还之，不唯失燕人心，且必见憾，尽告吾国虚实，所系非细。况

2127

今已迫四月,敌亦难留,何虑不交,奈何随所索即与之! 彼得一询十,何时已邪!"良嗣卒与萨鲁谟赴宣抚司,缚送温讯等于金。既至,宗翰释其缚而用之。

壬午,卢益等赴花宴。时金主形神已病,中觞,促令便辞,略不及交燕事。益力言之,洛索曰:"两朝誓书中不纳叛亡,今贵朝已违誓矣。"益曰:"且勿言诸人未尝有至南朝者,借使有之,在立誓后邪,立誓前邪?"良嗣亦曰:"未议之事有五:一回答誓书,二交燕京月日,三符家口立界,四山后进兵时日,五西京西北界未定,兼赏军银绢在涿州未交,安得便辞!"洛索曰:"皇帝有言,山西地土并符家口已无可议者,使副当呕辞去。"癸未,复遣良嗣往雄州取户口,途次,杨璞以国书、誓书二稿示良嗣,欲借粮十万斛,转至檀州、归化州给大军,讨天祚,且请良嗣入辞。良嗣问交燕之期,定以十七日。于是及益、扩等赍国书与杨璞俱来。至雄州,宣抚司犹疑金人所纳非实,因留马扩同入燕,备缓急差使,遣良嗣与杨璞赴京师。

初,王黼既专任交燕事,降旨饬童贯、蔡攸不得动,以听约束,因使赵良嗣奉使。而金主谓良嗣曰:"我闻中国大将独仗刘延庆,延庆将十五万众,一旦不战自溃,中国何足道! 我自入燕山,今为我有,中国安得有之!"良嗣不能对。

旧制,辽使至,待遇之礼有限,不示以华侈,且以河朔甫近都邑,故迂其程途,多其里候,次第为之燕犒而至,防微杜渐意也。及黼遣良嗣,唯务欲速以擅其功,与金使人限以七日自燕山至阙下,凡四五往反皆然。又,每至辄陈尚方锦绣金玉瑰宝以夸富盛。金人因是益生心,邀索不已,黼劝帝曲从之。而营、平二州及山后之地,终不可得,姑欲得燕山以稍塞中外之议。约既定,复索礼数,因尽还其待辽人敌国之礼,唯不称兄弟而已。

【译文】

宋纪九十四 起辛丑年(公元 1121 年)正月,止癸卯年,(公元 1123 年)三月,共二年有余。

宣和三年 辽保大元年,金天铺五年(公元 1121 年)

春季,正月,丁酉朔(初一),太阳中出现阴影,旁边有青黑色云气如水波样旋转。

辽国因为改年号实行大赦。

壬寅(初六),邓洵武去世。邓氏从邓绾以来,世代助长奸邪,而邓洵武阿附蔡京尤其突出。蔡京败坏搞乱天下,祸乱的根源就从邓洵武那里开始。

己未(二十三日),诏令:"淮南、江南、福建,各暂时增设武臣提刑一人。"

皇帝开始时将东南的事交给童贯,而且说:"如有紧急情况,就用御笔诏书下达。"童贯到达吴地,看见百姓受到花石纲的困扰,大家说盗贼不能马上平息,是因为此事。童贯就命令手下董耘起草皇帝手诏罪责自己,撤销苏州、杭州造作局以及供奉皇宫的纲运船队、花木奇石及彩色丝绸物品的运送,而皇帝也罢免了朱勔父子兄弟子侄中担作官职的,吴地百姓非常高兴。

本月,方腊攻陷婺州,又攻陷衢州,守臣彭汝方战死。

辽国主有四个儿子:长子是赵王耶律实讷埒,生母是赵昭容;次子是晋王耶律额噜温,生母是萧文妃。其次是秦王耶律定、许王耶律宁,都是元妃所生。枢密使萧奉先,是元妃的哥哥,秦王、许王的舅舅,因为民心向着晋王,恐怕秦王不被立为太子,就暗中谋划此事。文妃的姐姐嫁给耶律达哈勒,妹妹嫁给耶律伊都。一天,他的姐姐和妹妹都到军前,萧奉先暗示别人诬陷文妃和驸马萧昱以及达哈拉、伊都等图谋册立晋王为国主而要将辽国主尊为太上皇。辽国主相信此事,就杀掉萧昱、达哈拉而赐文妃死。耶律伊都在军营中,听说此事大为恐惧,马上率领千余骑叛逃金国。辽国主派知奚王府事萧锡默、北府宰相萧德恭、四军太师萧干带领所部士兵追赶他,在诸间山县追上。萧锡默等人商议说:"国主相信萧奉先的话,不把我们放在眼里。耶律伊都是皇族的豪杰,平常不肯

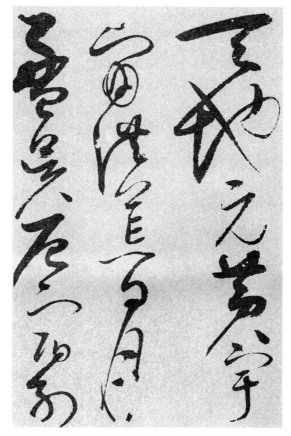

草书千字文　宋徽宗

为萧奉先低头。如果抓住耶律伊都,他日我们都成了耶律伊都了,不如放走他。"返回,就谎报说:"没有追赶上。"萧奉先看到耶律伊都逃跑了,恐日后各将校也叛逃,就劝辽国主骤然增加官爵赏赐以笼络人心,任命萧锡默为奚王,任命萧德恭为试中书门下平章事兼判上京留守事,萧干为镇国大将军。

二月,甲戌(初九),下诏书招抚方腊。

乙酉(二十日),取消全国的三舍学校以及宗学、辟雍、各路提举学官事。

癸巳(二十八日),大赦天下。

方腊攻陷旌德县以及处州。步军都虞候王禀收复杭州。

淮南盗贼宋江率领三十六人横行河朔一带,辗转抢掠十郡,官军不敢阻挡其锋芒。知亳州侯蒙上书,说宋江才干过人,不如赦免他,让他讨伐方腊以赎罪。皇帝命令侯蒙知东平府,没有上任就去世了。又命令张叔夜知海州。宋江将要到来,张叔夜派探子侦察他们的动向,宋江直接前往海滨,劫夺船十多只,装载抢得的东西。张叔夜招募不怕死的勇士千人,在近城的地方设下埋伏,而派轻兵到海边,引诱他们作战,先隐藏强壮的士兵在海边,等到士兵会合,就放火烧船。贼听说船被烧,都失去斗志。伏兵乘机出动,抓获贼人的副头目,宋江于是投降。

此前镇国上将军唐古,曾经向辽国主说,萧德勒岱误害国家,自己虽然老了,希望为国杀敌。辽国主不采纳,到此时允许他退休。

本月,金国使臣哈噜等人到达登州。

当初,女直往来商议,都是由童贯主持,因为赵良嗣与金国在上京有约定,就想发兵呼应,所以挑选西京的老将会集京城,又诏令环庆、鄜延守军与河北禁军换防。碰上方腊叛乱,童贯派西京的军队讨伐盗贼,朝廷停止换防,命令登州守臣以童贯还没有回来的缘故,留住金国使者不让离开。哈噜急躁愤怒,屡次离开馆舍,想步行进入京城,不久诏令马政、王瓖带领他进京。

三月,庚申(二十五日),赐给礼部奏名的何涣等六百三十人进士及第、出身资格。

本月,方腊再次侵犯杭州,步军都虞候王禀等人在城外与方腊作战,斩杀五百人。官军与盗贼在桐庐作战,打败了盗贼,于是收复睦州。

金国主听说了耶律伊都投降的事,夏季,四月,乙丑朔(初一),宗翰对金国主说:"辽国主没有德行,朝廷内外离心。我国兴发军队,大业已经确定,但未除根,以后必定成为患害。现在乘他们内乱,可以袭击夺取辽国,天时人事,不可失去。"金国主认为有道理,命令各路加强军事准备。

丙寅(初二),贵妃刘氏去世。

贵妃本来是酒保的女儿,父亲刘宗元,因为女儿显贵,担任了兴宁军节度使。刚入宫时,很受宠幸,后来因为犯事被囚禁在宦官何诉家中,杨戬上奏请求接回,才得以再次进宫,由才人多次提升成为贵妃。聪颖有悟性,会迎合皇帝心意,又善于打扮,衣冠涂抹装饰一新,世人争相仿效他。林灵素认为皇帝是长生帝君,贵妃是九华真安妃,每次神霄降临,必定另外设置贵妃的位置,描绘贵妃的像。开始,贵妃囚禁在何诉家中,何诉不以礼相待,等到得宠后,就用罪名诬陷何诉。到此时去世,时年三十三岁。

童贯、谭稹的前锋到达清河堰,水陆并进。方腊焚烧官府房屋、府库、民房,夜间逃跑,回到青溪帮源洞。童贯等人会合兵力进攻方腊,方腊有二十万人,与官军竭力作战而失败,深藏到岩洞中,各将领不知道躲入哪里。王渊的副将韩世忠,暗中进入山谷中,问山中妇女知道了路径,马上拿着戈挺身上前直捣巢穴,斩杀数十人。庚寅(二十六日),抓获方腊带出。韩世忠,是延安人。忠州防御使辛兴宗。带兵守在洞口,抢作自己的功劳。各将领在石洞中抓获方腊的妻子、儿女以及伪宰相方肥等五十二人,杀贼七万多人,其他的党羽都逃散了。方腊作乱,共攻破六州、五十县,杀平民二百万人。所抢掠的妇女,从贼洞中逃出,裸体而吊死在树林中的,相望有一百多里。

诏令:"两浙、江东遭受贼抢掠的州县,免税赋三年。"

癸巳(二十九日),汝州有牛生下麒麟。

五月,戊戌(初五),权领枢密院事郑居中取消"权"字。

金国主举行射柳仪式,设宴招待群臣,回头对宗翰说:"现在商议西征,你前后提出的建议,多与朕意相合。宗室中虽然有比你年长的,如果谋求元帅,没有能代替你的,你应当整治军队以等候出兵的日期。"金国主亲自酌酒给他饮,且命令他一饮而尽,金国主脱下自己的衣服给他穿。群臣说现在正在暑季,就作罢。

己亥(初六),诏令:"杭州、越州、江宁的守臣都加上安抚使职。"

甲辰(十一日),追封贵妃刘氏为皇后,谥号为明节。

将睦州建德军改为严州遂安军,歙州改为徽州。

丙午(十三日),哈噜等进入京城,皇帝诏令国子司业权邦彦、观察使童师礼安排住宿。不久,童师礼传皇帝旨意对权邦彦等人说:"辽国已经知道金国人从海上来往,难以再按先前的约定,告诉他们的使臣让他们回去。"权邦彦说:"这样,就失去了他们的欢心,就是朝廷理屈了。"童师礼入朝上奏,又传皇帝旨意,等童贯回来慢慢商议。

癸亥(三十日),诏令:"三省发现谏官有欺君违背公道的,听候旨意加以谴责。"

当初,御史中丞陈过庭,因为睦州的贼寇暗中兴起,曾经上奏:"导致贼寇的是蔡京,容忍贼寇的是王黼,流放这两个人,贼寇自然平息。"又说:"朱勔父子二人,本来是受过刑的小人,结交权贵近臣,窃取国家权位,恶贯满盈,应该明确依法处置,向天下人谢罪。"王黼非常恨他,到此时以罪名陷害他,免职改知蕲州;还没有走一半,改贬责为黄州安置。

辽国耶律伊都投降金国,先派人表达诚意,请求在桑林渡援助接应。金国主下诏说:"耶律伊都到达时,让他与属官一起前来,其余的人安置在合适的地方。"本月,耶律伊都到达咸州,送上辽国的宣诰、兵器和旗帜,先派将领韩福努等人前来致谢,上书陈述了前来投降的全部想法,大略说:"辽国主消沉,荒废在打猎上,不考虑政务,喜欢奸邪的人,疏远忠心正直的人,乱施刑罚,吝啬赏赐,法令多,赋税重,民不聊生;枢密使德勒岱,本来没有才干,只是阿谀奉承获得重用。"又称自己:"粗略地了解军事,曾经向辽国主进献计策,被德勒岱压下,辽国主也不察觉。"又说:"大金国的疆土日益开辟,伊都洞察天命所向,在去年与耶律慎思等商定,相约在今年夏季来投降。近来听说德勒岱要查证此事,仓促之间,来不及召集四方部族,只是召集附近部族三千户,车五百辆,牲畜数万头,北军都统带兵追击,就丢弃了辎重转战到这里。"随后带领将官进见,金国主安慰他,让他就座,位置同宰相一样,赐宴招待,都喝醉才作罢。金国主命令耶律伊都担任原职率领所部,而且宣谕说:"如果能为国立功,当另外奖赏任用。"自耶律伊都投降后,金国越发知道辽国的虚实情况。

闰月,丙寅(初三),减少各州的曹掾官员。

王黼向皇帝进言说:"方腊起兵是由于茶法的缘故,而童贯进奸言,将过错归于陛下。"皇帝恼怒,甲戌(十一日),下诏恢复应奉局,命令王黼以及梁师成主持,而朱勔也重新得志了。

当初,童贯担任两浙宣抚,命令董耘制作手诏,停止花石纲以安抚人心。皇帝看见手诏中的言辞,大不高兴。等到恢复应奉局,童贯又对皇帝感叹说:"东南地区的民户饭锅还不稳,又搞这个?"皇帝更加发怒,董耘因此获罪。

辛巳(十八日),金国古论贝勒萨哈去世。金国主前往吊唁,骑着白马,用刀划额,哭得很悲痛。等到安葬时,又亲自到场,将所骑的马赠予作为助葬礼物。

萨哈淳朴厚道多智谋,擅长用人。平时俭朴单纯,喜欢耕种。从开始担任国相,有能力使各部服从,断案很合情理,当时有言说:"不见国相,事情如何能决断!"等到发兵讨伐辽国,萨哈常常以宗室的身份受到内外的看重,不因为作战多自认为有功。后来追封谥号为忠毅。

六月,庚子(初八),金国主命令他的弟弟安班贝勒完颜晟说:"你因为是朕的同母弟弟,道义上是一体,因此任用你辅助国政。凡是军事上违法的,查实罪状,酌情处治,其他的事不论大小,一律按照本朝过去的制度。"

本月,黄河在恩州清河埽决口。

秋季,七月,丁卯(初五),赈济温州、处州等八个州。

庚午(初八),命令在三个京城设置女道录、副道录各一人,设节度的镇设置道正、道副各一人,其余州设置道正一人,是采纳了蔡攸的奏请。

庚辰(十八日),金国主诏令咸州都统司说:"从耶律伊都到后,洞见辽国的情况,已经决定亲征,整治军队以等候出兵日期。不久因为接连下雨,取消亲征。

辽国主在炭山打猎。

当初,夔峡、广南边境守臣提出招纳土地的建议,设置军州,上消耗国家用度,下用尽百姓财力,到此时议论事务的官员认为有害。丁亥(二十五日),诏令撤销纯州、兹州、祥州、亨州、淇州、溱州、承州、播州、恩州、隆州、兖州、孚州十二州以及熙宁军、遵义军二军,或者设为县,或者设为堡寨。

本月,河南府畿内讹传,有个东西像人或是像狗,颜色纯黑,辨不清眉目,一到天黑就抢掠小孩吃掉,后来白天进入民户家中为害,所到之处喧闹不安,被称为黑汉。有力气的人夜间拿着枪自卫,也有人借此名义作恶。二年才平息。

八月,甲辰(十二日),特赦两浙、江东、福建、淮南路。

乙巳(十三日),任命童贯为太师,谭稹加封节度使。

丁未(十五日),将明节皇后的神位升附在别庙。

金国哈噜等人留在朝廷共一个多月。壬子(二十日),派遣呼庆送他回去,只交付国书,不再派遣使臣,是采用了王黼的建议。国书中说:"从遥远的地方专门派来使者,送来很有文采的信函,全部接受修好,深知关于疆土的告谕。忠实地讲求信义,已经全部写在先前的书信中,所有汉人土地的事宜,都按先前的议定。等听到发兵到西京的日期,以便夹攻。"当时皇帝非常后悔先前的举动,想停止订立盟约,加上王黼以及梁师成又与童贯发生矛盾,所以皇帝很灰心,而言辞这样浮沉不定。

丙辰(二十四日),方腊被依法处死。

九月,丙寅(初五),任命王黼为少傅,郑居中为少宰。

庚午(初九),晋升执政官员官阶一级。

辽国主到达南京。

冬季,十月,甲寅(二十三日),诏令:"从今赃官案情具备的,决断不要宽贷。"

童贯再次负责陕西、两河宣抚事务。

丙辰(二十五日),皇帝亲临神霄宫,亲自授给王黼等人元一六阳神仙秘箓以及保仙秘箓。

十一月,癸亥(初二),辽国任命西京留守赵王实纳坞为特里衮。

甲子(初三),下达御笔诏书:"提举道录院现在修撰《道史》,不须设《表》。《纪》从天地开始分离写起,以三清为首篇。三皇以后,帝王中得道的,按朝代先后列在《纪》《志》中,分为十二篇,《传》分为十类。"又下诏令:"从汉代到五代称为《道史》,本朝称为《道典》。"

丁丑(十六日),中书侍郎冯熙被免职改知亳州。任命张邦昌为中书侍郎,王安中为尚书左丞,翰林学士李邦彦为尚书右丞。

李邦彦本来是银匠的儿子,俊美爽快有风度。生长在街巷中,熟悉猥琐粗鄙之事,说话快捷,善于说笑,会踢球,常常编集街巷俗语为歌词,人们争相传唱,自称李浪子。因为善于巴结宦官,争相赞誉推荐,于是进入执政府。

壬午(二十一日),观文殿大学士、提举崇福宫张商英去世。皇帝赠给他少保职。

陈瓘对人说:"张商英并非品德纯粹,而且又才干不足,然而当时的人归向于他。现在他死了,人们所仰望的人失去了。近来观察天时人事,必定会出现变革。就是担心即使有德行高尚的人,也未必能够安抚上下人心,快难以挽救了。"

十二月,辛卯朔(初一),太阳中出现黑子有李子那么大。

金国宗翰再次请求讨伐辽国,说各军长久停驻,人心都想出战,马也强壮,应该乘此时机,进军南朝,攻下中京。辛丑(十一日),金国主命令完颜杲为内外诸军都统,任命完颜昱、宗翰、宗士、宗望、宗磐等作副职,全军渡过辽河向西,任命耶律伊都为先锋,直奔辽国的中京。甲辰(十四日),金国主下诏说:"辽国政务不振,人和神都抛弃它。现在命令你们率领大军进行讨伐,你们选择好的计策,一定施行赏罚,粮饷跟上,不要侵扰投降归顺的地方,不要放肆抢掠。可行就进军,不要误了军机;事情需要灵活的,不必禀报。"戊申(十八日),又下诏令说:"如果攻下中京,所获得的礼乐仪仗、图书公文,都先从水路运送到京城。"

壬子(二十二日),进封广平郡王赵构为康王。

本年,各路发生蝗灾。

孔端友袭封为衍圣公。

内侍杨戬,少年时在内廷听差,善于猜测君主的意图,从崇宁年间以后时时得宠,首先提出期门行幸一事以巩固他的权势,权势与梁师成相匹敌,累次升官到担任节度使、检校少保直到太傅。

有个小官吏叫杜公才的,向杨戬献计,制定法令查找老百姓的田契,从甲到乙、乙到丙,辗转追查,到了无契约可证实的田地,就根据田地的收成,增收租税。从汝州开始,逐渐扩展到京东、京西、淮西、淮北,查出废弃的堤、堰、荒山、河滩以及黄河淤积的田地,都强令老百姓承担租赋;税额确定后,即使冲毁无存也不能减少。一个县大概在正常税赋外增加租税钱达到十万缗;因水旱灾害免税,此税却不能免除。因此提升杜公才担任观察使。

到此时杨戬去世,由内侍李彦继任他,专横,暗中与王黼内外勾结,以汝州设局,处理事务越来越苛刻。凡是民间的良田,让他人投书告状,都指为天然荒地;即使拿有盖印田契,都不予理会。鲁山全县全部指为公田,申诉的人就以刑罚相威胁,致死的人成千上万。田地的主人交租后,过去的税额,转运使也不上奏减除,却向其他州均摊。京西提举官以及京东州县官吏都帮助李彦为害,百姓不胜愤恨悲痛。发送物品供奉,大体上与朱勔差不多,向百姓督责办理,没有停止的日期,农民没法到田间去,牛不得去耕地,竭尽财力用尽粮草,力气衰竭饿死,有人在农具上吊死。像龙鳞薜荔一株,用车运送的费用超过百万。李彦喜时给赏,怒时用刑,祸福转变,因巴结他而得到高官的人很多。颍昌兵马钤辖范寰不为他收取竹子,就诬陷罪名,给予勒停处理。前任执政官穿官服拿着笏板在马前迎接,李彦泰然处之。所到之处就坐在堂上,监司、郡守不敢违抗。有人为此向皇帝进言,正好梁师成在旁边,厉声说:"皇帝的人虽然低微,也列在诸侯之前,哪里有过错!"进言的人害怕了,不敢再说。

宣和四年　辽保大二年,金天辅六年(公元 1122 年)

春季,正月,丁卯(初七),任命蔡攸为少保,梁师成为开府仪同三司。

癸酉(十三日),金国都统完颜杲攻下辽国的高恩、回纥两座城。乙亥(十五日),攻下辽国的中京,又攻下泽州。辽国主过了居庸关,到达鸳鸯泺,听说耶律伊都引导洛索突然来到很担忧。枢密使萧奉先说:"耶律伊都,是宗室支族,哪里会希望辽国灭亡呢?不过是想立他的外甥晋王罢了。如果为国家考虑,不吝惜这个儿子,宣布他的罪状杀掉他,可以不战而使他退兵。"正逢耶律萨巴等人谋划立晋王额噜温,事情被发觉,辽国主召枢密使萧德勒岱等人商议说:"谋反的人必定是以这个儿子作为借口,如果不除掉他,怎么能重新安定!"萧德勒岱唯唯称是。辽国主就派人勒死晋王。有人劝额噜温逃跑,额噜温说:"怎么能为了小小的躯体而失去臣子的气节!"于是就死。辽国主穿素服三天。耶律萨巴等人都被杀。额噜温平素有威望,各军听说他的死,没有不流泪的,因此人心涣散。

耶律伊都带领金兵逼近辽国主的行宫,辽国主率领卫士五千骑从鸳鸯泺逃到西京,左企弓劝谏,不听从。仓促出逃,把传国玺丢失在桑乾河中。辽国主担忧敌军深入,萧奉先说:"女直虽然能够攻陷我国中京,最终不能远离他们的巢穴,深入三千里一直打到云中。"

金国都统完颜杲派人报捷,金国主下诏嘉勉,而且说:"山后如果不能前往,就安营耕种放牧,等到秋天大举发兵,更加深思熟虑,看到可行就行动。不要仗着打了一个胜仗,就自我松懈。"

二月,庚寅朔(初一),出现日食。

己亥(初十),金国宗翰率领另一支军队奔向北安州。辽国奚王萧锡默先让人诈降,接着发兵包围他们。金兵离开马殊死作战,打败萧锡默的军队,追杀到傍晚,于是攻下北安州。

癸卯(十四日),下冰雹。

本月,管句太平观陈瓘去世。

有人问游酢当今可以挽救局势的人,游酢说:"陈了翁其人可以。"刘安世曾经在陈瓘生病时,让人劝勉他就医用药自我保养,说:"天下将要依赖您,应当尽力加以保养以等待任用。"了翁,是陈瓘的别号。到此时陈瓘在楚州去世。

三月，辛酉(初二)，皇帝临幸秘书省，并临幸太学，赐给秘书少监翁彦深、王时雍、国子祭酒韦寿隆、司业权邦彦礼服，馆阁官员、学官和学生都给不同等级的赏赐。

　　金国宗翰驻兵在北安州，派遣希尹攻占附近地方，俘获辽国护卫实纳坪，才知道辽国主杀了自己的儿子晋王，人心更加涣散，西北、西南两路的兵马，都瘦弱不可任用。派人报告完颜杲说："辽国主被困在山西，还在打猎，不忧虑亡国的危险；杀掉自己的儿子，大臣百姓失望。攻取的办法，希望马上给予指示。"完颜杲派人答复说："刚接到诏令，不让马上前往山西，应当认真考察慢慢商议。"宗翰知道完颜杲无意进攻，就决策出兵，又报告完颜杲说："当初接受命令，虽然没有命令马上攻取山西，也允许见机行事。辽国人可以攻下，形势已经可以看到，一失去机会，以后难以谋划！现在已经出兵，应当带大军在何地会合，希望给予答复。"宗干对完颜杲说："再次派人来请示，必定不是轻率出兵。而且他们已经出兵，不能中止。"再三说服，完颜杲才同意会师。完颜杲出兵青岭，宗翰出兵瓢岭，相约在羊城泺会师，宗望、宗弼率领百名骑兵先进发。辽国主听说金军出兵岭西，就奔往白水泺。宗翰、宗干带领六千精兵袭击辽国主，希尹担任前锋，一天内三次打败辽军。

　　辽国主到达漠北，听说金兵将逼近，拿不出计策。萧奉先前往夹山，辽国主于是抛弃辎重，骑乘轻装的马进入夹山。到达后，开始醒悟到萧奉先的不忠，发怒说："你们父子误害我到如此地步，现在想杀掉你们，对事情有什么益处！恐怕军心愤怒，你们避敌苟且求得平安，灾祸必定会连及我，不要跟随我一起走。"萧奉先下马哭泣叩拜离开。没有走数里，身边的人抓住他们父子，绑送到金军中，金人斩杀他的长子萧昂，将萧奉先以及他的次子萧昱戴上刑具押送金主那里；路上遇到辽军，抢回国，并赐死。元妃萧氏，是萧德勒岱的姑姑，对萧德勒岱说："你担当国政，导致国君这样，怎么活得下去！"萧德勒岱只是谢罪而已。次日，辽国主就赶走他，召用托卜嘉掌管禁卫军。

　　戊辰(初九)，辽国同知殿前点检事耶律高八率卫士投降金国。

　　当初，辽国主逃往云中，留下南府宰相张琳、参知政事李处温与秦晋国王耶律淳守燕京。李处温听说辽国主进入夹山，命令不能到达，就与族弟李处能以及儿子李奭外借有怨气的军队，内交结萧干，谋划册立耶律淳。李处温邀请张琳说此事，张琳说："代理政务就可以，真正即位就不行。"李处温说："今天的事情，天意人心已经确定，岂可改变！"张琳不敢固执，就与各大臣耶律达实、左企弓、虞仲文、曹勇义、康公弼，集合番、汉官员各军以及父老数万人到耶律淳的府中，引用唐代灵武即位的旧事劝进，耶律淳不同意。李奭拿赭色袍子披在他身上，让百官叩拜起舞高呼，耶律淳惊恐，再三推辞，得不到允许，就同意了。群臣给他上尊号为天锡皇帝，改年号为建福，封妻子萧氏为德妃。德妃，是普贤的女儿，提升李处温代理太尉职，张琳代理太师职，其余参与谋划的人授予官职不等。改怨军为常胜军。军事上的事全部委托给达实。贬降在远方的辽国主天祚帝为湘阴王，于是占据燕州、云州、平州以及上京、辽西的土地，天祚帝所占据的，只是沙漠以北和西南、西北两都招讨府各番人部族而已。

　　耶律淳将要实行大赦，燕京的父老都说内库都点检刘彦良因为奸邪得以受到天祚皇帝的宠信，专门引导天祚帝作失去德行的事；刘彦良的妻子是娼妓，出入皇宫中，夫妇二人一起

2135

作恶。于是将刘彦良夫妇斩首于市,然后实行大赦。

耶律达实,是辽太祖的第八世孙,通晓辽国文字和汉字,善于骑马射箭,考中进士,累次提升担任翰林学士承旨,所以称他为耶律达实林牙。

耶律淳向金国求和,金国都统完颜杲责备他不先禀报,擅自称帝号,如果能归顺,就以燕京留守职务安置他。耶律淳又请求保存宗庙祭祀,完颜杲回信说:"阁下一向担任元帅职,总管各军,职责并非不重,却没有尺寸的功劳,想占据一座城来抵抗我军,不是很难吗?所任用的人既然不能为国而死,现在谁肯为阁下效命呢?想依靠这些来取得成功,想法也太差了。本府接到诏令,归顺的人授予官职,背叛的人就征讨他,如果执迷不悟,等待的只是灭亡罢了!"耶律淳就派使者向金国主请求,金国主赐给诏令说:"你,是辽国的近亲,担任将相职务,不能与国家共存亡,却私下占据孤城,僭越地称帝号,如果不投降归附,将会后悔!"

任命童贯为河北、河东路宣抚使。

睦州的盗寇刚平定时,皇帝也后悔用兵。唯独王黼进言说:"中国与辽国虽然是兄弟之邦,然而百余年间,他们开拓边地欺慢我们的事很多。而且兼并弱小攻打昏昧,是军事上的正确原则。现在不夺取燕、云各州,女直必定会强盛,中原旧地将不再为我们所占有。"皇帝于是决意用兵。

王黼在三省设置经抚房,专门管理边境事务,与枢密院没有关联。清查天下的男子,按人口收算钱,得到钱六千二百万缗以充作经费。王黼又送信给童贯说:"太师如果北征,愿意拼死尽力。"正好耶律淳派遣使臣通报即国主位,而且说免除岁币,继续先前的友好关系。朝廷商议认为机不可失,于是就任命蔡攸作童贯的副手,带兵十五万巡察北部边境以呼应金国,而且劝谕幽燕百姓归顺。蔡攸像孩子一样不懂事,说功业唾手可得,入朝辞行的那天,放肆胡说没有顾忌,皇帝也没有责备他。

当初,夹攻的约定,是蔡京、童贯主持的。熙河钤辖赵隆曾经极力说不能这么做,童贯说:"君如能够赞同此事,将给予特殊的任命。"赵隆说:"我是一个武夫,岂敢求赏而败坏祖宗二百年的友好关系!他日争端发生,死一万次也不足以谢罪。"童贯不高兴。郑居中也极力陈述不能那么做,对蔡京说:"您是首席元老,不遵守两国的盟约,随便制造事端,确实不是朝廷的计策。"蔡京说:"是皇帝厌恶每年五十万的岁币罢了。"郑居中说:"您唯独看不到汉代和戎的费用吗?让百万的生命肝脑涂地,实在是您造成的!"当时又有叫安尧臣的,也上书论述出兵燕、云之事说:"宦官专权,提议北征。出兵燕、云州,那么就开启了边境事端;宦官的权势重,那么皇帝的纲纪就不振作。现在童贯深交蔡京,接纳赵良嗣作为主谋,所以提出平定燕地的主张。臣恐怕他日唇亡齿寒,边境有可以利用的空隙,强敌积蓄锐势窥探时机以实现他们的企图,这就是臣日夜害怕的事。希望考虑祖宗积累的艰难,借鉴历代君主的得失,杜绝边境嫌隙,务必遵守过去的友好关系,不要让新兴的敌人乘机以窥视中国,以对上安慰宗庙,对下安慰百姓。"皇帝认为有道理,因此议论稍微平息。等到辽国势力日益困窘,童贯又请求出兵,郑居中又说不应该幸灾乐祸而行动,等待他自我灭亡就行了,皇帝不听从。

辽国耶律淳僭越即位,担心本部族兵力少;萧干建议借东、西奚人以及岭外南北大王各部族,得到万余户,每户选派一人当兵,称为瘦军,散布在涿州、易州一带,大肆抢掠,百姓很以此为苦。

萧德勒岱被驱逐后,在路上被金兵抓住;找机会逃跑回来,又被人抓住送到耶律淳那里。萧德勒岱自知不能免罪,就假装说:"我不能事奉僭越窃位的君主。"绝食数天而死去。

夏季,四月,辛卯(初三),辽国西南面招讨耶律佛顶以及云内、宁边、东胜等州都投降金国。

金国得到阿苏带回。金国人起兵,以辽国不归还阿苏作为借口,等到已经得到后,不过是杖罚而释放了他。金国人见到阿苏,有人问他是谁,阿苏说:"我是破辽国的鬼。"

金军攻打西京,辽国耿守忠前来援救。金国宗翰、宗雄、宗干等相继到达,宗翰率领部下从中间冲击,让其他的部队从旁边攻射。耿守忠大败,西京因此陷落,西路州县部族都投降金国。辽国主于是逃往额苏伦,只有北部玛克实赠奉马、驼和食用的羊。

癸卯(十五日),白色的云气贯穿太阳。

丙午(十八日),命令各郡县访求散佚的书籍。

金国都统完颜杲派遣宗望入朝上奏,请金国主亲临大军。五月,辛酉(初四),宗望到上京奏报胜利,群臣入朝祝贺,金国主赐给宴席招待。宗望说:"现在云中刚平定,各路辽国军队还有数万;辽国主在阴山、天德之间活动,而耶律淳在燕京自立为王。新投降的百姓,人心不稳固,因此各位将领盼望陛下亲临中京大军。"金国主同意了。

壬戌(初五),任命高俅为开府仪同三司。

甲戌(十七日),嗣濮王赵仲御去世,让他的弟弟赵仲爰继承王位。

辽国都统玛格,收集逃散的部队,在沤里谨集中,辽国主任命他知北院枢密使事兼都统。

庚辰(二十二日),任命谭稹为太尉。

童贯到高阳关,用知州和诜的计策,下发黄榜以及旗帜,陈述吊民伐罪的意思,而且说:"如果有豪杰能够带燕京来进献,就任命为节度使。"于是命令都统制种师道统管各将领。

种师道劝谏说:"现在的举动,就好像强盗进了邻居家中,不能够援救,还乘机瓜分他的房屋,岂不是不合适吗!"童贯不听从。分兵两路,种师道统领东路的兵力前往白沟,辛兴宗统领西路的兵力前往范村。耶律淳听到报告,派遣耶律达实、萧干抵挡。种师道停驻在白沟,辽国主呼喊着上前,种师道的前军统制杨可世打了败仗,很多士兵受伤。种师道命令每人拿一个大木棒自卫,靠这样才没有大败,退兵到雄州;辽军追击,到达城下。辛兴宗与萧干作战,也在范村被打败。

辽国使臣前来说:"女直背叛本国,也是南朝的大坏事。现在求得一时的利益,放弃百年的友好,结交新起的邻国,奠定他日的灾祸,认为是好的计策,可行吗?援救灾祸帮助邻国,是古今共同的道义,希望你们大国能考虑此事!"童贯不能答复。种师道又请求同意与他们讲和。童贯不采纳,而暗中弹劾种师道帮助敌人。王黼发怒,降种师道为右卫将军职,退休。

六月,戊子朔(初一),金国主自己将率军讨伐辽国,从上京出发,命令安班贝勒完颜晟代行国政。

己丑(初二),皇帝听说种师道等人兵败,很害怕,下诏命令退兵。

壬寅(十五日),任命王黼为少师。

辽国主耶律淳卧病,听说辽国天祚帝传檄文给天德、云内、朔州、应州、蔚州等州,集合各蕃精锐骑兵五万,想约八月进入燕地,并派人慰劳,索取衣服裘皮茶叶药品。耶律淳大惊,命令南北面大臣商议对策。李处温、萧干等提出迎接秦王拒绝湘阴王的意见,集合蕃汉百官商议,同意这个意见的站在东边,只有南面行营都部署耶律宁站在西边。李处温等人询问原因,耶律宁说:"天祚帝果然能够带各蕃汉兵力出兵夺取燕地,那么就是天命没有完,怎么能够拒绝他呢?否则秦王、湘阴王是父子,拒绝就都拒绝,自古哪有迎接儿子而拒绝父亲的呢?"李处温等相视微笑,认为耶律宁煽动扰乱军心,想杀掉他。耶律淳靠在枕上长叹说:"他,是忠臣,怎么能杀?天祚帝果然要来,我只有一死,又有什么面目相见!"

不久耶律淳去世,众人商议立德妃萧氏为皇太后,主持军事国政,遵奉耶律淳遗命,迎立天祚帝的次子秦王耶律定为国主。萧妃于是代行国政,改年号为德兴,上耶律淳的谥号为孝章皇帝,庙号为宣宗,葬在燕京西面的香山。

李处温父子害怕灾祸,向南与童贯联系,想挟制萧妃献土地;向北与金联系,谋划作为内应。事情被发觉,萧妃抓捕李处温讯问此事。李处温自称说有确立皇帝的功劳,萧妃说:"误害秦晋国王的,都是你们父子,有什么功!"并数落他前后的罪恶,李处温无言以对,于是赐他死,剐杀他的儿子李奭。抄没他的家产,得到钱财七万缗,金玉宝器与钱财相当,都是担任宰相的几个月间所搜刮的。

辽国主天祚帝听说耶律淳去世,下诏追夺所授予的官爵封号,他的妻子萧氏贬为平民,改姓虺氏。

玛克实带兵援助辽国,金国人在洪灰水打败他。

西夏人也派李良带将士三万人援救辽国,金国斡鲁、洛索在宜水打败他们。到了野谷,山洪暴发,西夏人被漂走淹没的无法统计。

辽国主天祚帝出逃时,耶律棠古在倒塌岭拜谒他,为辽国主落泪,辽国主安慰阻止了他,又授予他乌尔古部节度使。

秋季,七月,丁巳朔(初一),德埒勒部背叛辽国,带五千人前来进犯,耶律棠古带家奴打败了他,被加封为太子太保。不久,耶律棠古去世。

己未(初三),将贵妃崔氏废为平民。

辛未(十五日),西夏国派遣使臣到辽国,问候辽国主的起居生活。

壬午(二十六日),王黼因为辽国耶律淳去世,又命令童贯、蔡攸整治军队,任命河阳三城节度使刘延庆为都统制。

当初,派遣陈遘为江、淮七路经制使,治所设在杭州,以供应粮饷。陈遘因为财用不足,倡议比较酒务钱以及测算官府上交钱粮,取其中的盈余部分,称为经制钱,于是成为这七路的患害。

八月,己丑(初三),金国主驻扎在鸳鸯泺,听说辽国在大鱼泺,就自己带领精锐部队一万人袭击辽国主，完颜昱、宗望带领士兵四千人为前锋，日夜兼行。戊戌（十二日），在石辇驿追上辽国主，到达的金兵才一千人。辽国有二万五千人，正在修营垒。完颜昱与各将领商议，耶律伊都说："我军没有会集，人马很疲劳，不能作战。"宗望说："现在追上辽国主而不马上作战，太阳落山后他们逃走，就来不及了。"于是开战，短兵相接，辽军围住金兵数重，副统军萧德默以君臣的道义晓谕将士，将士都殊死作战。辽国主认为宗望兵力少必定失败，于是与嫔妃登上高冈观战。伊都指辽国主的伞盖给各将领看，宗望等人就带领骑兵向他冲来。辽国主远远看见，大为惊恐，马上逃走，辽军因此溃散。宗望等人返回，金国主说："辽国主逃离不远，何不马上追赶他！"宗望追到鄂勒哲图，辽国主丢弃辎重而逃走，萧德默被抓获。

庚子（十四日），赐给新任命的太仆寺少卿王棣进士出身，因为他是王安石的孙子，所以褒奖他。

九月，戊午（初二），诏令："熙宁、元丰的政务，全部由王安石建立，现在他的家道没落，理应褒奖安抚，可以赏赐宅第一处，孙棣任命为显谟阁待制、提举万寿观，王安石的曾孙王玙、王珏，都升任宣义郎，孙女、曾孙女也各加给封号。"

朝散郎宋昭上书，极力说辽国不能攻打，金国不能作为友邻，他日金国必定破坏盟约，成为中原的祸患，请求杀王黼、童贯、赵良嗣等人，而且说："两国之间的誓言，破坏盟约的灾祸连及九族。陛下以孝治理天下，忍心忘掉列位先圣的神灵吗？陛下以仁覆盖天下，忍心让河北的百姓肝脑涂地吗？"王黼大为恨他，给予他除名，编管广南的处罚。

辛酉（初五），在明堂举行祭飨大礼。

乙丑（初九），金国通议使高庆裔等人在崇政殿晋见，递交国书，皇帝特别命令带上殿上奏事情。

先前，金国袭击辽国主军帐后，仍然占据山后的州县，忽然听说童贯出兵前往燕地，号称有二百万人，金国主与群臣商议，恐怕失约，就专门派遣使臣乘宋国返回的船到登州，而且招募军队乘机安排。到高庆裔等人呈进国书时，就跪下奏报说："我国皇帝派臣来报告，贵朝从海上来的使者，多次来到我国，共同商议对契丹的事，已经写在国书中。中土国家是礼仪之邦，必定不会失约。似乎听说贵朝又要中止，所以派臣来造访。"赵良嗣回答说："我国皇帝听说贵朝在今年正月已经攻下中京，带兵到松亭关、古北口，攻打西京，虽然没有得到大金国通报的出兵的日期，已经知道贵朝大军已出，于是命令童贯统兵以呼应贵朝夹攻的意思。彼此没有通报，不是要互相竞争。"于是各自退下离开。

皇帝很厚待高庆裔等人，屡次命令显贵的大臣主持宴会招待，赏赐金帛无数，以至停止皇帝用茶调制成膏赏赐给他。带入明堂，到了龙德宫、蕃衍宅、别苑、离宫，无所不到，礼节超过契丹数倍。高庆裔，是渤海人，性格狡猾了解文字历史，虽然外表装出恭顺，称恩颂德，而每天都斤斤计较先前待遇，如请求住宿在都亭驿，请求上殿奏事。朝廷因为两国往来商议的事没有定下，请他暂且等几天；况且契丹开始来结好时，也是如此办理的。高庆裔于是拿出契丹待遇的单子，当面证实朝廷不对，请求记在国书中，朝廷不得已，都满足了他。等到赏赐金线袍布料，怀疑是与西夏国棉褐相同，推却不接受。过了四天，皇帝下诏命金国使者到王黼的府第商议事情，高庆裔等人行庭参礼后，升堂，行宾主的礼节，当面发给回信。又过了一天，皇帝诏令梁师成前往皇帝赐的宴席亲自接待，用具都出自宫中，仍然以绣衣、龙凤茶作为赠物。

当初，高丽的风俗，兄终弟及，到此时高丽国王王俣去世，各个弟弟争夺国权，高丽宰相李资深立王俣的儿子王楷。已巳(十三日)，宋徽宗派遣路允迪前往吊祭。

先前王俣向宋朝求医，皇帝诏令二位医生前往，留了两年回国，王楷对他们说："听说贵朝将要对辽国用兵，辽是兄弟邻邦，留下它足以作为边境屏障，女真国，不能够结交。现在已经这样了，希望二位医生回国报告贵朝天子，应该早做准备。"医生回国，报告此事，皇帝不高兴。

辛未(十五日)，辽国知易州派人来约定投降。

甲戌(十八日)，皇帝诏令太中大夫赵良嗣充任大金国信使，保义郎马扩担任副使，马扩的父亲马政充任伴送使。本日，高庆裔等人入朝到崇政殿辞谢，皇帝晓谕他们早日攻取燕京。

赵良嗣将要出发，拿国书的副本以及事项给马扩看。马扩大为惊异说："金国人正因为没有通报出兵的日期，恐怕王师攻下燕地，把守的官员得不到岁币，所以派遣使臣联系商议，一则是继续保持通好关系，二则是观察我国的去就，他们还不知道杨可世、种师道在白沟受挫，宣抚司丧气而退兵的消息。在我国就应当遵守先前的约定，而且说：'因为贵朝没有通报出兵日期，恐怕海路难以预料，所以没有等候音讯，就出兵相呼应。现在仍然督令宣抚司进军，按约定日期攻下燕地。'这样，就既对原来夹攻的约定没有失信，又杜绝日后轻慢的借口。怎么自己暴露心思，倾身依靠他们呢，大势已去了！"赵良嗣惊愕地说："宣抚司尽全力都不能攻下，如果不用金钱借女直的手攻下，怎么能得到燕地？"马扩说："既然知道自己力量攻它不下，为什么不明确地全部给大金国，退而整治边备，保护我国的疆土！怎么能贪眼前的小利，不考虑后患，爱护手掌忘掉手指呢！"赵良嗣说："朝廷的意见已经确定了，不可改变了。"于是离开京城。

金国穆昆宗雄去世。金国主前往探视，没有来得及见一面，哭得很悲痛，对群臣说："此公谋略过人，临阵勇敢果断，很少看到有能跟他相比的。"超常规地给予赠物。

宗雄才干勇武矫健，拉动强弓能射很远，接近二百步。后来被封为楚王，谥号威敏。

己卯(二十三日)，辽国将领郭药师献上涿州前往宋朝投降。

郭药师本来是常胜军的主帅，担任涿州留守，听说高凤投降，也动了心思。正好萧干从燕地来到涿州，郭药师怀疑他对自己有所图谋，就同副将甄五臣等人带着所部八千人来投降。童贯以此上报，皇帝下诏授予郭药师恩州观察使，将他的兵力隶属刘延庆。

辽国德埒勒部又背叛，都统玛格讨伐平定德埒勒部。

当时郡守县令多弃城逃跑，奉圣州人迎接麴监李师夔主持州事。金国都古噜讷的军队到达，李师夔与他的朋友沈章密谋出城投降，于是出城暗中见耶律伊都约定不带兵入城及不抢掠境内。耶律伊都同意了，于是投降。金国主任命李师夔担任节度，让沈章辅助他。

冬季,十月,丙戌朔(初一),金国主到达奉圣州,下诏说:"朕屡次饬令将领大臣,安抚归附者,不要侵扰百姓。而愚民无知,仍然多逃到山林中。想马上动用兵力,很不忍心。现在免除他们的罪状,有率领众人来归附的,授予世代的官职。"不久,蔚州投降金国。

庚寅(初五),宋徽宗下诏令:"山前收复的州县,应设置监司,以燕山路府作为名称。山后另取名为云中府。"又赐名涿州为涿水郡、威行军,檀州为横山郡、镇远军,平州为渔阳郡、抚宁军,易州为遂武军,营州为平卢郡,顺州为顺兴郡,蓟州为广川郡,景州为滦川郡,和燕山府称为山前九州。云中府路则统领武州、应州、朔州、蔚州、奉圣州、归化州、儒州、妫州以及云中府,就是所说的山后九州。不久任命蔡攸为少傅、判燕山府。

辽国萧妃听说常胜军投降,非常害怕,派遣萧容、韩昉献上表章称臣,请求念及先前的友好关系。韩昉等人在军营中见童贯、蔡攸,说:"女直蚕食各国,如果大辽不存在,必定成为南朝可担忧的事。唇亡齿寒,不能不考虑。"童贯、蔡攸呵斥赶出了他。韩昉大声在庭院中说:"辽国、宋国结为百年之好,誓书都在,你们能够欺骗国家,难道能够欺骗上天吗!"童贯也不将此事报告朝廷。

癸巳(初八),童贯派遣刘延庆带兵十万从雄州出发,以郭药师为先导,渡过白沟。刘延庆的军队没有纪律,郭药师劝谏说:"现在大军开拔前进,没有设防,如果敌人设置伏兵袭击,首尾不能接应,那么就望尘溃败了。"不被采纳。到达良乡,萧干率领士从来抵抗,刘延庆与萧干作战失败,于是闭营不出。郭药师说:"萧干的兵力不过万人,现在全力抵御我军,燕山必定空虚,希望给五千骑兵,快一倍的速度袭击燕山,城可以攻下。"于是请求刘延庆的儿子刘光世挑选兵力为后援,刘延庆同意了。己酉(二十四日),派遣大将高世宣、杨可世与郭药师率兵六千人,半夜渡过卢沟,快速进军。天刚亮,常胜军甄五臣带五千骑兵抢占迎春门进入,郭药师相继赶到,陈兵在悯忠寺,派人劝谕萧妃让她赶快投降。萧妃暗中报告萧干,萧干派精锐甲兵三千人返回燕京,两军巷战,刘光世违反约定不前来,郭药师失去援助而失败,与杨可世弃马从城墙上拴绳落下而逃出,被杀伤过半,高世宣战死。

刘延庆在卢沟南面安营,萧干分出兵力断绝粮道,抓获护粮将领王渊,俘汉兵二人,遮住他们的眼睛,留在军帐中。半夜,互相假装说:"我军是汉军的三倍,应当分为左右翼,以精兵冲击汉军的中间,左右作为接应,举火为号,全歼他们。"说完后,就暗放走一人回去报告。刘延庆相信了。第二天早晨,看见火光起,以为是敌人到达,就烧营逃走,士兵践踏而死的达百余里。萧干于是纵兵追赶到涿水才离去。从熙宁、元丰年间以来所储备的军事物资几乎全部耗尽,退军到雄州自保。燕人知道宋朝没有什么作为,作赋以及歌谣来讥笑他们。

当初,朝廷商议与金订约,只要求石氏后晋时送给契丹的旧地,而没有想到平州、营州、滦州三州不是后晋送的,是刘仁恭为求得援助所进献的,王黼想一并得到,金国主不肯给。

本月,赵良嗣等人到奉圣州,金国主命令宗望以及富吉等人责备赵良嗣没有按期出兵,而且说:"现在更不谈原来夹攻的约定,只给燕京六州、二十四县的汉地、汉人。"六州,指蓟州、景州、檀州、顺州、涿州、易州。又说:"南朝即使自己攻下平州、滦州,本朝的兵马也要借路平州滦州回去。"赵良嗣说:"原来约定山前、山后十七州,现在却这样,信义何在?"又说:

"本朝得到燕地,必定分兵驻守,大国人马经过,岂敢一味听从!"富吉说:"你们只知道阻止我军借路过关,不说你国人马大被打败。"大概是听说刘延庆又在新城被打败了。又想留下赵良嗣等人,赵良嗣认为留下使者没有先例,金国主说:"我刚出兵,哪里用先例!"于是拿国书给赵良嗣等人看,派遣李靖、王度喇充任国信使和国信副使,萨鲁谟担任议计使。赵良嗣说:"所说的燕京,如果大金国攻下,也交给南朝,国书中不甚清楚。"富吉就说:"一句说够了,喋喋不休干什么!如果一定要确切消息,等到了燕京,让人面谈。"于是留下了马扩,只让赵良嗣与使者一起走。

本月,特赦所收复的州县。

十一月,丙辰朔(初一),开始使用新玺。庚午(十五日),在圜丘祭祀,大赦天下。东南的官员因为盗贼发生受到贬责的,都按等级移放,上书列入邪等的人特别给予磨勘。

庚辰(二十五日),金国使者李靖、王度喇、萨鲁谟等人进见,说:"除燕京六州所辖的汉人外,其中的女直、渤海、契丹、奚人以及各部族民户,平州、滦州、营州三州,纵然贵朝收复,也不在许可的范围内,应该由本朝占据。如果或者务求多占,必定会令人担心难以最后坚持信义。所有的盟约分立国界以及每年贡纳的钱币数目,等到燕京时继续商议拟定。"李靖等人已经晋见完毕,皇帝诏令到王黼的宅第那里去。王黼提出西京、平州、滦州应当按约定办,萨鲁谟说:"原来的约定不要了,姑且讨论眼前的事。"王黼说:"贵国所要做的,本朝没有一点不同意。本朝所要求的,贵国就不能屈意相从吗?"李靖说:"平州、滦州等三个州,本国想作为关隘。以我之见,不如将燕京六州按过去给契丹的岁币交纳,平州、滦州,应再慢慢商量,或者能得到也说不定。一起谈论,是白费时间。"

十二月,丁亥(初二),郭药师与辽国萧干在永清县作战,打败了萧干。皇帝下诏加封郭药师为武泰军节度使。

戊子(初三),金国使者李靖等人到崇政殿辞行,皇帝下诏任命龙图阁学士赵良嗣为国信使兼任送伴使,显谟阁待制周武仲作副使,并下达国书。另外,交给赵良嗣等人御笔诏书说:"平州、滦州盛产桑麻,金国想得到它,可以在交纳给予契丹岁币的数目外,特别增加绢五万匹,银五万两,以尽心表达结为友好的心意。所有营州、平州、滦州以及西京的疆土,朝廷要全部收复。"童贯再次出兵讨伐燕地,没有成功,害怕获罪,就暗中派王瓌到金国,以请求按约定夹攻。

金国主将亲征燕京,宗望率领七千人先行,实古讷从得胜口出兵,尼楚赫从居庸关出兵,洛索担任左翼,博勒和担任右翼。辽国萧妃五次向金国上表,请求立秦王耶律定为国主,金国主不同意,辽国人于是派劲兵把守居庸关。金兵到达关前,崖石突然崩溃,守卫的士兵多被压死,辽国人不战而败。金兵过居庸关后向南,辽国统军都监果睦等人向金军表达诚意。辛卯(初六),金国主到达燕京,于是从南门进入,让尼赫楚、洛索在城上布阵。金国主驻在城南,辽国宰相左企弓、参政虞仲文、康公弼、枢密使曹勇义、张彦良、刘彦忠等人献上表章投降,到金军军营中请罪,金国主都予以释放,命令担任原职务。金国主器重刘彦宗的才干,提升为左仆射,派左企弓等人安抚平定燕京各州县。萧妃与萧干从古北口前往天德。因此辽国五京都被金国占据。金国主派马扩回国报告胜利的消息。

甲辰(十九日),金国又派遣李靖、王度喇与赵良嗣等一起前来。

赵良嗣到了金国主军前,金国主对他说:"数年相约定夹攻,而你国不出兵,又不派人通报,现在将要怎么办?"赵良嗣回答说:"夹攻虽然是原来约定的,按前些时在奉圣州另外的约定,特同意给燕京,不管夹攻与否。本月二日,本朝在永清赶走萧干,追到燕京,虽然不是夹攻,也有那个意图。"金国主说:"夹攻暂且不谈了,平州、滦州等州不曾商议到,怎么想得到?如果一定要得到平州、滦州,连燕京也不交给了。"便让赵良嗣回到住地。过了四天,金国主下诏命令催南朝使臣返回,赵良嗣说:"现在应商议的事很多,还一点也没有谈到,而马上命令辞行,为什么?"萨鲁谟说:"皇帝已经发怒了。"于是让他们进去辞行,将国书副本给赵良嗣看,赵良嗣说:"从古到今,租税随地,哪有交还土地而不给土地上的租税的?可删掉此事。"宗翰说:"燕京是我们攻下的,租税应当交给我国。贵国认真考虑此事,如果不同意给,请马上撤走涿州的军队,不要留在我们的疆土上。"因此又派赵良嗣以及李靖带回国书。

丙辰(初一),贬降刘延庆为率府率,给予安置筠州处分。

辽国主听说金国攻下燕京,就由埽里关出来到四部族详衮家居住。

黄龙府仍然依附辽国,金国宗辅征讨平定了那里。

本年,万岁山修成,皇帝撰写《艮岳记》以记载此胜景。万岁山,开始叫凤凰山,后来神霄降临,诗中有"艮岳排空霄"的句子,于是改名为艮岳,是因为山在京城的艮位的缘故。最高的一座山峰有九十步,上面有介亭,分东南二岭,直接与南山相连。南山外又有一座小山,叫作芙蓉城,极为漂亮。艮岳的北面就是所说的景龙江,江外的各馆舍尤其精致。北面又因为瑶华宫失火,在那里挖掘大水池,叫作曲江池,向东到丘门而止。西面从天波门桥进入,向西直流近半里,江就折向南,又折向北。折向南面的经过阊阖门桥,修了另一条道,通向茂德帝姬的宅第。折向北的有四里长,连着龙德宫,是皇帝过去的府第。之后因为万寿峰长出金芝,又改名为寿岳。

山周长十多里,运来四方的奇花异石装饰在那里,千岩万壑,麋鹿成群,楼台殿阁,不可胜数。最后朱勔从太湖取出一块大石头,高宽有数丈,用大船装载,用千名纤夫拉船,挖河拆桥,毁坝拆闸,数个月才运到京城,皇帝赐名为昭功庆成神运石,当时因为刚得到燕地缘故,朱勔因此被授予节度使。之后金兵再次来到,围城很长时间,拆屋做柴,凿石做火炮,砍竹做笓篱,只有大石头基座保留下来了。

户部报上本年百姓户数和人数,共有主客户二千零八十八万二千三百五十八户,人口四千六百七十三万四千七百八十四人,与西汉盛时相比,有所增加,隋代、唐代疆域虽然广阔,而民户和人口都不如宋朝。

宣和五年 辽保大三年,金天辅七年(公元 1123 年)

春季,正月,丁巳(初三),辽国知北院枢院事奚王和勒博到箭筈山自为奚国皇帝,改年号为天复。设立奚、汉、渤海三个枢密院,改东西节度使设置,二王分司建立官署。辽国主命令都统耶律玛格征讨他。

先前金国主让完颜昂监管各部族投降的人,安置在岭东,就派兵守临潢府。完颜昂没有能力安抚管理,投降的人为此叫苦,多逃回到辽国,辽国主招集逃散的人,力量略微得到振作。金国主晓谕安班贝勒完颜晟说:"完颜昂违背命令失去部众,应当严惩。如果有所怀疑,就关押他,等回师时处理。"

戊午(初四),金国使者李靖等人入朝奏对,退下时,见到王黼。王黼对李靖等人说:"大的方针已经确定了,忽然在原来约定中要求租税,似乎有间谍在破坏两国间的成功。"萨鲁谟拜谢说:"有此事。契丹人后来对皇帝说,有这样的国都却拿来送给别人,执政的大臣很受到此语的迷惑;只有皇帝与宗翰、洛索态度很坚决,说:'已经答应南朝,不能改变。'"王黼又说:"租税不是约定的项目。皇帝的想法因为结为友好很深,特别给予迁就,然而运送太远,想用银绢充抵。"问给多少,王黼说:"已经派赵龙图面议多寡了。"李靖又要上一年的岁币,皇帝也答应了。次日,皇帝诏令赵良嗣、周仲武、马扩带着国书与李靖等同行。

朝廷因为金国人将要归还燕京,礼节待遇很高,赏给使臣上等宅第、姬妾,贵戚大臣,交替设宴。又在后苑延春殿召见,郭药师在庭下叩拜,流泪说:"臣在契丹时,听说赵家皇帝如在天上一样,没有想到今天能够见到龙颜!"皇帝深加褒奖,委任他把守燕地,郭药师回答说:"愿尽死效力。"又命令抓获辽天祚皇帝以断绝燕地人的希望,郭药师变脸色说:"天祚皇帝,是臣过去的君主,国家沦陷出逃,这样投降了陛下。让臣完成使命,其他的都不敢推辞;如果让臣反叛过去的君主,不能为陛下做此事,希望能交给他人。"并假哭泪如雨下。皇帝认为有忠心,解下所佩的珠袍以及两个金盆赐给他。郭药师退出后,对部下说:"这不是我的功劳,是你们出的力。"就剪开金盆分给他们。被加封为检校少傅,回到燕山镇守。

新任命的燕山府路转运使吕颐浩说:"在极远的地方开拓疆土,形势上难以镇守,即使用尽财力,也不能无后患。"又上报燕山、河北危急的五件事。皇帝发怒,命令贬降官阶,职任照旧。

壬申(十八日),金国使者招和勒博投降,和勒博没有听从。

甲申(三十日),录用富弼的后代。

辽国平州人张毂,中进士第,在辽建福年间被授予辽兴军节度副使。平州守军叛乱,杀掉节度使萧谛里。张毂安抚平息叛乱的人,州民推举张毂主持州政。耶律淳死后,张毂知道辽国肯定要灭亡,就招录五万壮丁、一千匹马,训练设防。萧妃派遣时立爱担任知平州,张毂拒绝不让进入。金国人进入燕京,向萧公弼询问张毂的情况,萧公弼说:"张毂狂妄没谋略,他有什么作为!应当向他显示没有疑心。"金国人招时立爱到军前,加封张毂为临海军节度使,仍然知平州。接着宗翰又想先攻下平州,抓获张毂,萧公弼说:"如果用兵,是促使他背叛,请让我前往探察。"于是见张毂,张毂说:"契丹的八个路都陷落了,现在只有平州留下,哪敢有异心?之所以没有解除武装,是防备萧干罢了。"厚赠萧公弼物品让他返回。萧公弼见宗翰说:"他不值得担心。"宗翰相信了此话,就将平州升格为南京,加封张毂担任试中书门下平章事,判留事。

二月,乙酉朔(初一),任命李邦彦为尚书左丞,翰林学士赵野为尚书右丞。

丙戌（初二），赵良嗣等人从燕山返回，到达雄州，将金国的国书传递上报。

当初，赵良嗣在前一个月抵达燕京，各将领在郊外设馆住下，只将南朝使者安排在一座废寺中，用毡帐作居室。赵良嗣见金国主说："本朝为贵国屈从很多了，难道平州、滦州一事就不能听从我们吗？"金国主说："平州、滦州要作为边镇，你们不能得到。"于是讨论租税，金国主说："燕地租税六百万，现在只要一百万，也不算多。不这样的话，就归还我国的涿州、易州的旧疆土和常胜军，我就带兵巡边。"赵良嗣说："本朝自己用兵攻下涿州、易州，现在这样说，难道没有是非吗？"而且说御笔诏令批准十万到二十万，不敢擅自增加。就命令赵良嗣带国书回来报告。金国主问什么时候前来，赵良嗣回答半个月，金国主说："我想二月二十日巡边，不要妨碍我们。"赵良嗣说："这里离朝廷数千里，现在正月快完了，那个日期怎么来得及！不如使者留在雄州，以书信递报。"金国主同意了。当时金国人得到左企弓等人，日夜谋划，认为南朝素来畏惧契丹。加上因为刘延庆的失败，更有轻视宋朝的心理。左企弓曾经献诗说："君王莫听捐燕议，一寸山河一寸金。"所以金人想背弃当初的约定，要求个不停。然而南朝的使者过了卢沟，金国人撤毁了全部桥梁，焚烧军营，也是担心宋朝不同意而自我防备。金国国书大致说："贵朝的兵力这次不能夹攻，只用我们自己的力量攻下燕地。现在占据的燕地辖区内，每年租税六百万，赵良嗣等人称御笔诏令只同意给二十万，超过的不敢决定。平州、滦州，不在许可交还的范围内；如果务必要求，难于终守信义。请迅速追回过界的军队。"王黼希望事情速成，就请求再派使者，同意了他们的要求。

庚寅（初六），诏令派遣赵良嗣等人从雄州再前往，同意在过去契丹四十万的岁币之外，每年再加燕京代税钱一百万缗，以及商议划定疆界和派遣使者祝贺新年、生辰、设置交易权场等事。

辽国德妃萧氏在四部族见辽国主，辽国主发怒，杀掉萧氏，萧干逃往奚部族。辽国主指责耶律达实说："有我在，为什么立耶律淳？"耶律达实说："陛下以全国的势力，不能抵抗敌人，弃国远逃，让百姓受涂炭之苦。就是立十个耶律淳，也是辽太祖的子孙，岂不胜过向他人请求救命吗？"辽国主不能回答，赏赐给酒宴，赦免他的罪过。

赵良嗣等人到达燕京，见金国主，金国主收到国书，大为高兴。赵良嗣对洛索说："贵朝所要的岁币没有限度，皇帝一点也没有吝惜。现在平州已经不能得到，希望西京早点定夺，使人情上不理亏。"洛索笑着说："这没有别的，皇帝希望南朝犒赏各军罢了。"马扩回答说："贵朝交还西京，朝廷岂没有酬谢礼物！"洛索说："这也必须再派遣使臣前去。"因此派尼楚赫等三人同赵良嗣同来。金国主对赵良嗣说："尼楚赫是显贵大臣，要好好接待他。"

三月，乙卯（初二），尼楚赫等人在崇政殿觐见皇帝，带的国书、誓书中没有一言提及西京。奏对完毕，到王黼宅第中，王黼想让他们行庭参礼，尼楚赫不同意，分庭见面。尼楚赫就说："士兵攻下西京很辛苦，应该有所犒劳。"王黼都同意。皇帝因为金国主有好好接待的话，下诏令特让他参加春宴。那天春宴后，就在集英殿辞行。皇帝诏令吏部侍郎卢益、赵良嗣一同充任国信使，马扩担任副使，带着国书以及誓书前往军前，商议交割燕京的日期。

戊午（初五），金国都统完颜杲等人说："耶律伊都、图喇谋反，应该早做处理。"金国主招来伊都等人，和缓地问他们说："朕得到天下，都是我国君臣同心同德建立大业，本来就不是你们出的力。现在听说你们谋反，如果确实这样，必要的鞍马、盔甲、兵器之类，当全部交给你们，朕决不食言。如果再被我抓获，就不要希望免死。想留下事奉朕，不要怀有异心，朕不怀疑你们。"耶律伊都等都战栗不能回答。金国主命令杖打图喇七十下，其余的都释放。

卢益、赵良嗣、马扩走到涿州，金国洛索、高庆裔等人先索要誓书观看，指责笔画不工整，让改写。卢益说："皇上亲自撰写，以对大国表示尊敬之意。"金国人不听从，加上找些小毛病，到汴京改换了几次。金国人又说："近来有燕京任职的官员赵温讯、李处能、王硕儒、韩昉、张轸等越境逃走，南朝必须先交还，才可以商议交割燕京的日期。"这几个人，都是契丹所提供的姓名，所以金国人索要。赵良嗣想劝谕宣抚使送出，卢益、马扩不同意，说："几位听说已经到达京城，现在想全部送回，不仅失去燕京人心，而且必定怀恨，报告我国的全部虚实情况，关系不小。况且现在已经迫近四月，敌人也难以留下，还担心什么不交，怎么随他们索要就马上给予呢！他们得到一希望十，何时停止啊！"赵良嗣最终与萨鲁谟前往宣抚司，绑送赵温讯等送给金人。到达后，宗翰去掉绳索而任用了他们。

壬午(二十九日)，卢益等赴赏花宴。当时金国主身体和神态已经有病态，酒喝到一半，就催促他们马上告辞，一点也不谈及交割燕京的事。卢益力争此事，洛索说："两国的誓书中规定不收留叛亡的人，现在贵国已经违背誓书了。"卢益说："姑且不要说那些人没有到南朝，即使有，是在立誓前，还是立誓后啊？"赵良嗣也说："没有商议的事情有五项：一是回复誓书，二是交割燕京的日期，三是符家口立界的事，四是山后进兵的时间，五是西京西北界没有确定，加上犒赏军队的银绢在涿州没有移交，怎么能就辞行！"洛索说："皇帝说过，山西面的土地及符家口已经没有可以商议的，国信使和副使应当马上离开。"癸未(三十日)，又派赵良嗣前往雄州取户口，途中休息，杨璞拿国书、誓书两稿给赵良嗣看，想借粮十万斛，转运到檀州、归化供应大军，讨伐辽天祚皇帝，而且请赵良嗣去辞行。赵良嗣问交割燕京的日期，杨璞说定在十七日。因此和卢益、马扩等带国书与杨璞同来。到雄州，宣抚司还怀疑金国所交不实，于是留下马扩一同进入燕京，以备紧急时差使，派赵良嗣与杨璞一同前往京城。

当初，王黼专职担任交割燕京事宜，皇帝下达旨意令童贯、蔡攸不得行动，以听从指挥，并派赵良嗣出使。而金国主对赵良嗣说："我听说你国大将只是仰仗刘延庆，刘延庆率十五万人，一旦不战而自溃，你国还有什么称道的！我们自己进入燕山，现在归我们所有，你们怎么想得到它！"赵良嗣不能回答。

旧例，辽国使臣到达，待遇礼节有一定限度，不显示奢华，而且因为河朔接近都城，所以在路上迂回，增加路程，依次设宴犒劳才到达，用意是防微杜渐。等到王黼派遣赵良嗣，只尽力求快以独得功劳，与金国使者限定七日从燕山到朝廷，往返四五次都是这样。又，每次到达就铺陈皇宫的锦绣金玉宝器以夸耀丰富。金国人因此更加动心，索要不停，王黼劝皇帝顺从他们。而营州、平州以及山后的土地，始终不能得到，姑且想得到燕山，以略微堵塞朝内外的议论。定约后，金国使者又提出礼节规格，因而完全给以对待辽国的对等礼节，只是不称兄弟罢了。

续资治通鉴卷第九十五

【原文】

宋纪九十五　起昭阳单阏【癸卯】四月,尽旃蒙大荒落【乙巳】十二月,凡二年有奇。

徽宗体神合道骏烈逊功　圣文仁德宪慈显孝皇帝

宣和五年　辽保大三年,金天辅七年,九月后为天会元年【癸卯,1123】　夏,四月,丁亥,金主遣宗望、鄂啰袭辽主于阴山。

壬辰,使杨(朴)〔璞〕赍誓书,以燕京及涿、易、檀、顺、景、蓟六州来归。

辽耶律达实壁龙门东,金都统鄂啰遣洛索等攻之,生擒达实。耶律纠坚聚众兴中府,亦为金人所破,纠坚自杀。宗望、鄂啰闻辽主留辎重于青冢,以兵万人围之。戊戌,辽太保特默格窃梁王雅里以遁。秦王、许王、诸妃、公主、从臣俱陷于金。

庚子,童贯、蔡攸入燕山府。燕之金帛、子女、职官、民户,为金人席卷而东,损岁币数百万,所得者空城而已。

或告燕人曰:"汝之东迁,非金人意也,南朝留常胜军,利汝田宅,给之耳。"燕人皆怨,因说宗翰不当与南朝全燕。宗翰因欲止割涿、易两州,金主曰:"海上之盟,不可忘也。异日汝等自图之。"

壬寅,金宗望押燕山地图至。初欲令童贯、蔡攸拜受,马扩、姚平仲共晓之,乃已。贯、攸厚赂之而还。

乙巳,童贯奏抚定燕城。丙午,王黼等上表称贺。

戊申,金使杨璞同卢益、赵良嗣等至,赍国书并誓书以进。良嗣私语人曰:"只可保三年尔。"时上下皆知金必渝盟,而莫敢言。

庚戌,曲赦河北、河东、燕、云路。

时云中路地尚未得也,而赦乃先及。其后颇得武、朔、蔚三州,寻复失之,兵端盖自此始。

辛亥,童贯、蔡攸自燕山班师。

金人遣人招辽主归附,辽主答书请和。既而金人部送辽之族属、辎重东行,辽主愤举族见俘,以兵五千馀决战于白水泺,宗望以千兵击败之。辽主相去百步,遁去,获其子赵王实讷垮及辽主玺。追二十馀里,尽得其从马,献玺于行在,金主大录诸帅功,加赏焉。辽主遣人送龟纽金印伪降,宗望受之,视其文,乃元帅燕国王之印也。宗望复以书招之,谕以石晋、北燕故事。

辽主遁入云内,徒御单弱,特默格挟梁王雅里驰赴之,从者千馀人。辽主虑特默格为变,欲诛之,责以不能尽救诸王,将讯之,杖剑召雅里,问曰:"特默格教汝何为?"雅里对曰:"无它言。"乃释之。

五月,己未,以收复燕、云,赐王黼玉带;〔庚申〕,进太傅,总治三省事。郑居中为太保,进宰执官二等。〔癸亥〕,童贯落节钺,进封徐豫国公,蔡攸为少师,赵良嗣为延康殿学士。居中自陈无功,不拜。

夏国主乾顺遣使请辽主临其国,辽主从之,中军都统萧迪里等切谏,不听。遂渡河,次于金肃军北,遣使封乾顺为夏国皇帝。人情惶惧,不知所为。迪里阴谓耶律元直曰:"事势如此,亿兆离心,正我辈效节之秋。不早为计,奈社稷何!"乃共劫梁王雅里走西北部,三日,遂立为帝,改元神历,以迪里为枢密使,特默格副之。

雅里性宽大,恶诛杀,获亡者,笞之而已,自归者即官之。

金宗望趋天德,闻夏人迎护辽主。辽主已渡河,乃遗书于夏,使执送辽主,且许割地。

左企弓等为金部燕人东徙,流离道路,不胜其苦,过平州,遂入城言于张瑴曰:"左企弓不能守燕,致吾民如是。公今临巨镇,握强兵,尽忠于辽,免我迁者,非公而谁!"瑴遂召官属议,皆曰:"闻天祚兵势复振,出没漠南,公若仗义勤王,奉迎天祚以图恢复,先责左企弓等叛国之罪而诛之,尽归燕民,使复其业,而以平州归宋,则宋无不接纳,平州遂为藩镇矣。即后日金人加兵,内用营、平之军,外籍宋人之援,又何惧焉!"瑴曰:"此大事也,当审画。"以翰林学士李石明智,召而问之,石以为然。遂拘两府左企弓、虞仲文、曹(义勇)〔勇义〕、康公弼,至滦河西,数其罪曰:"天祚播迁夹山,不即奉迎,一也;劝皇叔秦晋王僭号,二也;诋讦君父,降封湘阴,三也;天祚遣官来议事而杀之,四也;檄书始至,有迎秦拒湘之议,五也;不守燕而降,六也;臣事于金,七也;括燕财以悦金,八也;使燕人迁徙失业,九也;教金人先下平州,十也。尔有十罪,所不容诛。"企弓等无以对,皆缢杀之。仍称保大三年,画天祚像,朝夕谒,事必告而后行,称辽官秩。旋以榜谕燕人,令各安堵如故,田宅为常胜军所占者,悉还之。燕人大悦,往往南来至京师。

石改名安弼,与三司使高履改名党者,诣燕说王安中曰:"平州形胜之地,张瑴文武全才,足以御金人,安燕境,幸速招致,毋令西迎天祚,北合萧干也。"安中深纳之,令安弼、党赴阙以闻。帝以手札付詹度,第令羁縻之。而度促瑴内附,瑴乃遣人持书来请降。王黼劝帝纳之,赵良嗣谏曰:"国家新与金盟,如此必失其欢,后不可悔。"不听,良嗣坐削五阶。朝廷又闻迁民得归,亟诏安中、度加恤录士大夫之可用者,复百姓田租三年。瑴闻之,大喜,遂决策纳款焉。

乙丑,诏:"正位三公立本班,带节钺若领它职者仍旧班。著为令。"

癸酉,祭地于方泽。

和勒博南寇燕地,败于景、蓟间,其众奔溃,耶律裕古泽等杀之。奚人以次附属于金,金各置明安、穆昆领之。

六月，壬午朔，金主次鸳鸯泺。

丙戌，张毅遣人诣安抚司纳土。金人闻毅叛，遣拣摩将骑二千来讨，毅率兵迎拒于营州。金人以兵少，不交锋而归，大书州门，有"今冬复来"之语，毅即妄以大捷闻宣抚司。

乙未，诏："今后内外宗室，并不称姓。"

丙申，金主有疾，还上京，命宗翰为都统，昱及（斡）〔幹〕鲁副之，驻兵云中以备边。旋召皇弟安班贝勒晟前赴行在。

戊申，领枢密院郑居中卒。〔辛亥〕，以蔡攸领枢密院。

秋，七月，戊午，以梁师成为少保。

童贯、蔡攸归自燕山，颇失帝意。王黼、梁师成遂荐谭稹为宣抚。是日，起复稹为河东、燕山府路兼河北路宣抚使，令驻河东，交割金人所许山后之地。己未，诏童贯依前太师、神霄宫使，致仕。

己酉，金主次牛山；宗翰还于军中。

庚午，王黼等上尊号曰继天兴道敷文成武睿明皇帝，不允。

八月，辛巳朔，日有食之。

乙未，郭药师大败萧干于峰山。

燕京既陷，干就奚王府自立为神圣皇帝，国号大奚，改元天嗣。时奚人饥，干出卢龙岭，攻破景州，又败常胜军张令徽、刘舜臣于石门镇，陷（苏）〔蓟〕州，寇掠燕城，其锋锐甚，有涉河犯京师之意，人情汹汹，颇有谋弃燕者，童贯自京师移文王安中、詹度、郭药师等切责之。已而安中命药师击破其众，乘胜穷追，过卢龙岭，杀伤大半。从军之家，悉为常胜军所得，招降奚、渤海五千馀人，生擒阿噜，获辽太宗尊号宝检、契丹涂金印等。干遁去，寻为其部下巴尔达喀所杀，传首河间府，詹度上之。

乙未，金主次浑河北，皇弟安班贝勒晟率宗室百官上谒。

辛丑，命王安中作《复燕云碑》。

壬寅，太白昼见。

戊申，金主殂于行宫，年五十六。后上尊谥曰武元皇帝，庙号太祖。

太祖豁达大度，知人善任，人乐为用，举兵数年，算无遗策，遂成大业。

九月，癸丑，太祖丧至上京，葬宫城西南宁神殿。贝勒杲、郓王昂及宗峻，宗干率宗亲百官请安班贝勒晟正帝位，不许；固请，亦不许。宗干率诸弟以赭袍被晟体，置玺怀中。丙辰，即皇帝位。己未，告祀天地。

辛酉，大飨明堂。

丙寅，金大赦中外，改天辅七年为天会元年。

癸酉，金主命发春州粟，赈降人之徙于上京者。戊寅，诏诸明安振内地匮乏。

辽耶律达实既为金人所擒，临战，辄以绳系其背，使为前导。是月，达实复亡归于辽。

冬，十月，乙酉，雨木冰。

壬辰，金主以空名宣头百道给都统宗翰，许以便宜从事。

己亥，金上京僧献佛骨，金主却之。

壬寅，罢诸路提举常平之不职者。

是月，京师地震。

诏建平州为泰宁军，以张觳为节度使，世袭平州，其属卫甫、赵仁彦、张敦固皆擢徽猷阁待制；令李安弼赍诏还平州，仍以金花笺御笔付觳弟，令面授之。

辽雅里初自立，好取《贞观政要》及林牙耶律资忠所作《治国诗》，令侍从读之。尝命薄征于民，曰："民有即我有，否则民何以堪！"一时翕然称之。统军扎卜嘉等率众来附，自诸部继至。而雅里日渐荒怠，好击鞠，以特默格切谏而止。寻以出猎过劳病死，萧迪里为乱兵所杀，特默格附于金。

十一月，乙卯，以郑绅为太师。

癸亥，诏国子监刊印御注《冲虚至德真经》，颁之学者，从祭酒蒋在诚等奏请也。

丙寅，幸王黼第观芝。帝由便门过梁师成家，复来黼第，因大醉，不能语。夜，漏上五刻，乃开龙德宫闼道小门以过，内侍十馀人执兵接拥。是夜，诸班禁从皆集教场，备不虞，几至生变。翼日，犹不御殿。半日，人心少安。

诸路漕臣坐上供钱物不足，贬秩者二十二人。

丁卯，王安中、谭稹加检校少傅，郭药师为太尉。

壬申，王黼子弟亲属推恩有差。

是月，金遣宗望督拣摩攻平州。会张觳闻朝命将至，大喜，率官吏郊迎。金人谍知之，以千骑袭破平州，得朝廷所赐诏旨。觳挺身走，欲间道归京师。其弟怀御笔将奔燕山，以其母为金人所得，复往投之，而觳母及妻已为金人所戮，并得觳弟所怀御笔，金人大怒。觳遁燕山，郭药师留之，匿姓名，寄常胜军中。金人累檄宣抚司取觳，宣抚司具奏，朝廷初不欲发遣。金人索之益急，王安中取貌类觳者，斩其首与之，金人曰："非觳也。"遂欲以兵攻燕。安中言："必不发遣，恐启兵端。"朝廷不得已，令安中缢杀之，函其首，并觳二子送于金。燕降将及常胜军士皆泣下。郭药师曰："金人欲觳即与，若求药师，亦与之乎？"安中惧，因力求罢，召为玉清宝箓宫使，以蔡靖知燕山府。张令徽等由是切齿，而常胜军亦解体矣。

十二月，辛巳，金蠲民间贷息。诏以咸州以南，苏、复州以北，年谷不登，其应输南京军粮，免之。

甲午，金主诏曰："比闻民间乏食，至有自鬻其子者，其听以丁力等者赎之。"

是日，以古论贝勒杲为安班贝勒，以宗干为国论贝勒。遣李靖来告哀。

乙巳，金使高居庆、杨意来贺正旦。时以山后诸州请于金，金主新立，将许之。宗翰自云中至，言于金主曰："先帝初图宋协力攻辽，故许以燕地。宋人既盟之后，复请加币以求山西诸镇，先帝辞其币而复与之盟曰：'无匿逋逃，无扰边民。'今宋数路招纳叛亡，累疏姓名索之而不肯遣。盟未期年，今已如此，万世守约，其可望乎！且西鄙未宁，割付山西诸郡，则诸军失屯据之所，将有经略，或难持久，请勿与之。"金主遂遣使，止以武、朔二州来归。

是岁,秦、凤旱,河北、京东、淮南饥,遣官赈济。

六年 辽保大四年,金天会二年【甲辰,1124】 春,正月,癸丑,遣太常少卿连南夫伴送金使归国,寻兼祭奠吊慰使。

甲寅,金主以空名宣头五十、银牌十给宗望。

戊午,置书艺所。

癸亥,藏萧干首于太社。

金以东京比岁不登,诏减田租、市租之半。

庚午,勒停人蔡絛复朝奉郎,提举明道宫。

癸酉,御内东门,为金主旻成服。

甲戌,夏国称藩于金,金以下寨以北,阴山以南,伊实伊喇图鲁泺西之地与之。

丁丑,金始自其京师至南京,五十里置驿。

辽主趋都统玛格军,金人来攻,弃营北遁,玛格被执。玛克实来迎,赆马驼羊,又率部人防卫。时侍从乏粮数日,以衣易羊。至乌古迪里部,以都点检萧伊苏知北院枢密使事,封玛克实为神裕悦王。

二月,金诏护辽帝诸陵,有盗发者罪死。庚寅,给宗翰马,命赈新附之民。

己亥,躬耕籍田。

丙午,诏:"自今非历台阁、寺监、监司、郡守、开封府曹官者,不得为郎官、卿、监。著为令。"

尚书左丞李邦彦,以父忧去位。

金宗翰乞济师,诏有司选精兵五千给之。

丁未,金主谕宗望曰:"凡南京留守及诸阙员,可选勋贤有人望者就注拟之,具姓名官阶以闻。"

辽耶律约索等十人谋叛,伏诛。

三月,己酉朔,以钱景臻为少师。

金遣使诣宣抚司,索赵良嗣所许粮二十万石。谭稹曰:"二十万石不易致,良嗣所许,岂足凭也!"遂不与。金人大怒,及举兵,亦以此为辞。

庚戌,金宗望请选良吏招抚迁、润、来、隰之民保山砦者,从之。

己未,宗望以南京反覆,凡攻取之计,乞与知枢密院事刘彦宗裁决之。

辛未,夏国王李乾顺进誓表于金。

闰月,戊寅朔,金赐夏国誓诏。

辛巳,皇后亲蚕。

京师、河东、陕西地震,宫殿门皆摇动有声,河东、陕西尤甚,兰州诸山草木悉没入地,而山下麦苗皆在山上。诏右司郎中黄潜善案视,潜善不以实闻,帝意乃安。迁潜善为户部侍郎。

夏,四月,己酉,〔金〕赈上京路、西北路之降者及新徙岭东之人。

癸丑，赐礼部奏名进士及第、出身八百五人。

丁巳，起复李邦彦为尚书左丞。

戊午，金以所筑上京新城名会平州。

五月，癸卯，金使来告嗣位。

癸未，金主诏曰："新降之民，诉讼者众，今方农时，或失田业，可俟农隙听决。"

金人既建平州为南京，未几，州人拥都统张敦固据城抗拒。是月，拣摩克南京，杀敦固。

自得燕地，悉出河北、河东、山东之力以往馈官军，率十数石致一石，才一年，三路皆困。

六月，壬子，诏西京、淮、浙、江、湖、四川、闽、广措置调夫各数十万，并约免夫钱，每夫三十贯，委漕臣限督之，违者从军法，用王黼言也。寻又诏宗室、戚里、宰执之家及宫观、寺院，一例均敷，于是遍率天下，所得才二千万缗，而结怨四海矣。

秋，七月，壬午，金皇子宗峻卒，太祖之嫡子也。

丙戌，金禁外方使介冗从多者。

戊子，遣著作佐郎许亢宗等如金贺嗣位。

丁酉，诏："应系御笔断罪，不许诣尚书省陈诉改正。"

王黼言："顷得方士玑衡之书，足以察七政。"甲辰，诏置玑衡所，以黼及梁师成领之。

辽主既得耶律达实兵，及居（乌）〔古〕迪里部，又得玛克实之兵，自谓有天助，再谋出兵收复燕、云。达实谏曰："向以全师不谋战备，使举国皆为金有。国势至此，而方求战，非计也。当养兵待时而动，不可轻举。"辽主不从。达实遂杀知北院枢密事萧伊实及博勒果，自立为王，率铁骑三百宵遁。

遣校书郎卫肤敏如金贺生辰。肤敏言："金生辰后天宁节五日，今未闻彼遣使而吾反先之，于威重已阙。万一金使不至，为朝廷羞。请至燕而候之，脱若不来，则以币置诸境上。"帝以为然。洎至燕山，金使果不来，遂置币而返。

辽主在夹山，金人欲取之，以力不能入夹山为恨。辽主畏宗翰在西京扼其前，久不敢出。俄闻宗翰还上京，洛索代领军事，遂率诸军出夹山，下潼阳岭，取天德、东胜军、宁边、云内等州，南下（五）〔武〕州，如履无人之境。洛索忽以大兵扼其归路，急击之，辽众大溃。

夏人举兵侵武、朔二州地界，宣抚使谭稹遣李嗣本御之。兵数交，夏人未即退，（听）〔而〕金人怨朝廷纳张毂，又以稹不给粮，遂攻蔚州，杀守臣陈（诩）〔翊〕，陷飞狐、灵丘两县，逐应州守臣苏京等，绝山后交割意。朝廷咎稹措置乖方，童贯、蔡攸又共排稹，八月，乙卯，责授稹顺昌军节度副使，致仕，以童贯领枢密院，代其任。

辽主之在夹山也，帝欲诱致之，始遣一番僧赍御笔绢书通意。及辽主许允，遂易书为诏，许待以皇弟之礼，位燕、越二王上，筑第千间，女乐三百人，辽主大喜。贯是行出太原，名为代稹交割山后地土，实以密约辽主来降，自往迎之也。辽主欲来奔，虑南朝不足恃，遂直趋山阴。

  国舅详衮萧托卜嘉降于金。

壬戌，以复燕、云，赦天下。

九月,乙亥,以白时中为特进、太宰兼门下侍郎,李邦彦为少宰兼中书侍郎。

辛巳,大飨明堂。

丁亥,以赵野为尚书左丞,翰林学士承旨宇文粹中为尚书(左)〔右〕丞,开封府尹蔡懋同知枢密院。

庚(子)〔寅〕,遣校书郎贺允中等如金贺正旦。

庚(寅)〔子〕,金使布密古等来致遗留物。

冬,十月,甲子,金以泰州秋潦,发宁江州粟以赈之。丙寅,命运米五万石于广宁,以给南京、润州戍卒。

庚午,金使来贺正旦。

御笔:"道官可自大夫以上共带职人并令封至朝官,许荫赎私罪为官户。"

诏:"有收藏习用苏、黄之文者,并令焚毁,犯者以大不恭论。"

癸酉,诏:"内外官并以三年为任,治绩著闻者再任。"

辽主在阴山,从者不过四千户,步骑才万馀,犹纳图鲁卜部人额格之妻,以额格为本部节度使。

十一月,丙子,太傅王黼致仕。

黼位元宰,每陪曲宴,亲为俳优鄙贱之役以献笑取悦,太子闻而恶之。黼以郓王楷有宠,阴为画夺宗之计,未成。会帝幸其第观芝,而黼第与梁师成连墙,穿便门往来,帝始悟其与师成交结状,还宫,眷待顿衰。李邦彦素与黼不协,阴结蔡攸共毁之。会中丞何㮚奏黼奸邪专横十五事,遂命致仕,其党胡松年等并免官。

太白昼见。

自蔡京以丰亨豫大之说劝帝,穷极侈靡,久而帑藏空竭,言利之臣,殆析秋毫。宣和以来,王黼专主应奉,括剥横赋,以羡为功,所入虽多,国用日匮。至是宇文粹中上言:"祖宗之时,国计所仰,皆有实数,量入为出,沛然有馀。近年诸局务、应奉司,妄耗百出,若非痛行裁减,虑智者无以善后。"帝然其言。丙戌,诏蔡攸就尚书省置讲议财利司,除茶法已有定制,馀并讲究条上。攸请内侍职掌,事干宫禁,应裁省者,委童贯取旨。由是不急之物,无名之费,颇议裁省。

壬辰,诏:"监司择县令有治绩者保奏,召赴都堂审察录用,毋过三人。"

童贯遣马扩、知保州辛兴宗使宗翰军,〔乙未〕,扩等至云中府。会宗翰已归国,留洛索权元帅,遣人来(论)〔谕〕庭参。扩辞以见人臣无此仪,洛索曰:"谭宣抚时使人庭参我。"扩曰:"谭稹以凡庸不知故常,为朝廷所黜。"数往返辨论。最后,洛索遣高庆裔来曰:"二观察既执旧仪,此亦暂权元帅,不敢辄见。所言交山后事,以国相诣阙,不敢专。兼两朝誓书,各不收纳叛亡,贵朝先失约,虽山后亦难以便交。"扩曰:"职官、富户逃归燕京,乃张毂之罪,本朝已斩首函送。其馀民户,多隐山谷,闻已见者相继遣前,未见者方行根捕。如贵朝言,山后别无经略,及交蔚州复纵军马攻取,若大国每如斯,则两朝和好何时可成!"庆裔曰:"山后疆土已许,谅不食言。但贵朝亦许常敦信誓,前索职官、民户,继踵发来,事无不遂也。"即以牒遣使人回。

贯询扩入境所见，扩曰："金人训习汉儿乡兵，增飞狐、灵丘之戍，数指言张觳，邀索职官、民户，实有包藏，愿太师速营边备。"贯不能用。

辽主从行者举兵乱，护卫太保萧仲恭等击败之。

仲恭性恭谨，能披甲超橐驼。其母梁宋国大长公主，道宗季女也，自青冢逃归，至是以马乏不能进，谓仲恭兄弟曰："汝等尽节国家，勿以我为念。"辽主伤之，命仲恭之弟仲宣留侍公主。仲恭从辽主西奔，公主寻为金所获。

十二月，甲辰朔，诏："太师致仕蔡京领讲议司，听就私第裁处，仍免金书，毋致勤劳。"

诏百官遵行元丰法制。

癸亥，蔡京落致仕，领三省事，五日一赴朝请，至都堂治事。

王黼既罢，白时中、李邦彦作相，京党哄然，以为宰相望轻，朱勔因力劝用京，帝从之。京至是凡四当国，年已八十，目盲不能书字，足蹇不能拜跪。凡京所判，皆季子絛为之，仍代京禁中奏事，于是肆为奸利，赏罚无章。絛妻兄韩桼者，骤用为户部侍郎，密与谋议，贬逐朝士，殆无虚日。絛每造朝，侍从以下皆迎揖，咕嗫耳语，堂吏数十人抱文书以从；遣使四出，诛求采访，喜者令荐之，否则劾之，中外搢绅，无不侧目。先是王黼领应奉司，总四方贡献之物以示权宠。絛复效之，创置宣和库式贡司，中分诸库，如泉货、币帛、服御、玉食、器用等，皆其名也，上自金玉，下及蔬茹，无不笼取，元〔封〕〔丰〕大观库及榷货务见在钱物，皆拘管封桩，为天子私财，时中、邦彦等奉行文书而已。

时河北、山东转粮以给燕山，民力疲困，重以监额科敛，加之连岁凶荒，于是饥兵并起为盗。山东有张万仙者，众至十万；又有张迪者，众至五万；河北有高托山者，号三十万；自馀二三万者，不可胜数。命内侍梁方平讨之。

都城中酒保朱氏女忽生髭，长六七寸，特诏度为道士。

辽置二总管府。

七年　辽保大五年，金天会三年【乙巳，1125】　春，正月，癸酉朔，诏赦两河、京西流民为盗者，仍给复一年。

戊子，金同知宣徽院事韩资正，加尚书左仆射，为诸〔官〕〔宫〕都部署。

癸巳，诏："罢诸路提举常平官属，有罪当黜者以名闻；仍令三省修已废之法。"

遣礼部员外郎邵博送伴金使。

党项舒和伦遣人请辽主临其地，辽主遂趋天德。过沙漠，金兵忽至，辽主徒步出走。近侍进珠帽，却之，乘张仁贵马得脱。至天德，遇雪，无御寒具，护卫太保萧仲恭以貂裘帽进。途次，绝粮，仲恭进麨与枣。欲憩，仲恭即跪坐，倚之假寐；仲恭辇惟啮冰雪以济饥。过天德，至夜，将宿田家，绐曰侦骑，其家知之，乃叩马首，跪而大恸。潜宿其家，居数日，嘉其忠，遥授以节度使。遂趋党项，以舒和伦为西南面招讨使，总知军事。

　二月，甲辰，复置铸钱监。

诏御史察赃吏。

己酉,雨木冰。

庚戌,诏京师运米五十万斛至燕山,令工部侍郎孟揆亲往措置。

壬戌,辽主行至应州新城东六十里,为金将洛索所执,辽亡。

辽主之在夹山也,帝数遣使诱之,往来皆由云中,金人尽知其事。及其走舒和伦帐中,金人以未得天祚,遣使谓童贯曰:"海上元约不得存天祚,彼此得即杀之。而中国违约招徕,今又藏匿不出,我必欲得天祚也。"贯辞以无有。又遣使迫促,语大不逊,贯不得已,遣诸将出境上搜之,曰:"若遇异色目人,不问,便杀以授使人。"会金人自得天祚,事乃息。

壬申,京东转运副使李孝昌言招降群盗张万仙等五万馀人;诏捕官犒赏有差。

初,耶律达实北行三日,过黑水,见白达勒达详衮崇乌鲁,崇乌鲁献马四百,驼二十,羊若干。西至哈屯城,驻北庭都护府,会西鄙七州及十八部王,谕之曰:"我祖宗艰难创业,历世九主,历年二百。金以臣属,逼我国家,残我黎庶,屠翦我州邑,使我天祚皇帝蒙尘于外,日夜痛心疾首。我今仗义而西,翦我仇敌,复我疆宇。惟尔众庶,亦有思共救君父,济生民之难者乎?"遂得精兵五万馀。于是置官吏,立排甲,具器仗,以青牛、白马祭天地、祖宗,整旅而西。先遣书回鹘王必勒哈曰:"吾与尔国非一日之好,今我将西至大食,假道尔国,其勿致疑。"必勒哈得书,即迎至邸,大宴三日。临行,献马、驼、羊,愿质子孙为附庸,送至境外。所过,敌者胜之,降者安之,兵行万里,归者数国,获财畜不可胜计,军势日盛。至塔什干,西域诸国举兵十万,号呼拉沙,来拒战,两军相望二里许。谕将士曰:"彼军虽多而无谋,攻之则首尾不救,我师必胜。"乃遣萧额哩埒、耶律松山等将兵攻其右,萧苏拉布、耶律穆苏等将兵攻其左,自以众攻其中,三军俱进。呼拉沙大败,僵尸数十里。驻军塔什干凡九十日,回回国王来降,贡方物。又西至奇尔爱雅,文武百官册立达实为帝,以是月五日即位,改元延庆,号噶尔汗,复上汉尊号曰天祐皇帝,世谓之西辽。既而追谥其祖曰嗣元皇帝,祖母曰宣义皇后,册元妃萧氏为昭德皇后。

三月,癸酉朔,雨雹。

丙子,金赈奚、契丹新降之民。

辛巳,金建乾元殿。赐完颜洛索铁券。干鲁献传国宝,以玛克实来降,请给印绶。

金始议礼制度,正官名,定服色,兴庠序,设选举,其议皆自宗干发之。

甲申,知海州钱伯言奏招降山东寇贾进等十万人,诏补官有差。

先是,童贯尝问马扩:"常胜军且为患,欲消之,如何?"扩曰:"诚知必尔。然今金人未敢肆而知有所忌者,以有此军也。若遽罢之,且为患,莫若且抚而用之。"贯曰:"其术安在?"扩曰:"今药师之众止三万馀人,多马军武勇。太师诚能于陕西、河东、河北选精锐马步十万,分之为三,择智勇如药师者三人统之,一驻燕山,与药师对,一驻广信军或中山府,一驻雄州或河间府,犬牙相制。使药师之众,进有所依,退有所惮,则金人虽肆,岂能遽前!"贯曰:"善!第十万人未易得,我当徐思之。"

辛丑,贯自太原、真定、瀛、莫入燕山,犒常胜军,奏请河北置四总管,中山辛兴宗,真定王元,河中杨惟忠,大名王育,令招逃卒、游手人为军,从之,盖用扩言也。

夏,四月,丙辰,降德音于京东、河北路。

庚申,蔡京依前太师、鲁国公,致仕。

蔡絛既擅权用事,其兄攸愈嫉之;白时中、李邦彦亦恶絛,乃与攸发絛奸私事。帝怒,诏安置韩梠于黄州,罢絛侍读,提举明道宫,寻又毁絛赐出身敕。时中等欲因以撼京,而京犹未有去志。帝乃命童贯与攸同往取谢事表,京置酒饮贯、攸,酒方行,京泣曰:“上何不容京数年?当有相谗潜者。”贯曰:“不知也。”京又曰:“京衰老宜去,而不忍遽乞身,以上恩未报,此心二公所知也。”时左右闻京并呼攸为公,皆窃笑。京不得已,以章授贯。帝命词臣代为作三表请去,乃降制从之。

复州县免行钱。

戊辰,诏行元丰官制,复尚书令之名,虚而勿授;三公但为阶官,毋领三省事。

五月,丁亥,诏:“诸路帅臣举将校有才略者,监司举守令有政绩者,岁各三人。”

乙未,遣奉议郎舒宸中如金贺生辰,寻改命校书郎卫肤敏。

六月,辛丑朔,诏宗室复著姓。

帝援神宗遗训,能复全燕之境者,胙土,锡以王爵,丙午,封童贯为广阳郡王。

〔己未〕,加蔡攸太保。

戊申,诏:“臣僚辄与内侍来往者论罪。”

辛亥,虑囚。

癸亥,诏:“吏职杂流出身人,毋得陈请改换。”

乙丑,罢减六尚岁贡物。

是月,宝文阁待制刘安世卒。

安世少从学于司马光,平居坐不倾倚,书不草率,不好声色货利,忠孝正直,皆取则于光。除谏官,在职累年,正色立朝,其面折廷诤,或逢盛怒,则执简却立,俟威少霁,复前抗辞;旁列者见之,蓄缩悚汗,目之曰“殿上虎”。年既老,群贤凋丧略尽,岿然独存,以是名望益重。梁师成用事,心服其贤,求得小吏吴默常趋走前后者,使持书啖以即大用,默因劝为子孙计,安世笑曰:“吾若为子孙计,不至是矣。且吾废斥几三十年,未尝有一点墨与权贵。吾欲为元祐全人,见司马光于地下耳。”还其书不答。苏轼尝评元祐人物曰:“器之真铁汉!”器之,安世字也。

秋,七月,庚午朔,诏:“士庶毋以天、王、君、圣为名字。”

壬申,金禁内外官宗室毋私役百姓。

己卯,金主诏:“权势之家毋买贫民为奴,其胁买者,一人偿十五人,诈买者,一人偿二人,杖一百。”

甲申,金括南京官豪牧马,以等第取之,分给诸军。

是月,熙河、兰州、河东地震。熙河有裂数十丈者,兰州尤甚,仓库皆没。

河东义胜军叛。

八月,癸卯,金西南北都统鄂啰以辽主延禧至来流河。甲辰,告于太祖庙。丙午,见金主,遂降封为海滨王。以萧仲恭为忠,甚加礼遇。

壬子,金主命有司拣阅善射勇健之士以备南伐。时宗望言于金主曰:"宋人不还户口,且闻治军燕山,苟不先之,恐为后患。"既而宗翰亦以为言。故南伐之策,宗望实启之。

九月,壬辰,金使李孝和等以天祚成擒来告庆,诏宇文虚中、高世则馆之;其实金将举兵,先使来觇也。时河东奏宗翰至云中,颇经营南下,诏童贯再行宣抚。贯既受诏,未即行。会张孝纯奏金人遣小使至太原,欲见贯,既,议交割云中地,帝颇信之,诏趣贯行无留。

乙未,诏吉州安置聂山,复朝散郎,乘驿赴阙。

时金人欲伐中原,其谋已深,惧我为备,且揣知我必欲云中,故多为好辞以绐我。然谍报已详,于是预谋云中守,蔡攸乃荐山,遂召之。

是月,有狐升御榻而坐。又有都城外鬻菜夫,至宣德门下,忽若迷罔,释荷担,向门戟手,且言云:"太祖皇帝、神宗皇帝使我来道,尚宜速改也。"逻卒捕之,下开封狱,一夕,方省,初不知向者所为。乃于狱中杀之。

清化县榷盐场申燕山府,言金人拥大兵前来,劫掠居民,焚毁庐舍。时宣抚使蔡靖与转运使吕颐浩、李与权等修葺城隍,团结人兵,以为守御之备;使银牌马入奏,兼关合属去处,而大臣谓郊礼在近,匿不以闻,恐碍推恩,奏荐事毕,措置未晚,但以大事委边臣而已。

冬,十月,己亥,赐金告庆使李孝和等宴。

甲辰,金主诏诸将南伐,以安班贝勒杲兼领都元帅,贝勒宗翰兼左副元帅,先锋经略使完颜希尹为右监军,左金吾上将军耶律伊都为右都监,自西京入太原。以六部路军帅达兰为六部路都统,舍音副之。宗望为南路都统,拣摩副之,知枢密院事刘彦宗兼领汉都统,自南京入燕山路。时金人部署已定,而举朝不知,遣使往来,泄泄如平时。

金建太祖庙于西京。

辛亥,赐曾布谥曰文肃。

戊午,罢京畿和籴。

十一月,乙亥,遣使如金回庆。

童贯至太原,马扩、辛兴宗复诣云中,使宗翰军,(论)〔谕〕以得旨且交蔚、应、飞狐、灵丘,馀悉还金,仍觇其国有无南侵意。

扩等至军前,宗翰严兵以待,趣扩等庭参,如见金主礼。礼毕,首议山后事。宗翰曰:"先帝与赵皇交好,各立誓书,万世无毁。不谓贵朝违约,阴纳张瑴,收燕京逃去官民,本朝屡牒追还,第以虚文见绐,今当略辨是非。"扩曰:"本朝缘谭稹昧大计,轻从张瑴之请,上深悔之。愿国相存旧好,不以前事置胸中,乞且交蔚、应、飞狐、灵丘之地。"宗翰笑曰:"汝尚欲此两州、两县邪?山前、山后,皆我家地,复何论!汝家州县消数城来,可赎罪也。汝辈可即辞,吾自遣人至宣抚司矣。"

金人自擒天祚之后,欲南下,意尚犹豫。会隆德府义胜军二千人叛降于金,具言中国虚实;又,易州常胜军首领韩民义怨守臣辛综,率五百馀人见宗翰曰:"常胜军惟郭药师有南向心,如张令徽、刘舜臣之徒,以张瑴故皆觖望。"由是刘彦宗、耶律伊都辈力劝金人,言南朝可图,仍不必用众,因粮就兵可也,故宗翰决意南伐而有是言。翼日,馆中供具良厚,萨里穆尔笑谓马扩曰:"待使人止此回矣。"

金宗望请于金主曰:"拣摩于臣为叔父,请以拣摩为都统,臣监战事。"金主从之,以宗望监拣摩、刘彦宗两军战事。

丙戌,祀圜丘,赦天下。

庚寅,以保静军节度使种师道为河东、河北路制置使。

十二月,戊戌,金人破檀州。

己亥,马扩等自云中回,至太原,以宗翰所言告。童贯惊曰:"金人初立国,遽敢作如许事!"扩曰:"北人深憾本朝结纳张毅,又为契丹亡国之臣所激,必谋报复。扩固尝关白,独未蒙信听耳,今犹可速作堤防。"然贯先已阴怀遁归意矣。

金人破蓟州。

朝廷以故事遣吏部员外郎傅察迎金贺正旦使于玉田县。时金已渝盟,或劝毋遽行,察曰:"受使以出,闻难而止,若君命何!"遂行。遇宗望,促之使拜,白刃如林,或捽之伏地,衣袂颠倒,愈植立不顾,曰:"我有死而已,膝不可屈也。"遂杀之。察,尧俞从孙也,仓卒殉义。将官武汉英识其尸焚之,裹其骨,命虎翼卒沙立负以归。立至涿州,金人得而系诸土室,凡两月,伺守者怠,毁垣出,归,以骨付其家。

壬寅,金使王介儒、萨里穆尔至太原,出所赍书,说张毅渝盟等事,其语倨甚。童贯厚礼之,曰:"如此大事,何不素告我?"萨里穆尔曰:"军已兴,何用告为!国相军自河东路入,太子军自燕京路入,不戮一人,止传檄而定耳。"马扩曰:"兵凶器,天道厌之。贵朝灭契丹,亦藉本朝之力。今一旦渝盟,举兵相向,岂不顾南朝积累之国,若稍饬边备,安能遽敌耶!"萨里穆尔曰:"国家若以贵朝可惮,则不长驱矣。移牒且来,公必见之。莫若遣童大王速割河东、河北,以大河为界,存宋朝宗社,乃至诚报国也。"

贯闻之,忧懑不知所为,即与参谋宇文虚中等谋赴阙禀议,知太原府张孝纯止之曰:"金人渝盟,大王当会诸路将士,竭力支吾。今大王去,人心必摇,是弃河东与金也。河东既失,河北岂可保邪!愿少留,共图报国。兼太原地险城坚,人亦习战,未必金便能克也。"贯曰:"贯受命宣抚,非守土也。必欲留贯,置帅臣何为!"乙巳,遂逃归京师。孝纯叹曰:"平生童太师作几许威望,及临事,乃蓄缩畏慑,奉头鼠窜,何面目见天子乎!"

初,郭药师与詹度同职,自以节钺,欲居度上,度以御笔所书有序,不从。常胜军士横暴,度不能制。朝廷虑其交恶,命蔡靖代度。靖至,坦怀待之,药师亦重靖,稍为抑损。而知燕山府王安中,但谄事之,宰相亦曲徇其意,所请无不从。于是良械精甲,药师令其部曲持以贸易于它道,为奇巧之物以奉权贵官侍,誉言日闻于帝。遂专制一路,增募兵,号三十万,而不改契丹服饰。朝论颇以为疑虑,进拜太尉,召之入朝,药师辞不至。帝令童贯行边,阴察其去就,欲挟之偕来。贯至,药师迎于易州,再拜帐下。贯避之,曰:"汝今为太尉,位视二府,与我等耳,此礼何为!"药师曰:"太师,父也。药师唯拜我父,焉知其它!"贯释然。遂邀贯视师,至于迥野,略无人迹;药师下马,当贯前掉旗一挥,俄顷,四山铁骑耀日,莫测其数,贯众皆失色。归为帝言，药师必能抗北；蔡攸亦从中力主之，谓其可倚。故内地不复防制，屡有告变及得其通金国书，宰相辄不省。詹度亦言药师瞻视非常，趋向怀异，始诏遣官究实，而金兵已南下。

宗望至三河，靖遣药师及张令徽、刘舜仁帅师四万五千迎战于白河，败绩而还。宗望至燕山，药师率军郊迎之，执靖及都转运使吕颐浩、副使李与权以降。于是燕山府所属州县，皆为金有。宗望既得药师，益知虚实，因以为乡导，悬军深入矣。

初，宣抚司招燕、云之民，置之内地，如义胜军等，皆山后汉儿也，实勇悍可用。其在河东者(纳)〔约〕十万馀人，官给钱米，虽诸司不许支用者亦听之。久之，仓廪不足，以饥而怒，官军又辄骂辱，其心益贰，俟衅且发。至是金人南侵朔、武之境，朔州守将孙翊者，勇而忠，出与之战，未决，汉儿开门献于金。至武州，汉儿亦为内应，遂失朔、武。长驱至代州，守将李嗣本率兵拒守，汉儿又擒嗣本以降，遂破代州。及至忻州，州守贺权开门张乐以迓之。宗翰大喜，下令兵不入城。

己酉，知中山府詹度奏金人分道南下。是月，连三奏至京师，朝廷失色。

辛亥，金宗望引兵向阙，令所过州县毋得擅行诛戮。

乙卯，宗望攻保州、安肃军，不克。

丁巳，皇太子除开封牧，罢修蕃衍北宅，令诸王子分居十位。

戊午，金人围中山府，詹度御之。

是日，皇太子入朝，赐排方玉带。排方玉带非臣下所当服也，帝时已有内禅意矣。

己未，下诏罪己，其略曰：“言路壅蔽，导谀日闻，恩幸持权，贪饕得志。搢绅贤能，陷于党籍；政事兴废，拘于纪年。赋敛竭生民之财，戍役困军伍之力；多作无益，侈靡成风。利源酤榷已尽，而谋利者尚肆诛求；诸军衣粮不时，而冗食者坐享富贵。灾异谪见而朕不悟，众庶怨恧而朕不知，追惟己愆，悔之何及！”诏，宇文虚中所草也。又令中外直言极谏，郡邑率师勤王；募草泽异才，有能出奇计及使疆外者；诸局及西城所见管钱物，并付有司；其拘收到元系百姓地土，并给还旧佃人；减掖庭用度、侍从官以上月廪；罢道官并宫观拨赐田土，及大晟府、教乐所、行幸局、采石所；凡厘革弊端数十事。诏草既进，帝览之，曰：“一一可便施行，今日不吝改过。”虚中再拜泣下，同列尚有犹豫者。初，童贯得金茹越(塞)〔寨〕牒，及开拆，乃檄文，言多指斥，贯不敢奏。至是诏草数改易，未欲下也；李邦彦谓不若进此以激圣心，从之。帝果涕下无语，但曰“休休”，内禅之意遂决。

遣通直郎李邺使金，告以将内禅，且求和。

初，童贯既归自太原，金人又遣两使来，大臣不敢引见。帝遂创小使之礼，令大臣见之于尚书省厅事。才就位，遂大声曰：“皇帝已命国相与太子郎君吊民伐罪，大军两路俱入。”白时中、李邦彦与蔡攸等，俱失色不敢答。徐问：“如何可告缓师者?”使人因大言曰：“不过割地称臣耳。”大臣又俱失色不敢答，遂议厚其礼而遣之。攸弟修说攸曰：“此觇我耳。宜以行人失辞而斩其使而使彼闚测。不然，且囚之，不可使知吾情实。”攸不听。盖与执政议，恐激其兵之速也。

邺奉使,丐金三万两,而朝廷颇难之,遂出祖宗内帑金瓮二,各五十两,命书艺局销镕为金字牌子以授邺。

先是有旨幸淮、浙,诏集从臣赴都堂问计。给事中直学士院吴敏入对于玉华阁下,曰:"愿请间。"帝顾群臣少却立。敏曰:"金人渝盟,陛下何以待之?"帝蹙然曰:"奈何?"时东幸计已定,诏除户部尚书李棁守建康。敏率给舍诣都堂曰:"朝廷便为弃京师,计何左也!此命果行,虽死不奉诏。"棁遂罢行。

及太子除开封牧,帝去意益急。敏于是奏曰:"闻陛下巡幸之计已决,有之乎?"帝未应。敏曰:"以臣计之,今京师闻金大入,人情震动,有欲出奔者,有欲守者,有欲因而反者,以三种人共守,一国必破。"帝曰:"然,奈何?"敏曰:"陛下定计巡幸,万一守者不固,则行者必不达。"帝曰:"正忧此。"敏曰:"陛下使守者威福足以专用其人,则守必固;守固,则行者达矣。"帝稍开纳。敏曰:"陛下能定计,事当不过三日。过三日,守者势未定,威福未行,金人至,无益也。"时金已越中山而南,计程十日可至畿甸,故敏以三日为期。帝嘉许。

敏遂以札子荐太常少卿李纲曰:"纲明隽刚正,忠义许国,自言有奇计长策,愿得召见。"盖纲尝在敏家,为敏言,上宜传位如天宝故事,与敏意合,故荐之。帝令纲来日候对于文字外库。先是纲上御戎五策,曰正己以收人心,听言以收士用,蓄财谷以足军储,审号令以尊国势,施惠泽以弭民怨,因谓敏曰:"敌势猖獗,非传位太子,不足以招徕天下豪杰。"敏曰:"监国可乎?"纲曰:"肃宗建号之义,不出于明皇,后世惜之。主上聪明仁恕,公言万一得行,将见金人悔祸,宗社底宁,天下受其赐。"翼日,复刺臂血,上疏请之。

帝乃除敏门下侍郎,辅太子。谓蔡攸曰:"我平日性刚,不意金人敢尔!"因握攸手,忽气塞不省,坠御床下。宰执亟呼左右扶举,仅得就宣和殿之东郊。群臣共议,一再进汤药,俄少苏,因举臂索纸笔,书曰:"皇太子可即皇帝位,予以教主道君退处龙德宫。可呼吴敏来作诏。"敏承命,以诏草进,帝左书其尾曰:"依此,甚慰怀。"

以宇文虚中为保和殿大学士、河北东路宣谕使。

虚中初为童贯参议官,以庙谟失策,主帅非人,将有纳侮自焚之祸,上书极言,王黼大怒;又累建防边策议,皆不报。及金兵南下,虚中随贯还朝,劝帝下罪己之诏以感动人心。至是召熙河经略使姚古、秦凤经略使种师道,令以本路兵会郑、洛,外援河阳,内卫京城。遂命虚中宣谕,使护其军。虚中以檄召古、师道,令直赴汴京应援。

庚申,下诏内禅,皇太子即位于福宁殿。

辛酉,(如)〔始〕御崇政殿。太宰白时中率百官入贺。日有五色晕,挟赤黄珥,又有重日相荡摩,久之乃隐。尊帝为教主道君皇帝。

是日,金人攻庆源府。

壬戌,大赦天下,常赦所不原者咸除之。百官进官一等,赏诸军有差。翰林学士王孝迪实草赦文,而不著上自东宫传位之意,四方多以为疑,士论非之。

立妃朱氏为皇后。

以耿南仲金书枢密院事。南仲,帝东宫旧僚也。

癸亥，诏遣何灌将兵二万，同梁方平守浚州河桥，以金兵渐逼故也。军士行者，往往上马辄以两手捉鞍，不能施放，人皆笑之。

甲子，太学生陈东等伏阙上书，乞诛蔡京、王黼、童贯、梁师成、李彦、朱勔六贼，大略言："今日之事，蔡京坏乱于前，梁师成阴谋于内，李彦结怨于西北，朱勔结怨于东南，王黼、童贯又从而结怨于二国，败祖宗之盟，失中国之信，创开边隙，使天下危如丝发。此六贼异名同罪，伏愿陛下擒此六贼，肆诸市朝，传首四方，以谢天下。"

是月，金宗望破信德府，宗翰围太原府。诏京东、淮西募兵入卫。

燕山都监武汉英从宗望南伐，见金得中国人，皆不杀。行将至真定，汉英说之曰："某犹不知大国用兵之意，况中国之人乎！是宜其不降。今睹所擒获皆不杀，人安得户晓！谓如某等使得谕之，则河北坚城，可不战而下也。"宗望喜，乃多出文榜，命汉英出塞，俾诱谕诸部。汉英遂径走阙下，具以其情告于朝曰："金人之谋深矣，谓中国独西兵可用耳。今以宗翰一军下太原，取洛阳，要绝西兵援路，且防天子幸蜀；宗望一军下燕山、真定，直掩东都。二军相会而后逞其大欲，未知何以御之？"时方内禅，而汉英适至，大臣愦眊，益犹豫，战避之议皆未决。

丙寅，上道君皇帝尊号曰教主道君太上皇帝，居龙德宫；皇后曰道君太上皇后，居撷景西园。上皇将出居龙德，宰执率百官起居，皆恸哭，上皇亦出涕。因谕群臣曰："内侍皆来言此举错，浮议可畏。"吴敏曰："言错者谁，愿斩一人以厉其馀。"上皇曰："众杂至，不可记也。"又曰："皇帝之上，岂容更有它称，乃有欲称嗣君者！"仍密谕李邦彦曰："师成也。"乃以邦彦为龙德宫使，蔡攸副之。

诏改明年元日靖康。

太常少卿李纲上封事，言："陛下履位之初，当上应天心，下顺人欲，攘除外患，使中国之势尊，诛锄内奸，使君子之道长，以副太上皇帝付托之意。"乙丑，召对于延和殿。翼日，除兵部侍郎。

纲初得觐，帝迎谓曰："卿顷论水灾章疏，朕在东宫见之，至今犹能诵忆。"纲叙谢讫，因奏曰："今金兵先声虽若可畏，然闻有内禅之意，事势必消缩请和，厚有所邀求于朝廷。臣窃料之，大概有五：欲称尊号，一也；欲得归朝人，二也；欲增岁币，三也；欲求犒师之物，四也；欲割疆土，五也。欲称尊号，如契丹故事，当法以大事小之意，不足惜；欲得归朝人，当尽以与之，以示大信，不足惜；欲增岁币，遂告以旧约全归燕、云，故岁币视辽增两倍，今既背约自取之，则岁币当减，国家敦示旧好，不校货财，姑如元数可也；欲求犒师之物，当量力以与之；至于疆土，则祖宗之地，子孙当以死守，不得以尺寸与人。愿陛下留神于此数者，执之至坚，勿为浮议所摇，可无后艰也。"并陈所以御敌固守之策，帝皆嘉纳之，遂有此命。

【译文】

宋纪九十五　起癸卯年（公元 1123 年）四月，止乙巳年（公元 1125 年）十二月，共二年有余。

宣和五年　辽保大三年，金天辅七年，九月后为天会元年（公元 1123 年）

夏季，四月，丁亥（初四），金国主派遣宗望、鄂啰在阴山袭击辽国主。

壬辰（初九），金国派遣杨璞为使臣，带着保证文书，将燕京及涿、易、檀、顺、景、蓟六州送来归还。

辽国耶律达实停驻在龙门东部，金国都统鄂啰派遣洛索等去攻打，活捉耶律达实。耶律纠坚在兴中府聚集兵众，也被金军攻破，耶律纠坚自杀。宗望、鄂啰听说辽国主在青冢留下军事物资，以万人兵力围攻青冢。戊戌（十五日），辽国太保特默格挟梁王雅里逃跑。秦王、许王、各妃子、公主、随从大臣都落入金军手中。

庚子（十七日），童贯、蔡攸进入燕山府。燕地的金帛、男子女子、官员、百姓民户，都被金人席卷东去，损失岁币数百万，所得到的只是一座空城罢了。

有人告诉燕人说："让你们东迁，并非是金人的意思，南朝留有常胜军，贪图你们田地房屋，欲供他们使用罢了。"燕人都埋怨，因而劝说宗翰不应当将全部燕地交给南朝。宗翰因此想只交割涿、易两州，金国主说："海上的盟约是不应该忘记的。日后你们自己去谋取吧。"

壬寅（十九日），金国宗望押送燕山地图来到。当初想要童贯、蔡攸跪拜接受，马扩、姚平仲一起开导，才作罢。童贯、蔡攸赠送大批礼物给他们然后返回。

乙巳（二十二日），童贯上奏安抚平定燕城。丙午（二十三日），王黼等上表祝贺。

戊申（二十五日），金国使臣杨璞和卢益、赵良嗣等到达，带着国书以及保证书进呈。赵良嗣私下对人说："只能保护三年罢了。"当时朝廷上下都知道金人肯定会背弃盟约，却不敢说出。

庚戌（二十七日），特赦河北、河东、燕、云路。

当时云中路还未得到，而赦令已先发出。后来又得到武、朔、蔚三州，不久又失去，战争由此开始。

辛亥（二十八日），童贯、蔡攸自燕山班师回朝。

祥龙石图　宋徽宗

金国派遣人招降辽国主，要求归附，辽国主复书请求讲和。随即金人将辽国宗族亲属及军事物资向东押送，辽国主对全部宗族被俘感到愤怒，以五千余人的兵力在白水泺决战，金宗望以千余兵力击败辽军。辽国主相距金兵只有百来步,逃走了,金兵俘获赵王实讷堮及辽主印玺。追击二十余里,缴获其随从马匹,献辽主印玺到金国主临时停驻处,金国主隆重地给各元帅记功,加以赏赐。辽国主派人送龟纽金印伪装投降,宗望接受了,看金印印文,原来是燕国王的印玺。宗望再写书信招降辽国主,并用石晋、北燕的往事开导他。

辽国主逃往云内州,统御的力量薄弱,特默格挟制梁王雅里骑马赶来,跟从的约千余人。辽国主担心特默格搞兵变,想杀他,责备他不能尽力救下各王,将审讯他,持剑召问雅里:"特默格教你做什么?"雅里回答说:"没有说什么。"才放了他。

五月,己未(初七),因为收复燕州、云州,赏赐给王黼玉带;庚申(初八),晋升王黼为太傅,总管三省事务。任命郑居中为太保,晋升宰执官二等。癸亥(十一日),童贯交还兵权,晋封为徐豫国公,任命蔡攸为少师,任命赵良嗣为延康殿学士。郑居中自陈没有功,不拜受。

夏国主乾顺派使臣请辽国主到夏国,辽国主答应了,中军都统萧迪里等恳切劝谏,不被采纳。于是渡过黄河,驻扎在金肃军北部,派使臣封乾顺为夏国皇帝。人心惶恐,不知道做什么。迪里私下对耶律元直说:"事情到了这样,百姓人心涣散,正是我们尽忠节的时候。不早定下主张,国家怎么办!"于是就共同挟制梁王雅里逃往西北部,三天后,立雅里为皇帝,改年号为神历,任命迪里为枢密使,特默格为枢密尉使。

雅里性情宽厚,厌恶杀人,俘获逃亡的人,只鞭打而已,自行归附的人即给以官职。

金国宗望前往天德,听说了夏国人迎接保护辽国主。辽国主已渡过黄河,于是送书信给夏国,请押送回辽国主,并且答应割给土地。

左企弓等人被金人带着和燕人一起东迁,颠沛流离,苦不堪言,过平州时,就进城向张毂说:"左企弓不能守住燕地,使百姓落到如此地步。您现在镇守要镇,握有重兵,向辽国尽忠,免除我们东迁的人,除了您还能有谁!"张毂于是召集属官商议,都说:"听说天祚皇帝势力重新振作,出没漠南一带,您能仗义勤王,迎接天祚皇帝图谋恢复大业,先责备左企弓等叛国之罪而杀掉他们,全部归还燕地百姓,使他们恢复生业,而将平州归顺宋朝,那么宋朝没有不接纳的,平州就成为藩镇了。即使日后金国人进攻,内用营州、平州的兵力,外借宋朝的援助,又有什么惧怕的呢!"张毂说:"这是重大事情,应当仔细筹划。"认为翰林学士李石聪明智慧,召见询问他,李石认为应当如此。于是拘捕两府左企弓、虞仲文、曹勇义、康公弼,到滦河以西,列数其罪状说:"天祚皇帝流亡到迁山,不马上迎接,这是第一条;劝皇叔秦晋王僭称帝号,这是第二条;诋毁君王,降封为湘阴王,这是第三条;天祚皇帝派官员来商议政事而杀死他,这是第四条;讨伐文书刚到,有迎接秦晋王而拒绝湘阴王的提议,这是第五条;不守卫燕地却投降,这是第六条;臣服金国,这是第七条;搜刮燕地财物取悦金人,这是第八条;使燕地百姓迁移失去生业,这是第九条;指点金军先攻下平州,这是第十条。你们有十条罪状,诛杀都不足抵罪。"左企弓等无言以对,都被绞死。仍然用辽保大三年年号,画天祚皇帝像,早晚拜谒,有事一定先对画像禀告然后再做,用辽职官称号。不久又张榜晓谕燕地百姓,让各自如以前一样相安,被常胜军所占的田地、房屋都发还百姓。燕地百姓极为高兴,经常南来京城。

　　李石改名李安弼,与原名为高履的三司使高党,到燕地劝说王安中说,:"平州是地理形势优越的地方,张毅又有文武全才,足以抗御金人,安定燕地,从速招来,不要让他西迎天祚皇帝,北面联合萧干。"王安中完全采纳这个建议,命令李安弼、高党前往朝中报告。皇上将手谕交给詹度,只让牵制张毅。而詹度促使张毅归服,张毅于是派人带着书信前来请求投降。王黼劝皇上接受他们,赵良嗣劝谏说:"我国刚与金国结盟,这样做一定会失去金人欢心,以后悔之莫及。"不被采纳,赵良嗣因此削去五阶官职。朝廷又闻报迁徙的百姓得以归来,立即下令王安中、詹度关照择录士大夫中可任用的人,免去老百姓三年田租。张毅听说此事,极为高兴,于是决定表达诚意。

　　乙丑(十三日),皇帝下诏令:"正位三公立于本班,佩带节钺如兼任其他职务的仍然立于旧班。此为命令。"

　　癸酉(二十一日),在方泽祭地。

　　和勒博向南侵犯燕地,在景州、蓟州之间被打败,士众奔逃溃散,耶律裕古泽等杀掉他们。奚人陆续归附金国,金人分别设置明安、穆昆统领他们。

　　六月,壬午朔(初一),金国主停驻鸳鸯泺。

　　丙戌(初五),张毅派人到安抚司献纳土地。金人听说张毅背叛,派遣拣摩率领骑兵二千人来讨伐,张毅率兵抵御,在营州相持。金兵因为兵力少,没有交锋就退回,在州门上写很大的字,有"今冬再来"之类的话,张毅马上向宣抚司谎报胜利。

　　乙未(十四日),皇上下诏令:"今后内外宗室,都不称姓。"

　　丙申(十五日),金国主有病,回到上京,任命宗翰为都统,完颜昱及斡鲁为副都统,驻扎在云中以防备边境。随即招皇弟安班贝勒完颜晟到皇帝停驻地。

　　戊申(二十七日),领枢密院郑居中去世。辛亥(三十日),任命蔡攸领枢密院。

　　秋季,七月,戊午(初七),任命梁师成为少保。

　　童贯、蔡攸从燕山归来,很不受皇上喜欢。王黼、梁师成于是推荐谭稹为宣抚使。同一天,起用谭稹为河东、燕山府路兼河北路宣抚使,命令驻扎在河东,办理交割金国所答应的山后土地。己未(初八),下诏童贯依照前任太师、神霄宫使职位,退休。

　　己酉(疑误),金国主停驻牛山;宗翰回到军队总部。

　　庚午(十九日),王黼等给徽宗上继天兴道敷文成武睿明皇帝尊号,不被允许。

　　八月,辛巳朔(初一),出现日食。

　　乙未(十五日),郭药师在峰山大败萧干。

　　燕京已经陷落,萧干在奚王府自立为神圣皇帝,国号大奚,改年号天嗣。当时奚人饥荒,萧干出兵卢龙岭,攻下景州,又在石门镇打败常胜军张令徽、刘舜臣部,攻陷蓟州,侵犯掳掠燕城,锋芒锐利,有渡黄河侵犯京城的意图,人心纷乱,很有放弃燕地的想法,童贯从京城送文书给王安中、詹度、郭药师等,严厉地责备他们。接着王安中命令郭药师出击打败萧干兵众,乘胜猛追,追过卢龙岭,歼灭大半,随军的家属,全部被常胜军获得,招降奚、渤海人五千余人,活捉阿噜,获得辽太宗尊号的宝检、契丹的涂金印等物。萧干逃走,不久被他的部下巴尔达克杀掉,首级送往河间府,詹度将首级上送。

乙未(十五日),金国主停驻浑河北部,皇弟安班贝勒完颜晟率领宗族及百官拜谒。

辛丑(二十一日),命令王安中作《复燕云碑》。

壬寅(二十二日),太白星白天出现。

戊申(二十八日),金国主在行宫死去,年五十六岁。后来上尊谥号称武元皇帝,庙号太祖。

金太祖豁达大度,知人善任,人们也乐于为他效力,用兵数年,没有失算之处,因而成就了帝王大业。

九月,癸丑(初三),金太祖遗体到达上京,葬在宫城西南宁神殿。贝勒完颜杲、郓王完颜昂及完颜宗峻、完颜宗干率领宗族及文武官员请安班贝勒完颜晟即皇位,完颜晟不应允;坚决请求,还是不应允。完颜宗干率领各族弟将赭色袍子披在完颜晟身上,将皇帝印玺放在完颜晟怀中。丙辰(初六),完颜晟即皇帝位。己未(初九),祭告天地。

金太祖阿骨达陵

辛酉(十一日),在明堂举行隆重祭献仪式。

丙寅(十六日),金国大赦天下,改天辅七年为天会元年。

癸酉(二十三日),金国皇帝命令发放春州粮食,救济投降迁到上京的人。戊寅(二十八日),下诏命令各明安赈济内地缺粮的地方。

辽国耶律达实已被金军擒获,临到作战时,就以绳索系住臂膀,让他作前导。本月,耶律达实又逃脱回到辽国。

冬季,十月,乙酉(初六),下雨后树上结冰棱。

壬辰(十三日),金国皇帝授给都统宗翰空白宣头一百道,允许他相机行事。

己亥(二十日),金国上京的僧侣进献佛骨,金国皇帝拒绝了。

壬寅(二十三日),罢免负责各路提举常平事务不称职的人。

本月,京师发生地震。

诏令改建平州为泰宁军,任命张毂为节度使,可以世袭平州官职,他的僚属卫甫、赵仁彦、张敦固都提升为徽猷阁待制;命令李安弼带着诏书回到平州,仍然将皇上用金花笺写的文书交给张毂之弟,命他当面授予张毂。

辽国耶律雅里初自立为皇帝时,喜欢拿《贞观政要》及林牙耶律资忠所做的《治国诗》,命令侍从读诵。曾经命令向百姓少征赋税,说:"百姓有就是我有,否则百姓何以承受得起!"一时间为人一致称道。统军托卜嘉等带领士众前来归附,自此各部相继前来。而耶律雅里日渐荒废政务,喜好踢球,因为特默格恳切劝谏才停止。不久因出猎过于劳累病死,萧迪里被乱兵杀死,特默格依附金国。

十一月,乙卯(初六),任命郑绅为太师。

癸亥(十四日),下诏命令国子监刊印皇上注释的《冲虚至德真经》,颁发给研究者,是采纳了祭酒蒋在诚的请求。

丙寅(十七日),皇帝亲临王黼宅第观看灵芝。皇帝从侧门经过梁师成家,再来到王黼的宅第,因为喝得大醉,不能讲话。深夜,刻漏指到五刻,才打开龙德宫的小门过去,内廷侍卫十多人带兵器迎接。当夜,各班禁兵都集中在教场,以备不测,差点发生变乱。次日,皇上还不能上殿。半天以后,人心略为安定。

各路漕臣因为犯了上供钱物不足的罪,有二十二人被降级。

丁卯(十八日),王安中、谭稹加任检校少傅,郭药师为太尉。

壬申(二十三日),王黼的子弟亲属按级次给予恩赏。

本月,金国派遣宗望督令拣摩攻打平州。正逢张毂听说朝廷的命令将到,极为高兴,率领官吏到城外迎旨。金人侦察这个情况,用千名骑兵袭击攻下平州,获得朝廷所发下的诏书圣旨。张毂脱身逃走,想从小路回京师。他的弟弟怀揣皇上的文书刚想逃往燕山,因为他们的母亲被金军捉到,又前往投奔,而张毂的母亲及妻子已被金军杀掉,并缴获了张毂弟弟怀中的皇帝亲笔文书,金人大为恼怒。张毂逃到燕山,郭药师留下他,隐姓埋名,生活在常胜军中。全军累次发文到宋宣抚司索要张毂,宣抚司向上报告,朝廷起初不想送遣。金人索要更加急迫,王安中找到相貌像张毂的人,斩首送去,金人说:"不是张毂。"于是要用兵攻打燕地。王安中说:"一定不送遣,恐怕造成战争。"朝廷不得已,令王安中绞死张毂,函装首级,连同张毂的两个儿子送给金军。燕地降将以及常胜军士卒都哭了。郭药师说:"金人要张毂就交给他,如果要郭药师,也给他吗?"王安中害怕了,因而坚决请求免职,任命为玉清宝箓宫使,任命蔡靖知燕山府。张令徽等因此切齿痛恨,而常胜军也解体了。

十二月,辛巳(初二),金国免去民间借贷官府物资的利息。下诏因为咸州以南,苏、复州以北,年成不好,应该向南京输送的军粮,予以免除。

甲午(十五日),金国皇帝下诏说:"近来听说民间粮食缺乏,以至有卖儿子的,这种情况听任丁力相等的人家赎回。"

同日,任命古论贝勒呆为安班贝勒,任命宗干为国论贝勒。派李靖来宋报丧。

乙巳(二十六日),金国使臣高居庆、杨意前来祝贺新年。当时向金请求归还以后各州,金国皇帝刚即位,将要答应此事。宗翰从云中来到,对金国皇帝说:"先帝当初谋求宋协力攻打辽国,所以答应给予燕地。宋人已经签盟约后,又请增加岁币而提出对山西各镇的要求,先帝拒绝他们的岁币而又与他们约定说:'不要隐匿逃来的人,不要干扰边境之民。'现在宋朝各路收留叛逃的人,多次提供姓名索要而不肯送回。订盟约不到一年,现在就这样,想万世遵守盟约,还有指望吗!况且西部边地不安宁,交割山西各郡,那么各军就失去了屯驻的根据地,将有经营谋划,也就难以维持长久,请不要给他们。"金国皇帝于是派遣使者,停止将武、朔二州归还。

这一年,秦、凤地区出现干旱,河北、京东、淮南闹饥荒,派遣官员前往赈济。

宣和六年 辽保大四年,金天会二年(公元 1124 年)

春季,正月,癸丑(初四),派太常少卿连南夫陪送金国使臣回国,不久兼任祭奠吊慰使。

甲寅(初五),金国皇帝授给宗望空白宣头五十、银牌十道。

戊午(初九),设置书艺所。

癸亥(十四日),安放萧干的首级在太社。

金国因东京近年收成不好,诏令减免田租、市租的一半。

庚午(二十一日),被勒令停职的人蔡僚复职为朝奉郎,提举明道宫。

癸酉(二十四日),皇上亲临内东门,为金国皇帝完颜旻依礼穿丧服。

甲戌(二十五日),西夏国向金国称臣,金国将下寨以北,阴山以南,伊实伊喇图鲁以西的土地给予西夏。

丁丑(二十八日),金国开始从它的京师到南京,每五十里设驿站。

辽国主奔往都统玛格的军队中,金军来攻打,辽军放弃军营北逃,玛格被捉住。玛克实来迎奉辽国主,进献马、骆驼和羊,又率领部族人保卫。当时随从的人缺粮好几天,用衣服换羊。到达乌古迪里部,任命都检点萧伊苏为知北院枢密使事,封玛克实为神裕悦王。

二月,金国主下诏命令保护辽国各皇帝陵寝,有盗掘的人处以死罪。庚寅(十二日),给宗翰提供马匹,命令救济新依附的百姓。

己亥(二十一日),徽宗皇帝亲自耕种籍田。

丙午(二十八日),下诏说:"从今以后没有经历台阁、寺监、监司、郡守、开封府曹官职的人,不得担任郎官、卿、监官职。此令。"

尚书左丞李邦彦因为父丧离职。

金将宗望请求增加兵力,金国皇帝令有关部门选精兵五千人给他。

丁未(二十九日),金国皇帝向宗望宣布说:"凡南京留守及各缺职,可选有功勋、贤达并众望所归的人拟定记载,提供姓名职级上报。"

辽国耶律约索等十人谋反,服罪被杀。

三月,己酉朔(初一),任命钱景臻为少师。

金国派使者到宋宣抚司,索要赵良嗣所答应的二十万石粮食。谭稹说:"二十万石不容易弄到,说赵良嗣所答应的,何足为据!"于是不给。金国人很恼怒,等到用兵,也以此为借口。

庚戌(初二),金国宗望请选派优秀的官员招徕安抚迁州、润州、来州、隰州的百姓中保有山寨的,予以采纳。

己未(十一日),宗望因为南京反复无常,凡是攻取的谋略,请求与知枢密院事刘彦宗共同裁决。

辛未(二十三日),西夏国王李乾顺向金国进献盟誓文书。

闰月,戊寅朔(初一),金国赐给西夏国盟誓的诏书。

辛巳(初四),皇后亲自参与蚕桑之事。

京师、河东、陕西发生地震,宫殿门都摇动发出声响,河东、陕西尤其严重,兰州好多山上的草木都陷入地下,而山下的麦苗都到了山上。诏命右司郎中黄潜善巡察,黄潜善没按实际情况报告,皇帝心意才安宁。提升黄潜善为户部侍郎。

夏季,四月,己酉(初二),金国赈济上京路、西北路投降的人以及新迁往岭东的人。

癸丑(初六),赐给礼部上奏提名的进士及第、出身八百零五人。

丁巳(初十),重新起用李邦彦为尚书左丞。

戊午(十一日),金国将修筑的上京新城命名为会平州。

五月,癸卯(二十七日),金国使者前来通告新国主继位。

癸未(疑误),金国主下诏说:"新投降的百姓,告状的很多,现在正是农忙时,也可能耽误农田作业,可等到农闲时听候决断。"

金国人已经修筑平州城作为南京,不久,州中的人拥戴都统张敦固据城抗拒金人。本月,拣摩攻克南京,杀掉张敦固。

自从得到燕地,调用全部河北、河东、山东路民力前往供给官兵,大约十数石运到一石,才一年,三路民力都困乏。六月,壬子(初七),诏令西京、淮、浙、江、湖、四川、闽、广等地安排调动男子各数十万,并规定免夫役钱,每人折三十贯,委派曹臣限期督办,违者按军法处理,是采纳了王黼的建议。不久又诏令宗室、戚里、宰执之家以及宫观、寺院,一律都分摊,像这样向天下普遍征收,才得到二千万缗,而与四海百姓结下怨恨。

秋季,七月,壬午(初七),金国皇子完颜宗峻去世,他是金太祖的嫡子。

丙戌(十一日),金国禁止外域使者随从太多的人。

戊子(十三日),派遣著作佐郎许亢宗等到金国祝贺皇帝继位。

丁酉(二十二日),下诏说:"所有皇帝御笔决断的罪状,不准到尚书省陈诉改正。"

王黼说:"最近得到方士有关玑衡方面的书,足以观察七政。"甲辰(二十九日),诏令设置玑衡所,任命王黼以及梁师成主持。

辽国主得到耶律达实的兵力后,到居住在古迪里部时,又得到玛克实的兵力,自称有天助,再次谋划出兵收复燕、云等地。耶律达实劝谏说:"先前有全部军队不考虑备战,使全国都被金占有。国家形势到这个地步,而才谋划作战,不是好计策。应当养兵等待时机出击,不能轻易。"辽国主不听从,耶律达实于是杀知北枢密事萧伊实以及博勒果,自立为王,率领铁骑三百人晚上逃走。

宋徽宗派遣校书郎卫肤敏到金国祝贺生日。卫肤敏说:"金国主生日在天宁节五天后,现在没有听说他们派使臣来而我们反而先派使臣,对威严已有损失。万一金国没有使臣来,就成为朝廷的羞耻。请到燕京等候他们,如果金使不来,就将礼品送到边境上。"皇帝认为有道理。等到了燕山,金国果然没有派使臣来,于是安置礼品后返回。

辽国主在夹山,金人想捉拿他,因为兵力不能进入夹山成为憾事。辽国主害怕宗翰在西京扼住前面,长久不敢出来。不久听说宗翰回到上京,洛索代管军务,就率领各军出夹山,直下潼阳岭,攻下天德、东胜军、宁边、云内等州,向南攻下武州,如入无人之境。洛索忽然带大军扼守在退路上,迅速出击,辽国士众大败。

西夏人出兵侵犯武州、朔州二州地界,宣抚使谭稹派李嗣本抵抗他们。数次交战,西夏人没有马上退兵,而金国人怨恨朝廷收纳张毂,又因为谭稹不提供粮食,于是攻打蔚州,杀守臣陈翊,攻陷飞狐、灵丘两县,赶走应州守臣苏京等人,断绝交割山后的意向。朝廷指责追究谭稹处置失当,童贯、蔡攸等人又一起排挤谭稹,八月,乙卯(十一日),贬责授予谭稹为顺昌军节度副使,退休,任命童贯主持枢密院事,代替他的职务。

辽国主驻在夹山,皇帝想招诱他,开始派遣一名番族僧人带御笔绢书联络意图。等到辽国主同意,就改绢书为诏书,许诺按皇弟礼节对待,位置排在燕王、越王两王之上,修筑宅第一千间,设女乐三百人,辽国主大喜。童贯这次前往太原,名义上是代谭稹交割山后疆土,实际暗中约定辽国主来投降,自己前往迎接他。辽国主想来投降,顾虑南朝不足以作依靠,于是直奔山阴。

辽国国舅详衮萧托卜嘉投降金国。

壬戌(十八日),因为收复燕、云等地,大赦天下。

九月,乙亥(初二),任命白时中为特进、太宰兼门下侍郎,李邦彦为少宰兼中书侍郎。

辛巳(初八),在明堂行祭享礼。

丁亥(十四日),任命赵野为尚书左丞,翰林学士承旨宇文粹中为尚书右丞,开封府尹蔡懋同知枢密院。

庚寅(十七日),派遣校书郎贺允中到金国祝贺新年。

庚子(二十七日),金国使者布密古等来送金太祖的遗留物品。

冬季,十月,甲子(二十一日),金国因为泰州秋天发水灾,征调宁江州的粟赈济那里。丙寅(二十三日),命令运送米五万石到广宁,以供应南京、润州的守卫士兵。

庚午(二十七日),金国使者来祝贺新年。

下达御笔诏书:"道官可以从大夫以上和带职人一同封到朝官,允许用恩荫赎私罪和为官户。"

诏令:"有收藏学习使用苏轼、黄庭坚的文章的,都命令焚毁,违犯的人按大不恭论处。"

癸酉(三十日),诏令:"朝廷内外的官员都以三年为一任,治理政绩卓著闻名的可以再任。"

辽国主在阴山,跟随的人不过四千户,步兵骑兵才万余人,还收娶了图鲁卜部族人额格的妻子,任命额格为本部节度使。

十一月,丙子(初三),太傅王黼退休。

王黼位居宰相,常常陪同便宴,亲自扮作滑稽角色献笑料取悦皇帝,太子听说而讨厌他。王黼因为郓王赵楷得宠,暗中谋划夺取宗室继承权的计策,没有成功。正好皇帝到王黼的宅第中观看灵芝,而王黼的宅第与梁师成宅的围墙相连,开侧门来往,皇帝开始悟到他与梁师成相勾结的情状,回到皇宫,宠信顿时减弱。李邦彦平素与王黼不和,暗中勾结蔡攸共同诋毁他。碰上中丞何桌上奏王黼奸邪专横的十五件事,于是命令他退休,他的党羽胡松年一并免去官职。

太白星白天出现。

从蔡京用"丰亨豫大"的说法劝诱皇帝以来,极尽奢侈,久之国库空虚,谈财利的大臣,差不多秋毫都要算计。宣和年间以来,王黼专职主持供应皇宫,搜刮盘剥横征赋税,以超额收取税赋为有功,收入即使很多,国家用度日益缺乏。到此时宇文粹中上书说:"祖宗时,国家用度所依靠的,都有实际数目,量入为出,充足有余。近年各局务、应奉司,胡乱的花费百出,如果不痛加裁减,恐怕聪明的人也无法善后。"皇帝认为他的话有理。丙戌(十三日),诏令蔡攸在尚书省设置讲议财利司,除茶法已经有确定的制度外,其余的研究上奏。蔡攸请内侍掌管,事情涉及皇宫,应该裁减的,委托童贯听取皇帝旨意。从此不是急用的物品,无名的花费,有很多裁减的议论。

壬辰(十九日),诏令:"监司选择县令中有政绩的保举上奏,召到都堂审察录用,不要超过三人。"

童贯派马扩、知保州辛兴宗出使宗翰军营中,乙未(二十二日),马扩等人到达云中府。正好宗翰已经回到京城,留下洛索代理统帅事务,派人来告诉他们行庭参礼。马扩认为见大臣没有这个礼仪,洛索说:"谭宣抚时就是让人向我行庭参礼。"马扩说:"谭积是平庸的人不知道旧例,被朝廷免职。"数次来往辩论。最后,洛索派高庆裔来说:"二位观察既然坚持旧制,这里也是暂代元帅职,不敢随便相见。所说的山后的事情,因为国相到朝廷去了,不敢专断。加上两朝的誓书,各自不收纳逃亡的人,贵朝先失信,就是山后也难于就交还。"马扩说:"职官、富户逃回到燕京,是张毅的罪过,本朝已经斩首函装首级送来。其余的民户,多隐在山谷中,听说已经将发现的相继遣送,没有发现的正在查捕。如贵朝所说,山后没有另外部署,到交了蔚州又派兵马攻取,如果贵国总是这样,那么两朝的和好什么时候能办成!"高庆裔说:"山后的疆土已经答应,想不会食言。只是贵朝也答应永远遵守誓约,先前索要的职官、民户,相继发来,事情没有不如愿的。"就以文牒送使人返回。

童贯询问入境所见的情况,马扩说:"金国人训练汉人乡兵,增加飞狐、灵丘的守卫,数次指名说到张毅,索要职官、民户,实在是别有用心,希望太师马上加强边备。"童贯不采纳。

跟随辽国主的人发动兵变,护卫太保萧仲恭等人打败了他们。

萧仲恭性情恭顺谨慎,能够披着战甲超越骆驼。他的母亲是梁宋国的大长公主,是道宗的第四女儿,从青冢逃归,到此时因为马疲惫不能前行,对萧仲恭兄弟说:"你们为国家尽节,不要以我为念。"辽国主为她悲伤,命令萧仲恭的弟弟萧仲宣留下侍候公主。萧仲恭跟着辽国主向西逃,公主不久被金人抓获。

十二月,甲辰朔(初一),诏令:"太师致仕蔡京主持讲议司,允许他在私宅中处理公务,并免除签书事,不要使他辛劳。"

诏令百官遵守元丰法制。

癸亥(二十日)，蔡京取消退休命令，掌管三省事务，五天上朝一次，到都堂处理事务。

王黼被免职后，白时中、李邦彦担任宰相，蔡京的党羽哄然不满意，认为宰相的威望轻，朱勔因此极力劝皇帝任用蔡京，皇帝采纳了。蔡京到此时已经四次担任国相，年纪已经八十岁，眼睛看不见不能写字，脚不便不能跪拜。蔡京所决断的事，都是他的第四子蔡絛做出的，并代理蔡京到皇宫中上奏事务，因此放肆地作奸谋利，赏罚没有章法。蔡絛的舅兄韩梠，骤然被任用为户部侍郎，暗中与他谋划商议，贬逐朝廷中的人，差不多一天也没有停止过。蔡絛每次上朝，侍从以下的人都作揖迎候，耳语议论，公堂属吏数十人抱着文书跟随；四处派遣使臣，勒索访求，喜欢的人让推荐他们，否则就弹劾他们，朝廷内外的士人，无不侧目而视。先前王黼主持应奉司，总管四方贡送的物品以显示权力和受到宠信。蔡絛又效法他，创设宣和库式贡司，其中又分各库，如泉货、币帛、服御、玉食、器用等，都是其中的名称，上到金玉，下到蔬菜，无不搜取，元丰大观库以及榷货务现存的钱物，都收入封管，成为天子的私人财产，白时中、李邦彦只是奉命行下文书罢了。

当时河北、山东转运粮食以供应燕山，民力疲惫，加上监司的数额和征税，再加上连年灾荒，因此饥饿的士兵都起而作盗贼。山东有叫张万仙的人，聚众到十万；又有叫张迪的，聚众到了五万；河北有叫高托仙的，号称有三十万；其他二三万的，不可胜数。皇帝命令内侍梁方平征讨他们。

都城中酒保朱氏的女儿忽然长出胡须，长有六七寸，特别下诏令引度为道士。

辽国设置二总管府。

宣和七年　辽保大五年，金天会三年(公元 1125 年)

春季，正月，癸酉朔(初一)，诏令赦免两河、京西流民中作盗贼的人，并免除租税一年。

戊子(十六日)，金国知宣徽院事韩资正，加封尚书左仆射，为诸宫都部署。

癸巳(二十一日)，诏令："撤销各路提举常平官属，有罪应当贬黜的上报姓名；并命令三省修订已经废止的法令。"

派礼部员外郎邵博接送陪伴金国使者。

党项舒和伦派人请辽国主到他们那里，辽国主于是前往天德。过了沙漠，金兵忽然来到，辽国主步行出逃。身边侍从送上珠帽，拒绝了，乘张仁贵的马才得以逃脱。到天德，遇到下雪，没有御寒的物品，护卫太保萧仲恭送上貂皮帽。途中，断绝粮食，萧仲恭送上炒面和枣。想休息时，萧仲恭就跪坐，辽国主靠在他身上打瞌睡；萧仲恭只能吃冰雪充饥。过了天德，已到晚上，将要住在农家，假称是侦探骑兵，那家知道真情，就拉住马首，跪下痛哭。秘密住在他家中，过了数天，为嘉奖他的忠诚，遥授予节度使。于是前往党项，任命舒和伦为南面招讨使，总管军务。

二月，甲辰(初二)，重新设置铸钱监。

诏令御史察举赃官。

己酉(初七)，下雨，树梢结冰凌。

庚戌(初八)，诏令从京城运米五十万斛到燕山，命令工部侍郎孟揆亲自前往安排。

壬戌(二十日)，辽国主走到应州新城东面六十里，被金军将领洛索抓获，辽国灭亡。

辽国主在夹山时，宋徽宗数次派使者招诱他，往来都经过云中，金人完全知道此事。等到辽国主逃到舒和伦帐中，金国因为没有抓到天祚皇帝，派人对童贯说："海上原来的约定不得留下天祚皇帝，双方抓获就应该杀掉他。而你朝违约招诱，现在天祚皇帝又躲藏不出来。我军一定要抓住天祚皇帝。"童贯无言以对。而金派遣使臣急促，言语很不恭敬，童贯不得已，派遣各将领出边境搜查辽国主，说："如果遇到异族人，不用问，就杀掉送给金国人。"正好金国人自己抓住了天祚皇帝，事情才平息。

壬申(三十日)，京东转运副使李孝昌说招降到结伙的盗贼张万仙等五万余人，皇帝下诏给查捕的官员奖赏不等。

当初，耶律达实向北走了三天，经过黑水，见到了白达勒达详衮崇乌鲁，崇乌鲁献上马匹四百，骆驼二十，羊若干头。向西到达哈屯城，驻在北庭都护府，会集西部边远地区的七州以及十八部王，宣告说："我们的祖宗创业艰难，历经九位国主，二百年。金是一个臣属部族，逼迫我们国家，摧残我们百姓，残败我们的城邑，使我国天祚皇帝逃亡在外，日夜痛心疾首。我现在仗义向西来，想消灭我国的仇敌，恢复我国的疆土。你们众人，也想共同拯救君王，拯救百姓的艰难吗？"于是得到精兵五万多人。因此设置官员，立排甲，设置仪仗，用青牛、白马祭告天地、祖宗，整军向西。先送信给回鹘王必勒哈说："我们与你国不是一天的友好关系，现在我们将向西到大食国，借道你们国家，请不要起疑心。"必哈勒收到书信，就接到官邸中，大宴三天。临出发时，献上马、驼、羊，希望将子孙作为人质以作附属国，送到边境外。所过之处，抵抗的就战胜他，投降的就安抚他，队伍行进万里，归附的有几个国家，获得财物牲畜不可计数，军队势力日益强盛。到达塔什干，西域各国出兵十万号称呼拉沙，来迎战，两军相隔两里左右。耶律达实晓谕将士说："对方人数虽多但无谋，只要进攻，他们就会首尾不能呼应，我军一定会胜利。"就派萧额哩垾、耶律松山等带兵攻打对方的右边，萧苏拉布、耶律穆苏等带兵攻打对方的左边，自己带兵攻打中间，三军同时进攻。呼拉沙大败，丢弃的尸体延续数十里。驻军在塔什干共九十天，回回国王前来投降，进贡地方物产。又向西到达奇尔爱雅，文武百官册立耶律达实为皇帝，在本月五日即皇帝位，改年号为延庆，称为噶尔汗，又献上汉人的称号天祐，后世称为西辽。接着追谥他的祖父为嗣元皇帝，祖母为宣义皇后，册立元妃萧氏为昭德皇后。

三月，癸酉朔(初一)，下冰雹。

丙子(初四)，金国赈济奚部族、契丹新投降的百姓。

辛巳(初九)，金国修建乾元殿。赐给完颜洛索铁券。干鲁献上传国宝，因为玛克实前来投降，请求授予印绶。

金国开始议定礼仪制度，确定官名、服饰，兴办学校，设立选拔推举制度，这些意见都是宗干提出的。

甲申(十二日)，知海州钱伯言上奏招降到山东贾进等十万人，皇帝诏令补授官职不等。

先前，童贯曾经问马扩："常胜军将为患，想消除它，怎么办？"马扩说："确实知道必然这样。然而现在金人不敢放肆而知道有所顾忌的原因，是因为有此军存在。如果骤然消除，将要为患，不如姑且安抚而利用它。"童贯说："有什么计策？"马扩说："现在郭药师的士众只有三万多人，多是骑兵武士。太师如果真能在陕西、河东、河北挑选精锐骑兵十万人，分为三支，选择像郭药师这样有智谋勇敢的人统领，一支驻在燕山，与郭药师相对，一支驻在广信军或者中山府，一支驻在雄州或者河间府，交错制约。让郭药师的军队，向前有所依靠，后退有所忌惮，那么金国虽然放肆，岂能够马上向前！"童贯说："好！只是十万人不容易得到，我将慢慢考虑。"

辛丑(二十九日)，童贯从太原、真定、瀛洲、莫州到燕山，犒劳常胜军，上奏朝廷请求在河北设置四个总管，中山为辛兴宗，真定为王元，河中为杨惟忠，大名为王育，命令他们招集逃亡的士兵、游手好闲的人组成军队，朝廷同意了，大致是采纳了马扩的建议。

夏季，四月，丙辰(十五日)，向京东、河北路下达德音诏书。

庚申(十九日)，蔡京按先前的太师、鲁国公衔离职退休。

蔡絛在专权当政后，他的兄长蔡攸更加嫉妒他；白时中、李邦彦也厌恶蔡絛，就与蔡攸揭发蔡絛的奸邪事端。皇帝发怒，下诏安置韩椙到黄州，撤销蔡絛侍读职，改为提举明道宫，不久又销毁赐给蔡絛出身的敕令文书。白时中想借此动摇蔡京，而蔡京没有离职的意思。皇帝就命令童贯与蔡攸一同前往取辞谢表章，蔡京设酒宴招待童贯、蔡攸，酒席刚开始，蔡京哭泣说："皇帝为什么不能宽容我数年？一定有进谗言的人。"童贯说："不知道。"蔡京又说："蔡京年老力衰应当离职，而不忍心马上离去，是因为皇上的恩德没有报答，这种心情二公是知道的。"当时旁边的人听到蔡京连蔡攸一起称为公，都暗中发笑。蔡京不得已，将表章交给童贯。皇帝命令起草文书的大臣代蔡京作三个表章请求离职，才下达制文表示同意。

免去州县的免行钱。

戊辰(二十七日)，诏令实行元丰官制，恢复尚书令的名称，虚设而不实授；三公只是阶官，不主持三省事务。

五月，丁亥(十六日)，诏令："各路守臣推举将校中有才干谋略的人，监司推举郡守县令中有政绩的人，每年各推举三人。"

乙未(二十四日)，派遣奉议郎舒宸中到金国祝贺生日，不久改为任命校书郎卫肤敏。

六月，辛丑朔(初一)，诏令宗室恢复加上姓。

皇帝引用神宗的遗训，能够收复全部燕地的人，赏给土地，赐给王爵，丙午(初六)，封童贯为广阳郡王。

己未(十九日)，加封蔡攸为太保。(译者注:此条应移后。)

戊申(初八)，诏令："臣僚常与内侍来往的人要论罪。"

辛亥(十一日)，审讯并记录囚犯罪状。

癸亥(二十三日)，诏令："吏员中杂流出身的人，不得陈请改换。"

乙丑(二十五日)，停止、减少六尚局每年进贡的物品。

本月，宝文阁待制刘安世去世。

刘安世从小向司马光求学,平时生活中就座不歪斜,写字不草率,不喜好声色财利,忠诚孝义正直,都是得之于司马光。担任谏官数年,在朝廷严肃任职,当面反驳劝谏,有时碰上皇帝大怒,就拿着简笏站立,等到怒气略减,又上前抗争,旁边站立的人看见了,退缩紧张得出汗,认为他是"殿上虎"。年老后,大批贤人凋零完了,只有他岿然存在,因此名望更大。梁师成当政后,心中佩服他的贤良,找到一个常在他身边听差的小吏叫吴默的,让他带着书信以将要大加任用劝诱,吴默因此劝他为子孙考虑,刘安世笑着说:"我如果为子孙考虑,不会是这个样子了。而且我被抛弃不用差不多三十年,不曾给权贵写一个字。我想成为完全的元祐人,到地下见司马光。"退回书信不答复。苏轼曾经评价元祐的人物说:"器之真是铁汉!"器之,是刘安世的字。

秋季,七月,庚午朔(初一),诏令:"士人百姓不要以天、王、君、圣作为名字。"

壬申(初三),金国禁令朝廷内外官员宗室私自役使百姓。

己卯(初十),金国主下诏令:"有权势人家不要买贫民作为奴隶,胁迫买的,买一人赔偿十五人,诈买的,买一人赔偿二人,杖打一百。"

甲申(十五日),金国搜刮南京官吏豪强的牧马,按特级收取,分给各军。

本月,熙河、兰州、河东发生地震。熙河有裂开数十丈的,兰州尤其严重,仓库都陷没。

河东义胜军叛乱。

八月,癸卯(初四),金国西南北都统鄂啰带辽国主耶律延禧到达来流河。甲辰(十五日),祭告于太祖庙。丙午(初七),见金国主,于是降封为海滨王。金国主认为萧仲恭忠诚,特别加以优待。

壬子(十三日),金国主命令有关官员挑选善于射箭勇敢的士兵为南伐做准备。当时宗望向金国主说:"宋人不交还民户人口,而且听说在燕山整治军队,如果不先行动,恐怕将来成为患害。"接着宗翰也这样说。所以南伐的计策,实际是宗望提出的。

九月,壬辰(二十四日),金国使者李孝和等以成功抓获辽国主天祚前来报捷。宋徽宗诏令宇文虚中、高世则安排住宿;实际上是金国将要南下,先派人来探察。当时河东奏报宗翰到达云中,积极策划南下,诏令童贯再次担任宣抚。童贯接受诏令后,没有马上出发。正好张孝纯奏报金国人派一般使者到达太原,想见童贯,见面后,商议交割云中土地,皇帝很是相信,诏令催童贯前行不要停留。

乙未(二十七日),诏令在吉州安置的聂山,起复为朝散郎,乘驿车赴朝廷。

当时金国人想征伐中原,谋划已久,担心我方有所准备,而且揣测了解我方一定想得到云中,所以多说好听的话来欺骗我方。然而侦察到的情况已经很清楚,于是预先考虑在云中防守,蔡攸就推荐聂山,于是皇帝就召用了他。

本月,有狐狸上到皇帝床上坐下。又有京城外卖菜的农夫,到了宣德门下,忽然像是迷糊了,放下担子,对着门指点,而且说:"太祖皇帝、神宗皇帝派我来通报,还是应该马上改。"

巡逻的士兵抓住他,送进开封狱中,一夜,才醒来,起初还不知道先前的所作所为。就在狱中杀掉了他。

清化县榷盐场申报燕山府，说金国人率领大军来了，抢掠居民，焚毁房屋。当时宣抚使蔡靖与转运使吕颐浩、李与权等人修葺城濠，集合兵民，作防守抵御的准备；派银牌马入朝上奏，兼请示关隘应当在哪里，而大臣说郊礼在即，隐匿不上报，恐怕妨碍推行恩赏，认为行大礼完毕，安排也不晚，只是将大事委派给守边大臣而已。

冬季，十月，己亥（初二），赐给金国报捷使者李孝和等宴席。

甲辰（初七），金国主诏令各将领南伐，任命安班贝勒兼任都元帅，贝勒宗翰兼任左副元帅，先锋经略使完颜希尹为右监军，左金吾上将军耶律伊都为右都监，从西京进入太原。任命六部路军帅达兰担任六部路都统，舍音任副都统。宗望担任南路都统，拣摩担任副都统，知枢密院事刘彦宗兼任汉军都统，从南京进入燕山路。当时金国人部署已经确定，而朝廷的人都不知道，派遣使臣来往，多次往来与平时一样。

金国在西京建立太祖庙。

辛亥（十四日），赐给曾布的谥号为文肃。

戊午（二十一日），停止京畿地区购买粮草的和籴事务。

十一月，乙亥（初八），派遣使臣到金国回访庆贺。

童贯到达太原，马扩、辛兴宗又到云中，出使宗翰军营中，告诉说已经得到朝廷旨意暂且交割蔚州、应州、飞狐县、灵丘县，其余的全部交还金国，并探察金国是否有南侵的意图。

马扩等到达军营中，宗翰严阵以待，让马扩等人行庭参礼，如同见金国主礼节一样。行礼完毕，首先商议山后之事。宗翰说："先帝与赵家皇帝结好，各自立下誓书，万世不毁约。不想贵朝违约，暗中收纳张毂，收留燕京逃离的官员百姓，本朝屡次送文牒追回，只是以虚文搪塞，今天应当稍微辨别是非。"马扩说："本朝因为谭积不明白大方针，轻率地同意张毂的要求，皇帝很后悔此事。希望国相保持过去的友好，不将此事放在心中，请求暂且交割蔚州、应州、飞狐县、灵丘县的土地。"宗翰笑着说："你们还想要这两州、两县吗？山前、山后，都是我国土地，还商量什么！你们的州县减少数座城前来，可以赎罪。你们可以马上告辞，我自己派人到宣抚司。"

金国人自从抓获辽国主天祚皇帝之后，想南下，心中还在犹豫。正好隆德府义胜军二千人叛逃投降金国，提供宋朝的全部虚实情况；另外，易州常胜军的首领韩民义怨恨守臣辛综，率领五百人见宗翰说："常胜军中只有郭药师有向着南方的心思，像张令徽、刘舜臣等人，因为张毂的缘故都心怀抱怨。"因此刘彦宗、耶律伊都等人力劝金人，说南朝可以谋取，并不必用很多兵，根据粮食情况派兵就行了，所以宗翰决心南伐而有此话。次日，馆舍中供应招待很优厚，萨里穆笑着对马扩说："招待使者就这一回了。"

金国宗望向金国主请示说："拣摩是臣的叔父，请任命拣摩担任都统，臣监战事。"金国主同意了他的请求，任用宗望监督拣摩、刘彦宗两军的战事。

丙戌（十九日），在圜丘行祭祀礼。大赦天下。

庚寅（二十三日），任命保静军节度使种师道为河东、河北路制置使。

十二月，戊戌（初一），金国人攻下檀州。

2175

己亥(初二),马扩等人从云中返回,到达太原,将宗翰的话上报。童贯惊异说:"金国人刚建国,就敢做这样的事!"马扩说:"北面的人深恨本朝接受张毂,又被契丹亡国之臣挑动,一定图谋报复。马扩本来曾经报告,只是没有被相信听从罢了,现在还可以马上加以提防。"然而童贯已经先怀有逃回的意思了。

金国人攻破蓟州。

朝廷按旧例派遣吏部员外郎傅察在玉田县迎接金国贺新年的使臣。当时金国人已违背盟约,有人劝不要马上出发,傅察说:"接受使命出发,听到困难就停止,将君命怎么办呢!"于是出发。遇到宗望,强迫傅察跪拜,刀枪林立,有人把他推倒在地,衣服凌乱,傅察越发直立不管,说:"我只是死罢了,膝盖不能弯。"于是杀掉了他。傅察,是傅尧俞的从孙,仓促之间为节义而死。将官武汉英辨别出他被焚烧的尸体,裹住骨头,命令虎翼卒沙立背回。沙立到达涿州,金国人抓住他而关在土房中,共两个月,乘看守的人松懈时,毁墙逃走,回到朝廷,将尸骨交给他的家中。

壬寅(初五),金国使臣王介儒、萨里穆尔到达太原,拿出所带的书信,谈到张毂有关违背盟约的事,言辞非常傲慢。童贯以礼厚待他们,说:"这样大的事,为什么不直接告诉我?"萨里穆尔说:"已发兵,哪用得着告诉!国相的军队从河东进入,太子的军队从燕京路进入,不杀一人,只是宣布檄文就平定了。"马扩说:"兵是凶祸的东西,天道都讨厌。贵朝灭掉契丹,也借用本朝的力量。现在一旦违背盟约,出兵相对,难道不顾南朝是有积累的国家,略加整治边备,你们怎么就敌得过!"萨里穆尔说:"我们国家如果认为贵朝可惧怕,就不会长驱直入了。送给贵朝的公文就要到达,您一定能够见到。不如派童大王迅速割让河东、河北,以黄河为界,保留宋朝家园,这才是至诚报国。"

童贯听说此事,担忧愤闷不知怎么办,就与宇文虚中商议到朝廷报告,知太原府张孝纯阻止他说:"金国人违背盟约,大王应当会集各路将士,竭力安排。现在大王离开,人心必然动摇,这是丢弃河东给金国。河东失去后,河北岂能保全呢!希望稍微留下,共同图谋报效国家。加上太原地势险要城池坚固,人也善战,未必金人就能攻下。"童贯说:"童贯接受宣抚之命,不是来守卫疆土的。一定想留下童贯,把守臣放在什么地方!"己巳(初八),就逃回京城。张孝纯叹息说:"平生童太师有多少威望,事到临头,却退缩害怕,抱头鼠窜,有什么面目见皇上呢!"

当初,郭药师与詹度职位相同,自认为持节钺,想居于詹度之上,詹度因为御笔诏书中排有次序,不服从。常胜军士卒骄横,詹度不能制止。朝廷考虑他们关系不好,命令蔡靖代替詹度。蔡靖到达,坦诚相待,郭药师也尊重蔡靖,略加控制。而知燕山府王安中,只是谄媚他,宰相也曲从他的意思,所有的请求没有不听从的。因此精良的兵器,郭药师让他的部属拿到其他道去交换,弄到奇巧的物品用来奉承权贵侍从,每天有赞誉的话传到皇帝那里去。于是专管一路,增招士卒,号称三十万,而不改换契丹的服装。朝廷的议论很是忧虑,提升担任太尉,召他到朝廷,郭药师却推辞不来。皇帝命令童贯巡察边境,暗中察看他的去就趋向,想挟制他一起来。童贯到达,郭药师到易州迎接,在帐下再次叩拜。童贯回避他,说:"你现在担任太尉,地位视同二府,与我相等,这样行礼是为什么!"郭药师说:"太师,是父亲。郭药师只是叩拜父亲,哪知道其他的事。"童贯才放下心来。于是邀请童贯视察军队,到了旷野,毫无人迹的地方,郭药师下马,在童贯面前掉旗一挥,一会儿,四面山上铁骑耀眼,不能估测出人数,童贯等众人都大惊失色。回去向皇帝说,郭药师一定能抵抗北方;蔡攸也从中极力主张,认为可以依靠。所以内地不再设防,屡次有申告变乱以及得到郭药师通金国的书信,宰相总是不省察。詹度也说郭药师眼光不平常,心怀异想,才开始下诏派遣官员查实,而金兵已经南下。

宗望到达三河,蔡靖派遣郭药师以及张令徽、刘舜仁帅军四万五千在白河迎战,大败而回。宗望到达燕山,郭药师率军到郊外迎接他,抓获蔡靖以及都转运使吕颐浩、副使李与权前往投降。因此燕山府所属州县,都为金占有。宗望得到郭药师的军队,更加知道虚实,于是用他作为向导,孤军深入。

当初,宣抚司招降燕、云的百姓,安置在内地,如义胜军等,都是山后的汉人,其实勇敢可以任用。在河东的约有十万余人,官府提供钱粮,即使各司不许支用的也听任他们。长时间后,仓库粮食不足,因为饥饿而发怒,官军又加以辱骂,他们更有二心,等待有机会发作。到此时金国人南侵朔州、武州境内,朔州守将孙翊勇敢而忠诚,出城与金人作战,胜负未决,汉人打开城门献给金人。到达武州,汉人也作为内应,于是失去朔州、武州。长驱直入到代州,守将李嗣本率兵抵抗把守,那些汉人又抓获李嗣本献降,于是攻下代州。及到了忻州,守臣贺权开门奏乐迎接金军。宗翰大为高兴,命令士兵不要入城。

己酉(十二日),知中山府詹度奏报金人分路南下。本月,接连三次上报到京城,朝廷大惊失色。

辛亥(十四日),金国宗望带兵直向朝廷,命令所经过的州县不要擅自诛杀。

乙卯(十八日),宗望攻打保州、肃安军,没有攻下。

丁巳(二十日),皇太子被任命为开封牧,停止修建蕃衍北宅,命令各王子分居在十个位置。

戊午(二十一日),金军围攻中山府,詹度抵御金军。

本日,皇太子上朝,皇帝赐给他排方玉带。排方玉带不是臣下所能够佩带的,皇帝此时已经有内禅的打算了。

己未(二十二日),皇帝下诏罪责自己,大略说:"言路堵塞,导致奉承的话每天听到,受宠信的大臣仗着权势,贪婪得意。贤臣士人,被陷入党籍中;政务兴起废止,拘于记录流年。征收赋税用尽民力,戍守兵役使军队力量困顿;做很多无益的事,奢侈成风。财利的来源已经由国家专卖尽,而谋取利润的人还在大肆索求;各部队的衣服粮食不能按时供给,而冗杂多余的人坐享富贵。灾异显示惩罚而朕没有醒悟,众人怨恨而朕不知道,追想起来是我的罪过,后悔怎么来得及!"诏书,是宇文虚中所起草的。又命令朝廷内外的人直言上谏,郡县率军队勤王;招募草野中的奇才,能够提出好的计策以及出使境外的人;各局以及西城所的现存的钱财,都交给有关官员;所收缴的原来属于百姓的田地,都还给过去佃种的人;减少宫廷的用度、侍从以上官员的每月粮食发放；停止调拨赐给道官以及宫观田地，取消大晟府、教乐所、行幸局、采石所；共改革弊端数十件。诏书的草稿呈进后，皇帝看后，说："可以一一实行，现在不能吝惜改过。"宇文虚中再次叩拜流泪，同僚中还有人犹豫。当初，童贯收到金国茹越寨的文牒，拆开后，是檄文，言辞多有指责，童贯不敢上奏。到此时诏书草稿修改数次，不想下发；李邦彦说不如呈上檄文以激发皇帝的心，被采纳了。皇帝果然泪下无语，只说"休休"，内禅的想法更坚定了。

派遣通直郎李邺出使金国，通报要内禅，并求和。

当初，童贯从太原返回，金国人又派两位使者来，大臣不敢引见给皇帝。皇帝于是创设了小使之礼，命令大臣在尚书省厅堂会见。宾主才就位，就大声说："我国皇帝已经命令国相与太子郎君安抚百姓讨伐罪人，大军两路同进。"白时中、李邦彦与蔡攸等人，都大惊失色不敢回答，于是商议给以厚礼送走他们。蔡攸的弟弟蔡絛告诉蔡攸说："这是窥探我国的。应该以使者言辞失当的名义杀掉他们的使者让他们难以估测。不这样，就暂时囚禁他们，不能让他们知道我国实情。"蔡攸不听从。大概是与执政大臣商议，担心刺激金军更快进兵。

李邺奉命出使，要求金三万两，而朝廷很为难，于是拿出祖宗内帑库中的金瓮两个，各重五十两，命令书艺局熔铸为金字牌子交给李邺。

先前皇帝有旨意要巡幸淮、浙，下诏会集跟随的大臣到都堂商议。给事中直学士院吴敏在玉华阁奏对，说："希望单独谈。"皇帝环顾让群臣略微退立。吴敏说："金国人违背盟约，陛下怎么对待此事？"皇帝不高兴地说："有什么办法？"当时东巡的计划已经确定，皇帝诏令任命户部尚书李梲守建康。吴敏率领给事中和中书舍人到都堂说："朝廷这样就是放弃京城，计划多么不当啊。这个命令果然实行，即使是死也不能从命。"李梲于是没有出发。

等到太子被任命为开封牧，皇帝离去的想法更加急迫。吴敏因此上奏说："听说陛下巡幸的计划已经确立，有此事吗？"皇帝没有回答。吴敏说："按臣的想法，现在京城听说金国大举进攻，人心震动，有想出逃的，有想坚守的，有想因而谋反的，让这三种人同守，一定会被攻破。"皇帝说："正是，怎么办？"吴敏说："陛下定下巡幸的计划，万一守卫不坚固，那么出行必然不顺利。"皇帝说："正是为此担心。"吴敏说："陛下让守卫的人威权足以专断，那么守卫必然稳固；守卫稳固，那么出行就顺利。"皇帝心情稍轻松予以采纳。吴敏说："陛下能够确定计策，事情将不过三天。过了三天，坚守之势不明，权力赏罚没有实行，金人到达，就于事无益了。"当时金国人已经越过中山向南，计算里程十天可以到达京畿，所以吴敏提出三天的期限。皇帝很赞许。

吴敏于是以奏札推荐太常少卿李纲说："李纲明隽刚正，以忠义献身国家，自称有奇计和好办法，希望得到召见。"大概李纲曾经在吴敏家中，对吴敏说皇帝应该像唐天宝年间的旧事一样传下皇位，与吴敏的意思相同，所以推荐他。皇帝让李纲来日在文字外库等候奏对。先前李纲呈上抵御戎族入侵的五种计策，即端正自己以收罗人心，听取进言以收纳任用士人，积蓄财物粮食以有足够的军备，申明号令以提高国家权威，施以恩泽以消除百姓的怨恨，于是对吴敏说："敌人来势猖獗，不传位给太子，不足以招来天下的豪杰。"吴敏说："以太子监国可以吗？"李纲说:"肃宗即位的大义,不是出自唐明皇,后世为他惋惜。主人聪明仁爱宽容,您的话万一得以实行,就可以看到金国人后悔生事,使宗社安宁,天下受到恩德。"次日,又刺臂血,上疏请求。

皇帝就任命吴敏为门下侍郎,辅助太子。对蔡攸说:"我平时性格刚直,没有想到金国人敢如此!"于是握住蔡攸的手,忽然气塞不省人事,从御床中落下。执政大臣急忙呼喊身边的人扶持,只得送到宣和殿东闾。群臣共同商议,一再灌汤药,一会儿略微苏醒,于是抬臂要纸笔,写下:"皇太子可以即皇帝位,我以教主道君的身份退居龙德宫。可以喊吴敏来写诏书。"吴敏受命,将诏书草稿呈上,皇帝用左手在诏书结尾写道:"依此,很安心。"

任命宇文虚中为保和殿大学士、河北东路宣谕使。

宇文虚中先担任童贯的参议官,认为朝廷决策不当,主帅用人不当,将会受到侮辱自我焚毁的祸患,上书极力陈述,王黼大怒;又多次提出防守边境的策略,都没有答复。等到金兵南下,宇文虚中随童贯返回朝廷,劝皇帝下达追究自己罪责的诏书以感动人心。到此时召熙河经略使姚古、秦凤经略使种师道,命令带本路兵力在郑、洛集合,外援助河阳,内保卫京城。于是命令宇文虚中为宣谕,让他监护军队。宇文虚中以檄文召姚古、种师道,命令直奔汴京呼应援助。

庚申(二十三日),宋徽宗下诏书内禅,皇太子赵桓在福宁殿即皇帝位。

辛酉(二十四日),新即位皇帝亲临崇政殿。太宰白时中率领百官进入祝贺。太阳出现五色光圈,带着赤黄色环,又有两个太阳相荡摩,好久才隐去。尊徽宗皇帝为教主道君皇帝。

本日,金倡人攻打庆源府。

壬戌(二十五日),大赦天下,平常大赦所不宽容的都予免罪。百官进官阶一级,赏赐各军不等。翰林学士王孝迪实际起草赦文,而没有写明皇帝是从太子即位的意思,四方起了疑心,士人议论指责他不对。

册立皇妃朱氏为皇后。

任命耿南仲为金书枢密院事,耿南仲,是皇帝做太子时的旧僚属。

癸亥(二十六日),诏令派遣何灌带兵二万,同梁方平守卫浚州河桥,是因为金兵逐渐逼近的缘故。出发的士兵,往往上马后,总是用两手抓住马鞍,不能放开,人们都笑话他们。

甲子(二十七日),太学生陈东等伏在宫门下上书,请求杀蔡京、王黼、童贯、梁师成、李彦、朱勔六个贼臣,大意说:"今天的事,是蔡京事前败坏,梁师成在内造成阴谋,李彦在西北结怨,朱勔在东南结怨,王黼、童贯又从而与两国结怨,破坏祖宗的盟约,失去国家的信义,开启边境事端,使天下像悬在头发丝上那样危险。这六个贼人名字不同罪行一样,希望陛下提拿此六贼,杀在街市,传送首级到四方,向天下谢罪。"

本月,金国宗望攻下信德府,宗翰围攻太原府。皇帝诏令京东、淮西招募士兵入朝守卫。

燕山都监武汉英跟随宗望南伐,看到金军抓到中土人,都不杀。将要到真定,武汉英劝他说:"我还不知道大国出兵的用意,何况中土的人呢!这样他们理当不投降。现在看到所抓获的人都不杀掉,怎么才能家喻户晓呢!如果让我等前往得以晓谕,那么河北坚固的城池,可以不战而下。"宗望大喜,就大量出文榜命令武汉英出塞,让他招诱各部。武汉英就直接到朝廷,将全部情况告诉朝廷说:"金国人的图谋很深,认为中土只有西部的兵力可以任用。现在宗翰一路下太原,攻洛阳,断绝西部兵力增援道路,而且防止皇帝临幸蜀地;宗望一路下燕山、真定,直攻东都。两路相会后实现他们大的企图,不知道怎么抵御他们?"当时刚刚内禅,而武汉英正好来到,大臣们愤懑失去主张,更加犹豫,作战与逃避的议论都没有决断。

丙寅(二十九日),上道君皇帝的尊号为教主道君太上皇帝,居住在龙德宫;皇后为道君太上皇后,居住在撷景西园。太上皇将要出居龙德宫,宰相执政率领百官问候起居,都痛哭,太上皇也流泪。于是向群臣宣谕说:"内侍都来说此事不对,浮言可畏。"吴敏说:"说不对的是谁,希望斩一人以给其他的人厉害看。"太上皇说:"众人纷杂而来,没有记下。"又说:"皇帝之上,岂容还有其他的称号,却有想称嗣君的人!"仍然暗中告诉李邦彦说:"这个人就是梁师成。"于是任命李邦彦担任龙德宫使,蔡攸担任副使。

诏令次年改年号为靖康。

太常少卿李纲密封奏事,说:"陛下即位之初,应当上顺应天心,下顺应民心,驱除外患,提高本国威势,铲除内奸,让君子的道义增长,以符合太上皇帝托付的心意。"乙丑(二十八日),召他到延和殿奏对。次日,任命他为兵部侍郎。

李纲初得晋见,皇帝迎着对他说:"卿前不久论水灾的疏章,朕在东宫时见过,到现在还能背诵。"李纲称谢完毕,于是上奏说:"现在金军的先头声势虽然可畏,然而听说有内禅的想法,事情势必退缩请和,向朝廷提出很多要求。臣私下预料,大概有五项:想称帝号,是第一项;想得到归附我朝的人,是第二项;想增加岁币,是第三项;想要求犒军的物品,是第四项;想割占疆土,是第五项。想称帝号,可以按契丹的旧例,效法以大事小的意思,不值得吝惜,想增加岁币,就告诉他们按过去的约定完全归还燕、云等地,所以岁币按给辽国的增加两倍,现在既然违背约定自己占领那里,那么岁币就应当减少,国家重视过去的友好关系,不计较财物,姑且按原来的数目给也可以;想要求犒军的物品,应当量力给予他们;至于疆土,是祖宗的土地,子孙应当死守,不能将尺寸给人。希望陛下留意这几方面,态度要坚决,不要被浮言所动摇,就可以没有今后的艰难。"并陈述抗敌固守的策略,皇帝都赞许地采纳,于是有这个任命。

续资治通鉴卷第九十六

【原文】

宋纪九十六　起柔兆敦牂【丙午】正月,尽六月,凡六月。

钦宗恭文顺德仁孝皇帝

讳桓,徽宗长子,母曰恭显皇后王氏。元符三年四月己酉,生于坤宁殿。初名亶,封韩国公;明年六月,进封京兆郡王;崇宁元年二月甲午,更名烜;十一月丁亥,又改今名。大观二年正月,进封定王;政和三年正月,加太保;五年二月乙巳,立为皇太子;宣和七年十二月戊午,除开封牧;庚申,受内禅。

靖康元年　金天会四年【丙午,1126】　正月,丁卯朔,受群臣朝贺,退,诣龙德宫,贺道君皇帝。诏中外臣庶实封言得失。

金监军宗望使奏于金主曰:"自郭药师降,益知宋之虚实,请以为燕京留守。及董才降,益知宋之地里,请任以军事。"金主俱赐姓完颜氏,皆给以金牌。

戊辰,金宗弼取汤阴,攻浚州。内侍梁方平领兵在黄河北岸,敌骑奄至,仓卒奔溃。时南岸守桥者望见金人旗帜,烧断桥缆,陷没凡数千人,金兵因得不济。方平既遁,何灌军亦望风溃散,守兵在河南者无一人。

初,金人至邯郸,遣郭药师为前驱,付以千骑,药师求益,复以千骑与之。药师疾驰三百里,质明,遂至浚,具言州县无备。其后金人邀取金缯、暴掠宫禁事,皆药师导之也。

己巳,下诏亲征,令有司并依真宗幸澶渊故事。命吴敏为亲征行营副使,许便宜从事;兵部侍郎李纲、知开封府聂山为参谋官,团结兵马于殿前司。

诏:"自今除授黜陟及恩数等事,并参酌祖宗旧制。"罢内外官司局所一百五处。

以吴敏知枢密院事,吏部尚书李棁同知枢密院事。

是日,闻浚州不守,夜漏二鼓,道君车驾东幸,出通津门。

朱勔放归田里。责王黼为崇信军节度使,永州安置。赐李彦死,仍籍其家赀。

庚午,以兵部侍郎李纲为尚书右丞、东京留守,同知枢密院李棁副之,聂山为随军转运使。

时从官以边事求见者,皆非时赐对。纲侍班延和殿中,适宰执奏事,议欲奉銮舆出狩襄、邓。纲语知东上邻门事朱孝庄曰:"有急切公事,欲与宰执廷辨。"孝庄曰:"旧例未有宰执未退而从官求对者。"纲曰:"此何时,而用例也!"孝庄即具奏。诏引纲立于执政之末,因启奏曰:"闻诸道路,宰执欲奉陛下出狩避敌,果有之,宗社危矣。且道君皇帝以宗社之故传位陛下,今舍之而去,可乎?"帝默然。白时中曰:"都城岂可以守?"纲曰:"天下城池,岂复有如都城者?且宗庙、社稷、百官、万民所在,舍此欲何之?若能率励将士,慰安民心,岂有不可守之理!"时内侍陈良弼领京城所,自内殿出奏曰:"京城楼橹创修,百未及一二。又,城东樊家冈一带,濠河浅狭,决难保守,愿详议之。"帝顾纲曰:"卿可同蔡懋、良弼往观,朕于此候卿。"纲诣东壁观城濠,回奏延和殿,帝顾问:"如何?"纲曰:"城坚且高。楼橹诚未备,然所以守不在此。濠河唯樊家冈一带,以禁地不许开之,诚为浅狭,然可以精兵强弩据也。"帝顾大臣曰:"策将安出?"皆默然。纲进曰:"今日之计,莫如整厉士马,声言出战,固结民心,相与坚守,以待勤王之师。"帝曰:"谁可将者?"纲曰:"朝廷平日以高爵厚禄富养大臣,盖将用之于有事之日。今白时中、李邦彦等,虽书生未必知兵,然藉其位(貌)〔号〕,抚驭将士以抗敌锋,乃其职也。"时中厉声曰:"李纲莫能出战否?"纲曰:"陛下不以臣为懦,傥使治军,愿以死报;第人微官卑,恐不足以镇服士卒。"帝问执政有何阙,赵野以尚书右丞对,时宇文粹中扈从东幸故也;帝即命除纲右丞。时宰执犹守避敌之议,纲曰:"臣今正谢,犹服绿,非所以示中外。"即时赐袍带并笏,纲服之以谢,且言:"方时艰难,臣不敢辞。"帝入,进膳,赐宰执食于崇政殿门外庑,再召对于福宁殿,去留之计犹未决也。乃命纲、棁为留守。纲力陈所以不可去之意,且言:"唐明皇闻潼关失守,即时幸蜀,宗社朝廷,碎于贼手,累年后仅能复之,范祖禹谓其失在于不能坚守以待勤王之师。今陛下初即大位,中外欣戴,四方之兵,不日云集,敌骑必不能久留。舍此而去,如龙脱于渊,车驾朝发而都城夕乱,虽臣等留守,何补于事!宗庙朝廷,且将丘墟,愿陛下审思之。"帝意颇回,而内侍王孝竭从旁奏曰:"中宫、国公已行,陛下岂可留此!"帝色变,降榻曰:"卿等毋执,朕将亲往陕西,起兵以复都城,决不可留此!"纲泣拜俯伏,以死请。会燕、越二王至,亦以固守为然,帝意稍定,即取纸,书"可回"二字,用宝,俾中使追还中宫、国公。顾谓纲曰:"朕今为卿留,治兵御寇,专以委卿。"纲受命,与棁同出,宿于尚书省。中夜,帝复遣中使谕宰执,欲诘旦决行。质明,纲入朝,见禁卫擐甲,乘舆服御,皆已陈列,六宫蟒被将升车。纲厉声谓禁卫曰:"尔等愿以死守宗社乎?愿扈从以巡幸乎?"皆呼曰:"愿以死守!"纲出,与殿帅王宗濋等入见曰:"陛下已许臣留,今复戒行,何也?六军之父母妻子,皆在都城,岂肯舍去,万一中道散归,陛下孰与为卫?且敌骑已逼,彼知乘舆之去未远,以健马疾追,何以御之?"帝感悟,始命辍行。纲传旨语左右曰:"上意已定,敢复有言去者斩!"因出传旨,禁卫皆拜伏呼万岁。

辛未,御宣德门,百官将士班楼前起居。帝降辇劳问将士,命李纲、吴敏叙金人渝盟,欲危宗社,决策固守,各令勉厉之意,俾邻门官宣谕六军,将士皆感泣流涕,于是固守之议始决。赐诸军班直缗钱有差。命纲为亲征行营使,侍卫亲军马军都指挥使曹曚副之,置司于大晟府,辟置官属,赐银钱各百万,朝议、武功大夫以下及将校官诰宣帖三千道,许便宜从事。

太宰兼门下侍郎白时中罢,以李邦彦为太宰兼门下侍郎,张邦昌为少宰兼中书侍郎,赵野为门下侍郎，翰林学士承旨王孝迪为中书侍郎，同知枢密院事蔡懋为尚书左丞。

壬申，金人渡河。

遣使督诸路勤王兵入援。

太学生陈东上书曰："臣窃知上皇已幸亳社，蔡京、朱勔父子及童贯等统兵二万从行。臣深虑此数贼遂引上皇迤逦南渡，万一变生，实可寒心。盖东南之地，沃壤数千里，其监司、州县官，率皆数贼门生，一时奸雄豪强及市井恶少，无不附之。近除发运使宋奂唤，是京子攸妻党；贯昨讨方寇，市恩亦众，兼闻私养死士，自为之备。臣窃恐数贼南渡之后，假上皇之威，振臂一呼，群恶响应，离间陛下父子，事必有至难言者。望速追数贼，悉正典刑；别选忠信可委之人，扈从上皇如亳，庶全陛下父子之恩以安宗庙。"帝然之。

癸酉，金宗望军至京城西北，屯牟驼冈。天驷监刍豆山积，异时郭药师来朝，得旨打球于其间，金人兵至，径趣其所，药师导之也。自金骑叩河，梁方平焚桥而遁，金人不得遽渡，取小舟能容数人者以济，凡五日，骑兵方绝，步兵犹未集也；旋济旋行，无复队伍。既据牟驼冈，获马二万匹，笑谓沈琯曰："南朝可谓无人，若以一二千人守河，我辈岂得渡哉？"

是日，金人攻宣泽门，以火船数十顺流而下。李纲临城，募敢死士二千人，列布拐子城下，火船至，摘以长钩，投石碎之；又于中流排置（权）〔杈〕木，及运蔡京家山石叠门道间，就水中斩获百馀人，迨旦始定。

自帝御楼之后，方治都城四壁守具，以百步法分兵备御，每壁用正兵万二千馀人，而保甲、居民、厢军之属不与焉。修楼橹，挂毡幕，安炮座，设弩床，运砖石，施燎炬，垂棚木，备火油，凡防守之具毕备。四壁各以从官、宗室、武臣为提举官，诸门皆以中贵大小使臣分地而守。又团结马步军四万人为前后左右军，中军八千人，有统制、统领、将领、队将等，日肄习之。以前军居通津门外，护延丰仓，仓有豆粟四十馀万石，其后勤王之师集城外者，赖之以济。后军居朝阳门，占樊家冈，使金骑不敢近。而左、右、中军居城中以备缓急。自五日至八日，治战守之具粗毕，而敌兵抵城下矣。

以驾部员外郎郑望之充军前计议使，亲卫大夫高世则副之。望之奉命即行，少顷，金亦遣吴孝民来，举鞭与望之遥相揖，约孝民至城西相见。是夜，望之等缒城下，入何灌帐中。孝民亦至，言欲割大河为界，副以犒军金帛。望之与辩论久之，孝民不答，遂与望之俱来。

甲戌，望之入奏使事，退，引见金使孝民，言愿遣亲王、宰相到军前议和，帝顾宰执，未有对者。李纲请行，帝不许，命李棁奉使，望之、世则副之。宰执退，纲独留，问所以不遣之旨。帝曰："卿性刚，不可以往。"纲对曰："敌气太锐，吾大兵未集，固不可以不和。然所以和者得策，则中国之势遂安；不然，祸患未已。宗社安危，在此一举。李棁柔懦，恐误国事。"因言："敌人贪婪无厌，又有燕人狡狯以为之谋，必且张大声势，过有邀求。如朝廷不为之动，措置合宜，彼当戢敛而退。若朝廷震惧，一切与之，彼知中国无人，益肆觊觎，忧未已也。"

纲既退，棁与望之再对，帝许增岁币三五百万两，免割地。次论及犒军，许银三五百万两。又命棁押金一万两及酒果赐宗望。

使人至，宗望南向坐见之，遣燕人王汭等传道语言，谓："都城破在顷刻，所以敛兵不攻

2183

者,为赵氏宗社也。议和所须犒师金银绢采各以千万计,马驼驴骡之属各以万计。尊其国主为伯父,凡燕、云之人在汉者悉归之。割太原、中山、河间三镇之地,又以亲王、宰相为质。"棁等不敢有言,第曰:"有皇帝赐到金万两及酒果。"宗望令吴孝民受之。夜,宿挈生监,金人遣萧三宝努等来言:"南朝多失信,须一亲王为质;割地必以河为界。"望之但许增岁币三百万,三宝努不悦而退。

是日,金人移壁开远门。

以吏部尚书唐恪同知枢密院事。

乙亥,李纲方入对,外报敌攻通天、景阳门一带甚急。帝命纲督将士捍御,纲请禁卫班直善射者千人以从。敌方渡濠,以云梯(次)〔攻〕城,趾直乘城射之,皆应弦而倒,将士无不贾勇,近者以手炮、檑木击之,远者以神臂弓射之,又远者以床子弩坐炮及之。而金人有乘筏渡濠而溺者,有登梯而坠者,有中矢石而踣者,纷纷甚众。又募壮士数百人缒城而下,烧云梯数十座,斩获酋首数十级。敌又攻陈桥、封丘、卫州等门,矢集城上如猬毛,纲登城督战,帝遣中使劳问,手札褒谕,给内库酒、银碗、采绢等以颁将士,人皆欢呼。自卯至未、申间,杀获凡数千,乃退。武泰军节度使何灌死之。

金游骑四出,抄掠畿县,唯东明、太康、雍丘、扶沟、鄢陵仅存。金人耻小邑不破,再益骑三千,急攻东明,京东将董有邻率众拒之,斩首十馀级。

郑望之等在金营,宗望约见之,引李邺、沈琯于其坐后,需金五百万两,银五千万两,牛马万匹,(衣)〔表〕缎百万匹,割太原、中山、河间三镇地,并宰相、亲王为质。出玉带、玉篦刀、名马各一,遣萧三宝努、耶律忠、王讷来献,夜,到驿。棁、望之入对福宁殿,具奏所言,帝令与大臣言之。

是日,燕山都监武汉英、知信德府杨信功及李邺、沈琯等并归自敌营。

丙子,避正殿,减常膳。

诏括借私家金银,有敢隐庇转藏者,并行军法;倡优则籍其财。得金二十万两,银四百万两,而民间已空。

中书省言:"中山、太原、河间府并属县及以北州军,已于誓书议定交割,如有不肯听从之处,即将所毗州府令归金国。"从之,命降诏三镇。

时肃王枢及康王构居京师,帝退朝,康王入,毅然请行,曰:"敌必欲亲王出质,臣为宗社大计,岂应辞避!"即以为军前计议使,张邦昌、高世则副之。诏称金国加大字,命引康王诣殿阁,见宰执。李棁曰:"大金恐南朝失信,故欲亲王送至河耳。"王正色曰:"国家有急,死亦何避!"闻者悚然。

丁丑,宰执进呈金人所须之目,李纲力争,谓:"犒师金币,其数太多,虽竭天下之财且不足,况都城乎?太原、河间、中山,国家屏蔽,号为三镇,其实十馀郡地塘泺险阻皆在焉,割之何以立国!又保塞、翼祖、顺祖、僖祖陵寝所在,子孙奈何与人!至于遣使,宰相当往,亲王不当往。今日之计,莫若择使姑与之议所以可不可者,金币之数,令有司会计。少迟数日,大兵四集,彼以孤军深入重地,势不能久留,然必求速归,然后与之盟,则不敢轻中国,而和可久也。"

宰执议不合，纲因求去，帝慰谕曰："卿第出治兵，益固城守，此事当徐议之。"纲复曰："金人所须，宰执欲一切许之，不过欲脱一时之祸，它日付之何人？陛下愿更审处，恐后悔无及。"帝不听，即以誓书授李邺往。纲尚留三镇诏书不遣，冀少迟延，以俟勤王兵集，徐为后图也。

庚辰，张邦昌从康王诣金营，自午至夜分始达。

时勤王之师踵至，日或数万人，四壁各置统制官纠集，给刍粮，授器甲，立营寨，(围)〔团〕队伍，皆行营司主之。

辛巳，道君幸镇江。

以兵部尚书路允迪金书枢密院事。

金人破阳武县，知县蒋兴祖死之。兴祖，宜兴人也。

壬午，大风走石，竟日乃止。

统制官马忠以京西募兵至，遇金人于顺天门外，乘势击之，杀获甚众。范琼将万骑自京东来，营于马监之侧，王师稍振。

初，勤王兵未集，金人气骄甚，横行诸邑，旁若无人。至是始惧，游骑不敢旁出，自京城以南，民稍奠居矣。

甲申，省廉访使者官，罢钞旁定贴钱及诸州免行钱，以诸路赡学户绝田产归常平司。

丁亥，河北、河东路制置使种师道，武安军承宣使姚平仲，以泾原、秦凤兵至。

初，师道被诏勤王，闻命即行，过姚平仲，有步骑七千与之俱。(北)〔比〕至洛阳，闻宗望已屯京城下，或言敌势方锐，愿少驻汜水以谋万全。师道曰："吾兵少，若迟回不进，形见情露，只取辱耳。今鼓行而前，彼安能测我虚实。都人知吾来，士气自振，何忧敌哉！"揭榜沿道，言种少保领西兵百万来，遂趋汴水南，径逼金营。金人惧，徙砦稍北，敛游骑，但守牟驼冈，增垒自卫。

时师道年高，天下称为老种。帝闻其至，喜甚，开安上门，命李纲迎劳。时已议和，入见，帝问曰："今日之事，卿意如何？"对曰："金人不知兵，岂有孤军深入人境而能善归乎！"帝曰："业已讲和矣。"对曰："臣以军旅之事事陛下，馀非所敢知也。"

李纲言于帝曰："勤王之师渐集，兵家忌分，非节制归一不能济，愿敕师道、平仲两将听臣节制。"帝不听，曰："师道老而知兵，且职位已高，与卿同官，替曹矇可也。"于是别置宣抚使，令师道为之，以平仲为都统制。应四方勤王兵，并隶宣抚司，又拨前后军之在城者属之，而行营司所统者，独左、右、中军而已。帝屡申饬两司不得侵紊，而节制既分，不相统壹，宣抚司所欲行者，往往托以机密，不复关报，自是权始分。

辛卯，开封府言："故太傅王黼，行至雍丘县南二十里辅固村，为盗所杀，百姓遂谓之负国村。"诏籍其赀。小人乘隙争入黼第，掠取绢七千馀匹，钱三十馀万缗，四壁荡然。

先是吴敏、李纲请诛黼，事下开封府聂山，山方挟宿怨，遣武士戕之民家。帝以初即位，难于诛大臣，托言盗杀之。议者以不正天讨为失刑云。

癸亥，大雾四塞。

李纲、李邦彦、吴敏、种师道、姚平仲、折彦质同对于福宁殿，议所以用兵者。纲奏曰："金

2185

人张大其势,然兵实不过六万,又大半皆奚、契丹、渤海部落。吾勤王之师集城下者二十馀万,固已数倍之矣。彼以孤军入重地,犹虎豹自投槛阱中,当以计取之,不可与角一旦之力。为今之策,莫若扼关津,绝粮道,禁抄掠,分兵以复畿北郡邑,俟彼游骑出则击之,以重兵临敌营,坚壁勿战,如周亚夫所以困七国者,待其粮尽力疲,然后以将帅檄取誓书,复三镇,纵其北归,中渡而后击之,此必胜之计也。"帝然之。

甲午,太学生陈东言:"昨闻道路之言曰:高杰近收其兄俅、伸等书,报上皇初至南京,不欲前迈,复为蔡京、童贯、朱勔等挟之而去。迨至泗州,又诈传上皇御笔,令高俅守御浮桥,不得南来,遂挟上皇渡淮以趋江、浙。斥回随驾卫士,至于攀望恸哭,童贯遂令亲兵引弓射之,卫士中矢而踣者凡百馀人。(问)〔闻〕俅父子兄弟在旁,仅得一望上皇,君臣相顾泣下,意若有所言者。而群贼之党,遍满东南,皆平时阴结以为备者,一旦乘势窃发,控持大江之险,东南郡县必非朝廷有,陛下何为尚不忍于此?得非梁师成阴有营谋而然邪?师成威声气焰,震灼中外。国家至公之选,无如科举之取士,而师成乃荐其门吏使臣储宏,廷试赐第,仍令备役。宣和六年春,亲第进士,其中百馀人,皆富商豪子,每名所献至七八千缗。又创置北司以聚不急之务,专领书艺局以进市井游手无赖之辈。滥恩横赐,糜费百端。师成之恶如此,而至今不去,群贼倚为奥援,陛下虽欲大明诛赏,胡可得哉!"

乙未,诏暴师成朋附王黼之罪,责授彰化军节度副使,遣使臣押赴贬所;行至八角镇,赐死。

初,王黼尝为郓王楷阴画夺宗之计,师成力保护太子,得不动摇。及道君东幸,嬖臣多从以避罪,师成自以旧恩留京师。至是陈东疏其罪,布衣张炳亦以为言,遂贬死。

帝以金人索金银数至多,欲取禁中珠玉以充折,令聚置宣和殿。是日,李棁、郑望之入对,命阅所列珠玉,悉津至金营。

二月,丁酉朔,李棁、郑望之至金营,金人先遣棁归。是夜,宣抚司都统制姚平仲率步骑万人劫金营,以败还。

初,种师道以"三镇不可弃,城下不可战。朝廷固坚守和议,俟姚古来,兵势益甚,然后使人往谕金人,以三镇系国家边要,决不可割,宁以其赋入增作岁币,庶得和好久远。如此三两返,势须逗留半月。重兵密迩,彼必不敢远去劫掠。孳生监粮草渐竭,不免北还,俟其过河,以骑兵尾袭。至真定、中山两镇,必不肯下。彼腹背受敌,可以得志。"会李纲主平仲之谋,师道言卒不用。平仲,古之养子也。帝以其骁勇,屡召对内殿,赐予甚厚,许以成功当受节钺。平仲议欲夜叩金营,生擒宗望,奉康王以归,而其谋泄,金先事设备,故反为所败。金人以是责康王,张邦昌恐惧涕泣,王不为动。

李纲会行营左右军将士,质明,出景阳门,与金人鏖战于幕天坡,斩获甚众。复攻中军,纲亲率将士以神臂弓射却之。

师道复言:"劫寨已误,然兵家亦有出其不意者。今夕再遣兵分道攻之,亦一奇也。如犹不胜,然后每夕以数千人扰之,不十日,敌人遁矣。"李邦彦等畏懦不能用。

帝满意平仲必成功,既而失利,宰执台谏交言西兵勤王之师及亲征行营司兵为敌所歼,无复存者,帝大惊,有诏不得进兵。遂罢纲尚书右丞、亲征行营使,以蔡懋代之。因废行营使司,止以守御使总兵事,盖欲罪纲以谢敌也。

己亥,李纲诣崇政殿求对,既至殿门,闻罢命,乃退处浴堂待罪。蔡懋会问,行营司兵所失才百馀人,而西兵及勤王之师折伤千馀人,馀并如故。是夕,帝降亲笔劳纲,赐白金五百两,钱五十万,且令吴敏谕复用之意,纲感泣以谢。

宗望遣王汭来问举兵之故。辛丑,遣资政殿大学士宇文虚中、知东上郃门(使)〔事〕王俅使金军。

时虚中闻京师急,驰归,收拾散卒,得东南军兵二万人,以便宜起李邈领之,令驻汴河。会姚平仲失利,援兵西来者皆溃,虚中缒而入城。帝欲遣使辩劫营非朝廷意,且将加罪其人,仍就迎康王。大臣皆不欲行,虚中承命,慨然而往。

是日,太学生陈东率诸生数百人伏宣德门下,上书曰:“李纲奋勇不顾,以身任天下之重,所谓社稷之臣也。李邦彦、白时中、张邦昌、赵野、王孝迪、蔡懋、李棁之徒,庸缪不才,忌嫉贤能,动为身谋,不恤国计,所谓社稷之贼也。陛下拔纲为执政,中外相庆;而邦彦等疾如仇雠,恐其成功,因缘沮败,归罪于纲。夫一胜一负,兵家常势,岂可遽以此倾动任事之臣!且邦彦等必欲割地,曾不思河北实朝廷根本,无三关、四镇,是弃河北也。弃河北,朝廷能复都大梁乎!又不知割地之后,邦彦等能保金人不复改盟否也?窃思敌兵南向,大梁不可都,必将迁而之金陵,则自江以北,非朝廷有。况金陵正虑童贯、蔡攸、朱勔等往生变乱,虽欲迁而都之,又不可得,陛下将于何地奠宗社邪?邦彦等不为国家长久计,又欲沮纲成谋以快私愤。罢命一传,兵民骚动,至于流涕,咸谓不日为敌擒矣。罢纲非特堕邦彦等计中,又堕敌计中也。乞复用纲而斥邦彦等,且以阃外付种师道。宗社存亡,在此一举!”

书奏,军民不期而集者数万人。会邦彦退朝,众数其罪,嫚骂,且欲殴之,邦彦疾驱以免。帝令中人传旨,可其奏。有欲散者,众哄然曰:“安知非伪邪?须见李右丞、种宣抚复用乃退。”吴敏传宣云:“李纲用兵失利,不得已罢之,俟金人稍退,令复职。”众犹莫肯去,方挝坏登闻鼓,喧呼动地。开封尹王时雍至,谓诸生曰:“胁天子可乎?胡不退?”诸生应之曰:“以忠义胁天子,不愈于以奸佞胁之乎?”复欲前殴之,时雍逃去。殿帅王宗濋恐生变,奏帝勉从之。帝乃遣耿南仲号于众曰:“已得旨宣李纲矣。”内侍朱拱之宣纲后期,众脔而磔之,并杀内侍数十人。纲惶惧入对,泣拜请死。帝即复纲右丞,充京城四壁守御使,纲固辞,帝不许,俾出外宣谕。众又愿见种师道,诏促师道入城弹压。师道乘车而至,众褰帘视之曰:“果我公也!”始相率声喏而散。

壬寅,追封范仲淹魏国公,赠司马光太师,张商英太保。除元祐学术党籍之禁。

废苑囿宫观可以与民者。

诏诛士民杀内侍为首者,禁伏阙上书。王时雍欲尽致太学诸生于狱,人人慑恐。会朝廷将用杨时为祭酒,遣聂昌诣学宣谕,然后定。昌,即山也,帝尝以其有周昌抗节之义,故改名昌。

癸卯,以著作佐郎沈晦从皇弟肃王枢使金军。

以徐处仁为中书侍郎,宇文虚中签书枢密院事。蔡懋罢。

乙巳,康王及宇文虚中、张邦昌还自金营。

宗望欲退师,遣韩光裔来告辞。帝遣虚中赍李纲所留割三镇诏书以往。初,金人攻城,蔡懋禁不得辄施矢石,将士积愤。及李纲复用,下令能杀敌者厚赏,众无不奋跃,金人稍有惧心。既得三镇诏书,又肃王为质,遂不俟金币数足,引兵北去。京师解严。

种师道请乘金人半济击之,帝不许。师道曰:"异日必为中国患。"御史中丞吕好问言于帝曰:"金人得志,益轻中国,秋冬必倾国复来,御敌之备,当速讲求。"不听。

丙午,以康王构为太傅、静江、奉宁军节度使。

省明堂班朔布政官。

丁未,日有两珥。

戊申,赦天下。诏谕士民:"自今庶事并遵用祖宗旧制,凡蠹国害民之事,一切寝罢。"

遣王俅使金军迎肃王。

己酉,罢宰执兼神霄、玉清、万寿宫使。

诏用祖宗故事,择武臣得军心者为同知、金书枢密院,边将有威望者为三衙。

以金人讲和,诏:"官民昔尝附金而复归本朝者,各还其乡国。"

李纲言:"澶渊之役,虽与辽人盟约,及其退也,犹遣重兵护送之,盖恐其无所忌惮,肆行掳掠故也。金人之去三日矣,初谓其以船筏渡河,今系桥济师,一日而毕。盍遣大兵用澶渊故事护送之!"帝可其请。于是分遣将士,以卒万馀数道并进,且戒诸将度便利,可击即击之。将士受命,踊跃以行。而宰相咎纲尽遣城下兵追敌,恐仓卒无措,急征诸将。已追及金人于邢、赵间,遽得还师之命,无不扼腕。比纲力争复追,而将士解体矣。

庚戌,李邦彦罢。以张邦昌为太宰兼门下侍郎,吴敏为少宰兼中书侍郎,李纲知枢密院事,耿南仲为尚书左丞,李棁为尚书右丞。

辛亥,诏:"监察御史言事,如祖宗法。"

宇文粹中罢知江宁府。

癸丑,种师道罢为中太一宫使。

中丞许翰言师道名将,沈毅有谋,不可使解兵柄。帝谓其老,难用,翰曰:"秦始皇老王翦而用李信,兵辱于楚,汉宣帝老赵充国而卒能成金城之功。自吕望以来,以老将收功者,难一二数。师道智力未衰,虽老,可用也。"帝不纳。翰又言:"金人此去,存亡所系,当令一大创,使失利去,则中原可保,四夷可服。不然,将来再举,必有不救之患。宜遣师道邀击之。"帝亦不听。

始,帝使翰见师道,师道不语,翰曰:"国家有急诏,许来访所疑,公勿以书生之故不肯言。"师道乃曰:"我众彼寡,但分兵结营,控守要地,使彼粮道不通,坐以持久,可破也。"翰深服之。

癸丑,泽州言金宗翰兵次高平。

初,宗翰闻宗望议和,亦遣人来索赂,宰相以勤王兵大至,拘其使而不与。宗翰怒,乃分兵破忻、代,折可求以麟府兵,刘光世以鄜延兵援河东,皆为所败,遂围太原,月馀不能下。适平阳义军叛去,攻破威胜军,遂引金人入南北关,破隆德府,知府张确、通判赵伯臻、司录张彦遹死之。确,邠州宜禄人。初,道君即位,应诏上书言十事,乞诛大奸,退小人,进贤能,开禁锢,起老成,擢忠鲠,息边事,修文德,广言路,容直谏。及守隆德,闻金人南下,表言:"河东天下根本,无河东,岂特秦不可守,汴亦不可都矣。若得秦兵十万人,犹足以抗敌。"书累上,不报。金兵至,确乘城固守。金人知城中无备,谕使降,确曰:"确守土臣,当以死报国,头可断,腰不可屈也!"乃战而死。

金人次高平,举朝震惧。命统制官郝怀将兵一万屯河阳,扼太行、琅车之险,以种师道为河北宣抚使,驻滑州,以姚古为制置使,总兵援太原,以种师中为制置副使,援中山、河间诸郡。

赠右正言陈瓘为右谏议大夫。

甲寅,侍御史孙觌言:"蔡京四任宰相,前后二十年,挟继志述事之名,建蠹国害民之政,祖宗法度,废移几尽。托丰亨豫大之说,倡穷奢极侈之风,而公私蓄积,扫荡无馀。立御笔之限以阴坏封驳之法,置曲学之科以杜塞谏争之路。汲引群小,充满要涂,禁锢忠良,悉为朋党。闺门混浊,父子喧争。厮役官为横行,媵妾封为大国。欺君罔上,挟数任情。书传所记老奸巨恶,未有如京比者。上皇屡因人言,灼见奸状,凡四罢免,而凶焰益肆,复出为恶。怨气充塞,上干阴阳;人心携离,上下解体。于是敌人乘虚鼓行,如蹈无人之境。陛下赫然威断,贬斥王黼等,大正典刑,如京之恶,岂可独贷!"又言:"方王师之伐北也,童贯、蔡攸为宣抚,提数十万之师,挫于残辽;淹留弥岁,卒买空城,乃以恢定故疆,冒受非常之宠。萧后纳款,其使韩昉见贯、攸于军中卑辞(折衷)〔祈哀〕,欲损岁币以复旧好,此安危之机也;乃叱昉使去,昉大呼于庭,告以必败。今数州之地,悉非我有,而国用民力,从而竭矣。迨金人结好,则又招纳叛亡,反复卖国,造怨结祸,使敌人因以藉口。前年秋,贯以重兵屯太原,欲取云中之地,卒无尺寸功。去年冬,贯复出太原,金人入塞,贯实促之。攸见边报警急,贯遁逃以还,漫不经意,玩兵纵敌,以至于此。迨敌人长驱,震惊都邑,贯、攸一旦携金帛尽室远去,曾无同国休戚之意。贯、攸之罪,上通于天。愿陛下早正典刑,以为乱臣贼子之戒!"诏:"责授京守秘书监、分司南京,致仕,河南府居住;贯左卫上将军,致仕,池州居住;攸太中大夫、提举亳州明道宫。"

丙辰,有二流星,一出张宿入浊没,一出北河入轸。

辛酉,梁方平坐弃河津伏诛。

门下侍郎王孝迪罢。

命给事中王云等使金。

乙丑,御殿,复膳。

丙寅,下哀痛之诏于陕西、河东。

童贯等从道君南幸,闻都城受围,乃止东南邮传及勤王之师。道路籍籍,言贯等为变,朝廷议遣聂昌为发运使,往图之。李纲曰:"使昌所图果成,震惊太上,此忧在陛下。万一不果,是数人者,挟太上于东南,求剑南一道,陛下将何以处之？莫若罢昌之行,请于太上,去此数人,自可不劳而定。"帝从之。

是月,海滨王家奴诬其主欲亡去,金主命诛其首恶,馀悉杖之。

三月,丁卯朔,遣徽猷阁待制宋焕奉表道君皇帝行宫。

诏侍从言事。

诏："非三省、枢密使所奉旨,诸司不许奉行。"

罢川路岁所遣使。

戊辰,李棁罢为鸿庆宫使。

己巳,张邦昌罢为中太一宫使。

以徐处仁为太宰兼门下侍郎,唐恪为中书侍郎,翰林学士何㮚为尚书右丞,御史中丞许翰同知枢密院事。

帝尝问处仁割三镇是否,处仁言不当弃,与吴敏议合。敏荐处仁可相,遂拜太宰。

时进见者多论宣和间事,恪言于帝曰："革弊当以渐,宜择今日之所急者先之。而言者不顾大体,至毛举前事以快一时之愤,岂不伤太上之心哉！京、攸、贯、黼之徒,既从窜斥,姑可已矣。它日边事既定,然后白太上,请下一诏,与天下共弃之,谁曰不可！"帝曰："卿论甚善,为朕作诏书,以此意布告在位。"

庚午,金书枢密院事宇文虚中罢,知青州,以言者劾其议和之罪也。

癸酉,命赵野为道君皇帝行宫奉迎使。

丙子,改撷景园为宁德宫。

录司马光后。

壬午,诏曰："朕承道君皇帝付托之重,十有四日,金人之师已及都城。大臣建言捐金帛,割土地,可以纾祸。赖宗社之灵,守备弗缺,久乃退师。而金人要盟,终弗可保。今肃王渡河北去未还,宗翰深入南破隆德,未至三镇,先败元约,及所过残破州县,杀掠士女。朕夙夜追咎,何痛如之！已诏元主和议李邦彦,奉使许地李棁、李邺、郑望之,悉行罢黜,又诏种师道、姚古、种师中往援三镇。朕唯祖宗之地,尺寸不可与人,且保塞陵寝所在,誓当固守,不忍陷三镇二十州之民,以偷顷刻之安。与民同心,永保疆土,播告中外,使知朕意,仍札与三镇帅臣。"

种师中以兵渡河,上言："宗翰在泽州,臣欲由邢、相间捷出上党,捣其不意,当可以逞。"朝廷疑不用。

宗望攻中山、河间,两镇皆固守不下。师中因进兵以逼之,宗望遂北还。

癸未,遣李纲迎道君皇帝于南京,以徐处仁为礼仪使。

时用事者言道君将复辟于镇江,人情危骇。既而太上皇后先还,或谓后将由端门入直禁中,内侍辈颇劝帝严备,帝不从。既而道君还至南京,以书问改革政事之故,且召吴敏、李纲。或虑道君意不可测,纲曰："此无它,不过欲知朝廷事耳。"纲诣行宫,具道"皇帝圣孝思慕,请陛下早还京师"。道君询近日都城攻围守御次序,具以实对。道君曰："敌退,师方在河,何不邀击?"纲曰:"以肃邸在敌营故。"道君曰:"为宗社计,岂复论此!"因及行宫止递角等事,纲曰:"当时恐金人知行宫所在,非有它也。"因言:"皇帝每得诘问之诏,辄忧惧不食。臣窃譬之,家长出而强寇至,子弟之任家事者,不得不从宜措置。长者但当以其能保田园大计而慰劳之,苟诛及细故,则为子者何所逃其责邪!皇帝传位之初,适当强敌来侵,不得不小有变更。陛下回銮,臣谓宜有以大慰皇帝之心,勿问细故可也。"道君感悟,出玉带、金鱼、象简赐纲,且曰:"卿捍守宗社有大功,若能调和父子间,使无疑阻,当遂垂名青史。"纲还,具言道君意,帝始释然。

金使尼楚赫围太原,宗翰还西京。宗望罢常胜军,给还燕人田业,命将士分屯安肃、雄、霸、广信之境。

乙酉,迎道君皇帝于宜春苑,太后入居宁德宫。

丙戌,知中山府詹度为资政殿(太)〔大〕学士,知太原府张孝纯、知河间府陈遘并为资政殿学士,知泽州高世由直龙图阁,赏城守之劳也。

丁亥,朝于宁德宫。诏:"扈从行宫官吏,候还京日,优加赏典;除有罪之人,迫于公议已行遣外,馀令台谏勿复用前事纠言。"

庚寅,姚古复隆德府;辛卯,复威胜军。

壬辰,有流星出紫微垣。

甲午,以户部侍郎钱盖为陕西制置使。

监察御史胡舜陟言:"陛下践阼之初,放朱勔于田里,天下称颂。然典刑未正,士论籍籍。"诏:"勔安置广南,籍没其财产。"

命陈东初品官,赐同进士出身。东辞不拜而归。

乙未,诏:"金归朝官民,未发遣者止之。"

左司谏陈公辅奏乞窜逐蔡京以慰天下公议。制:"京责授崇信军节度副使,德安府安置;子攸前去省侍。"

夏,四月,戊戌,夏人破镇威城,摄知城事朱昭阖门死之。昭,府谷人也。

初,金宗翰遣使夏国,许割天德、云内、金肃、河清四军及武州等八馆之地,约攻麟州,以牵河东之势。夏人遂渡河,取四军八馆之地,因攻镇威城。昭力战而败,乃尽杀其妻子,纳尸井中,复帅士搏战死,城遂破。既而金将希尹以数万骑阳为出猎,奄至天德,逼逐夏人,悉夺有其地。夏人请和。金人执其使。

己亥,道君皇帝至自南京,帝迎于都门。

道君将至,宰执进迎奉仪注。耿南仲议欲屏道君左右,车驾乃进。李纲言:"天下之理,诚与疑、明与暗而已。自诚明推之,可至于尧、舜;自疑暗推之,其患有不可胜言者。耿南仲不以尧、舜之道辅陛下,乃暗而多疑。"南仲怫然曰:"臣适见左司谏陈公辅,乃为李纲结士民伏阙者,乞下御史置对。"帝愕然。纲曰:"臣与南仲所论,国事也,南仲乃为此言!愿以公辅事下吏。"因求去,帝不允。

壬寅,朝于龙德宫。

癸卯,立长子谌为皇太子。

以耿南仲为门下侍郎。

乙巳,置《春秋》博士。

戊申,置详议司于尚书省,讨论祖宗法度。

己酉,乾龙节,群臣上寿于紫宸殿。

庚戌,门下侍郎赵野罢。

壬子,知应天府杜充改知隆德府。

金宗望遣贾霆、冉企弓与王(球)〔俅〕俱来。时(球)〔俅〕至中山望都县,追及肃王。宗望以三镇未下,复令王回,故遣霆等来议。

癸丑,诏开经筵。

封太师、沂国公郑绅为乐平郡王。

御史中丞陈过庭言:"蔡京、王黼、童贯,造为乱阶,均犯大恶,然窜殛之刑,独加于黼,而京、贯止于善地安置,罪同罚异。"乃诏:"京移衡州安置;贯责授(安)〔昭〕化军节度副使,郴州安置。"

臣僚又言:"朱勔父子,皆衡州一处安置,典刑未正。"诏:"勔移韶州羁管,子汝贤、侄汝楫等并各州居住。"

令吏部稽考庶官,凡由杨戬、李彦之公田,王黼、朱勔之应奉,童贯西北之师,孟昌龄河防之役,夔、蜀、湖南之开疆,关陕、河东之改币,及近习所引,献颂可采,特赴殿试之流,所得爵赏悉夺之。

甲寅,种师道加太尉、同知枢密院事、河北、河东路宣抚使。

乙卯,诏:"自今假日特坐,百司毋得休务。"

丙辰,诏:"有告奸人妄言金人复至以恐动居民者,赏之。"

己未,复以诗赋取士,禁用《庄》《老》及(主)〔王〕安石《字说》。

种师道荐河南尹焞德行,召至京师,不欲留,赐号和靖处士,遣还。户部尚书梅执礼、礼部侍郎邵溥、中丞吕好问、中书舍人胡安国合奏:"焞言动可以师法,器识可以任大,乞擢用之。"不报。

壬戌,诏:"亲擢台谏官,宰执勿得荐举,著为令。"

追政和以来道官、处士、先生封赠奏补等敕书。

癸亥,诏:"蔡京、童贯、朱勔、蔡攸等,久稽典宪,众议不容。京可移韶州,贯移英州,勔移循州,攸责授节度副使、永州安置,勔子孙分送湖南。"

甲子,令在京监察御史、在外监司、郡守及路分钤辖已上,举曾经边任或有武勇、可以统众出战者,人二员。

东兵正将古沆与金人战于交城县,死之。

乙丑,诏:"三衙并诸路帅司,各举谙练边事、智勇过人,并豪俊奇杰、众所推服、堪充〔统〕制将领者,各五名。"

五月,丙寅朔,朝于龙德宫,令提举官日具太上皇帝起居平安以闻。

丁卯,诏天下:"有能以财谷佐军者,有司以名闻,推恩有差。"

戊辰,国子祭酒杨时上言:"蔡京用事二十年,以继述神宗为名,实挟王安石以图身利,故推尊安石,加以王爵,配享孔子庙庭。今日之祸,实安石有以启之。安石挟管、商之术,饰六艺以文奸言,变乱祖宗法度。当时司马光已言其为害当见于数十年之后,今日之事,若合符契。其著为邪说,以涂学者耳目而败坏其心术者,不可缕数。姑即一二事明之:昔神宗尝称美汉文不作露台,安石乃言:'陛下若能以尧、舜之道治天下,虽竭天下以自奉不为过。'曾不知尧、舜茅茨、土阶,则竭天下以自奉者,必非尧、舜之道。其后王黼、朱勔以应奉花石竭天下之力,实安石自奉之说启之也。其释《凫鹥》之末章,则谓'以道守成者,役使群众,泰而不为骄;宰制万物,费而不为侈。'《诗》之所言,正谓能持盈,则神祇祖考安乐之而无后艰耳,安石独倡为此说,以启人主之侈心。后蔡京辈遂轻费妄用,以侈靡为事。安石邪说之害如此,伏望追夺王爵,毁去配享之像,使邪说淫词不为学者之惑。"疏奏,诏罢安石配享,降居从祀之列。

时诸生习用王氏之学以取科第,忽闻时言,目为邪说,群论籍籍。于是中丞陈过庭、谏议大夫冯澥上疏诋时,乃罢时祭酒,诏改给事中。时力辞,遂以徽猷阁待制致仕。时居九十日,凡所论列,皆切于世道,而其大者,则辟王氏,排和议,论三镇不可弃云。

辛未,监察御史余应求,坐言事迎合大臣罢,知卫州。

甲戌,曲赦河北路。

丁丑,制置副使种师中,与金人战于榆次县,死之。

时太原围不解,诏师中由井陉与姚古掎角。师中进次平定军,乘胜复寿阳、榆次等县,留屯真定。宗翰之还西京也,留兵分就畜牧,觇者以为将北走,告于朝。许翰信之,数遣使趣师中出战,责以逗挠。师中叹曰:"逗挠,兵家大戮也。吾结发从军,今老矣,忍受此为罪乎!"即日办严,约姚古及张灏俱进,而辎重赏犒之物皆不暇从行。师中抵寿阳之石坑,为金将完颜和尼所袭,五战三胜,回趋榆次,至杀熊岭,去太原百里。姚古将兵至威胜,统制焦安节妄传宗翰将至,故古与灏皆失期不会。师中兵饥甚,敌知之,悉众攻右军,右军溃,而前军亦奔。师中独以麾下死战,自卯至巳,士卒发神臂弓射退金人,而赏赉不及,皆愤怨散去,所留才百人。师中身被四创,力疾斗死。师中老成持重,为时名将。既死,诸军无不夺气。金乘胜进兵迎古,遇于盘陀,古兵溃,退保隆德。事闻,赠师中少师。

己卯,开府仪同三司高俅卒,诏追削其官。

辛巳,损太官日进膳。

甲申,罢详议司。

壬辰,诏天下举习武艺兵书者。

乙未,诏姚古援太原。

六月,丙申朔,以道君皇帝还朝,御紫宸殿,受群臣朝贺。

高丽国王王楷称藩于金。

诏谏官极论得失。右正言崔鹏上疏曰:"诏书令谏臣直论得失以求实是。臣以为数十年来,王公卿相,皆自蔡京出,要使一门生死则一门生用,一故吏逐则一故吏来,更持政柄,无一人立异,无一人害己者,此京之本谋也,安得实是之言闻于陛下哉! 而谏议大夫冯澥近上章曰:'士无异论,太学之盛也。'澥尚敢为此奸言乎! 王安石除异己之人,著《三经》之说以取士,天下靡然雷同,陵夷至于大乱,此无异论之效也。京又以学校之法驱士人,如军法之驱卒伍,一有异论,累及学官,若苏轼、黄庭坚之文,范镇、沈括之杂说,悉以严刑重赏禁其收藏,其苟锢多士,亦已密矣,而澥犹以为太学之盛,欺罔不已甚乎! 章惇、蔡京,倡为绍述之论以欺人主。绍述一道德而天下一于谄佞,绍述同风俗而天下同于欺罔,绍述理财而公私竭,绍述造士而人材衰,绍述并边而塞尘及阙矣。元符应诏上书者数千人,京遣腹心考定之,同己为正,异己为邪;澥与京同者也,故列于正。京之术破坏天下已极,尚忍使其馀蠹再破坏邪! 京奸邪之计,大类王莽,而朋党之众,则又过之。愿斩之以谢天下!"初,鹏以上书邪等屏去十馀载,及帝即位,起为右正言。至是极论时政,忽得挛疾,不能行,固求去,乃予祠,命下而卒。

戊戌,令中外举文武官才堪将帅者。

以知枢密院事李纲为河北、河东路宣抚使,援太原。

京师自金兵退,上下恬然,置边事于不问。纲独以为忧,上备边御敌八策,不见听用,每有议,复为耿南仲等所沮。及姚古、种师中败溃,种师道以病丐归,南仲等请弃三镇,纲言不可。乃以纲为宣抚使,刘韐副之,以代师道;又以解潜为制置副使,以代姚古。纲言:"臣书生,实不知兵,在围城中,不得已为陛下料理兵事。今使为大帅,恐误国事。"因拜辞,不许。退而移疾,坚乞致仕,章十馀上,亦不允。台谏言纲不可去朝廷,帝以其为大臣游说,斥之。或谓纲曰:"公知所以遣行之意乎? 此非为边事,欲缘此以去公,则都人无辞耳。公不起,上怒且不测,奈何?"许翰复书"杜邮"二字以遗纲。纲不得已受命,帝手书《裴度传》以赐之。纲言寇攘外患可除,小人在朝难去,因书裴度论元稹、魏洪简章疏以进。时宣抚司兵仅万二千人,纲请银绢钱各百万,仅得二十万。庶事皆未集,纲乞展行期,御批以为迁延拒命,趣召数四。纲入对,帝曰:"卿为朕巡边,便可还朝。"纲曰:"臣之行,无复还理。臣以愚直不容于朝,使既行之后,无有沮难,则进而死敌,臣之愿也。万一朝廷执议不坚,臣自度不能有为,即当求去。陛下宜察臣孤忠,以全君臣之义。"帝为感动。陛辞,又为帝道唐恪、聂昌之奸,任之必误国,言甚激切。

太白犯岁星。

壬寅,诏:"今日政令,唯尊奉上皇诏书,修复祖宗故事。群臣庶士,亦当讲孔、孟之正道,察王安石旧说之不当者,羽翼朕志,以济中兴。"

癸卯,以镇西军承宣使王禀为建武军节度使,录坚守太原之功也。

甲辰,佥书枢密院事路允迪,罢为醴泉观使。

乙巳,左司谏陈公辅,责监合州酒务。

公辅居职敢言,耿南仲指为李纲之党。公辅因自列,且辞位,复言:"李纲书生,不知军旅,遣援太原,乃为大臣所陷,后必败。"时宰益怒,故有是责。

庚戌，金宗望献所获三象。

壬子，天狗坠地，有声如雷。

丙辰，太白、荧惑、岁、镇四星聚于张。

庚申，金以宗望为右副元帅，将士迁赏有差。

辛酉，熙河都统制焦安节坐不法，李纲斩之。

壬戌，姚古坐拥兵逗留，贬为节度副使，安置广州。

是夕，彗出紫微垣，长数丈，北拂帝座，扫文昌。大臣有谓此乃金人将衰，非中国之忧者；提举醴泉观谭世勣，面奏垂象可畏，当修德以应天，不宜惑其诹说。

诏除民间疾苦十七事。

金遣知制诰韩昉使高丽，责誓表，高丽人对曰："小国事辽、宋二百年，无誓表，未尝失藩臣礼。今事大国，当与事辽、宋同礼，而屡盟长乱，圣人所不与，必不敢用誓表。"昉曰："贵国必欲用古礼，古者帝王巡狩，诸侯朝于方岳。今天子方事西狩，则贵国当从朝会矣。"高丽人不能对，乃曰："徐议之。"昉曰："誓表、朝会，一言决耳。"于是高丽乃进誓表如约。昉还，贝勒宗干大悦，曰："非卿谁能办此！"因谓执事者曰："自今出疆之使，皆宜择之。"

【译文】

宋纪九十六 起丙午年(公元1126年)正月，止六月，共六月。

宋钦宗 名讳赵桓，是宋徽宗的长子，母亲是恭显皇后王氏。元符三年(公元1100年)四月己酉(十三日)，出生在坤宁殿。先起名赵亶，封为韩国公；次年六月，进封京兆郡王；崇宁元年(公元1102年)二月甲午(初九)，改名为赵烜；十一月丁亥(初六)，又改为现在的名字。大观二年(公元1108年)正月，晋封为定王；政和三年(公元1113年)正月，加封太保；五年(公元1115年)二月乙巳(初五)，被立为皇太子；宣和七年(公元1125年)十二月戊午(二十一日)，任命为开封牧；庚申(二十三日)，接受内禅。

靖康元年 金天会四年(公元1126年)

正月，丁卯朔(初一)，钦宗皇帝接受群臣朝贺后，退下，到龙德宫，祝贺道君皇帝。诏令朝廷内外大臣百姓密封奏章谈论朝政的得失。

金国监军宗望派人向金国主奏报说："自从郭药师投降，更加知道宋朝的虚实，请任命他为燕京留守。等到董才投降，更加了解宋朝的地理形势，请委任以军事职责。"

戊辰(初二)，金国宗弼攻下汤阴，攻打浚州。内侍梁方平领兵在黄河北岸守卫，敌人骑兵突然到达，仓促逃散。当时南岸守桥的人看见金兵旗帜，就烧断桥的缆绳，落水的共有数千人，金兵因而不能过河。梁方平逃后，何灌的军队也望风逃散，驻守在黄河南岸的士兵没有留下一个人。

当初，金兵到达邯郸，派遣郭药师作为前锋，交给他千名骑兵，郭药师要求增加，又交给他千名骑兵。郭药师疾奔三百里，天刚亮，就到达浚州，告诉金人州县没有防备。之后金国人索取金钱绢帛、大肆抢掠宫廷的事，都是郭药师引导的。

己巳(初三),钦宗皇帝下诏亲征,命令有关官员都按真宗临幸澶渊的旧事。命令吴敏担任亲征行宫副使,允许他随机行事;兵部侍郎李纲、知开封府聂山为参谋官,在殿前司集合兵马。

诏令:"从今授官降职及恩赏等事,都参考斟酌祖宗旧制。"撤销朝廷内外官司局所一百零五处。

任命吴敏为知枢密院事,吏部尚书李棁为同知枢密院事。

本日,听说浚州失守,夜漏二鼓时分,道君皇帝乘车驾向东去,出通津门。

朱勔放回乡里。贬责王黼为崇信军节度使,永州安置。赐李彦死,并抄没他的家财。

庚午(初四),任命兵部侍郎李纲为尚书右丞、东京留守,同知枢密院李棁担任副手,聂山为随军转运使。

当时从官因为边境事务请求奏对的,都没有及时批准。李纲在延和殿值班,正好执政大臣奏事,商议想事奉皇帝车驾出奔襄、邓之间。李纲对知东上閤事朱孝庄说:"有紧急公事,要与执政大臣当庭辩

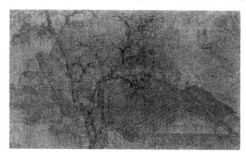

《清明上河图》中的木工作坊店铺

论。"朱孝庄说:"旧例没有执政大臣未退下,而从官要求奏对的。"李纲说:"现在是什么时候,还用旧例!"朱孝庄就上报。诏令带李纲站立在执政大臣的最后,李纲于是上奏说:"在道路上听说,执政大臣想事奉陛下出外避敌,果然有此事,国家就危险了。而且道君皇帝因为国家的缘故传位给陛下,现在舍此而离开,可以吗?"皇帝沉默。白时中说:"京城岂能够守卫?"李纲说:"天下城池,难道还有像京城的吗?而且宗庙、国家、百官、万民所在的地方,舍弃此地想怎么办?如果能够率领鼓励将士,安慰民心,岂有不能够守卫的道理!"当时内侍陈良弼主管京城所,从内殿出来上奏说:"京城望楼修筑,不到百分之一二。另外,城东樊家冈一带,壕沟浅窄,决难守卫,希望仔细商议。"皇帝看着李纲:"卿可以同蔡懋、陈良弼前往察看,朕在此等候。"李纲到东壁察看壕沟,回到延和殿奏报,皇帝回头问:"怎么样?"李纲说:"城墙坚固而且高大。望楼确实没有建好,然而可以守卫的地方不在这里。壕沟只有樊家冈一带,因为是禁地不许开挖,确实浅窄,然而可以用精兵良弩据守。"皇帝看着大臣说:"有什么计策?"都沉默不言。李纲说:"现在的计策,不如严厉整治兵马,声称出战,坚固民心,共同坚守,以等待勤王之师。"皇帝说:"谁可以担任守将?"李纲说:"朝廷平时以高官厚禄富养大臣,是要在有事情的时候任用他们。现在白时中、李邦彦虽然是书生不一定懂得军事,然而借他们的名位,安抚领导将士抵抗敌人,是他们的职责。"白时中厉声说:"李纲不能出战吗?"李纲说:"陛下如果不认为臣懦弱,让我整治军队,愿意以死报答;只是人微官卑,恐怕不能够镇服士卒。"皇帝问执政大臣有什么缺职,赵野回答有尚书右丞职,是因为当时宇文粹中正随道君皇帝东巡的缘故;皇帝就任命李纲为尚书右丞。当时执政大臣还坚持避敌的主张,李纲说:"臣现在谢恩,但还穿着绿色衣服,不适合显示给朝廷内外。"当时就赐给袍带笏板,

李纲穿戴好称谢,说:"现在形势艰难,臣不敢推辞。"皇帝进入用膳,赏赐执政大臣在崇政殿门外用餐后,再次在福宁殿召见奏对,去留的主意还没有定下。就命令李纲、李梲为留守。李纲极力陈述不可离开的想法,而且说:"唐明皇听说潼关失守,当时到蜀地,朝廷国家,残破于贼人之手,多年以后仅仅能收复,范祖禹认为唐明皇的失策在于不能够坚守以等待勤王之师。现在陛下刚即皇帝位,朝廷内外欢欣拥戴,四方的兵力,过不了几天就将云集京城,敌人的骑兵必定不能够久留。舍弃京城而离去,就像龙离开深水潭,车驾早晨出发京城晚上就会混乱,即使臣等担当留守职责,对事情有什么益处!朝廷国家,将成为废墟,希望陛下慎重考虑。"皇帝很有些回心转意,而内侍王孝竭从旁边上奏说:"中宫、国公已经出发,陛下怎么能留在这里!"皇帝变了脸色,走下床榻说:"你们不要争执,朕将亲自前往陕西,起兵收复京城,决不能留在这里!"李纲哭拜伏在地上,以死请求皇帝留下。正好燕王、越王来到,也认为坚守有道理,皇帝心意略微定下,写下"可回"两字,盖上御宝,让中使追回中宫、国公。看着李纲说:"朕现在为卿留下,整治军队抵御敌寇,全部委任给卿。"李纲接受命令,与李梲一同出来,住在尚书省中。半夜,皇帝又派中使宣谕执政,想在天明时离开。天刚亮,李纲入朝,看见禁卫披戴盔甲,皇帝车驾都已安排好,六宫的被包即将装车。李纲厉声对禁卫说:"你们等愿意以死守卫国家呢?还是愿意跟随皇帝巡幸去?"都呼喊说:"愿意死守!"李纲出宫,与殿帅王宗濋等入见皇上说:"陛下已经答应留下,现在又要警戒出行,为什么?六军的父母妻子,都在京城,岂肯舍弃离开,万一半路逃散,谁来保卫陛下?而且敌人骑兵已经逼近,他们知道皇帝车驾离开不远,派好马快追,怎么抵挡?"皇帝感动醒悟,命令停止出行。李纲于是传皇帝旨意对左右说:"皇上心意已经定下,敢再有说离开的斩!"于是出外传达旨意,禁卫都呼喊万岁。

辛未(初五),皇帝亲临宣德门,百官将士依次排列楼前问候起居。皇帝下车慰问将士,命令李纲、吴敏陈述金人违背盟约,想危害国家,要坚决固守,各自勉励,并让阁门官向六军宣谕,将士都感动流泪,因此固守的意见开始决定。赏赐给各军班值缗钱不等。命令李纲担任亲征行营使,侍卫亲军马军都指挥使曹曚担任副使,在大晟府设置行司,创设官属,赏赐银钱各一百万,朝议、武功大夫以下将校赐官诰宣帖三千道,允许随机处置。

太宰兼门下侍郎白时中被免职,任命李邦彦为太宰兼门下侍郎,张邦昌为少宰兼中书侍郎,赵野为门下侍郎,翰林学士承旨王孝迪为中书侍郎,同知枢密院事蔡懋为尚书左丞。

壬申(初六),金军渡过黄河。

派遣使者督促各路勤王的军队入朝增援。

太学生陈东上书说:"臣私下得知太上皇已经巡幸亳社,蔡京、朱勔父子以及童贯等人统兵二万跟随。臣深为担心这几个贼臣带着太上皇曲折渡江向南,万一出现变故,实在让人寒心。因为东南地区,肥沃的土地数千里,那里的监司、州县官,大致都是这几个贼臣的门生,一时奸雄豪强以及街市的恶少年,无不依附他们。最近任命的发运使宋焕,是蔡京的儿子蔡攸的党羽;童贯先前讨伐方腊贼寇,换得恩泽很多,加上听说私下养有效死的士卒,为自己做防备。臣私下担心几个贼臣渡江向南后,借太上皇的威望,振臂一呼,一群恶人响应,离间陛下父子两人,事情一定会出现难以言状的地步。希望迅速追回几个贼臣,全部依法处理;另外挑选忠诚可以委派的人,跟随保护太上皇到亳社,以保全陛下父子之间的恩情使国家安宁。"皇帝认为有道理。

癸酉(初七),金国宗望的军队到达京城西北面,驻军在牟驼冈。天驷监的粮草堆集得像山,过去郭药师来朝见时,得到皇帝旨意曾在这里打球,金军到达,直接奔往这里,是郭药师引导的。自从金国骑兵打到黄河,梁方平烧毁桥梁逃走,金军不能马上渡河,找到能容纳数人的小船渡河,共五天,骑兵才渡完,步兵还没有集中起来;随渡随走,不成队伍。占据牟驼冈后,获得马二万匹,金人笑着对沈琯说:"南朝可以说确实没有人才,如果带一二千人守卫黄河,我们哪能够渡过来呢?"

当日,金军攻打宣泽门,用火船数只顺流而下。李纲亲临城上,招募到敢死队员二千人,在城下布列拐子,火船到达,用长钩摘取,投石头砸碎;又在中流排列设置权木,并运送蔡京家的山石垒叠在门道中间,在水中斩杀俘获百余人。到天明才平定。

自从皇帝亲临城楼后,才开始在京城四周设防,用百步法分兵准备防御,每面墙用正规部队一万二千人,而保甲、居民、厢军不在其中。修建望楼,挂起毡幕,安置炮座,设置弩床,运送砖石,布置火炬,放下垒木,准备火油,所有防守的准备全部完毕。四周各委派从官、宗室、武臣担任提举官,各门都委派中贵大小使臣分地把守。又集中马步军四万人为前后左右军,中军有八千人,设有统制、统领、将领、队将等,每天训练。让前军驻在通津门外,保护延丰仓,仓内有豆粟四十余万石,之后勤王部队集中到城外的,依靠它保持供应。后军驻在朝阳门,占据樊家冈,使金国骑兵不敢接近。而左、右、中军驻在城中以准备紧急时任用。从五日到八日,整治作战防御的器具基本完毕,而敌人也抵达城下了。

任命驾部员外郎郑望之充任军前计议使,亲卫大夫高世则担任副使。郑望之奉命后立即出发,不一会金国也派吴孝民前来,举马鞭与郑望之遥相作揖,约吴孝民到城西相见。当天夜间,郑望之等从城上用绳吊下,进入何灌军帐中。吴孝民也到达,说想割黄河为边界,加上犒劳军队的金帛。郑望之与他们辩论很久,吴孝民不作答,于是与郑望之一同来到京城。

甲戌(初八),郑望之入朝奏报出使的事,退下后,引见金国使者吴孝民,说希望派亲王、宰相到军前议和,皇帝看着宰相执政大臣,没有答对的。李纲请求前往,皇帝不允许,命令李棁奉命出使,郑望之、高世则为副使。宰相执政大臣退下,李纲独自留下,询问皇帝不派遣他的心意。皇帝说:"卿性情刚烈,不能前往。"李纲回答说:"敌人气焰太猛,我国大军未集中,固然不能不讲和。然而讲和得策,那么本朝的形势就安宁;不然,祸患没有停止。宗社国家的安危,在此一举。李棁软弱,恐怕误了国家的事。"于是说:"敌人贪得无厌,又有狡猾的燕人为他们谋划,必定将扩大声势,有过分的要求。如果朝廷不为此动摇,安排得当,他们将会收敛而后退。如果朝廷震动害怕,一切都给予他们,他们知道本朝没有人才,加大企图,担心不能停止了。"

李纲退下后,李棁与郑望之再次奏对,皇帝答应增加岁币三五百万两,免去割地。其次谈及犒劳军队,同意银三五百万两。又命令李棁押送金一万两以及酒果赐给宗望。

宋朝的使臣到达,宗望向南坐着接见,派燕人王汭传话,说:"京城顷刻会被攻破,所以收兵不攻,是为了赵家的宗庙国家。议和所需要的犒军金银绢彩备按一千万计算,马驼驴骡之类各按一万计算。尊金国主为伯父,凡是燕、云地区在宋朝的人全部归还。割太原、中山、河间三镇土地,送亲王、宰相作人质。"李梲等不敢说什么,只说:"有皇帝赐的金万两以及酒果。"宗望让吴孝民接受了。夜间,住在孳生监,金人派萧三宝努等前来说:"南朝多失信,必须派一亲王作为人质;割地必须以黄河为界。"郑望之只答应增加岁币三百万,萧三宝努不高兴地退下。

本月,金人移军营到开远门。

任命吏部尚书唐恪为同知枢密院事。

乙亥(初七),李纲正在奏对,外面报告敌人进攻通天门、景阳门一带,情况紧急。皇帝命令李纲督令将士守卫抵抗,李纲请求派禁卫军班直善于射箭者一千人跟随。敌人刚渡过护城河,用云梯在攻城,班直据城射箭,都应声倒下,将士无不勇猛,近处的敌人用手炮、檑木打他们,远处的敌人用神臂弓射他们,更远的敌人用床子弩坐炮打击他们。金军有乘筏渡护城河而落水的,有登云梯而坠下的,有中箭石而倒的,各种人很多。又招募壮士数百人从城上用绳吊下,烧掉云梯数十架,斩杀俘获敌人数十人。敌人又进攻陈桥、封丘、卫州等门,箭集中在城上好像刺猬毛一样,李纲登上城墙督战,皇帝派中使慰劳问候,有手札褒奖,拿出内库中的酒、银碗、彩色绢帛发给将士,人们都欢呼。从卯时到未时、申时之间,斩杀俘获共数千人,敌人才撤退。武泰军节度使何灌战死。

金国游散骑兵四处出击,抢掠京畿县城,只有东明、太康、雍丘、扶沟、鄢陵等县仅存。金人因为小县城不能攻下感到耻辱,再增加骑兵三千,猛攻东明,京东将领董有邻率领众人抵抗,斩杀敌人十余人。

郑望之等人在金军军营中,宗望约见他,引李邺、沈琯坐在他们后边,提出需要金五百万两、银五千万两,牛马一万匹,表缎一百万匹,割太原、中山、河间三镇土地,并送宰相、亲王作人质。金人拿出玉带、玉篦刀、名马各一样,派萧三宝努、耶律忠、王汭前来进献,夜间,到达驿站。李梲、郑望之在福宁殿奏对,奏报了金人的话,皇帝命令他们对大臣说。

本日,燕山都监武汉英、知信德府杨信功以及李邺、沈琯等都从敌营归来。

丙子(初十),皇帝回避正殿,减少日常膳食。

皇帝下诏搜借私人家中的金银,有敢隐瞒转藏的,都按军法执行;没收妓女艺人的财产。得到黄金二十万两,银四百万两,而民间已经被搜空。

中书省说:"中山、太原、河间府及属县及其以北的州军,已在誓书中议定交割,如果有不肯听从的地方,就将所邻近州府归属金国。"皇帝同意了,命令下诏给三镇。

当时肃王赵枢以及康王赵构居住在京城,皇帝退朝,康王入宫,毅然请求前往,说:"敌人一定要亲王作人质,臣为宗社国家考虑,岂能推辞回避!"当即被任命为军前计议使,张邦昌、高世则担任副使。诏令称金国加上"大"字,命令引康王到殿阁,会见执政大臣。李梲说:"大金恐怕南朝失信,所以要求送亲王到河间。"康王严肃地说:"国家有难,死又何能躲避!"

听到的人悚然。

丁丑(十一日),宰相执政大臣呈进金人需要的项目,李纲力争,说:"犒劳军队的金币,数目太多,即使用尽天下的财力也不够,况且京城呢?太原、河间、中山,是国家的屏障,号称三镇,其实十多个郡的湖塘险阻都在那里,割让此地何能立国!另外保塞,是翼祖、顺祖、僖祖陵寝所在的地方,子孙怎么能将它给别人!至于派使臣,宰相应当前往,亲王不应当前往。目前的想法,不如派使者姑且与金人商议可行和不可行的,金币的数目,让有关官员计算。略推迟几天,大军四面集结,他们孤军深入重地,势必不能够长久留下,一定想速归,然后与他们结盟,必定不敢轻视本朝,而可以久和。"宰相执政大臣意见与此不合,李纲因而要求离去,皇帝安慰宣谕说:"卿只出外整治军队,加固城防,此事将慢慢商议。"李纲又说:"金国人的要求,宰相想一切都同意,不过是想摆脱一时的灾祸,他日交给何人?希望陛下进一步仔细考虑,恐怕后悔来不及。"皇帝不听从,就以誓书授给李邺,让他前往。李纲还留下三镇的诏书不送,希望略加拖延,以等待勤王的军队集结,慢慢为以后考虑。

庚辰(十四日),张邦昌跟随康王到达金军军营,从中午到半夜才到达。

当时勤王的军队接连而至,每天或者有数万人,四面城墙各派统制官召集,提供粮草,授予兵器,建立营寨,集合队伍,都由行营司主持。

辛巳(十五日),道君皇帝临幸镇江。

任命兵部尚书路允迪为金书枢密院事。

金人攻破武阳县,知县蒋兴祖战死。蒋兴祖,是宜兴人。

壬午(十六日),大风吹起沙石,刮了一整天才停止。

统制官马忠带领京西招募的士兵到达,在顺天门外遇到金兵,乘势攻击他们,斩杀俘获很多。范琼率领一万骑兵从京东到来,安营在马监侧面,朝廷的军队逐渐振作。

当初,勤王的军队没有集结,金人气焰嚣张,横行各县,旁若无人。到此时开始惧怕,游散骑兵不敢四处出击,从京城以南,百姓略微可以定居了。

甲申(十八日),减省廉访使者官职,取消钞旁定贴钱以及各州免行钱,将各路赡学户绝田产收归常平司。

丁亥(二十一日),河北、河东路制置使种师道,武安军承宣使姚平仲,带领泾原、秦凤路的兵力到达。

当初,种师道收到诏书勤王,接到命令就行动,经过姚平仲处,给了步骑兵七千与他同来。将到洛阳,听说宗望已经驻军在京城下,有人说敌人势力正盛,希望稍在汜水驻扎以考虑万全之计。种师道说:"我国兵力少,如果迟延不前进,形势显露,只有受辱。现在击鼓前进,他们怎么能估测出我军的虚实。京城的百姓知道我们到达,士气自然振作,有什么担忧敌人的呢!"沿路张贴榜文,说种少保带领西部兵力一百万前来,于是奔往汴水南面,直逼金兵军营。金人惧怕了,略向北移军营,收敛游骑,只守在牟驼冈,增加营垒自卫。

当时种师道年事已高,天下称他为老种。皇帝听说他到达,非常高兴,打开安上门,命令李纲迎接慰劳。当时已经议和,种师道入朝晋见,皇帝闻道:"现在的事情,卿意下如何?"种师道回答说："金人不懂军事,岂有孤军深入别人境内而能完好返回的!"皇帝说："已经讲和了。"回答说："臣以军队的事事奉陛下,其他的不是我敢知道的。"

李纲问皇帝说："勤王的军队逐渐集结,兵家忌讳分散,不号令归一不能协助,希望敕令种师道、姚平仲两位将领听臣指挥。"皇帝不听从,说："种师道年老而懂军事,而且职位已高,与卿同职,替换曹曚好了。"因此另外设置宣抚使,命令种师道担任,任命姚平仲为都统制。所有四方的勤王兵力,都隶属宣抚司,又调拨前后军在城上的隶属宣抚司,而行营司所统领的,只有左、右、中军罢了。皇帝屡次申领两司不得侵扰紊乱,而指挥已经分散,不相统一,宣抚司所想办的,往往借口是机密,不再通报,从此权力开始分散了。

辛卯(二十五日),开封府报告说:"前太傅王黼,走到雍丘县南二十里辅固村,被盗贼所杀,百姓就称此为负国村。"诏令抄没王黼的家财。小人乘机争相进入王黼的宅第,抢掠绢七千多匹,钱三十万缗,四壁荡然无存。

先前吴敏、李纲请求诛杀王黼,事情下达到开封府聂山,聂山正怀有宿怨,派武士在百姓家杀了他。皇帝认为刚即位,难以诛杀大臣,托称是盗贼杀了他。议论的人认为不按天意讨伐是失去刑罚的威严。

癸亥(二十七日),四处下大雾。

李纲、李邦彦、吴敏、种师道、姚平仲、折彦质一同在福宁殿奏对,商议用兵的问题。李纲上奏说:"金人夸大势力,然而兵力其实不过六万,又大半都是奚人、契丹、渤海部落,我国勤王的兵力集结在城下的有二十余万,本来就数倍于敌人了。敌人孤军深入我方重地,犹如虎豹自我投入陷阱中,应当用计攻取他,不能与敌人争一时之力。为目前考虑的计策,不如扼守关隘渡口,断绝运粮道路,禁止他们抄掠,分兵收复京畿北面的郡县,等敌人游散骑兵出动时就攻击它,用重兵逼近敌军营,坚守营垒不与交战,像周亚夫所用来围困七国的办法,等待敌人粮尽力竭,然后用将帅檄文索取誓书,收复三镇,放他们回到北方,渡河到一半时攻击敌人,这是一定取胜的计策。"皇帝认为有道理。

甲午(二十八日),太学生陈东说:"昨日听到路途传言说:高杰近来收到他的哥哥高俅、高伸的信,报告太上皇到达南京,不想前行,又被蔡京、童贯、朱勔挟持而离开。等到了泗州,又假传太上皇的御笔诏书,命令高俅守卫浮桥,不得向南,于是挟持太上皇渡过淮河前往江、浙。跟随皇帝的卫士被斥退回,以至于拉着手对视痛哭,童贯就命令亲兵拉弓射他们,卫士中箭而倒下的共一百多人。听说高俅父子兄弟在旁边,只能够看一眼皇上,君臣相视而流泪,意思像有话要说。而群贼的同党,遍布江南,都是平时暗中勾结有准备的,一旦乘机暗中发动,控制把持长江天险,东南郡县必定不属于朝廷所有了,陛下为什么还不忍心有所行动?莫不是梁师成暗中有谋划才这样的呢?梁师成的威风气焰,震动朝廷内外。国家极为公正的选拔,没有像科举录取士人一样的,而梁师成却推荐他的门生使臣储宏,廷试时赐他及第,并令预备差派。宣和六年春天,皇帝亲自录用进士,其中的一百多人,都是富商豪强的子弟,每人所进献达七八千缗,又创设北司以集中不是紧急的事务,专门主管书艺局以招用街上游手好闲无赖之人。胡乱给予恩泽赏赐,百般花费。梁师成有如此罪状,而到今天没有贬去,群贼依靠他作为靠山,陛下虽然想大为明确赏罚,怎么可能呢!"

乙未(二十九日),下诏揭露梁师成依附王黼结为朋党的罪过,贬责授予彰化军节度副使,派遣使臣押往贬黜之地;走到八角镇,皇帝赐他死。

当初,王黼曾为郓王赵楷暗中谋划夺取帝位继承权,梁师成保护太子,得以地位没有动摇。等到道君皇帝临幸东都,受宠信的臣子多跟随以躲避罪责,梁师成自认为过去有功劳而留在京城。到此时陈东上疏指出他的罪状,平民张炳也这样说,于是赐死。

皇帝因为金人索要金银数目极多,想取皇宫中的珠玉以充抵,命令集中放在宣和殿。本日,李棁、郑望之入朝奏对,命令查看所陈列的珠玉,全部从水路运送到金军营中。

二月,丁酉朔(初一),李棁、郑望之到达金军营中,金人先让李棁返回。当天夜间,宣抚司都统制姚平仲率领步骑兵一万人劫持金兵军营,被打败而回。

当初,种师道认为"三镇不能放弃,城下不能交战。朝廷坚守和议,等到姚古到来,兵力更加强盛,然后派人前往告诉金人,因为三镇是国家的边防要地,决不能割让,宁可以此地赋税收入增加作为岁币,才可得以议和久远。如此往返两三次,势必迁延半个月。重兵密集接近,敌人必定不敢到远处抢掠。挈生监的粮草逐渐用尽,金人不免要回到北方,等他们过河时,派骑兵尾随袭击。到了真定、中山,两镇必定不肯归服。敌人腹背受敌,计划可以实现。"碰上李纲主张姚平仲的谋略,种师道的话没有被采用。姚平仲,是姚古的儿子。皇帝因为他勇敢善战,屡次召到内殿奏对,赏赐甚为丰厚,许诺成功后将授予节钺。姚平仲提议想夜间袭击金兵营寨,生擒宗望,事奉康王返回,而他们的计划被泄露,金国人事前设防,所以反而被打败。金国人因此责备康王,张邦昌恐惧流泪,康王不为所动。

李纲会见行营司左右军的将士,天亮,他们出景阳门,与金人在幕天坡鏖战,斩杀俘获很多。金人又攻击中军,李纲亲率将士用神臂弓射退了他们。

种师道又说:"劫寨已经不成,然而兵家也有出其不意的。今晚分路进攻,也是一奇计。如果还不胜,然后每夜派数千人侵扰敌人,不到十天,敌人就逃离了。李邦彦等人畏惧不敢采用。

皇帝满心认为姚平仲必然成功,失利后,宰相执政大臣台谏官交相说西部勤王的兵力以及亲征行营司的兵力被敌人所歼灭,不再存在,皇帝大为惊恐,下诏不得进兵。于是就罢免李纲尚书右丞、亲征行营使职务,由蔡懋代替。于是撤销行营使司,只派守御使总管军事,这是想要加罪李纲以向敌人谢罪。

己亥(初三),李纲到崇政殿请求奏对,到殿门后,听到免职的命令,就退下到浴堂等待罪罚。蔡懋召集询问,行营司兵力才损失一百多人,而西部兵力以及勤王的军队损失才千余人,其他的照旧。当天晚上,皇帝下达亲笔诏书慰劳李纲,赐给白金五百两,钱五十万,且让吴敏宣谕重新起用的意思,李纲感动流泪致谢。

宗望派遣王汭来责问出兵的缘故。辛丑(初五),派资政殿大学士宇文虚中、知东上阁门事王俅出使金军中。

当时宇文虚中听说京城紧急,奔驰返回,收拾逃散的士兵,得到东南士兵二万人,按灵活处理的办法让李邈统领,让他驻在汴河。碰上姚平仲失利,西部来的援军都溃散,宇文虚中用绳缒入城中。皇帝想派使臣辩解劫营不是朝廷的本意,而且将给此人定罪,并就此迎接康王。大臣都不想前往,宇文虚中受命,慨然前往。

当天,太学生陈东率领各学生数百人伏在宣德门下,上书说:"李纲奋勇不观望,承担天下重任,是社稷的大臣。李邦彦、白时中、张邦昌、赵野、王孝迪、蔡懋、李梲等人,平庸无才,嫉妒贤能,动辄为自己考虑,不体恤国家大计,是社稷的贼子。陛下提拔李纲担任执政官,朝廷内外庆贺;而李邦彦等恨如仇敌,恐怕他成功,于是因以姚平仲失利的缘由,归罪于李纲。一胜一负,是兵家常事,岂可马上因此打倒主持事务的大臣!而且李邦彦等人一定想要割地,不曾考虑河北是朝廷的根基,没有了三关、四镇,是放弃河北了。放弃河北,朝廷还能以大梁为都城吗!又不知道割地之后,李邦彦能保证金人不改变盟约吗?私下想敌人向南进兵,大梁不能建都,必定要迁都到金陵,那么长江以北,就不属朝廷所有。况且金陵正担心童贯、蔡攸、朱勔等前往生出变乱,即使想迁都到那里,也不可能了,陛下将在哪里奠定宗庙社稷呢?李邦彦等不为国家的长久考虑,又想诋毁李纲使阴谋得逞以使私心快意。罢免的命令一传出,士兵百姓骚动,甚至流泪,都说不久将被敌人所擒获了。罢免李纲不仅落入李邦彦的诡计中,而且也落入敌人的诡计中。请求重新起用李纲而贬斥李邦彦等人,而且将城外的事交给种师道。宗社国家的存亡关键,在此一举!"

书奏呈上,军民不约而聚集了数万人。正好李邦彦退朝,众人数落他的罪状,辱骂他,而且要殴打他,李邦彦驱马疾驰才得逃脱。皇帝命令中人传达旨意,同意了书奏。有人想要散去,众人起哄说:"怎么知道不是假的?必须见到李右丞、种宣抚重新被起用才退走。"吴敏传旨宣布说:"李纲用兵失利,不得已罢免了他。等金人略退,让他复职。"众人还不肯散去。刚刚击坏了登闻鼓,喧呼的声音震动天地。开封尹王时雍来到,对各学生说:"胁迫天子行吗?为什么不退下?"各学生回答说:"因为忠义胁迫天子,不超过以奸邪胁迫天子吗?"又想上前殴打他,王时雍逃走。殿帅王宗濋恐怕生事变,奏请皇帝勉强答应了。皇帝就派耿南仲号召众人说:"已经得到宣召李纲的旨意了。"内侍朱拱宣召李纲误了时间,众人将他砸碎分尸,并杀死内侍数十人。李纲惶恐地入朝奏对,哭拜请求赐死。皇帝马上恢复李纲右丞职务,担任京城四壁守御使,李纲坚决推辞,皇帝不同意,让他到宫外宣布。众人又希望见种师道,诏令让种师道入城弹压。种师道乘车到达,众人揭开车帘看后说:"果然是我们种公!"开始相率称喏而退散。

壬寅(初六),追封范仲淹为魏国公,赠司马光为太师,张商英为太保。解除元祐时学术党籍的禁令。

废除苑囿宫观可以给予百姓的。

皇帝下诏将杀内侍的为首的士民处死,禁止伏在宫门上书。王时雍想将全部太学生抓到监狱中,人人惶恐。正好朝廷将要任用杨时为祭酒,派聂昌到太学宣谕,然后才安定。聂昌,就是聂山,皇帝曾认为他有周昌抗节的义举,所以改名为聂昌。

癸卯(初七),任命著作郎沈晦跟随皇弟肃王赵枢出使金军。

任命徐处仁为中书侍郎,宇文虚中为签书枢密院事。蔡懋被免职。

乙巳(初九),康王以及宇文虚中、张邦昌从金军营中返回。

宗望将要退兵,派韩光裔来告辞。皇帝派宇文虚中带李纲所留下的割三镇的诏书前往。当初,金国人攻城,蔡懋禁止不让总是施放矢石,将士心怀愤怒。等到李纲重新被起用,下令能够杀敌的给予丰厚奖赏,众人无不奋勇,金国人逐渐有畏惧的心理。得到割三镇的诏书后,又有肃王为人质,于是不等金币给足,就带兵向北离开。京城解了围。

种师道请求乘金军渡河到一半时攻打他们,皇帝不同意。种师道说:"他日必定成为本朝的祸患。"御史中丞吕好问向皇帝说:"金人得志,更加轻视本朝,秋冬季必定举国再来,抵抗敌人的准备,应当从速考虑。"皇帝不听从。

丙午(初十),任命康王赵构为太傅,静江、奉宁军节度使。

裁减明堂班告月朔的布政官。

丁未(十一日),太阳出现两重日珥。

戊申(十二日),大赦天下。皇帝下诏宣谕士民说:"从今日常事务都遵守沿用祖宗的旧制,凡是祸国害民的事,全部废除。"

派王俅出使金军迎接肃王。

己酉(十三日),取消宰相执政大臣兼任神霄、玉清、万寿观使。

诏令按祖宗的旧例,选择得军心的武臣担任同知、佥书枢密院,边将中有威望的担任三衙的官职。

因为同金人讲和,诏令:"官民中过去曾经归附金人而又回到本朝的,各回到乡里或原职所在地。"

李纲说:"澶渊之战,虽然与辽国人订立盟约,等到他们退兵时,还派重兵护送,是担心他们无所顾忌,大肆抢掠的缘故。金人离开三天了,开始认为他们是用船渡河,现在是建桥过兵,一天就完毕了。为什么不派大兵按澶渊时的旧例护送他们!"皇帝同意了他的请求。因此分派将士,带士兵万余人分路并进,而且告诫各将领考虑方便时,可以攻击金军。将士接受命令,踊跃前进。而宰相责咎李纲派城下的全部兵力追击敌人,恐怕仓促间无法安排,急忙征调各将领。已经在邢、赵之间追上金人,却得到回师的命令,无不扼腕愤恨。等到李纲力争再追,而将士已经解体涣散了。

庚戌(十四日),李邦彦被免职。任命张邦昌为太宰兼任门下侍郎,吴敏为少宰兼任中书侍郎,李纲知枢密院事,耿南仲为尚书左丞,李棁为尚书右丞。

辛亥(十五日),诏令:"监察御史言事,按祖宗的办法。"

宇文粹中被免职为知江宁府。

癸丑(十七日),种师道免职为中太一宫使。

中丞许翰说种师道是名将,沉着刚毅有谋略,不能解除兵权。皇帝认为他年老,难以任用,许翰说:"秦始皇认为王翦老而任用李信,军队受到楚国侮辱,汉宣帝认为赵充国老而终于成就金城的事功。从吕望以来,老将而立功的,难于以一二来计算。种师道的智慧没有衰老,即使年纪老,还可以任用。"皇帝不采纳。许翰又说:"金人这次离开,是存亡的关键,应当让它受到大创伤,使它失利离开,那么中原可以确保,四边夷人能够服从。不然,将来再次出兵,必定有不能挽救的祸患。应该派种师道迎击他们。"皇帝也不听从。

开始,皇帝派许翰见种师道,种师道不说话,许翰说:"国家有紧急诏令,派我来访问疑惑,您不要因为书生的缘故不肯说。"种师道才说:"我国兵多他们兵少,只要分兵安营,把守要地,让他们粮道不通,持久坐守,就可破敌。"许翰对他深为佩服。

癸丑(十七日),泽州报告说金人宗翰驻兵在高平。

当初,宗翰听说宗望议和,也派人来索要物品,宰相因为勤王的部队到达,拘留他们的使者不交还。宗翰发怒,就分兵攻破忻州、代州,折可求带鄜府兵力,刘光世带鄜延兵力援助河东,都被金人打败,于是围攻太原,一个多月不能攻下。正好平阳义军叛逃,攻破威胜军,于是引金人进入南北关,攻破隆德府,知府张确、通判赵伯臻、司录张彦遹战死。张确,是邠州宜禄人。当初,道君皇帝即位,应诏上书谈论十件事,请求诛除大奸人,屏退小人,引用贤良有能力的人,开放禁令,起用老成的人,提拔忠直的人,平息边境事端,修养文德,广开言路,容纳直言进谏。等到守卫隆德,听说金人南下,上表说:"河东是天下的根基,没有河东,岂止是秦地不能把守,汴京也不可作首都了。如果得到秦地兵力十万人,还足以抵抗敌人。"累次上书,没有答复。金兵到达,张确据城坚守。金人知道城中没有防备,劝他投降,张确说:"我是守土之臣,应当以死报答国家,头可以断,腰不能弯!"于是战死。

金人驻在高平,满朝震动害怕。命令统制官郝怀率兵力一万人驻在河阳,扼守太行、琅车的险要,任命种师中为河北宣抚使,驻兵在滑州,任命姚古为制置使,总管兵力援助太原,任命种师中为制置副使,援助中山、河间各郡。

追赠右正言陈瓘为右谏议大夫。

甲寅(十八日),侍御史孙觌说:"蔡京四次担任宰相,前后二十年,借继承先朝旧事的名义,建立祸国害民的政务,祖宗的法度,几乎废改完了。假托'丰亨豫大'的说教,提倡极尽奢侈的风气,而官府私人的积蓄,扫荡干净。定御笔的时限以破坏封还驳回的办法,设置旁门学科以杜绝阻塞上谏争论的道路。引用一群小人,布满要职,束缚忠良的人,全部任用朋党。妇女不检点,父子喧闹争斗。仆役当官横行,妻妾封给大国封号。欺罔君上,挟持权术任行私情。书传中所记载的大奸恶之人,没有能与蔡京相比的。太上皇屡次因为有人指论,洞察他的奸行,共四次罢免,而凶恶的气焰更加嚣张,再次出来作恶。怨气充满,上干犯阴阳;人心离散,上下解体。因此敌人乘虚而击鼓前进,如入无人之境。陛下以显赫威严决断,贬斥王黼等人,依法处理,像蔡京这样的罪恶,难道唯独能够宽免么!"又说:"在朝廷军队北伐时,童贯、蔡攸担任宣抚,掌管数十万军队,被残余的辽国挫败;逗留数年,最后买回空城,却因为恢复平定疆土,冒受超常的宠信。萧后表达诚意,她派使臣韩昉在军中见童贯、蔡攸,言辞谦卑地求情,想减少岁币以恢复过去的友好关系,这是安危的关键;却斥责韩昉让他离去,韩昉在庭上大声呼喊,告诉说你们必败。现在数州的土地,全部不归我国所有,而国家的用度,百姓的力量,因而竭尽了。等到与金人结好,又收纳叛逃的人,反复无常出卖国家,造成怨恨,结下祸患,让敌人以此为借口。前年秋季,童贯带重兵驻守太原,想攻取云中地区,最后没有建立尺寸功勋。去年冬季,童贯又出兵太原,金国人入塞,其实是童贯促成。蔡攸看见边境报告危急,童贯逃跑返回,漫不经心,玩弄军队放纵敌人,才至于这样。等到敌人长驱直入,震惊京城,童贯、蔡攸一天早晨带着金帛全家逃走,不曾有同国家共患难的意思。童贯、蔡攸的罪状,上通到天。希望陛下早日依法处置,以作为乱臣贼子的鉴戒!"诏令:"贬责蔡京守秘书监、分司南京,致仕,河南府居住;童贯为左卫上将军,致仕,池州居住;蔡攸为太中大夫、提举亳州明道宫。"

丙辰(二十日),有二颗流星,一颗从张宿出现入于浊宿,一颗从北出现入于轸宿。

辛酉(二十五日),梁方平因为放弃黄河渡口被处死。

门下侍郎王孝迪被免职。

命令给事中王云等人出使金国。

乙丑(二十九日),皇帝御正殿,恢复正常用膳。

丙寅(三十日),下达哀痛的诏书到陕西、河东地区。

童贯等人跟随道君皇帝南巡,听说京城被围,就停下东南地区的信件传送和勤王军队。路途于是传说纷纷,说童贯将要生变,朝廷商议派聂昌为发运使,前往谋取。李纲说:"假使聂昌的行动果然成功,震惊太上皇,这个忧虑就是陛下的了。万一不成功,这几个人挟持太上皇在东南一带,求得剑南一道,陛下将何以处理? 不如停止聂昌的行动,向太上皇请示,除掉这几个人,自然可以不用动手而安定。"皇帝采纳了。

本月,海滨王中的家奴诬蔑他们的主人想逃走,金国主命令杀掉首恶之人,其余的都给予杖罚。

三月,丁卯朔(初一),派徽猷阁待制宋焕奉送表章到道君皇帝的行宫。

诏令侍从官言事。

诏令:"不是三省、枢密使所奉的旨意,各司不许奉行。"

取消川路每年所派的使者。

戊辰(初二),李棁免职为鸿庆宫使。

己巳(初三),张邦昌免职为中太一宫使。

任命徐处仁为太宰兼任门下侍郎,唐恪为中书侍郎,翰林学士何㮚为尚书右丞,御史中丞许翰同知枢密院事。

皇帝曾经问徐处仁割三镇否,徐处仁说不应当放弃,与吴敏的意见相合。吴敏推荐徐处仁可以担任宰相,于是被任命为太宰。

当时进见的人多谈到宣和年间的事,唐恪对皇帝说:"革除弊端应当逐渐进行,应该选择目前所紧急的先革除。而议论的人不顾大体,以至举先前烦琐小事以使心中愤懑快意一时,岂不伤太上皇的心! 蔡京、蔡攸、童贯、王黼等人,既然已经听从放逐,姑且可以做罢了。他日边境事务定下后,可以告白太上皇,请求下一诏书,与天下的人共同抛弃他们,谁认为不可行!"皇帝说:"卿的陈述很好,为朕作诏书,将此意宣告在职官员。"

庚午(初四),金书枢密院事宇文虚中被免职,知青州,是因为言官弹劾他议和的罪过。

癸酉(初七),任命赵野为道君皇帝行宫奉迎使。

丙子(初十),将撷景园改为宁德宫。

录用司马光的后代。

壬午(十六日),诏令:"朕接受道君皇帝的重托,只十四天,金人的军队就到达京城。大臣提出献金帛,割让土地,可以解除祸患。依靠宗社有灵,把守防备不缺,很久才退兵。而在金人要挟下结盟,终究不保险。现在肃王渡过黄河向北没有返回,宗翰向南深入攻下隆德,未到三镇,先破坏原来约定,所经过之处残破州县,斩杀抢掠士民妇女。朕日夜追责,什么痛苦像这样!已经诏令原来主张讲和的李邦彦,奉命出使答应土地的李棁、李邺、郑望之,全部罢免,又诏令种师道、姚古、种师中前往三镇援助。朕考虑祖宗的土地,尺寸都不能给予别人,而且保塞是陵寝所在之处,发誓应当坚守,不忍使三镇二十州的百姓陷入敌手,以偷得片刻的安宁。与百姓同心,永远保卫疆土,宣布朝廷内外,使知道朕的心意,并将此札送给三镇守臣。"

种师中带兵渡过黄河,上报说:"宗翰在泽州,臣想从邢州、相州之间迅速出兵上党,攻其不备,当可以得计。"朝廷怀疑而不采用。

宗望攻打中山、河间,两镇都固守攻不下。种师中因而进军逼近,宗望于是向北撤回。

癸未(十七日),派李纲在南京迎接道君皇帝,任命徐处仁为礼仪使。

当时当权的人说道君皇帝将在镇江恢复皇帝位,人心恐惧。接着太上皇后先返回,有人说太上皇后将由端门直接进入皇宫中,内侍等都劝皇帝严加防备,皇帝不采纳。接着道君皇帝回到南京,以书信询问改革政务的缘故,而且传召吴敏、李纲。有人担心道君皇帝的意思不可估测,李纲说:"这没有别的,不过想知道朝廷的事情罢了。"李纲到太上皇行宫,述说"皇帝英明孝顺思念,请陛下早日回到京城"。道君皇帝询问近日京城被围攻抵抗防御的次序,全部据实作答。道君皇帝说:"敌人退兵,军队还在黄河,为什么不截击?"李纲说:"因为肃王在敌人军营中的缘故。"道君皇帝说:"为宗社国家考虑,岂能再论此事!"因而谈及停止向行宫传递公文等事,李纲说:"当时恐怕金人知道行宫所在的位置,没有其他原因。"于是说:"皇帝每次得到追问的诏书,总是担心害怕不能进食。臣私下比喻,家长外出而强敌来到,子弟中担当家事的,不得不灵活安排。作长者的应当因为他能够保护田园大事而慰劳他,如果追究小事,那么作子弟的怎么能逃脱责咎呢!皇帝传位的当初,正当强敌入侵,不得不有小的变更。陛下车驾返回,臣认为应该有对皇帝大加安慰的想法,不问细小事情才行。"道君皇帝感动醒悟,拿出玉带、金鱼、象简赏赐给李纲,而且说:"卿捍卫宗社国家有大的功劳,如果能够调和父子之间的隔阂,使没有疑心障碍,将要垂名青史。"李纲返回,陈述道君皇帝的全部意思,皇帝才开始放下心来。

金人派尼楚赫围攻太原,宗翰回到西京。宗望取消常胜军,发还燕人田产,命令将士分驻在安肃州、雄州、霸州、广信军境内。

乙酉(十九日),在宜春苑迎接道君皇帝,太后移到宁德宫居住。

丙戌(二十日),任命知中山府詹度为资政殿大学士,知太原府张孝纯、知河间府陈遘同为资政殿学士,知泽州高世由为直龙图阁,是奖赏守城的功劳。

丁亥(二十一日),在宁德宫朝见群臣。诏令:"保护跟随道君皇帝的官员,等到返京时,给予优厚奖赏;除有罪的人,迫于公众议论已经贬斥外,其余命令台谏官不再用先前的事察举弹劾。"

庚寅(二十四日),姚古收复隆德府;辛卯(二十五日),收复威胜军。

壬辰(二十六日),有流星出现在紫微垣。

甲午(二十八日),任命户部侍郎钱盖为陕西制置使。

监察御史胡舜陟说:"陛下即位之初,放逐朱勔到乡里,天下赞颂。然而未依法处置,士人议论纷纷。"皇帝下诏:"朱勔安置到广南,抄没家产。"

任命陈东为初品官,赐给同进士出身。陈东辞谢不拜而返回。

乙未(二十九日),诏令:"金国归附本朝的官员百姓,没有遣送地停下来。"

左司谏陈公辅上奏请求放逐蔡京以安慰天下公众的议论。下达制书说:"蔡京贬授崇信军节度副使,德安府安置;他的儿子蔡攸前往服侍。"

夏季,四月,戊戌(初二),西夏人攻下镇威城,代理知城事朱昭全家遇难。朱昭,是府谷人。

当初,金国宗翰派人出使西夏国,答应割让天德、云内、金肃、河清四军以及武州等八馆之地,相约攻打麟州,以牵制河东的形势。西夏人于是渡过黄河,来取四军八馆之地,于是攻打镇威。朱昭力战而败,就杀掉了妻子儿女,将尸体送到井中,又率领士兵拼杀而死,城于是被攻破。接着金国将领希尹带数万骑兵表面上是打猎,突然到天德驱赶西夏人,夺取了全部土地。西夏人请求讲和。金人抓住了西夏使者。

己亥(初三),道君皇帝从南京回到京城,钦宗到都门迎接。

道君皇帝将到达,宰相执政大臣呈进迎接礼仪。耿南仲想屏退道君皇帝身边的人,车驾才能进。李纲说:"天下的道理,在于诚实与怀疑、明白与阴暗而已。从诚实与明白推及,可以到达尧、舜;从怀疑阴暗推及,患害不可说尽。耿南仲不用尧、舜的道义辅助陛下,却采用阴暗多疑的想法。"耿南仲恼怒地说:"臣刚才见到的左司谏陈公辅,就是为李纲而勾结士民伏在宫门上的人。请求下达给御史台对答。"皇帝很吃惊。李纲说:"臣与耿南仲所议论的,是国事,耿南仲却说这样的话! 希望将陈公辅的事下给官员处理。"于是要求离去,皇帝不同意。

壬寅(初六),在龙德宫朝见群臣。

癸卯(初七),宋钦宗立长子赵谌为皇太子。

任命耿南仲为门下侍郎。

乙巳(初九),设置《春秋》博士。

戊申(十二日),在尚书省设置详议司,讨论祖宗的法度。

己酉(十三日),本日是乾龙节,群臣在紫宸殿祝寿。

庚戌（十四日），门下侍郎赵野被免职。

壬子（十六日），知应天府杜充改任知隆德府。

金国宗望派贾霆、冉企弓与王俅同来。当时王俅到达中山望都县，追上肃王。宗望因为三镇没有攻下，又令肃王回来，所以派贾霆等前来商议。

癸丑（十七日），诏令开讲经筵。

封太师、沂国公郑绅为乐平郡王。

御史中丞陈过庭说："蔡京、王黼、童贯，制造祸乱，均犯有大的恶行，然而放逐诛杀的刑罚，只施加给了王黼，而蔡京、童贯，只在好的地方安置，罪状相同处罚不同。"皇帝就下诏令："蔡京移到衡州安置；童贯授予安化军节度副使，郴州安置。"

臣僚又说："朱勔父子，都在衡州一处安置，没有依法处置。"诏令："朱勔移到韶州编管，他的儿子朱汝贤、侄儿朱汝楫等都到各州居住。"

命令吏部考察众官员，凡是由杨戬、李彦的公田所，王黼、朱勔的应奉司，童贯的西北用兵，孟昌龄的河防之役，夔州、蜀地、湖南的开拓疆土，关陕、河东的改革币制，以及近侍所引荐，献颂有文采，特别赴殿试之类的人，所得到的官爵奖赏全部剥夺。

甲寅（十八日），种师道加封太尉、同知枢密院事、河北、河东路宣抚使。

乙卯（十九日），诏令："从现在起假日特别值守，各司不得停休政务。"

丙辰（二十日），诏令："有举报奸恶的人胡说金人又来了以至惊动居民的，给予奖赏。"

己未（二十三日），恢复以诗赋录取士人，禁止用《庄子》《老子》以及王安石的《字说》。

种师道推举河南的尹焞有德行，召到京城，尹焞不愿留下，赐号为和靖处士，送回。户部尚书梅执礼、礼部侍郎邵溥、中丞吕好问、中书舍人胡安国联合上奏："尹焞言行举止可以效法，见识可以承担大任，请求提拔任用。"没有答复。

壬戌（二十六日），诏令："皇帝亲自提拔台谏官，宰相执政大臣不得推荐，著为令。"

追回政和年间以来道官、处士、先生的封赠奏补等敕令文书。

癸亥（二十七日），诏令："蔡京、童贯、朱勔、蔡攸等人，久拖没有依法处置，公众议论不容。蔡京可以移韶州，童贯移到英州，朱勔移到循州，蔡攸贬责授予节度副使、永州安置，朱勔的子孙分别送往湖南。"

甲子（二十八日），令在京的监察御史、在外地的监司、郡守以及各路分钤辖以上官员，推举曾经在边境任职或者勇敢、可以统兵的人，每人推举二名。

东兵正将古沇与金人在交城县作战，战死。

乙丑（二十九日），诏令："三衙以及各路帅司，各举荐熟悉边境事务、智谋勇敢过人，以及豪杰奇才、众人所推服、能充任统制将领的人，各推举五名。"

五月，丙寅朔（初一），在龙德宫朝见大臣，命令提举官每天上报太上皇的起居平安情况。

丁卯（初二），诏令天下："有能够用财产粮食帮助军队的，有关官员将名字上报，推广恩赏不等。"

2209

戊辰（初三），国子祭酒杨时上奏说："蔡京当权二十年，以继承神宗政务为名，实际挟持王安石而为自身图谋,所以推崇王安石,加封王爵,配享孔子庙庭。现在的祸患实际是王安石开启。王安石利用管仲、商鞅的办法,用六艺作掩饰以粉饰奸诈的言论,改变搞乱祖宗的法度。当时司马光已经说造成的祸害将在数十年后见到,今天的事,像符契一样相合。他著立邪说,用来涂抹学者耳目而败坏他们的心术的,不可逐条计算。姑且就一两件事说明:过去神宗曾经赞赏汉文帝不做露台,王安石却说:'陛下如果能用尧、舜的道义治理天下,即使用尽天下自我享受也不过分。'却不知道尧、舜是居住在草屋、土台中,那么用尽天下民力以自我享受的,必定不是尧、舜之道。之后王黼、朱勔因为应奉花石纲耗尽天下的民力,实际是从王安石享受之说开启的。他解释《凫鹥》的末章,则说'以道义守成的人,役使群众,泰而不为骄;主宰万物,花费而不为奢侈。'《诗》中所说的,正是说能够保持圆满,那么神明先祖就安乐而没有以后的艰难了,王安石唯独提倡此说,以开启君主的奢侈之心。后来蔡京等人就轻易滥用,以奢侈为常事。王安石的邪说造成如此祸害,希望追夺王爵,毁去配享的像,使邪说淫词不迷惑学者。"疏章报上,皇帝下诏取消王安石配享,降到陪祭之列。

当时各学生研习王安石的学说以考取科举及第,忽然听说杨时的上奏,认为是邪说,大家议论纷纷。因此中丞陈过庭、谏议大夫冯澥上疏诋毁杨时,就免去杨时祭酒职,诏令改任给事中。杨时坚决推辞,于是以徽猷阁待制身份退休。杨时担任国子监祭酒九十天,所论列的,都切中世事,而其中比较大的,是辟除王安石,排除和议,陈述三镇不能放弃。

辛未(初六),监察御史余应求,因为言事迎合大臣而被免职,改知卫州。

甲戌(初九),特赦河北路。

丁丑(十二日),制置副使种师中,与金军在榆次县作战,战死。

当时太原不能解围,诏令种师中由井陉与姚古成为掎角之势。种师中进驻平定军,乘胜收复寿阳、榆次等县,留驻在真定。宗翰回到西京,留下兵力分别就近放牧,侦察的人认为将向北逃,报告给朝廷。许翰相信了,数次派人催种师中出战,责备他逗留不进军。种师中叹息说:"逗留不进军,在兵家要受大刑的。我结发时从军,现在年老了,还忍受这样的罪名吗!"当天就紧急办理,约姚古以及张灏同时进军,而军事物品和赏犒军队的财物都来不及带上。种师中抵达寿阳的石坑,被金将完颜和尼所袭击,五战三胜,回到榆次,到达杀熊岭,离太原一百里。姚古带兵到达威胜,统制官焦安节胡说宗翰将到达,所以姚古与张灏都误期没有到达。种师中的部队很饥饿,敌人知道此事,全军攻击右军,右军溃散,而前军也奔逃。种师中只带领属下死战,从卯时到巳时,士兵发射神臂弓击退敌人,而赏赐跟不上,都怨恨散去,所留下的才一百人。种师中受到四处创伤,拼力战死。种师中老成稳重,是当时的名将。死后,各军无不夺去士气。金人乘胜进兵迎击姚古,在盘陀相遇,姚古的部队溃败,退到隆德自保。事情上报,赠给种师中少师。

己卯(十四日),开府仪同三司高俅去世,皇帝诏令追夺他的官职。

辛巳(十六日),减少太官每天所进的膳食。

甲申(十九日),撤销详议司。

壬辰(二十七日),诏令天下推举熟悉武艺和兵书的人。

乙未(三十日),诏令姚古增援太原。

六月,丙申朔(初一),因为道君皇帝返回朝廷,亲临紫宸殿,接受群臣朝贺。

高丽国王王楷向金称藩国。

诏令谏官尽力议论得失。右正言崔鷗上疏说:"诏书命令谏官直言得失以示实际的是非。臣认为数十年以来,王公卿相,都出自蔡京,要让一个门生死就有一个门生被任用,一个旧吏逐去就有一个旧吏来,交换把持权力,没有立下一个不同的,没有一个害己的,这是蔡京本来的预谋,怎么能得到合乎实际的话传给陛下呢!而谏议大夫冯澥近来上疏章说:'士人没有不同的议论,是太学的盛况。'冯澥竟敢说这样奸邪的话吗!王安石除掉异己的人,著作《三经》学说以录取士人,天下一致雷同,衰落以至于大乱,这是没有不同意见的结果。蔡京又用学校的办法驾驭士人,像军法驾驭士兵,一有不同意见,连累到学官,如苏轼、黄庭坚的文章,范镇、沈括的杂说,全都用严刑重赏禁止收藏,那样约束众多的士人,也已经很严密了,而冯澥还认为是太学的盛况,欺罔不是很严重了吗!章惇、蔡京,提倡继承政务的主张以欺骗君主。以继承政务统一道德那么天下就统一于诏言取媚,以继承政务统一风俗那么天下就统一于欺罔,继承政务理财官府百姓财力就用尽,继承政务培养士人那么就人才衰竭,继承政务开拓边土那么就尘土飞扬到朝廷了。元符年间应诏上书的数千人,蔡京派心腹考核确定,与己相同的为正,与己不同的为邪;冯澥与蔡京相同,所以列在正类。蔡京的办法破坏天下很厉害了,还能容忍他的余党再破坏吗!蔡京的奸邪计策,大概与王莽相同,而朋党众多,又超过了他。希望斩杀他以向天下谢罪!当初,崔鷗因为上书列入邪等被贬去十年,等到皇帝即位,起用为右正言。到此时极力指论时政,忽然患了痉挛病,不能行走,坚决要求离去,就给予宫观职,命令下达而去世。

戊戌(初三),命令朝廷内外推举文武官员才干可以担任将领的人。

任命知枢密院事李纲为河北、河东路宣抚使,增援太原。

京城在金军撤退后,上下安然,放置边境事务一旁不过问。只有李纲为此担忧,呈上备边抵御敌人的八条计策,不被采用,每次有所提议,又被耿南仲等人所阻止。等到姚古、种师中溃败,种师道因病请求归来,耿南仲等请求放弃三镇,李纲提出不可。就任命李纲为宣抚使,刘韐担任副使,以代替种师道;又任命解潜为制置副使,以代替姚古。李纲说:"臣是书生,实在不了解军事,在围城时,不得已为陛下料理军事。现在被任命为大帅,恐怕耽误国家事务。"于是拜谢推辞,不被批准。退下后改说有病,坚决请求致仕,十余次上章,也没有批准。台谏说李纲不能离开朝廷,皇帝认为他们是为大臣游说,驳斥此话。有人对李纲说:"公知道之所以派你前往的意思吗?这不是为边境事务,想因此去掉您,那么京城的人就没有话说了。您不接受,皇上发怒将不可猜测,怎么办?"许翰又写下"杜邮"二字赠给李纲。李纲不得已接受任命,皇帝亲手写下《裴度传》赐给他。李纲说外寇容易去掉,小人在朝廷作恶难以除掉,因而写下裴度论述元稹、魏洪简的章疏呈进。当时宣抚司兵力仅有二千人,李纲请求拨银绢各一百万,只得到二十万。许多事都没有齐备,李纲请求后延行期,皇帝批复认为是拖延抗拒命令,催促了几次。李纲入朝奏对,皇帝说:"卿为朕巡视边境,马上就可以回到朝廷。"李纲说:"臣这次出发,没有返回的道理。臣因为愚直不被朝廷所容,假若出发后,没有阻止责难,那么前进而死于敌手,是臣的愿望。万一朝廷意见不坚决,臣自料不能有所作为,将马上要求离去。陛下应该考察臣的孤忠,以保全君臣的道义。"皇帝被此话感动。向皇帝告辞时,又给皇帝说了唐恪、聂昌的奸邪,任用他们必然误害国家,言辞很激烈恳切。

太白星冲岁星。

壬寅(初七),诏令:"今天的政令,只尊奉太上皇的诏书,修复祖宗的旧例。群臣士人平民,也应当讲求孔、孟的正道,明察王安石的旧说中不恰当的,辅助朕的志向,以帮助中兴。"

癸卯(初八),佥书枢密院事路允迪,罢免为醴泉观使。

乙巳(初十),左司谏陈公辅,贬责为监合州酒务。

陈公辅任职敢于直言,耿南仲指责他是李纲的同党。陈公辅于是自我论列并且辞职,又说:"李纲是书生,不懂军事,派往援助太原,是受到大臣的陷害,将来必定失败。"当时的宰相更加愤怒,所以有这个贬责。

庚戌(十五日),金国宗望献来他所获得的三头象。

壬子(十七日),天狗星落到地上,声音像雷一样。

丙辰(二十一日),太白星、荧惑星、岁星、镇星会聚在张宿。

庚申(二十五日),金国任命宗望为右副元帅,将士提升奖赏不等。

辛酉(二十六日),熙河都统制焦安节因为不守法获罪,李纲将他处斩。

壬戌(二十七日),姚古因为拥兵逗留而获罪,被贬为节度副使,安置广州。

当天傍晚,彗星出自紫微垣,长数丈向北掠过帝座,扫过文昌星。大臣有人说这是金人将要衰落的征兆,并非是本朝的忧患;提举醴泉观谭世勣,当面上奏显示的天象可畏,应当修德行以与上天呼应,不应该被阿谀话所迷惑。

皇帝下诏除去民间感到痛苦的十七件事。

金人派遣知制诰韩昉出使高丽,责要誓表,高丽人回答说:"我国事奉辽、宋二百年,没有誓表,也不曾失去藩臣的礼节。现在侍奉贵国,应当与事奉辽、宋礼节相同,而屡次盟誓会助长混乱,圣人所不赞同,一定不敢用誓表。"韩昉说:"贵国一定要用古代的礼节,古代帝王出巡,诸侯在四岳朝拜。现在天子刚西巡,那么贵国应当跟从朝会。"高丽人不能回答,于是说:"慢慢商议此事。"韩昉说:"誓表、朝会,一句话可以决定。"因此高丽人就按约定向金人呈进誓表,韩昉返回,贝勒宗干大为高兴,说:"不是卿谁能办理此事!"于是对执政大臣说:"从今以后出疆的使者,都应加以选择。"